한국 아동문학가
100인
작가·작품론 ❷

일러두기

· 이 책에 실린 작품은 편자와 작가의 협의를 통해 게재 허락을 받았습니다.

· 계간지 〈시와 동화〉에 실렸던 당시 원문의 내용과 표현을 최대한 그대로 살렸습니다.

· 책 제목은 《 》, 단편소설, 잡지, 연극, 노래 제목은 〈 〉로 표시하였습니다.

한국 아동문학가 100인 작가·작품론 ❷

초판 1쇄 발행 2022년 9월 20일

강정규 편저

ISBN 979-11-6581-380-2 (03800)

발행처 주식회사 스푼북 | **발행인** 박상희 | **총괄** 김남원

편집 박지연·김선영·박선정·허재희·권새미 | **디자인** 지현정·김광휘 | **마케팅** 손준연·이성호·구혜지

출판신고 2016년 11월 15일 제2017-000267호

주소 (03993) 서울시 마포구 월드컵북로 6길 88-7 ky21빌딩 2층

전화 02-6357-0050(편집) 02-6357-0051(마케팅)

팩스 02-6357-0052 | **전자우편** book@spoonbook.co.kr

한국 아동문학가 100인

100인

작가·작품론 ❷

강정규 편저

스푼북

〈시와 동화〉는 1997년 9월에 첫 호를 발행하여 현재까지 20년이 훌쩍 넘는 시간 동안 아동문학 전문 계간지로, 아름다운 동시와 동화를 소개하고 아동문학가들을 양성해 한국 아동문학의 지평을 넓히는 데 일조해 왔습니다. 매 호마다 한국 아동문학사에서 빼놓을 수 없는 작가들의 작품을 소개하고 작품 세계를 논하는 뜻깊은 기획을 진행해 온 것 또한 커다란 업적이자 성취입니다.

〈시와 동화〉가 걸어온 세월만큼이나 방대한 분량의 이야기와 역사적 의미가 쌓여《한국 아동문학가 100인 작가·작품론》1, 2, 3권이 나오게 되었습니다. 한국 아동문학 작가들이 걸어온 자취를 기록하고 의미를 되새기는 일에 함께할 수 있어 영광입니다.

〈퐁당퐁당〉〈넉 점 반〉〈낮에 나온 반달〉 등 많은 작품을 남기며 한국 아동문학의 발전을 이끌었던 윤석중 선생님, 아름다운 동화 속에 평화주의와 반전주의, 생태주의의 철학을 담았던 권정생 선생님. 그리고 지금도 여전히 활발하게 활동하고 계신 강정규, 이상교, 소중애 선생님 등 이 책 속에 담긴 100인의 아동문학 작가들의 작품과 작품 세계는 시간과 세대를 넘어 우리와 우리 다음 세대에까지 전수될 것입니다. 그렇기에 이 책을 펴내는 것이 더욱 의미 있는 일이라고 생각합니다.

작가론, 작품론이라고는 하지만 내용이 어렵거나 딱딱하지 않습니다. 동료 아동문학 작가의 시선에서, 서로의 작품과 작품 세계에 애정을 담아 함께한 추억을 풀어 놓은 담백하고 맑은 수필과 같은 글들입니다. 이 책을 읽는 독자들도 시간을 뛰어넘어 작가들과 함께 걷는 느낌을 받게 될 것입니다.

이 책이 아동문학 발전에 힘쓰셨던 작가들에게 작으나마 유익이 된다면 기쁘겠습니다. 또한 아동문학을 사랑하는 독자들에게 한국 아동문학의 지나온 걸음을 다시 한번 따뜻한 눈길로 바라보는 계기가 되길 바랍니다.

(주)스푼북 대표
박상희

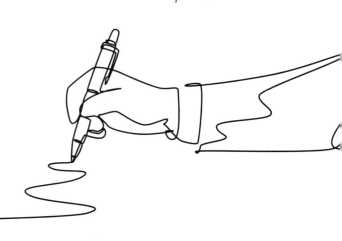

참 고맙습니다.

26년 전, 〈하얀 길〉의 작가 신지식 선생의 금일봉으로 〈시와 동화〉가 태어났습니다. 윤석중 선생 특집으로 구성된 창간호를 시작으로 지금까지 이어져 온 〈시와 동화〉가 (주)스푼북 박상희 대표님의 갚을 길 없는 도움으로 《한국 아동문학가 100인 작가·작품론》이라는 이름으로 간행됩니다.

더 많은 분을 모시지 못한 데다 집필 시기도 고르지 못해 연보를 다 채우지 못하고, 선생님들의 사진과 육필 등 여타 자료를 충분히 보충하지 못해 아쉬움이 남지만, 나름대로 후학이나 연구자들에게 적으나마 보탬이 되고 한국 아동문학을 사랑하는 분들의 읽을거리가 된다면 더 바랄 게 없습니다.

끝으로 작업 과정에서 협력하신 김정옥, 문정옥, 백승자, 백우선, 송재찬, 유효진, 이경순, 이붕, 이창건 선생에게 감사의 말씀을 전합니다.

책이 무거운 고로 간략히 적습니다.

《한국 아동문학가 100인 작가·작품론》 편자

강정규

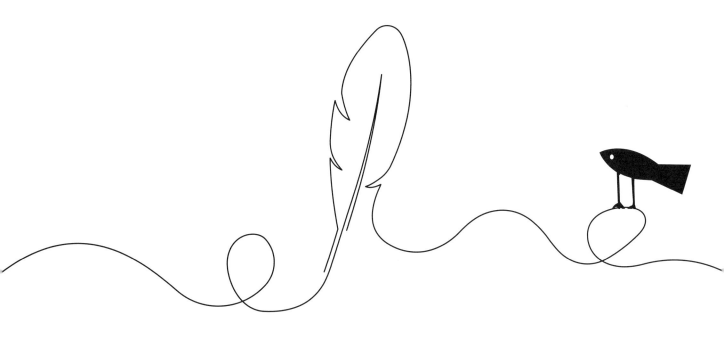

차례

한국 아동문학가 100인

김구연

대표 작품
〈지각대장〉 외 4편

인물론
'빨간 댕기 산새'를 찾아 헤매는 시인

작품론
김구연 선생님과 나

어린이와 함께 선생이 걸어온 길

지각대장

강변 오솔길 따라 학교에 오다가
산벚꽃 너무나도 하이야니 눈부시게 피어서
어쩔 수가 없었습니다.

강변 오솔길 따라 학교에 오다가
주렁주렁 열린 오디 너무나 까맣게 익어서
나는 어쩔 수가 없었습니다.

강변 오솔길 따라 학교에 오다가
강물로 날아들어 송사리 물고 나오는 물총새 만나
나는 정말 어쩔 수가 없었습니다.

섬진강 푸른 물

무엇이 그토록 궁금했더뇨
발돋음하고 드높이 솟아오른
지리산 천왕봉.

조용히 머물 곳을 찾아
아래로 아래로 몸을 낮춘
섬진강 푸른 물.

설악산 천불동

천 사람 나란히 부처바위 되어
우뚝우뚝 정답게 늘어섰는데
골짝물도 흥에 겨워 우줄우줄
춤을 추며 흐르는구나.

오련폭포 우렁찬 염불소리에
새소리 가뭇없이 숨을 죽이고
관음암 다섯 살배기 사내아이
파랑새 되어 날아오르네 공룡능선.

한 가득 들어 있겠네

강변 모래톱에서 주운 둥근 차돌 하나
높고 높은 산에서 구르고 구르고
또 굴러서 내려왔겠네.

얼마나 오랜 세월 굴러 내리고
또 구르면서 물에 씻겼으면
모서리 하나 없이 매끈거릴까.

큰절 노스님 머리 같고나
그 속에는 부처님 자비로운 말씀
빼곡하니 한가득 들어 있겠네.

잉어꿈

몸길이 1미터가 넘는 커다란 잉어를
떡밥 줄낚시로 낚은 적이 있었다.
강원도 양구 파로호반 침수지에서였는데
녀석은 자그마치 1시간 30분 동안이나
완강하게 줄을 당기며 버티다가 백기를 들었다.

새벽이 지나고 먼동이 트고 있을 때
여전히 낚싯줄을 움켜문 녀석이
보트 이물에 번쩍이는 황금빛 몸뚱이를 드러냈을 때
바람맞은 겨울나무처럼 나는 두려움에 떨었다.

"너, 나를 잡아서 어떡할건데?"
눈 부릅뜬 녀석이 점잖게 묻고 있었다.
나는 너무나 놀라 그 어떤 대꾸도 할 수 없었다.
서둘러 낚시 가방에서 가위를 꺼내어
싹둑, 낚시줄을 잘라 버렸다.

지금까지도 나는 그때 그 일을
썩 잘한 일 이었다고 생각하고 있는데
어떤 이들은 아주 어리석은 짓이었다고 놀려 댄다.
요즘 들어서도 이따금 그 눈 큰 황금잉어가
새벽꿈 머리맡에 나타날 때가 있다.
좋은 일 기쁜 일이 있을 때마다 내 눈에는
조용히 웃고 있는 녀석의 모습이 보이곤 한다.

'빨간 댕기 산새'를
찾아 헤매는 시인

이동렬

1. 인천 지킴이 시인

내가 김구연 선생님과 연을 맺은 것은 30여 년 전인 1978년이다. 그해 나는 고향인 경기도 양평군에서 초등학교 교사로 8년간 근무하다가 인천시로 전입했다. 경기도에 속해 있던 인천시가 곧 직할시가 된다는 소문을 듣고 아이들 교육을 핑계 삼아 집사람과 함께 전입했던 것이다.

나는 이미 고향에서 신춘문예에 여덟 번이나 떨어진 경력을 쌓은 후였다. 문단에는 나가지 못했지만 원고료도 나오지 않는 이런저런 잡지에 이름을 내는 재미로 작품에 대한 책임감도 별로 느끼지 못한 채 동시와 동화, 시조 등을 투고하며 지내던 중이었다.

때문에 주위에 글 쓰는 사람으로 알려지고, 나는 그 덕에 인천시 초등 국어과 연구회 회원으로 활동을 하게 되었다. 그때 연구회에서 김구연 선생님을 초대해 특강을 들은 적이 있었다. 당시 김 선생님은 1974년부터 1978년 사이에 새싹문학상·세종아동문학상·소천아동문학상을 받아 대단히 유명세를 날리던 시절이었다.

그 무렵 인천에도 꽤 많은 문인들이 있었지만 중앙에 알려져 있는 아동문학가로는 이정길, 김구연 선생님 정도였다. 김구연 선생님은 이미 인천에 와 10여 년 정도를 문학 활동을 하며 사셨기에 인천에서는 아주 유명했다. 더구나 큰 상을 세 개나 받아 그 이름은 상한가를 치고 있었다.

강의를 다 듣고 나는 머리를 긁적이며 촌놈 스타일 그대로 나가 인사를 하고 아동문학을 공부하고 있다고 자신을 소개했다.

그 후 나는 구세주를 만난 듯이 선생님이 근무하던 '대한제분(주)인천공장'을 몇 번 찾아가 원고를 보여 드렸다. 그때마다 선생님의 반응은 동화가 전혀 안 된다는 거였다. 얼마나 고까웠던지…… 그때 내 나이 30세, 선생님은 36세였다. 허나 그게 나를 강하게 키우기 위한 방법이었다는 것을 십수 년 후 뒤늦게 깨달았다.

어쨌거나 우리의 동행은 그렇게 시작됐다.

이듬해인 1979년 〈한국일보〉 신춘문예에 동화가 당선되어 나는 서울로 직장을 옮겼다. 내가 살고 있던 곳이 부평이라 인천에서는 서울 쪽인 동북쪽 끝이었고, 선생님 댁은 인천의 서쪽 끝이라 자연스레 만남이 뜸해졌다. 그렇게 오랜 세월이 흘렀다. 만남이 뜸해진 이유를 밝힌다면 서울 출퇴근이 바빠서였다기보다 알쭌히 내 성의 부족이었다. 내가 프리랜서로 준백수가 되고 나서야 우리는 다시 만나 옛날이야기와 문학 이야기를 나누고 있다. 그런저런 이유로 연을 맺은 탓에 그래서 이 글도 내가 쓰게 된 것이리라.

2. 김치문 시절

김구연 선생님의 본명은 조부님께서 지어 주신 김치문(金治文)이다. 이름이 좀 뭣 해서 조금 겸손해지고자 하는 뜻에서 구연(丘衍)으로 필명을 삼았다고 들었다. 김치문은 1942년 8월 9일 서울 성동구 신당동 외가에서 태어났다. 그의 고향은 질좋은 사과 산지로 유명한 지금은 북한 땅인 황해도 황주.

고향 집은 과수원을 경영하는 중농이었다. 아버지는 은행원이었고, 어머니는 초등학교 교사였다. 누가 봐도 당시로서는 행복의 필요충분조건을 고루 갖춘 집안이었다. 하지만 불행은 그의 나이 세 살 때 찾아왔다. 평양에서 살고 있을 때 그가 소아마비에 걸렸던 것이다. 하지만 석왕사에 요양차 가 있다가 용한 의원을 만난 덕에 불구는 면할 수 있었다. 오른쪽 다리가 조금 약할 뿐이다. 그러나 그의 나이 다섯 살 때 아버지가 갑작스러운 병으로 세상을 떠나는 바람에, 어머니는 시부모를 모시고 시동생, 시누이를 건사하며 남매를 키워야 했다.

그러던 중 6·25사변이 났다. 남쪽이 밀렸다가 UN군이 북진할 때 외할머니가 따라오셨다. 어린 김치문은 외할머니 손에 이끌려 어머니랑 여동생이랑 1·4후퇴 때 고향을 떠났다. 그래서 피난지 대구 외가에서 성장했다.

김치문의 학창 시절은 파란만장했다. 나라 전체가 혼란기였다고는 하지만 그는 유독 학교를 많이 옮겨 다니고 편입학에서 편입학의 연속이었다. 피난을 내려와 나이를 고려해서 초등학교 3학년에 편입학을 하더니 두 번이나 전학을 해야만 했다. 수석 입학한 중학교였지만, 가정 형편이 어려워 신문 배달을 하다가 건강마저 좋지 못해 2학년 때 자퇴를 했다. 그는 그길로 강원도 고모님 댁에 가서 가축 사육일을 도우며 이듬해 여름 농고에 편입학했으나 농업학교 생활에 적응이 안 돼 몇 달만에 그만 두었다. 그리고는 다시 대구로 나와 고등학교 2학년에 편입학을 해서 다니다가 4·19혁명이 일어나고 학원 분규에 연루되어 계엄법 위반으로 수배를 받게 됐다. 그래 다시 강원도 양구 파로호 호반에 숨어 지내며 알아주는 잉어 낚시꾼이 됐다.

그해가 저물 무렵 지명 수배가 풀려 다시 대구로 나온 그는 어렵게 고등학교를 졸업장을 손에 쥘 수 있었다. 그러나 그런 여러 가지 이유로 마음에 지니고 있던 대학 진학은 이미 포기한 상태에 있었다.

그 후로 행상, 점원, 가정교사 등을 거쳐 경북대학교 의과대학에서 여러 해 동안 연구실 조수 생활도 했다.

이처럼 행복을 예약한 것 같았던 집안에 종손이며 장남으로 태어난 김치문은 뜻하지 않은 아버지의 사망과 6·25전쟁으로 인해 고달픈 생활의 연속이었다. 재미없는 인생살이는 김치문을 어느새 문학 쪽으로 기울게 했다. 누가 시킨 것도 아닌데 자연스레 그리 되었다.

3. 붓을 잡기까지

김치문은 자신도 예기치 못한 우연한 기회에 문단에 들어서게 된다. 그는 늘 순탄치 않았던 학창시절로 인해 부족한 지식과 교양을 채우려고 노력했다. 그러다 보니 자연히 책과 가깝게 지낼 수밖에 없었다.

문학청년 시절에는 소설과 수필도 썼지만 주로 시를 썼다. 의과대학 조수 생활을 그만두고 이 집 저 집 떠돌아 다니시고 있는 친할머니를 모시기 위해서 상경했다. 초등학생을 그룹 지어 가르치면서 결혼을 하고 세를 얻은 집이 마침 어느 초등학교 교사 댁이었다. 그가 늘 책을 가까이 하고 무엇인가를 항상 쓰고 있음을 보고서는 집주인인 선생님이 어느 날 월간지 한 권을 내 주면서 투고를 해 보라고 권했다. 그래서 1966년 여름에 긴가민가하면서 30매짜리 동화 한 편을 써서 보냈는데 그것이 이원수 선생님의 추천을 받아 교육잡지에 실렸다. 작품 이름은 〈엽이와 아기 노루〉였다. 한 번 더 추천을 마쳐야 했는데, 마침 인천에 직장이 생겨서 옮기게 되었고, 처음 해 보는 일이 힘에 겨워서 한동안 문학을 잊고 지냈다.

그러다 생활이 조금 안정되어 가자 하고 있는 일이 너무 허전하다는 생각이 들어 다시 문학에 몰입했다. 그러면서 아동문학이 어떤 것인지도 모른 채 자신도 모르게 동화를 쓰게 됐다.

두 번 신춘문예 결심에서 떨어졌는데, 당선자가 된 임신행 선생으로부터 편지로, 신춘문예 기다리지 말고 〈월간문학〉 같은 곳에 응모해 보라는 권유를 받았다. 그래서 동시를 응모했는데 다시 결심에서 떨어졌다. 오기가 생겨 이번에는 동화 〈꼴망태〉를 써 보냈다. 그게 1971년 이원수·김요섭 선생의 심사를 받아 《월간문학 신인상》에 당선되었다.

당시 월간문학에 편집장으로 근무하던 소설가 이문구 선생으로부터 가끔 청탁을 받았다. 그래 자연스레 그와 교유를 갖게 되었다. 그리고 동화작가 이영호·이정길·시인 이석인 씨 등과 사귀면서 문단 활동과 문학 활동을 하기 시작했다.

선생님은 당선이 되고 나서 몇 년 동안 참 부지런히 창작에 매진했다고 한다. 하지만 청탁이 오는 데가 별로 없었다. 그래서 그동안 써 놓은 한 40여 편 되는 동시를 가지고 시화전을 열어야겠다고 마음먹고 친구 이석인과 의논했다.

시인이면서 신문기자였던 이석인은 나중에 〈소년동아일보〉에서 근무하게 되는데 홍대 출신으로 그림 전공자였다. 그는 그림을 그려 주겠노라고 하더니 어느 날 술을 마시다 말고 시화전 대신 동시집을 내자고 했다. 자기가 다 주선하겠다면서. 시화전을 하고 버리기에는 시가 너무 아깝다는 이야기였다. 그래서 나온 첫 동시집이 《꽃불》이었다. 그런데 그것이 전혀 예상치 못했던 새싹문학상을 안겨주었다. 세상에 나와서 처음으로 방송 뉴스에도 나오고 중앙 일간지마다 작가 사진이랑 작품이 실려 얼떨떨하기만 했단다.

그로부터 힘을 얻은 선생님은 참 많이 썼다. 1976년에는 첫 동화집 《자라는 싹들》을 세종문화사에서 냈는데, 그것이 또 세종아동문학상을 안고 왔다. 지금 생각하면 참 거짓말 같은 이야기다.

그리고 1978년에 두 번째 동시집 《빨간 댕기 산새》를 냈는데, 어느 날 갑자기 소천아동문학상 수상작가로 결정되었다는 연락을 받았다. 그 전화를 받고서는 웃으면서 누가 놀리느라 장난을 하는 줄로만 알았다고 한다.

김구연 선생님이 어느 날 술이 거나해지자 실토한 말이 기억에 새롭다.

"그때 나 자신을 잘 정리하고 앞으로의 계획을 튼튼히 세웠어야 했는데……. 주변 친구들이 나를 그냥 놔 두지 않았고, 나도 자신이 아주 대단한 줄 착각하고 자만해 버렸어. 살고 있는 곳이 지방이었으니까 더욱 그랬을 거야. 그래서 엉터리가 되기 시작한거지. 한동안 술에 빠지고, 산에 미치고 하다 보니 정말 막가는 상황에 빠져들고 말은 거야. 서울도 아닌 인천 구석에 있으니 어디서 청탁이 와야 말이지. 그래 한동안 아동문학을 하지 않는 사람처럼 인식이 돼 버린 거지. 나 지금은 공부 많이 하고 있어. 술도 자제할 줄 알고 맑은 정신을 유지하고 있지만 이젠 체력도 달리고 옛날처럼 커다란 의욕도, 힘찬 고동 소리도 들리지 않아. 한 마디로 늙은 거야. 신체도 마음도 늙은 몸에 문학이 깃들 수 있겠어?"

나는 선생님의 한탄 섞인 말을 들으며 속으로 얼마나 많은 반성을 했던가! 말술인 선생님과 대작하는 게 버거워 자리를 일부러 피하던 내가 아니던가! 한참 젊은 나인데도 내 몸속에서는 벌써 문학이 도망가려 하지 않는가!

선생님은 그 후 동화집 《마르지 않는 샘물》, 《닭 보고 절한 아이들》, 《다람쥐는 도토리를 먹고 산다》, 《누나와 별똥별》, 《붉은 뺨 사과 얼굴》 등을 냈다. 그리고 동시집 《분홍 단추》와 《가을 눈동자》, 《나무와 새와 산길》, 《은하수와 반딧불》을 냈다.

나는 가끔 생각한다. 김구연 선생은 진정한 아동문학가라고. 동시와 동화 장르를 함께 아우르는 분들이 많지만 두 쪽 다 성공한 이는 아주 드문 게 우리 아동 문단 현실이다. 그러나 선생님은 아주 젊은 나이 때부터 두 장르에 다 두각을 나타내 인정을 받았다. 그것도 첫 작품집이거나 두 번째 작품집으로.

아마 모르긴 해도 이 분이 서울에서 살았다면 문단에서의 위치나 문학 업적을 다지는 면에서도 그 면모가 확 달라졌을 것이다. 분명히 달라졌을 거라고 나는 장담한다. 모든 예술이 중앙집권적이다 보니 지방에 거주하는 문인은 알게 모르게 불이익을 받을 수밖에 없는 게 현실이다. 참으로 아쉬운 일이 아닐 수 없다.

4. 빨간 댕기 산새를 찾는 시인

'김구연' 하면 얼핏 '빨간 댕기 산새'를 떠올린다. 그의 이미지는 '빨간 댕기 산새=김구연'인 셈이다.

귀여운 나의 새
— 빨간 댕기 산새·12

나에겐 사랑하는 새 한 마리 있다네.
이마꼭지 빨간 귀여운 나의 새

맨 처음 나는 그 산새
노랫소리에 반했었다네.
그런데 지금 나는
빨간 댕기 그 산새 전부를 사랑하고 있다네.

나는 걸음마 못하는 한 그루 어린 나무
산새 내 가지에 머물며 노래 부를 때
나는 세상에서 가장 행복하다네.

날이 저물어 그 산새 제 집으로 돌아갈 때면
나는 가고 싶어도 따라 갈 수 없다네
속으로 울음소리 죽이고 혼자 운다네.

캄캄한 밤 풀벌레 소리뿐
나는 별들에게 호소한다네.

내 눈물 한 방울과 별 하나 바꾸고

내 눈물 두 방울과 별 두 개 바꾸고

내 눈 속의 별들로 목걸이 만들어

나는 나의 이쁜 산새 주려네.

이쁜 산새 목에 걸어 주려네.

나에겐 사랑하는 새 한 마리 있다네

이마꼭지 빨간 귀여운 나의 새.

그렇다면 빨간 댕기 산새는 어디서 그의 가슴 속으로 날아들었을까?

궁금한 것을 들은 대로 옮겨 보자.

"1970년대 초였지. 지금은 인천공항이 들어가 있는 영종도의 어느 작은 저수지로 민물낚시를 간 적이 있었어. 더울 때니깐 밤낚시를 하다가 낚싯대를 드리운 채 저수지 가에 텐트를 치고 잤지. 새벽에 일어나 근처 낮은 동산에 산보삼아 올랐는데 작은 나뭇가지에 처음 보는 새가 한 마리 앉아 있더라구. 지금도 그 새 이름은 몰라. 이마 꼭지에 빨간 깃이 달린 새였는데, 그 모습이 어찌나 인상적이었던지 한참을 바라보다가 집에 와서도 그 모습이 영 지워지지를 않았어. 그래서 '빨간 댕기 산새'라는 제목으로 연작을 쓰기 시작했던 거지. 소천아동문학상을 받을 당시에는 연작 여섯 편이 전부였지만 그 후 여러 편을 더 써서 40여 편으로 늘어났지."

김구연 선생님의 사랑을 받은 빨간 댕기 산새는 소천아동문학상을 물어다 주었고, 그 덕에 아직도 그 새는 선생님의 가슴에 둥지를 튼 채 살고 있다. 거기서 수없이 새끼를 쳐서 이제는 '김구연'이라는 이름을 물고 대한민국 어린이들 가슴마다 퍼져 나가 지저귀고 있다.

우리는 여기서 작품의 소재 잡는 법을 터득해야 할 것이다. 소재는 늘 우리 주변에 널려 있는데, 우리는 이를 잘 활용할 줄 모르기에 하는 말이다.

선생님은 요즘도 〈빨간 댕기 산새〉처럼 자연에서 소재를 찾는 경우가 많다. 하지만 그가 꼭 자연만을 노래하는 것은 아니다.

또 동시와 동화로 다 성공한 보기 드문 분이지만 아무래도 인천이라는 거리감이 느껴지는 지역에 살아 그런지, 빨간 댕기 산새가 너무 날갯짓을 해서 그런지 동화보다는 동시 청탁이 더 온다고 한다. 동시와 동화작품량을 비슷하게 빚어 내지만 동시를 잘 쓰는 작가로 이미지가 강하게 작용하는 것이다.

5. 산에 미친 시인

요즘 김구연 선생님은 30년 넘도록 재직해 온 대한제분 주식회사 인천공장에서 정년을 하고 자유의 몸이 되었다. 그래 그런지 산에 가는 경우가 부쩍 늘었다. 우리네처럼 맑은 공기를 마시러 집 근처 낮은 산으로 산책을 나가는 게 아니다. 배낭을 꾸려 지고 설악산이나 지리산 같은 명산을 며칠에 걸쳐 종주하는 산악인이다. 다시 또 빨간 댕기 산새를 찾아다니는 것일까?

선생의 집은 월미도가 훤히 바라다보이는 자유공원 중턱에 있다. 중국인 거리가 있는 '청관' 바로 위다. 무척 전망이 좋다. 필자가 보기에는 전망 좋기로 그만한 자연환경을 찾기도 쉽지 않은 빼어난 터다. 거기서 사모님 정송화, 아들 김승철과 구철, 딸 소영과 같이 줄기장창 몇십 년간 사셨다. 지금은 약사인 딸과 자영업을 하는 큰아들은 결혼해 분가했고 막내아들과 함께 부부가 그 터를 지키고 있다.

선생님이 이런 풍광 좋은 곳에 살면서도 산을 찾는 이유를 묻자, 내 짐작하고는 전혀 다른 답을 했다.

"우리 집에서는 월미도 입구에 있던 객선 부두라든가 소금부두, 건어물 시장, 월미도 풀장 등이 훤하게 한눈에 내려다보여 매력을 느꼈는데, 지금은 아파트에 가리거나 다 사라지고 말았어. 인천은 한 마디로 쓸 만한 강도 산도 없어서 삭막해. 바다가 있다지만 섬으로 둘러싸여 있어서 역시 답답함을 느껴. 오래 살다 보니까 그런대로 고향 같기는 한데, 높은 산에 올라 사방을 내려다보는 것하고는 비교할 수가 없지."

성인들이 자기 고향에서 홀대를 받는 것에 비유하면 심한 비약일까? 내게는 그렇게 좋아 보이는 선생님 댁에서 보는 멋진 풍광도 선생님에게는 싫증의 대상이라니!

그렇다고 산에 그렇게 미칠 수가 있느냐는 재우침에 선생님은 술 한 모금을 마시고 이렇게 답했다.

"내가 4·19 직후 계엄령 위반으로 수배를 받아 강원도 양구에 숨어 있을 때 시외버스 정류장 근처에 살았지. 친척집이 거기 있었거든. 그때 서울에서 오고 가는 등산객을 더러 본 것이 자극이 됐나 봐. 1962년인가, 첫 산행이었던 설악산에서 조난을 당해 죽을 고비를 맞았다가 간신히 살아났지. 그때문인지 늘 산에 대한 관심을 버릴 수가 없단 말이야. 당시 설악산 내설악쪽에는 등반로가 있지 않았고 스님들이나 심마니들이 드나드는 희미한 오솔길이 전부였던 때였어. 산에 대한 상식도, 꼭 필요한 장비 없이 뒷산에 오르듯이 올랐다가 거센 비바람과 짙은 안개 때문에 조난을 당한 후 바위굴 속에 들어가 있다가 하늘의 도움을 받아 살아났다구. 비가 조금 주춤하면서 흙 위에 생긴지 얼마 안 되는 지팡이 자국 비슷한 것이 우리를 다시 걷게 만들었지. 그리고 멀리 떨어져 있는 계곡에서 흐르는 물줄기를 저녁 밥짓는 연기로 착각 하고 죽을 힘을 다해 걸었던 거야. 그곳에 가까이 다가가서 맛본 실망이라니! 홀랑 젖은 옷에 그 격한 바람과 매서운 추위라니! 이웃집에 살던 친구랑 그 큰 산을 한없이 헤맸더랬는데, 성냥이 젖어서 생쌀을 씹었고, 수통마저 준비가 안 돼 빗물을 받아 마시며 살아났으니까. 지금 생각해도 그 무지막지한 산을 벗어나 살아나온 게 기적이었어. 그 경험으로 젊은 날 인생 공부 많이 했지. 대구에서는 고등학교를 졸업 후 한동안 버스 정류장에서 연필을 파는 행상도 했고, 동두천에서 살 때는 양공주들로부터 미군부대에서 흘러나오는 커피, 쇼팅, 쵸콜릿 등을 사서 동대문 광장시장에 내다 팔다가 형사들에게 잡혀가기도 했어. 그리고 인천 제분공장에 취업을 하고서는 늘 술이었지. 처음에는 문학하는 동료를 만나지 못해 외로움에 그랬는데, 동료들을 만난 다음에도 만나면 술밖에 몰랐어. 세상만사가 모두 시들하고 마음에 들지 않아서였다고나 할까. 여하튼 돈도 없었지만 그때는 유익하게 놀 줄을 모르던 때였으니까. 고비고비 어려울 때마다 나를 이끌어 준 것은 산이었어. 아마 산이 없었다면 나는 벌써 폐인이 됐을 거야. 나는 주로 혼자서 산을 찾지. 산은 혼자 찾아야 제맛이 나거든. 본래 큰 병을 앓아 약질인데다가 이젠 그나마 체력도 떨어져 힘든 산행은 가급적 피하려 하고 있지만. 아직도 등반에 관한 욕심은 어쩔 수가 없나 봐. 이미 여러 번 크게 다쳐서 혼이 났으면서도 산에 가고 싶은 욕망을 누를 수가 없다구."

선생님은 산 예찬론을 한참 펴다가 요즘은 산이 소재인 장편 소년소설 작품을 다듬고 있다고 했다. 어떤 작품인지 궁금했다.

"비록 그 무엇도 성공한 것은 없지만 갖춘 것 없이 평생 하고 싶은 일 멋대로 하면서 살았으니까 후회스러울 것도 없지. 약한 몸으로 이만큼 이렇게 살아왔다는 것만도 무척 다행한 일이 아닐 수 없다구. 욕망이 남아 있는 이상 아직은 체념할 때가 아니지. 숨이 끊어지는 날까지 문학을 생각하고 산에도 오를 거야. 그동안 도움을 준 친구들과 이웃들에게 고마울 뿐이고."

한국문인협회 인천 지회장을 지낸 그지만 요즘은 탈퇴를 하고, 거의 매주 산만 찾는다. 산에 올라 또 한 마리의 산새를 찾고 있는 것일까. 황혼에 찾는 산새, 그 새는 어떤 모습일까? 그 새의 이미지는 또 어떤 날갯짓으로 우리에게 다가올까? 선생님의 작품이 기다려진다.

김구연 선생님과
나

이상교

하나

시와 동화로부터 김구연 선생님의 문학과 인생에 대해 써 주었으면 하는 청탁을 받았다. 이런저런 일도 많이 밀려 있고 마감 날짜 또한 촉박해 있건만 어쩐지 내가 써야만 할 것 같은 생각이 들었다.

까닭은 선생님에 대해 특별히 할 이야기가 많아서도 아니요, 김구연 선생님을 아주 잘 알고 있어서도 아니다. 자주 만나 뵐 수 있게 가까운 거리에 있는 것도 아니다. 그럼에도 어쩐지 내가 써야 할 것 같은 생각이 드는 까닭은 막연하나마 선생님이 나를 좋아하고 계시다는 생각이 들어서다. (후후!)

선생님이 계시지 않은 자리에서 나는 김구연 선생님을 '구연 선생님'이라 부른다. '귀여운 선생님'이라는 뜻이다. '귀여운 선생님'이라고 칭한다고 해서 선생님을 아랫사람으로 여겨 함부로 하려는 뜻은 아니다. 선생님은 뜻밖에도 귀여운 구석이 많다. 인천 송월동 16번지에 살고 계시는 선생님은 이따금 서울의 내게 전화 대신 편지를 보내시곤 한다. 당신의 웃음 지은 사진이 인쇄된 엽서에 달필로 몇 자 적어 보내시는 외에, 감명 깊게 읽은 책과 혼자 두고 보긴 아까운 화첩을 보내 주시기도 한다. 나 말고도 몇 사람의 후배 또한 선생님의 정다운 편지와 책 등을 선사 받았을 것으로 알고 있다.

'길이나 형식에 상관없이 김구연 선생님의 문학과 인간에 대해 써서 메일로 보내 줄 것.'

2월 초 쯤에 청탁을 받았음에도 시간이 많이 남은 것으로 알고 게으름을 피우다 발등이 불이 떨어져서야 '에그머니나!' 했다.

그냥저냥 전부터 생각해 온 김구연 선생님에 관한 일화 몇 가지, 어떤 경로로 알게 되었는지 등을 적어 보내면 되지 않을까 생각을 굴리다, 안 되겠다 싶어 전화를 드렸다. 그리고 전화를 드린 날 저녁 6시 하인천에서 만나 자리를 옮기기로 하였다. 글이야 어떻게든 써지겠지만 쓰기 전에 다시 뵙고 느낌을 새롭게 하리라는 연유였다.

하인천에서 동시를 쓰는 어여쁜 후배 둘과 합류, 택시로 월미도로 향했다. 어둠이 내리기 시작한 월미도 앞의 바닷물은 난간 아래 검은 바위를 스적스적 간지르고 있었다.

아, 바다! 십 분간만이라도 아무런 말 없이 잠자코 바라보고 싶구나. 바다 끝에 눈을 주고 섰는 내 귓가에 선생님의 나지막한 목소리.

"바다를 보고 있으면 외로워."

그러고 보니 선생님의 목소리, 눈빛, 웃는 표정에서마저 외로움은 젖어 있다.

생각을 거슬러 올라가 보면 선생님과 나의 약간은 어정쩡한 만남이 있다. 아마도 1980년대 초일 것이다. 이제는 거의 활동을 하지 않고 계시는데 동시를 쓰시는 방원조 선생님과 장종태 선생님, 장영애 선생님과 김구연 선생님 그리고 다른 몇 분과 나는 서울 인천 지역의 아동문학인 모임을 하나 만들기로 하였다. 누가 처음 이야기를 꺼내 만들기로 한 일인지도 모르면서 나는 인천으로 향했다. 방원조 선생님 말고는 처음인 낯선 얼굴들. 그 자리에 선생님도 함께 계셨다.

전부터도 김구연 선생님의 동시 작품을 지면에서 많이 보아온 터라, '아, 저이!' 그러나 어른들 자리가 마냥 어려웠던 나는 조금 멀찍이 떨어져 앉아 입을 봉한 채 그분들이 나누는 이야기에 귀를 기울이기나 하였다. 그러나 첫 만남 이후 모임은 흐지부지되었으며 나는 나대로 작품 활동에 몰두했다.

그때 나는 김구연 선생님과 단 한 마디도 나누지 않았던 것으로 기억한다. 요즘의 내 행실(!)을 볼 때 전혀, 눈곱만치도 상상이 되지 않을 일로 나는 아무와도 눈길을 마주치지 않으면서 앞에 놓인 커피만 홀짝대다 서울로 돌아왔다. 키만 훌쩍 큰 어리숙배기 여자 후배에게 눈길 한 번 주지 않던 차가운 인상의 구연 선생님이 각인되어 있1

지금 짐작으로는 선생님 또한 수줍어하신 것 아니었는지. 어쨌든 그렇게 첫 만남의 자리를 가졌던 내가 김구연 선생님을 다시 뵌 것은 이동렬 선생님 큰 자제의 결혼을 축하하기 위해 모였던 자리에서 였다.

'저 선생님이 김구연 선생님?'

또다시 처음 뵙는 느낌이었다.

"선생님, 저 이상곤데요. 안녕하셨어요?"

"그래, 이상교!"

그리 중요한 일은 아니지만 나는 선생님의 한쪽 다리가 약간 불편하다는 사실조차 그날 비로소 알았다. 더 중요한 것은 얼굴 모습조차 그날에서야 눈을 바로 뜨고 바라볼 수 있었다. (나는 남자 얼굴은 똑바로 바라보아선 안 되는 것으로 알았다. 물론 요즘 행실로 보아 믿기 어렵겠지만.)

'오호, 선생님 미남이셨네!'

그 연세에서라면 알맞은 키에 크지도 작지도 않은 맑고 선명한 눈매, 잘생긴 귀와 코, 환한 이맛전 등. 신선한 이미지의 인상도 새삼스럽게 멋져 보였다. (미녀가 미남을 알아본다더라.)

이동렬 선생님 댁 혼사를 치룬 뒤풀이에서 나는 김구연 선생님과 적지 않은 술을 마셨던 것으로 기억하고 있다.

둘

이제 구연 선생님의 작품에 대해 조금 이야기하기로 한다. 나는 평론가도 무엇도 아니므로 함부로 이야기할 계제는 되지 못한다. 다만 그이의 작품 특히 동시를 아끼는 한 후배로서 이야기하고 싶다.

선생님을 뵙기 전부터도 선생님의 동시 작품에 대해서 아껴 읽어 왔다. 특히 그 무렵 교류가 잦았던 한 후배가 유난히도 선생님의 작품을 좋아해 그와 자주 선생님이 드물게 발표하곤 하는 새 작품에 관해 자주 이야기하곤 했다. 여러 사람의 동시 선집을 엮어 내면서 선생님의 동시를 예시로 올리기도 했다. 선생님의 동시 〈귀뚜라미〉와 〈그런 밤중에〉를 예문으로 들었는데 책이 나오고도 연락처를 알지 못해 몇 년이 지난 뒤에야 겨우 전해 드릴 수 있었다.

따르르 따르르……

비켜 나세요.

별님 달님

비켜 나세요.

캄캄한

밤중에

귀뚜라미가

자전거를 탑니다.

– 〈귀뚜라미〉

고요한 가을밤, 귀뚜라미 소리가 고요를 깨뜨린다. 따르르 따르르…….

귀뚜라미가 마치 자전거를 타는 것 같다. 삐거덕거리는 헌 자전거가 아닌 반짝이는 은빛 테 바퀴를 단 새 자전거다. 자전거 가운데서도 작은 어린이가 타는 세발자전거입니다. 귀뚜라미 소리는 차르륵차르륵, 막힘없이 잘도 굴러가는 바퀴 소리처럼 맑다.

고요한 가을밤, 이슬이 내린 풀밭 위를 은빛 반짝이는 바퀴의 작은 자전거들이 이리저리 돌아다니는 풍경이 보이는 듯하다.

눈이 올 것도 같고

안 올 것도 같은

그런 날 밤에

기다려야만 될 것 같고

기다리지 말아도 될 것도 같은

그런 밤중에

바람 소리만 들려도

귀를 세우고 마음을 졸이는

그런 밤중에

네 얼굴이 떠올라

기쁘기도 하고 외롭기도 한

그런 밤중에.

– 〈그런 밤중에〉

한 소년이 있다. 소년은 친구를 기다린다. 한도 끝도 없이 그립고 보고 싶은 친구다. 친구는 소년의 집에 놀러 올지도 모른다. 눈이 올 것도 같고, 눈이 오지 않을 것도 같은 그런 밤이다.

소년은 친구가 왔으면 싶기도 하고 오지 말았으면 싶기도 하다. 그러다 보니 마음이 초조하기 그지없다.

기다리느라 귀를 쫑긋 세우고 바깥소리에 귀를 기울인다. 바람 소리가 귀를 훑고 지나간다. 발자국 소리를 잘못 들은 것 아닐까 한다.

그리운 친구를 기다리는 마음, 누군가를 사랑하는 마음은 아름답다. 눈물겹기도 하다.

속으로 가만히 읊조려 읽다 보면 반복되는 〈그런 밤중에〉가 가슴에 잦아든다. 기다리다 지쳐 눈물이 날 것 같은 '그런 밤중'이다.

하인천에서 택시를 타고 월미도로 향하는 중에 대한제분 주식회사 인천공장 앞을 지나게 되었다. 김구연 선생님이 오랫동안 몸담았던 곳.

몇 해 전 나는 이따금 홀로 전철을 타고 월미도에서 유람선 코스모스를 타고 모처럼 만의 바다와 갈매기의 흰 배때기를 올려다보곤 했는데 그때도 인천 시내버스는 대한제분 앞을 지나곤 했다. 전화를 드린 적이 한번 있었는데 출장 중이라고 하여 공연히 무안하여 다시는 전화를 하지 못했다.

각설하고. 동시를 쓰는 어여쁜 두 후배와 자리를 같이 하긴 참으로 잘한 일이었다. 요즘 술을 덜 하기로 하셨다는 선생님은 소주 두 병을 거의 혼자 다 드시며 젊은 한때의 이야기를 들려주시는 일에 흠뻑 취하셨다.

이야기에서 빠질 수 없는 대목은 역시 산. 남한에 있는 산이란 산은 거의 섭렵하셨을 정도의 산사람이시다.

"이상교가 산엘 오를 수 있다면 우리 친구들 갈 때 함께 행하면 좋을 텐데."

구연 선생님이 산이 좋다시면 나도 산이 좋다. 빨간 댕기를 드리운 산새도 만날 수 있을 터이며 가다 보면 보랏빛 산도라지꽃, 샛노란 원추리꽃과도 마주치게 될 것이다. 얼만큼 더 산굽이를 돌고 돌아 걷노라면 구연 선생님은 동시 〈그런 밤중에〉의 그리운 얼굴을 보게 될 것인가. 구연 선생님이 끊임없이 그리워하시는 것은 무엇일까.

바다 앞에 서나, 산길을 걷는 중에도 선생님은 여전히 외롭고, 외로움은 그리움으로 이어지며 그리움은 다시 가이없는 문학에의 열정으로 타오르리.

지금은 구연 선생님이 그리워 마지않는 산이 마악 눈을 뜨려 할 때다.

글이 실린 〈시와 동화〉 봄호가 나온 뒤에 아마도 선생님과 몇은 머리를 맞대고 부추잡채 안주로 이가두주 두어 병은 비워야 할 것이다. 문학이란 자고로 비워 내고 다시 채우는 일 아닌지.

어린이와 함께 선생이 걸어온 길

1942년 8월 9일 서울시 중구 신당동 409번지 외갓집에서 은행원인 아버지 김정현, 초
　　　등학교 교사인 어머니 김은실의 남매 중 맏이로 태어남. 본명은 김치문(金治文).

1944년 평양에서 살고 있던 세 살 때 소아마비 발병으로 도립병원에 입원해 있었으나
　　　완치하지 못함. 이후 휴양 차 머물고 있던 함경남도 안변 석왕사에서 용한 의원
　　　을 만나 치료를 받고 불구를 면함.

1950년 여덟 살이던 해에 6·25 동란이 발발하고 딸의 안부가 궁금해 북진하는 유엔군
　　　을 뒤따라오신 외할머니 손에 이끌려 어머니, 여동생과 1·4 후퇴 때 월남해 대
　　　구시 중구 동문동 외가에서 성장, 고향에서 어머니가 교사로 근무하던 학교에
　　　서 1학년을 다니다 나왔지만 매일 방공대피 훈련과 노래 연습만 했기 때문에
　　　어머니로부터 한글을 뒤늦게 배워 3학년에 편입학함. 피난 청파국민학교 가교
　　　사에서 맨땅에 가마니를 깔고 앉아 수업을 받음.

1956년 기독교 사립학교인 영신중학교 입학함. 신설 학교라 장학금을 준다고 해서 지
　　　원했지만 도무지 합격에 자신이 없었음. 낙방하면 깊은 산속으로 숨어 버리겠
　　　다고 결심을 굳히고 있었더랬는데 결과는 수석 합격함. 입학금과 1년간 납입금
　　　면제 혜택을 받음. 2학년 들어 용돈을 주는 이가 없어 첫 새벽에 일어나 신문
　　　배달을 하면서 학교에 다녔는데 건강이 나빠져 10월에 자퇴를 함.

1958년 대구에서 건강을 추스르다 강원도 양구 고모님 댁으로 가서 가게도 봐주고 가
　　　축 사육을 도우며 지냄.

1959년 9월 양구농업고등학교 1학년에 편입학을 했지만 적응이 되지 않아서 4개월 만
　　　에 그만두고 다시 대구로 옮겨 이듬해 4월에 오성고등학교 2학년에 편입.

1960년 3학년 초에 4·19 혁명이 일어나고 전국적으로 유행처럼 번진 학원 분규에 연
　　　루됨. 계엄령 위반으로 몇 차례 구속과 석방을 거듭하다가 학교에서는 퇴학 처
　　　분을 당했고, 학교 친구들의 이사장댁 야간습격사건(주거침입, 기물파괴, 방화
　　　혐의)이 발생하고 그에 참여를 하지 않았음에도 다시금 주동자로 몰려 경찰에
　　　서 수배령이 내려졌고, 다시는 데모에 나서지 않기로 경북지구계엄사령관과 굳
　　　게 약속을 하고 풀려난 터여서 안동, 봉화, 묵호 등지의 친척집에 계속 숨어 지
　　　냄. 그렇게 떠돌다가 끝내는 강원도 양구 파로호반에 작은 배를 띄우고 잉어 낚
　　　시꾼이 됨. 10월 말에 강원도를 떠나 대구 영신고등학교 3학년에 편입, 이듬해
　　　2월 졸업함.

1961년 가을, 생애 첫 산행으로 동네 친구랑 둘이서 설악산 대청봉에 오르다가 마등령

을 지난 공룡능선에서 폭우와 짙은 안개로 길을 잃고 조난을 당해 2박 3일 동안 굶주림과 추위로 죽음의 문턱까지 다녀옴. 사람 출입이 드물고 숲이 무성해서 뚜렷한 산길이 없었고 반달곰이 출몰하던 때였는데 마침 산악 훈련 중이던 미군과 마주쳐 구조됨. 말이 통하지 않아 한국인 통역 장교가 나타날 때까지 미군은 권총을 겨누고 있었고 그들은 두 팔을 번쩍 쳐든 채 파랗게 질려 있었음.

1963년 경기도 동두천과 서울 남산동에서 초등학생과 중학생들을 그룹으로 모아 가르치다가 그만두고 경북대학교 의과대학 약리학교실 간디스토마 치료약 연구 개발 팀에서 조수 생활. '시그널문학동인'으로 참여함.

1965년 친구인 소설가 이수남과 남한 일대를 무전여행함.

1966년 정송화와 결혼함. 동화 〈엽이와 아기 노루〉가 이원수 선생 추천으로 월간 〈새교실〉에 실렸지만 아동문학을 계속할 것인지를 결정하지 못하고 있다가 대한제분주식회사에 입사하면서 인천에 정착함.

1971년 '월간문학 신인상'에 동화 〈꼴망태〉가 이원수, 김요섭 선생의 심사로 당선됨. 시상식장에서 소설가 이문구 만나 교유함.

1972년 동화작가 이영호와 이정길, 시인 이석인 등을 만나 사귀고 김영일, 박화목 선생의 권유와 추천으로 한국문인협회와 한국 아동문학회에 가입함.

1974년 동시집 《꽃불》(한진문화사)을 펴냄. 윤석중, 어효선, 원치호 선생의 심사로 동시 《꽃불》 외 4편으로 새싹회 제정 제2회 새싹문학상을 받음. 경기시문학회 동인들이 인천 가톨릭 회관에서 시집 출판과 문학상 수상 축하 모임을 마련해 주었고, 김요섭 시인이 축사를 함.

1975년 인천 신포동 은성다방에서 김구연, 이석인, 허욱 3인 시화전 개최함.

1976년 동화집 《자라는 싹들》(세종문화사)을 펴냄. 동화 〈동쪽에 집이 있는 아침〉으로 소년한국일보사 제정 제9회 세종아동문학상을 받음.

1978년 동시집 《빨간 댕기 산새》(강경문화사)를 펴냄. 동시 《빨간 댕기 산새》 연작으로 제13회 소천아동문학상 받음. 소설가 김동리 선생이 내빈들에게 일일이 소개하며 격려해 준 것을 잊지 못함.

1981년 동화집 《마르지 않는 샘물》(세종문화사)을 펴냄. 새싹문화상 수상작가 모임인 '방울나귀' 동인으로 참여함.

1982년 동시집 《분홍 단추》(미문사)를 펴냄. 인천청년문학회 동인들이 인천 정우회관 강당에서 멋진 출판기념모임을 마련해 주었음.

1983년 동시집 《가을 눈동자》(미문사), 동화집 《닭 보고 절한 아이들》(꿈동산)을 펴냄.

1984년 산문집 《자라는 돌》(미문사), 동시집 《그리운 섬》(미문사)을 펴냄. 새싹회에서 발행하는 계간 '새싹문학' 편집에 참여함.

1985년 동시 선집 《사랑의 나무》(동아사)를 펴냄. 어효선, 정원석, 노원호, 황옥연과 제천 박달재 넘어 천주교 백운공소로 재가수녀이자 동요시인인 권오순 여사 방문함.

1986년 정송화와 2인동화집 《너랑 어깨동무하고 별을 바라보고 싶다》(동아사)를 펴냄. 제5회 인천시문화상 받음.

1987년 동시집 《고추씨의 여행》(대교)을 펴냄.

1988년 동시집 《아이와 별》(동아사)을 펴냄. 성인봉 등반을 목적으로 울릉도를 여행함.

1990년 동화집 《동쪽에 집이 있는 아침》(동아사)을 펴냄.

1991년 동시 선집 《별빛과 눈물》(동아사)을 펴냄.

1992년 동화집 《별명 있는 아이들》(교학사)을 펴냄.

1993년 산문집 《유채꽃 필 때》(동아사)을 펴냄. 제주도 한라산 백록담에 올랐다가 모슬포항에서 마라도로 낚시 여행을 다녀옴.

1994년 동시집 《나무와 새와 산길》(동아사)을 펴냄.

1995년 일본과 필리핀을 여행함.

1996년 동시 선집 《행복한 풀잎》(동아사)을 펴냄. 한국문인협회 인천시회장 피선됨.

1997년 동시집 《맑은 시냇물》, 동화집 《다람쥐는 도토리를 먹고 산다》 출간함.

1998년 동화집 《맑은 시냇물》(다인아트), 동화집 《점박이 꼬꼬》(자료원), 동화집 《누나와 별똥별》(자료원)을 펴냄. 경북 안동 일직으로 권오삼 시인과 동화작가 권정생 선생을 방문. 대한제분주식회사 인천공장 자재 관리부장 직에서 정년퇴직함.

1999년 동시집 《은하수와 반딧불》(자료원)을 펴냄.

200년 동화집 《다람쥐는 도토리를 먹고 산다》(자료원)을 펴냄.

2001년 초등학교 국정교과서 4학년 1학기 국어에 동시 〈빈 나뭇가지에〉 수록됨.

2002년 동시집 《별이 된 누나》(자료원)을 펴냄.

2003년 동화집 《붉은 뺨 사과 얼굴》(그래그래)을 펴냄.

2007년 계간 〈시와 동화〉 제39호에 〈우리 시대 젊은 시인 김구연〉 특집 기사가 실림.

2008년 〈조선일보〉 연재 '한국인의 애송동시'에 동시 〈강아지 풀〉 선정 게재됨. 인천 아벨서점 전시관에서 정송화, 김구연 자선시 낭송 모임이 열림.

2009년 동시집 《파로호반의 여름》(동아사)을 펴냄. 위인전 《김유신, 저학년》(효리원), 위인전 《김유신, 고학년》(효리원)을 펴냄.

2010년 동시집 《지각대장》(섬아이)을 펴냄.

2011년 《학산문학》 제83호에 특집 〈이 계절의 작가 김구연〉 굴업도를 위시한 서해안

인천 주변 섬을 여행함.

2012년 인천 아벨서점 전시관에서 김구연 자선시 낭송모임.

2015년 《김구연 동시선집》(지식을만드는지식)을 펴냄.

2016년 동시집 《그 바다 그 햇빛》(도서출판 진원)을 펴냄.

한국 아동문학가 100인

강민숙

대표 작품
〈숲으로 간 빨간 씨앗〉

인물론
좋은 사람, 강민숙

작품론
동화로 들여다본 강민숙의 삶

어린이와 함께 선생이 걸어온 길

숲으로 간 빨간 씨앗

산비탈 양지바른 곳에 인삼밭이 있습니다.

주인 아저씨는 인삼밭에 버팀나무를 세우고 빛 가리개를 덮었습니다. 온도와 습도를 유지하고 직사광선을 피하기 위해서입니다. 그리고 행여나 도둑이 들까 봐 도난 방지용 카메라까지 설치해 두었습니다.

"아가들아, 아무 걱정 없이 무럭무럭 잘 자라거라."

주인 아저씨는 친자식을 돌보듯 인삼밭을 가꾸었습니다.

인삼들은 주인 아저씨의 사랑을 먹고 무럭무럭 자랐습니다.

그런데 그 속에 사는 막내인삼 포기는 자꾸만 바깥으로 나가고 싶습니다.

"아아, 갑갑해! 어서 여기를 벗어나고 싶어."

막내가 몸을 비틀며 볼멘소리를 합니다.

"또 그 소리……. 넌 어쩌자고 그런 얼토당토않은 말만 하니?"

큰언니가 나무랍니다.

"저것 봐. 저렇게 시커먼 차양을 쳐 놓아 하늘을 볼 수 있나, 햇빛을 제대로 볼 수 있나 갑갑해 견딜 수가 있어야지."

막내인삼 포기는 눈을 질끈 감고 몸을 부르르 떱니다.

하루라도 빨리 이곳을 벗어나 아름다운 숲속으로 가고 싶습니다.

"막내야, 꿈 깨라. 여기가 어때서 그래? 공기 깨끗하지, 물 맑지, 모자라는 게 뭐가 있어?"

"그래도 싫어. 난 숲으로 갈 거야. 새들이 노래하는 숲속으로……."

"저길 봐. 도라지꽃들이 예쁘게 피어 있잖아. 쟤들하고 친구하면 되잖아."

둘째언니도 막내를 달랬습니다.

그러나 막내인삼 포기는 하루라도 빨리 이 어둡고 답답한 곳에서 벗어나고 싶습니다.

이 갑갑한 곳을 벗어나 아기 다람쥐가 뛰놀고, 휘파람새가 산다는 뒷산 숲으로 달려가고 싶습니다.

인삼밭 앞에 있는 도라지 밭에는 하얀빛 보랏빛 꽃들이 무리지어 피어 있습니다.

'쟤들은 그래도 햇빛을 마음껏 받고 사는데 난 이게 뭐야?'

막내인삼 포기는 오직 바깥으로 나갈 궁리만 합니다.

'누구에게 부탁해 볼까? 바람이 내 소원을 들어 줄까?'

흘러가던 구름 할아버지가 이런 포기를 두고 한 말씀 하십니다.

"포기하지 말고 기도해라. 그러면 언젠가는 네 꿈을 이룰 수 있을 것이야."

구름 할아버지는 참 신기하기도 합니다. 사슴 같다가 어떤 때는 돼지 같기도 하다가 또 어떤 때는 황소 같기도 합니다. 어쩜 저렇게 마음대로 모양새를 바꿀 수 있는지 모르겠습니다.

"할아버지는 무슨 재주로 날마다 모습을 바꾸어요?"

"기도 덕분이란다. 간절히 원하면 누구나 다 이룰 수 있지."

구름 할아버지는 준비된 자만이 그 꿈을 이룰 수 있다며 비를 내려 줍니다.

"이거 먹고 어서 자라거라. 그리고 열매도 맺으렴……."

막내인삼 포기는 하루도 쉬지 않고 기도하며 있는 힘을 다해 물관을 열어 땅기운을 뽑아 올립니다. 신선한 바람을 받아 너울거리는 잎을 키웁니다. 꽃을 피우고 열매도 맺습니다. 너무너무 열심히 자기 자신을 가꾸는 막내를 보고 모두들 의아해합니다.

"쟤가 갑자기 왜 저래?"

"그러게 말이야, 참으로 열심이네. 막내야 너 왜 그러는데?"

그러나 막내 포기는 입을 꾹 다물고 있습니다. 언젠가는 내 꿈을 펼치고 말 거야. 막내의 꿈은 오로지 숲속 깊숙이 들어가 햇빛을 보며 사는 것이었습니다. 언젠가 구름할아버지에게서 들은 말이 있습니다. 인삼은 겨우 오륙 년을 살지만 산에서 난 산삼은 수백 년씩 산다고 했습니다. 그리하여 신비한 영약이 된다고 했습니다.

'산삼은 아픈 사람도 살려 내지…….'

막내 포기는 이 말을 잊지 않고 있습니다.

그런 어느 날입니다.

파랑새 한 마리가 포르르 날아왔습니다.

'옳지, 됐다! 저 새에게 부탁해 봐야지.'

막내인삼 포기는 살며시 파랑새를 불렀습니다.

"이봐요, 파랑새님!"

마침 언니 오빠들이 낮잠을 자고 있어서 막내인삼 포기는 마음 놓고 파랑새를 불렀습니다.

"저, 있잖아요. 나를 바깥으로 좀 데려다 주면 안 돼요?"

이 말을 들은 파랑새는 알았다는 듯 고개를 깜죽대더니 막내인삼 포기에 달린 빨간 열매를 콕콕 쪼았습니다.

파랑새는 막내인삼 포기의 씨앗을 물고 숲속으로 날아갔습니다.

"우와, 내가 그리던 숲으로 오게 되었구나!"

막내인삼 포기는 좋아서 소리쳤습니다.

파랑새는 빨간 씨앗을 땅에 떨어뜨려 주었습니다. 마침 지나가던 구름할아버지가 비를 내려 꿈 많은 막내인삼 포기를 촉촉한 흙으로 덮어 줍니다.

"난 이제 산삼이 되는 거야."

막내인삼 포기는 땅 속으로 쏙 들어갑니다.

좋은 사람,
강민숙

정영애

어떤 사람이 산에 갔다가 먹음직스럽게 생긴 밤을 주웠단다. 침을 삼키며 밤을 깨무는 순간 퉤퉤 뱉고 말았다. 도토리보다 맛없는 밤. 너도밤나무에서 떨어진 밤이었다.

밤처럼 생겼는데 밤이 아닌 밤.

그 이야기를 들으며 나는 생각했다.

'너도 사람?', '너도 친구?', '너도 작가?'

그러고 보니 나는 사람이면서 사람 노릇을 못하며 살고 있었고, 누군가의 친구면서 친구 흉내만 내고 살았으며, 작가면서 빛나는 글도 남기지 못하고 작가 행세만 했다.

이렇게 회한에 젖어 있는데 불현듯 떠오른 사람이 바로 강민숙 선생이었다.

강 선생을 알고 지낸 지 어언 20년. 이름만 알고 지내던 5년을 빼도 15년이란 긴 세월을 친구로 지내왔으니 선생에 대해 미주알고주알 다 알고 있다고 해도 과히 틀린 말은 아니라고 자부한다.

나는 강 선생을 오랫동안 만나 오면서 '너도 친구?' 하는 의심을 한 번도 한 적이 없다.

친구라면 자신의 모든 것을 기꺼이 내 줄 마음의 준비가 되어 있어야 한다고 나는 생각한다. 다 떨어진 슬리퍼를 질질 끌고 가도 반갑게 맞아 주는 친구, 내 허물을 마음 놓고 털어놓을 수 있는 친구, 절망할 때 용기를 주는 친구…… 강 선생이야말로 그런 친구다.

강 선생은 지갑에 십만 원이란 거금(?)을 넣어 가지고 다닌 적이 없다고 했다. 불안하지 않느냐는 내 말에 오히려 지갑이 두둑하면 불안하단다. 길에서 구걸하고 있는 사람을 보면 강 선생은 앞뒤 재보지 않고 가지고 있는 돈을 줘 버린다. 얼마 전에는 호주머니에 있던 돈을 홀랑 털어 길에 앉아 있는 걸인에게 줬더니 버스비가 없더란다. 그래서 다시 그 걸인에게 가 버스비만 달라고 했단다.

"거지가 따로 있는 게 아니더라구!"

하고 웃는 강 선생이다. 머리로 계산하지 않고 사는 강 선생의 일화다.

강 선생은 바라보는 이들로 하여금 마음을 푸근하게 하는 그런 사람이다. 강 선생을 처음 만났을 때 어린아이처럼 순수해서 이런 사람이 무슨 고생을 했겠는가고 막연히 생각했다.

하지만 아니었다. 강 선생이야말로 수렁에 빠지고 덤불을 헤치며 가시밭길을 걸어 오늘에 이르렀다.

강 선생의 남편 소설가 표성흠 선생은 삶의 기준을 남에게 두지 않는 아주 까탈스러운 성격을 가졌다. 자기가 필요하기 때문에 좋아하는 일은 절대로 하지 않는, 좋아하기 때문에 필요한 일을 하는 그런 사람이기도 하다. 이런 사람들은 대개 자신의 이익을 위해 비굴하지 않으며 재물에 연연하지 않는다. 남이 바라보기엔 아주 멋있다. 하지만 남편감으로선 낙제 점수다. 이런 남편을 강 선생은 군소리 없이 따랐다.

서울에서 잘 살다가 경남 거창으로 낙향한 것만 봐도 알 수 있다. 언덕 위에 그림 같은 양옥집이 있는 것도 아니고 통장에 노후 자금이 들어 있지도 않았다. 그런데도 짐을 매동그려 세검정 집을 훌훌 떠나 남편 뒤를 쫓아 고향으로 내려갔다.

시골 생활은 더없이 바빴다. 무엇보다 시도 때도 없이 찾아오는 손님들에게 밥을 해 주는 일이 큰일이란다. 예고도 없이 찾아오는 사람들은 밥도 해 주지 말라는 내 말에,

"사람 사는 일이 다 그렇지 뭐!"

하는 강 선생의 말을 듣고 내가 나에게 말했다.

'너도 사람이야? 강 선생만큼 아름답게 사는 사람이 어디 있는데…….'

강 선생은 행복하단다. 지금의 자기 자신, 지금 하고 있는 자기 일을 사랑하는 강 선생을 나는 미처 알지 못했다.

또 하나, 겉으론 무뚝뚝하고 자기 식대로 사는 표성흠 선생을 지독하게 사랑하고 있다는 걸 알았다. 풀과 나무의 집에 갔을 때 표성흠 선생을 가까이 대하고 보니 겉으로 보기보다 성질이 싹싹하고 살가웠으며 멋을 아는 분이었다.

풀과 나무의 집.

강 선생 부부가 살고 있는 집이다.

풀과 나무의 집 바로 아래에 강 선생의 퇴락한 시집이 있다. 이 집에서 강 선생은 고추보다 더 매운 시집살이를 했다. 시어머니만 보면 무서워 덜덜 떨었던 강 선생의 혹독한 시집살이 이야기를 듣고 있으면 울분이 치밀어오른다. 특히 첫딸을 잃은 대목에 와서는 저절로 목이 멨다.

그 딸 무덤이 지금 강 선생이 살고 있는 풀과 나무의 집에 있다. 딸을 그곳에 묻으며 이 다음에 여기 와 살겠다고 약속을 했단다.

강 선생이 서울에 와 살면서 고향에 외롭게 있을 딸 생각에 얼마나 많은 밤을 뒤척이며 보냈을까. 아이를 낳아 길러 본 어미들은 그 마음을 알고도 남을 것이다. 하지만 그 딸은 죽은 게 아니었다. 작가 엄마를 둔 덕택에 〈무지개를 타고 간 아이〉로 다시 태어났으니 죽었으면서도 엄마의 마음 속에서 내내 살고 있었다.

얼마 전에 나온 〈은총이와 은별이〉에도 강 선생의 삶이 고스란히 들어 있다. 은별이와 은총이는 강 선생의 동생이 입양한 아이들이다. 동생은 풀과 나무의 집에서 바라보이는 곳에 자리를 잡고 있는 교회의 목사다. 강 선생은 동생을 따라 불우한 노인들을 찾아가 목욕을 시켜 주는 일도 마다하지 않는다. 그리고 동생이 키우는 은별이와 은총이도 진심으로 사랑한다.

주위를 둘러보면 외롭고 가난한 사람을 위해 많이 가진 사람이 봉사하는 경우는 드물다. 하지만 적게 가진 사람이 봉사하는 경우는 많다. 강 선생도 그 중의 하나다.

어쩌다 인세가 들어오면 그 돈을 남을 위해 써 버리는 경우가 많았다.

"돈이 없어도 걱정이 안 돼. 이상하게 쓸 만큼은 생겨. 내가 죽지 않도록 하나님이 부족한 만큼 채워 주시는 것 같아."

강 선생이 이 말 속에서 적게 가지고 살기 위해서 아낌없이 버린다는 걸 느낄 수 있었다. 소유하기 위해서 애쓰지 않는 강 선생의 생활이 나에게 많은 것을 시사해 주지만 나에겐 실천하기 어려운 교훈일 뿐이다.

강 선생은 자식에게도 욕심을 드러내지 않았다. 자식들이 가지고 있는 재능을 사랑하고 아이들의 의견을 존중해 주었다. 여느 엄마처럼 어떻게 되어야만 혹은 무엇을 해야 한다는 편견을 가진 조바심이 없었기에 딸 표시정은 동화작가로, 아들 표영도는 그림과 사진으로 자신들의 세계를 가꾸어 가고 있는 것이다.

나는 강 선생의 마음속에 분명 맑은 옹달샘이 있다고 믿는다. 숱한 수렁과 가시밭길을 걸어오는 동안 쉼 없이 흘러 버려야 할 고통이 상처를 내고 아물어 옹달샘을 만들어 버린 것이다. 그래서 미움도 분노도 좌절도 고통과 증오까지도 받아들여 봉사와 사랑의 꽃으로 피어나게 하는 것이다.

아직 강 선생의 창작열은 식지 않았으니 조만간 지금까지 나온 작품보다 더 빛나는 작품이 태어날 것이라 믿어 의심치 않는다. 시집살이를 하면서도, 가난한 소설가 아내로 살면서도 글을 써야겠다는 생각을 끊임없이 해 왔다는 강 선생이다. 글을 쓰고 싶은 욕망이 어려움과 괴로움보다 더 컸기 때문에 고통이 고통으로 느껴지지 않았단다. 그렇게 때문에 강 선생의 창작열은 세월이 가도 쉽게 사그라지지 않을 것이다.

강 선생은 부정적인 것에서 희망을 찾을 줄 알고, 귀찮고 하찮은 것을 귀하고 소중하게 받아들이는 자세를 가지고 있다. 이것이야말로 동화작가가 가지고 있어야 할 덕목이 아니고 무엇이겠는가!

동화로
들여다본
강민숙의 삶

표시정

1

동화작가 강민숙은 6·25가 일어나기 두 해 전인 1948년에 경상남도 산청에서 태어났다. 아버지 강선기는 공직에 몸을 담고 있었고, 어머니 이명이는 평범한 가정주부였다.

강민숙은 육남매의 둘째 딸로 태어났는데, 강민숙의 어머니는 맏딸에 이어 또 딸을 낳았다고 시어머니로부터 심한 구박을 받았다. 매몰찬 시어머니는 아기를 막 낳은 산모에게 미역국은 고사하고 꽁꽁 얼어붙은 강으로 내몰아 빨래를 해 오라고 했다. 둘째도 딸을 낳은 죄로 얼음을 깨고 차가운 강물에 맨손으로 빨래를 했던 어머니는 그 고통이 얼마나 심했던지 강민숙을 별로 좋아하지 않았다고 한다.

둘째로 태어난 강민숙은 자라면서 맏딸인 언니에게 아버지의 사랑을 빼앗기고, 두 살 터울로 줄줄이 태어난 동생들에게 어머니의 사랑을 빼앗겨 걸핏하면 울곤 했다. 그래서 사람들은 강민숙을 '울보!'라고 놀렸는데, 이때의 기억이 나중에 《울보공주》라는 책의 모티브가 되었다.

> 그날도 혜미는 울며 집을 뛰쳐 나와 벼랑 중간에 있는 비밀 바위 위에서 혼자 울고 있었습니다. 언니 때문에 어머니에게 괜히 야단을 맞은 것이 그렇게도 분하고 억울할 수가 없었습니다.
>
> '나는 왜 맏이나 막내로 태어나지 못하고 하필이면 둘째로 태어났을까? 언니처럼 맏딸로 태어났더라면 언제나 새옷만 입고 뻐길 수 있었을 텐데, 왜 둘째로 태어나 만날만날 헌옷만 물려받는 천덕꾸러기가 되었담…….'
>
> 혜미는 속이 상해 한참 동안 엉엉 울었습니다.[1]
>
> – 〈울보 공주〉에서

울보 강민숙을 따뜻하게 감싸 안아 준 사람은 교회 주일 학교 선생님이었다. 마산에서 온 엄정혁이라는 여자 선생님은 수요일 예배, 일요일 예배가 끝나고 난 뒤에 아이들

---

1 강민숙, 《울보 공주》, 여명출판사, 1990, pp.5~6

에게 《로빈슨 크루소》, 《보물섬》, 《십오 소년 표류기》같은 신기하고 재미난 이야기를 들려 주었다. 강민숙은 이야기를 듣는 재미에 열심히 교회를 나가기 시작했으며, 그때부터 더 이상 울지 않게 되었다고 한다.

엄정혁 선생님과 더불어 강민숙을 따뜻하게 감싸 안아 주었던 사람은 아버지였다. 군청에 다니던 아버지는 촌으로 출장을 갔다가 불쌍한 아이들이 있으면 집으로 데리고 와서 돌보아 줄 만큼 인정이 많은 분이었다. 자상하고, 다정다감한 아버지 밑에서 행복한 유년 시절을 보낸 강민숙. 그때의 기억이 또 한 편의 동화가 되었다.

> 우리 집 마당은 늘 동네 아이들로 북적거렸습니다.…… (중략) ……
>
> 해가 넘어가도 아이들은 집으로 돌아갈 생각을 하지 않았습니다. 왜냐고요? 그건 동네 아이들이 우리 아버지 퇴근하기를 기다리느라 그러는 것이었어요. 육남매를 둔 우리 아버지께서는 퇴근하고 오실 때 빈손으로 오지 않고 과자를 사 오셨거든요. 아버지는 우리 것 뿐만이 아니라 온 동네 아이들이 다 먹을 수 있을 만큼 과자나 사탕을 여러 봉지 사 오셨어요.
>
> "아이구, 우리 아들딸들 많이 왔구나."
>
> 외등을 켜놓고 우리가 놀고 있으면 아버지는 늘 이렇게 말씀하시며 아이들에게 과자와 사탕을 차례로 나눠 주셨어요. 아버지는 우리 형제라고 먼저 주시는 법이 없었어요. 앞에서 부터 차례차례 과자와 사탕을 골고루 나눠 주셨답니다. 아이들은 그제서야 제 동생들 손을 잡고 어둑어둑한 골목으로 나서곤 했습니다.[2]
>
> – 〈무화과 나무가 있는 뜨락〉에서

강민숙의 아버지는 고등학교 진학을 앞두고 있는 딸을 부산에 있는 경남여고에 보내려고 했다. 그런데 원서를 사러 부산으로 가기로 한 날 갑자기 폭설이 내리는 바람에 부산에 가지 못하고 중간에서 되돌아왔다.

그날, 강민숙은 친구 집에 놀러 갔다가 그곳에서 우연히 거창고등학교에서 온 최호선 선생님을 만나게 되었다. 최 선생님은 '기독교 정신으로 인격 교육을 시키는 곳'이라고 하면서 거창고등학교를 자랑했고, 강민숙은 그 말에 혹해 아버지에게 거창고등학교에 보내 달라고 졸랐다.

강민숙의 아버지는 아는 사람 하나 없는 거창에 가서 어떻게 살려고 하냐며 반대를 했다. 반대를 하기는 담임 선생님도 마찬가지였다. 선생님은 학교 같지도 않은 데를 가려고 한다며 원서를 찢어 쓰레기통에 버렸다.

2　경남아동문학회 엮음, 《책장을 넘기는 그 작은 소리들》, 아동문예사, 2001, pp.17~18

강민숙은 쓰레기통에 들어간 반쪽 난 원서를 주워 들고 울며 집으로 돌아왔다. 이를 본 아버지는 찢어진 원서를 풀로 붙여서 강민숙을 대신해 학교에 가서 원서를 써 왔고, 강민숙은 우여곡절 끝에 거창고등학교에 입학했다.

강민숙은 중학교 때부터 작가가 되는 것이 꿈이었다. 그래서 거창고등학교에 입학하자마자 문예반에 들어가 많은 활동을 했다. 강민숙이 2학년 때 당시 문예반 담당 교사였던 최호선 선생님은 부끄럼 많은 강민숙의 성격을 고쳐 보려고 그녀에게 문학의 밤 행사 사회를 맡겼는데, 이 일로 강민숙은 학생들의 주목을 받게 되었다고 한다.

그날 초대 손님으로 나와 시를 낭송한 선배 표성흠도 그런 그녀를 보고 첫눈에 반했다. 작가 지망생이던 표성흠은 자신이 활동하고 있던 '아림문학회'에 강민숙을 가입하도록 한 다음, 글쓰기 지도를 핑계로 끈질기게 구애를 했다. 마음이 약한 강민숙은 단번에 거절하지 못하고 '대학에 들어가고 나서 다시 찾아오세요.'라며 대답을 회피했다. 당시 표성흠은 고등학교를 졸업한 뒤 3년이나 전국을 떠돌아다니며 방랑자처럼 지내고 있었다. 강민숙은 그가 대학 말만 하면 기가 죽어 떨어져 나갈 줄 알았다고 한다.

강민숙이 고려신학대학(현 고신대학교) 영문과에 입학하던 해에 표성흠이 서라벌예대 문예창작과에 입학했다고 하면서 다시 그녀 앞에 나타났다. 두 사람은 부산과 서울에 떨어져 있었지만 일주일에 서너 통씩 편지를 주고받으며 사랑을 키웠다. 강민숙은 같이 글을 쓴다는 이유 하나만으로 표성흠을 좋아하게 되었고, 결혼까지 결심하게 되었다. 하지만 강민숙의 집에서는 '글쟁이 하고 살면 평생 고생한다.'며 두 사람의 결혼을 반대했다. 고생 모르고 자라온 딸이 직장도 없는 학생에게 시집가겠다고 하자 못마땅했던 것이다.

강민숙은 고려신학대학 2학년을 마칠 무렵 〈수남이〉라는 동화를 써서 경남매일 신춘문예에 투고 했다. 생전 처음 써 본 동화가 당선되었다는 연락이 왔을 때, 강민숙은 비로소 꿈꾸던 작가의 길로 들어서게 되었다며 좋아했다.

강민숙은 같은 해에 고등학교 선배이자 문학의 길잡이였던 표성흠과 결혼했다. 강민숙은 결혼과 동시에 학업을 중단하고 시댁에 들어가 살게 되었다. 강민숙은 민주적인 가정에서 자유롭게 자랐는데, 시댁은 전통적인 가부장적 집안 그 자체였다. 두 집안의 문화차이는 강민숙을 몹시 힘들게 했다. 강민숙은 무서운 시어머니 밑에서 호된 시집살이를 했다. 보수적인 시어머니는 며느리가 딸만 둘을 낳자, 이렇게 며느리를 구박했다.

……할머니는 나리 엄마만 보면 괜히 심통을 부리고 못살게 굴었습니다.

"아래뜸에 가 봐. 집집마다 남들은 아들도 쑥쑥 잘 낳던데. 우리 집구석은 망조가 들었어."

…… (중략) ……

"마누라는 옷 갈아입듯이 갈아 버리면 그만인 기라. 새장가 들어 대를 이을 아들을 낳아야지, 언제까지 이러고 있을래?"

할머니는 가만히 있는 나리 아빠까지도 들볶았습니다.

그래도 엄마 아빠는 아무 대꾸도 하지 않았습니다.

"여자가 대학을 나왔으면 뭐 하노? 아들을 낳을 줄 아나, 농사일을 할 줄 아나, 살림을 잘 하나……."

할머니는 나리 엄마가 하는 일마다 트집을 잡고 짜증만 내다가 내려가시곤 했습니다.[3]

– 〈무지개를 타고 간 아이〉에서

강민숙은 시집살이가 아무리 힘들고 고달파도 저녁이 되면 남편과 나란히 앉아 책을 읽거나 글을 쓸 수 있어 행복했다. 남편인 표성흠은 결혼과 동시에 자신의 꿈을 접을 수밖에 없었던 강민숙이 안쓰러워 밤마다 원고지 세 장씩을 떼어 주며 아무 글이라도 써 보라며 그녀를 독려했다.

강민숙은 시간이 지나면 시댁 식구들과 잘 지낼 수 있을 거라고 생각했다. 하지만 아들에 대한 기대가 컸던 시어머니는 며느리를 눈엣가시처럼 여기고 사사건건 트집을 잡았다. 집안 분위기가 걷잡을 수 없이 흐르자, 이를 감당할 수 없었던 남편은 돈을 벌어 오겠다며 서울로 올라가 버렸다.

그날 밤. 밤중이 되자 갑자기 나리의 몸이 불덩이처럼 뜨거워지기 시작했습니다. 나리는 자꾸만 헛소리를 하며 앓았습니다.

"어머니, 병원에 좀 가야겠습니다."

엄마는 안타까워 어쩔 줄을 모르며 할머니에게 사정을 했습니다.

"호들갑 떨지 마라! 난 아이들 삼남매나 키웠어도 병원 문 앞에도 안 가 봤다."

할머니의 목소리는 매몰차기만 했습니다.…… (중략) ……

새벽녘이 되자, 나리는 의식을 잃고 말았습니다.…… (중략) ……[4]

– 〈무지개를 타고 간 아이〉에서

남편이 서울로 올라간 사이, 맏딸 시내가 장폐쇄로 세상을 떴다. 시댁 식구들과 잘 지내 보려고 자기 주장 한 번 펴 보지 못했던 강민숙은 그때문에 딸을 잃은 것 같아 절망에 빠지고 말았다.

3 강민숙, 《무지개를 타고 간 아이》, 웅진, 1991, p.17
4 강민숙, 같은 책 p.38

그런 강민숙을 절망의 늪에서 건져 올린 것은 아들 영도였다. 예정일을 앞당겨 크리스마스 밤에 태어난 영도는 강민숙에게 크나큰 선물이었다. 강민숙은 아들 영도 덕분에 고된 시집살이에서 벗어날 수 있었다.

이후 강민숙은 공부를 더 하겠다고 중앙대학교 문예창작과에 편입한 남편을 따라 서울로 올라왔다. 학생 남편을 둔 덕에 형편이 넉넉지 않았지만 좋아하는 책을 마음껏 읽을 수 있고 다만 몇 줄이라도 글을 쓸 수 있어 행복했다.

강민숙은 1982년 신사임당의 날을 맞아 경복궁에서 열리는 전국 주부 백일장에 나가 수필 부문에서 차상을 받았다. 그 일을 계기로 강민숙은 '시문회' 동인으로 활동을 하게 되었다. 시문회 동인들은 한 달에 한 번씩 만나 문학 이야기도 하고, 문인들을 초대해 문학 강연도 듣고, 시화전을 여는 등 활발한 활동을 벌였다.

1983년 〈한국일보〉 신춘문예에 동화 〈고무줄 새총〉이 당선된 강민숙은 본격적으로 문학을 공부하기 위해 서울예술전문대학(현 서울예술대학) 문예창작과에 편입해 소설을 전공했다. 남편의 원고료와 인세로 겨우 생활을 꾸려 나가는 처지였지만 남편과 아이들의 응원에 힘입어 학교에 나갔다. 강민숙은 서울예술전문대학 문예창작과에 편입하면서부터 제2의 인생을 살게 되었다.

어떤 사람은 결혼을 인생의 무덤이라고 한다. 하지만 강민숙에게 있어서 결혼은 인생의 무덤이 아니라 서로의 꿈을 이루기 위한 새로운 도전의 연속이었다. 꿈을 이루기 위한 끊임없는 노력이 있었기에 강민숙은 동화작가가 되었다.

2

본격적으로 문단에 뛰어든 강민숙은 첫 작품집 《꿈꾸는 민들레》(신원문화사)를 시작으로, 《울보 공주》(삼성당), 《무지개를 타고 간 아이》(용진), 《내 사랑 꾸러기》(도서출판 정민), 《꿈많은 소녀 새롬이》(학원출판공사), 《달님이 엿들은 슬픈 이야기》(삼성당), 《노래하는 삽살개》(여명미디어), 《외로운 밤도깨비》(예림당), 《슬픈 눈의 코카》(여명미디어), 《풀과 나무의 집 아이들》(여명미디어), 《은총이와 은별이》(바우솔), 《별난 아빠 우리 아빠》(상서각), 《내 친구 서영이》(삼성당 아이), 《늦둥이》(한국 헤밍웨이), 《스티브 모리슨 이야기》(진선아이), 《풀빛 자연을 닮은 아이들이 뛰어노는 풀과 나무의 집》(진선아이) 등 수많은 동화책을 펴냈다.

《꿈꾸는 민들레》, 《울보 공주》, 《무지개를 타고 간 아이》 등 강민숙의 전기 작품들이 주로 작가 개인의 자전적인 삶을 다루었다면, 《외로운 밤도깨비》, 《은총이와 은별이》, 《늦둥이》 등 강민숙의 중기 작품들은 작가 개인의 삶에서 한 발 더 나아가 작가의 주변에서 일어나는 일들과 인물들을 다루고 있다.

맏딸을 잃은 경험이 있는 강민숙은 아프고 외로운 사람들을 그냥 지나치지 못하게 되었다. 《외로운 밤도깨비》(예림당)에 보면, '눈은 초점을 잃은 채 풀어져 있고, 고무줄을 넣은 바지는 흘러내려 엉덩이를 반쯤 내보이고 있는' 밤도깨비 같은 여자 이야기가 나온다.

그 여자는 실제로 강민숙의 아랫집에서 살았다. 주변 사람들은 '저 여자 조심해라. 하는 짓이 밤도깨비 같다'며 그녀에게 거리를 두라고 했지만, 강민숙은 '불쌍하다고 그녀가 올 적마다 싫은 기색을 하지 않고 함께 이야기를 나누'었고, '사람을 그렇게 함부로 대하는 게 아니야. 저 아줌마도 처음부터 미친 사람은 아니었을 거야.'라며 그녀를 감싸고 돌았다.

같은 책에 실린 〈할머니와 손수레〉의 할머니도 마찬가지다. 강민숙이 살던 동네에는 '눈이 오나 비가 오나 하루도 빠짐없이' 손수레를 밀고 다니던 할머니가 있었다. 강민숙은 슈퍼마켓에 갔다 나오다가 '빈 상자를 차곡차곡 접고 있는 할머니'를 보고 그냥 지나치지 못했다.

> 할머니는 아들이 둘이나 있어도 어디 한 군데 마음 붙이고 살 데가 없습니다. 큰아들네는 아들 며느리가 하루가 멀다고 티격태격 싸워 대서 마음이 편칠 않고, 둘째는 둘째대로 살아 보겠다고 아등바등대니 괜히 아들에게 짐만 되는 것 같아 같이 살기가 싫습니다.
>
> 그래서 할머니는 폐품을 주우며 혼자 살아갑니다. 몸이 고달파서 그렇지 마음은 그렇게 편할 수가 없습니다. 그러나 자식들 생각이 한시도 떠나지 않습니다.
>
> '자식도 품안에 있을 때 자식이지, 장가 보내고 나면 다 남이야. 암, 그렇구말구……'
>
> 할머니는 이렇게 마음을 달래 봅니다.[5]
>
> – 〈할머니와 손수레〉에서

강민숙은 그날 이후 '폐품을 주우며 혼자 살아'가고 있는 할머니를 관심을 가지고 지켜보게 되었다. '손수레를 자식처럼' 아끼는 할머니와 '할머니, 뭘 도와드릴까요?'라며 하루도 빠짐없이 할머니 곁을 지키던 손수레를 통해 강민숙은 우리 주변에 이런 사람도 있다는 것을 돌아보게 만든다.

강민숙에게 있어 생명이 있는 모든 것은 소중한 존재이다. 그것이 설령 사람이 아니라 동물이라고 해도 마찬가지이다.

《늦둥이》(한국헤밍웨이)의 주인공인 샛별이는 아들 영도가 키우던 강아지 중 한 마리

였다. 이 강아지는 태어날 때부터 '목덜미에 커다란 혹이 달려 있'었는데, '처음에는 대수롭지 않게 여겨왔던 그 혹이, 강아지가 자람에 따라 자꾸자꾸 커'졌고, 나중에는 '그 혹 때문에 몸도 제대로 가누지 못'할 지경에 이르고 말았다.

그러자 영도는 '그대로 뒀다간 잘못하면 죽'을지도 모른다는 생각에 '자전거를 사려고 남몰래 차곡차곡 모아 둔 돈'을 가지고 동물병원에 가서 샛별이의 혹을 떼는 수술을 시켜 가지고 돌아왔다. '축 늘어져 있는 샛별이를 품에 안고' 돌아온 영도를 보고, 강민숙은 이렇게 빈다. '하느님, 우리 샛별이를 살려 주세요. 늦둥이라도 좋아요. 제발 죽지만 않게 해 주세요.'라고.

이어 나온《은총이와 은별이》는 강민숙의 대표작이라고 할 수 있다. 그동안 강민숙의 동화는 주변의 소외된 이웃들과 아픈 동물들 이야기가 대부분이었다. 그러다가 강민숙은 '은총이와 은별이'를 알게 되면서 세상에서 가장 상처받기 쉬운 대상은 바로 아이들이라는 것을 새삼 깨닫게 되었다.

은총이와 은별이는 강민숙의 막내동생이 입양한 아이들이다. 이 아이들은 자신들의 의지와는 상관없이 세상에 태어난 후 부모로부터 버림을 받았다. 특히, 은별이의 경우는 장애가 있다는 이유 하나 만으로 세상 사람들로부터 곱지 않은 시선을 받아야 했다.

은별이가 뇌성마비라는 소식을 접한 이웃들과 친척들이 은총이네 집으로 찾아왔습니다.

"이 일을 어떻게 하면 좋아?"

"글쎄 말이야. 이게 무슨 날벼락이래?"

사람들 얼굴엔 걱정이 가득했습니다.

"은별이 엄마, 애를 도로 고아원에 보내요."…… (중략) ……

듣다 못한 큰오빠가 은별이를 와락 껴안으며 말했습니다.

"아기가 무슨 물건이에요? 마음에 안 들면 바꾸게?"

큰오빠는 화난 목소리로 말을 이었습니다.

"은별이는 우리가 키울 거예요. 그러니 이제 그만 돌아들 가세요."

큰오빠의 말에 무안해진 어른들은 하나 둘 집으로 돌아갔습니다. 모두가 돌아가고 나자 은총이네 집은 절간같이 조용해졌습니다.

그날 밤, 온 가족이 모인 자리에서 아빠가 말했습니다.

"얘들아, 이건 내 생각인데……이것도 다 하나님의 뜻인 것 같아. 하나님께서 장애가 있는 이 아이를 누구에게 맡길까 고민하시다가 우리가 가장 잘 돌보리라 생각되어 우리 집으로 보내 주신 게 분명해."

"아빠, 형이랑 제 생각도 그래요. 은별이가 뇌성마비 아니라 더 큰 장애가 있다 하더라도 우리가 키워요."

작은오빠의 말에 가족들의 얼굴에는 모처럼 미소가 번졌습니다.[6]

– 〈은총이와 은별이〉에서

강민숙은 '은총이와 은별이'를 통해 아이들이야말로 따뜻한 가정의 울타리 속에서 보호받고 사랑받아야 하는 존재라고 이야기 한다. 특히, 은별이처럼 장애를 가지고 있는 어린이의 경우는 그렇지 않은 어린이에 비해 더 많은 사랑과 관심을 기울여야 한다고 우리를 일깨우고 있다.

강민숙은 주변에서 일어나는 일을 눈여겨 봐 두었다가 거기서 글감을 찾아 글을 써 왔다. 어떻게 보면 지극히 제한적인 소재만을 다루고 있기 때문에 식상하다고 느낄 수도 있겠지만, 자신이 직접 보고 체험한 것을 글로 쓰기 때문에 강민숙의 동화는 구체적이고 설득력 있게 다가온다.

강민숙은 올해 육십이 되었다. 그런데도 그녀는 아직도 어린아이 같다. 말하는 것도 생각하는 것도 천상 어린아이이다. 어린아이와 같은 순수한 마음, 열린 마음을 가지고 있기 때문에 강민숙은 상처 받은 이웃들에게 스스럼없이 다가가 그들의 이야기에도 귀 기울일 수 있는 것이다.

동화작가 강민숙의 동화들은 한결같은 메시지를 내포하고 있다. 주변을 돌아보라. 그곳에 상처받은 사람들이 있다. 그들에게 마음을 열고 다가서라. 그러면 세상은 보다 살기 좋은 곳이 된다.

3

강민숙은 오랜 서울 생활을 정리하고 지난 1997년 경남 거창으로 내려왔다. 시어머니가 위암 진단을 받자 병간호를 위해 잠시 내려온 것이 계기가 되어 지금까지 거창에 눌러 앉아 살고 있다.

경남 거창군 거창읍 학리 750번지에 있는 우리 집은 금귀봉 아래 능선인 큰골 산중턱에 있다. 동네와 뚝 떨어진 이곳은 뒤쪽과 양옆이 마치 병풍을 둘러친 듯 높직한 산으로 둘러싸여 있고, 앞쪽은 툭 틔어 있어 멀리 냇물과 들판이 한눈에 내려다보인다.[7]

– 〈큰골에 안개가 오르면〉에서

6 강민숙, 《은총이와 은별이》, 바우솔, 2004, pp.66~68
7 강민숙, 《외로운 밤도깨비》, 예림당, 2000, p.27

강민숙은 남편 표성흠과 함께 사과 농사를 짓던 언덕배기 과수원에 '풀과 나무의 집'이라는 조그마한 이층집을 짓고 살고 있다. 사방이 산으로 둘러싸인 이 조용한 집에서 책을 읽고 글을 쓰며 노년의 행복을 즐기고 있다.

> 오리들은 연못에서 목욕을 하고, 닭들은 이곳저곳으로 몰려다니며 모이를 쪼아 먹고, 개들은 햇볕 아래서 다리를 쭉 뻗고 낮잠을 자고 있다. 너무나 평화스런 풍경이다.[8]
>
> – 〈큰골에 안개가 오르면〉에서

현재 풀과 나무의 집에는 강민숙과 남편 표성흠 말고도 집을 지키는 개 다섯 마리, 젖을 짜 먹기 위해 사 온 흰 염소 세 마리, 그 밖에 고양이, 오리, 닭, 토끼 등 수십여 마리의 동물들이 함께 살고 있다. 다른 집의 개와 고양이는 만나면 으르렁거리며 싸운다고 하는데, 풀과 나무의 집에서는 개와 고양이, 오리와 염소 등 모든 동물들이 이상하리만치 서로 사이좋게 살고 있다.

풀과 나무의 집은 평소에는 빈 절간 같이 조용하다. 하지만 주말만 되면 사람들로 발 디딜 틈이 없다. 강민숙은 이층집 뒤에 따로 조립식 건물을 한 채 지어 사립문고인 '풀과 나무의 집'을 운영하고 있기 때문이다.

> 풀과 나무의 집 도서관은 우리가 서울에서 내려오던 해에 만들었습니다.
>
> 시골에 내려와서 보니 아이들이 책을 읽고 싶어도 읽을 책이 없었습니다. 동네 아이들은 학교 수업이 끝나면 동네 타작마당에 모여 떠들고 놀기만 했습니다. 나는 서둘러 서울 집에 있는 내 책들을 몇 상자 싣고 내려왔습니다.
>
> 우선 그 책들을 창고방에 진열해 놓고 동네 아이들을 불러 모았습니다. 읽을 책이 없던 동네 아이들은 예쁜 동화책들을 보자 좋아라 모여들었습니다.[9]
>
> – 《풀과 나무의 집》에서

강민숙은 책을 접할 기회가 없는 농촌 아이들을 위해 독서 지도도 하고 글짓기 강의도 하고 있다. 한 달에 한 번씩은 남편 표성흠과 함께 '풀과 나무의 집 문화 답사반'을 운영하면서 도시에 비해 상대적으로 문화적 빈곤감을 느끼는 농촌 아이들에게 다양한 문화를 접할 수 있는 기회를 제공하고 있다.

---

8 강민숙, 같은 책, p.69
9 강민숙, 《풀과 나무의 집》, 진선아이, 2005, p.47

'풀과 나무의 집 문화 답사반'에서는 한 달에 한 번씩 우리나라 문화 유적지로 여행을 떠납니다. 역사에 대한 공부도 하고 그 고장 사람들의 살아가는 모습들도 돌아보고 옵니다.

이 일은 산할아버지의 꿈이었습니다. 아이들에게 여행 할 기회를 많이 주고 우리 고장을 바로 알게 하자는 것이지요.[10]

– 《풀과 나무의 집》에서

강민숙은 앞으로도 이곳 풀과 나무의 집에서 머무르며 창작 활동을 계속할 생각이다. 요즘 강민숙의 주요 관심사는 '사람과 자연이 어떻게 더불어 살아가야 하는가.'에 있다고 한다. 나이가 드니 자연히 자연 회귀에 관심이 가는 모양이다. 자연과 더불어 행복하게 살고 있는 강민숙에게서 또 어떤 동화가 탄생하게 될지 벌써부터 기대가 된다.

---

10   강민숙, 같은 책, p.66

어린이와 함께 선생이 걸어온 길

1948년 2월 27일 경남 산청군 산청읍 색동 30번지에서 아버지 강선기 님과 어머니 이
　　　명이 님 사이에서 3남 3녀 중 둘째 딸로 태어남.

1960년 산청국민학교를 졸업함.

1963년 산청중학교를 졸업함.

1964년 거창고등학교 입학함. 거창고등학교 재학 중 선배인 표성흠이 지도하는 '아림
　　　문학회'에 들어가 문학 공부를 시작함.

1967년 거창고등학교를 졸업 후,
　　　부산에 있는 고려신학대학(현 고신대학교) 영문과에 입학함.

1969년 〈경남매일신문〉 신춘문예에 처음 써 본 동화 〈수남이〉가 당선,
　　　문학의 길로 들어섬.
　　　같은 해에 시를 쓰던 표성흠과 결혼했고, 첫딸 시내가 태어남.

1970년 남편 표성흠 〈대한일보〉 신춘문예에 시 〈세 번째 겨울〉이 당선됨.

1972년 둘째 딸 시정 태어남.

1973년 다섯 살이던 첫딸 시내 하늘나라로 감.
　　　그해 겨울, 아들 영도 태어남.

1977년 중앙대 문예창작과에 다시 편입학한 남편을 따라 서울로 상경함.

1979년 남편 표성흠 월간 〈세대〉지에 소설 〈분봉〉으로 신인문학상 수상함.

1982년 경복궁에서 열린 전국 주부 백일장에서 수필 부문 차상을 받음.
　　　이 일을 계기로 '시문회' 회원으로 활동함.

1983년 〈한국일보〉 신춘문예에 동화 〈고무줄 새총〉이 당선됨.

1984년 서울예전(현 서울예술대학) 문예창작과에 편입함.

1985년 서울예전 문예창작과를 졸업함.

1986년 첫 작품집 《꿈꾸는 민들레》를 신원문화사에서 펴냄.

1990년 두 번째 동화집 《울보 공주》를 삼성당에서 펴냄.
　　　같은 해에 여성 동화작가 5인(강민숙, 김영희, 박춘희, 이규희, 최균희) 모임을
　　　결성하고, 〈꿈이 있는 아이는 울지 않아요〉라는 동인지를 펴냄.

1991년 세 번째 동화집 《무지개를 타고 간 아이》를 도서출판 용진에서 펴냄.
　　　네 번째 동화집 《내 사랑 꾸러기》를 도서출판 정민에서 펴냄. 다섯 번째 동화집
　　　《꿈 많은 소녀 새롬이》를 학원출판공사에서 펴냄.
　　　같은 해에 딸 시정이가 뒤를 이어 서울예전 문예창작과에 입학함.

1992년 가족끼리 여행 원고 전문 집필실인 '길손기획'을 만들어 《신나는 팔도 학습 여행》, 《신나는 세계 여행》 등 수십여 권의 여행 책을 펴냄.

1993년 아들 영도가 서경대학교 산업디자인과에 입학함.

　　　같은 해에 딸 시정이 마로니에 백일장에서 시 부문 장원을 차지하고, 이어 계간 〈아동문학평론〉 동화 부문 신인상을 수상함.

1995년 딸 시정이 제3회 MBC창작동화대상에서 〈고대리 아이들〉로 장편 부문 대상을 수상함. 이 상금 받아 영국 어학연수 및 유럽일주 여행감.

1996년 여섯 번째 동화집 《달님이 엿들은 슬픈 이야기》를 삼성당에서 펴냄.

1997년 시어머니가 위암 진단을 받자 사무실을 정리하고 거창으로 내려와 병간호를 시작함. 거창 시내가 한눈에 들어오는 언덕배기 과수원에 집을 짓고, '풀과 나무의 집'이라 이름 지음.

　　　같은 해에 일곱 번째 동화집 《노래하는 삽살개》를 여명미디어에서 펴냄.

　　　병간호를 하던 3년 동안은 글을 한 줄도 쓸 수 없어 안타까운 나날을 보냄.

2000년 여덟 번째 동화집 《외로운 밤도깨비》를 예림당에서 펴냄.

　　　같은 해에 딸 시정이 농어촌공사(현 한국농촌공사)에서 근무하고 있는 박영진과 결혼함. 시정은 엄마가 없는 동안 스스로 벌어서 집안 살림도 다 하고, 동생 대학도 졸업시키고, 중앙대학교 예술대학원에서 석사 학위를 받음.

2001년 외손녀 새미가 태어남.

2002년 아홉 번째 동화집 《슬픈 눈의 코카》를 여명미디어에서 펴냄.

2003년 열 번째 동화집 《풀과 나무의 집 아이들》을 여명미디어에서 펴냄.

　　　같은 해에 둘째 외손녀 새라가 태어남.

2004년 열한 번째 동화집 《은총이와 은별이》를 바우솔에서 펴냄. 이 책은 교보문고 베스트셀러 3위까지 올라 제법 인세를 받았는데, 남편이 갑자기 심근경색으로 쓰러지는 바람에 수술비로 다 쓰게 됨. 다행히 남편은 건강을 회복함.

　　　열두 번째 동화집 《별난 아빠 우리 아빠》를 상서각에서 펴냄.

　　　열세 번째 동화집 《내 친구 서영이》를 삼성당 아이에서 펴냄.

2006년 열다섯 번째 동화집 《스티브 모리슨 이야기》를 진선아이에서 펴냄.

　　　같은 해에 열여섯 번째 동화집 《풀과 나무의 집》을 진선아이에서 펴냄.

　　　이 책은 진선출판사에 다니고 있는 아들 영도가 삽화를 그려 의미가 큼.

　　　12월, 《풀과 나무의 집》이 환경부 우수 도서로 선정됨.

2007년 '풀과 나무의 집'에서 창작에 전념하고 있음.

　　　창작하는 틈틈이 주일에는 교회 주일학교 교사로도 봉사하고 있음.

풀과 나무의 집은 어린이 시비공원도 조성돼 있고 시낭송회 무대는 물론 어린이 도서실까지 갖추고 있어 많은 어린이들이 찾고 있음.

한국 아동문학가 100인

김옥애

대표 작품

〈옹기 항아리〉

나의 삶 나의 문학

함께 공존해 온 운명

작품론

자연스러운 삶 그리고 자연스러운 죽음

어린이와 함께 선생이 걸어온 길

옹기 항아리

길가 밭 구석에
새 집으로 이사를 간 사람이 그릇을 버렸어요.
흙으로 만든
옹기 항아리였어요.

밭둑에 심어진 앵두나무들이 속삭였어요.
"저게 뭐니?"
"배가 볼록하게 튀어 나와 밉게도 생겼어라."
"살결은 왜 저렇게 까맣지?"
앵두나무들은 빨간 열매를 자랑스럽게 내보이며
옹기 항아리를 쳐다보았어요.

"뭐야? 내가 밉다고? 배가 나왔다고?"
옹기 항아리는 겉모양만 보고 말을 하는
앵두나무들이
오히려 답답했어요.

바로 저만치 고추밭 두렁에 있던 바가지가
흘끔 쳐다보며 고개를 끄덕했어요.
"너는 또 누구니?"
옹기 항아리는 화가 나서 덤벼들 듯 물었어요.
바가지도 항아리에게 대들었어요.
"밉게 생겨서 밉다고 하는 게 잘못되었니?"

옹기 항아리는
더욱 더 답답해졌어요

한참이 지났어요.
"옹기 항아리야, 내가 잘못했어. 화 풀어."

바가지가 정답게 옹기 항아리를 달랬어요.

"……."

"사실은 내가 너보다 훨씬 볼품이 없을지도 몰라……."

파란 플라스틱 바가지의 말소리가 부드러워졌어요

옹기 항아리도 어느새 화를 풀고 귀를 기울였어요.

"나는 밭주인 집의 수돗가에서

물을 떠 주고 살았지.

소꿉놀이를 끝낸 우경이의 손도 씻어 주고…….

수대에 담긴 물을 떠서 먼지 인 마당에 뿌리기도 하고……."

"그런데 왜 여기 와서 뒹굴고 있니?"

옹기 항아리가 물었어요.

"주인집에 바가지들이 선물로 많이 들어 왔어.

그래서 나는 이 밭으로 밀려오게 되었거든."

"그럼, 여기서 무엇을 했니?"

"가끔 씨앗을 담아 주긴 했지만 별로 하는 일 없이 빈둥빈둥 놀았어."

그때 밭둑을 걸어오는 사람의 기침소리가 들렸어요.

"아니, 누가 남의 밭에다 이런걸 버렸어? 누구지?"

밭주인은 흙이 묻은 불룩한 항아리를

발로 때리며 버럭 화를 냈어요.

"언제 시간을 내어 부수어 버려야겠네."

밭주인이 사라지자

옹기 항아리는 벌벌 떨었어요.

"이제 내가 살 수 있는 날도 얼마 남지 않았군.

난 병이 들지도 않았어. 살아서 좋은 일을 하고 싶은데 왜 죽어야 해?"

옹기 항아리는 한숨을 쉬었어요.

하지만 주인은

옹기 항아리에 큰 돌멩이를 던져 부수질 않았어요.
밭의 구석에서 얌전히 앉아 있었기 때문이에요.
옹기 항아리는 숨을 죽이며 살아갔어요.

날씨는 덥고
비는 내리지 않았어요.
밭에 심어진 고구마와 고추들이 말라 시들어 갔지요.
정말 물 한 방울 구경할 수 없는 가뭄이었어요.

어느 날
바람이 불고,
후두둑 후두둑 소나기가 내렸어요.
옹기 항아리는 입을 크게 벌렸어요.
"빗방울들아, 어서 나에게 오너라."

옹기 항아리는 다시 바람에게 말했어요.
"바람아, 빗방울들을 나에게 많이 데려다 줘."
옹기 항아리는
빗방울들을 반갑게 맞았어요.

소나기가 멎자
옹기 항아리 안에는 빗물이 가득 찼어요.
"빗물아, 너는 짜지가 않구나!"
간장 맛만 알고 있었던 옹기 항아리는
심심한 빗물 맛을 처음 알았어요.
일 년에 한 번씩 새 간장을 부어 주던
옛날 주인 아주머니 얼굴이 빗물 속에서 아른거렸어요.

다시 뜨거운 햇볕이 쏟아져 내렸어요.
며칠 후 밭 주인이 나타났어요.
옹기 항아리를 본
주인의 얼굴에 환한 웃음이 감돌았어요.

"이걸 부숴 버리지 않고 두길 정말 잘 했어."

주인은 밭두렁에 뒹굴던 바가지를 찾아 왔어요.
그리고 항아리 안에서
찰랑거린 빗물을 떴어요.
말라 가는 채소에다 물을 주었어요.
"아! 살겠다."
고추가 외쳤어요.
"이렇게 달콤한 여름은 처음이야. 물이 너무너무 맛있어."
고구마도 물을 고마워 했어요.
고추와 고구마의 말을 들은 옹기 항아리는 기뻤어요.

함께
공존해 온
운명

그동안 지방의 몇 군데 잡지에서 이 주제로 원고 청탁을 받은 적이 있다. 그러나 이런저런 핑계를 대며 쓰지 않았다. 우선 내용이 너무 무겁고 버거웠기 때문이다. 나의 삶에 대해 무슨 말을 할 것인가? 어떻게 할 것인가? 또 나의 문학은 말할 가치라도 있는 것일까?

그런데 〈시와 동화〉로부터 같은 주제의 글을 또 부탁받았다. 이번에는 쓰겠다고 했다. 버겁고, 무겁게 느끼지 말자. 나를 미화시켜도 아니 된다. 군데군데 내가 살아 왔던 대목들을 털어 보면 나를 바라볼 수 있는 작은 거울 하나가 만들어질지도 모르니까.

중학생 때 문학에 눈떠

나는 1946년 음력 4월 11일 한밤중에 태어났다. 개띠 생인 나는 시를 잘못 타고 태어나 평생 바쁘게 살아간다는 생각을 늘 한다. 왜? 개는 밤에 돌아다니며 집을 지키는 것이 그의 할 일이니까. 만약 낮에 태어났더라면 댓돌 위에 누워 늘어지게 잠을 자는 개처럼 한가한 삶을 살았을 테니까.

생가의 주소는 전남 강진읍 남성리 탑동 117번지. 그 집에서 아버지 김익균과 어머니 신정님은 2남 6녀를 낳으셨다. 나는 그중 넷째 딸이다.

탑동은 내가 태어나기도 했지만, 영랑 김윤식 시인의 생가가 있는 동네다. 영랑 시인은 내 할아버지의 친누님 아들이어서 우리 아버지와는 외사촌 관계였다. 내 어릴 적에는 같은 동네에서 친척들이 올망졸망 많이 얽혀 살았다. 대밭 아래엔 큰아버지 집, 옆집은 고모네 등등.

영랑 시인은 내가 태어나 다섯살 되던 해에 세상을 떠났다. 그래서 나는 그를 전혀 알지 못한다. 다만 부모님이나 친척들의 입을 통해 이야기로 조금씩 전해 들었을 뿐……

그는 시집을 내면 친척들에게 한 권씩 나눠 주었다고 한다. 1943년도에 출판한 영랑 시집 한 권을 요행히 우리 큰언니가 보관 중이었다. 그것을 몇 년 전에 내가 얻어 왔다.

아버지는 군청에 다니셨고, 우리 집은 농사도 많이 짓는 편이었다. 하지만 공무원이었던 아버지는 언제부터인지 도박을 즐겼다. 도박 때문에 차츰 논과 밭이 없어져 갔다.

강진 중앙초등학교를 졸업하고 강진 금릉여중에 들어갔다. 그곳에서 임상호 국어 선생님을 만나 문학에 눈을 떴다.

고등학교는 광주로 갔다. 전남여고 일학년 때 5·16 혁명이 일어났는데, 혁명 과업 수행으로 아버지는 직장에서 퇴출당했다. 도박으로 살림이 거덜나고, 직장까지 잃게 된 것이다. 그때부터 경제적으로 시달림을 받으며 학교에 다녔다. 중학생도 가르치고, 학교 내에서 일자리를 구하기도 했다. 학교 생활이 힘들 때 아버지를 원망하면서 다짐했다. 나는 훗날 절대로 무능력한 부모가 되지 않겠다고.

전남여고 문예 반에서 윤삼하 선생님께 시를 배웠다. 광주교육대학에서는 최정순 선생님 밑에서 소설 습작을 권유받으며 '단층' 문학 동인 활동을 했다.

그러나 나는 2년제 교육 대학에 늘 불만을 품었다. 내 형편에 초급 대학도 과했지만 나의 꿈은 그게 아니었다. 틈만 나면 4년제 대학으로 다시 들어가 볼까 기웃거렸다. 결국 그 뜻도 이루지 못하고 학교만 일 년 늦게 졸업하게 되어 버렸지만.

내 이름이 인쇄된 원고지 삼만 장

첫 발령을 받아 고향에서 초등학교 선생님이 되었다. 그리고 다시 모교인 강진 중앙초등학교로 옮겨, 그곳에서 여덟 살 위인 박용수를 만났다. 아이들의 고전 읽기를 함께 지도하다 우리는 가까워졌다. 그 무렵 그는 인쇄소에서 내 이름이 써진 원고지 삼만 장을 찍어 나에게 선물을 했다. 기뻤고, 놀랍고, 감동에 젖었다. 결혼까지 생각을 했다. 하지만 내 부모님과 형제들의 반대가 너무나 심했다. 결국 나는 고향에서 담양으로 전출을 해 버렸고, 그 해 12월 27일 결혼식을 올렸다. 내 나이 스물다섯 살 때인 1970년의 일이다.

결혼은 낭만과 꿈과 자유를 제약받은 생활이고 현실이었다. 하지만 나는 극기했다.

결혼 전에는 광주에 좋은 영화가 들어오면 강진에서 버스를 타고 광주까지 보러 다녔다. 영화관에 앉아 같은 영화를 세 번이나 본 적도 있었다. 한 번은 대사 듣고, 한 번은 배우 얼굴 보고, 한 번은 눈 감고 음악 감상하고, 집안 일 같은 것은 거들떠보기가 싫었다.

배 깔고 엎드려 책 읽는 게 나의 일상이었다. 마음이 내키면 주말이나 방학에 바다로 산으로 떠나는 여행 또한 실컷 즐겼다. 그런데 결혼 생활은 그런 자유와 여유를 용납하지 않았다. 자유 분방했던 나는 1971년 첫딸 낳고, 1972년 둘째 딸 낳은 후 협심증으로 시달렸다. 숨이 답답해서 컥컥 죽을 지경이었다. 심전도 검사를 수시로 했으나 아무런 병도 없었다. 신경성으로 진단이 나왔다.

다시 1974년 10월에 아들을 낳았다. 아들이 태어남과 동시에 답답하던 나의 삶에 엄청난 변화가 왔다.

결혼 후 아이들 셋을 낳는 동안 나의 문학은 완전히 가출해 버린 상태였다. 늘 마음속으로 이것은 아닌데, 내가 이렇게 살아가면 안 되는데, 하고 외치면서도 생활 속에서 5년이란 시간은 그냥 떠밀려만 갔다. 내 문학의 감수성은 협심증에 시달리며 먼지가 앉고, 녹슬어 갔다.

생전 처음 써 본 동화로 신춘 당선

아들을 낳은 나는 기가 팔랑해졌다. 드디어 내 일도 시작해야겠다는 욕심이 생겨났다.

먼저 수북이 쌓여 있는 원고지들을 꺼냈다. 그동안 문학 공부를 하지 못한 내 실력을 시험해 보고 싶었다.

그러나 감히 소설은 손을 대지 못했다. 아들 곁에 누워 산후 조리를 하면서 엄청난 분량의 소설을 쓴다는 것은 불가능했다. 그래서 동화를 택했다. 학교에서 아이들 가르치며 보고 겪었던 사건에 상상력을 가미해 보았다. 그것을 1975년도 〈전남일보〉(지금의 〈광주일보〉) 신춘문예에 보냈다. 생전 처음 써 본 동화였다. 운이 좋았던지 당선이 되었다. 그해에 시는 김목, 동시는 손동연이 함께 당선되었다. 손동연은 시상식 때 고등학교 교복을 입고 왔었는데, 지금은 하얀 머리를 바라보며 같이 늙어간다. 매달 한 번씩 물뿌리개 동인으로 만나 아동문학 공부를 같이 하고 있다. 실타래처럼 질기고 긴 인연임을 실감한다.

동화 〈우물가를 맴도는 아이들〉은 담양 금성초등학교 아이들이 양철 지붕 아래의 우물가에서 노는 모습을 소재로 썼다.

당선 소식을 듣고, 나는 학교 교무실 난롯가에 주저앉아 버렸다. 나 같은 사람도 뽑힐 수 있구나 하는 신뢰감이 일었다. 세상이 온통 정의롭고, 맑고, 공정하게 느껴졌다. 글 쓰기에 대한 자신감도 생겨났다. 협심증 증세도 깨끗이 사라졌다. 그러나 동화는 더 이상 쓰지 않았다. 가끔 원고 청탁이 오면 수필로 대신했다. 그리고 입으로 소설을 쓰고 있었다. 나는 소설을 쓸 거야. 소설가가 되어야지. 일 년이 지나도 습작 한 편도 못하면서 입으로만 부지런히 소설을 썼다. 이 년이 지나도 마찬가지. 삼 년이 지나도 마찬가지. 빈둥빈둥 입으로만 소설을 썼다.

1978년 가을.

전남 문인들 모임에서 전원범 시인과 이야기를 나눌 기회가 있었다. 그는 대학 시절 학보사에서 함께 신문 만드는 일을 했다. 또 문학 동인 '단층'을 실질적으로 끌어갔던 핵심 회원이었다. 그래서 그는 언제 어디서나 나의 친구였다.

그가 나에게 다그쳤다. 왜 동화를 쓰지 않느냐고. 소설에 대한 미련을 빨리 버리고, 다시 중앙지 신춘문예의 동화나 준비하라고. 그는 소설 쓰기가 힘든 나의 여건을 하나씩 늘어놓은 후에 아동문학의 당위성을 강조했다.

그날 그의 말에 공감한 바가 많았다. 즉시 중앙지 신춘문예에 보낼 동화를 구상했다. 내 생애 두 번째 써 본 동화였다. 〈너는 어디로 갔니?〉란 50매 분량의 동화를 1979년도 〈서울신문〉 신춘문예에 응모했는데 그것 또한 운이 좋았는지 당선이 되었다. 이곳 전남일보 문화부에서는 인터뷰 기사를 통해 나를 많이 축하해 주었다. 아이를 셋 둔 주부가 학교 근무하면서 중앙지 신춘에 도전했다는 사실을 높이 평가해 주었다.

〈너는 어디로 갔니?〉는 광주 남초등학교의 교실 뒤편 연못을 보면서 상상해 본 동화였다. 중앙지에 신춘이 당선되고 나니 끊임없이 원고 청탁이 들어왔다. 원고 약속을 지키기 위해 나는 꼬박 밤을 새우는 날이 많았다. 만년필로 한 자 한 자 써내려 갔던 1970년대의 글쓰기 속도를 상상해 보라. 요즘 컴퓨터와 어찌 비교될 수가 있겠는가.

밤새 원고 쓰던 나날들

밤을 새운 뒤에도 새벽에 가족들 도시락을 일곱 개까지 싸면서 근무를 했다. 식탁 위에 도시락 반찬 그릇들을 죽 늘어놓을 때면 마치 내가 도시락 전문점을 운영하는 것 같은 착각이 일곤 했다. 지금은 초등학교 아이들에게 급식을 하고 있으니 엄마들이 많이 편해졌다. 그러나 1980년대의 나는 낮에 학교에서 아이들 가르치고 퇴근길엔 시장에 들러야 했다. 저녁에도 아이들 도시락 반찬 준비하고, 약속된 일들 처리하느라 정신이 없었다. 주변 사람들은 그렇게 바쁘게 살아가는 나를 '철인'이라 칭하기도 했다.

그런 와중에도 광주에서 동화 쓰는 사람 다섯이 모여 '흙담' 동인을 만들었다. 남자 네 명에 여자는 나 혼자였다. 그러나 모임을 끌어갔던 전양웅 선생님이 갑자기 세상을 떠나는 바람에 흐지부지 흩어지고 말았다.

연극도 했다. 고향에서 나온 모란촌 동인지 20주년 기념 행사로 기획한 연극이었다. '병자삼인'의 대본을 외우면서 나는 잠시 연극에 미쳤다. '이옥자' 역의 연기를 하는 게 너무 재미있었다. 공연이 끝나고 나자 다시 또 무대에 서고 싶었던 마음을 체험하면서 연극인들이 왜 자기 직업을 지키고 살아가는지 이해되었다.

그뿐이랴. 지방 방송국에서 지역 프로로 나간 어린이 시간대의 극본도 썼다. 드라마 극본 쓰는 일 역시 즐거웠다. 날더러 학교를 그만두고 서울로 올라가서 정식으로 드라마 쓰는 공부를 해 보는 게 어떠냐며 꼬드긴 선생님도 있었다.

또 이 지역의 각종 글짓기 심사도 퍽 많이 맡았다. 작게는 교육청 출장에서부터 크게는 호남예술제와 전남일보(현재 〈광주일보〉) 신춘문예에 이르기까지. 신춘문예에서 내가 뽑았던 사람이 활동을 열심히 하면 괜히 자랑스럽고 흐뭇해졌다. 어디론가 묻혀 미아가 되어 버린 사람들도 생겨났지만 〈무익조〉의 장편동화를 쓴 김성범, 〈학교에 간 개돌이〉를 쓴 김옥, 파랑새에 근무한 문자영, 교학사에 근무한 김성진, 유아동화를 쓴 한은경 등은 지금도 관심이 가는 후배 동화작가들이다.

아, 또 있다. 1980년대에 나는 밤에 학교까지 다녔다. 광주교육대학 야간 4년제에 입학을 했다. 마치 4년제 대학을 가지 못했던 한풀이라도 하듯 졸업 후엔 대학원까지 다니면서 석사 과정을 마쳤다.

한 몸에 다섯 지게를 지고

생각해 보면 나는 욕심이 많은 사람인지 개성이 없는 작가인지 모르겠다. 직장도, 가정도, 문학도 모두 잃고 싶지 않았으니까.

명예퇴직하기 전까지 한 몸에 다섯 지게를 지고 다니면서 그 짐을 하나도 놓지 못했다.

바쁜 엄마 밑에서 우리 아이들은 그런 대로 공부를 잘 해 주었다. 하지만 결과적으로 나는 무척 힘들었다. 세 녀석 모두 대학을 졸업하고 또 한 번씩 대학을 더 다녔으니까. 그것이 부끄러울 것도 없고, 내세울 일도 아니기에 그냥 이야기를 풀어놓는다. 큰딸은 광주에서 고등학교를 수석 졸업하고 서울대학교 정치 외교학과에 들어갔다. 그러나 1980년대 운동권이 되어 부모 마음을 아프게 했다. 데모를 열심히 해서 취업도 힘들었다. 그래서 다시 수의대에 들어가 6년 공부를 마치고 지금은 수의사 일을 하고 있다. 아들은 대전 KAIST 생물학과를 마치고 풀무원에 연구원 취업을 모색하던 중 다시 의대에 입학을 했다. 몇 년 후 IMF로 인해 실직한 젊은 회사원들을 보면서 나는 그 선택이 옳았다는 판단을 내렸다. 훗날 가장이 되어 사오정을 맞는다면 내 손자나 손녀가 어떻게 될 것인가? 지금은 보훈병원에서 재활의학 전공의 과정을 밟고 있는 중이다. 둘째 딸은 전남대학교 간호학과를 졸업하고 취업을 했는데 6개월만에 사표를 썼다. 더 공부하고 싶다는 것이다. 그래서 독일로 유학을 갔다. 8년 뒷바라지를 했지만 학위를 따지 못해 귀국 명령을 내렸고 한국에 나와서 늦게 취업을 했다.

이렇게 셋이서 똑같이 먼 길을 돌고 돌아왔다. 늦게 사회에 뿌리를 내린 아이들 때문에 나는 남편의 구박도 많이 받았다.

남편은 아이들이 잘 풀리면 모두 자기 덕분이고 조금만 빗나가면 모두 나한테 책임을 돌리곤 했다. 가난한 집의 큰아들로 태어나 아버지를 20대 초반에 잃은 그는 8남매의 장남이었다. 그러나 그는 장남이 아니라 시동생들의 아버지나 다름없었다. 돌아가신 자기 아버지를 대신해 자기가 아버지 노릇을 해야 된다는 의식이 강했다. 그래서인지 성실하고 바르다. 가치 기준이 엄격해서 거기에 맞추다 보면 우리 아이들과 나는 스트레스를 받을 때가 많았다.

문학이 있어 풍요로운 나의 삶

내가 그림을 했거나 음악을 했다면 그는 용납을 하지 못할 사람이다. 원고지와 펜만 있으면 집에서 조용히 혼자 할 수 있는 문학이기에 관망을 하면서 지금까지 묵인해 왔다고 말하는 것이 아마 적절한 표현이 될 것 같다.

어떻든 이 세월을 함께해 오면서 그는 건강했고, 가족들을 잘 지켜준 고마운 남편이다. 무엇보다도 우리 아이들에게는 자상하고 좋은 아버지 노릇을 다 해 왔다.

큰딸이 대학에서 한창 운동권이었을 때 그가 아이를 만나러 서울에 간 적이 있었다. 그러나 만나기는커녕 행방조차 모른 채 다시 광주에 내려왔다. 집에 들어선 그의 얼굴은 통통 부어 눈물 범벅이었다. 강하기만 한 남편이 그렇게 우는 모습을 나는 처음 보았다.

우리는 항상 젊을 것만 같았는데 이제 할아버지와 할머니의 호칭으로 살아가고 있다.

퇴직 후 남편은 집에서 승용차로 십 분 정도의 거리에 있는 밭에 나가 농사를 짓는다. 사백 평의 밭을 혼자 재미있게 일군다. 고추, 깨, 고구마, 더덕 등 여러 가지 무농약 채소들을 담아 나르면 나는 이웃들과 나누어 먹는다. 그런 그가 건강하다는 이유만으로 신에게 감사하는 마음을 갖는다. 그러면서도 또 영악하게 한쪽 구석에서 나의 문학을 챙겨 간다. 결혼 때문에 제약받았던 젊은 날의 낭만과 꿈과 자유가 여전히 살아서 꿈틀거린다. 다만 극기하면서 열심히 살아가고 있을 뿐.

내 삶에 문학이 포함되어 있지 않았더라면 이 나이에 나는 많이 허전했을 것이다. 또 문학이 전부인 양 내 아이들이나 가정을 모두 던져 버렸다면 많이 외로웠을 것이다.

어쩌면 일상의 삶과 문학은 함께 공존해 온 나의 운명이었는지 모르겠다.

자연스러운 삶
그리고
자연스러운 죽음

김옥애의 2000년대 장편동화를 중심으로

이정석

1. 들머리

물은 아래로 흐르고, 따스한 기운은 위로 오르며, 늙으면 죽고, 죽으면 자연으로 돌아간다. 인간과 자연의 불가항력적인 정한 이치이다. 인간의 일상사는 진부하고 평범하다. 배고프면 밥 먹고, 졸리면 잠자고, 더우면 부채질하고, 추우면 따뜻한 곳을 찾는다. 우리들의 모든 의식적인 행동이나 무의식적인 행위를 말할 때 불가(佛家)에서는 '착의끽반 아시송뇨(着衣喫飯 屙屎送尿)'라고 하는데 이 '의복을 걸치고 밥을 먹고 대소변을 보는 것'이 인간의 일상 생활이다. 물론 그저 되는 대로 생활하면서 사는 것이 일상은 아니다. 주체적으로 자연의 순리에 따라 사는 자연스러운 일상을 말한다. 즉 평상심을 잃지 않는 생활을 의미한다.

조주가 남전에게 물었다. "도가 무엇입니까." 남전이 말했다. "평상심이 도이다." "거기를 어떻게 갈 수 있습니까." "가려고 더듬으면 곧 어그러져." "더듬지 않고 어떻게 도를 알 수 있습니까." "도는 알고 모르고에 속해 있지 않아. 안다는 것은 망령이고, 모르는 것은 혼미이지. 진정 더듬지 않은 도에 이르면, 그곳은 태허처럼 툭 트여 있어. 어찌 시비를 붙일 수 있겠나." 이 말에 조주는 단박 깨달았다.

화두를 평석한 《무문관》에 나오는 이야기다. 당나라 때 남전화상이 제자 조주선사에게 평상심(平常心)을 잃지 않는 것이 도(道)라고 하였다. 여기서 불교의 거창한 화두인 '평상심'을 통해 선(禪)을 이야기 하고 싶어서 꺼낸 것은 결코 아니다. 보통 사람에게 평상심이란 평소 때에 가지는 편안한 마음이나 행동이라고 말하고 싶어서이다. 때문에 평상심은 자연스러움이 배어 있다. 평상심은 일부러 꾸미지 않고 이러구러 판단하지 않으며, 호불호를 크게 드러내지 않고 있는 그대로의 모습을 가지는 것이다.

김옥애(1946~)는 자연스러움을 보여 주는 동화작가이다. 시인 정문석은 김옥애를 '광주 대인동 의상실 따위 / 취미있게 드나드는 여자가 아니다. / 한복도 화사하게 입는 것도 아니고 / 토종의 투박한 옷감으로 / 개량 생활 속으로 / 아주 속차게 입는 여자다'라 했다지만, 그녀는 동화를 통해 우리 민족 문화의 고갱이를 자연스럽게 보여 주고, 삶과 죽음은 서로 이웃이라는 동양적인 생사관을 자연스럽게 보여 주고, 또 장애인과 비장애인, 한국인과 혼혈아 등 남과 어울려 사는 것이 얼마나 좋은 것인가를 자연스럽게 보여 주고 있는 것으로 보아 토종의 자연스러움이 겉모습뿐만 아니라 속마음, 그리고 동화작품 속에 몽땅 녹아 있다고 할 수 있다.

김옥애의 작품 세계에 대하여 〈죽음에 대한 성찰〉(《한국현대아동문학작가작품론 Ⅱ》, 청동거울, 2001)에서 이영미는 삶의 또 다른 얼굴인 죽음이야말로 삶을 진실하게 이끌어 가는 데 중요한 길잡이임을 발견하였고, 김옥애의 영식인 박승범은 〈죽음을 다루는 동화-김옥애론〉(《안부》, 2004년 시누대 연간집, 예원)에서 죽음에 대한 담담한 작가의 시선과 소중한 일상의 가치를 찾아 내었고, 정선혜는 〈역혁명적 인간 본질 탐구-김옥애의 작품 세계〉(〈아동문학평론〉 117호, 겨울호, 2005)에서 해리포터 시리즈와 같은 역혁명적 소재로 민족 상상 공동체 되찾기, 죽음을 통한 인간 본질 탐구, 선명한 캐릭터 창출 등 몇 가지로 정리하였다. 특히 정선혜는 앞의 글에서 김옥애의 작품 경향을 3기로 나누었는데 등단한 1975년부터 1986년까지 환경 파괴에 대한 고발과 모성애, 판타지 모색 시기를 1기로, 1986년 이후부터 2001년까지 2기로, 2002년 이후 지금까지 장편동화 3권을 연달아 펴내 생태동화적 글쓰기와 현대 문명에 대한 비판 등 문학적 확장을 시도한 시기를 3기로 갈무리하였다.

김옥애의 3기에 발간한 장편동화는 《들고양이 노이》(청동거울, 2002), 《별이 된 도깨비 누나》(청동거울, 2002), 《엄마의 나라》(청개구리, 2005)이다. 《별이 된 도깨비 누나》는 한국문예진흥원 우수문학 예술 도서로 뽑힌 고학년 동화이고, 《들고양이 노이》는 제12회 한국아동문학상을 작가에게 안겨 준 고학년 동화이며, 《엄마의 나라》는 저학년 동화이다. 이 세 편의 동화에 관류하고 있는 자연스러움이라는 열쇠를 가지고 김옥애가 구축하고 있는 문학 세계를 조망하고, 그녀의 내면적 주제 의식이 무엇인지를 파악하고자 한다.

2. 장편동화 3편의 구조적 특징

《들고양이 노이》, 《별이 된 도깨비 누나》, 《엄마의 나라》는 각기 다른 특성을 가지고 있다. 동화의 구성 특징상 발간 역순으로 살펴보는 것이 나을 것 같다.

먼저 《엄마의 나라》는 1960년대 돈을 벌기 위해 독일로 건너가 그곳에서 눌러앉게 된 한국 간호사와 독일인 의사 사이에서 태어난 김현준(리차드 만스키)이 엄마와 함께 한국에 입국하여 여름 방학 날까지 일주일 정도 '푸른초등학교'에서 한국인 어린이들과 함께 공부도 하고, 그림도 그리는 등 체험 학습을 하는 과정을 그린 동화이다.

우리나라 사람들이 어디서 살든지 모두 꿋꿋하게 잘 살아가면 좋겠어요. 그러나 우리나라 대한민국도

잊지 말아 주세요. 나무에게 뿌리가 있듯이 사람에게도 자기의 조상이 있으니까요.

대한민국을 잊지 않으려면 우선 우리나라 말부터 잊지 않아야 될 것입니다. 그리고 여러분들도 다른

나라에서 살다온 친구를 만나면 한국 친구들과 똑같은 마음으로 대해 주길 바래요.

작가의 의도성을 엿볼 수 있는 내용이 《엄마의 나라》 머리말에 있다. 그녀가 언급한 것은 아무리 글로벌 시대라고 하더라도 자신의 뿌리인 조상과 모국어를 잊어서는 안 된다는 것과 귀국 학생이나 혼혈인에 대해 차별하지 말아야 한다는 것이다.

《별이 된 도깨비 누나》는 주인공 근주(나)가 도깨비 누나를 만나 파란 도깨비 보자기를 얻지만 친구 목탁이의 탐욕 때문에 보자기가 찢어지고 그 보자기의 운명과 동일한 도깨비 누나도 결국 죽어 하늘의 별이 된다는 흥미진진한 동화이다.

이 작품에서는 근주를 중심으로 사건이 벌어지는 가시적 세계가 한 축을 이루고 있고, 도깨비 누나를 중심으로 다섯 도깨비들이 엮어가는 환상의 세계가 또 한 축을 이루어 두 개의 구성 줄기를 가지고 있다.

근주 중심의 한 축에는 ①바다 낚시를 하다가 사소한 다툼으로 아버지를 함께 잃어버린 근주와 목탁이가 겪은 장례 과정, 이별과 이사 이야기, ②시골 고모집에서 만난 시각 장애인 용술이, 지체 부자유와 언어 장애가 있는 짱구 등과 소금을 굽는 이야기 ③시골에 놀러온 목탁이와 보물 보자기를 함께 공유했지만 목탁이가 훔쳐 도망가다가 오토바이 사고를 당한 이야기 등이 있고, 도깨비 중심의 다른 한 축에서는 ①다섯 도깨비들이 근주 집 느티나무에서 기와집 마루 밑 동굴로 이사하는 이야기, ②도깨비 누나가 훔쳐온 컴퓨터에 관한 이야기, ③수확을 못한 밤실 노인네 밭에서 도깨비들이 밤새 밀베기를 하고 재생 비누를 만드는 이야기 등이 있으며, 그 중간에 근주와 도깨비 누나가 만나서 나눈 우정 같은 사랑과 이별 그리고 죽음 이야기로 짜여져 있다.

《들고양이 노이》는 세 마리 고양이가 서로 다른 삶의 방식을 택해 살면서 조우하는 크고 작은 사건 속에서 삶의 의미를 새겨 보는 판타지동화이다.

첫째 고양이 얼이는 도시 아파트의 애완 고양이로서 주인 아들 준수와 어울려 놀기, 목욕하기, 맛있는 통조림 먹기, 새장 안에 사는 문조와 사귀기, 동물병원에서 예방 주사 맞고 불임 수술 받기, 미소 연습으로 인간 닮기 등 비만 고양이가 되고, 둘째 고양이 노이는 거친 들판에서 살아가는 들고양이로서 개구리와 토끼풀의 만남, 쓰레기 소각장에서 한쪽 눈을 잃은 고양이 반쪽이 돌보기, 꼬리없는 짤록이와의 동거, 달걀을 훔치다가 맞아 죽는 도둑고양이의 목격, 고양이 소탕 작전으로 인한 피난 등 자유 고양이가 되고, 셋째 고양이 검이는 태어난 옹기 집에서 엄마 고륵이와 함께 사는 시골 고양이로

서 주인의 무관심에 대한 분노, 낚시꾼이 주는 생선에 만족하거나 하얀 고양이와 연애하는 고양이로 남는다. 이 세 고양이 중에서 지은이 김옥애의 관심의 무게가 제목에서 드러났듯이 자기 삶을 적극적으로 영위하면서 파란만장한 삶 속에서 고통을 참고 모험을 하는 둘째 고양이 노이에게 기울어져 있음을 알 수 있다.

앞에서 살펴본 것처럼 세 편의 장편동화를 구조적 특징에 따라 정리하면《엄마의 나라》는 주인공 김현준(나) 주위에서 일어난 일을 시간 순으로 전개해 가는 직선형 또는 일자(一字)형 동화이고,《별이 된 도깨비 누나》는 주인공 근주(나)를 중심으로 한 축과 도깨비 누나를 중심으로 한 축 등 두 개의 줄기로 전개되면서 보물 도깨비 보자기를 매개로 가끔 두 줄기가 연결되는 사다리형 또는 이자(二字)형 동화이며,《들고양이 노이》는 세 자매 고양이가 각기 다른 길을 택해 독특한 삶의 양태를 보여 주는 삼차 병행형 또는 삼자(三字)형 동화라고 할 수 있다.

3. 자연스러운 생사관

피아제에 의하면 아동들이 죽음을 듣고 두려움과 공포를 느끼는 나이는 직관적 사고를 하는 7세 정도이며, 죽음을 자연스럽게 인지하고 삶의 과정으로 받아들이는 연령은 보통 형식적 사고 단계인 청소년기 12~15세 정도라 한다. 그러므로 인지 발달 단계로 보아 초등학교 고학년 정도 어린이들에게 죽음의 문제는 아동문학의 그리 큰 장애 요인이라 할 수 없다.

그러나 아동문학 쪽에서 생사 문제를 다룰 때 죽음(死)의 문제는 쉽게 접근하지 못한다. 하나는 죽음 자체를 어떻게 접근해야 하는가, 또는 죽음의 상황을 어느 정도 묘사 또는 사건 서술해야 하는가를 두고 고민한다. 죽음이란 단순히 물질적 존재의 소멸이나 갑작스런 육체의 진공만을 의미하는 것은 아니기 때문이다. 즉 죽음을 경험하지 못한 아동이 살붙이 부모나 친근한 주위 사람의 소멸에 대한 상실감 또는 정신적 충격을 이겨 내고 어른들처럼 자연스럽게 받아들일 수 있느냐에 초점 맞추어 사건을 진행하기가 어렵다고 할 수 있다. 또 하나는 아동문학에서 군이 어두운 죽음의 문제를 다루어야 하는가라는 작가의 소극적, 부정적 입장을 생각할 수 있다. 세상의 아름다운 이야기도 다 쓰지 못하는데 죽음의 비참함, 아픔과 슬픔의 어두운 그림자를 도입할 필요가 있느냐고 여긴다.

어쩌면 오히려 우리 조상들이 아이들에게 교육적 측면에서 죽음과 주검의 경험을 빨리 시켜서 심각한 생사 문제를 마을 공동체 문제로 확대하여 더 적극적으로 수용했는지 모른다. 수의를 미리 마련한다든지, 관을 일찍 짜 둔다든지, 장례나 상례를 가족 구성원 모두 참여해 처리한다든지 또 가까운 마을 뒷산에 무덤을 만드는 것은 죽음과 삶이 일상 속에서 동시에 존재한다는 사실을 영·유아 때부터 경험하도록 했기 때문이다.

그런 측면에서 김옥애의 동화에 나타난 죽음의 문제는 다른 동화작가에게서 찾아보기 힘들 정도로 자주 등장하고, 자세히 묘사하고, 자연스럽게 전개된다. 이 세 편의 장편동화에서도 생사 문제에 집요하게 천착하고 있다. 김옥애의 동화 문학을 연구한 이영미의 글에서도, 박승범의 글에서도, 정선혜의 글에서도 그것에 대한 다양한 접근 사실이 발견된다. 김옥애의 동화에서 첫 번째로 확연히 드러나는 특성은 바로 자연스러운 죽음을 보여 주고 있다는 것이다.

《들고양이 노이》에서는 굶어 죽어가는 어린 고양이, 달걀을 훔치다가 주인이 던진 막대기에 맞아 죽은 동료 고양이, 새끼를 다 키우지 못하고 죽은 어미 고양이 문조, 돌멩이에 눈을 맞아 점점 병들어 죽어가는 고양이 반쪽이, 땅벌들의 독침에 죽은 셋째고양이 검이 등 많은 죽음이 등장한다.

또 《별이 된 도깨비 누나》에서도 일찍 병들어 사별한 근주 어머니, 사소한 말다툼으로 바다에 함께 빠져 죽은 근주 아버지와 목탁이 아버지, 보물 보자기가 찢어져 죽고 마는 도깨비 누나 등 몇몇의 죽음이 보인다. 특히 이 동화에서는 죽음과 관련해 장례 절차와 상여 소리가 자세히 묘사되어 있다. 《엄마의 나라》에서는 저학년용 동화이기 때문인지 간접적인 죽음이 나온다. 선사시대 무덤인 고인돌 이야기, 외할머니 귀신에게 절하면서 우는 엄마 이야기가 그것이다.

> 뼈만 앙상하게 남아 있는 어린 새끼 고양이가 노이를 빤히 쳐다보는 게 아닌가. 어린 고양이는 엄마라도 잃어 버린 것 같았다. 코가 성한 곳이 없이 벌겋게 벗겨졌다. 두 귀에서는 고름이 흘러 나왔다. 굶주림에 피부병을 앓는 것이 분명했다. 퀴퀴한 냄새 때문에 오래 지켜보기가 민망했다.
> – 《들고양이 노이》에서

《들고양이 노이》에서 어린 고양이가 엄마를 잃고 굶주려 죽어가고 있는 모습을 묘사한 글이다. 삶을 포기하고 죽음을 기다리는 비참한 어린 고양이 모습이 다만 불쌍하고 더럽고 냄새난다는 이유로 동화를 읽다 말고 덮을 수 있을까. 죽음은 갑작스럽게 오는 것이 아니라 평소 건강하지 못하면 언젠가는 맞이할 수밖에 없는 불가항력적인 것임을 자연스럽게 상기시키고, 어린 자식에게는 부모와 가정이 얼마나 소중한 것인가를 절실히 깨닫게 하고 있음을 알 수 있다.

> 선생님은 두 아버지의 사진 앞에서 향을 피운 후 절부터 했습니다. 아이들은 뒤에 서서 선생님이 하는 대로 따라서 절을 하더군요. 그리고 나서 몸을 돌려 우리들하고 같이 마주 보며 절을 또 하였습니다.

"근주야, 목탁아! 선생님이 덕이 부족해서 너희들이 이런 일을 당했구나!"

"……."

"상여는 따로따로 나간다면서?"

"예."

조그마한 소리로 나는 대답했습니다.(아래 줄임)

사거리를 떠날 때부터 상여를 멘 아저씨들은 앞소리와 뒷소리를 주고받기 시작했습니다. 누군가가 먼저 목이 쉰 소리로,

"혼자서 못 가겠네, 쉬어나 가자. 한 번 가면 못 오는 길을."

하고 노래를 부르자, 상여를 멘 나머지 아저씨들이 모두 같이 합창을 하는 것이었어요.

"아아하 애–애요 / 아아하 애–애요 / 삼천갑자 동방삭은 / 삼천갑자 살았는데 / 아아하 애–애요 / 아아하 애–애요 / 북망산천 어이 가리 / 쉬어나 가자 못 가겠네. / 아아하 애–애요 / 아아하 애 –애요."

－《별이 된 도깨비 누나》에서

《별이 된 도깨비 누나》 55쪽부터 66쪽까지 '흰 나비 한 마리가'의 소제목이 붙은 부분에서 좀 길게 인용한 것으로 여기에서 두 가지 중요한 사실을 발견할 수 있다.

첫째는 장례 절차 중에서 문상객과 상주 사이에 일어나는 조문 과정을 서술하고 있다는 점이다. 아버지를 함께 잃어 버린 근주와 목탁이가 상주가 되어 문상객인 선생님을 맞이하고 있다. 그리고 문상할 때 어떤 말로 상주를 위로해야 하는지 보여 주고 있다. 그래서 이 동화를 읽으면서 어린이 독자들은 자연스럽게 장례 절차에 대하여 이해하게 되는 것이다.

둘째는 상여를 메고 이동하면서 부르는 만가를 들어볼 수 있다는 점이다. 사람이 죽었을 때 상여꾼들이 상여를 메고 가면서 부르는 상여 소리를 만가(輓歌)라 하는데 보통 선두에서 이끄는 요령잡이가 선소리를 메기고 상여를 멘 상여꾼들이 뒷소리로 받는 장절(章節) 형식으로 되어 있다. 선소리와 뒷소리는 죽은 자에 대한 진혼곡이며 죽은 자가 살았던 이승 삶의 고백이고, 상여꾼의 응원가, 뒤따르고 있는 산 자들을 위한 가르침이다. 김옥애는 이런 만가를 그의 동화에 적극적으로 실어 놓음으로써 죽음에 대한 독자들 인식 전환의 자연스러운 적응 장치로 작동시키고 있는 것이다. 필자가 과문한 탓인지 모르지만 동화 속의 만가 삽입은 이 동화가 유일하거나 희귀한 예가 아닌가 한다.

아울러 《별이 된 도깨비 누나》 68쪽에는 아버지 옷들을 장독대 뒷밭에 쏟아 놓고 불지르는 장면이 있는데 근주가 태우기를 아까워하자 고모는 '지워 버리는 것이야. 아버지 생각을 빨리 잊고 우리 근주가 씩씩하게 살아가야지.'라고 한다. 외국과는 달리 우리나라에서는 죽은 자의 유물, 특히 옷가지에 대해 보존 가치를 높게 치지 않고 있는

것이 사실이다. 아마 근주 고모처럼 망자를 잊고 산자의 새로운 삶을 북돋우기 위해 태우기도 하지만 유물 속에 붙어 있는 죽은 자의 혼령이나 이승에 대한 미련을 과감히 떨치려는 속설 때문에 대부분 태워 버리고 만다. 만가나 옷가지 태우는 행위는 아래의 민족 문화 계승의 영역에서 살펴볼 수 있으나 죽음과 관련된 것이라 이 단계에서 언급한 것이다.

> 나는 도깨비 누나가 시키는 대로 했지요. 보자기를 얼굴에 쓰고 '아버지의 모습을 보여 주세요'라고 주문을 했습니다. (아래 줄임)
> 바다 밑에는 하얀 바위로 되어 있더군요. 진흙으로 된 낭떠러지 아래에는 하얀 눈이 펄펄 내리고 있었습니다. 그런데 그 바닷속의 낭떠러지 아래에서 아버지가 눈을 맞고 누워 있었던 것입니다.(아래 줄임)
> "자! 누나가 있는 데서 엄마의 얼굴도 한 번만 얼른 보렴."
> 도깨비 누나의 재촉에 나는 다시 주문을 했습니다. (아래 줄임)
> 엄마는 분명히 하늘 나라의 천국 같은 곳에서 지내시는 것 같았습니다.
> 옥색 모시 치마 저고리를 입은 엄마가 부채를 들고 꽃밭 사이를 천천히 거닐고 있었어요.
> ─《별이 된 도깨비 누나》에서

《별이 된 도깨비 누나》74~75쪽 부분은 인간의 사후 세계를 그리고 있는 장면으로 지은이 김옥애 의식의 한 단면을 엿볼 수 있다.

우리나라 사람들은 예로부터 가족 시신을 찾지 못하면 그 죽은 당사자는 고통 속에서 구천을 떠도는 원혼이 된다고 믿고 있다.

근주 아버지도 바다에 빠져 죽었지만 시신을 찾지 못한 상태로 고모를 따라 시골로 내려왔던 것이다. 도깨비 보자기를 통해 아버지의 상태를 확인하고 있다. 그리고 일찍 돌아가신 어머니는 하늘 나라 천국에서 옥색 모시 치마 저고리를 입고 편안하게 지내고 있다는 것도 확인한다. 사후 세계를 지옥─구천─천국으로 삼분하고 있는 동양 사상의 일면을 볼 수 있는 장면이라고 할 수 있다.

그런데 이 장면 이후부터는 근주가 어머니 아버지를 그리워하거나 누구나 겪는 인간적 고통이나 고민, 슬픔, 괴로움에 빠져들지 않는다는 사실이다. 부모에 대한 눈물이나 그리움이 별로 나타나지 않는다. 죽음에 대한 두려움이 없으며 고모집에서 근주 자신의 삶에 충실한다. 어찌 보면 근주 자신의 삶 속에 부모의 죽음이 자연스럽게 녹아들었다고 해야 할까. 너무 어른스러워 보여 조금은 작위적인 냄새가 나는 것은 어쩔 수 없다.

> 진수형과 나는 커다란 돌덩이 사이를 거닐었습니다.

"이런 큰 돌들을 고인돌이라고 하지."

"형도 죽으면 이리 와요?"

"형은 다른 곳으로 가겠지."

옛날에 한국에서는 사람이 죽으면 저 돌 밑의 흙 속에 묻었다고 합니다. 저런 큰 돌덩이를 들어 옮길 때마다 땀을 많이 흘렸을 것입니다.

― 《엄마의 나라》에서

《엄마의 나라》에서는 직접적으로 죽음의 문제를 다루지 않고 있다. 주독서 대상으로 초등학교 저학년 어린이들을 겨냥한 것이기에 그들을 위한 배려로 생각된다.

그러나 위에서 보듯 죽음의 문제를 완전히 배제시킨 것은 아니다. 형과 함께 온 고인돌 공원에서 간접적으로 죽음을 언급하고 있다. 여기에서도 매우 자연스럽고 의미있는 대화로 죽음을 이야기하고 있다. '형은 다른 데로 가겠지'라는 간결한 말투 속에 선사시대의 매장 문화와 사생관이 시대가 바뀜에 따라 그 형태와 의식이 변하고 있음을 보여 주고 또 현대인들이 가지고 있는 죽음에 대한 의식의 일면을 자연스럽게 보여 주고 있는 것이다.

4. 남을 배려하는 조화로운 삶

《들고양이 노이》, 《별이 된 도깨비 누나》, 《엄마의 나라》 장편동화 세 편은 자신보다 못한 환경이나 처지에 빠져 있는 남을 위해 적극적으로 배려하는 장면이 상당히 많이 등장하고 있다. 배려는 자신의 희생과 봉사로 손해 볼 수 있다는 각오, 그리고 상대방 처지에 대한 이해를 바탕으로 이루어지는 이타적 행위이다. 말 그대로 배려(配慮)는 배우자인 아내의 처지를 깊이 생각한다는 뜻을 지니고 있다.

이 세 편의 장편동화에는 곳곳에 남을 위한 희생 등 자연스러운 배려 장치가 설치되어 있음을 발견할 수 있다.

Ⅰ

"아파서 누워 있는 친구의 먹이를 구하려고요."

"뭘 모르는 애들이 용감하다니까. 여긴 나 외에 다른 고양이들은 얼씬도 못하는데 말이야."

갈색 고양이의 태도가 처음보다 부드러워졌다.

"도와 줘요."

"급한 모양이구먼."

― 《들고양이 노이》에서

2

"가자! 밀밭으로 가자."

"대장님, 오늘 밤은 그 할아버지 밭의 밀베기가 가장 중요한 일 같죠?"

도깨비 누나가 그렇게 말하자 대장은 웃으면서 대답을 했어요.

"꼬마야, 너도 같이 가는 거야. 작은 힘이라도 오늘 밤엔 모아야 해."

"예, 대장님."

대장 도깨비가 맨 앞장을 서서 성큼성큼 걸어갔습니다. 둔갑도 하지 않은 다섯 도깨비들이 다섯 개의 뿔을 달고 밤실 쪽으로 날아가듯이 가볍게 걸어갔습니다.

– 《별이 된 도깨비 누나》에서

3

예솔이가 마실 물을 찾았습니다. 나는 냉장고 문을 열고 물병을 꺼냈어요. 컵에 따른 물을 예솔이의 입에 대 주었습니다.

"천천히 마셔."

나는 물을 다 마신 빈 컵을 다시 제 자리에 갖다 놓고 예솔이와 마주 보고 앉았습니다.

– 《엄마의 나라》에서

1은 둘째고양이 노이가 쓰레기 소각장 안에 누워 있는 병든 반쪽이를 위해 위험을 무릅쓰고 다른 고양이 짤룩이의 영역을 침범해 먹이를 구하려고 하고 있다. 자신에게 닥칠 위험 등을 감안하지 않는, 철저히 병든 반쪽이의 처지를 배려하여 취한 행동이다. 병든 반쪽이는 사람이 던진 돌에 맞아 애꾸눈이 되었고, 곧 죽게 되는 불쌍한 동료 고양이이며 이미 스스로 움직이기 어려운 중증 상태에 빠져 있는 녀석이다. 이처럼 배려는 연민이나 동정으로 해결하지 못하여 자신의 희생을 바탕으로 이룰 수 있는 고귀한 행위인 것이다.

여기서 둘째 고양이 노이의 삶에 대한 지은이의 따뜻한 시각을 점검할 필요가 있다. 지은이는 첫째 얼이와 같이 개인의 영달과 편안함만을 추구하는 도시 아파트 애완용 고양이의 생활은 조화롭고 가치 있는 삶이 아니라고 여기고 있다. 또 셋째 검이처럼 현실에 안주하여 주어진 작은 것에 만족하는 소극적인 삶을 누리는 평범한 고양이의 삶에 대해서도 일부러 눈을 돌려 외면하고 있다. 비록 거친 세상의 고난과 역경 속에 파묻혀 있음에도 스스로의 삶을 개척하고 자신이 세운 도덕적 기준을 준수하면서 자신을 희생하여 남을 배려하는 창의적이고 조화로운 삶을 영위하는 둘째 노이에 대해 지은이는 후한 점수와 함께 따뜻한 눈길을 주고 있는 것이다.

②도 비록 인간은 아닐지라도 도깨비로서 노동 인력 부족으로 밀 수확을 포기한 밤실 노인의 처지를 그냥 지나칠 수 없어 다섯 도깨비들이 밤새 밀밭에 나가서 밀 베기를 해 주고 있는 것이다. 농촌의 일이란 게 시기를 놓치면 꾸려 나가기 힘이 든다. 농사일이 바쁘면 부지깽이도 한 몫 한다는 속담이 있듯이 일손의 집중력이 필요한 보리 베기, 모내기, 깨 타작 등은 한 동네가 한꺼번에 움직일 수밖에 없다. 그러다 보니 힘없는 노인의 일은 소홀해지고 빠지기 마련이다. 그런 밤실 노인의 농사일을 도깨비들이 밤새 도와 준 것이다.

③은 주인공 독일 혼혈인 현준이가 병원에 입원한 한국인 예솔이를 위해 작은 배려이지만 물병을 꺼내고, 마시는 것을 도와 주고 있다.

《엄마의 나라》는 인종 편견주의를 깨고 인간은 모두 동등한 존재로 존귀받아야 한다는 메시지를 찾을 수 있다. 우리나라 사람들은 한반도 안에 다른 소수 인종이 없어서 그런지 순혈통주의 내지 순종주의 단일 민족이라는 긍지(?) 높은 편견을 가지고 산다. 뿌리 깊은 인종주의 국가인지도 모른다. 한때 외국인이나 혼혈인에 대해 백안시하여 우리 사회에 발을 붙이지 못하게 하였다. 지금은 많이 달라졌다지만 혼혈인에 대한 편견은 여전하다는 사실을 매스컴을 통해 접하고 있다. 코시안과 같은 한국인과 외국인 사이에 태어난 아이들을 멸시해 온 한국 사회 풍토가 고스란히 그 아이들에　화살로 날아가는 현실을 볼 때 독일계 혼혈인 현준이와 순한국인 예솔이의 편견없는 조화로운 삶은 시사하는 바가 매우 크다고 할 수 있다.

《별이 된 도깨비 누나》에서는 맹인 고모부, 맹인(시각 장애인) 용술이, 지체 부자유와 언어 부자유의 중복 장애인 짱구, 소금가게의 시각 장애인들 등 다수의 장애인이 등장한다. 하지만 이들은 하나 같이 구성원들의 편견 없는 마음과 태도로써 서로를 배려하며 조화로운 삶을 영위하고 있다.

같은 또래인 용술이와 한데 묶어 주었던 것입니다. 그러면서 고모는 나에게 타일렀습니다.

"고모가 고모부를 도우며 살 듯이, 근주도 용술이를 이끌어야 해."

"알았어요, 고모." (아래 줄임)

"풀은 어떤 모양이야?"

"초록색. 생김새는 여러 가지야."

"초록이 무엇인데?"

"초록이 초록이지. 아! 나도 잘 모르겠다."

용술이가 조금 전보다 흰 이를 더 많이 드러내며 웃었습니다. 마치 두 살 먹은 아이처럼 용술이는 모르는 것도 많았었지요. 산골의 맑은 물처럼 느껴지는 용술이와 는 벌써 친해져 있었습니다.

－《별이 된 도깨비 누나》, pp.92~94

　　고모가 맹인 학교에 가려는 용술이에게 점자를 가르쳐 주자(pp.107~110) 그 옆에서 근주가 함께 배운다. 그리고 점자의 구조, 점자 찍는 법, 읽는 법 등 자세하게 가르쳐 준다. 이렇게 근주에게 고모가 구체적으로 가르쳐 주는 이유가 무얼까. 바로 건강한 눈을 가진 독자들에게 시각 장애인들의 생활과 불편을 이야기함으로써 장애인들에 대한 편견을 불식시키고, 서로 위하는 조화로운 삶을 희망하고 있기 때문일 것이다.

5. 민족 문화의 계승 의지

　　김옥애는 초등학교에서 아이들을 가르쳤던 교육자이면서 동화작가이다. 그래서 그녀의 동화 속에는 교육적 요소가 다분히 내포되어 있다. 그 교육적 요소는 모래밭에 자갈처럼 생경하게 다가오는 것이 아니라 자연스럽게 맞물려 돌아가는 기계 속 톱니바퀴 같은 것이다. 이 세 편의 장편동화 속에도 아래의 글 ④와 ⑤처럼 현충일과 제헌절 이야기가 나온다. 애국애족의 의미를 자연스럽게 사건 중에 녹아들어 튀어나지 않는다. 또 ⑥처럼 민족문화 상징물인 단소를 등장시키면서 '중려, 이몽, 무역, 황종, 태주'라는 음이름을 넌지시 끼워 놓고 있다.

④

나는 걸음을 멈추었습니다. 나라를 위해 돌아가신 분들의 얼굴들을 잘 모릅니다. 하지만 나는 사이렌을 들으며 감사하다는 묵념을 올렸습니다. 그리고 짧은 시간이었지만 나의 엄마에게도 말을 건넸습니다. (아래 줄임)

걸어가면서 혼자 중얼거렸습니다.

"엄마는 나라를 위해서가 아니고, 몸이 아파서 세상을 떠나셨지만……. 뭐, 어때? 나는 아들인데…….

그런데 올해는 현충일이 왜 하필 일요일이지?"

현충일이 일요일과 겹쳐서 쉬는 날 하루를 꿀떡 삼켜 버린 것입니다.

－《별이 된 도깨비 누나》, pp.22~23

⑤

"태극기."

"왜 달아요?"

"제헌절을 축하기 위해서."(아래 줄임)

"독일이 부럽구나. 한국도 남한과 북한으로 나뉘어졌는데 하나의 한국으로 통일될 날을 기다리고 있거든."

"한국 하나 되면 태극기 달아요?"

"태극기도 달고 사람들이 춤도 출걸. 현준이는 한국에 와서 어디가 좋니? 강? 산? 동물원?"

— 《엄마의 나라》, p.68

⑥

"야, 근주야."

"왜 그래?"

"오늘 단소를 가져올 걸 그랬어."

"어째서?"

"우리 아버지 낚싯대에다 이어서 사용하면 좋겠는걸."

"낄낄낄……."

"너는 중려, 이몽, 무역, 황종, 태주를 잊었어? 단소가 소리내기 어려운 것은 우리나라 사람의 깊은 마음을 닮아서라고 했잖아! 연습하면 될 거다. 불어 봐."

— 《별이 된 도깨비 누나》, pp.47~48

정선혜는 앞의 논문에서 김옥애의 작품 속에 우리 민족의 상징적 형상물이 수시로 등장하는 것은 역혁명성 즉 전통의 재창안을 위해 과거를 돌아본다는 의미를 지닌다고 지적하였다.

우리 민족 문화를 상징하는 형상물은 많다. 이 세 편의 장편동화에도 민족 문화 상징물들이 꽤 많이 등장한다. 김옥애가 다른 동화작가들과는 차별되는 대표적인 특성 중 하나이다. 그녀가 어떤 목적을 가지고 의식적으로 삽입하고 있는지 알 수 없으나 필자가 보기에는 사건 전개상 또는 동화의 전체적 구성상 매우 자연스러운 면이 있음을 고백한다. 이 세 편의 장편동화에 나오는 민족 문화 상징물을 살펴보면 《들고양이 노이》에서는 고양이 고륵이 가족이 사는 곳이 옹기를 만든 집이고, 셋째 검이가 죽게 되는 곳이 추석 무렵 벌초하는 산소 부근이며, 엄마와 재회하는 곳이 마을 입구에 서 있는 벅수 머리 위이다. 민가 여염집의 생활 용기인 '옹기', 민족의 최대 명절 '추석', 토속 신앙 대상인 '벅수(장승)'는 우리 조상들이 소중하게 여긴 민족 문화 상징물인 것이다. 묘하게도 이 동화의 첫 장면과 마지막 장면을 상징성이 강한 '옹기'와 '벅수'로 처리하고 있는 것을 볼 수 있다.

《별이 된 도깨비 누나》에서는 우리 민족과 친근한 '도깨비', 근주가 좋아한 '단소', 고모집에서 왕대로 만드는 '죽염', 도깨비 누나를 만나는 '첨성대' 등 여러 가지 상징물이 적절하게 배치되어 사용되고 있다.

《엄마의 나라》에서는 손톱에 물들이는 '물봉선화', 이모가 만들어 준 '얼음 콩국수', '된장국', '비빔밥', '송편', '김치', 교실에서 기르는 '박꽃', 아이들의 이야기 속에 등장하는 '흥부와 놀부', 형과 함께 놀러간 선사시대 유적지 '고인돌' 등 시대를 넘나드는 다양한 전통문화 상징물들이 등장하고 있다.

7

창고 옆의 공방에서는 사람들이 움직이는 소리가 들려왔다. 늙은 주인 아저씨와 그의 아들일 것이다. 그들은 흙투성이가 된 옷을 입고 있을 것이다. 고륵이는 보지 않아도 그 모습을 훤히 짐작할 수 있었다. 주인은 진흙을 반죽하고 그의 아들은 물레 앞에 앉아 옹기를 빚고 있을 것이라는 것까지도……

- 《들고양이 노이》에서

8

"우리가 그 어렵고 힘든 단소를 꼭 불어야만 되니?"

"단소는 우리나라 악기야. 나는 리코더보다 소리가 훨씬 좋더라."

"그러니까 장근주나 단소를 실컷 불어라 그 말씀이야. 유목탁이는 싫으니까."

- 《별이 된 도깨비 누나》에서

9

"저 박꽃이 불쌍해서 어쩌니?"

"제비가 물어다 준 박씨를 심어서 나온 건데."

선생님이 농담으로 한 말이지만 예솔이는 진짜인 것처럼 믿고 싶었습니다.

"우리 교실에 박이 열리면 흥부가 박을 타러 올 거야."

지윤이는 꿈을 꾸듯 말했습니다.

"흥부한테 오라는 연락은 했어?"

"아직."

예솔이와 지윤이의 말을 듣고 나는 물었어요.

"예솔, 흥부가 뭐야?"

"응, 있어 놀부의 동생. 가난하지만 아주 착한 사람이란다."

- 《엄마의 나라》에서

7, 8, 9는 세 편의 동화 속에서 뽑아 본 하나의 예이다. 이렇게 동화 속에 등장한

우리 민족 문화 상징물은 작품 속에 녹아들어 매우 자연스럽게 존재하고 있다.

　　시대가 흘러 문화의 형태가 바뀐다고 해도 고이 간직해 온 우리 민족의 문화 전통은 사라지지 않는다. 어떤 학자는 이런 것을 문화 유전인자라 해석하기도 하며 이런 문화 유전자라고 할 수 있는 한글, 판소리, 김치, 한복, 효 사상 등이 과연 없어지겠는가. 김옥애는 글로벌 시대니, 첨단 IT 시대니, 웰빙 시대라고 일컫는 현대를 살아가는 어린이들의 구미에 맞게 유행하는 패션 같은 동화를 쓰지 않고 전통 문화와 현대 문명이 조화롭게 어울리는 사회, 신구 문화의 균형 감각을 유지하는 어린이 등을 꿈꾸고 있지 않을까. 그래서인지 그녀의 작품 속에는 전통 문화가 자연스럽게 숨쉬고 있음을 쉽게 발견할 수 있다. 또한 그녀의 민족 문화 계승의 의지가 강하게 들어있다는 것도 알 수 있다.

6. 선물의 의미

　　'선물(膳物)'이란 상대방에게 고마움이나 예의 등의 표시로 전하는 마음이 담긴 물품을 말한다. 선물을 주고받는 것은 크나큰 즐거움이며 기쁨이다. 정말 마음에서 우러나와 주고받는 선물은 아무리 작을지라도 그 의미는 매우 크다. 사랑하는 이들 사이에 주고받는 풀꽃 반지와 네잎 클로버를 누가 선물의 의미가 천하다고 할 것인가. 그러나 선물은 주는 사람과 받는 사람의 관계에 따라 선물의 의미가 크게 달라진다. 부담스러운 상대방이 주는 선물은 별로 유쾌하지 않으며, 어떤 목적을 위해 보내는 선물은 순수하고 진정한 상대방의 마음이 담겨 있지 않기 때문에 뇌물이라고 한다.

　　《별이 된 도깨비 누나》와 《엄마의 나라》에는 몇 가지의 선물이 등장한다. 이 동화 속에 나타나는 선물은 순수한 의미를 지니고 있으며, 상징성이 높다고 할 수 있다.

"그게 뭔데요?"

"보물, 누나에게 가장 귀한 물건이야."

"그런데 그것을 왜 나한테 줘요?"

"근주가 나에게 보물같이 귀하게 느껴지니까……."

뿔 속에서 꺼낸 물건을 누나가 내 눈앞에서 활짝 펼쳤습니다. 그것은 손수건만 한 크기의 파란 보자기였어요.

－《별이 된 도깨비 누나》에서

　　근주에게 주는 도깨비 누나의 선물 '파란 보자기'는 도깨비 누나가 둔갑하거나 몸을 숨길 때 사용하는 도깨비의 전유물이다. 하지만 선물 '파란 보자기'의 용처를 가지고 선물의 의미를 따져서는 안 된다. '파란 보자기'를 선물함으로써 도깨비 누나의 처지가 어떻게 변하는가에 초점을 맞출 때 이 선물이 지니는 의미를 한 마디로 말하면 도깨비 누나의 생명 그 자체임을 알 수 있다. '근주가 나에게 보물같이 귀하게 느껴지니까'라는 도깨비 누나의 말 속에서 근주를 바라보는 도깨비 누나의 마음을 읽을 수 있다. 도깨비 누나가 근주를 사랑하지 않으면 결코 줄 수 없는 선물이 바로 '파란 보자기'인 것이다. 생명 그 자체를 선물 받은 근주도 도깨비 누나를 사랑하고 있지만 나중에 목탁의 탐욕에 의해 누나의 생명은 무참히 사라지고 마는 비극적인 종말을 부른다.

별똥별은 나에게 정말 꿈 같은 선물을 전해 주었습니다. 누나의 귀한 선물을 말입니다. 나는 우유곽 안에 든 연한 녹색 비누를 만져 보고 또 만져 보았습니다. 그러면서 울부짖었습니다.
"누나! 그래요. 이 지구를 지키듯 내 마음도 깨끗하게 지키면서 자라날게요. 누나를 꼭 만나는 날이 있을 것이라는 나의 기다림을 알아 주세요. 별이 된 도깨비 누나! 한 가지 더. 누나가 주신 이 선물은 보자기처럼 잃어 버린다거나 망가뜨리지 않을 것입니다."
-《별이 된 도깨비 누나》에서

《별이 된 도깨비 누나》마지막 부분에서 도깨비 누나가 근주에게 주는 최후의 선물은 놀랍게도 지구 환경 오염을 막는 재생 비누인 '녹색 비누'이다. 이 '녹색 비누'는 도깨비 누나가 직접 보낸 작은 선물이지만 상징성을 확대해서 살펴보면 드넓은 우주에서 지구에게 보낸 최후의 경고장이자 지구인들을 깨우치게 하는 각성제이며, 잊어 버려서는 안 되는 소중한 선물이라고 할 수 있다. 여기와서야 겨우《별이 된 도깨비 누나》가 지구의 환경 파괴로 인한 지구 종말과 인류 절멸을 경고하는 생태동화인 것을 알게 되었다. 김옥애의 깊은 주제 의식이 빛나는 순간이다.

흥부를 찾은 이유는 말하지 않았습니다. 흥부 다음에 반지를 주고 싶은 사람이 예솔이었기 때문입니다.
"예솔아, 이것."
"그게 뭐야?"
예솔이는 독일 과자를 보았을 때보다 더 흥미로운 눈빛이었습니다.
"이것도 독일 반지야?"
"응, 너 가져. 나중에 그 반지 보러 올 사람 있을 거야."
"누군데?"
"다음에 말해 줄게."
"고마워. 그런데 나는 너한테 뭘 줄까?"
예솔이는 망설이다가 머리맡에 있는 스케치북을 집어 들었습니다. 그녀는 누워서 종이 한 장을 뜯었습니다.

"현준아, 이거라도 받아줄래? 내가 그린 네 얼굴."

"친구, 고마워."

– 《엄마의 나라》에서

《엄마의 나라》에서는 현준이와 함께 방문하지 못한 영지(헬라)의 선물인, 토끼풀 문양이 새겨진 '은반지'가 등장한다. 영지는 착한 한국 친구에게 주라고 현준이에게 부탁했는데 흥부처럼 착한 예솔이에게 '은반지'를 준다. 이 '은반지'는 순수한 의미의 선물이긴 하지만 그 속에 담겨 있는 의미를 새겨 볼 필요는 있다. 바로 언젠가인지 확실하지 않은 미래에 만나자는 의미의 선물인 것이다. '은반지'가 어린이들 사이에서 가능한, 미래에 대한 희망의 싹이다. 그것도 장차 독일인과 한국인으로 만나는 것이므로 선물은 미래 지향적 의지의 표현이며 동서양의 조화를 상징하는 것이 아닌가.

두 편의 동화 속에 등장하는 선물을 분석하다 보니 김옥애가 우리에게 던져 주는 내면적 심층적 주제가 무엇인지를 파악할 수 있는 계기가 되었다고 본다.

7. 마무리

지금까지 2000년대에 발표한 김옥애의 장편동화 세 편을 주마간산격으로 살펴보았다. 그녀의 작품 속을 일관되게 유지하고 있는 특성은 자연스러움이다. 김옥애는 동화를 통해 죽음의 문제를 삶과 동일한 선상에 놓고 자연스럽게 보여 주고 있고, 동서양 혼혈인 현준이를 내세워 남과 어울려 사는 모습을 자연스럽게 보여 주었으며, 인터넷 시대에 살고 있는 오늘의 우리들에게 우리 민족 문화의 상징물을 자연스럽게 등장시켜 미래의 지향점이 무엇인가를 가르쳐 주고 있다. 이런 자연스러움은 나아가 동서양 통합, 고금의 통합 등 문화 융합, 인간 조화 등을 내포하고 있다고 할 수 있다.

어린이와 함께 선생이 걸어온 길

1946년 4월 11일(음력) 전남 강진군 강진읍 남성리 탑동 117번지에서 아버지 김익균, 어머니 신정임 사이에 2남 6녀중 넷째딸로 태어남.

1958년 강진 중앙초등학교를 졸업함.(47회)

1961년 강진 금릉여자중학교를 졸업함.(13회)

1964년 전남여자고등학교를 졸업함.(8회) 재학시절 한글날 백일장에서 '가을빛'이란 시로 차상을 수상함. 김현승 시인에게 심사평을 받았다는 자부심을 많이 지니고 살아왔음.

1966년 광주교육대학교를 졸업함. 재학 시절 전원범(동시인), 박진남(동시인), 김영자(시인) 등과 단층 문학동인 활동을 함. 단층 동인지 창간호에 소설 〈내일〉 발표함.

1967년 강진 서초등학교 초임 발령 이후 강진 중앙, 담양 동, 광주 남, 광주 계림, 광주 교대부속을 거쳐 1999년 2월 광주 학운초등학교에서 명예퇴직함.(32년간 초등교사 재직)

1970년 12월 27일에 광주 현대예식장에서 강진군 군동면 파산리가 고향인 박용수와 결혼함.

1973년 독서신문사와 대한출판문화협회가 주최한 독후감상문 모집에서 대학. 일반부의 차상을 수상함.

1975년 전남일보(현 〈광주일보〉) 신춘문예에 동화 〈우물가를 맴도는 아이들〉 당선됨.

1978년 7년 동안 살았던 전남 담양에서 광주로 이사 옴.

1979년 〈서울신문〉 신춘문예에 동화 〈너는 어디로 갔니?〉 당선됨.

1980년 첫 동화집 《너는 어디로 갔니?》(아동문예사) 펴냄.

　　　　전남아동문학상을 수상함.

1982년 광주에 살고 있는 김재창, 김옥애 김목 장문식 전양웅(작고)이 모여 '흙담'이란 동화 동인을 만듦.

1984년 《잠을 자는 돈》(견지사) 펴냄.

　　　　전남문학상을 수상함.

1986년 창작동화 《손가락 발가락》(견지사) 펴냄.

1987년 수필집 《겨울 그 솔바람 소리》(진화당) 펴냄.

　　　　창작동화 《개똥벌레의 춤》(견지사) 펴냄.

1992년 수필집 《모든 사람들이 가는 그 길을 가거라》(문학통신) 펴냄.

　　　　광주 MBC 어린이 드라마 '신나는 일요일'의 극본을 6개월 간 집필함.

　　　　엮은 책 《이상한 나라의 앨리스》(국민서관), 《장화 신은 고양이》(국민서관),

　　　《유관순》(국민서관), 《꾀보살랑》(국민서관), 《페스탈로치》(국민서관) 펴냄.

1993년 탐구동화 《기차를 타고》(국민서관), 《바람을 보았니?》(국민서관) 펴냄.

1994년 호남대학교 국어국문학과 대학원 석사 학위 받음.

1995년 전남과학대학 유아교육학과 출강함.

1996년 창작동화 《이상한 안경》(경원각) 펴냄.

　　　　창작동화 《갈매기가 울어요》(경원각) 펴냄.

1998년 수필집 《옹기는 들꽃이다》(애신) 펴냄.

　　　　광주 예술문화 특별 공로상을 수상함.

2001년 전남과학대학 유아교육학과 출강함.

2002년 고학년 장편동화 《들고양이 노이》(청개구리) 펴냄.

　　　　고학년 장편동화 《별이 된 도깨비 누나》(청개구리) 펴냄. 우수 문학 예술 도서
　　　　로 선정됨.

　　　　제7회 여성주간 노랫말 공모 최우수작 당선됨.

2003년 한국아동문학상 수상(수상 작품 《들고양이 노이》).

2005년 저학년장편동화 《엄마의 나라》(청개구리) 펴냄.

2006년 《모차르트》 위인전기 고학년·저학년 2권 집필함.

2008년 〈어린이 난중일기〉 홍진 펴냄.

2010년 광주일보문학상 수상 〈단편동화 늦둥이〉.

　　　　장편동화 〈그래도 넌 보물이야〉 청개구리 발간함.

2011년 첫 동시집 〈내 옆에 있는 말〉 발간함.

　　　　제 28회 불교아동문학상을 수상함.

2012년 동화집 〈늦둥이라도 괜찮아〉 청개구리 발간함.

　　　　단편동화 〈흰 민들레 소식〉으로 한국 아동문학인협회 우수작품상을 수상함.

2013년 〈김옥애 동화선집〉(지식을만드는지식) 펴냄.

2014년 동화집 〈안녕하세요? 선생님〉(김옥애, 류근원, 이주항, 정진 공저) 발간함.

2015년 〈영랑 김윤식 시인〉 전기문 발간함.

2016년 장편동화 〈봉놋방 손님의 선물〉 청개구리 발간함.

2017년 동시집 〈일 년에 한 번은〉 청개구리 출간함.

　　　　〈봉놋방 손님의 선물〉로 49회 소천아동문학상 수상함.

　　　　〈눈썹〉 가사동화집 출간함.

2018년 62회 전남도문화상 수상함.

제6회 송순문학상 대상 수상함(장편동화 〈추성관에서〉).

한국 아동문학가 100인

정용원

대표 작품
〈까치집〉 외 4편

인물론
밝은 소년의 이미지, 정용원 선생님

작품론
정용원 동시, 그 서정성과 모성애

어린이와 함께 선생이 걸어온 길
아동문학과 글짓기 교육 반세기

까치집

미루나무 꼭대기
반쯤 지은 까치집
아빠 까치는 서까래 구하러 가고
엄마 까치는 솜털 담요 사러 간 사이

"주추와 기둥은 튼튼한가?"
바람은 한바탕 흔들어 보고

"아기까치 태어나면 둥지 안은 포근한가?"
봄 햇살은 뱅그르르
둥지 안을 돌아본다.

꽃 떨어진 자리

감꽃이 떨어진
아픈 그 자리.

배꼽 달린
아기 땡감 하나
기쁜 그 자리.

민들레꽃 떨어진
아픈 그 자리.

낙하산 여행 꿈꾸는
씨앗 형제들.

아픔과 기쁨 나눈
꽃 떨어진
그 자리.

분꽃 씨

까만 분꽃 씨를 깨어 보셔요.
하얀 햇빛 가루 쏟아지지요.
여름내 꽃씨 속에 모아 두었던
하얀 햇빛 가루 하얀 분가루.

우리 누나 얼굴에 분을 발라요.
누나 얼굴에 피는 하얀 분꽃은
여름내 꽃씨 속에 모아 두었던
하얀 햇빛 가루 하얀 분가루.

부탁

집 짓는 아저씨 부탁 좀 들어 주셔요.
우리 집 지으실 때 진달래 언덕 위에
둥그런 아침 해 들어오기 쉽게
둥그런 둥그런 동창 하나 내 주셔요.

집 짓는 아저씨 부탁 좀 들어 주셔요.
우리 집 지으실 때 아기 방 창문에는
밤마다 별님이 들어오기 쉽게
다섯 모 도라지꽃 창문 하나 내 주셔요.

집 짓는 아저씨 부탁 좀 들어 주셔요.
우리 집 지으실 때 창이란 창문마다
구름도 나비도 들어오기 쉽게
살 없는 창으로 예쁘게 내 주셔요.

개미

저녁놀 깔린 풀밭에
아기 개미 한 마리
집으로 돌아간다.

더듬이 곤두세우고
허둥지둥 달려간다.

어디선가 어미 개미,
"아가야, 아가야!"
애타게 부르나 보다.

밝은 소년의
이미지,
정용원 선생님

문선희

함박웃음

정용원 선생님에 대한 기억이 또렷한 때는 1991년 경남아동문학회 정기총회 겸 경남아동문학상 시상식이 있던 자리였다. 그 전에도 선생님께서는 서울에서 한국현대아동문학가협회 사무국장을 맡으셨고 활발하게 활동을 하셨지만, 내가 1986년 미국 체류 중에 〈동아일보〉 신춘문예 동화가 당선되어 등단한 후, 5년 만에 귀국하여 드문드문 참석했던 문단은 생소하기만 했으니 문단의 선배나 후배를 잘 알지 못하던 시절이었다.

정용원 선생님은 동시집 《어머니, 우리 어머니》로 제2회 경남아동문학상을 수상했다. 그때만 해도 울산에 거주하는 아동문학가는 경남아동문학인협회에 대부분   입하여 활동하고 있었다. 나는 아침 일찍 출발하여 진주에 있는 문화원 시상식장을 찾아갔다.

제2회 경남아동문학상을 수상하기 위해 나타난 정용원 선생님은 하얀 이를 드러내고 활짝 웃는 함박웃음이 인상적이었다. 그날, 선생님은 36년 전 초등학교 4학년인 자신을 담임했던 신금희 선생님을 소개하셨다. 자그마한 체구의 신금희 선생님을 부둥켜안고 감격스러워하는 모습이 아직도 눈에 선하다.

"선생님께서는 나를 편애할 정도로 꼬옥 안아 주시고 전쟁 구호물자를 자루에 몰래 더 넣어 주셨으며 내가 사범 학교 때, 맹장염 수술비가 없어서 퇴원을 못하자 당신의 월급을 떼어 보태 주고, 어려울 때마다 용기를 북돋아 주셨던 일들을 잊을 수 없습니다."

그 뒤부터 나는 아동문학인협회 총회 때나 세미나에서 대우초등학교 교장 선생님인 정용원 선생님을 뵈면 언제나 함박웃음을 짓는 선생님이 친근하게 느껴졌다. 서울에서 열리는 아동문학인협회 총회나 세미나에 갈 때는 울산에서 활동하던 고(故) 김준영 선생님께서 간혹 세미나에 참석하지 못하게 되는 경우가 생기면 내게 이재철 선생님을 비롯하여 몇 분 선생님들께 안부를 전해 달라는 부탁을 받곤 했었다. 그런데, 정용원 선생님과 김준영 선생님의 인품이 비슷한 데다, 두 분은 남다른 우정 관계였다. 김 선생님이 병환으로 돌아가시자 고향 고성까지 가서 하관을 지켜보신 유일한 아동문학가이다. 그러고 보니 오늘따라 학처럼 청아하고 단아한 삶을 사셨던 김준영 선생님이 그리워진다.

선생님은 약관 36세에 대우초등학교 교감으로 오신 후, 현대아동문학가협회 주최 여름 세미나를 거제도로 유치하셨다. 대우조선의 전적인 협조로 장소 등 각종 편의를 제공하고 2박 3일간 구슬땀을 흘리며 추억 깊은 세미나를 성공리에 마치도록 애쓰셨다.

46세에 전국 최연소 교장으로 5년을 지낸 후, 1996년 8월에 울산으로 이주하셨다. 울산문인협회에 회원이 되셨고, 선생님은 변함없는 함박웃음으로 울산 문인들과 조우하셨다. 어느 날, 울산시 교육청 장학관으로 일하시는 선생님을 만나 뵈러 교육청을 간 적이 있었는데 여전히 활짝 웃는 웃음으로 나를 반겨 주었다. 아마 그때가 울산아동문학회 결성을 위한 준비 단계에 들었을 때쯤이었던 시기로 기억이 된다. 그리 편하게 보이지 않는 공간에서 맡은 일에 최선을 다하던 선생님이셨다. 선생님께서는 살아가는 이야기며 울산의 아동문학에 많은 관심을 보이시고 앞으로 해 내야 할 일들에 대한 계획도 말씀하셨다. 아마 내가 선생님의 말씀을 귀담아 듣고, 작은 힘이지만 선생님을 돕는 게 도리라고 생각한 바탕에는 동심의 옹달샘에서 길어 올려진 선생님 특유의 함박웃음 때문이었으리라.

일복(福)

울산 시민으로서 선생님과 나는 11년째 한 도시에서 살고 있다. 나는 1979년에 울산으로 와서 미국에서 5년, 영국에서 1년을 뺀 23년 동안 울산 시민이고, 선생님께서는 11년 동안 울산 시민으로 살고 있다. 그리고 보면 선생님과 나의 공통점은 외지에서 온 울산 시민이라는 점과 아동문학을 한다는 점이다.

정용원 선생님은 울산 시민으로서도 아동문학인으로서도 아주 열심히 사신다. 일을 많이 하신다. 교육청 장학관 일도, 그 다음 교장 선생님으로 부임한 복산초등학교도 만만치 않아 보였다. 복산초등학교는 옛날 최고 학교의 영화는 어디로 가고 중구 상가 지역에 위치한 낡은 학교였다. 나는 그때 울산아동문학회 회지를 만드는 선생님을 돕는 심부름꾼으로 몇 번 찾아뵌 적이 있었는데, 학교는 오색 무지갯빛 페인트칠로 새롭게 단장되었고, 선생님의 세심한 손길로 활기차게 다시 살아나고 있었다. 10억 원을 들여 리모델링을 하고 창의적인 교육 과정을 운영한 결과 2000년도 종합학교 평가에서 울산 전체 최우수 학교로 선정되었다.

1999년 5월 17일, 울산아동문학회가 결성되었다. 울산이 광역시로 승격 경남도와 행정 분리가 된 후에도 2년 동안이나 경남아동문학회와 통합 활동을 했다. 행정구역상 교통, 경제 문제 등의 문제로 할 수 없이 경남과 분리하자는 데 전 회원이 의견을 모아서 출발했으나 선생님께서는 항상 경남아동문학회에 미안한 심정이라고 말씀하시면서 언젠가는 경남과 울산이 다시 통합 단체로 출발하는 게 좋겠다고 한다. 울산아동문학회 창립 총회에는 울산 토박이 문인과, 부산과 대구, 마산이나 창원 등지에서 활동해 왔던 외지에서 유입해 온 문인이 뜻을 합했고, 정용원 선생님이 초대회장을 맡고 내가 사무국장을 맡았다.

　창립 회원으로는 김종한, 강순아, 정용원, 이은용, 김옥곤, 신춘희, 김종헌, 강세화, 문선희, 구용, 류진교, 장세련, 김시민, 안성교, 우덕상, 방기정 회원이었다. 울산아동문학회지 창간호 《봄 편지》를 펴낼 때 울산시에서 그동안 경남아동문학회에서 회원들이 활동한 일들이 인정되어 지원금을 받아 아동문예에서 쉽게 책을 낼 수 있었던 일은 큰 보람이었다. 그때 정용원 선생님께서 행정에 익숙하여 큰 어려움 없이 해마다 문화예술 지원금을 탈 수 있었다. 게다가 사진이며 아동문학회 관련 자료를 싣자고 하실 때는 미리 앞일을 알고 준비하시는 꼼꼼함을 엿보고서 역시 경험 많은 리더이고 훌륭한 교육 행정가란 생각을 했다.

　울산문인협회 주최 바다문학제에 이재철 교수님을 초청 강의를 할 때 사회를 맡기도 했고, 엄기원 선생님께서 이끄시는 한국 아동문학연구회가 울산 중앙호텔에서 세미나를 개최한 적이 있었는데, 정용원 선생님은 그때도 회장으로서 세심하게 일을 계획하셨고, 나는 선생님의 심부름 노릇만 했는데도 성황리에 세미나를 마무리했던 기억이난다. 선생님은 행사 순서까지, 어린이들의 공연까지, 관계되는 문학회 회원들에게까지, 세심한 배려를 아끼지 않았다. 그날, 나는 시내에 차가 꽉 막혀 시간 이내에 도착하지 못해 선생님을 안타깝게 했다. 차가 막힐 것을 예상하고 미리 나왔어야 했는데 지금도 죄송한 마음이다.

　복산초등학교 교장실을 떠나, 그 다음으로 정용원 선생님께서 새롭게 부임한 학교는 또 어떤가. 격동초등학교는 교육열이 세기로 이름이 난 남구 옥동에 위치한 신설 학교이다. 신설이니 이것저것들을 새롭게 만들고 손볼 일이 많았을 터인데도, 아동문학회 일로 선생님을 찾아뵈면 교장실 테이블에 잔뜩 쌓인 아동들의 일기를 일일이 검사하고 계셨다.

　"전교생의 일기를 읽다 보면 어린이들의 마음을 알게 되고 학교 경영이나 생활 지도 자료를 엄청 얻게 됩니다."고 하셨다. 그리고 울산에서 글짓기 대회가 열리면 가장 많은 아동들을 참가시켜 단체상과 지도 교사상을 탈 정도로 글짓기 교육에는 단연 두각을 나타내는 학교가 바로 격동초등학교이다. 대표적으로 대교 눈높이에서 주최한 전국 어린이 창작 동시 공모전에서 최우수 단체상을 차지했다. 동시인인 정용원 선생님 특유의 열의가 유감없이 드러나는 것은 격동초등학교 문집과 학교 신문이다. 문집 표지에는 전교생 어린이들의 얼굴이 모두 실렸고, 책 속에는 1천 명이 넘는 전교생의 글이 모두 실려 있다. 그리고 프랑스 파리나무 십자가 합창단과 자매결연을 하고 상호 교환 공연을 하여 국위를 선양하기도 했다. 선생님은 수십 년 동안 직접 채집한 꽃씨를 손수 봉투에 담아 전교생들에게 나눠 주고 우수 재배아를 뽑아 표창을 하신다. 내가 영국에 갈 때, "선생님, 무슨 선물 사 올까요?" 하고 묻자, "영국 꽃씨를 좀 사다 주세요."하셨다. 그래서 구입한 꽃씨를 선물로 드렸는데, 싱싱하게 꽃을 피우셨다. 그 패랭이꽃을 선생님으로부터 다시 얻어다가 화분에 심을 정도였다. 격동초등학교의 정원에는 교장 선생님의 정성으로 우리나라 들꽃 100여 종이 아름답게 피어나고 있다.

선생님은 2007년에 정년 퇴임을 하고서도 여전히 바쁘다. 한국야쿠르트에서 올해 처음으로 울산에서 건강 글짓기 대회를 개최한다는 소식을 듣고 여러 학교에 전화를 하고 참여를 독려하신 결과 1000명이 넘는 학생이 참가했다. 아마 정용원 선생님이기에 남의 일도 내 일처럼 여기고 기꺼이 도와주었으리라. 울산 상공회의소 강당에서 시상식을 했는데 그날 서울에서 내려오신 노원호 선생님, 정두리 선생님과 정용원 선생님 틈에 끼어 나도 즐거운 시간을 가졌다. 정용원 선생님은 요즘처럼 삭막한 시대에 보기 드문 따뜻한 인간미의 소유자이다.

올해에는 울산아동문학회 회장도 우덕상 선생님께 물려 주셨다. 두 번이나 회장을 맡은 건 울산아동문학회의 미약한 기반을 튼튼하게 해서 본 궤도에 올려놓고자 하는 의무감 때문인 듯하다. 그래서 600만 원이 넘는 기금을 확보해서 새 임원진에 바톤을 넘겨 주고 요즘은 홀가분하게 지내신다. 하지만 선생님은 여전히 울산대학교 국어국문학과 학부생들에게 아동문학을 가르치고, 결혼식 주례는 도맡다시피 하고, 각급 학교 연수 강사로 울산지방법원 조정위원 등으로 분주하시다.

요즘 정용원 선생님은 평안해 보인다. 일복을 타고난 선생님께서 아마 충분한 휴식을 취하신 덕이리라.

이야기꾼

정용원 선생님은 절제된 시어, 선생님만의 독특한 세계의 이미지 구축 등 간결하면서도 역사 의식과 주제 의식, 그리고 감성이 배어나는 동시를 빚는다.

그런데 선생님을 만나면 마냥 편해진다. 그건 선생님이 달변인 데다, 풍부한 이야깃거리가 항상 준비되어 있어서 선생님께서 술술 풀어 내시는 이야기에 따라 웃고 고개를 끄덕이면 어느새 시간이 솔솔 흐른다. 이야기를 하실 때마다 좌중은 웃음바다가 되기도 한다. 교직 경험담, 문단 생활, 가족 이야기, 좀 야한 유머를 다양하게 풀어 놓는 선생님의 이야기 보따리는 언제나 들어도 구수하고 해학과 지혜가 깃들어 있다. 선생님의 이야기가 한 편 한 편 동화로 빚어지면 좋을 거라는 생각을 한 적이 있다. 그래서 그런지 선생님은 여러 편의 동화도 썼고, 수필, 논단 등의 산문도 제법 많은 분량이 되어 이미 수상집을 펴내신 바 있다.

선생님의 이야기 솜씨는 자녀들에게 고스란히 계승된 느낌을 준다. 자녀 교육에도 성공하여 모두 명문 S대학교를 졸업한 3녀 1남은 나름대로 전문인의 길을 걷고 있다. 그 중에서 큰딸 유경 씨는 인기 드라마 작가로 '세상 끝까지,' '넌 어느 별에서 왔니?' 등 시청률 1, 2위를 기록한 수십 편의 드라마를 발표했다. 둘째 딸 준형 씨는 월간조선 편집일을 하다가 지금은 번역을 하면서 동화작가의 꿈을 키우고 있다고 한다. 더구나 사위인 소설가 김경욱 교수까지 합하면 문학 일가를 탄탄하게 일구고 있다. 김교수는 울산대학교 국문학 교수로 있다가 현재 국립종합예술대학교 교수이며 동인문학상을 비롯 현대문학상, 이상문학상을 수상하고 열 권이 넘는 소설집을 출간했다. 또한 선생님의 교육자 기질은 셋째 딸 효선 씨가 초등학교 교사로, 외아들 세훈 씨가 경기도 금곡고등학교 교육 행정가일 정도로 고스란히 이어진다.

한때는 고아들의 학교 소년의 집에서 근무도 했고, 국민서관에서 편집일도 한 선생님의 경력은 참으로 다채롭다. 이 모든 경험들이 축적된 바탕에서 선생님은 평생의 역작 자전적 소년소설《저 하늘에 내 별이 지켜줄거야》를 저술·출간했다.

에너지의 흐름

정용원 선생님은 함박웃음, 일복, 이야기 보따리를 타고나셨다. 그래서 동심에 가까운 자연인으로 행복하게 사신다. 하지만 누가 알랴. 그 함박웃음 속에는 일찍이 여원 아버지에 대한 그리움과 자식들을 위해 온갖 희생을 다한 어머니에 대한 절절한 그리움의 불씨가 늘 타오르고 있음을. 또한 함박웃음 속에 깃든 인생의 깊은 의미를.

선생님은 마치 태양을 향해 뻗어 나가는 양지식물처럼 밝은 소년의 이미지를 지닌 동시인이다. 나는 선생님의 동시 〈이렇게 살아가래요〉가 선생님과 가장 많이 닮은 시라고 생각한다. 그 중에서 특히 마지막 연을 좋아한다.

바람의 등을 타고
구름 위로 갔더니
해처럼 달처럼 살아가래요
온 세상 밝혀 주고
변함없이 살아가래요.

이쯤에서 울산에서 11년이란 시간 동안 곁에서 뵌 정용원 선생님에 대해 마무리하는 게 도리일 것 같다. 자칫하면 선생님의 아픔을 건드리는 것만 같고, 정년법이 바뀌어 65세까지 교장을 하셔도 끄떡없이 열정을 다하여 일을 하실 선생님께서 3년이나 일찍 퇴임을 하시게 된 사연을 풀어 놓으면 서운함 보따리라도 터트릴지도 모를 일만 같은 염려에서이다. 나이로 청춘을 구분하지 않고 선생님은 70이 넘어도 청춘으로 일하실 분인데……. (이건 나의 기우에 지나지 않았으면 좋겠다.)

정용원 선생님께서는 다양하지만 서로 연계된 삶을 의욕적으로 지칠 줄 모르고 열심히 해 내셨다. 문화 예술의 불모지나 다름없었던 울산에 동심의 문학씨를 뿌려서 이제 그 꽃과 열매를 볼 수 있게 한 선생님, 전국 아동문학가들에게 나눠 주고 학교와 공원에다 선생님이 직접 뿌린 접시꽃 씨가 요즘 아름다운 모습으로 활짝 피어 선생님 얼굴처럼 그 자태를 뽐내고 있다. 시인, 교육자, 문화 운동가, 교육 행정가, 문학 단체장 등. 그리고 다복한 가족과 함께 알콩달콩 재미있게, 누가 봐도 성공한 삶을 살고 계신다.

나는 선생님의 에너지가 앞으로도 밝음을 향하여 자연스레 흐르도록 기도하는 마음으로 응원하리라. 선생님께서 퇴임 이후에 빚어 낼 동시의 세계가 어떻게 변모해 갈지 궁금하다. 그리고 선생님께서 집필할 이야기가 어떻게 종횡무진 전개될지 벌써부터 솟구치는 호기심을 지그시 눌러 본다.

정용원 동시,
그 서정성과
모성애

오순택

나비 등을 타고 / 꽃밭에 갔더니 / 내게 꽃처럼 살아가래요. /

그윽한 향기 뿌리고 / 방글방글 웃으며 살아가래요. //

산새 등을 타고 / 숲속에 갔더니 / 내게 산처럼 살아가래요. /

무겁게 앉아 멀리 바라보고 / 말없이 푸르게 살아가래요. //

갈매기 등을 타고 / 바다로 나갔더니 / 가슴에 푸른 물결 좀 치면서

진주랑 고기랑 키우며 살아가래요. //

바람의 등을 타고 / 구름 위로 갔더니 / 해처럼 달처럼 살아가래요. /

온 세상 밝혀 주고 / 변함없이 살아가래요.

동요 〈이렇게 살아가래요〉(정용원 작사, 차영희 작곡. MBC창작동요제 당선작).
전국 유치원 교사가 뽑은 어린이들이 가장 좋아하는 동요 30곡 중 하나이다.

1. 서정성의 본질

"아동문학은 일반 성인 문학보다 더 순수하고 더 오묘하고 더 로만주의(roman-ticism)적이고 인도주의(humanism)적이다. 아동문학은 이상성, 몽환성, 윤리성, 교육성을 그 내용적 특질로 삼는다. 그러기에 일반 문학보다 더 영원한 인간의 향수의 세계이고, 작품의 밑바닥에 깔려 있는 교훈을 미적 인식과 감동에 의해 절실하게 공감·동화할 수 있어야 한다.

아동문학은 어린이들에게 꿈을 심어 주고 가꾸는 문학이면서 어른들의 때묻은 거울을 닦아 주고 동심으로 돌아가도록 정수 역할을 하는 문학이다. 나는 이런 문학관으로 30여 년 동안 동시·동화를 공부하고 있지만 일반 성인 시 창작보다 훨씬 더 어려움을 느낀다. 작가 자신이 동심적이어야 하는데 세상의 때가 나의 동심의 거울에 덕지덕지 묻어 있기 때문이다."

정용원 시인은 이렇게 확고한 〈아동문학론〉을 갖고 울산대학교에서 아동문학을 강의했던 시인이다. 이러한 진지한 시 정신이 오늘의 정용원 동시문학에 스며 있어 그의

동시는 맑고 밝고 향기롭다.

이 세상 사람 모두 / 꽃이 된다면 //

키다리는 해바라기 / 난쟁이는 채송화 / 어린이는 연꽃 //

검둥이는 흑장미 / 흰둥이는 백합 / 황둥이는 달맞이 / 꽃이 된다면 //

이 세상은 언제나 / 향기로 가득하겠지! / 노래로 출렁이겠지!

동심으로 쓴 시의 전형이라고 할 수 있는 〈꽃이 된다면〉에서 볼 수 있듯 정용원 시인의 동시는 씨앗 속에 노오란 아기 새싹이 들어있듯 그렇게 시가 무게를 더 한다.

"동시가 아동문학의 한 영역을 차지하는 것임에는 틀림없다. 그러나 아동문학이라는 것이 아동만을 위한 문학이 아닌 것처럼 그것은 동심성에 위주가 된 시라야 하는 것"이라고 목월이 그의 자작시 해설집 〈보랏빛 소묘〉에서 적고 있듯 정용원 시인도 '동시도 시이다.'란 말에 이의를 달지 않는다. 다만 시 작품 속에 동심이 내포되어 있기 때문에 동시라고 이름지어졌을 뿐이다. 동시는 동심을 바탕으로 시의 형식을 빌려서 쓴 시일 뿐이다. 그래서 동시는 어린이도 좋아하고 어른도 동심으로 돌아가서 시심에 젖어 보고 싶어 한다고 밝히고 있다. 목월의 시 정신을 그대로 이어받고 있는 전형적인 서정 시인이 정용원 시인이다. 정용원 시인이 1965년, 경주 황성공원에서 송아지 노래비 제막 기념 백일장 때, 목월 선생과 인연을 맺은 이후, 편지를 주고받으며 지도를 받았다고 하니, 그 영향을 미루어 짐작할 수 있다.

2. 고향, 그리고 영원한 모성애

"나는 동시를 500여 편 썼고 동시집을 여섯 권 펴냈습니다. 그리고 환갑, 진갑이 지나서 그 500여 편 중에서 아흔 편을 골라 내었습니다. 내 마음에 드는 동시이지만 독자들은 어떤 감동을 받을지 걱정이 됩니다. ……그래서 나는 지금부터 새로 동심의 시를 쓰는 작업을 시작하고 싶습니다."

정용원 시인은 2006년 간행한 시선집 《부탁》의 머릿글에 이렇게 적고 있다.

첫 동시집 《고향 그 옛 강》을 비롯하여 《어머니, 우리 어머니》, 《산새의 꿈》, 《이렇게 살아가래요》, 《길이 있지요》, 《아기 눈부처님》 등 여섯 권의 동시집 속에 스며 있는 성찰의 미학은 우리를 영원으로 이끈다.

백합꽃은 흙 속에서 / 백합 향기만 뽑아 올리고 //

참깨는 흙 속에서 / 고소한 냄새만 뽑아 올리고 //

벼는 흙 속에서 / 구수한 밥 냄새 / 벼 알마다 차곡차곡 숨기고 //

농부는 거름흙 뒤지며 / 풍년 꿈 냄새 / 무명 바지에 / 물씬물씬 묻히네.

　　－〈흙 냄새〉

바다는 / 그리움 밭이다. //

청보리밭 / 밀물처럼 밀려오는 / 그리움 밭이다. //

그 밭 한가운데 / 한 점 섬이고 싶다. //

어머니 가슴 / 한가운델 떠나지 못하는 /

한 마리 갈매기처럼.

　　－〈바다〉

　흙 냄새를 맡고 있으면 마음이 편안해진다. 그건 흙이 우리의 영원한 고향이기 때문이다. 그런가 하면 〈바다〉에서처럼 그리움은 청보리밭 한가운데 한 점 섬이고 싶은 것이 인생이다. 한 톨 씨앗이 흙 속에 묻혀 썩으면 보다 많은 생명을 잉태하듯 인생도 흙 속에 묻히면 그 영혼이 회귀한다.
　정용원 시인의 동시의 모티브는 고향과 어머니이다.

깊은 밤 / 나 혼자 깨어 있을 때 / 찾아오는 소쩍새 //

고향에서 날아온 / 울음소리 /

소쩍소쩍 / 목쉰 어머니. //

"어머니, 밤 바람 찰 텐데 / 날아 들어오세요."

　　－〈소쩍새〉

　어머니에 대한 사랑이 절절이 녹아 있는 〈소쩍새〉를 읽고 있으면 마음이 숙연해진다. 어머니는 소쩍새가 되어 지은이를 찾아와 창가에서 울고 있을 뿐, 왜 방으로 들어오지 않는 것일까.
　정용원 시인이 소쩍새의 피울음에서 찾아 낸 것은 지극한 모성애이다. 많은 문학작품이 소쩍새를 통해 표현하고자 하는 사랑, 그것보다 더 진하다.

찔레꽃 하얗게 핀 내 고향으로

구름 타고 훨훨 날아가고 싶네.

보리밭 초록 이랑 그 어디메쯤

치마폭으로 땀방울 닦아 내리며
지금쯤 엄마는 날 생각하고 계실까!
– 〈엄마 생각〉

어머니는 찔레꽃처럼 수수하고 소박하며 순백이다. 정용원 시인의 모성은 햇볕이 되고(〈엄마의 빨래〉), 씨앗이 되고(〈목화〉), 등잔불이 된다(〈그 산 그 무덤 아래서〉).

산에는 꼬불꼬불 / 산짐승 즐겁게 다니는 길이 있지요. //
바다에는 출렁출렁 / 온갖 배, 파도 타고 다니는 길이 있지요. //
들에는 논밭 사이 / 도랑물 달구지 다니는 길이 있지요. //
하늘에는 해님 달님 다니는 길 / 비행기가 다니는 길이 있지요. //
사람들도 걷고 차 타는 / 길이 있지요. //
책 속에는 글자들의 숲속으로 / 우리들 가야 할 길이 있지요. //
시냇물이 흘러흘러 / 바다까지 가듯 / 우리들 미래에도 길이 있지요.
– 〈길이 있지요〉

1991년 펴낸 동시집 《길이 있지요》에 와선 시의 폭이 더 넓어지며 고향과 어머니에서 우주로 향한다.

"나는 동요 동시를 즐겨 짓고 있다. 그리고 소재는 주로 어머니에 대한 그리움과 오염되지 않은 자연의 진리를 동심이란 현미경으로 바라보길 좋아 한다."는 그의 말에서 드러나듯 어머니와 고향은 결국 우주로 통하는 길이다.

그렇다면 정용원 시인이 어머니란 그 성스러운 이름에 집착한 이유는 어디에 있을까?

"어머니는 젖 먹은 힘까지 다해 매달리는 나를 끌어안고 눈물을 비 오듯 흘렸다. 집으로 돌아온 어머니는 나를 웃목에 꿇어 앉혀 놓고 여전히 밥 줄 생각을 하지 않았다. 겨울밤은 길고 길었다. 어머니도 식사를 하지 않은 것은 물론이었다."

이 너무나 솔직한 토로인가.

홀로 고생하신 어머니에 대한 애틋한 연민의 정이 정용원 시인의 가슴 속 깊은 곳에 항상 자리하고 있기 때문이다. 그래서 정용원 시인의 동시를 이야기 하려면 고향과 어머니 즉, 모성을 이해해야 한다.

3. 동요 문학의 미학

시원한 비 맞은 시냇가에는 / 한 줄로 늘어선 미루나무들
물살이 일고 간 고운 모래가 / 반짝반짝 별처럼 깔려 있지요.
– 〈내 고향〉 첫 연

여름내 바람이 쓱쓱 쓸고요. / 여름내 소나기 좍좍 닦아서
파랗게 파랗게 닦여진 가을 하늘 / 고추잠자리 떼 모여서 운동회 하네.
– 〈가을 하늘〉 첫 연

봄비가 보슬보슬 내려오는 날 / 솔가지 오붓한 산새 둥우리
귀여운 아기 새 알몸 비비며 / 하늘을 훨훨 나는 꿈을 꾸어요.

보슬비가 보슬보슬 내리는 날 / 솔가지 오붓한 산새 둥우리
털 송송 아기 새 파닥거리며 / 노래 뽑는 목청을 가다듬어요.
– 〈산새의 꿈〉

정용원 시인의 동요엔 미학적인 음보율이 담겨 있다. 이들 동요는 미루나무 푸른 잎을 흔들고 지나가는 바람처럼 깔깔하고 고추잠자리의 날개처럼 푸르름이 얼비친다. 〈산새의 꿈〉에선 오붓한 산새 둥우리를 어루만지는 봄비의 마음이 촉촉이 묻어난다.

정용원 시인이 동요에서 추구하는 것은 자연스러운 시상의 전개와 명징한 울림이다.

물살이 일고 간 고운 모래가 반짝반짝 별처럼 깔려 있고(〈내 고향〉), 소나기가 하늘을 좍좍 닦아서 가을 하늘이 되고(〈가을 하늘〉), 털 송송 난 아기 새의 파닥거림에서 하늘을 나는 꿈을 발견한다.

그의 동요는 이제 막 피어나는 새잎같이 맑고 싱그럽고 아름답다.

문삼석 시인은 "아름다움은 저절로 얻어지는 게 아닙니다. 그것을 가꾸려는 마음가짐과 그에 따른 노력이 있어야 얻어지는 비싼 열매인 것입니다."라며 정용원 시의 아름다움을 상찬한다.

4. 시의 건축이 짓는 아늑한 집

정용원 시인의 동시는 정서의 기저를 형성하고 있음을 확인할 수 있다. 그의 대표작 격인 〈이렇게 살아가래요〉 그리고 〈산새의 꿈〉을 비롯 〈부탁〉에 이르기까지 그의 동

시에 내재되어 있는 사랑 과 동경의 깊이가 결코 가볍지 않게(동시라고 해서) 우리에게 다가오고 있다.

정용원 시인의 동시는 이제 진달래 언덕 위의 아침 해가 되고, 도라지꽃 창문으로 들어오는 별님이 되고, 구름도 나비도 마음대로 드나들 수 있는 창살 없는 소담한 시의 건축이 짓는 아늑한 한 채의 집이 되고 있다.

아동문학과 글짓기 교육 반세기

정용원

1944년 5월 22일 경북 안동시 길안면 현하동에서 부친 정광수(본관 동래)와 모친 김복성(본관 안동) 사이에서 6남매 중 다섯째로 태어났다. 부모님은 아들을 셋이나 낳았는데 위로 둘이 죽고 나만 살아남았다. 그래서 나 하나는 살려야 한다고 초등학교 입학 때까지 나를 붙들이란 이름으로 불렀다. 전쟁 직후라 호적 초본도 없이 입학하여 4학년까지 명일(明日)이란 아명으로 불리다가 5학년부터 호적 관명인 용원(鏞元)으로 고쳤다.

1949년 내가 다섯 살 때, 아버지가 별세하셨다. 아버지는 일제 치하에서 농부도 선비도 다 싫어, 다른 꿈을 품고 만주, 일본으로 다니다가 맹장염이 터져 복막염으로 병원에도 가 보지 못하고 37세 한창 나이에 돌아가셨다. 장례식 당일 출상 마당에서 상주인 나는 죽음이 뭔지도 모른 채, 상여 앞의 제사떡이 먹고 싶어 손을 대었다. 어른들이 먹지 못하게 하자, 마당에 떼굴떼굴 구르고 대성통곡을 하는 나를 보고 있던 동네 사람들이 함께 울어 울음 바다가 되었다고 한다.

어머니는 어린 4남매를 맡겨 놓고 너무 일찍 세상을 떠난 남편을 두고두고 원망했다.

제일 큰 누님은 일본군 정신대에 끌려가지 않으려고 해방 전, 18세에 출가했다.

1950년 6·25 전쟁통에 우리 가족은 피난을 가지 못하고 마을 안 동굴 속에서 몇 번이나 죽을 고비를 겪었다. 공산군의 총살 위협 앞에 마을 사람들이 소를 잡고 밥을 해 주었다. 북진하는 국군들이 그 사실을 알고 마을 어른들을 줄 세워 놓고 총살하려고 했다. 어머니도 그 줄에 서 있었는데, 마을 노인의 애끊는 호소로 생사의 위기를 넘겼다.

1952년 6·25 전쟁의 상처가 처참하게 남은 학교에 입학했다. 2학년을 마치고 월반을 해서 4학년에 올라갔는데, 신기하게도 반장으로 뽑혔고 졸업 때까지 우등상을 놓친 적이 없었다. 초등학교 6학년 때 내 몸무게는 29.5kg이었다. 바람이라도 불면 금방 날아갈 정도였고 키는 반에서 제일 작았다. 졸업식 날, 전교

어린이 회장 공로상, 수석 우등상, 교육감상을 받았다고 어머니는 막걸리 두 말과 멸치, 김치 안주를 사다 교직원들께 대접했더니 모두들 눈시울을 적시며 고마워했다고 한다.

1957년 둘째 누님이 권오철 님과 결혼했다. MBC 권문혁 감독과 경희대 권장혁 교수 아들, 효녀 딸 셋을 둔 행복한 부부다.

같은 해, 우리 가족은 안동 시내 외가로 이사하여 사범병설 중학교 3년 동안 얹혀 살았다.

어머니는 핏덩이 3남매를 키우느라 남의 집 길쌈해 주기, 베 짜기, 농사짓기, 비단 보따리 장사, 엽연초 공장 노역, 식모살이, 떡장수 등 별의별 노동을 다 했다. 사라호 태풍에 어머니는 전 재산인 비단 보따리를 몽땅 잃고 좌절의 늪에서 한동안 빠져 나오지 못했다. 진흙탕 속에서 교과서를 씻어 말리며 어머니와 나는 서로 눈물을 닦아 주었다.

1960년 중학교 때, 〈경향신문〉을 약 100가구에 배달했다. 그러다 사범 학교 3년 동안 입주 가정 교사를 했다. 밥 얻어먹고 아이들 공부 가르쳐 놓은 뒤 내 공부를 하느라 잠을 제대로 잘 수 없어서 이튿날 학교 수업 중에 코를 골며 자는 게 다반사였고, 수 없이 코피를 흘렸다. 수업료를 내지 않아 출석 정지 경고를 여러 번 받기도 했다. 그때마다 이를 물고 이겨 나갔다.

사범 학교 1학년 때 맹장염 수술을 받았다. 그때는 아버지를 비롯, 맹장염으로 죽은 사람이 많았다. 수술, 입원 기간이 보통 한 달가량 걸렸는데, 초등 4학년 때 나를 담임한 신금희 선생님이 달려와서 수술비가 없어서 퇴원을 못하는 제자를 위해 당신의 월급을 떼 내어 보태 주고 입원 기간 동안 매일같이 병실에 와서 용기를 북돋아 주셨다.

초등학교 4, 5, 6학년, 중학교 3년, 사범 학교 3년 동안 줄곧 문예부에 들어가서 시와 소설 공부를 했으며 독서왕으로 뽑히기도 했다. 당시 안동사범학교 국어교사인 소설가 성학원 선생님의 극진한 사랑을 받으며 문예부장으로 문학 활동에 빠져들었다. 그리고 그 당시 학생들의 오아시스와 같던 〈학원〉 잡지에 투고하여 글이 실리기도 했고 〈자유문학〉과 〈현대문학〉을 구독하며 문학의 꿈을 키웠다.

1962년 사범 학교 3학년 때, 안동 맥향문학동인회 회장으로 장근조 이윤주 신승박 권옥자 김순희 표일지 류시화 백부강 이준문 등과 문학의 밤, 합동 시화전 등 문학 활동을 했으며, 졸업 무렵, 안동에서 개인 시화전을 열었다. 그리고 고교 학창 시절에 순천의 검은흙문학동인회 오순택 회장(현 동시인)과 펜팔로 사귀던 중, 서울 성균관대학교에서 열린 전국 고교 백일장에서 만나 반가운 인사를 하기도 했다.

그 어려운 보릿고개 시절에 18세 가난한 소년이 서울까지 갔다는 게 지금 생각해도 참 대단한 문학 열정이고 용기였다고 오시인과 회고를 하곤 한다.

1963년 경주 천북초등학교에 첫 교사 발령을 받아서 만 6년 동안 열정을 다 바쳐 신문, 문집을 펴내면서 내 청춘을 불살랐다.

1964년 처참한 가난으로 퉁퉁 부은 제자들에게 외국 원조 물자인 밀가루 옥수수 죽을 나눠 주고 글짓기 지도에 심혈을 다 바쳤다. 〈서울신문〉에 동시 〈미운 단풍잎〉, 〈소년동아일보〉에 동화를 10여 회 발표했다. 천북초등학교에서 만 6년 동안 학급, 학교 문집과 신문을 나의 월급을 쪼개서 30여 회 발간했으며 지금은 고인이 된 제해만 시인과 이 학교에서 2년 동안 동학년 교사로 근무하며 우정을 나누기도 했다.

1965년 경주 황성공원 송아지 노래비 제막 기념 백일장에서 내 반 학생이 장원을 하고 윤석중, 박목월, 김요섭, 이재철 선생과 첫 인사를 했다. 그때 내가 지도한 학생이 장원을 차지했고, 박목월 선생과 함께 찍은 사진을 기념으로 보내 드린 인연으로 박목월 시인으로부터 아동문학 공부를 해 보라는 편지를 받았다. 일반 시를 공부하던 내가 그후, 목월 시인의 지도를 받은 게 아동문학 입문을 하게 된 결정적 계기가 되었다.

경주문인협회에 가입하고 동화작가 정진채, 동시인 전문수(방우), 시인 정민호, 이근식, 박곤걸(현 한국문협 부이사장), 서영수, 박주일, 고무신 등과 함께 활동했다.

1967년 안동 임하면 임하동의 의성김씨 김시숙과 결혼했다.

내가 40여 년간 가난하고 외로운 교육자의 가시밭길과 아동문학의 길을 걸어오는 동안 고통을 감내하면서 50세 만학도 남편을 고대 교육대학원까지 졸업하도록 밀어 주고 자식 4남매 모두 명문대학을 졸업시킨 후 성공한 사회인으로 키워 낸 고마운 아내이다.

1968년 첫딸 유경이가 태어났다. 유경이는 서울대학교를 졸업하고 지금 MBC와 KBS에서 인기 드라마 작가로 활동 중이다. 사위 성해영 역시 서울대학교 외교학과를 졸업하고 행정 고시 전국 수석을 했으며, 미국에서 박사 학위를 받고 현재 서울대학교 교수로 재직하고 있다.

1970년 서울 사립 성동초등학교로 자리를 옮겼다. 만 5년 동안 문예부를 맡아서 전국 백일장에 최우수 단체상과 지도상을 수차 받았다. 성동 재직 중에 방송통신대학교를 졸업했다.

둘째딸 준형이 태어났다. 준형은 서울대학교를 졸업하고 〈월간조선〉에 근무하면서 〈조선일보〉 연감 발간 일을 맡아 보았다. 장래 세계적인 동화작가가 되는 게 꿈이고 지금은 번역작가로 여러 권의 전문서를 번역 출판했다. 소설가이고 한국예술종합학교 교수인 남편 김경욱은 서울대학교 영문학과를 졸업, 동대학원을 졸업한 문학박사로 소설 《천년의 왕국》을 비롯해 소설책 7권을 펴냈고, 한국일보문학상, 동인문학상, 현대문학상 등을 수상했다. 장래 노벨문학상에 도전하고 문단사에 크게 이름을 남길 작가로 기대된다.

1973년 국제학생 글짓기 대회 단체상과 지도 교사상을 2년 연속 받았다.

셋째딸 효선이 태어났다. 효선은 서울교대를 졸업하고 현재 서울 사립초등학교 교사이며, 사위 이동현은 연세대학 경영학과를 졸업하고 미국 공인 회계사 자격증까지 획득해서 현재 1등 공인 회계사로 일하고 있으며 내게 외손자 정민을 안겨 주었다.

1976년 한국 아동문학회에 가입하여 김영일, 박화목, 엄기원, 김완기, 박종현, 송명호, 이준구, 이진호, 김신철 등 문단 선배들과 강화도 세미나에서 만났다.

그리고 이재철 박사님의 〈아동문학평론〉 발행과 아동문학 단체 활동을 돕는 한편, 광주에서 박종현 선생이 창간한 〈아동문예〉에 동시 발표와 책 보급에도 힘썼다.

1977년 상명초등학교로 자리를 옮기고 제1회 서울교원문학상(동시 부문)을 수상했다. 〈아동문학평론〉 제5호에 이재철, 윤부현, 신현득 님의 추천으로 정식 등단했다.

그리고 한국 아동문학가협회에 가입하여 두 단체에 양다리를 걸치게 되었다.

1978년 아동문학 단체 통합을 목표로 창립한 현대아동문학가협회에 가입하면서 나는 세 단체에 다리를 걸치게 되었다. 인정에 약한 나의 성격탓 때문이기도 했지만, 서로 이념이나 목표가 다르지 않은 단체끼리 통합하지 못하는 게 무척 안타까울 뿐이었다.

결국 세 단체 중 현대아동문학가협회 한 곳만 가입하고 사무국장을 맡아 일하면서 문단 통합 운동에 앞장서야 한다는 일념으로 이재철 회장과 최태호, 김성도, 정진채, 조대현, 윤부현, 이영준, 전원범, 권순하, 김삼진, 김일환, 김한룡 등의 선배를 도와 열심히 심부름을 했다. 그후 통합 단체인 한국 아동문학인협회 이사로 활동하고 있다.

서울 초등국어교육연구회 부회장을 맡아서 동시인인 이두환 회장과 일했다.

손수복 권오훈 최영재 박성배 김학선 유창근 정하나 이상교 이수호 남궁경숙 김숙희 등과 서울아동문학동인회를 결성하고 사무국 일을 맡아 보았다. 동인지 〈초록둥우리〉를 함께 펴내었다.

첫 동시집 《고향 그 옛강》을 출간했다. 엄기원, 정진채 님의 발문을 실었다. 당시 개관한 세종문화회관에서 출판 기념회를 성대하게 열었다. 이날, 이원수, 김영일, 이재철, 박화목, 유경환 선배를 비롯 200여 명이 와서 축하해 주었다. 나를 보러 온 게 아니라 세종문화회관을 구경하러 온 문인이 더 많았다. 세종문화회관 관장의 딸을 담임한 덕분에 관장의 특혜로 식장 비용 없이 연 잔치였다.

이원수, 이재철 박화목 시인과 배문환 세종문화회관 관장으로부터 과분한 축사가 있었다.

1979년 외아들 세훈이 태어났다. 세훈은 서강대학교 영문학과를 졸업하고 현재 교육공무원으로 경기도의 고등학교에서 총각으로 근무하고 있다.

1980년 2월, 우리 4남매를 위해 온갖 세상 풍파를 겪으며 고생하신 어머니가 69세로 갑자기 별세하여 한없이 울고 또 울며 불효를 뉘우쳤다. 그래서 나의 작품 중에는 어머니를 그리워하는 사모곡(思母曲)이 많다.

상명초등학교를 사직하고 도서출판 국민서관에서 일하게 되었다. 국민서관에서 동화작가 김성도, 이효성, 시인 이성복, 소설가 김원일 등과 함께 일했다. 나는 두 달 동안 한국 전래동화 전집(20권)을 재구성 각색해서 펴내는 작업을 했다.

11월, 꿈에도 돌아가고 싶은 학교와 어린이들 생각 때문에 출판사에 정이 들지 않아 맘고생을 하고 있을 때 사범 학교 선배가 소년의집 초등학교 교사로 추천해 주어서 그곳에서 1년 반 동안 고아들과 생활했다. 나는 소년의집에서 참 스승의 길이 무엇인지 깨달았고 교육자로 다시 태어나게 되었다.

1981년 소년의집에서 〈중앙일보〉 전국독후감공모전 최우수 단체상을 받고 고아들의 이야기를 묶은 문집을 펴내었으며 그때 지은 나의 대표작 중 한 편인 동시 〈까치집〉이 율촌장학회가 펴낸 실험용 국어 교과서에 실렸다.

〈동아일보〉 주최 제1회 전국독후감공모전에서 단체상과 지도 교사상을 받았다.

1982년 대우그룹 김우중 정희자 부부로부터 거제도 대우초등학교 교감 초빙을 받고 서울을 미련없이 버렸다. 서른여섯 살 때였다. 거제도로 내려간다고 하자, 이재철 교수에게서 "교감 승진이 되어 가는 건 좋을진 모르나 문단 위치 확보면에서는 서울에 좀 더 있으면서 활동했으면 더 좋을 텐데……."란 걱정을 들었다. 정말이지 나는 교직 43년 동안 교육을 위해 온몸을 다 바쳤다. 그 공로로 훈장과 한국 교육자 대상까지 받았으나 문단에선 늘 변두리를 맴도는 것 같고 소외감이 드는 게 사실이다.

1983년 두 번째 동시집 《어머니 우리 어머니》를 교음에서 출간했다. 이 동시집으로 제5회 현대아동문학상을 받았다. 불효를 뉘우치는 사모곡 50여 편을 실었다. 한국 문협 거제 지부를 결성하고 회장으로 일하며 10년간 《거제문학》지를 여섯 번 펴냈다.

1984년 새싹회 윤석중 회장을 대우초등학교에 초대하여 동요 잔치를 열었다.

거제 글짓기 지도회를 결성하고 회장으로 일하며 10년간 회지를 10권 펴냈다. 한국현대아동문학가협회 주최 전국 세미나를 거제도로 유치해서 대우조선의 협조를 받으며 행사 준비와 심부름을 했다. 약 200명이 참가하여 아름다운 추억을 남겼다.

1984년부터 10여 년 동안 대우학교를 방문한 전·현직 대통령 네 분(최규하, 전두환, 노태우, 파키스탄의 지아 울 하크)을 안내했다.

1986년 거제청년회의소에서 주는 JC교육문화대상을 받다.

1987년 세 번째 동시집 《이렇게 살아가래요》를 눈높이대교에서 펴냈다. 그리고 이 노랫말을 차영희 작곡, 지도로 MBC 창작동요제에 당선되어 전국의 어린이들이 애창하고 있다.

1988년 엄기원, 김완기 선생의 추천, 심사로 제18회 한인현 글짓기 지도상을 받았다.

1991년 경남아동문학회 제정 제2회 경남아동문학상을 받았다.

1992년 46세에 대우초등학교 교장으로 취임했다. 전국 800명 연수자 중, 최연소 교장 자격 연수를 받았다.

동화집 《퉁방울 눈을 가진 깜장 금붕어》와 위인동화 《어린이여 큰 뜻을 품어라》를 신구미디어에서 펴냈다.

효당 배석권 선생이 제정한 제1회 효당문학상을 받다.

1994년 네 번째 동시집 《산새의 꿈》을 눈높이대교에서 펴냈다.

1995년 제34회 경상남도 문화상(문학 부문)을 받았다.

1996년 53세에 고려대 교육대학원을 졸업, 교육학 석사 학위와 대학원장상(학업 우수)을 받았다.

거제도 생활 15년을 마감하고 울산 광역시 교육청 장학관으로 자리를 옮겼다.

1997년 다섯 번째 동시집 《길이 있지요》를 아동문예에서 펴냈다.

1998년 울산아동문학회를 창립하고 회장을 맡았다.

1999년 울산아동문학회지 창간호《봄 편지》에 이어 두 번 회장을 하면서 회지를 네 번 펴냈다.

　　　울산 초등국어교육연구회 회장으로 회지 발간, 세미나 독서 감상문 쓰기 대회 등을 주관했다.

2000년 교육부 장관상을 받고 교육부 발행《교육마당》에 '이 달의 선생님'으로 소개되다.

2001년 울산 격동초등학교 개교와 함께 초대 교장으로 부임해서 만 5년 근무하며 학교 문집 5권 학교 신문 11회 발간하고 교내 시화전을 열었다.

　　　제33회 한정동아동문학상을 받다.

2002년 정부로부터 교육 공로로 옥조근정훈장을 받고 청와대에서 대통령과 오찬을 했다. 안동대학교 총동창회가 주는 자랑스런 동문상을 받았다.

2003년부터 울산대학교 국문학과 학부생 80여 명에게 아동문학을 5년 동안 강의하고 있다.

2004년 40여 년 글짓기, 인성 지도, 독서 교육, 문학 활동 공로로 교육계의 최고 권위와 명예를 자랑하는 한국교육자대상(스승의 상)을 받았다.

　　　여섯 번째 동시집《아기 눈부처님》과 한국교육자대상 수상과 회갑 기념 수상록《내일은 오늘보다 더 낫겠지》를 펴내고 출판 기념회를 열었다.

　　　한국 아동문학연구회 부회장을 맡아서 일하게 되다.

2005년 대교문화에서 주최한 제2회 전국창작동시 공모전에서 재직 학교가 단체상을 받았다.

　　　한국 아동문학인협회(회장 조대현) 주최 전국 가을 세미나를 울산으로 유치하여 200여 명 문인들의 뒷바라지를 울산아동문학인들과 함께 했다.

　　　한국동시문학회 이사로 울산 동시모를 조직하여 회원 30여 명과 활동하고 있다.

　　　연필시 동인 하청호, 노원호, 박두순, 이준관, 정두리, 손동연 시인들이 울산에 창작 기행을 와서 동시모 어머니 20여 명과 울산 교육수련원에서 시낭송과 동시 공부를 하며 하룻밤 친목을 한 후, 들꽃학습원, 반구대 암각화 등지로 문학 기행에 동행했다.

2006년 울산대공원에서 동시 개인 시화전을 열었다. 작품 90편을 공원 호숫가에 전시하여 관람 효과를 거두었다. 신문 방송 등에서 크게 보도해 준 결과 시민들이 대거 찾아와서 동시의 맛을 보았고, 아동문학의 위상을 높여 준 계기가 되었다.

부모님 묘소를 고향 양지바른 곳에 이장했다. 58년 만에 아버지 유골과 만났다.

일곱 번째 동시 선집 《부탁》을 연출에서 펴냈다. 총 90편을 골라 실었다.

울산아동문학인협회 4대 회장으로 회지 6집 발행에 이어 《봄 편지》 노래 작사가인 울산 출신 서덕출 선생 탄생 100주년 기념 특집 《울산아동문학》 7집을 펴냈다.

42년 전, 초임지인 경주 천북초등학교에서 담임했던 제자들에게 학급 문집 《금모래》를 펴내 주었는데 그 제자들이 42년만에 문집 《금모래》 3집을 펴냈다. 나와 제자들의 옛 추억담과 살아온 이야기, 사진들로 가득 찬 문집이다. 42년 동안 이어온 사제간 사랑의 결실이라고 신문 방송에서 대서특필해 주었다.

한국 아동문학연구회(회장 엄기원) 제정, 제5회 한국 아동문학 창작상을 받았다.

정년 3년 단축 바람에 62세로 교직 43년을 마감, 정년 퇴직했다. 국민훈장과 청소년육성공로 훈장을 받았다.

2007년 퇴임 전부터 울산대학교 국문학 강사, 울산 지방법원 조정위원, 색동어머니 동화구연가회 지도 위원, 여성신문사 논설위원, 경북향우회 부회장 등을 맡아서 계속 일하고 있으며 요즘도 매 주일마다 결혼 예식 주례를 도맡아서 신혼 부부의 새 출발을 축복 해 주고 있다. 그리고 문인 단체 활동으로는 한국 아동문학연구회 부회장, 한국 아동문학인협회 이사, 한국동시문학회 이사, 국제펜클럽한국 본부 회원, 새싹회 회원, 울산문인협회 감사와 아동문학 분과위원장 등의 단체에 소속되어 일하고 있다.

울산에서 가장 환경이 좋다는 동네의 단독주택에 살면서 마당에 온갖 기화요초를 가꾸는 재미로 산다. 그리고 서울 등 문학세미나, 시낭송회 등의 행사에 부지런히 참석하고 국내외 여행도 다니며 유유자적하고 있다.

2009년 울산생활 정리하고 서울 옥수동으로 이사함.

국제PEN한국본부 이사로 위촉됨.

한국동시문학회 주최 제7회 동시 문학 여름세미나에서 "내가 많이 다룬 동시 소재, 어머니에 대한 논문" 발표함.

〈오늘의 동시문학〉 28호 "영원한 동심의 고향"-어머니는 내 문학의 근원 발표함.

　　　　둘째사위 김경욱(한국예술종합대학교수, 소설가) 동인문학상을 받음.

　　　　맏사위 성해영 미국 라이스대학교에서 철학박사 학위 받고 서울대학교수로

　　　　임용됨.

2010년 우리나라 대표동시 100선(지경사)에 동시 〈개미〉 실림.

2011년 5월 5일 (사)아동문예작가회 자문 위원 위촉장 받음.

　　　　〈한국청소년문화진흥원〉 주최 전국백일장 심사 위원장 위촉됨.

　　　　12월 한국문협에서 주는 〈한국문학백년상〉 수상함.

2012년 〈월간문학〉 4월호에 동시월평 "새봄에 피어나는 언어의 꽃송이" 발표함(3개

　　　　월 집필).

　　　　5월 22일 자전적소년소설《저 하늘에 내 별이 지켜 줄거야》(윤호기획) 출간함.

　　　　국립박물관 주최 학생백일장 심사 위원 위촉됨.

2013년 2월 한국동시문학회 제6대 회장으로 선출됨.

　　　　〈생애기록문집〉 '일흔살 소년' 출간함.

2014년 천강(곽재우)문학상의 심사를 맡음.

　　　　초등학교 3학년 1학기 국어교과서 1단원에 동시 〈미술시간〉 수록됨.

　　　　8월 서초구 우면동(송동마을 전원주택)으로 이사함(맏사위 부부와 합가).

　　　　한국문인협회 정책개발위원으로 위촉됨.

　　　　정용원 카페 '동심문학사랑방' 개설함.

2015년 대구 동구 도동시비동산에 詩碑 "이렇게 살아가래요" 제막.

　　　　동서문학상 심사 위원으로 위촉됨.

　　　　천등문학상을 수상함.

2017년 3월 국제PEN한국본부 제6대 부이사장에 취임함.

　　　　4월 국제PEN한국본부 발행 〈PEN문학〉지 편집인 위촉됨.

2018년 5월 12일 제19회 김영일아동문학상을 수상함.

　　　　8월 16일 정용원 동시 선집《해님과 바람의 둥지 사랑》출간함.

　　　　11월 8일 국제PEN한국본부 주최 제4회 세계한글작가대회에서 '한국 아동문

　　　　학의 이해와 내일을 위한 과제' 주제 발표함.

한국 아동문학가 100인

이규희

인물론

가장 먼 여행은 아직 끝나지 않았다

작품론

오아시스를 믿는 낙타의 희망

어린이와 함께 선생이 걸어온 길

더도 덜도 말고 지금처럼만

가장
먼 여행은 아직
끝나지 않았다

이상배

삯바느질 하고 나면 쉼표가 필요해

이 글을 쓰기 며칠 전, 이규희 선생을 만났다. 새롭게 갤러리가 들어서는 통운동 한 찻집에서다. 쨍쨍한 땡볕인데 그는 소매 긴 빨간 옷을 입고 있었다. 화려하기도 하고 시원하기도 하고……. 워낙 빨간색 좋아하는 그에게 보기 좋게 어울렸다.

그날 저녁, 묵은 사진첩을 뒤적였다. 10년 전(1997년 7월 23일)에 찍은 사진인데, 일본 센다이의 한 술집에서의 장면이다. 시계 방향으로 둘러앉아 있는 인물은 조대현, 이영, 이상배, 이규희, 이동렬, 송재찬의 모습으로 건배하는 장면이다. 그런데 내 옆에 앉아 있는 이규희의 옷차림이 역시 빨간색이고, 귀고리도 빨간색이다. 묘하게 나의 티셔츠도 빨간색이다. 지나간 사진을 들여다보고 슬며시 웃지 않을 사람 누가 있으랴. 10년 전 일곱 사람의 초상은 지금보다 훨씬 젊고 패기에 찬 모습이다. 그중에도 이규희는 정말 빨간 옷이 잘 어울리게 예쁘게 찍혀 있었다.

그해 우리들(조대현·박종현·정영애·이동렬·송재찬·이규희·이영·임정진·최인영·나카무라)은 일본 북부의 이와테 현에 있는 하나마키로 '문학 여행'을 떠났다. 신지식 선생님이 추천한 이곳은 바로 일본의 대표 동화작가 미야자와 겐지의 고향이다. 만쥬산이 병풍처럼 둘러싼 이곳은 미야자와 겐지의 생가와 그의 기념관 동화촌(童話村)이 있는 작은 공원 도시로 일본인들이 꼭 가 보고 싶은 유명 관광지로 꼽힌다. 길거리의 보도블록, 우체통, 이정표, 간판 같은 모든 눈에 보이는 것에는 미야자와 겐지의 동화 '첼로 켜는 고슈'에 등장하는 캐릭터들로 장식되어 있다. 고양이, 뻐꾸기, 너구리, 들쥐 등등.

"너무 좋다!"

이규희가 연방 터뜨리던 감탄사가 생생하다. '너무 좋다'는 말은 이규희가 지금도 가장 많이 쓰는 말이다. 정말 환상이었다. 환상 체험을 한 그날 저녁, 우리들은 센다이의 번화한 거리의 한 술집에서 술판을 벌였다. 좋은 술이지만 비싸서 일본 사람들도 잘 마시지 못하는 '고시노캄바이'를 몇 병이나 들이켠 것이다. 주거니받거니 하며 술이 몇 순배 돌아가고, 늘 학구적이어서 호기심이 많은 이동렬 목소리 커지고, 이에 맞장구 치던 이규희가 한순간 잠잠해졌다. 이게 웬일인가. 그녀가 얌전히 내 무릎에 얼굴을 묻고 잠

들었지 않은가.

"이규희 겁도 없어!"

모두 부러운 눈으로 쳐다보던 얼굴들! 난 정말이지 지금까지 내 무릎 베고 잔 여인은 딱 한 사람뿐이다.

그때 우리 여행자들은 우리들끼리 여행하는 것이 '참 좋다'는 것을 알게 되었다. 그 후, 이규희는 늘 센다이 여행에 대한 즐거웠던 추억을 떠올렸다. 언젠가는 우리들끼리 다시 여행 가자고. 그 두 번째 여행지가 몽골이었다.

2005년 7월 31일, 4박 6일 일정으로 출발한 몽골 여행은 별별 희한한 일을 다 겪었다. 곧 뜬다는 몽골 비행기가 실제는 오지도 않아서 공항 대합실 사우나탕에서 하룻밤을 지새고, 다음 날 잘 날아가던 비행기가 갑자기 중국 영공에서 회항하여 되돌아왔다. 갑작스런 회항이라면 테러나 고장이 아닐까 하고 겁을 먹을 만도 한데 우리들은 낄낄거리며 재미있어 했다.

출발이 심상치 않더니 아니나 다를까. 몽골 울란바토르에 닿자마자 기다렸다는 듯이 일이 터졌다. 카메라 날치기 당하고(원유순), 여권 소매치기 당하고(정영애 친구), 호텔 세면기에 물 막히고(이상배의 방), 밤 외출한 몇몇 사람(이상교·하기모리) 안 돌아와 비상 걸리고, 사막에서 행방불명(조동화 시조 시인—박숙희와 함께 사는 분)되고, 모두 우리들이 함께 당하고 벌인 일이다. 그래도 이규희는 "너무 좋다!" 연발이었다.

왜 우리들은 낯선 곳으로의 여행을 꿈꾸는가?

이규희는 낯선 곳이 매혹적이라고 한다. 그래서 일 년에 한두 번은 일찌감치 행선지를 찍어 두고 거침없이 날아갈 준비를 한다.

"어느 곳이든 가면 그곳에 다 버리고 와요."

누구는 여행을 충전의 시간이라고 한다. 그런데 이규희는 남아 있는 에너지를 버리러 간다고 했다. 365일 삯바느질 하듯이 부지런히 원고 쓰면서 적어도 한두 번은 쉼표를 찍어야 하지 않느냐고 한다. 이런 면에서 나와는 참 잘 맞는 여행의 동반자다.

몽골은 아직은 태초의 풍광을 지니고 있었다. 그곳에서 우리들은 바람의 아들딸이 되었다. 아슬아슬 경비행기를 타고 고비사막으로 날아가 모래바람을 온몸에 안으며 편 갈라 릴레이 경주도 하고, 고래고래 소리지르며 집합도 하고, 목 터지게 노래도 부르고, 낙타와 말 타고, 모래 자갈에서만 뛰어 놀아 쇠가죽처럼 굳은살이 박힌 어린 왕자의 손바닥을 만져 보며 감탄했다. 아, 그리고…… 이쪽 하늘가에서 저쪽 하늘가에까지 촘촘히 박혀 빛나던 그 별 떨기의 잔치를 어찌 잊을 수 있으랴!

이렇게 이규희는 나와는 20년지기 이상이지만 여행을 통해서 서로 더 친해진 동무이다. 여행을 통해서 본 그는 낯선 풍경과 낯선 사람들에 대한 호기심과 그들에게 융화되는 적응력이 빠르다는 것이었다. 그녀가 인도 여행을 갔을 때, 마치 전생에 온 듯한 느낌을 받았다고 했다. 인도 여인들의 요란한 치장과 특유의 냄새들이 내 것 같이 친근했다고 한다.

그랬다. 그는 어디에 어떤 사람들 속에 던져 놓아도 제대로 동화되는 사람이다. 누군가 그를 좋아하기 전에 그가 먼저 그들을 좋아하는 붙임성을 지니고 있다. 그러면서 그는 그곳의 문화와 의상을 어색하지 않게 받아들이는 여행자이다.

인도의 짙은 카레 빛 사리(전통 의상)를 입는다면 썩 잘 어울릴 것이고, 바둑 무늬가 화려한 기모노도 그렇고, 붉은 델(몽골의 전통의상)을 입고 아이락 축제에서 춤을 추어도 어색함이 없는 사람이 곧 이규희이다.

이제 물감 아끼지 말고 팍팍 써

너무 좋다!

이 말은 이규희가 잘 쓰는 말이라고 했다. 이는 세상을 긍정의 힘으로 보기 때문이다. '긍정의 힘'은 성공의 키워드라고 한다. 좋은 것을 좋게 표현하고, 좋게 보려는 마음을 가짐으로써 조금은 낙천적이게 되는 것이다. 누군가 말했다. 뛰어난 천재가 아니라면 낙천 속에서 유연한 창조의 힘이 생긴다고.

이규희는 40대 후반에 들면서 많이 흔들렸다. 아마 갱년기 증상이었을 것이다. 내 인생이 이것밖에 안 되나 하는 자괴감이었을 것이다. 그러나 이는 누구나 겪는 것 아닌가. 무엇인가 새로운 것을 찾아보자 해서 잡은 것이 붓이다. 그림을 그리는 것이다.

그녀의 어린 시절은 자전적인 소설 《아버지가 없는 나라로 가고 싶다》에서 엿볼 수 있다.(나중에 고백하는데 그 내용은 99퍼센트 논픽션이라고 했다.) 어린 시절이 불우했던 그는 도화지에 크레용 색칠을 마음대로 못해 봤다고 한다. 미술 시간에 짝에게 크레용을 빌려 썼는데, 빨간 꽃을 색칠하는데 크레용이 닳을까 봐 흉내만 낸 것이다.

'나중에 어른이 되면 색깔을 팍팍 써야지.'

이런 생각을 오래도록 가슴에 묻어 두었을 것이다. 그것이 어느 날, 쉰 살이 되던 해 불끈 되살아난 것이다.

'그래. 이제부터 마음껏 색깔놀이를 하자.'

그는 바로 그림 공부를 시작했다. 소묘(素描)를 하면서 그의 손길이 무엇을 그렸겠는가? 자기도 모르게 꽃을 그렸다. 세상에 더없이 아름다운 것이 꽃 말고 무엇이 있겠는가.

꽃!

누군가 말했다. 꽃은 인간에게 아름다움이 무엇인지를 최초로, 근원적으로 가르쳐 준 자연의 사물이라고. 아름답고, 관능적이고, 풍요롭고, 즐겁고, 예쁘고, 행복하고……. 그러니 꽃을 안 그리는 것이 이상하지 않은가. 그는 꽃에 매달렸다. 어린 시절 크레용의 한을 풀어 내듯이 칠하고 또 칠하고…… 팍팍 칠했다.

얼마나 후련했을까?

그 꽃 그림이 이규희 색칠놀이다. 오랫동안 이규희의 가슴속에 내재되어 피어난 상상의 꽃이다. 화려함과 수줍음이 함께 배어 있지 않은가. 화려함은 지금의 이규희이고, 수줍음은 옛날의 소녀 이규희이다. 그는 사람 앞에 "네." 소리도 크게 못하는 수줍음 많은 아이였을 것이다.

이규희는 지금 열심히 그림을 그리고 있다. 다음에 만나면 내가 스크랩해 놓은 신문 기사를 주려고 한다. 80세에 그림을 시작한 박우대 할머니가 85세에 첫 개인전을 열어 미술계를 놀라게 한 기사이다.

그 기사를 보면 더욱 힘이 나겠지. 언젠가 말했던 삯바느질 더 열심히 해서 돈이 모아지면 미국으로 그림 공부 유학을 가고 싶다고 했다.

편집쟁이들이 좋아하는 글쟁이

이규희는 나의 문단 선배이다. 나이는 내가 한 살 더 먹었지만 서로 '선생님'이라고 부른다. 우리(아동문학)들은 모두 상대를 호칭할 때 '선생님'이라고 부르지 않는가. 호형호제하면서도 왠지 선생님이 더 친근하고, 상대방에 대한 존중과 배려가 있어 좋다.

이규희 선생과는 내가 하는 출판 일에 여러 번 호흡을 맞춰 왔다. 그 중에도《어린 임금의 눈물》(파랑새어린이),《왕비의 붉은 치마》(파랑새어린이)는 의미 있는 작업이었다. 그가 요즘 천착하고 있는 소위 역사동화의 시작과 연속성을 가지고 있기 때문이다. 이미 출간한《두 할머니의 비밀》과《흙으로 만든 귀》도 이와 같은 맥락의 작품이다. 오순도순 꾸며 가는 작은 이야기에서 좀 더 크고 변화무쌍한 스케일의 주제에 접근하고 있다는 것이 또한 나와 통한다.

역사의 소재도 정적인 것이 아니라 소용돌이 속으로 뛰어들고 있는 것이 좋다. 단종, 명성황후, 귀 무덤, 위안부 문제 등등. 이런 이규희의 역사에 눈뜸이 어디까지일지를 지켜보는 것도 흥미롭다.

이규희는 자신의 작품이 성책(成冊)되는 과정에 진지하게 참여하면서 편집자를 독려하는 작가이다. 기획자와 편집자의 의견을 최대한 수용하고, 편집자와 화가와 작품의 배경이 되는 곳을 반드시 답사하여 그림 작업을 돕는다. 작가와 편집자는 실과 바늘 관계이다. 그 관계는 서로 노력해야 한다. 그런데 책이 나오도록 얼굴 한 번 안 보고, 충분한 의견이 나눠지지 않는 사례가 다반사이다. 편집자는 좋은 작가를 원한다. 그리고 작가는 좋은 편집자를 원한다. 이규희는 편집자들이 가장 선호하는 작가 중의 한 사람이다. 그 이유는 만나서 얼굴 보고 많은 얘기를 나누기 때문이다. 작가는 숨어 있는 사람이 아니다. 그래서 평생 편집자인 나는 이규희가 참 좋다.

　이규희 선생!
　내년에 시베리아 횡단 열차 타러 가십시다.
　그러려면 지금부터 '계' 부어야지요. 펑크 나지 않을 계주 빨리 생각해 봅시다.
　끝으로 좋아하는 메시지 띄웁니다.
　'가장 훌륭한 시는 아직 씌어지지 않았다.'
　그렇다면 가장 먼 여행도 아직 끝나지 않은 겁니다.

오아시스를
믿는
낙타의 희망

정진

1. 머리말

삶은 희노애락(喜怒哀樂)이 함께 어우러진 시공 복합체이다. 작가는 그러한 삶의 본질을 꿰뚫어 보고, 어떠한 일이 있더라도 살아서 이 세계의 '무의미'와 싸워야 한다는 것을 이야기로 보여 주는 사람이다. 그래서 이야기가 계속 되는 동안 삶은 지속되고, 이야기가 그치면 화자(이야기꾼)가 죽게 되어 있는 〈천일야화〉처럼, 작가는 쉬지 않고 이야기를 해야 살아 있음을 확인하는 존재이다.

1978년 소년중앙문학상에 동화가 당선되어 창작 활동을 시작한 이규희는 오늘날에도 활발한 작업을 하고 있는 현재 진행형의 작가이다. 현재 왕성하게 창작 활동을 하고 있는 작가를 대상으로 연구하고 평가하는 일은 어찌 보면 위험한 발상이다. 왜냐하면 작가는 앞으로 계속 작품을 쓸 가능성이 많고, 작품 세계 또한 얼마든지 변화할 수 있기 때문이다. 그러므로 본고에서는 작가론보다는 작품론 쪽으로 방향을 잡아, 작가의 작품들 중에서 '아버지'의 그림자를 극복하는 '여성성'에 초점을 맞춘 세 작품을 중심으로, 작품의 내용과 특징을 살펴보고자 한다.

2. 오아시스를 찾은 낙타

작가가 작품을 통해 말하려는 중심 사상 또는 핵심적인 의미에 해당하는 것이 '주제'라면, 주제 의식이란 작가가 작품을 쓰기 전부터 품고 있던 의식이요, 주제를 선택하는 시각, 즉 작가의 사상을 말한다.[1]

먼저 그녀의 자전적 성장소설인 《아버지가 없는 나라로 가고 싶다》[2]를 살펴보자. 이 작품을 보면 이규희의 문학적 그림자가 가장 선명하고 정직하게 드러난다.

이규희의 작품엔 동반자가 있다. 그것은 불우한 그림자이다. 그 그림자 덕분에 이규희는 황량한 사막의 낙타가 되었다. 삶이 사막을 묵묵히 걸어가는 낙타의 행보임을 깨

---

1 박상재, 《동화 창작의 이론과 실제》, 집문당, 2002, pp.130~133

2 이규희, 《아버지가 없는 나라로 가고 싶다》, 푸른책들, 2003.

닫게 해 준 사람은 낙타의 주인과 같은 막강한 힘을 가진 '아버지'였다. 이규희가 최초로 만난 사막은 아들이 아니라 이 땅에 '딸'로 태어난 슬픔이고, 나를 마땅히 보호해 줄 아버지가 엄연한 가족이 아니라 '귀한 손님'인 것이며, 착하고 무기력한 어머니를 큰딸인 자신이 지키고 보호해 주어야 한다는 어린 어깨를 짓누르는 책임감이었다.

그러나 이규희는 일찍이 자신의 그림자를 문학의 먹이로 삼았던 안데르센의 뒤를 따라가는 영리한 낙타였다. 사막의 어딘가에 '오아시스'가 있다는 것을 믿고 참을 줄 아는 낙타는 '희망'을 버리지 않기 때문에, 가다가 아무리 힘들어도 주저앉지 않는다.

이 작품에 나오는 '수희'도 물 한 모금 없는 사막의 갈증 속에서도 며칠씩 견딜 수 있는 힘을 가졌다. '수희'가 느끼는 갈증은 '아버지가 부재하는' 공간이다. 아버지가 집을 떠나 있어도, 집은 여전히 '아버지의 집'이다. 아버지의 도움으로 근근이 살아가기 때문이다.

장손인 아들을 낳아 주고, 하늘을 힘차게 날아오르는 종달새처럼 상냥한 그쪽 엄마가 있는 집은 '따스한' 공간이다. 할머니를 따라 그쪽 엄마의 집에 간 수희는 아버지가 같이 살면서 밥을 먹는 곳이라서 그러한 '따스함'이 깃들어 있음을 깨닫고, 어린 마음에도 밥을 먹다가 화장실에 가서 소리 없이 흐느낀다. 할머니의 표현에 의하면 '꾸어다 놓은 보릿자루'처럼 꿍 하고 집안 귀신처럼 집에만 붙어 있는 불쌍한 엄마를 떠올리면서 어린 수희는 생각한다.

'그래, 우리 집엔 아버지가 없기 때문이야!'

그래서 수희는 '오아시스'를 찾기 위해 노력한다. 아버지의 부재를 대신해 주는 사람들(선생님, 친구들, 이웃, 인호 오빠 등)의 사랑과 격려를 통해 '성장'의 힘을 얻고, 또한 아버지의 사랑과 인정을 받으려고 무척 열심히 공부한다.

그런데 이 작품에서 특이한 점은 어린 수희가 '그쪽 엄마'를 미워하지 않는 점이다.

참 이상한 일이었다. 그쪽 엄마는 내게 늘 마술을 거는 것 같았다. 우리에게서 아버지를 빼앗아 간 여자, 내게 배 다른 동생들을 갖게 한 여자인 그쪽 엄마는 언제나 꽁꽁 얼었던 내 마음을 봄 햇살처럼 따스하게 녹여 주었다. 그래서일까, 나는 한 번도 그쪽 엄마를 미워하지 않았다. 오히려 아버지만 보면 잔뜩 주눅 들어 어쩔 줄 모르는 진짜 엄마보다 그쪽 엄마가 내 엄마였으면 하고 바랄 때가 많았다.[3]

수희를 진심으로 반기고, 수희가 수학 여행을 갈 때면 예쁜 새 옷을 사서 선물하는 '그쪽 엄마'를 수희가 진심으로 미워하지 않은 까닭은 '그쪽 엄마'가 수희에게 '아주 작

---

3 이규희, 앞의 책, p.50

은 오아시스' 역할을 했기 때문이다. 수희가 태어나던 해에, 수희보다 한 달 늦게 태어난 동갑내기 '수철'이는 '그쪽 엄마'가 낳은 아들이다. 장손을 낳은 '그쪽 엄마'의 집으로 아버지가 완전히 떠나고 나서, 수희는 할머니와 엄마의 다툼을 보면서 우울하게 자랐다. '만약 내가 아들이었다면 아버지는 우리 집을 지켰을까?' 하는 의문을 가져 보았을 수 있다. 아들이 아니라 딸로 태어나서 아버지를 빼앗겼다고 생각한다면, 아버지의 부재는 '수희'로부터 비롯된 문제이다. 한 마디로 자신은 엄마와 할머니를 불행하게 만든 재수 없는 존재가 된다.

그러나 '그쪽 엄마'는 수희의 존재를 인정하고 예뻐해 주면서 슬며시 깨닫게 해 준다. '이것은 우리 어른들의 문제야! 네가 재수 없는 존재가 아니야.'라고. 그래서 '그쪽 엄마'가 수희 엄마한테 가진 반감을 표현할 때, 수희는 속으로 무력하고 착한 엄마의 편이면서도 한편으로는 '내 탓이 아니야!'라고 확신하게 된다.

어린 수희가 꿈꾸었던 애초의 오아시스는 수희네 가족이 '아버지와 함께 사는 따스한 집'이었다. 하지만 아무리 애를 써도 아버지의 사랑과 인정은 갈증만 더할 뿐이었다. 그래서 수희는 '아버지가 부재하는 아버지의 집'을 늘 떠나고 싶어 한다. 드디어 수희는 학교 선생님 덕분에 새로운 오아시스를 발견한다. '아버지가 없는 나라'에 가서 더 이상 아버지의 사랑과 인정을 받으려고 비참하게 살지 않을 것이며, 공부를 통해 새로운 세상에서 자신의 꿈과 의지를 펼쳐 보겠다는 희망을 품게 된다. 이 작품의 가장 감동적인 장면은 '어머니와 딸'의 연대이다. 자아 실현이 불가능했던 시대를 산 어머니는 딸이 자율적 인간이 될 가능성을 기꺼이 열어 준다. 순하디 순하고 무력한 어머니, 남편을 빼앗아간 첩에게 큰 소리도 치지 못하고 아버지를 겁내던 어머니가 말한다.

"그래, 넌 많이 배워야 해. 많이 배워서 판검사도 되고 의사도 되고 뭐든지 네가 하고 싶은 일을 다 하렴. 여자도 가방 끈이 길면 아무도 무시하지 못하는 거야."
엄마는 눈시울을 붉혔다. 학교 문턱에도 가 보지 못해 낫 놓고 기역자도 모르는 까막눈이라 아버지한테 버림받고 사는 것이라고 믿었던 것이다. 그래서 나도 무조건 많이 배워야 한다는 생각을 갖고 있었던 것이다.
"엄마, 고마워! 엄마 말대로 열심히 공부할게. 그래서 이 다음에 엄마를 꼭 행복하게 해 줄게."[4]

어머니와 수희는 독립운동을 하는 비밀 동지처럼 뭉쳐서 서울로 유학 가는 일을 결행한다. 어머니의 지지와 격려에 힘을 입은 수희는 아버지 몰래 드디어 아버지가 없는

---

4 이규희, 앞의 책, p.208

자유로운 나라(서울)로 떠나게 되면서 이야기는 끝을 맺는다. 고작 열세 살짜리 소녀가 낯선 서울로 가서 얼마나 힘들게 공부할지 미루어 짐작할 수 있지만, 수희는 잘할 것이라는 신뢰감과 기대를 주는 까닭은 수희가 사막을 묵묵히 걸어가는 '낙타'이기 때문이다.

3. 그림자를 먹은 낙타

사막의 정서란 늘 떠나는 것이다. 안주하고 정착하는 곳이 아니므로. 그래서 이규희는 오아시스를 찾아가서 발견하면, 목을 축이고 잠시 쉰 다음 또 다른 오아시스를 찾아 떠난다.

제35회 세종아동문학상을 받은 《난 이제부터 남자다》[5]는 2002년에 출간된 작품이다. 작품이 출간된 시기로 보면 《아버지가 없는 나라로 가고 싶다》가 한 해 늦지만, 자전적 성장소설인 《아버지가 없는 나라로 가고 싶다》에 나타난 그림자의 원형을 떠올리면, 이 작품은 더욱 의미심장하게 다가온다.

> 이 세상에 여자로 태어나서 슬퍼하는 또 다른 아이가 있다면, 이 책을 통해 조금이나마 위로가 되기를 바라는 마음으로, 또한 그런 아픔을 조금도 알지 못하는 남자 아이들도 이 책을 읽었으면 좋겠다. 세상의 절반은 여자이고, 그 여자들이 장차 이 땅의 어머니가 되어 멋진 아들을 낳는다는 걸 다시 한 번 깨닫기 바라면서.[6]

우리 속담 중에 여자와 관련된 속담을 살펴보면 부정적인 내용이 의외로 많다. '여편네 벌이는 쥐 벌이', '여자는 사흘만 안 때리면 여우가 된다', '암탉이 울면 집안이 망한다', '장작불과 계집은 쑤석거리면 탈난다'는 속담들을 살펴보면 여자는 살림을 하면서 집안에 조용히 있어야 하고, 심지어 간사함을 막으려면 때려야 말을 듣는 존재이다. 그러다 보니 '계집의 곡한 마음 오뉴월에 서리 친다'는 속담도 생겨서, 여자들의 한이 사무치면 오뉴월에 서릿발이 칠 만큼 매섭고 독하다는 뜻도 전해 온다. 그만큼 우리의 '어머니'인 여성들은 자신의 가치를 비하하는 풍토에서 스스로를 억누르면서 조용히 살아 왔음을 알 수 있다.

그러다 보니, 자신의 모든 에너지를 자식에게 바치면서 특히 '아들'을 통한 '자아 실현'을 꿈꾸는 어머니들은 우리에게 오래 전부터 익숙한 모습이기도 하다. 이 작품에 나

---

5 이규희, 《난 이제부터 남자다》, 세상모든책, 2002.
6 이규희, 위의 책, 작가의 머리말 중에서.

오는 할머니와 어머니도 그런 편이다.

"엄마, 이 다음에 크면 이 반지 저 주실 거죠?"

수지는 반지를 요리조리 들여다보며 물었습니다.

그러자 엄마는 마치 불에 덴 듯 놀라서 소리를 질렀습니다.

"어머, 수지야! 그걸 왜 너한테 주니? 우리 재형이 색시한테 물려줘야지!"

"어, 엄마……."

수지는 너무 무안한 나머지 눈물이 핑 돌았습니다.

어쩜 단 1초의 머뭇거림도 없이 대뜸 재형이 색시 줄 거라는 말을 하다니요! 반지 낀 손에서 저절로 힘이 쭈욱 빠졌습니다.

"넌 이 다음에 커서 다른 집 며느리 될 거잖니! 그러니까 이건 우리 며느리 줄 거야!"

엄마는 미래의 며느리에게 반지를 물려줄 생각만 해도 뿌듯한지 벙긋벙긋 웃기까지 했습니다.[7]

"자, 내 강아지. 할머니가 살 발라 주마."

할머니는 통통하게 살이 오른 꽃게 한 토막을 꺼냈습니다. 그러고는 젓가락으로 살살 하얀 속살을 파서 재형이 입에 쏙 넣어 주었습니다.

"야아, 꿀맛이다, 꿀맛이야!"

재형이는 모이를 받아 먹는 아기 참새처럼 쏙쏙 잘도 받아 먹었습니다.

수지도 군침을 꿀꺽 삼키며 얼른 게딱지 한 개를 꺼냈습니다. 게딱지에다 밥을 넣고 살살 비비면 그 속에 붙어 있는 알이랑 국물이 어우러져서 아주 맛있거든요.

바로 그때였습니다. 할머니가 얼른 수지의 그릇에 놓인 게딱지를 도로 빼앗아 간 것은.

"에구, 꽃게 일 킬로에 겨우 두세 마리밖에 안 되는 걸 네가 먹으면 어쩌누! 이따 우리 재형이 밥 비벼 줘야지. 자, 넌 이거 먹어라."

할머니는 얼른 길쭉한 꽃게 다리 한쪽을 밥그릇에다 턱 올려놓았습니다.[8]

할머니와 어머니의 차별 대우는 수지한테 견디기 힘든 고통이다. 어린 수지가 느닷없이 맞아들인 차가운 '사막'이다. 수지가 '딸'로 태어난 것은 수지의 선택이 아니지 않은가! 게다가 수지는 우연히 제삿날에 어머니가 자신이 뱃속에 있을 때 '아들이 아닌 줄 알았으면 지우려고 했다'는 이야기를 듣게 된다. 자신이 단지 아들이 아니라서 조그만 아기였을 때 사라질 뻔했다는 사실은 엄청난 충격을 준다. 여기에서 작가 이규희는 '수

7 이규희, 앞의 책, pp.12~13
8 이규희, 위의 책, pp.22~24

지'를 통해 사막을 피하지 않는 어린 낙타의 모습을 보여 준다. 그저 슬퍼하며 힘없이 주저앉거나, 세상을 향해 마음을 굳게 닫고 자기 안으로 도망가게 하지 않는다. 오히려 수지는 '가만 두지 않을 테야! 엄마랑 할머니, 모두!'라고 입술을 앙다물고 큰 결심을 한다.

3학년부터 5학년이 될 때까지 좋아하면서 기른 긴 머리카락을 싹둑 잘라 버리고 소년 같은 머리 모양으로 바꾸고, 옷도 남자 아이처럼 입고 다닌다. 목소리까지 변하려고 애쓴다. 왜냐하면 할머니랑 어머니가 그렇게도 좋아하는 남자가 되기로 했으니까.

남자처럼 서서 오줌 누는 법을 연구하려고 마음먹고, 남자 아이들과 똑같은 자리에 설 수 있는 기회를 갖기 위해 축구 시합에 선수로 나가기도 한다. 그만큼 수지는 사랑을 받고 가족의 인정을 받으려고 적극적으로 노력을 하는 것이다.

그런 줄도 모르고 요즘 부쩍 고집쟁이가 되었다고 생각하는 어머니는 담임선생님 덕분에 수지의 일기장을 보게 된다.

5월 17일 목요일.

세상에서 가장 슬픈 날이다. 엄마가 말했다. 나를 지우려고 했다고. 처음에 나는 그게 무슨 뜻인지 알 수가 없었다. 하지만 이제 알았다. 지우개로 지우듯 나를 없애려 했다는 걸. 난 하마터면 이 세상에 태어나지 못할 뻔한 것이다. 슬프다. 아무도 없는 곳으로 훨훨 날아가고 싶다.

5월 21일 월요일.

그래, 오늘부터 난 남자가 되기로 했다. 우선 미장원에 가서 머리를 짧게 잘랐다. 슬펐다. 내 긴 머리, 치렁치렁하던 머리가 미장원 바닥에 툭툭 떨어질 때 눈물이 나오려 해서 꼬옥 참았다. 오늘부터 진짜 남자가 되기로 했으니까. 재형이처럼.[9]

그제야 수지의 속마음을 알게 된 어머니는 영락없는 남자아이의 모습으로 축구 연습을 하는 수지의 모습을 보며 가슴이 미어진다. 그리고 진심으로 미안하게 생각하면서, 아버지한테 의논을 한다. 수지의 부모는 수지의 고통을 몰랐다는 자각을 하면서 대안을 찾게 된다.

수지의 아버지가 찾아 낸 대안은 수지가 하는 일을 적극적으로 돕는 일이었고, 수지 아버지는 수지의 축구팀에 가서 코치 노릇을 하면서 수지에게 축구화와 멋진 공도 사 준다. 그리고 아버지는 수지가 언젠가 집 대문에 자기 이름 문패를 달았다가 할머니한테 무척 혼난 일을 기억해 내고, 온 가족의 이름을 문패에 달아 주렁주렁 걸어 놓는다.

---

9 이규희, 앞의 책, pp.82~83

수지의 이름은 물론이고, 할머니의 이름도 걸려 있다. "우리 딸 덕분에 여긴 아빠 혼자 사는 집이 아니라 식구들이 다 같이 사는 집이라는 것을 깨달았다."고 하면서. 아버지의 사랑과 인정을 받는다는 것을 깨달은 수지는 무척 기뻐한다.

이야기는 여기에서 그냥 끝나지 않는다.

작가는 '수지'가 자신의 여성성을 계속 거부하지 말고 '있는 그대로의 자신'으로 돌아가게 만든다. 어느 날, 여름 방학이 지나고 친구들이 말하는 첫 마술에 걸린 수지는 자신의 '여성적 징후'에 울고 싶은 기분을 느낀다. 이때 보여 준 어머니의 반응은 수지한테 의외였다.

> "우리 수지가 어느 새 꽃물을 하게 되었구나. 마냥 철부지인 줄 알았는데……. 이제 네 몸이 또 하나의 세상이 되었다는 뜻이란다. 땅이 조그만 씨앗들을 풀이나 나무, 꽃이 되게 하듯이, 새 생명을 낳게 될 우주가 된 거야. 그건 여자만이 할 수 있는 아주 소중한 일이란다. 축하한다, 축하해!"
> 엄마는 눈물을 글썽이며 수지를 꼬옥 껴안아 주었습니다.[10]

여성의 몸이 가진 특징은 한 생명을 잉태하는 것과 그 생명을 길러 내는 것임을, 이미 '모성'을 체험한 어머니는 수지한테 가르쳐 준다. 열렬하게 환영하면서.

아버지도 분홍 꽃다발을 전해 주면서 "이제부터 멋진 여자가 되어라."고 축하해 주고, 수지는 차츰 자신의 정체성에 대해 생각하게 된다. 남자처럼 꾸미고 다닌다고 해서 진짜 남자가 되는 것이 아님을 알게 되었기 때문이다. 그래서 수지는 좋아하는 남자 친구의 생일 잔치에 가면서 원래 좋아하던 초록색 원피스를 입고 '다시 여자가 된 게 너무 좋다'고 생각한다.

더 이상 자신이 좋아하는 취향을 억누르고, 남자아이처럼 있는 힘을 다해 노력하지 않아도 가족들이 있는 그대로의 자신을 사랑하고 지지한다는 것을 확인했으니까. 게다가 어머니의 말처럼 '새 생명을 낳게 될 우주'는 남자가 아닌 여자만이 할 수 있는 일이라는 것도 수지한테 긍지를 준다.

페미니즘은 여성이 긍정적이며 올바르게 자아를 인식하고 자기 삶을 주체적으로 헤쳐 나가는 것을 뜻한다고 본다. 어린이를 대상으로 하는 아동문학은 어린이의 가치관 형성에 강력한 영향을 미치는데, 특히 어린이들은 동화 속에 등장하는 주인공과 자신을 동일시하거나 투사하는 성향이 짙기 때문이다. 그런 의미에서 어린이를 대상으로 하는 아동문학은 평등한 성 역할과 미래 지향적 여성상을 형상화하는 일에도 노력과

---

10 이규희, 앞의 책, p.110

관심을 기울여야 함은 당연하다. 이규희의 《난 이제부터 남자다》는 작가가 머리말에서 밝혔듯이, 여자로 태어나서 슬퍼하는 아이에게 위로를 주기 위해 쓴 작품이다. 또한 그런 아픔을 조금도 알지 못하는 남자아이들도 읽기를 바라며 쓴 작품이므로, 누구나 다 읽기를 바라는 의미에서 쓰여졌다.

'딸'인 '여자'로 태어나 차별을 받고 슬펐던 '수지'가 스스로 사랑을 받기 위해 찾아 낸 것은 '남자 아이 되기'였다. 하지만 그것은 진정한 '오아시스'는 아니었고, 잠시 목을 축이고 쉬어가는 임시방편이었을 뿐이다.

결국 '수지'의 노력과 진실은 가족들과 선생님의 인정을 받게 되었고, 수지는 자신의 '여성성'을 부정을 통한 긍정으로 기꺼이 받아들이게 된다. 그래서 '난 멋진 여자가 될 테야!'라는 다짐을 하면서 이야기는 끝을 맺는다.

작가 이규희는 일찍이 '아들'이 아니라 '딸'로 태어나 여자의 한계를 느낀 어린 날의 경험과 가부장제 아버지의 그늘에서 받았던 설움과 아픔을 고스란히 간직하고 있다. 그럼에도 불구하고 이 작품을 통해 그녀가 꿈꾸는 이상적인 아버지와 온 가족이 함께 사는 따스한 집의 의미를 보여 줄 수 있음은 그녀가 가진 '희망' 때문이다. 주인공인 '수지'를 통해 자신의 정체성을 찾아가는 '행복한 딸'의 모습을 보여 줄 수 있음은 그녀가 자신의 그림자를 거부하지 않고 순순히 받아들인 덕분이다. 자신의 그림자와 화해하는 마음으로 창작을 하는 이규희는 자신의 목마름뿐 아니라, 다른 비슷한 갈증에 고통을 받는 어린 낙타들에게도 '오아시스'는 반드시 있다는 희망을 보여 주고 싶었을 것이다.

이 작품이 출간된 것은 1992년이지만, 아직도 '아들 선호 사상'의 그림자는 남아 있다. 예전보다 훨씬 건강하고 밝은 '딸들'이 많아지고 있는 현상에 이 작품도 한 몫을 하지 않았을까 싶다.

4. '아버지'는 어디에나 있다

1994년 월간 〈소년〉 8월호에 발표된 작품인 〈아빠 좀 빌려 주세요〉는 교과서[11]에 실린 단편동화이기도 하다.

이 작품에 나오는 주인공 '종우'는 간암으로 세상을 떠난 아버지를 그리워하며 어머니와 단둘이 살고 있다. 2년 전 아버지가 돌아가시고, 어머니는 얼마나 힘이 세졌는지 모른다. 나무에 붙은 벌레 한 마리도 잡지 못하던 어머니가 쥐덫을 놓아 쥐를 잡고, 배추 한 포기도 무겁다던 어머니가 쌀 한 포대도 거뜬히 들게 되었다.

하지만 어머니가 아무리 아버지처럼 힘이 세졌어도 해 줄 수 없는 부분이 있다. 학교

---

11 초등학교 국어 읽기편 5-2, pp.200~208

에서 가는 '부자 캠프'에 갈 수 없게 된 종우는 하늘나라에 있는 아버지가 원망스럽기만 하다. 다른 아이들처럼, 아버지랑 같이 밥도 지어 먹고, 밤하늘의 별도 바라보고 싶은 종우.

> "엄마, 괜찮아요! 다른 아이들이 신이 나서 야단인 걸 보고 잠깐 샘이 났을 뿐이에요. 그 대신 엄마, 전 이 다음에 커서 아빠가 되면 절대로 일찍 죽지 않을 거예요. 우리 아들하고 같이 부자 캠프에 가야 하니까요."[12]

어머니를 위로한다고 큰소리로 너스레를 떨었지만, 끝내 코맹맹이 소리를 하고야마는 종수이다. 그러자 어머니는 한 가지 해결책을 제시하는데, 여기에서 부드러운 반전이 펼쳐지며 뜻밖의 길이 열린다. 종수 어머니는 친한 이웃인 솔지네 집에 가서 두 딸의 아빠인 '솔지 아빠'를 하루만 빌려 달라고 부탁을 하는 것이다. 더군다나 솔지 아빠와 세상을 떠난 종우의 아빠는 친하게 지냈던 사이이다.

> "저, 사실은 말이지요, 방학 동안에 부자 캠프를 한다는데……."
> 어머니께서는 찾아온 까닭을 차근차근 설명하셨다. 솔지 아버지께서 너털웃음을 터뜨리며 말씀하셨다.
> '아이고, 이거 영광입니다. 주변에 아는 분들도 많으실 텐데, 그 중에서 저를 빌리려고 이렇게 찾아와 주셨으니 말입니다. 좋습니다. 딸만 둘인 저도 다른 친구들이 아들 녀석이랑 등산이나 낚시를 가는 걸 보며 얼마나 부러워했다고요. 종우야. 그래 좋다. 내가 아주 멋진 아빠 노릇을 해 주마! 어떻소? 당신, 솔지, 솔미도 괜찮지?"[13]

결국 솔지네 온 가족이 찬성을 하고, 그제야 온몸의 긴장이 풀리는 종우 어머니. 아들을 위해 어깨를 당당히 펴고 솔지네 집에 들어서던 어머니는 나올 때엔 머리를 조아리고 수줍게 인사를 하면서 눈물을 글썽인다. 이 작품에 나타난 종우 어머니는 참으로 씩씩하고 지혜로운 어머니상을 보여 준다. 아들이 아버지의 부재로 기가 죽고 슬퍼할 때, 적극적으로 나서서 아버지의 빈 자리를 채우려고 노력한다. 때로는 이웃의 아버지를 마치 물건처럼 빌리는 일도 떳떳하게 해 낼 수 있음은 자식인 종우에게 용기와 희망을 주기 위해서이다.

아버지가 없는 현실, 어머니가 아버지 몫까지 해야 되는 이 상황은 어쩔 수 없지만,

---

12 초등학교 국어 읽기편 5-2, p.205

13 앞의 책, p.207

우리 의지대로 할 수 있는 일은 있다. 그것은 바로 '희망'을 가지고 열심히 살아가다 보면 언젠가 행복한 오아시스를 찾게 된다는 작가의 믿음이 돋보이는 작품이다. 특히 '아버지'의 빈 자리를 빛내 주는 대상들은 어디에나 있음을 작가는 말하고 있다. '인간'에 대한 믿음과 사랑을 간직하는 한, 이웃과 선생님을 통해, 때로는 친구를 통해 '아버지'의 따스함과 나를 지켜 주는 버팀목은 언제나 존재한다는 것을. 결국 그것은 작가 이규희가 아버지의 부재를 견디어 살아 낸 방법이기도 하다.

5. 맺음말

작가 이규희에게 '아버지'가 주는 상처와 그리움은 다른 사람의 상처를 들여다볼 수 있는 힘이 되었고, 구멍이 뚫린 방패연이 하늘을 날 수 있는 것처럼 그녀의 문학에 오히려 큰 원동력이 되었다.

이규희는 마음속의 공허감을 동화로 풀어 내면서 문학이 스스로를 치유하도록 한 작가이다. 그리고 지금은 '나'라는 개인의 아픔이 극복이 된 상태에서(더 이상 '아버지'에 관한 글은 쓰지 않겠다는 그녀의 발언을 기억한다) 이제는 공동의 아픔으로 관심사가 옮겨져 있다. 그녀의 개인사가 담긴 작품이 아닌 우리 역사의 그늘에 가려진 단종, 위안부 할머니들, 명성황후, 귀 무덤, 이름없이 스러진 독립운동가들에 관한 방향으로 그녀가 글을 쓰고 있는 것은 예사롭지 않다.

황량한 사막의 낙타가 되어 본 사람만이 다른 낙타들의 목마름과 고통도 알아볼 수 있기 때문이다.

사막엔 큰 강이 없다. 단지 작은 오아시스가 있을 뿐이다. 낙타는 오아시스를 발견하면, 뜨거운 갈증을 풀고 잠시 피로를 푼 다음, 다시 큰 강을 만나기 위해 길을 떠난다. 이규희라는 낙타가 발견한 오아시스가 '크다, 작다'라고 평하기 전에, 여러 오아시스를 보여 준 그녀의 열정과 노력에 우리는 주목해야 할 필요가 있다. 아직도 그녀는 사막을 쉬지 않고 걷는 중이며, 앞으로 그녀가 원하는 '큰 강'을 만나게 될 것을 의심하지 않는다. 그 강은 아마도 우리 모두가 인정하는 '오아시스'가 될 것이다.

더도 덜도
말고
지금처럼만

내가 쓰는 내 이야기

1952년 9월 3일(음력), 그해 가을은 모처럼 참 따뜻했을 것이다. 6·25 전쟁으로 피난 갔던 사람들도 돌아오고, 전쟁은 이제 서로 총부리를 겨누는 대신 길고 긴 휴전 협정으로 치닫고 있을 때였으니까. 그날, 햇살 바른 이른 아침, 충청남도 천안 오룡동 허름한 집에서 한 여자아이 울음소리가 들렸으니, 그게 바로, 아버지 이계영과 어머니 강종춘 사이에 태어난 나였다. 하지만 나는 타이밍을 잘 맞춰 태어나지 못했다. 위로 언니와 오빠가 죽고 세 번째로 태어나고 보니, 이미 아버지는 첩과 딴살림을 차린 뒤였다. 나는 태어나자마자 아버지가 없는 셈이었다. 어린 시절, 오죽 여자가 못났으면 남편을 빼앗기기나 하고, 엄마를 참 많이 원망했었다. 하지만 어느 날 점쟁이가 '당신 팔자에 엄마가 둘이구먼!'이라는 말을 듣는 순간, 엄마 때문이 아니라 내 팔자 때문이라는 걸 알고부터 그때부터 엄마에 대한 미움보다 미안함이 떠나질 않았다.

그 후, 오룡동을 떠나 천안 삼거리로 이사를 가서 대여섯 살까지 살았는데, 그 무렵 능수버들이 휘휘 늘어진 신작로 위를 날마다 먼지를 뽀얗게 날리며 달려가는 미군 트럭 뒤꽁무니를 쫓아다니며 초콜릿이나 사탕을 얻어먹던 아이들 모습이 지금도 눈에 선하다.

용한 한의사인 아버지 덕에 집안 살림은 나날이 좋아져 엄마와 나, 남동생, 할머니는 천안중학교 근처 번듯한 집으로 이사를 갔다. 그러나 그런 행복도 잠시뿐이었다. 천안 초등학교에 들어간 지 채 3학년이 지나지 않아, 아버지는 노름과 방탕한 생활 끝에 모든 재산을 잃고는 우리를 첩첩산중인 강원도 황지(태백), 영월로 끌고 다녔으니까.

하지만 지금 돌이켜 생각하면 아버지에게 감사한 마음뿐이다. 그 시절 내가 본 험한 산과 탄광촌, 동강, 단종 유적지며 그때의 그 황량하고 쓸쓸했던 상실의 경험들이 내겐 두고두고 동화의 씨앗이자 근원이 될 정도로 깊은 영향을 미쳤으니까.

그 후 나는 서울에 있는 중학교에 들어가기 위해 상경을 하였다. 작은집과 이종사촌이 있는 서울에서 학교를 다니기 위해서였다. 그러나 아무리 강원도에서 공부를 잘한다고 해도 일류중학교는 어림없었다. 낙방의 고배를 마시고 보광동 작은집으로 가자, 작은아버지는 나를 집에서 제일 가깝다는 이유로 '보성여자중학교'에 원서를 내게 하였다. 하지만 친척집을 전전하며 지내는 것도 쉬운 일은 아니었다. 마침내 아버지는 어차피 영월에서도 두 집 살림을 하는 판이니 그 참에 엄마와 동생들까지 서울로 올려 보냈다.

엄마와 나, 두 동생, 네 식구의 서울 생활이 시작된 것이다. 하지만 순천향 병원이 내려다보이는 한남동 언덕배기, 그곳에 방 한 칸을 얻어 시작한 서울 생활은 만만치가 않았다. 그 무렵 한 달에 한 번쯤 영월에 있는 아버지께 생활비며 학비를 달라는 편지를 써야만 했는데, 나는 그게 죽기보다 싫었다. 이러고 저러고 해서 이번 달에는 돈이 얼마가 필요합니다, 라는 편지를 받기 전에 돈을 보내주면 좋으련만, 그쪽 식구 살기도 바쁜 탓에 언제나 우린 뒷전이었다. 그러자 처음에는 꼬박꼬박 돈을 보내 주던 아버지는 점점 돈을 보내는 시기가 뜸해졌다. 양쪽 살림을 책임져야 하는 게 버거운 데다, 아버지 자신도 점점 살아가는 일에 지쳐가고 있었던 것이다.

사실, 아버지는 처음부터 책임을 회피하고 싶지는 않았으리라. 신문에서 먹을 게 없어서 굶어 죽어 간다는 산모 이야기를 듣고 덥석 쌀 한 가마니를 사다 줄 정도로 정이 많은 아버지였으니까.

영월초등학교 6학년 겨울 어느 날이었다. 친구들과 읍내를 쏘다니던 나는 어느 편물점 진열장에 걸린 초록색 스웨터를 보고 입을 다물지 못했다. 알록달록 다이아몬드 무늬를 앞판에 짜 넣은 스웨터는 너무나 예뻤다. 그 옆에는 또 감색으로 된 남자 스웨터 하나도 걸려 있었고. 그런데 이게 웬일인가. 어느 날 아버지 집엘 간 나는 눈이 휘둥그레졌다. 진열장에 걸려 있던 그 초록빛 스웨터가 눈앞에 놓여 있는 게 아닌가. 어느 날 술을 거나하게 먹은 아버지가 나와 동갑내기인 그쪽 동생을 위해 맞춰 놓은 거라고 했다.

또 한번은 방학 때 영월로 내려갔을 때였다. 한의원에서 아버지가 보던 신문 연재 소설을 읽다가 개학이 되어 서울로 돌아왔는데, 어느 날 소포 뭉치 하나가 왔다. 뭔가 하고 열어 보니, 아버지가 내가 읽다가 만 신문연재 소설을 하나하나 가위로 잘라 묶어서 보낸 거였다.

나는 지금도 쌀 한 가마니와 초록빛 스웨터, 신문 연재 소설 묶음을 떠올릴 때마다 아버지가 얼마나 정이 많고 로맨티스트였나를 깨닫곤 한다.

하지만 아무리 정이 많아도 고단한 현실은 언제나 아버지를 지치게 했으리라. 아버지는 점점 사는 게 버거웠던지 급기야 학비는커녕 생활비조차 보내 주지 않았다. 변변한 재주가 없던 엄마는 종이 봉투를 붙여서 우리를 먹여 살려야만 했다. 백 장, 천 장, 만 장, 엄마가 붙이는 종이 봉투만큼 엄마의 손은 갈퀴처럼 변했다. 나는 좁은 단칸방에서 딸의 눈치를 보며 풀을 붙이고 봉투에 끈을 꿰던 엄마를 보며 눈시울이 뜨거워졌다. 무지렁이 같던 엄마가 암탉처럼 우리 삼남매를 날개 밑에 품고서는 꿋꿋하게 살아가는 모습이 너무나도 안쓰러웠고, 나는 어떻게든 그런 엄마를 도와줘야만 했다.

그러던 중학교 3학년 때였다. 우리 반에 눈이 크고 키가 껑충하게 큰 중국 아이 하나가 전학을 왔다. 화교인 그 아이는 어차피 한국에서 살아가려면 한국 학교를 다녀야 한다는 부모의 뜻에 따라 우리 학교에 온 아이였다.

담임선생님은 내게 그 아이한테 한글을 가르쳐 주는 일을 맡겼다. 지금은 잊었지만 한 달에 얼마인가의 돈을 받고 하는 아르바이트 자리였다.

나는 학교가 끝나고 소공동에 있는 그 아이의 집으로 갔다. 아래층은 중국집이고 이층에 살림집이 있었는데, 유난히 고양이를 싫어한 나는 대여섯 마리의 고양이가 두 눈을 반짝이며 여기저기 웅크리고 있고, 음산하고 울긋불긋한 헝겊으로 치장한 그 집 계단을 올라갈 때면 저절로 '하느님, 저를 도와주세요!'라는 기도가 나올 만큼 무서웠다. 정말이지 하늘에서 누군가 나를 위해 튼튼하고 질긴 새 동아줄 하나만 내려 줬으면 소원이 없을 것만 같았다.

그렇게 겨우 중학교를 졸업할 무렵, 장학금으로 학교를 다닐 수 있다는 담임선생님의 설득에 나는 본교 고등학교에 진학을 하여, 3년 내내 도서부장 노릇을 하며 학비를 벌었다. 하지만 졸업을 하던 1972년, 그해 봄은 내겐 세상에서 가장 슬픈 봄이었다. 온 천지에 다투어 화사한 꽃이 피고, 친구들이 새 옷으로 치장한 채 대학에 들어가 활기차게 생활하는 걸 그저 묵묵히 지켜봐야만 했으니까. 하지만 대학은 당장 취직을 해서 동생들 학비며 생활비를 벌어야만 했던 내겐 너무나도 가 닿을 수 없는 꿈의 궁전이었다. 신데렐라처럼 누군가 내게 마차와 유리 구두를 가져다 주기 전에는.

나는 누군가 사람을 만나는 것도 피한 채 일자리를 찾아다녀야만 했다. 그러나 국어 선생님이 소개해 준 가정 교사 자리 외엔 내가 갈 만한 곳이 없었다. 은행에 가자니 유난히 셈이 약해 주산은커녕 암산도 못하는 데다 그럴 만한 빽도 없었다. 또 간호 보조사를 하려 해도 겁이 많아 주삿바늘 하나 꽂지 못하고 피를 보면 기절할 게 뻔했다. 그렇다고 어느 가게에 나가 점원 노릇을 하자니 참으로 시부정치 않았다. 공부하고 책 읽고, 글 쓰는 재주 외에는 아무 것도 할 게 없다는 게 한없이 절망스러웠다.

나는 마치 동굴 속에 스스로를 유배시키듯 그해 내내, 그 당시 미도파 백화점 앞에 있던 국립중앙박물관으로 숨어들어갔다. 새벽이면 일어나 그곳으로 달려가 책을 읽고 뭔가 공책에 끄적이다 시간이 되면 국어, 영어를 가르치러 돈암동 부잣집으로 달려가곤 했다.

그러던 이듬해 봄이었다. 당시 사서 교사가 없던 모교에서 내게 '도서관'을 맡아 운영하라는 연락이 왔다. 나는 마치 기다렸다는 듯이 기꺼이 그 일을 맡았다. 그 후 1년이 지나자 도서관 운영에 관한 초보 지식밖에 없었던 나는 일의 한계를 느끼고 문교부에서 주최하는 '사서 강습'을 받았다. 그러다가 또 다시 길이 열려 '성균관대 사서 교육원'에 들어가 정식으로 도서관학을 공부하게 되었다. 가끔 그 시절, 모교에서 나를 불러 주지 않았다면 내 인생이 어디로 흘러갔을까, 하는 생각을 하곤 한다. 어쩌면 지나친 감수성과 자포자기로 '별들의 고향' 경아처럼 흰 눈이 내린 벌판에 누워 서서히 죽어 갔을지도 모를 일이었다. 아니면 현실 속의 나를 잊고 싶은 마음에 어느 극단에 들어가 무명 연극 배우가 되었거나, 어느 관공서에서 서류더미에 묻혀 늙어갔을지도 모르고.

어느 덧 내 나이 스물여섯 살이 되었다. 학교에서 다달이 월급을 받았지만 생활은 늘 밑 빠진 독에 물 붓기였다. 그 무렵 누군가 든든하고 나를 이해해 줄 남자를 만나, 내 어깨의 무거운 짐을 나눠지고 싶다는 생각이 간절했다. 그리고 네 식구가 오글오글 모여 사는 단칸방이 아닌 내 방, 내 옷장, 내 부엌, 내 살림을 갖고 싶었으며, 남편을 통해 내 삶에 날개를 달고 싶었다. 그러던 어느 날, 우연히 국립중앙도서관에 틀어박혀 책을 읽던 시절 옆자리에 앉았던, 법대 출신의 가난한 고시생을 만나게 되었다. 그 후 몇 번을 만나는 동안 나도 모르게 '아, 잘하면 나도 판사 부인이 되겠구나.' 하는 생각이 들고, 그 사람이 내 인생에 날개를 달아 줄 '유리 구두'처럼 느껴졌다. 그러나 웬걸, 내가 얼마나 헛똑똑인가! 합격하는 사람보다 떨어지는 사람이 많은 게 고시라는 걸 미처 몰랐으니 말이다. 내 복에 판사 부인은 이미 물 건너갔고, 나는 말단 공무원인 박남길과 1977년 7월 16일 경동교회에서 결혼을 하였다. 하지만 하얀 꽃관을 쓴 채 화사하게 웃던 스물여섯의 신부와 엉겁결에 딸을 시집 보내게 된 엄마는 세상 물정을 몰라도 너무 몰랐다. 결혼식 비용을 아끼기 위해 나를 축하해 주기 위해 온 하객들에게 밥조차 내지 않았으니 말이다.

내 인생에서 이보다 더 낯 뜨겁고, 슬프고, 속상한 사건이 또 있을까? 지금도 그때를 생각하면 얼굴이 화끈화끈거린다. 학교 은사, 동료 교사, 친구들, 후배들……. 만약 그때 오신 하객들을 지금이라도 모두 초대할 수만 있다면 근사한 식당에서 맛있는 밥 한 끼 대접하고픈 마음이 간절할 뿐이다. 그 후 학교를 그만두던 날이며 몇 년 전 개교 기념일 행사에서 '모교'를 빛낸 졸업생으로 뽑힌 날, 학교 선생님들께 밥을 내긴 했지만, 그래도 그 마음의 빚은 사는 동안 결코 사라지지 않을 것이다.

아무튼 막상 결혼을 하고 나니 어깨의 짐을 덜기는커녕 혹 떼려다 혹 하나를 더 붙인 꼴이었다. 가난한 집 장남과 장녀가 만났으니 늘 들어오는 돈보다 나가는 돈이 더 많았으니까. 그래도 우린 1978년 11월 8일, 사랑하는 딸(박가영)을 낳고는 열심히, 성실하게 살았다. 이사 다섯 번 만에 18평 아파트를 사던 날은 하루 종일 얼마나 종종걸음을 쳤는지 다리가 아프고, 우리만 이렇게 큰 집에서 살아도 되는 걸까, 죄스러운 마음까지

들 정도였다.

아동문학에 발을 디딘 것도 사실은 결혼하던 그해였다. 그 무렵, 같은 학교에 근무하던, 훗날 '혼불'을 쓴 최명희 선생과 날마다 도서실에 붙어 앉아 문학 이야기를 하고 울고 웃던 때였다. 집안이 어려워 전주 기전여고를 졸업 후 학교에서 일을 하다가 나처럼 훗날 선생이 된 최명희 선생은 나와 여러모로 닮은 점이 많았기에 늘 언니처럼 따르곤 하였다.

그러던 어느 날이었다. 중앙일보에서 소년중앙문학상을 모집한다는 기사를 본 순간, 문득 강원도 황지에서 살 때 친구들과 연화산에 올랐다가, 한 암자에서 혼자 사방치기를 하던 아이를 본 게 떠올랐다. 어쩐지 그 아이는 엄마 아빠 없이 혼자 사는 아이처럼 여겨졌고, 난 내 작품 속에서나마 그 아이에게 엄마를 만나게 해 주고 싶었다. 그렇게 해서 쓴 '연꽃등'이 이듬해인 1978년 '운 좋게도' 덜컥 당선 된 것이다. 그러나 나는 그 일이 얼마나 '운 나쁜 일'인지를 나중에 알게 되었다. 다른 작가들은 칠전팔기니, 팔전구기니 하며 자기 키보다 더 높게 원고지에 동화를 썼고, 여러 장르를 통해 동화 공부를 꾸준히 해 왔으나, 단편소설 몇 개 끄적인 게 전부인 내게 동화 습작 원고가 있을 리 만무했고, 동화가 뭔지 알 리도 없었으니까.

하지만 심사 위원이었던 이원수 선생님과 박홍근 선생님을 비롯해 여러 문단 어른들을 만나고, 그 무렵 발족한 협회의 간사 등을 맡으며 나는 점점 동화와 가까워졌고, 점차 동화의 매력에 흠뻑 빠져들고 말았다.

그렇게 하여 나는 과분하게도 '70년대 작가'의 자리에 올라, 올해로 등단 43년을 맞이하였다. 누군가 '대표작은 아직 씌어지지 않았다'고 말했듯이 나 역시 선뜻 내놓을 만한 작품도 없이 어언 40년 세월이 지나간 것이다. 하지만 그런 부족함에도 그동안 모든 사람의 덕으로 《열세 살에 만난 엄마》, 《난 이제부터 남자다》, 《아버지가 없는 나라로 가고 싶다》, 《두 할머니의 비밀》, 《어린 임금의 눈물》, 《흙으로 만든 귀》《왕비의 붉은 치마》, 《악플전쟁》, 《독립군 소녀 해주》 등 여러 권의 동화책을 냈으니 얼마나 행복한 사람인가.

또 한국아동문학상, 어린이문화대상, 세종아동문학상, 이주홍문학상, 방정환문학상, 윤석중문학상 등 분에 넘치는 상을 받았으며, 오늘날 전업 작가로 살아갈 수 있는 힘을 얻게 되었으니, 내 인생 후반전은 그 누구보다 행복하기만 하다.

게다가 몇 년 전 '푸른책들'에서 《아버지가 없는 나라로 가고 싶다》라는 작품을 펴 내면서 내 어린 시절의 고통의 대상이었던 아버지와 아버지의 다른 식구들과, 나 자신과도 화해를 했다. 무당이 살풀이를 통해 가슴에 맺힌 한을 풀어 낸다면, 작가는 역시 글을 통해 해원굿을 하는 모양이다. 다만 신문 연재 소설을 오려서 줄 만큼 딸의 재능을 아꼈던 아버지에게 내가 쓴 동화책 한 권 드리지 못한 게 마냥 안타깝다. 부디, 하늘나라에서는 모든 짐을 다 내려놓고 유유자적하며 지내시길 간절히 바랄 뿐이다.

요즈음 때때로 나는 참 행복한 사람이구나, 하는 생각을 많이 한다. 아무도 미워하지 않으며, 오히려 누더기 이불처럼 이리저리 덧대어 꿰맨 나의 불행들이 사실은 내겐 보물단지이며 빛나는 보석이라는 걸 깨닫게 되었으니까.

또 1993년 봄, 20여 년 다니던 학교를 그만둔 후, 서로 기쁨과 슬픔을 나누는 문단 선배, 동료, 후배 작가들이 늘 내 곁에 있으며, 판사가 아닌 남편과도 올해로 결혼 30주년을 맞을 때까지 여전히 잘 살고 있고, 하나 뿐인 딸도 든든하고 멋진 배우자(김지훈)를 만나, 떡두꺼비 같은 아들(김민재)을 낳고 캐나다 밴쿠버에서 잘 살고 있고, 엄마와 동생들도 잘 지내고 있으니 이보다 더 행복할 수 있을까.

한 가지 바람이 있다면 더 늙어서 꼬부랑 할머니가 될 때까지 좋은 동화를 쓰고 싶은 마음뿐이다. 그리고 여러 문우들과 아름다운 관계를 유지하며, 틈틈이 뒤늦게 취미로 시작한 그림을 그리고, 다리에 힘이 빠지지 않을 때까지 여기저기 여행을 할 만큼의 건강과 여유가 있기를, 그래서 더도 덜도 말고 지금처럼만 행복하기를 바랄 뿐이다.

한국 아동문학가 100인

이창건

대표 작품
〈어머니〉 외 9편

인물론
꽃인 듯 눈물인 듯 어쩌면 이야기인 듯

작품론
자연과의 소통과 상처 치유하기
풀씨에 실어 보낸 시인의 향기

어린이와 함께 선생이 걸어온 길

어머니

할아버지 사셨을 적부터
어머님은 광주리 하나로
살림을 맡았습니다.

설움으로 얼크러진 머리를
손빗으로 가다듬으며
살림의 틀을 야무지게도 짜냈습니다.

봄 여름은 푸성귀로
광주리를 채우고
가을 겨울엔 과일로
광주리를 채웠습니다.

그러나
어머님은
그 솔껍질 같은 손으로
광주리 한구석에
내가 기둥나무로 자라기 바라는
기도를 꼭 담곤 했습니다.

이제, 내가 이만큼 자랐는데도
오늘 아침
어머님은
내 기도가 담긴 광주리를 이고
사립문을 나섰습니다.

풀씨를 위해

봄하늘 구름은
빨리 봄비가 되고 싶다

땅 속
촉촉이 젖어들고 싶다
바위틈 촉촉이 스며들고 싶다

흙 속
여기저기 묻힌
바윗돌 이틈 저틈 끼인
지금 막 눈 뜰
이름 모르는
풀씨를 위해

강

나보다
꼭
한 발자국
먼저

넓은 데로
넓은 데로

꼭
나 보다
한 발자국
먼저 간다.

산

산은
높이만큼
뿌리도 깊다
세상을 겉으로 보기보다는
안으로 본다
그래서 가벼워 보이지 않는다

니무들이 잎을 더디 피우거나
풀벌레들이 눈을 늦게 떠도
조바심하지 않는다

안개가 어둠처럼 몸을 감싸도
눈보라가 파도처럼 몸을 때려도
두려워하지 않는다

산은
하늘이 내리시는 일로
세상이 어려움을 당하면
남보다 제일 먼저 걱정하고

하늘이 내리시는 일로
세상이 즐거워하면
남보다 제일 늦게 즐거움을 맞는다

구석

나는 구석이 좋다
햇살이 때때로 들지 않아
자주 그늘지는 곳
그래서 겨울에 내린 눈이
쉽게 녹지 않는 곳
가을에는 떨어진 나뭇잎들이
구르다가 찾아드는 곳
구겨진 휴지들이 모여드는 곳
어쩌면 그 자리는
하느님이 만든 것인지도 모르지
그 곳이 없으면
나뭇잎들의 굴러다님이
언제 멈출 수 있을까
휴지들의 구겨진 꿈을
누가 거두어 주나
우리들 사랑도 마음 한 구석에서
싹트는 것이니까

참새들의 농사

포르르 포르르 포르르
동네참새들이
우리 집 개나리 울타리 가지에 날아와
볍씨 같은 꽃눈을 뿌려 놓고는
겨울 내내 농사를 짓는다
봄에
우리가 먹을 양식을 위해

바닥

바닥이 차갑다

바닥은 따뜻해야 한다

불처럼 뜨거워서도 안 되고

얼음처럼 얼어 있어도 안된다

피곤한 등을 대고 잠을 자거나 쉬고

손을 짚고 발을 디뎌

일어서는 자리이기 때문이다

바닥이 기둥이 되기 때문이다

바닥은 어디에도 있다

의자에도 있고

길에도 있고

혀에도 있고

흐르는 강에도 있다

바닥은 낮은 것을 받쳐 주고

떨어지는 것을 받아주는 자리이다

그래서 바닥은 따뜻해야 한다

부드러워야한다

나는 그런 바닥이 그립다

가을

누가
또
여행을 가나보다
가방을 꾸려 길 떠나는 것을 보면
은행잎 어깨에 걸치고
감잎 데불고
손에는
향내 나는 모과 한 알 들고

끝자리

가끔씩 그 자리는 비어 있을 때가 있지
누구도 선뜻 그 자리에 서거나 앉으려 하지 않지
그 자리는 문에서 멀리 떨어져 있고 구석져
햇살이 잘 들지도 않지
때때로 가방이나 짐이 놓이기도 하고
걸레나 비가 차지하기도 하지
어쩌다 그 자리에 앉으면
멀리서 하는 얘기는 들을 수가 없고
건너편에서 펼쳐지는 풍경도 잘 보이지 않지
그렇지 그 자리는 아무도 탐내지 않아
편안한 자리여서
혼자 앉을 수도 있지
가장 낮은 분이 앉아
향기로운 자리가 되기도 하지

나무에게

가끔씩 바람 불어와

나무들은 흔들려야 한다

몸에 붙은 티끌을 날려 보내야 하고

꽃향기는 물론 씨앗도 멀리 보내야하기 때문이다

때로는 나무들이

심하게 흔들려야 한다

잎이 떨어지기도 하고

가지가 부러지기도 해야 한다

흔들려 부대끼면서 생기는 상처도 받아 봐야 한다

흔들리는 옆 나무의 모습을 보면서

흔들리면서 흘리는 나무의 아픈 눈물을 바라보아야 한다

그래야 흔들리지 않는 중심을 잡는게

얼마나 힘드는지도 알 수가 있다

그러나 뿌리는 뽑혀서는 안 된다

꽃인 듯
눈물인 듯
어쩌면 이야기인 듯

백승자

나는 구석이 좋다

햇살이 때때로 들지 않아

자주 그늘이 지는곳

그래서 겨울에 내린 눈이 쉽게 녹지 않는 곳

가을에는 떨어진 낙엽들이

구르다가 찾아드는 곳

구겨진 휴지들이 모여드는 곳

어쩌면 그 자리는

하느님의 자리인지도 모르지

– 〈구석〉 중에서

풀씨 같은 애잔함으로

이창건 선생을 떠올리면 멀리서 강을 바라볼 때의 느낌과 닮았다.

사시사철 변해 가는 주변 풍경에 아랑곳없이 그대로 멈추어 있는 듯, 그러나 가까이 가 보면 잔잔하고 무구하게 흐르는 강물.

그가 큰소리 내는 걸 듣지 못했다. 어떤 일로 서두르거나 입속 내보이며 호탕하게 웃는 걸 본 기억도 없다. 웃을 듯 말 듯, 슬픈 일을 애써 내색하지 않으려는 것 같은 표정이 까닭 모르게 애잔하다. 그 모습이 풀씨 같다.

늦가을 정취 물씬 풍기던 날, 수업 끝날 시간에 맞추어 그가 30년째 근무하는 예일초등학교로 찾아갔다.

"점심 식사는 했어요?"

오후 두 시가 넘은 시각임에도 첫 마디에 '밥때'부터 챙기는 그의 변치 않는 성품에 슬그머니 웃음이 났다.

"학교는 분위기가 어수선하니 나갑시다!"

서오릉 근처 조용하고 분위기 좋은 찻집에 마주 앉았다. 그는 역시 구석을 찾는다.

야윈 몸에 낮은 목소리와 온화한 눈빛이 변치 않아서 나이를 짐작하기 어려운 모습이다.

"맥주 한 잔 해야 얘기가 술술 풀리는 거 아닌가요?"

"끊기로 했어요."

언젠가, 중환자실에 입원하신 박홍근 선생님을 면회 갔다가 헛걸음하고 돌아오던 길이었다. 점심 식사 자리에서 그와 김소운 선생 둘이서 소주를 달게도 마셨다. 슬픔을 핑계 삼아 대낮에 소주잔을 비우던 그가 술을 끊는다니 의외였다. 필시 그의 건강에도 적신호가 왔구나 싶었지만, 그렇다고 대답할 성격이 아니기에 더 묻지 않았다.

그가 앨범 한 권을 펼쳐 보여 준다. 등단 때부터의 신문 기사와 첫 동시집을 내고 지인들께 받은 축하 편지와 사진들을 찬찬히 모은 스크랩북이었다.

"난 몰랐어요. 자료를 찾다 보니 집사람이 이렇게 해 놓았더라구요."

이야기 내내 그는 '집사람'을 자주 얘기했다.

생각하면 늘 미안하기만 한 사람, 세상에 다시 없을 사람이라며 애틋함을 내보였다. 그 모습도 애잔하다.

맘만 좋을 뿐 세상살이에 아무 요령 없는 남편을 둔 '집사람'의 역할이 어떠했을지는 물을 필요도 없는 일이었다.

더구나 그런 '집사람'이 오래 전부터 투병 중이다. 일주일에 세 번 혈액 투석을 받는 아내를 돌보느라 그의 문단 활동이 일시 멈추어 진 게 사실일 것이다. 두 시간 이상 차를 타는 것조차 힘들어하는 아내와 가까운 성당으로 성지 순례를 다녀오는 게 근래의 작은 위안이다.

시간이 허락된다면 사회복지학을 공부하여 노후에 봉사하는 삶을 살고 싶으나 지금은 집사람 일이 급하니 마음뿐이라는 그의 목소리가 더욱 낮다.

변함없이 낮음으로

그의 시 속에서 '아버지'를 찾기 어려운 건 그가 아버지의 애정과 혜택을 흡족히 누리지 못했다는 반증이리라.

평안도 산골에서 서울 체신고등학교에 국비 장학생으로 유학할 만큼 머리 좋고 효성스러웠다는 그의 아버지는 결혼 후 철원 법원에 근무하셨다. 그런 아버지가 소실을 맞아 가정을 등한시하기 시작한때는 그가 한창 사춘기를 맞은 중학생 무렵이었다.

어머니와 다른 형제들은 할아버지 계신 본가로 들어가고, 같은 철원 읍내에 아버지의 새 살림집이 있었음에도 나이 어린 그는 혼자 따로 살았다.

시절도 나이도 그러했거니와 부모님과 떨어져 사는 그에게 무엇인들 넉넉했을까.

주말이면 학교 뒤편 공동묘지 잔디밭에 누워 하늘을 보며 외로움을 삭이곤 했다. 그러면서 그는 윤동주를 알았고, 김소월을 읽었다. 특히 노랗게 개나리 핀 계절이면 파란 하늘에 흘러가는 구름을 보며 엄마 생각에 눈물이 흐르곤 했다.

아버지 사랑에 목마른 청소년기를 보낸 그가 훗날 아버지가 되었을 때 두 아들에게 지극했음은 말할 나위 없으리라.

욕심 없이 정의로운 사람이 되라는 주문으로 그는 두 아들을 정말 올곧게 키워 냈다.

엄마를 닮아 냉철한 성격의 장남 민우는 서울대 국사학과를 졸업하고 현재 동대학원 석사 논문을 통과했다. 또한 차남 민기는 아빠를 닮아 감성적인 편이다. 과학고를 나온 둘째는 KAIST 졸업 후 역시 동 대학원 응용수학 석사 과정 수학 중이며, 형보다 먼저 결혼식을 올렸다.

자라면서 두 아들은 아버지의 속내를 다 읽은 모양이다. 풀처럼 여린 듯 하지만 불의에 굽힌 적 없는 아버지, 어떤 면에서는 편벽스러울 만큼 고집스러워서 한번 아닌 것은 끝내 아니라는 사람인 것을 인정한다.

'엄마 아버지 살아오신 걸 생각하면 저도 절대로 막 살 수는 없을 것 같아요.' 라는 아들의 말이 얼마나 흐뭇했을지 고개가 끄덕여진다.

"선생님 원래의 꿈이 시인이셨나요?"

"어려서는 법관이 되고 싶었지요."

철원고등학교 재학 당시 전교 1, 2등을 놓치지 않아 주변에선 모두 서울 법대에 진학할 것이라고 기대했단다. 그러나 가세가 기울고 그가 한 동안 폐를 앓는 바람에 입시 기회를 놓치고 춘천교육대학에 진학 했다.

비록 원하던 대학이 아니었지만, 영자(英字) 신문 옆구리에 끼고 다니며 선배 문학도와 시를 논하고 읊조리던 치기의 한 시절 또한 아름다운 추억이다. 그때 그에게 문학과 스승의 길을 열어 준 동화작가 최태호 학장과 시론을 강의하던 이승훈 교수와 만난다.

그 무렵 그는 학교 뒤편 잔디밭에 누워 하늘을 보며 무지갯빛 꿈을 꾸곤 했다. 마침내 그를 시인으로 키운 감수성을 키워 준 고마운 자리인 셈이다. 교사로 첫 부임한 경기 연천초등학교에서 그림 잘 그리던 여선생과의 로맨스는 지금도 옛 동료들 입에 회자될 만큼 뜨거운 스캔들(?)이라던가.

한때, 교장의 지극한 편애로 스물다섯에 서무 보직을 맡은 그는 학교가 전소되는 사건에 당직자 책임을 물어 경기도 깊은 산골 학교로 좌천된다. (지신의 연보에 '좌천'의 이력까지 쓴 사람 '이창건'은 그런 사람이다.)

신춘문예에 소설과 시를 투고하던 청년 교사 시절, 그는 당시 동료와 제자들 이름을 낱낱이 기억하며 애틋한 추억을 반추했다. 똑똑하고 잘난 제자보다 집안 형편이 어렵거나 몸이 아팠던 옛 제자들을 더 많이 그리워하는 것 같았다. 그의 시 〈풀씨를 위해〉는 그들을 위한 시였단다.

그 무렵의 겨울, 이창건 선생을 서울 사립학교로 데려 가기 위해 강원도 산골 눈 쌓인 논둑길을 20리나 걸어 찾아온 분이 있었다. 이문일 선생님이었다.

마침 지금의 부인과 혼담이 오가는 중이었는데, 선 보고 돌아가는 길에 우연히 열차 안에서 마주 앉은 그분의 말 한 마디에 결혼할 마음을 굳혔다는 일화에 웃음이 났다.

'이창건 선생이 비록 몸집은 작지만, 내가 이렇게 산골짜기 눈길 20리 길을 걸어가 데려오고 싶을 만큼 속이 큰 사람입니다.'

그 후 지금까지 예일 초등학교에서 30년째 근무하고 있으니 그분이 결혼과 교직 생활의 은인이랄 수도 있겠다.

한편, 10여 년 전 자신 몫으로 돌아온 학교 연구부장 자리를 선배에게 양보한 일은 가까운 이들만 아는 일화이다.

'아무리 그래도 그렇지 나보다 7년차 선배를 두고 내가 어떻게 그 자리에 앉을 수 있겠어요.'

사립학교에서 자신에게 허용된 감투 자리를 마다한 사람이 또 있을까.

"그 사실을 뒤늦게 안 우리 집사람이 눈물을 보입디다."

스스로 선택했으므로 지금도 후회는 않는다고 말하는 그의 겸손을 과연 '이기적인 삶에 덜미 잡히지 않은 선비 정신'이라고 해야 옳을는지.

1988년 대한민국문학상 수상 소식을 들었을 때에도 정식 통지서가 도착하기 전까지는 누구에게도 말하지 않는 신중함을 지닌 이.

그는 그런 사람이다.

가득한 그리움으로

"한 시대를 오래 함께 가고 싶은 분들이 떠나셨습니다."

동치미와 아욱죽을 싸들고 문병 간 게 마지막 만남이 된 고 정채봉 선생님을 비롯하여 특별한 정을 나눈 문단 선배들과의 교감을 그는 아름답게 되새김했다.

일로 만난 자리에서는 버럭 호통치고 따로 만난 자리에서는 다정하게 등 두드려 주던 속내를 따로 간직했던 정채봉 선생과의 오랜 교감도 못내 그리운 추억이라고 했다.

"천주교 세례 때 대부가 되어 주신 박홍근 선생님께 아이들 데리고 세배를 다녔어요. 그때마다 선생님은 아이들에게 손수 공책을 사주실 만큼 자상하셨지요."

국사학을 전공하는 큰아이에게 '학교 선생 될 생각 말고 민족의 큰 미래를 생각하며 공부하라'고 하신 충고를 민우는 잊지 않았단다.

생전의 어효선 선생님은 함께 세배 간 두 아들에게 '너의 아버지처럼 살아야 돼.'라는 말씀으로 크게 덕담을 해주셨다고 했다.

또 가장 최근에 돌아가신 유경환 선생님과의 인연은 더욱 특별했다.

1980년대 초반 갓 등단한 그가 문학 지도를 받고 싶어 역촌성당에 함께 다니던 유경환 선생께 전화를 했다고 한다.

"문학은 혼자서 하는 겁니다."

단 한 마디만 하고 전화를 끊었다는 유경환 선생님의 말투가 얼마나 냉정했을지 짐작가고도 남는다. 그리고 여린 이창건의 가슴이 얼마나 뜨끔했을지도.

그러나 1995년 무렵, 유경환 선생이 한국 아동문학인협회 회장이 되었을 때 그에게 사무국장 자리를 맡겼다. 일에 정확하고 까다롭기로 소문난 그분 휘하의 사무국장이었으니 이후의 고단함이야 말해 무엇하랴.(그 당시 나도 회계 간사를 맡은 것이 이창건 선생과 가까워진 계기다.)

유경환 선생의 열정은 자유로운 시간을 내기 어려운 교직의 그를 배려하지 않은 채 명령으로 쏟아지기 일쑤였다.

그 당시나 지금이나 협회 사무실이 따로 없으니 이창건 선생의 사모님께서 운영하는 마을 글방 작은 도서관 '소년과 연'을 사무국 연락처로 삼아야 했다. 숱한 회원들의 문의 전화나 날마다 쏟아져 들어오는 협회 우편물은 고스란히 사모님 담당이 된 것이다.

그 3년 동안의 집행부 임기가 끝나고 나자 우리는 '고된 시집살이를 함께 겪어 낸' 동지가 되었다.

이후 한때, 그가 어떤 오해로 인하여 유경환 선생과 소원하게 지낸 적이 있다고 했다. 그러다 몇 해만에 어느 행사장 옆자리에 앉게 되었을 때 슬그머니 그분 손을 잡았다고 한다. 그 순간 유경환 선생도 기다렸다는 듯 그의 손을 힘주어 마주 잡으며 비로소 은밀히 화해했다는 뒷이야기를 반갑게 들었다.

"이창건 선생 때문에 내 시(詩)에다 '풀씨'란 말을 못 쓰겠어. 풀씨라는 말을 쓰려면 이 선생한테 미안해."

세상에 내놓은 지 20년이 훨씬 넘은 그의 첫 동시집 《풀씨를 위해》를 기억하고 칭찬하는 유경환 선생의 한 마디를 그는 선물처럼 간직하고 산다.

이제 고인이 되신 그분이 한때 원망스러웠단 말도 그립단 말도 하지 않았지만, 유경환 선생 얘기를 할 때 흔들리는 그의 눈빛으로 나는 다만 짐작할 뿐이다. 그의 눈빛은 기다림으로 가득했다.

함께 일할 때 보면 그는 늘 손해 보는 쪽이었다. 더불어, 진정한 마음으로 살면 오해

148

조차 두려울 게 없다는 그의 철학을 이해하면서도 나는 때로 그가 답답했다.

억울한 질책 앞에 변명 한 마디 없이 감내하던 그의 깊은 심지를 유경환 선생은 다 알고 떠나셨으리라.

멀리 유유하게 변함없이 낮은 채 그의 인생은 강처럼 흘러간다.

믿음과 기다림으로

이창건 선생과 나는 일부러 약속하여 만날 만큼 친한 사이는 아니다. 몇 년이고 연락 없다가 불쑥 전화하여 아이들 안부를 묻거나 문단인사의 경조금 전달을 부탁하는 정도가 고작이다.

그래도 어디 문상 간 자리에서라도 조우하면 가장 반가운 사람이다. 누가 먼저랄 것 없이 외진 자리로 옷깃을 끌고 가 가족들의 안부부터 묻게 된다.

"이창건 선생님과 친한 것도 아닌데, 어째 남 같지가 않고 따뜻한 밥 한끼 챙겨 먹이고 싶은 생각이 드는지가 몰라."

한명순 선생 역시 그가 선배 문인이 아니라 피붙이 같이 느껴진다는 이야기를 나눈 기억이 난다. 애잔한 성품 탓이리라.

이창건, 그는 성향이 다른 이들과 부대끼는 걸 유난히 못 견뎌한다. 논쟁에서 이기기보다는 다툴 기미가 보이면 먼저 손들고 물러앉는 게 속 편하다는 사람이다.

구석을 좋아하고 바닥을 좋아하고 그늘진 곳을 들여다보는 사람. 가녀리게 흔들리는 것 같지만 자기 품성을 평생 지켜 사는 것이 그의 꼿꼿한 자존심이다.

'손해 좀 본들 어떠랴' 하는 경계 없는 마음으로는 이 풍진 세상살이가 녹록할 리 없다. 상대방도 나처럼 그렇겠지, 하는 믿음으로 관계를 맺어 힘든 일 겪은 적도 있으리라. 오해 받은 적 또한 있으리라.

그의 오랜 직장 동료는 '이창건 선생은 꼭 종갓집 맏며느리 같다'고 표현했다. 묵묵히 참으며 살다가 오랜 세월이 지난 뒤 그 공적이 비로소 인정받는 지고지순한 맏며느리 역을 그는 왜 훌훌 벗지 못하는 것일까.

"살면서 소중한 게 뭐라고 생각하세요?"

"눈에 보이는 것보다 가슴으로 느껴지는 거겠지요. 내가 꼭 중심에 서서 눈에 잘 띄어야 하는 건 아니잖아요."

"선생님은 왜 그렇게 뒤에만 서십니까? 그러다가 자기 몫조차 차지하지 못하는 거 아니에요?"

"나중에, 나중에 주시겠지요. 갖고 싶은 사람 다 나누어 준 그 다음에. 언젠가 한명순 선생이 나한테 '바보'라고 했는데 난 그 말이 참 좋더라구요."

모름지기 남의 것을 욕심내지 않고 누군가 진실을 알아줄 거라는 믿음, 마지막에 내 몫이 남을 거라 확신하는 그가 문득 커다랗게 보였다.

산다는 게 무엇이던가, 더구나 잘 산다는 것은.

이제 그의 나이 50대 후반. 엇비슷하게 나이 들며 인생의 황혼 길을 함께 여행할 아내의 따스한 손길이 절실하게 필요한 나이에 이르렀다.

그러나 그는 여태 그 흔한 아파트에서 살아 보지도 못했고 돈 불리는 일이나 어깨 으쓱이는 일에 나선 적도 없다. 좋은 상은 맨 나중에 달라고 기도하는 사람이다.

그의 인생은 아직 미완성이다. 그러나 대강의 결산으로도 그의 인생은 성공작이다. 그의 삶이 빛나지는 않았지만 실패하지 않았으므로.

또한 그의 곁에는 평생 자신을 이해하고 지켜 주는 아내와 우리나라 최고 학부를 나와 당대 최고의 지성으로 자리 잡을 두 아들이 곁에 있으므로.

그리고, 아직 절반도 분출해 내지 못한 맑은 시심이 그에게 엄청난 재산으로 남아 있으므로.

"금전적으로 부자인 적은 없었지만 친척들과 동료들을 돕고 살려고 늘 마음 썼어요."

양쪽 집안의 부모와 형제가 인정할 만큼 아낌없이 베풀었다는 뜻임을 알 수 있는 말이다.

일부러 묻진 않았지만, 요즘 그의 가장 절실한 기도는 '집사람의 건강 회복'일 게 틀림없다.

그래서 당분간은 그에게 '좋은 작품 쓰세요.'라는 인사를 할 수 없을 것 같다.

그의 간곡한 첫 번째 소망이 다른 데 있음을 알았기 때문이다. 그런데 뜻밖에 시집을 준비 중이라며 원고를 내밀었다. 반갑고 기뻤다. 원고 가운데 〈바닥〉이 찡했다.

바닥이 차갑다

바닥은 따뜻해야 한다

불처럼 뜨거워서도 안되고

얼음처럼 얼어 있어도 안 된다

피곤한 등을 대고 잠을 자거나 쉬고

손을 짚고 발을 디뎌

일어서는 자리이기 때문이다

바닥은 낮은 것을 받쳐 주고
떨어지는 것을 받아주는 자리이다
그래서 바닥은 따뜻해야 한다
부드러워야한다
나는 그런 바닥이 그립다
－《소망》, 〈바닥〉 중에서

이창건, 그가 이즈음 많이 힘겨운가 보다.

기꺼이 누구나의 바닥이 되어 줄 것만 같은 그가 '바닥' 이 그립노라 고백한다.

오후의 햇살 비껴드는 찻집에서 긴 이야기를 마무리하고 일어섰다. 손 흔들고 돌아서는 그의 야윈 옆모습에서 염색을 했는데도 희끗한 귀밑머리가 얼핏 보였다. 거기에 오랜 세월 힘겹게 투병 중인 아내와 아흔 가까운 노모를 모시고 사는 한 남자의 고단함이 묻어 있었다.

그를 만나고 돌아오는 길에 시나브로 날이 저물었다. 한강변을 지나다 귤빛 가로등 아래 잠시 차를 멈추었다.

늦가을 스산한 바람이 강물 위로 스쳐갔다. 그를 취재하며 깨알 같이 적은 노트를 들여다보는데 공연히 눈시울이 아렸다.

풀씨 같은 애잔함으로, 오래 감내하며 한 세상 진솔하게 사는 한 사람과 닮았음인가. 나도 모르게 김춘수의 시 서풍부(西風顚)를 읊조리고 있었다.

너도 아니고 그도 아니고 아무것도 아니고 아무것도 아닌데 꽃인 듯 눈물인 듯 어쩌면 이야기인 듯

누가 그런 얼굴을 하고 간다 지나간다…….

눈 맑은 시인의 가슴 깊은 곳에서 발원된 시어 (詩語)들은 제 스스로 고이고 넘칠 것이다. 그리하여 강물처럼 유장하게 흐를 것이다.

남은 생각으로

이 글을 청탁 받고, 쓰기 전에, 써 나가며 오래 머뭇거렸다.

'인물론'이라니, 인간 이창건 선생에 대해 내가 얼마나 안단 말인가.

출생도 등단도 10년 가까이 늦은 이 무력한 후배를 필자로 지목한 의도가 궁금했다.

그의 인품에 대해서라면, 그와 함께 걸어가는 동인 문우가 따로 있고 은평구에 이웃한 아동문학인 모임 '거북골' 팀의 쟁쟁한 필력이어야 더 돋보이지 않겠는가.

그러나 곰곰이 생각해 보고서야 알아차렸다. 무슨 일에든 신중한 그는 특별히 가까운 동료보다 나만큼의 적당히 먼 거리에서 자신을 객관적으로 바라봐 줄 사람이 필요했을 것이다.

그러므로 굳이 멋진 표현을 기대하지도 않을 것이다.

가족이나 친구 말고, 누구에 대해 이토록 관심 기울여 본 적이 있었던가.

며칠 밤낮 동안 그의 삶의 맥을 찾아들어가 마음껏 헤집고 들춰 보았다. 그의 시(詩)를 있는 대로 찾아 음미하기도 했다. 그와 공유한 콩꼬투리만 한 기억이라도 되새기려 애를 썼다.

그리하여 마침내 발휘한 시인의 면면은 다감하고 아름다웠다.

다만, 그 느낌과 단상을 유려한 문체로 적지 못하는 미력함이 부끄러울 따름이다.

하지만 어찌하랴. 오늘로써 나는 이창건이란 시인의 인생 여정에 가담했다. 앞으로 그에게 일어날 소소한 기쁨과 슬픔까지 기꺼이 동참하는 지기(知己之友)가 되겠노라고 혼자 약속했다.

자연과의
소통과
상처 치유하기

손연자

1. 자연과 인간이 호흡하는 시

　이창건 시인은 등단 첫 동시집《풀씨를 위해》(아동문예사, 1983)를 펴낸 이래《새순》
(도서출판 써레, 1987),《소년과 연》(대교문화, 1988),《나는 눈이 올 것 같다고 말했지
만 친구는 비가 올 것 같다고 말했다》(예림당, 1996),《나무는 어떻게 사나》(세손 출판
사, 2001) 등 다섯 권의 동시집을 출간했다.

　그는 시심이 '눈 뜨는 기쁨으로' 라는 말로 첫 동시집을 엮은 소감을 표하면서 그의
시집이 '쓰지 않고서는 못 배겨 밤을 지새웠던 문학적 고뇌' 의 산물임을 밝힌다. 기존
의 발표작과 미 발표작을 추려 모은 두 번째 동시집에서는 '동시의 존재 이유와 가치',
'동시 기능의 한계' 에 대한 고민과 '동시를 폄하하는 풍토' 에 회의를 느끼면서도 동시
는 '계속 써야 하는 문학 행위' 임을 고백한다. 그는 다섯 권 째의 동시집에서 '어린이들
이 세상을 행복하고 아름답게 가꿀 수 있다' 는 믿음을 토로하고 그의 동시집이 길잡이'
가 되기를 희망한다. 또한 동시는 시의 세계를 동심으로 바라본다는 데서 성인 시와 다
르다는 것과 '동심으로 세상을 바라볼 때' 야말로 참삶을 영위할 수 있음을 어른들에게
강변한다. 동시인으로서의 그의 책임과 주장을 알 수 있게 해주는 대목들이다.

　이창건 시인의 동시집에는 하늘, 강, 나무, 풀잎 등을 비롯하여 곤충에 이르기까지
자연물을 소재로 한 시들이 다수 실려 있다 흔히 자연물을 시적 대상으로 할 때 그 이
미지들은 자아를 정화 시키고 새로이 탄생하게 하는 역할을 한다. 자연물에 내포하는
서정적 이미지는 시인의 사유와 감흥 또는 존재와 동일시되면서 독자들에게 세계와 자
아에 대한 새로운 인식을 갖게 한다. 그러므로 이창건 시인의 시적 공간을 공유하는 것
은 의미 있는 일이다.

　　언제나 초록에 젖어 풋풋하다, 풀잎의 눈은

　　그 눈빛이 내 몸에 닿으면

　　찌든 때가 풀려 나간다

　　내 가슴에서 흰나비 떼가 날아오른다.

－《새순》 p.24, 〈풀4〉 전문

이창건 시인은 풀잎을 시적 대상으로만 바라보는 것이 아니라, '눈'을 가진 존재로 인식한다. 초록으로 젖은 풀잎의 '눈빛'은 내 몸에 닿아 찌든 때를 정화시킨다. 가슴에서 흰나비 떼가 날아오름으로써 시인은 고통스러운 삶에서 벗어나 상승하는 비상의 역동성을 얻게 된다. 자연은 우리로 하여금 '찌든'이라는 감금의 이미지를 벗어 던지게 하고 자유로운 '나비'의 비상으로 이끌어 간다. 초록색과 흰색의 선명한 대비는 밝음과 상승의 시적 분위기를 선명 하게 드러내 주는 역할을 한다.

이렇듯 그의 시에서 자연은 인간의 삶과 조화를 이루고 인간의 힘겨운 삶을 정화시키는 놀라운 힘을 가지고 있다. '시는 가장 아름답고 인상적이며 효과적으로 사물을 진술하는 방법'이라는 아놀드의 말이 아니더라도 시인이 이끌어 낸 시적 정황을 바라보는 독자들은 눈과 마음이 깨끗해지는 경험을 하게 된다.

그의 시에서 가장 주목되는 것은 아이의 시선으로 현실의 고단함을 포착하는 부분이다.

밤마다

한두 번

엄마의 잠을 앗아가는

연탄 아궁이

아궁이에 모인

엄마의 잠은

파란 불꽃으로

방을 덥히고

그래서 춥지 않은

이 겨울 밤.

동트면

잿덩이 되는

엄마의 잠.

－《풀씨를 위해》 p.21, 〈연탄 아궁이〉 전문

이창건 시인은 밤마다 단잠을 깨어서 연탄을 갈아 아이들의 방을 덥혀 주는 어머니의 사랑을 연탄 아궁이로 유추한다. 특히 밤새 편히 쉬지 못하는 어머니의 잠을 '잿덩이'에 비유함으로써 연탄재의 이미지와 연결시키는 부분은 현실에서 버려진 사물에 대한 시인의 따뜻한 시선을 느끼게 해주는 요소이다. 시인은 그의 감각에 깊이 각인된 어머니의 사랑을 간결 진솔한 시어로 되살린다. 시인의 어머니는 '할아버지 사셨을 적부터 광주리 하나로 살림을 맡'고, 설움으로 얼크러진 머리를 손빗으로 가다듬으며 살림의 틀을 야무지게도 짜내'느라 철따라 '푸성귀'로 '과일'로 광주리를 채'우신(《풀씨를 위해》p.26 〈어머니〉) 분이다. 시인은 '배를 내민 김장 독 곁'에서 '손마디에 발갛게 우러나는 고춧물'(p.20 〈김장 담그는 날〉)과 가슴에 '흙거름이 쌓여 있는'(p.17 〈김칫거리〉) 어머니를 연탄 아궁이를 매개로하여 선명하게 인화해 낸다.

벌린 입
불룩한 배

울타리 호박 닮아
봉긋한 산을 닮아
해같이 달같이
둥그런 마음.

…… (중략) ……

나를 위해
헛배만 불리시다가
시름 따라 주름 따라 깊어지시다가
풍년방아에
항아리만 말갛게 윤내시던
어머니.

귀뚜리 울어
어머니 보고픈 날,
가슴에 안아 보는
따스한 품

오지항아리.

– 《풀씨를 위해》 pp.12~13 〈항아리〉 전문

시인이 회상해 내는 모성의 형태는 둥글다. 그러한 진술이 사랑의 원형질이며 보편적 감성일지라도 하필 울타리 호박과 붕긋한 산을 택하여 소년의 시간으로 역행하는 것은 시인의 정서 체계가 자연에 뿌리박고 있기 때문이다. '나를 위해 / 헛배만 불리시다가 / 시름 따라 주름 따라 깊어지시다가 / 풍년방아에 / 항아리만 말갛게 윤내시던 / 어머니'를 떠올린 시인의 회상은 눈물겹다. 시인은 오지항아리에서 돌연 '해'와 '달'로 그 원형(圓形)을 확대, 어머니에 대한 그리움의 무게가 헤아릴 수 없음을 암시한다. 아울러 '항아리'와 '풍년방아'의 이중적 매개항을 중심으로 현재에서 과거로 넘나들면서 절절한 육친의 정을 독자에게 전이시킨다.

풀잎의 무릎을 멍들지 않게 하기 위해서다
풀잎의 가슴에 아픔을 주지 않기 위해서다

이슬이 동그란 것은, 왜

– 《새순》 p.27, 연작시 〈풀 7〉

위 시에서 사용된 도치법은 독자들로 하여금 풀잎에 대한 이슬의 지극한 배려에 집중하게 한다. 시인은 물방울에 지나지 않는 이슬을 찰나에 스러질 허약한 액체에서 후덕한 생명체로 바꾸어 놓는다. 아침 햇살이 닿자마자 사라질 허망한 존재에서조차 관계의 이치를 웅숭깊게 인식해 내는 기민함은 대상과의 빈틈없는 합일에 서만이 가능하다. 풀잎을 위해 몸을 있는 대로 둥글리는 이슬 방울의 심성으로 후안무치한 이 세계가 바뀌기를 꿈꾸어 보는 것, 그것은 동시를 읽는 이가 누릴 수 있는 최상의 즐거움이다.

이창건 시인은 소나무 껍질 같은 어머니의 손을 일하는 손, 사랑하는 손, 기도하는 손으로 간파한다.

아가 가슴에 쌓이는
엄마 사랑 무게만큼
아가의 키가 큰다
아가의 몸이 큰다

– p.14 〈아이가 크는 것은〉의 부분

시장바구니에서 쏟아진

푸짐한 김칫거리

땀방울 스며 있는

밭이랑 흙거름도

다발에 묶여진 채

엄마 손에 들려왔다.

― p.17 〈김칫거리〉의 부분

가을걷이 끝날 무렵

첫서리 내리는 날

해마다 치루는

엄마의 겨울채비.

사는 일 맛내는 일

맛을 지키는 우리들 엄마

― p.20 〈김장 담그는 날〉의 부분

흔들리는

빛물결 앞에

반짇고리 풀어

바늘귀 환하게 여는 어머니.

어머니 그 무성한 사랑의 숯이

활활 타오르도록

심지를 돋우는

― p.23 〈등불〉의 부분

그 솔껍질 같은 손으로

광주리 한 구석에

내가 기둥나무로 자라기 바라는

기도를 꼭 담곤 했습니다.

이제 내가 이만큼 자랐는데도
오늘 아침
어머님은
내 기도가 담긴 광주리를 이고
사립문을 나섰습니다.
– p.27 〈어머니〉 전문

위의 시에서처럼 고난의 삶을 온몸으로 살아 낸 우리들 어머니의 모습과 시인의 어머니 모습은 다르지 않다. 옛 어머니들의 생필품인 광주리 안에는 '기둥나무로 자라기 바라는' 염원이 담기고 어머니는 기도 광주리를 이고 힘겨운 노동을 위해 사립문을 나서신다. 첫서리 내리는 날의 스산한 겨울 채비와 흔들리는 등불 앞에 앉아 바늘귀 환하게 여는 어머니를 보며 자란 시인은 '다듬어지는 김칫단 곁에 / 병아리처럼 앉'았던 어릴 적 어머니 곁을 지금도 여전히 맴돈다.

햇살이 스며드는
돌 틈마다
흙 틈마다
톡톡 부르트는

연둣빛 두드러기
이른 봄 풀싹들.

눈에 띄지 않으려고
밟히지 않으려고
겨울 동안 숨었다가
돌 틈마다
흙 틈마다 반짝이는
봄의 보석
연둣빛 풀싹들.
– 《풀씨를 위해》 p.34, 〈풀싹〉 전문

봄 하늘 구름은

빨리

구름이 되고 싶다.

땅 속

톡톡히 젖어들고 싶다.

바위 틈

촉촉이 스며들고 싶다

흙속

여기저기 묻힌

바윗돌 이틈 저틈 끼인

지금 막 눈 뜰

이름 모르는

풀씨를 위해.

― p.35 〈풀씨를 위해〉 전문

나무는

봄비 맞고

새순 트고

여름비 맞고

몸집 크고

가을비 맞고

생각에 잠긴다

나무는

나처럼.

― p.52 〈나무는〉 전문

　시인은 작은 자연의 사물들까지 놓치지 않고 섬세한 시선으로 붙잡아 우리의 눈앞에 펼쳐 놓는다. 여린 생명체를 키워 내는 햇살과 '눈에 띄지 않으려고' '밟히지 않으려고' '돌 틈 흙 틈마다' 싹을 틔우는 풀싹의 겸손한 순응을 포착, 독자들에게 전해 준다. 연둣빛 두드러기 같은 싹을 돋게 하는 봄 햇살과 이름 모를 풀씨와 나무를 위해 비가 되기를 갈망하는 봄 구름은 바로 시인 자신이다.

　그는 〈풀씨를 위해〉, 〈풀싹〉, 〈나무는〉 등의 시에서 하찮은 존재들에게 보내지는 자연의 배려와 고요한 심성을 통하여 삶에 시달려 왔던 인간의 고단한 삶을 정화시켜 준다.

　빨강 노랑 단풍잎은

　금붕어

　바람 불 때 마다

　꼬리 흔들며 헤엄치는

　금붕어

　그럼 가을 산은

　금붕어로 가득한

　강

　－《새순》 p.88, 〈단풍잎〉 전문

　특히 〈단풍잎〉에서는 색색의 단풍잎을 흔들리는 금붕어 꼬리에 비유하여 감각적 생동감을 불어 넣는다. 가을 산의 단풍잎을 '후끈한 단풍잎'(《특선 동시 4》 p.10 〈가을 산에 다녀와서〉)으로 표현하여 계절의 정황을 완벽하게 재현해 내기도 한다. 단풍잎을 금붕어로, 그 색깔의 질탕함을 후끈하게 간파함은 동심의 눈을 가지고 있는 시인의 예리한 언어 감각에서 비롯된다. 시인은 '후끈하다'는 단어의 의미소를 이미 알고 있던 독자에게 언어에 대한 새로운 자각을 일깨움과 동시에 단어가 지닌 언어적 가치를 극대화시켜 준다. 산, 강, 풀, 아지랑이 등 자연의 아름다운 이미지들은 이러한 비유를 통해서 고유한 아름다움을 드러내며 독자에게 시를 읽는 재미를 더해 준다. 그는 더 나아가 해를 의인화하여 '팔도 길고 다리도' 길게 해 놓는다. '봄에는 개나리 진달래 손에 꽃잎을 쥐어 주고', 가을에는 사과나무의 사과와 감나무의 감을 '따'기 위함이다. 그런 해와 '함께 걷기'(《특선 동시 4》 p.114 〈해는〉)를 바라는 시인은 꿈꾸는, 피리 부는 소년이다.

2. 슬픔과 아픔을 치유하는 시

사물을 바라보는 시인의 따뜻한 눈길은 〈슬픈 바람〉이라는 시에서도 읽을 수 있다.

뼈 굳은 가시에 그렇게 찔리면서도

하얀 찔레꽃 무더기무더기 피우기 위해

올해도 바람은

찔레나무 숲속을 때 없이 드나드네

그런 바람이 나는 슬프네

– p.13 〈나무는 어떻게 사나〉 전문

이 시에서 찔레꽃을 피우는 것은 나무가 아니라 바람이다. 바람은 생명을 탄생시키기 위해서 자신의 몸을 돌보지 않는 숭고한 헌신과 사랑의 이미지를 담고 있다. 바람은 모든 생명의 모태인 어머니의 손길로서 딱딱하고 날카로운 가시를 순하고 부드럽게 만들어 낸다. 그런데 시인은 이러한 바람의 노고와 경험에 대해서 '나는 슬프네' 라는 구절을 통하여 공감의 시선을 보내고 있다. '나는 슬프네' 라는 진술은 바람의 무한한 사랑과 헌신에 대해 보내는 시인의 존경과 감탄, 감동을 표현해 준다.

나죽어

다시 태어나면

정말로 다시 태어난다면

따슨 손을 가진 바람으로 태어나게 해 달라고

하느님께 빌겠다.

그래서 응달에서 춥게 지내는 춘이, 희옥이, 은숙이

걔네들 곁으로 달려가

찬 손발

꼬옥

잡아 녹여주는

오빠가 되고 싶다.

– p.74 〈소원〉 전문

시인은 다시 태어나면 따뜻한 손을 가진 바람이 되고 싶어 한다. 차가운 응달에서 지내는 어린 아이들의 손발을 녹여 주는 따뜻한 바람은 어머니의 사랑처럼 얼어붙은 세계를 녹여 낸다. 그의 시에서 '바람'은 풍요하고 안온한 모성의 이미지로 나타난다. 바람은 공간의 경계를 넘나들면서 세상의 춥고 어두운 곳까지 달려가 자신의 사랑을 풀어 놓는 존재이다. 이렇듯 그는 자연과 사물을 고립된 것이 아닌, 서로 조응하고 상호 화합하는 조화로운 세계로 파악하고 있다.

> 고물고물고물고물
>
> 개미가 가는 길에
>
> 돌멩이를 치워 주는
>
> 아이의 작은 손을 보았네
>
> 내가 만약
>
> 그 아이와 함께 길을 간다면
>
> 그 길에 놓인 돌멩이 걷어 주는
>
> 나도 작은 손이 되겠네.
>
> – p.16 〈개미가 가는 길에〉 전문

'구물거리다'는 몸을 굼뜨게 자꾸 움직이는 모양을 말한다. 이창건 시인은 '구물거리다'의 작은 말인 '고물거리다'의 '고물'만을 중첩하여 개미의 형태와 속성을 또렷이 드러낸다. 이 시에서도 시인은 개미가 가는 길에 놓인 돌맹이를 치워 주는 아이의 작은 손을 보여 준다. 아이의 작은 손은 시적 대상인 개미에 대한 연민과 공감, 사랑의 손이다. '아이와 함께 길을 간다면 그 아이 앞에 놓인 돌멩이를 걷어 주'고 싶다고 시인은 말한다. 이 시에서 개미-아이의 관계가 아이-나의 관계로 치환되면서 사랑의 행위는 증폭되고 번져 나간다. 이렇게 작은 사랑의 행위를 통해서 자연과 인간은 서로의 호흡을 나누고 소통하며 아름다운 세상을 꿈꿀 수 있게 된다.

시가 아름답다고 느낄 때 그것은 시 안에 깃든 슬픔 때문이다. 슬픔은 거짓의 껍데기를 벗기고 사물 본래의 진실에 닿게 한다. 이창건 시인의 시에는 비감의 시어들이 자주 등장한다. 대추나무가 열매 맺지 못하자 자신의 무관심 탓으로 돌리며 대추나무보다 더 쓸쓸해(《특선 동시 4》 p.36 〈대추나무보다 쓸쓸한〉)하고 귀뚜라미 울음소리를 '친구들이 모르는 슬픔을 삭이려 혼자서 몰래 휘파람으로 부르던 쓸쓸한 자신의 노래(p.19, 〈대추나무보다 쓸쓸한〉)로 여긴다. '믿었던 친구들이 슬픔을 주는 일을 쓸쓸'하게 받아들이는 (p.93, 〈코스모스를 보며〉) 시인은 '겨울바다보다 짙푸른 하늘'과 '햇살 맞아 곱게 부신 상수리나무 여린 이파리'가 서럽다. '반짝이는 초록 봄'도 서러워 '눈물'이 '핑

다'(p.54, 〈4월〉). 그의 눈물은 '흐를수록 발걸음 더디게 놓는' 한결 같이 흐르는 강에
'한 줄기로 섞이지 못해' 괴고(p.68, 〈양수리에서〉), 바람이 불고 간 뒤 '참았던 울음 왈
칵 쏟아 내는 풀밭의 '울음소리'를 서러워한다(《풀씨를 위해》p.39, 〈풀밭〉 2).

초록 잎이 가느다란 잎맥을 드러내듯 시인은 대상 속에 시적자아를 진솔하게 투영한
다. 그는 내면의 슬픔을 둔물로 흘릴 때조차 소리 내지 않는다. 조용히 직설적으로 말
하는 그의 슬픔은 독자에게 의미심장한 울림을 준다.

3. 반성과 자각을 불러 내는 시
이창건 시인의 시는 세상과 사물에 대한 연민과 사랑의 시선으로 쓰여진다.

뜨거운 여름 찻길에 죽은

다람쥐 그 곁을

오래 전부터 정들었을 성싶은

같은 빛깔 다람쥐 한 마리 내려와

이리 콩콩 저리 콩콩 어쩔 줄 몰라 하는구나

지켜보던 코스모스도 도리질 치는구나.

– 〈콩콩거리는 다람쥐〉 전문

위 시에서 시인은 찻길에서 죽은 다람쥐의 친구 다람쥐가 그 죽음을 슬퍼하는 장면
을 그려 낸다. 시인은 그 다람쥐를 죽게 한 인간의 문명을 비난하거나 비평하지 않는
다. 그 대신 친구를 잃고 슬퍼하는 어린 다람쥐의 슬픔에 주목한다. 그렇게 함으로써
오히려 이러한 상황을 만들어 낸 인간의 폭력성에 대한 비판과 자성을 불러낸다. 시인
은 현실을 직접적으로 드러내는 대신 현실의 풍경을 무심한 듯 잡아냄으로써 독자들로
하여금 작은 생명체의 죽음에 대한 안타까움을 극대화시키며 스스로의 삶을 성찰하게
한다.

죽은 나무 안고

매미가 웁니다

그 나무 영혼 쓰다듬으려

보이지 않는 곳에서

홀로

매미가 웁니다.

– 〈팔월〉 전문

시인은 '죽은 나무'에서 죽음의 이미지를 또 다시 보여 준다. 모든 사물들이 생명을 왕성하게 향유하는 계절인 팔월에 나무는 왜 죽은 것일까? 매는 왜 다른 나무로 날아가지 않고 이 죽은 나무 위에 앉아 있는 걸까? 이 시는 이러한 의문에 답을 주지 않는다. 대신 죽은 나무 위에 홀로 앉아서 우는 매미의 울음을 들려주어 이들의 고통과 외로움에 독자를 동참시킨다. 이와 같이 이창건의 시에는 아픔을 윤색하지 않고 그대로 드러냄으로써 그 슬픔을 통해 세계를 성찰하게 한다.

그의 시집에서 가장 감동적인 시 중의 하나는 〈하느님의 못 박기〉이다.

쾅쾅

벽이 울린다.

하느님이 이 세상 어딘가에

큰 못을 박으시나 보다.

번쩍번쩍

망치와 못이 비껴

퉁기는 불빛

하느님, 들에서 호미질하시는

우리 엄마 가슴에는

작은 못질 하나라도 하지 마세요.

그렇잖아도 늘

못을 많이 박히우고 사시는 분이니까요

– 《나는 눈이 올 것 같다고 말했지만 친구는 비가 올 것 같다고 말했다》 p.109 〈하느님의 못 박기〉 전문

벽은 막음과 막힘의 상징성을 지닌다. 타인의 이해와 상생을 거부하는 벽의 견고함 앞에서 인간은 좌절하고 절망한다. 자연히 세상살이는 이들 겹겹의 벽 앞에서 무력해질 수밖에 없다. 그 벽에다 하느님이 응징의 대못을 박으신다.

못은 처참한 상처와 피 흘림 같은 극한 고통과 사물을 지탱하고 고정시켜 주는 이중적 의미를 지닌다. 시인은 큰 못을 박아 벌하는 '하느님'과 우리 엄마 가슴에 수없이 박힌 고통스러운 삶의 흔적을 알레고리 기법으로 대비시킨다.

〈하느님의 못 박기〉는 성숙한 시선으로 어머니의 아픔과 고통을 위로하는 시이다. 시인은 천둥이 치는 순간을 하느님이 못을 박으시는 순간으로 이해하는 상상력을 발휘한다. '쾅쾅'의 청각적 언어와 '번쩍번쩍'의 시각적 언어로 표현된 이 신선한 상상력은 곧바로 들에서 호미질하는 어머니에 대한 애틋한 염려로 이어진다. 어머니의 가슴에는 벌써 많은 못이 박혀 있으므로 어머니에게 새로운 고통을 주지 마시라 기도하는 간절함이 고스란히 드러난다. 이것은 어머니의 힘겨운 노동과 삶을 이해하고 보살피고자 하는 아이의 성숙한 시선이다.

이창건 시인은 그의 시에 자주 등장하는 하느님을 닮은 마음으로 세상의 그늘지고 어두운 부분을 들여다보면서 그 힘겨운 세계를 치유하고자 한다. 이런 까닭에 그의 시는 어린이들뿐만 아니라 어른에게도 감동적으로 읽힌다.

이창건 시인의 눈은 겹눈이다. 그리하여 보이지 않는 것과 들리지 않는 것을 본다. 그는 바위 속 핏줄을 보고 나무 속에 흐르는 푸른 피를 보고 바람에 흔들리며 부는 잎사귀들의 피리 소리를 듣는다. 그것이 고통일지라도 시인은 본 것을 보이게 해 주는 시혜자의 삶을 살아야 한다. 은유를 찾아 헤매는 언어의 구도자여야 한다. 그가 동시를 읽는 '어린이들이 세상을 행복하고 아름답게 가꿀 수 있다'는 것을 믿듯 앞으로도 그의 시로 하여 행복하고 아름다운 시간을 가질 수 있음을 독자들은 믿는다.

풀씨에
실어 보낸
시인의 향기

유경환

1. 소박함에 담아놓은 아름다움

보는 이 없어도 풀꽃은 피고, 알아주는 이 없어도 시인은 글을 쓴다.

풀꽃은 바람에 향기를 실어 보내고, 시인은 이웃에 인정을 나눠 보낸다. 울창한 숲에 들어서면 상쾌한 공기를 마실 수 있듯이, 시인의 삶터에 들어서면 담 너머로 넘나드는 부드러움을 바람인 듯 마실 수 있다.

이창건 시인이 가꾼 한 뼘의 삶터. 《나는 눈이 올 것 같다고 말했지만 친구는 비가 올 것 같다고 말했다》(예림당 특선 동시집 4)에 조용히 발을 들여 넣어 보자.

여기서 우리는 풀꽃 같은 시인 한 사람을 만나게 된다. 크지 아니한 체구에 목소리까지 낮은 소박한 모습. 그러나 그가 쓰는 시의 향기는 멀리까지 풍길 만큼 진하디 진하다.

그는 언제나 말을 아끼면서 살고 있고 얼핏 보기에는 생각까지 아끼며 사는 사람으로 보인다. 연필 끝에서 흘러나오는 글이듯 가슴에서 시를 풀어 낼 때면 조금도 아끼는 것이 없어 보인다.

"……좋은 시는 하늘처럼 맑고 높다."

이 한 마디는 연필동인이 예림당에서 펴낸 시집에다 밝혀 놓은 그들의 따뜻한 표현이다. 시에 쏟아온 이런 애정은 동인들의 중심 인물인 이창건의 목소리일 수 있다.

아마도 그의 정서와 인격의 바탕이 된 그의 유년 시절은 강원도 철원의 하늘 밑에 펼쳐진 봄, 여름, 가을, 겨울의 네 철 그 숨결 그 모습 그대로이리라. 어렸을 적 투명한 눈길로 바라보았던 볕과 그늘, 목숨과 주검, 산그늘과 구름, 나무와 풀, 그리고 그것들에 휘감기던 바람과 소리 들이 오늘날 이창건의 동시로 재생되어 나오는 것이리라 싶다.

어렸을 적 눈빛으로 입력해 들인 고향의 온갖 사물이, 그 뒤 지속적으로 축적된 지성과 애정에 범벅되어, 이제 작품으로 재구성 되어 나오는 것이 분명한 치밀하고 청초한 자연을 읽게 된다.

2. 쉬운 표현, 무게 있는 철학

이런 기초 자료 위에서 동시를 쓰는 이창건을 해체해 보기로 한다. 지금 50대 초반에 든 이 시인은 불과 세 권의 시집을 내고, 가장 눈부신 동시를 쓰는 시인의 자리에 올랐다. 《풀씨를 위해》, 《소년과 연》, 《비는 하늘에도 내린다》를 내고 이것으로 한국아동문학상과 대한민국문학상을 받는다.

위의 시집 3권이 사람들을 움직였다면, 이 3권 안에 수록된 시작품들이 얼마나 설득적인가는 점을 쉬이 짐작할 수 있겠다. 여기서 그의 네 번째 시집 《나는 눈이……》가 이번에 비평 대상 도서로 선정된 까닭이 충분히 드러난다. 구체적으로 이 시집 맨 뒷자리에 실려 있는 〈흙〉이라는 작품 한편을 보기로 들어 함께 읽어 보자.

흙은 우리처럼

차고 뜨거움을 금방 느껴

햇살이 조금만 따사로워도

손가락을 놀려

잠자는 풀씨들을 깨우고

나무뿌리들의 겨드랑이를 간지라.

그러다가 우리들이 땀을 흘리는 여름이 오면

시원히 구름 그늘 빌려 받고

비도 받아서

풀과 나무들의 피를 식혀 주기도하지.

그리고 우리들의 얼굴에 눈이 내리고 찬바람 불면

흙은 자기가 엄마라면서

포근한 가슴으로 풀들을 감싸 안아 주기도 하지.

흙은 우리처럼

피도 있고 살도 있어

생명들을 키우지.

누구나 한 번만 읽어도 대번에 알 수 있는 쉬운 낱말을 동원하고 있으나, 그러나 이 시 속에 들어 있는 사상은 결코 가볍지 아니한 무게를 지니고 있다.

일반적으로 이창건 동시의 경우 표현을 위해 구사하는 어휘는 아주 여리고 부드러우나, 실제 내용에는 깊고 무거운 철학이 자리하고 있는 편이다. 이것이 이창건 작품의 해체 과정에서 드러나는 첫 번째 만남인 것이다.

3. 세 가지 시적 능력, 그 특징

이창건 동시의 특질은, 그의 따스한 체온을 시적 대상에 나누고 있는 지성스러운 자세에서 발견된다.

목숨을 키우는 흙에 대한 애정, 이것을 그의 작품 편편마다에서 느낄 수 있다. 흙에만 애정을 나누는 것이 아니다 나무에게도 새에게도 심지어 풀씨에게도 나누고 있다.

겨자씨만 한 작은 풀씨 속에 목숨이 접혀 담기듯이, 이창건 시인은 짧은 동시 한 편 속에 우주를 집약해서 입력시키는 놀라운 표현 기술을 지니고 있다. 이런 표현 기술은 애정으로 말미암아 가능한 기교이다. 결국 이창건의 시적 능력은 첫째로 애정 있는 표현 기교에서 입증된다.

두 번째로 만나게 되는 그의 시적 능력은 타이르듯 나직한 소리만 내면서도 뿌리칠 수 없도록 붙잡아 끄는 언어 구심력에서 드러난다.

그는 결코 흥분하거나 절규하지 않으며 격앙된 목소리도 내지 아니한다. 그러면서도 읽는 이를 감동시키는 힘을 발휘한다. 한번 이창건의 작품 세계와 만나게 된 독자는 늪에 빠져들 듯이 그의 작품 세계에 한 발자국씩 깊이 들어가게 마련이다. 이런 힘을 설득적인 구심력이라고 할까.

세 번째로 지적할 수 있는 그의 시적 능력은 거창하지 않게 절제하며 군더더기 없게 생략하는 간결한 구도 구축에서 잘 드러난다. 양배추처럼 겹겹이 이미지를 겹싸 가며 형상화하는 것이 아니고, 오히려 절제와 생략의 기량으로 시를 간결하고 투명하게 축소하고 있다.

때문에 일상적인 낱말을 통원 구사하지만 감춰져 있는 복합 의미를 생각하도록 신비로운 힘을 발휘한다. 여기에 매력이 있고 형식미가 돋보이게 된다.

아마도 이런 세 가지 시 능력은, 어려서부터 풍요로운 자연에서 키워 온 관찰력과 그리고 그 뒤에 입력한 무한한 깊이의 신앙 때문이리라.

풀씨 안에 차곡차곡 목숨의 존경스러움과 경외심을 집어넣을 수 있으려면, 고운 눈길로 거대한 우주를 축소시킬 수 있어야 한다. 그러기에 그의 시적 목소리는 지금 지구를 흔들고 있지 아니한가.

4. 나직한 목소리로 지구를 흔든다

이창건 시인의 작품을 읽으면 머리가 맑아진다. 그 어떤 진통제보다 산뜻하게 머리를 씻어 준다. 아마도 이창건 동시가 우리말의 때를 벗겨 내는 작용을 하기 때문에, 그 약리 작용이 우리들 의식의 때를 씻어 주는 것이 아닌가 생각된다. 이창건 동시는 이런 정서 순화작용을 위한 자정 능력에서 가치를 지닌다.

그렇다면 이런 자정 능력은 어떻게 생기는 것일까. 이창건 시인의 눈으로 보면 이 세상은 낙원이다. 우리들의 삶터는 이 낙원의 한가운데에 자리하고 있다. 찌든 삶터가 아니라고 생각을 고치기보다는, 눈길을 고쳐 사물을 다시 보면 되는 것이다.

눈길은 마음에 연결되어 있어 곧 마음에 평정을 담을 수 있게 된다. 이것이 이창건 문학의 가치이고 효용인 것이다.

우리가 노래하고 기구하는 낙원을 왜 다른 곳에서 찾으려고 발 아프게 방황하는가. 이창건의 눈으로 세상을 보면 사금파리로 세상을 보듯 세상이 달리 보인다. 여기 낙원이 보이는 것이다. 〈강〉을 보자.

나보다

꼭

한 발자국

먼저

넓은 데로

넓은 데로

꼭

나보다

한 발자국

먼저 간다

인간이 자연에게 설득되는 모습을 이렇게 노래한 이창건의 시 사상에는 오만이나 교만이 없고 겸손과 겸허만 있다.

겸손과 겸허는, 지구와 지구를 품에 안은 우주까지 보자기로 감싸듯, 싸담을 수 있는 넉넉한 마음의 밑바탕이다.

메마르고 각박한 눈길에는 낙원이 보이지 않는다. 낙원을 보고 싶으면 먼저 이창건의 동시로 눈을 씻고 세상을 보라. 그의 동시 작품이 세상 바라보는 법을 새롭게 깨우쳐 주니 놀라운 일 아닌가.

어린이와 함께 선생이 걸어온 길

1951년 강원도 철원군 동송면 오덕리 925번지에서 아버지 이봉일과 어머니 김숙희 사이에서 2남 3녀 중 차남으로 태어남. 6.25 때 남한산성 쪽으로 피난 옴. 철원으로 돌아가던 중 경기도 가평군 북면 도대리로 다시 피난함.

1957년 도대국민학교 입학함.

1959년 강원도 철원으로 이사함. 철원은 태봉국 궁예의 도읍지며 6.25 때 평강, 김화와 함께 철의 삼각지로 불림. 철원평야가 넓음.

1963년 강원도 철원군 동송면 오덕리에 있는 오덕초등학교 졸업 후 철원중학교 입학함.

1969년 철원고등학교 졸업함.

춘천교육대학 입학함. 이때 이승훈(시인) 교수의 시론 강의를 들음. 동화작가 최태호 학장과 만남. 문학에 대한 꿈을 키움. 시 습작을 시작함. 교우 허대영, 이창근과 시를 씀.

1971년 경기도 연천군 연천국민학교 발령 받음. 교사 생활을 시작함. 이문일 선생님을 만남.

1975년 경기도 연천군 전곡국민학교로 직장을 옮김. 이곳에서 초등학교 화재 남.

1976년 경기도 연천군 군남면 옥계국민학교로 좌천됨. 다시 문학의 꿈을 키움. 신춘문예 단편소설 투고함.

1977년 서울 예일국민학교로 직장을 옮김. 처 이나순과 결혼함(돈암성당에서 혼배를 드림).

1979년 첫째 아들 민우를 낳음.

1981년 박경용 시조 시인께 사사함. 아동문예 동시 투고함. 〈한국아동문학〉에 〈어머니〉가 추천됨.(이영호, 김종상) 둘째 아들 민기 낳음.

1982년 〈아동문예〉에 〈첫나비〉로 다시 등단함. 〈동아일보〉, 〈한국일보〉, 〈조선일보〉, 〈중앙일보〉 신춘문예 시조 투고함. 박경용, 정완영 시인께 격려 받음. 한국 아동문학가협회 상주 여름 세미나에서 김원석, 강용규를 만남.

1983년 첫 동시집 《풀씨를 위해》(아동문예사) 출간함. 동화작가 정채봉을 만남. 시집 출간을 도와줌. 동시인 김원석이 발문을 씀. 《풀씨를 위해》로 '한국아동문예작가상'을 수상함. 대부 박홍근 선생님을 모시고 천주교 영세 받음.(세례명 승훈 베드로) 김관식, 이영, 김영훈, 손기원, 이상배, 양점렬, 조명제, 송남선과 '써레' 동인 결성. 동인지 〈써레1집〉 출간. 박종현, 고성주, 노원호, 송재찬, 박성배 등과 교유함.

1984년 청소년 선도를 위한 문화예술교육으로 서울시장상 받음.(서울특별시)

1985년 방송통신대학교에 편입함.

1986년 유경환, 정채봉, 김원석, 이상배 등과 '원탁'이라는 모임을 만듦. 아동문학 발전을 위해 열심히 쓰자고 함.

1988년 대교에서 《소년과 연》을 출간함. 한국도서출판문화장을 받음. 이 동시집으로 대한민국문학상 신인상(한국문화예술진흥원, 심사 위원장 김동리, 아동 부문 김요섭)을 받음. 한국아동문학상을 받음.(한국아동문학인협회) 써레에서 동시집 《새순》을 냄. 소년한국일보에서 88올림픽 개막 축시 청탁을 받았으나 모시고 있던 외할머니 상을 당해 쓰지 못하고 폐막식 축시 〈높아진 나라〉를 씀. 〈THE CHRISTIAN PRESS(어린이 크리스찬)〉의 엄마와 아빠가 함께 보는 페이지에 아동문학작품비평 연재함.

1989년 '아동문학사랑방' 운영.(권태문, 박두순, 염양자, 노경실) 문학좌담회 및 문학 기행 등의 행사를 진행함.

1990년 유년 동화 《눈 오는 날》(계몽사 또래와 토리)을 출간함.

1991년 한국아동문학가협회, 한국아동문학회, 현대아동문학가협회 등 3개 단체 통합 창립 추진 위원으로 한국아동문학인 협회를 창립함. 빈민국 아동 돕기 협조로 유니세프 감사장 받음.(랄프디아즈주한유니세프대표)

1992년 시집 《비는 하늘에도 내린다》(문학아카데미)을 출간함. 하청호, 노원호, 이준관, 박두순, 손동연, 권영상, 정두리, 신형건 등과 '연필시' 동인을, 김종상, 박두순, 이규희, 정영애, 유인화, 이현화, 박성환, 김명실, 김원희 등과 '어린이 시 사랑회'를 조직함. 어린이 시 읽기 운동을 펼침. 《어린이 낭송 시집》(예림당) 출간. '봄밤어린이들의 시의 축제'를 어린이대공원에서 개최함. 《새로 쓴 글짓기 교실》(예림당) 엮음. 어린이 독서방 작은 도서관 '소년과 연'을 운영함. 제6차 교육 과정 국어과 연구 위원에 위촉됨.(교육부 교육 과정 평가원) 3학년 1학기 읽기 책에 〈강〉이 실림. 국민대학교 교육대학원을 수료함.

1993년 〈소년조선일보〉에 1998년까지 '어린이 시 사랑방'를 연재함. 〈문화일보〉 4계 문예에 김종상, 신형건, 손춘익과 아동문학부문 심사를 맡음.(1993~1995)《열려라 지혜 보따리》(문공사) 엮음. 월간 〈새벗〉에 '논설문 쓰기'를 연재함.

1994년 김종상, 권오훈, 노원호, 손광세, 권영상 등과 함께 '시와 여울'이라는 모임을 결성함. 동요 쓰기와 동시 작품 토론 등의 활동을 함. 〈소년동아〉 창간 30돌 기념 축시 〈해를 품은 바다의 가슴을 향해 달려라〉를 발표함.

1995년 한국아동문학인협회 사무국장을 역임함.(1995~1997) 회장 유경환, 사무차장

송년식, 백승자, 김향이, 한명순, 선안나, 김소운, 박신식 등과 사무국 일을 맡음.《사운드 오브 뮤직》(한국어린이교육연구원) 엮음.《꼬맹이 탈무드》(문공사) 엮음.《본대로 겪은 대로 써 보세요》(두산) 씀. 연필시 동인지《연필로 쓰는 시》(대교출판)를 출간함.

1996년 문학의 해 기념으로 '환경과 아동문학' 세미나를 개최함. '환경·생명·아동문학'을 주제로 발표함.〈시와 동화의 도시〉로 춘천시 지정 시화전을 개최함. SK환경사랑전국어린이 백일장 심사를 맡음. KBS 라디오 청소년 선도방송 원고 집필. 동시집《나는 눈이 올 것 같다고 말했지만 친구는 비가 올 것 같다고 말했다》(예림당) 출간. 유경환이〈풀씨에 실어 보낸 시인의 향기〉(한국간행물윤리위원회)의 서평을 씀.

1998년 MBC 창작동화대상 심사를 맡음. 제7차 교육 과정 국어과연구 위원 역임함. 제8회 한국아동문학상 심사를 맡음. 한국아동문학인협회 상임이사 역임함. KOICAC(한국국제협력단) 제1회 전국학생글짓기 대회 운영 및 심사를 맡음.《낭송 동시집》(파랑새어린이) 엮음. 월간 새벗문학상을 심사함.

1999년 저학년 세계 명작《소공자》(지경사) 엮음.

2000년《이솝 이야기》(문공사) 엮음. 김소월 시집《엄마야 누나야》(한국어린이교육연구원) 엮음.

2001년 동시집《나무는 어떻게 사나》(세손)를 냄.《이야기 격몽요결》(관일미디어) 엮음. 이정석이 '질문하기와 세상 하나 되기'(한국아동문학학회)라는 주제로 이창건 작품론 씀. 조대현, 이준관, 이규희, 정영애, 김용희, 민현숙, 유효진, 손연자, 이지현, 백미숙 등과 '거북골' 모임을 만들어 출판축하회와 작품평 등의 활동을 함.

2002년 권오삼과 한국일보〈신춘문예〉아동문학부문 동시 심사를 맡음.《톰아저씨 오두막집》(효리원) 엮음.

2003년 '공자' 전기 자료수집 차 산동성 곡부일대 여행을 떠남.《나의 라임오렌지 나무》(효리원) 엮음.《논술 교재 생각쓰기 논술마당》(세손) 엮음.《2학년 안데르센》,《3학년 안데르센》(효리원) 엮음. 도서출판 홍 '1000만원 고료신인 장편동화공모' 심사를 맡음. 연필시 동인시집《몽당연필이 더 어른이래요》(푸른책들)를 냄.

2004년 문화예술 교육 선도로 부총리 표창을 받음.(교육인적자원부)

2005년 서울하이페스티벌 '내 친구 서울' 백일장 심사를 맡음.(2005~2007년 신달자, 김원석, 강용규, 박민호, 김남석)〈평화신문〉에 성탄 축시〈이런 축복 어디 있을까〉를 발표함. 윤동주 시집《오줌싸개 지도》(효리원) 엮음.

2006년 〈시와 동화〉에 김원석 작품론 〈자연과 일상 아우르는 성찰의 생활시〉를 발표함. 가톨릭출판사 100주년 기념 전국 독서감상문 대회에 정호승, 이해인 등과 심사함. 평화방송 '초록나라꿈동산' 책 소풍 방송을 진행함.《국어를 잘해야 다른 공부도 잘 한다》(예림당) 엮음.《해저 2만리》(효리원) 엮음. 제3회 평화 생명사랑 독서감상문 대회 및 제11회 국토사랑 글짓기 심사를 맡음.(국토연구원)《소년한국일보 글쓰기 수상작 모음집》(효리원) 편집 위원 및 서울특별시 교육연수원 컨설팅 장학위원이 됨. '써레' 동인 13집《날아라, 새들아 푸른 하늘을》출간함.

2007년 세계 명작 논술대비《타잔》(지경사) 엮음. 정원석, 김원석, 강용규, 박민호 등과 난정제 준비 모임을 만듦. 제3회 연필시문학상 시상 주관함(수상자 고광근). 수상 작품집《벌거벗은 아이들》출간함. 제4회 평화 독서감상문 대회 심사를 맡음.

2008년 동시집《소망》(세손) 펴냄.《소망》으로 제40회 소천아동문학상 받음. 〈경향잡지〉에 수필 〈아름다운 시간표〉를 발표함. 〈열린아동문학〉 39호에 '유경환 추모 특집 회고사' 씀. 강원일보 '오솔길'에 〈유경환 선생과 춘천〉, 〈박홍근선생과 나뭇잎 배〉 씀. 둘째 아들 민기 송선경과 혼인.

2009년 〈개미가 가는 길에〉 외 5편으로 제2회 어효선 아동문학상 받음. 평화방송 〈초록나라 꿈동산〉 '동시 하나! 느낌 둘!!' 진행.(~2012) 〈아침햇살〉 가을호 동시특집에 〈맨드라미〉 외 4편의 시를 발표함. 〈열린아동문학〉에 〈이 계절에 심은 동시나무《아기까치의 우산》 김미혜 시인에게〉를 게재함. 소천아동문학상 심사를 맡음. 첫 손녀 승혜 태어남.

2010년 제7기 한국아동문학인협회 부회장에 위촉됨.(~2012) 박홍근아동문학상 운영 위원을 역임함.

2011년 동시집《씨앗》(처음주니어) 펴냄. 동시집《씨앗》이 문화관광부추천 우수 도서에 선정됨. 〈경향잡지〉에 〈위로받기보다는 위로하고〉를 게재함. 〈아동문학평론〉 김소운 추모 특집에 〈김소운의 초기 시 세계−문학적 삶의 발아기〉를 게재함. 〈어린이책 이야기〉에 〈김소운의 시 세계−《해님의 장난감》에 대한 소고〉를 게재함. 김소운의 미발표 유고시 50여 편 중 대표 동시 9편을 소개함.

2012년 《씨앗》으로 제 10회 우리나라좋은동시문학상 받음. 연필시 동인 동시집《얘들아, 연필이랑 놀자》(푸른책들)에 〈의자〉 외 5편의 시를 발표함. 〈거미〉가 한국아동문학인협회 '1월의 우수작품상'에 선정됨.

2013년 《한국가톨릭문학》 창간호에 〈봄비〉, 〈꽃다지〉 발표함. 예일초등학교 교장에 취
  임함.
  〈강원일보〉 신춘문예 심사를 맡음. 첫째 아들 민우가 권혁은과 혼인함. 둘째 손
  녀 승연 태어남.

2014년 예일초등학교 교장 퇴임으로 43년 교직 생활을 마감함. 평화신문에 프란치스
  코 교황방한 특별기고 〈약속은 지킵니다〉를 게재함. 〈시와 동화〉에서 시 창작
  강의, 후학을 양성함.

2015년 제9기 한국아동문학인협회 수석부회장을 역임함. 국회한국아동문학포럼 기획,
  개최함.(한국아동문학인협회, 한국아동문학회, 한국동시문학회 공동 주관).
  〈평화신문〉에 〈신앙단상〉을 집필함.

2016년 국립한국문학관 춘천시 유치위원을 역임함. 제10회 서덕출 아동문학상 심사 위
  원장을 맡음. 〈아동문학평론〉 160호에 최영재 동시집 《마지막 가족 사진》 서평
  〈물망초가 피어있는 사부곡〉을 씀. 〈시와 동화〉 추천심의위원을 맡음.

2017년 동시집 《사과나무의 우화》(섬아이) 펴냄. 권정생 창작기금 수혜 문인 추천위원
  이 됨. 〈아동문학평론〉 봄호 통권 162호에 최영재 시인이 《사과나무의 우화》의
  서평 〈아픈 아내를 위한 사랑의 변주곡〉을 씀. 《어린이책 이야기》 여름호에 전
  병호 시인이 《사과나무의 우화》 서평 '위로 받지 못한 눈물'을 닦아주다〉 씀.
  영풍문고 제1회 어린이 글짓기 대회 심사를 맡음. 첫 손자 재윤 태어남. 예림당
  에서 학년별 동시집 김용희, 전병호와 함께 엮음.

한국 아동문학가 100인

김향이

인물론

외동맏딸 행이, 그녀의 사뿐한 걸음걸음

작품론

전통적 서정이 걸어온 길

어린이와 함께 선생이 걸어온 길

내 인생의 빛과 그림자

외동맏딸 행이,
그녀의
사뿐한 걸음걸음

임정진

남자 1) 아버지

"행이야, 도서관 가자."

아버지는 서울로 이사와 촌티를 못 벗은 맏딸 행이와 아들들을 데리고 호기롭게 도서관에 갔다. 그리고는 맛있는 도넛 상자를 사서에게 척 내밀었다.

"우리 애들이 책을 한 권 읽으면 이 도넛을 한 개 내 주시오."

책에 꿀을 발라 준다는 유태인의 독서 장려법을 배우셨을까?

아버지는 아이들에게 책 읽는 기쁨을 맛보게 해주셨다. 맏딸 행이는 조각 천으로 인형 옷을 만들던 기쁨을 포기하고 책에 매달렸다. 삼국지를 줄줄 외우고, 삼국지 필사본을 서류함에 넣어 두셨던 아버지는 딸에게도 그렇게 책의 매력을 알게 하셨다.

시골에 살 적에도 아버지는 서울에서 내려올 때마다 딸과 딸 친구 선물까지 챙겨 왔다.

그 이쁜 딸이 시집가서 첫 출산을 하고는 까무러쳤을 때 딸의 팔다리를 주무르며 울었다. 몸 약한 딸 먹일 보약을 지어 와서 시어른 보기 민망하다고 창문으로 건네주고 횡하니 가셨다.

남편과 싸우고, 안 살고 싶다고 철없이 전화하여 가슴을 철렁 내려앉게 만든 딸에게 이런 편지를 보냈다.

여자는 항상 육체적인 매력을 창출할 줄 알아야 한다.

평소 욕구 불만에 있는 사람은 유혹을 받으면 약하게 된다.

상대방의 과오나 약점을 들추어서 공박하지 말아야 한다.

상대방의 가장 약한 점을 파악하여 대응책을 강구할 줄 알아야 한다.

하지만 다른 여인을 품으시어 어머니를 오랜 세월 울게 하셨던 분이었다. 그래서 맏딸 행이는 아버지를 미워하였다 사랑하였다 그리워하였다 원망하였다가, 마침내 용서할 수밖에 없었다. 쓰러진 후 비로소 어머니에게 돌아와 자리보전하고 누웠던 몸으로 하늘나라로 가시는 길에 오래된 딸의 미움까지 달고 가시라 할 수가 없었다.

남자 2) 지아비 서재걸

'한 사나이가 한 여인을 어찌 사랑하여야 마땅하겠는가. 딱 이 이처럼만 하라.'

곁에서 두 사람을 본 친지들은 늘 그리 생각하였다. 온 세상 여자 중에 자기 아내가 최고인 줄 알았던 그런 지아비였다. 아내가 하는 일이라면 뭐든지 기쁘게 뒷바라지하였다.

허리 아픈 아내가 버스 타면 힘들까 봐 승합차에 눕혀서 손수 지방 강연장에 데려다주고, 아내가 인형 수집하면 그 옆에서 나무 잘라 인형 집을 만들었다. 아내가 만나는 사람들이라면 다 귀한 사람들인 줄 알고 몸과 맘으로 대접하려 하였다. 그래서 계몽문학회 회원들에게는 언제나 든든한 마당쇠였다.

어느 여름날, 아내가 아픈 허리 치료 위해 배운 벨리댄스에 푹 빠지자 넓은 주차장에 차를 대고 헤드라이트 켜 주고, 시디를 틀고, 매끄러운 바닥재를 준비해서 아내가 공연을 하게 해주었다. 세미나를 갔던 우리는 뜻밖의 벨리댄스에 놀라고, 그 남편의 배려에 또 한 번 놀랐다.

그리도 사랑하던 아내를 두고 어찌 그리 빨리 가셨는지 모르겠다. 차마 천국 가는 발걸음 떨어지지 않아 고생하셨을 것이다. 병원에서 힘들게 투병하시면서 병간호하는 아내를 우리 예쁜이라고 부르던 그 다정함으로 이제는 하늘에서 아내를 지켜주시리라.

재걸 오라버니, 제 말 들리시지요? 당신이 그토록 사랑하던 여인은 강하게 살아갈 것입니다.

농축해서 받은 사랑의 그 힘으로 힘차게 살아갈 것입니다. 우리가 곁에서 잘 지켜보겠습니다. 약해지지 않나 늘 감시하겠습니다. 꽁지머리 묶고 색소폰 부는 모습, 그립습니다.

많이 연습해 두세요. 훗날 다시 또 다 모이면 공연하실 수 있게 말입니다.

남자 3) 스승 정채봉

고운 아내였고 다정한 어머니였던 김향을 동화작가 김향이로 변신 시킨 스승 정채봉. 동화가 껴안아야 할 세상이 어디까지인지 알려 주었으며, 동화가 갈 길이 어느 방향인지 가르쳤다.

그리움을 물빛으로 먹빛으로 무지갯빛으로, 설움을 손장단으로 발장구로 어깻짓으로 풀어내라 일러 주고, 세상의 노래들에는 왜 음표 사이에 쉼표가 들어가는지 깨닫게 하고는 정작 자신은 서둘러 어머니 만나러 가신 분.

김향이 동화의 구석구석에는 그 스승의 향기가 조금씩 배어 있다.

솜씨) 행이의 손

옷이며 액세서리며 가방이며 그녀가 갖고 있는 물건에는 세상에 딱 하나뿐인 것이 많다. 그녀가 손수 만들고 고친 것들이다. 그녀의 손은 팔자가 기구하여 잠시도 쉬지를 못한다.

예쁜 인형 옷을 만드는가 하면 어느새 방 문짝을 천으로 도배하기도 하고, 커튼을 새로 만들어 달았다가 옷소매를 잘라 내 다른 옷을 만들고, 마당의 꽃을 화들짝 피우게 했다가 뜨개질로 모자를 만들고, 또 자판을 두드리다 예뻐서 먹기 아까운 맛깔난 음식을 만들어 낸다. 손재주가 너무 많아서 더 많은 명작을 못 쓰는 게 아닌가 걱정스럽다.

디자인계는 인재를 하나 잃어서 슬플 것이다. 한국 아동문학계는 김향이가 패션업계로 이직하지 않나 늘 감시해야 할 것이다.

세상을 아름답게 하는 일, 그 안에 동화 쓰기도 들어 있다. 다행이다.

인형) 인형 나라 왕비

몇 년 전 "내가 인형을 모으거든." 하는 말을 들었을 때 난 별 의심을 안 하고 "그러세요?" 그랬다. 차츰 인형 집을 만든다, 미국 경매 사이트 이베이에서 인형 사느라 잠을 못 잔다, 그런 말을 듣게 되면서 점점 심상치 않다는 걸 느꼈다.

그런데 2년 전 파주서 동화와 인형 전시회를 한다고 해서 가 보니…… 이런 세상에, 이 많은 인형을 어떻게 보관하고 계셨는지 알 수가 없었다.

각국의 귀한 인형들을 다 동화와 연결해서 연출해, 색다른 매력을 만들어 놓은 솜씨는 동화작가만이 할 수 있는 장치였다.

그녀에게는 꿈이 있다.

예쁜 인형의 집을 만드는 것이다. 그곳에서 인형들이 제 자리를 차지하고 앉아서 각자 자기 이야기를 풀어내고, 그 옆에서 인형나라 왕비가 동화책을 읽어 주는 그런 꿈이다.

나는 수시로 그 인형 집 마당을 쓸러 가기로 약속했다.

인형극도 같이 연습해야 할지 모른다. 기꺼이 또 그리 할 것이다.

전통적 서정이 걸어온 길

김상욱

1. 단상 혹은 소회

　동화를 공부하면서 새롭게 생긴 기쁨들 가운데 하나는 기왕에 알던 사람들과는 아주 다른 사람들을 만날 수 있다는 점이다. 물론 세상 사람들이 모이면 늘 그러하듯, 아웅다웅하는 다툼이나 보이지 않는 시빗거리야 어디 없겠는가. 그래도 이곳에서 만나는 사람들은 대체로 온화하고 수수하다. 딱히 스스로를 드러내지도 굳이 감추려고도 들지 않은 채 그저 말간 수채화같이 담담하다. 그렇지만 좋은 작품을 쓰고자 하는 뜨거움만은 누구에게도 뒤지지 않는다. 작가 김향이를 보면 이런 생각이 그저 주관적이거나 맹목적인 마음의 치우침이 아님을 알게 될 것이다. 그이는 온화하고 수수하되, 뜨겁다. 더욱이 작품으로 만나는 그이는 실제보다 한결 격정적이다. 그래서 나는 그를 귀히 여긴다. 내가 귀히 여기든 말든 그에게는 아무 소용이 없겠지만.

　처음 그를 만난 기억은 선명하지 않다. 아마도 어느 행사장이었을 테고, 호기심이 많은 나로서는 의당 옆의 사람에게 저이가 누구냐고 물었을 것이다. 묻지 않을 수 없을 만큼 옷차림이 예사롭지 않았기 때문이다. 긴 레이스가 치렁치렁한 치마와 깃털을 매단 날렵한 모자를 쓰고 있는, 그것이 너무도 자연스러울 수 있는 사람은 누구의 호기심에서도 비껴서기 어려울 것이다. 작가 김향이라고 했다. 만약 내가 그의 작품을 읽지 않았더라면, 역시 동화 쓰는 사람들은 나와는 다르구나 생각하며, 가볍게 선을 긋고 말았을 것이다. 그러나 나는 이미 《날개 옷 이야기》라는 그의 작품을 읽고 난 연후였다.

　《날개 옷 이야기》는 고려시대를 배경으로 아들에 대한 극진한 어머니의 사랑을 그려낸 작품이다. 무엇보다 독특한 것은 이 작품이 해인사 비로자나불 복장물로 출토된 '요선철릭'을 소재로 삼고 있다는 점이다. 김향이는 비단과 금장으로 이루어진 여느 화사하고 아름다운 출토불보다, 이미 낡을 대로 낡은 사내아이의 평상복인 철릭에 눈길을 주었다. 그러나 평상복임에도 요선철릭은 화사한 허리의 요선과 점점 좁아 들어가는 소매의 진동선이 돋보였으며, 단정하고 꼼꼼한 바느질 또한 여간 정성을 들인 것이 아니었다. 14세기 즈음의 것으로 누구의 눈에나 감탄을 자아낼 만한 부장품이었다. 그러나 이를 작품으로 상상을 덧입혀 창작한다는 것은 누구의 눈에나 가능한 것은 아니다.

더욱이 서술자를 요선철릭 자신의 이야기로 설정함으로써 멀고 먼 시간의 격차를 건너 뛰는 솜씨도 예사롭지만은 않았다. 적어도 나는 동화의 본질 한컨을 이 작품 속에서 환히 엿본 셈이다.

　그렁저렁 김향이와의 인연은 가깝다면 가깝고, 또 소원하다면 소원한, 그런 대로 해를 넘기며 이어져 왔다. 그러던 차에 몇 달 전 내게는 그가 쓴 작은 책자 한 권이 전해졌고, 나는 그곳에서 다시금 《날개 옷 이야기》와 동일한 저층을 형성하는 작품 하나를 만날 수 있었다. 개인 문집에 수록된 〈워니 아바님께〉라고 되어 있는 작품이었다. 역시나 1998년 4월 안동시 정상동의 택지개발지구 산골짜기 무덤에서 출토된 400년 남짓 전 망자 아내의 언문 편지와 접부채에 쓰인 형의 서한을 통해 부부의 애틋한 정과 사별한 아픔, 비통한 가족의 마음을 다채로운 필치로 다시금 동화의 형식으로 엮어 내고 있었다. 물론 단순한 동화라기보다 '원이 어머니'로 지칭되는 작가 김향이의 육화된 목소리가 중첩되어 표현된 작품이다. 나는 다시금 신문 귀퉁이에 실린 토막난 기사조차 업신여기지 않고, 자기 생의 아픈 곡절과 단정하고 꼼꼼하게 이어붙이는 김향이의 바느질 솜씨야말로 《날개 옷 이야기》에 등장하는 어머니의 심정과 정성에 비기지 못할 바가 아니라는 생각이 들었다.

　누구인들 사랑하는 이를 떠나보낸 마음이 다를 수 있으랴. 그러나 김향이가 독특한 것은 그 마음을 온전히 표현하고, 드러내는 데 거침이 없다는 점이다. 그것이야말로 작가의 몫이며, 그런 점에서 김향이는 매사에 자신이 작가이며, 작가여야 한다는 소명을 온전히 체화하고 있는 셈이다. 따라서 그의 작가론을 써 보려는 마음을 평론가입네 하는, 내가 지니게 된 것은 그가 지닌 뜨거움에 관한 마땅한 관심일 터이다. 다만 그의 작품 전반을 꼼꼼히 검토하고, 명료한 서지를 바탕으로 문학사적 의미 전반을 아우르기에 이 글은 터무니없이 빈약하다. 이는 필자의 게으름과 함께 아직도 여전히 현재 진행형인 그의 작품 세계로 미루어 보아 불가피한 선택이기도 하다. 따라서 이 글은 고작해야, 그의 작품 가운데 널리 알려진 대표작을 중심으로 작품 세계의 얼개를 구성해 보이는 것에 만족해야 할 터이다.

2. 지금, 여기에서의 아이들

　김향이의 작품 가운데 어린 독자들의 사랑을 받는 작품은 적지 않다. 그 가운데 《내 이름은 나답게》와 《나답게와 나고은》 두 작품은 저학년 아이들에게 많은 사랑을 받고 있는 작품이다. 그리고 그보다 한 층 높은 학년의 아이들이 읽기에 적합한 《바람은 불어도》 등이 지금, 여기에서 어린이들의 삶과 현실, 상처와 희망을 다룬다는 점에서 묶어 논의하기에 적합하다. 더욱이 이들 작품들의 근저에는 공통적으로 가족 구성원으로서의 어린이들이 겪는 상실과 동요에 초점을 맞추고 있다는 점에서도 함께 논의할 법하다.

부재하는 가족 구성원, 다시 새롭게 결합하는 가족, 흔들리는 가족 등 작품에서 다루어지는 우리 시대 가족의 문제는 기실 아주 익숙한 소재이기도 하다. 더욱이 급속한 산업화와 함께 핵가족으로 변모한 우리네 가족의 양상은 다시금 전일적인 자본의 시대로 접어들면서 급격한 해체와 재구성을 경험하고 있는 즈음이다. 이전에는 마치 결핍된 가족의 형태로 여겨 왔던 한부모 가족이나 조손(祖孫) 가족, 재혼 가족 등 다양한 형태가 높은 비중으로 자리 잡아 객관화된 명명을 기다리고 있으며, 가족 내부의 정서적 밀도 또한 예전과 사뭇 달라져 가고 있음이 사실이다. 더욱이 이러한 변화로 말미암아 가장 상처받는 존재들은 의당 어린이들이다. 어린이들이야말로 이들 현실의 급격한 변모에 맞설 어떠한 현실적인 응전력조차 지니고 있지 않기 때문이다. 뿐만 아니라 어린이들은 대응은 커녕 가장 큰 피해자로 남아 있기까지 하다.

이와 같은 절박하고 현실적인 고통을 우리 어린이들이 겪고 있다면, 그리고 상처받은 어린이의 목소리를 대변하는 역할이 동화작가의 몫이라면 섬세한 촉수를 내뻗어 이 어려움을 작품화하기를 마다하지 않아야 할 것이다. 다만 단순한 도식과 관념으로 현실적인 고통을 오히려 단순화하거나 자의적인 해결책으로 문제를 호도하지 않아야 함은 물론이다. 판타지가 필요한 까닭도 여기에 있다. 자칫 현실을 단순화하거나 호도하지 않으려면, 그럼에도 이 어린이들에게 희망을 건네려면 판타지적 장치는 필수적이다. 현실을 극복할 어떠한 힘도 갖지 못한 고통받는 어린이들에게는 판타지만이 저 너머의 세계를 꿈꿀 수 있게 만들기 때문이다. 그런데도 김향이는 판타지 대신 현실에 바탕을 둔 동화로 아이들 곁에 다가서고자 한다. 무엇보다 경험의 직접성 때문이다. "아무 영문도 모르는 채 엄마와 생이별을 한" 융이의 존재는 작가에게 성큼 판타지로 수직 상승하는 것을 허락하지 않았던 것이다.

그만큼 《내 이름은 나답게》에 개입된 작가의 의도는 생생하다. "엄마의 빈 자리를 가족들의 사랑으로 채워 가는 아이, 어린 나이에 감당키 어려운 슬픔을 안고도 천진난만하게 자라는 개구쟁이"야말로 현실의 융이이기도 하고, 소망의 융이이기도 한 것이다. 그러나 이러한 온전한 마음 씀씀이가 작품으로 구체화되었으며, 문학과 예술의 의장 속에 온전히 안착 하였는가 하는 것은 당연 또 다른 문제가 아닐 수 없다.

다행스럽게도 작가는 서사의 구성이나 인물의 창조라는 점에서 일정한 성취를 이루어 내고 있다. 아기자기한 사건의 배치, 이를 드러내는 1인칭 주인공을 내세운 서술의 방식, 생생하고 활기찬 인물의 창조 등은 김향이 작품의 특성을 잘 살리고 있음과 동시에 이전에는 찾아보기 힘든 역동성까지 보여 준다는 점에서 진일보한 측면이 있다. 사건의 진행이 조밀하지 않다거나 1인칭의 내면이 풍부하게 서술되지 못하고 있다는 평가는 낮은 학년 동화의 본질에서 비껴선 평가이기 십상이다. 오히려 작품 속의 '제한된 서술자'는 창수와의 사건에서 엿볼 수 있듯 서사를 가능케 하는 통력으로 작동하고 있으며, 내면의 단순성 역시 사건을 중심에 두는 서사 진행의 필연적인 선택으로 여겨진다. 결국 동화는 물론이거니와 모든 예술 작품 속에서, 통일한 기법이 동일한 효과를 얻어 낸다고 보증된 것은 어디에도 없음을 새삼 입증하고 있는 셈이다. 무릇 예술의 형식이란 개별 작품마다 새롭게 획득되고 구성되는 것이지, 이미 존재하는 의미 작용이 독립된 채 기능하는 것이 아님을 알 수 있다.

《내 이름은 나답게》에서 《나답게와 나고은》으로 이어지는 작품의 가장 큰 미덕은 단연 '답게'와 '미나'라는 활기찬 어린 주인공의 창조에 있다. 어느새 우리 동화의 주인공이 주로 섬세하고 내면이 풍부한 여자아이들을 전면에 내세운 채 진전하고 있으며, 정작 좌충우돌하는 남자 아이들에 대해 무관심한 것에 비할 때, 김향이가 어린 사내아이를 주인공으로 설정하고 이 인물에 생생한 활력을 부여한 것은 소중하다. 그 또한 실재하는 어린 사내아이에 대한 섬세한 관찰과 취재에 바탕을 두고 있음은 쉽게 추측할 수 있다. 무릇 동화 또한 엄격한 교훈을 넘어 문학이 되고, 예술이 되기 위해서는 공감과 재미가 놓칠 수 없는 미덕이며, 천방지축 스스로도 통제할 수 없을 만큼 출렁거리는 현실적인 어린 주인공들의 창조는 우리 동화의 결락을 채우는 뜻 깊은 시도가 아닐 수 없다.

그러나 김향이 작품의 여느 인물들이 그러하듯, 이들 두 인물 역시 보편적인 정향이 강한 나머지, 특수한 개별적인 인물의 창조에는 실패하고 만다. 무엇보다 인물의 개성을 가능케 만드는 연령이 불명확하다. 비록 '답게'의 경우 3학년이고 열 살임이 명시되어 있고, '미나' 역시 일곱 살임이 밝혀지고 있으나, 작품의 곳곳에서 '답게'는 3학년으로 조밀하게 초점이 설정되어 있지 않다. 낮은 학년의 아이라는 추상적인 인물 설정으로 직조한 나머지 인물의 현실성을 한껏 떨어뜨리는 지점들이 곳곳에 드러나고 있다. 예컨대 암벽 등반이나 담벼락의 낙서 사건, 야바위에 끼어들어 돈을 잃는 사건 등을 비롯하여, 여러 곳에서 현실성을 저해하는 에피소드들이 산재해 있다. 물론 실제 가능하다는 주장 또한 있을 수 있다. 그러나 현실성이란 실재의 여부와 무관하게 독자들이 받아들이는 실감과 연결된다는 점에서 한 번 더 에둘러 생각할 필요가 있다. 더욱이 이와 같은 세부의 현실성이 현실에서 문제를 해결하고자 하는 현실주의 동화의 기본적인 기율들을 흔들리게 한다는 점에서 한껏 섬세하게 포착해야 할 것이다.

인물의 설정이 명확하지 않은 점은 《바람은 불어도》에서도 동일하게 드러난다. 주인공인 '나우'나 '홍곤'은 몇 학년인지 종잡을 수가 없다. 그저 "높은 학년인가 보다'라고 짐작만 할 수 있을 뿐, 구체적인 언급이 없다. 작품 속에서 주인공의 연령을 굳이 명시적으로 밝혀야 할 필요는 없다. 그렇지만 그 유력한 준거가 없다면, 세부 묘사의 현실성을 가늠할 척도가 선명하지 않게 된다는 점에 서 에피소드의 자의적인 설정을 통어하기 어렵게 된다. 그 결과 에피소드들이 균질적으로 현실감을 부여하지 못하게 된다는 것이다. 그런데 인물 설정의 보편성이 초래하는 결과는 자못 심각하다. 인물을 비롯한 구성적 장치는 필연적으로 주제의 형상화와 연관을 맺고 있기 때문이다. 인물이 성큼 보편적이고 추상화할 때, 주제 역시 인물이 뿜어내는 구체성을 획득하지 못한 채 보편적인 인식으로 평명해지리라는 것은 쉽게 추론할 수 있는 일이다. 《내 이름은 나답게》와 《바람은 불어도》가 획득한 주제의 깊이가 저마다의 장점을 효과적으로 살려 낼 만큼 진전되고 있지 못한 까닭 역시 여기에 있다.

그럼에도 《내 이름은 나답게》와 《바람은 불어도》는 고전적인 동화의 틀에 꼭 들어맞는 작품이다. 특히 《바람은 불어도》는 엄마와 아빠의 차이로 빚어지는 갈등의 설정, 교통사고, 트럭 운전수의 간교한 술수와 아이들의 오해, 아빠와 함께 가는 시골로의 전학, 홍곤과의 만남, 가출과 귀가 등으로 이어지는 서사의 정교한 짜임은 단순한 시간적인 선후가 아니라 명료한 인과적인 연관으로 어느 하나 군더더기 없는 진행을 확인케 한다. 이만한 구성적 장치에 도달하는 데까지 우리 동화가 걸어온 길이 순탄치 않았으며, 지금도 역시 수많은 작품들이 인과의 설정에 더러 허점을 보이고 있다는 점에서 상대적으로 높이 평가되어 마땅하다.

3. 전통과 전통적 미의식의 복원

아이들의 생기발랄한 일상들, 그 일상들로 건사되어 가는 가족이란 기본적인 인물 설정과 주제 의식은 사실 김향이 특유의 것이라고 단정 짓기 어렵다. 어린 인물이 겪는 가장 소소한 일상들은 항용 가족과 친구의 울타리를 넘어서기 힘들며, 어떤 작가나 그 울타리 속을 엿보고 그 속의 동요와 균열을 어루만지고자 하는 것은 당연한 귀결이기 때문이다. 창조적인 인물 형상화, 조밀한 서사의 구성 등 돋보이는 미덕들이 있음에도 불구하고, 엄격한 윤리적인 요청들은 쉽게 새로운 독창적인 주제의 탐구를 허용하지 않을 것이기 때문이다. 그런 점에서 김향이의 가족 동화는 절반의 성공일 뿐, 온전하고 완미한 성취라고 보기는 어렵다.

오히려 김향이의 독보적인 역량이 분명하게 드러나는 작품들은 현실에서 떠난, 보편적인 지향과 마주칠 때 한결 빛난다. 특히 이미 스러져 버렸거나 잊혀진 과거의 기억들을 생생하게 현재와 연결시키고, 그 현재성을 돋을새김하는 데에 김향이만 한 작가는 찾아보기 힘들 지경이다. 앞서 언급한 《날개 옷 이야기》와 그 작품집에 함께 수록되어 있는 〈다섯 빛깔 여덟 겹 그리움〉과 같은 작품들 이야말로 김향이 득의의 영역이 아닐 수 없다. 신문이나 방송의 짧게 훑고 지나간 보도 기사로부터 소재를 선택하고, 그 소재를 오래 오래 묵혀 마침내 단아한 한 편의 작품으로 일구어 낸 솜씨는 문학과 역사의 흔연한 마주침을 느껍게 마주 대하게 만든다. 이는 새로운 소재를 발굴하고, 소재의 역사를 샅샅이 답사한 취재를 바탕으로 성큼 상상으로 상승시켜 나가는 김향이 창작 방법의 요체를 가장 잘 살려 낸 작품이기 때문이다.

물론 이들 작품에서도 여전히 어머니의 아들 부개를 향한 절대적인 모성이라든가 고국을 향한 오색팔중 동백꽃의 시대를 넘어서는 내밀한 열망 등은 전통적인 이데올로기를 절대화한다는 점에서 흔쾌히 동의하기 어려운 측면들 또한 없지 않다. 그러나 문학이 이데올로기만으로 재단될 선언이 아니라면, 상상력의 평가에 굳이 인색할 필요는 없다. 예술은 내용의 형식이며, 형식의 내용이란 점에서 상상력이란 구성적 의장이 당대의 이데올로기와 면밀하게 습합되는 것이야말로 한껏 진전된 문학적 성취라고 평가되어야 마땅하다. 다른 이데올로기적 지형으로 새로운 모색을 실험하는 것은 다음 세대 작가의 몫으로 남겨 두어야 할 일이지, 어디에서나 전가의 보도인 양 휘둘러 댈 일은 아닌 것이다.

《날개 옷 이야기》와 〈다섯 빛깔 여덟 겹 그리움〉과 같은 전통과 전통적 미의식을 복원하고자 하는 작품은 작품집《쌀뱅이를 아시나요》에서도 잘 드러나고 있다. 작품집에 수록된 〈소리하는 참새〉, 〈마음이 담긴 그릇〉 등 주로 소리꾼과 도공 등 전통 시대 예인들의 장인 정신을 기리는 작품들이다. 한편으로 그에게 전통은 도저한 정신주의로 표현되고 있는 것이다. 그런데 또 다른 한편으로 그에게 전통은《날개 옷 이야기》나 작품집의 〈부처님 일어나세요〉의 경우에서 확인되듯, 삶의 진정성과 면밀하게 잇닿아 있다. 삶에서 결코 놓치지 않아야 할 미덕들이 곡진하게 표현됨으로써, 간절한 희원이야말로 시대와 상황에도 아랑곳없이 삶의 주춧돌로 작용하리 라는 주제 의식이다. 이러한 점에서 표제작인 〈쌀뱅이를 아시나요〉 역시 고향으로 회귀하고자 하는 근원적인 의식을 다룬다는 점에서 작가의 정신주의적 지향과 닿아 있다. 그런 관점에서 보자면, 작품집에 수록된 편편의 작품들 모두, 삶에서 놓치지 말아야 할 인식과 자각, 그리움과 간절함들이 묻어나 있는 수작들인 셈이다.

그럼에도 이들 작품들 가운데, 전통적 서정이 가장 잘 드러나는 작품은 단연 〈부처님 일어나세요〉일 것이다. 작품은 순임이를 초점 화자로 설정하여 이야기를 끌어간다. '박우천 밥집'의 손주 딸인 순임은 토요일이면 근처 운주사로 거처를 옮긴 외할머니를 찾아간다. 할머니는 5·18 광주 민중항쟁 당시 행방불명된 아들을 향한 간절한 그리움과 아들이 돌아오리라는 희원을 담아 밥집 이름을 아들의 이름에서 따오는 한편, 기도와 간구를 위해 절로 아예 거처를 옮겨 둔 이다. 순임은 할머니에게 토요일이면 옷가지며 식구들의 안부를 전하기 위해 절로 찾아간다. 절에는 외삼촌 대신 할머니의 알뜰한 사랑을 받는 개 흰둥이가 등장하며, 역시 항쟁의 또 다른 상대역으로 마찬가지 삶의 고통을 안고 사는 '동냥치 스님'이 설핏 등장한다. 그런데 작품의 압권은 할머니에게 잇닿아 있는 순임이의 마음씀씀이다.

> 할머니 눈에 흥건히 눈물이 고이더니 그예 눈물바람을 하셨다. 그동안 쏟아 놓은 눈물이 극락강 강물
> 만큼은 될 것이라던 할머니의 눈물은 언제나 마를까? 순임이는 나지막이 한숨을 쉬었다.
> 대웅전 처마 끝에 달린 풍경도 덩달아 당그랑 당그랑 울었다. (165면)

인용된 부분은 김향이 작품 도처에서 발견할 수 있는 서정적인 묘사가 잘 드러나는 부분이다. 초점화된 인물의 사유와 감정에 깊이 침잠하여 일구어 낸 서정은 이미 작가와 인물, 그 어느 한편으로 기울지 않고 혼연일체로 삼투되고 있다. 행위의 묘사와 이어지는 인물의 심회, 그리고 그로부터 유발되는 또 다른 행위의 묘사, 조밀한 묘사들을 성큼 배경 전체로 확장하여 이른바 정서적 공명을 한껏 확산하는 종결의 방식 등이 그것이다. 다음의 인용도 다를 바 없다.

> 할머니는 잠긴 목을 틔우느라 자리끼를 벌컥벌컥 들이켰다. 그러고도 한참이나 숨을 고르셨다.
> 풍경도 잠을 설쳤는지 땡그랑 땡그랑 몸을 뒤척거렸다.
> 풍경소리는 순임이 귀뿐만 아니라 마음속에까지 파고들어 마음을 아프게 했다. (167면)

인물의 내면과 배경의 울림을 적절히 동일시하는 가운데, 정서적인 심미감을 극대화하는 장치는 작품의 곳곳에 웅크린 채, 이른바 전통적인 서정으로 통칭되는 마음의 물결을 아로새겨 두고 있는 것이다. 이와 같은 묘사의 방식은 의당 보편적인 서정이 유발하는 울림과 직결되어 있다. 그의 작품은 한결같이 인물의 개성을 지워 나간 대신, 전통적인 미의식이라고 지칭되기에 적합한 보편적인 서정을 힘껏 아로새겨 두고 있는 셈이다. 이는 과거 역사의 한 자락을 소재로 취하든, 지금 여기에서 역사적 상처를 안고 살아가는 '쌀뱅이'나 '박우천 밥집의 할머니'를 다루든 상관이 없다. 그에게는 보편적인 인간의 아름다움, 보편적인 삶의 서정이 압도적으로 작용하고 있기 때문이다. 이는 끊임없이 동요하고 갱신하는 이데올로기의 세계를 넘어서는 것이며, 동화의 장르적 본질에 관한, 널리 통용되고 있는 일반적인 관점과도 맞닿아 있다. 과연 동화의 본질은, 또 동화의 앞에 놓인 길은 무엇인가? 새삼 묻지 않을 수 없다.

4. 서정성의 존재 방식과 의미

보편적인 한국인의 심성과 맞닿은 정서적인 공감과 반향은 김향이 작품의 특징이다. 그러나 일견 이와 같은 보편적인 자질의 극대화는 인물의 추상성으로 귀결되며, 자연스럽게 계몽적인 주제를 강화하는 방향으로 진전되어 왔다. 그리고 이는 우리 동화의 치명적인 결함으로 지금껏 간주되어 왔음은 분명하다. 사실 우리 동화의 답보 상태를 초래한 역사적 연원에는 이와 같은 문학과 예술의 보편 미학적 지향의 탓이 적지 않다. 더욱이 이와 같은 양상은 김향이란 개별 작가에 그치지 않고, 우리 동화의 전통으로 그 뿌리를 넓고 깊게 펼쳐 내고 있다. 김향이가 사숙한 정채봉의 《오세암》은 아마도 그 한 정점에 놓인 작품일 것이다. 김향이는 그 전통에 의연하게 서 있다는 점에서 정채봉의 적자이자 법통을 이어받은 셈이다.

그런데 문제는 이와 같은 전통적 서정을 지금, 여기에서 어떻게 평가할 것인가 하는 점이다. 필자로서는 아직은 단정적으로 평가하기 힘들다. 다만 수없이 양산되는 아류들을 타기해 마지않을 뿐 지금 거론하는 김향이가 아류가 아님은 명확하다. 적어도 장자로서 물려받은 유산을 잘 익히고 부려, 더욱 풍성하게 곳간을 채우고 있음이 분명하다. 그러니 그저 단순화하여, 보편적 서정에 역사적 구체태를 힘껏 각인해 달라고 주문하는 것만으로는 부족하다. 오히려 비평적 관점을 넘어 문학사적 시야로 지 을 확장한다면, 이어온 법통을 한껏 올곧게 세워 나가기를 주문해야 할 판이다. 따라서 지금 이 짧은 소론에서 재단할 수 없는 둔중한 무게를 김향이의 작품들은 지니고 있다. 다만 동화는 그리고 문학과 예술은 관심이나 취향의 문제를 넘어 밀도와 깊이를 항용 요구한다는 당연한 원칙들만 주문처럼 읊조릴 수 있을 따름이다. 결국 우리 동화의 역사는 문학 본연의 서정과 동화의 주체로서의 어린이, 전망으로서의 현실이라는 세 축을 동시에 약진시켜 나가야 함을 설핏 피력해 볼 수 있을 따름이다. 그렇다면 김향이의 《달님은 알지요》는 그 세 축 가운데, 한 축인 전통적인 서정을 한껏 펼쳐 보이고 있는 작품이라 자리매김할 수 있다.

작품은 송화라는 여자아이의 마음의 결을 따라 할머니, 검둥이, 영분이, 영기, 아버지 등으로 인물을 확대하며, 서사를 끌어가고 있다. 이들 다채로운 인물의 애환은 작품의 전반을 이끌고 있는 주요한 계기인 달님을 통해 투영되며, 달님은 삶의 전반적인 면모를 어루만지고 비춰 보이고 밝혀 보이는 역할을 한다.

"달님이 거울이라면 좋겠어요. 영분이랑 영분이 엄마가 어쩌고 있는지 비춰 보게요 우리 아빠도 어디선가 달님을 보고 있을 테지요? 아빠 얼굴도 비춰 봤음 좋겠어요. 달님은 알지요? 내 맘 알지요?"

(96면)

시적인 토로 속에 등장하는 달님은 주인공 송화의 내면적인 울림을 들어주는 대상임과 동시에 삶의 애달픈 세부를 모두 끌어안는 초월적인 존재로 형상화되어 있다. 그러나 으레 초월적인 존재가 그러하듯, 달님은 적극적으로 인물들과 소통하는 존재는 아니다. 알고 있을 뿐 관여하지는 않는다. 작가 또한 그와 비슷한 자리에 놓여 있음은 물론이다. 김향이는 삶의 세부를 드러내고, 들어주기는 하나 마땅한 해결책을 제시하지는 않는다. 물론 작가란 모름지기 질문을 던지는 이들이지 대답을 안겨 주는 존재는 아니다. 그럼에도 달님은 소통이 가로막혀 있는 존재임은 분명하며, 따라서 모든 고통의 연원을 존재론적으로 치환할 개연성을 충분히 가지고 있다.

송화 할머니가 무당이 되는 것, 아들이 집을 뛰쳐 나가는 것, 끝없는 기다림 속에 치성을 드리는 할머니, 영분이 가족의 갈등, 영분 아버지의 죽음 등 단속적으로 이어지는 인물들의 상처는 역사적인 원경을 두고 있음에도 불구하고 궁극적으로 존재의 근원적인 고통과 맞닿아 있다. 따라서 작품의 말미에 등장하는 할머니의 마지막 굿판인 통일 굿조차 분단의 고통과 통일에의 염원이라기보다 헤어져 버린 할아버지를 향한 사무치는 그리움으로 환치되고 만다. 사회와 역사가 김향이의 보편적 서정, 삶의 본원적인 고통, 닿을 수 없는 그리움 등의 배경으로 밀려나고 만 것이다. 따라서 이 작품을 두고 개인의 서정과 민족사의 염원이 조응하고 있다는 평가는 어설프다. 오히려 개인의 서정 속에 깊이 몰입한 아름다움이 작품 전편에 넘실거리며, 민족사는 서사의 기저를 마련함과 동시에 완결을 제공하는 소재 이상을 넘어서지 못한다. 이와 같은 평가는 돌아온 아버지를 둘러싸고도 동일하게 이루어진다. 아버지는 느닷없이 동화의 후반부에 등장하며, 설명으로 삶의 이력을 대신할 뿐 송화와 할머니의 상처를 피상적으로 치유한 느낌이 적지 않다. 이 또한 역사적 과제와 함께 동화의 문법이 요청한 것일 뿐이다. 이렇듯 주제를 희석해 버릴 만큼 작품에 견고하게 맞을 내린 서정인 것이다. 따라서 〈달님은 알지요〉의 이른바 미적 자질은 얕지도 좁지도 않다.

먼저 작품의 미적 자질은 대상에 대한 깊이 있는 탐구로 비롯된다. 김향이 문학의 특장인 끈질기고 사려깊은 취재가 이 작품에서도 빛을 발하고 있다. 무구(巫具)를 비롯한 무속의 세부들이 작품 속에는 상세하게 개진되어 있다. 동화로서는 보기 드물게 등장하는 어휘 풀이는 역설적으로 그가 얼마나 치밀한 취재를 준비해 왔는지를 엿보게 한다. 다음과 같은 일상적인 부정을 물리는 사설 또한 이를 잘 보여 준다.

영정 가망으로 부정 가망

시위를 하소서

앉아서 본 부정, 서서 들은 부정,

> 눈들은 부정이요, 귀들은 부정이요
>
> 손으로 만진부정, 입으로 옮긴부정
>
> 네 발가진 짐승에 살생도부정이요
>
> 아무개 고을에 수많은 인간이 넘나들 제
>
> 따라 든 부정에 묻어 든 부정이요
>
> 마루 넘어오던 부정, 재 넘어오던 부정
>
> 신실히 적적이 물리쳐 줍소서 (21~22연)

　실제에 깊이 침잠하여 일구어 낸 이와 같은 부정풀이를 재생 혹은 창조하고 있는 김향이의 특성은 우리 동화가 결코 간과해서는 안될 미덕이다. 그저 반짝거리는 아이디어로 소재만 건져 내고, 책상물림의 장기를 살려 이렇게 저렇게 이야기를 엮어 내는 상업적 기획과는 엄연히 구분되어야 할 태도가 아닐 수 없다.

　이와 같은 취재는 전라북도 임실 출신인 작가가 자유롭게 황해도 방언을 구사하고 있는 것에서도 잘 드러난다. 뿐만 아니라, 우리말 자체의 고유한 결을 잘 살려 씀으로써 산문문학의 미학적 성취들이 결국 언어의 문제로 귀속, 치환되고 있음을 여실히 입증하고 있다. 그렇지만 소재와 어휘의 측면에서만 작품의 아름다움은 그치지 않는다. 소재와 어휘는 그 자체로 서정으로까지 상승하지는 못하기 때문이다. 정작 서정을 강화하는 것은 앞서 언급한 대로 문장에서 문장으로 이어지면서 구체화되고 폭넓게 퍼져 가는 정서에 있다.

　다음은 몰래 감춰 둔 검둥이를 확인하는 송화를 그려 내고 있는 장면을 비롯하여, 몇몇 가려 뽑은 장면들이다.

> 송화는 눈부시게 반짝이는 물비늘을 보았다. 새가 곤두박질치듯 물비늘 가까이 날아들었다. 송화는 새의 날갯짓을 눈으로 따라다녔다. (9면)

> 짚더미를 더듬어 보았다. 없는 줄 알면서 더듬는 손길이 멋쩍었다. 널판장사이에서 풀벌레만 무심히 울었다. (32면)

> 오빠라는 말이 송화의 입에서 스스럼없이 나왔다. 생전 처음 해본 말이 쑥스럽고 부끄러워서 얼굴이 산당화 꽃잎처럼 붉어졌다. (69연)

> 여름 한낮 양철 지붕에 듣는 소나기처럼, 밀밭을 스쳐 가는 봄 바람 같이, 무수한 갈기를 세우고 달려

오는 밤 파도인 양, 때로는 대숲에 이는 바람으로 슬픔의 가닥 가닥을 풀고 조이고 휘몰아쳤다간 다시 늦춰 가며 질편하게 놀고 있는지도 몰랐다. (114면)

이들 문장들은 부러 딱히 찾아낸 것이라기보다 무작위로 고른 셈이다. 그럼에도 이들 인용들에는 한결같이 섬세한 심리 묘사와 상황 묘사가 압축적으로 제시되어 있다. 문장과 문장에서 드러나는 선명한 심상은 물론이거니와 문장과 문장 사이에 빼곡하게 들어찬 인물의 미묘한 심리는 언어가 갖는 매혹을 잘 보여 주고 있다. 첫 번째 인용은 송화가 아이들의 놀림을 받기 싫어 혼자 외따로 떨어져 있으면서 강물을 보는 장면이다. 반짝이는 물비늘, 날아드는 새, 새의 날갯짓을 눈으로 따라가 보는 송화 등으로 이어지는 장면의 제시는 단순한 묘사를 넘어 현재를 벗어나고자 하는 인물의 갈망이 오롯이 표현되어 있다. 반짝이는 물비늘과 솟구치는 새의 날갯짓으로 이어지는 선명한 시각적 이미지 또한 그 갈망을 한층 섬세하게 묘사하고 있음은 물론이다. 이는 다른 인용에서도 다를 바 없다. 때로는 '울었다'는 청각적 이미지, '붉어졌다'는 시각적 이미지 등 다채로운 변용을 가함으로써 한결 풍성하고 적실하게 심리를 표현하고 있다. 김향이 작품의 서정성은 이처럼 마음의 결을 이미지로 표현함으로써, 공명하며 획득해 낸 서정이다. 이는 마지막 인용에서처럼 꽹과리 소리를 묘사하는 장면조차 영분이 맞닥뜨린 상처와 아픔을 위무하는 서정적 화자의 마음으로 포착되고 있는 점에서도 잘 드러난다. 화자의 서정이 장면 전체를 소리처럼 휘감고 도는 것이다. 이는 이어지는 '영분이는 한껏 신명을 냈다. 송화는 그런 영분이가 웬일인지 측은했다. 제 속에 든 슬픔의 응어리를 몰아 내려고 안간힘을 쓰는 것 같았기 때문이다.' (114면) 설명에서 명료하게 아귀를 맺고 있다. 다만 아쉬운 점은 여전히 인물의 현실성이다. 송화의 마음결은 기실 작가의 마음이지, 인물이 스스로 발견한 폭넓은 연민과 공명은 아니기 때문이다.

그럼에도 서정은 우리 동화의 한 축을 너끈히 감당해 나갈 것임은 명확하다. 김향이가 문학사의 한 흐름을 압축적으로 보여 주고 있음도 명확하다.

5. 남은 생각들

《달님은 알지요》의 말미에 붙은 '새로운 판을 내며'라는 글에서 김향이는 노발리스를 인용하고 있다.

"동화는 문학의 규범이다. 모든 문학적인 것은 동화이어야 한다."

그러나 이는 명확하게 오역에 기초한 일반화이다. 여기에서 동화는 이른바 지금 운

위되는 동화가 아닌 독일 어린이 문학의 역사 속에서 존재하는 Kunstmärchen의 번역어이다. 여기에서 Kunstmärchen은 현대적인 용어인 동화라기보다 사실은 예술성을 표나게 강화한 옛이야기에 가깝다. 이는 역사와 현실을 소거하고 남은 추상적이고 보편적인 미의식에 기반을 둔 문학 장르인 것이다. 따라서 노발리스가 지칭하는 '문학의 규범'과, '모든 문학적인 것'은 동화라기보다 옛이야기일 따름이다.

　그렇다고 '동화가 문학의 규범'이라는 노발리스의 오역과 김향이의 인용이 그릇된 것만은 아니다. 이미 이렇게 동화를 보는 관점은 개인의 오독이 아니라, 우리 어린이 문학사의 한 경향으로 의연히 자리 잡고 있으며, 현실적인 물질적 힘으로 작동하고 있기 때문이다. 따라서 오류로 보기보다 특정한 경향의 표현으로 정당하게 자리매김할 필요가 있다. 김향이의 문학이 궁극적으로 서정으로 귀결되고, 보편 미학적 자질들로 충만한 근본적인 까닭도 여기에 있다. 그에게 동화는 인간의 보편적 심성을 드러내는 모든 장르를 뛰어넘는 규범이기 때문이다. 따라서 그의 작품을 두고 역사적 실천과 인물의 현실적 구체성이 부족하다고 폄하하는 것은 무게를 길이로 재려고 하는 어설픈 발상과 다를 바 없다.

　결국 김향이 에게는 두 가지 경로가 남은 셈이다. 계속 서정의 탐구에 깊이 침잠하거나, 변화를 감행하는 것. 변화에 관해 첨언하자면, 쉼없이 변신을 거듭하는 어린이의 내면과 날카롭게 마주치거나, 그도 아니라면 현실을 보는 관점을 예각화하여 고통의 사회적 근원과 지금 여기를 살아가는 어린이들의 새로운 성장을 모색하거나 하는, 두 가지 변화의 길이 그것이다. 쉽지 않은 교차 지점에 그 이는 서 있는 셈이다. 필자로서는 아무쪼록 어떤 선택이든, 뒤좇으며 응원을 보내고 싶은 마음이다.

내 인생의
빛과 그림자

내가 쓰는 이야기

유년의 뜰

1952년 10월 27일 임실 읍내 향교리에서 아버지 김봉곤(작고)과 어머니 박순임의 1녀 4남 중 맏이로 태어났다.

나의 성장 배경을 이야기하자면 아무래도 부모님의 결혼 생활부터 시작되어야지 싶다. 스물일곱 살의 아버지가 국군 토벌대의 정보 군관으로 파견 근무를 하게 된 곳이 우리 외가 마을인 덕치였다. (덕치는 영화 〈남부군〉의 배경지인 회문산 자락에 있고, 회문산에는 빨치산 전북도 당사령부가 있었다.) 아버지는 빨치산 잔당과 부역자들을 색출하는 임무를 맡으셨다.

당시 열여덟 살의 어머니는 토벌대로 부역을 나간 외할아버지 대신 가장 노릇을 하셨다. 외할머니가 어린 외아들을 보호하려고 방공호 깊숙이 들어앉은 탓이었다.

빨치산으로 오인받은 고종사촌이 총격을 피해 방공호로 뛰어들던 날, 고모할머니가 총을 맞아 즉사하고 어머니는 허벅지에 유탄을 맞았다. 졸지에 방공호 안이 초상집이 되었는데 어머니마저 총 맞았다는 말을 할 수 없었다고 했다. 총상 입은 곳을 검정 무명치마로 틀어막아 지혈을 하고 집에 내려와서야 치료했다니 생각만 해도 몸서리 쳐진다.

다음 날 군인들이 마을 사람들을 연행했을 때, 아버지와 어머니가 첫 대면을 했다. 또래의 처녀들이 벌벌 떨고 말 한 마디 못하는 반면 어머니는 아무 죄 없는 양민들을 향해 총을 쏘는 게 국군이 할 짓이냐고 따졌다고 했다.

열여덟 살 어머니가 얼마나 당차고 담대했느냐 하면, 밥 바구니를 이고 방공호로 가던 중에 유탄에 맞은 뚜껑이 날아갔다고 한다. 같이 가던 사람들이 혼비백산 도망을 갔는데, 어머니는 언덕 아래로 굴러간 바구니 뚜껑을 주워다 머리에 이고 방공호로 갔다고 했다.

그뿐만 아니다. 어머니가 방공호에서 내려오다 군인에게 겁탈을 당할 뻔 했을 때, "그 놈의 멱살을 꽉 훔트러 잡고 죽기 살기로 넌 어미도 누이도 없냐"고 호통을 쳐서 당신 몸을 지켰노라고 했다.

그날 산골 처녀답지 않게 당찬 어머니에게 반한 아버지가 의무병을 시켜 총상을 치료해 주고 잘 먹여서 집에 데려다 주었다고 했다.

이때부터 아버지는 군인들 빨랫감 같은 일거리를 가져다주며 외갓집을 들락거렸다고 했다. 어머니가 군복을 빨아 손질하고 떨어진 곳은 꿰매서 보내곤 했는데, 군인들이 그 집에 재봉틀이 있는가 보다고 할 정도로 바느질 솜씨가 좋아 얌전한 큰 애기로 소문이 났다한다.

외할머니도 훤칠한 키에 인물 좋고 다정다감한 아버지가 맘에 들어 결혼을 허락하셨다고 들었다. 이듬해 아버지 나이 스물여덟에 어머니는 열아홉에 결혼을 하신 것이다.

어머니 말이 시부모 없는 손위 시누이 시집살이를 하다가 시누이 식구들이 제금을 나가고 신간이 편안했던 때, 고명딸이자 맏이인 내가 태어났다고 했다. 내가 기억하기로도 향교집 분위기는 백자 소반에 담긴 유자 빛깔처럼 밝고 안온했다.

지금도 생생히 떠오르는 장면이 있는데 아마도 대여섯 살 먹었을 때였을 것이다. 남동생이 구호 물자로 받은 큐피 인형의 손가락을 물어뜯어 방안이 떠나가라고 서럽게 울었다.

그날 어머니가 이불 홑청을 잘라 인형을 만들고 명주 치마저고리를 입혀 주었다. 아버지가 나를 앉혀 놓고 "우리 행이 닮게 그려야지" 하시며 만년필로 인형의 눈 코 입을 그려 주셨다. 아버지가 흘끔흘끔 내 얼굴을 보고 인형 얼굴을 그리던 모습이 생생히 떠오른다.

초등학교 입학하기 전 면사무소 서기로 근무하던 아버지는 국회의원 비서가 되어 서울로 올라가셨다. 한 달에 두어 번 집에 다녀가셨는데 참 희한하고 예쁜 물건들을 가져오셨다.

친구들이 책보를 메고 다닐 때 나는 가죽 가방을 메고 빨간 에나멜 구두를 신고 다녔다. 비 오는 날이면 분홍색 우비와 장화를 신어 친구들의 부러움을 사기도 했다.

열 살 되던 해 아버지가 계시는 서울 만리동으로 이사를 했다. 아버지는 남동생들을 데리고 권투와 씨름을 하는가 하면 휴일이면 도서관 나들이를 하셨고, 청와대 구경도 시켜 주셨다. 아버지는 외동딸인 내가 아버지를 닮은 구석이 많다고 각별히 사랑해 주셨다. 서울내기들에게 따돌림 받지 말라고 동아백화점(신세계)에 데려가서 옷을 사 입히고 무용 학원과 미술 학원에 보내 주셨다. 그뿐만 아니라 종종 학교에 찾아오셔서 우리 형제들이 학교생활에 적응하는지 살피셨다.

그러나 안락하고 단란했던 우리 집안의 온기는 아버지의 외도로 싸늘하게 식어버렸다. 출장길에 야간열차를 타신 아버지 옆자리에 남의 곗돈 떼어 먹고 야반도주하는 여자가 앉은 것이 화근이었다. 그 여자가 첫 남편 소생의 딸을 서독 간호부로 보내 달라며 접근을 했고, 우유부단한 성격의 아버지는 그 여자 손아귀에서 벗어나지 못한 것이다.

'셈 치고' 놀이

어머니가 아버지의 외도를 7년 만에 알게 되자, 그 여자는 아버지 직장에 와서 기다리다가 아버지 팔짱을 끼고 끌고 갔다. 그 바람에 직장을 잃은 아버지는 그 여자에게 다방을 차려 주고 동거를 시작했다. 노후 대책으로 마련해 둔 김포 땅과 망우리 땅도 다 그 여자 손으로 넘어갔다. 어쩌다 한 번씩 집에 다녀가시는 아버지 대신 어머니가 우리 5남매의 생계를 떠맡으셨다.

어머니는 방을 세놓아 월세를 받고 닥치는 대로 부업을 하셨다. 돌이켜 보면 그 와중에 참으로 다행인 것은 남동생들이 엇나가지 않고 장학금 받으며 공부를 마친 일이다.

나는 청소년기를 아버지가 있는 셈 치고, 생일 선물을 받은 셈 치고, 내 방이 있는 셈 치고……. 그렇게 가난과 궁핍을 견뎌냈다. 열살 때 아버지 손잡고 도서관 나들이 할 무렵 소공녀 세라에게 '셈 치고' 놀이를 배운 덕분이었다.

웃음이 떠나고 온기가 사라진 쓸쓸한 집보다는 학교가 나았다. 학교 도서실에서 친구들이 대학 입시 공부를 할 때 나는 소설책을 읽었다.

그나마 책이 있어서 덜 외롭고 덜 쓸쓸했다. 나는 빨간 머리 앤도 되고 주디가 되어 키다리 아저씨에게 편지를 쓰듯 일기장을 메워갔다.

책을 읽은 덕에 글쓰기 대회 상을 싹쓸이했고, 일찌감치 대학 진학을 포기한 터라 학교 신문과 교지 만드는 일에 열성적이었다. 나는 학교를 졸업하는 게 달갑지 않았다. 인문계 졸업장으로 취직도 어렵거니와 집에서 빈둥거리기도 눈치가 보였기 때문이었다.

졸업을 하고도 모교의 시화전 행사를 도맡다시피 거들었는데, 시화를 만들려고 화방에 들락거리다가 홍익대학에 다니는 미대생을 만나게 되었다. 훗날 남편이 된 그와 어울리면서 섬유 조형이나 염색수업을 듣기도 했다.

그 무렵 친척의 소개로 섬유회사에 취직이 되었고, 손뜨개로 떠 입은 내 옷차림이 독특해서 일본인 수편물 디자이너 눈에 들었다. 그분으로부터 일본수편물학원에 유학을 시켜준다는 제안을 받고 무역회사 디자인실로 옮기게 되었다. 그러나 몸이 부서져라 일만 하는 어머니에게 유학 얘기는 차마 꺼내지 못하고 눈치만 보다가 교통사고를 당했고, 일본 유학의 꿈도 스스로 접을 수밖에 없었다.

동갑내기 남자 친구가 제대를 하고 취직을 하자마자 스물일곱에 결혼을 했다. 곧바로 아이가 태어나고 엄마가 되었다.

약골인 나는 집안일과 육아가 힘에 부쳤고, 갑상선 기능 저하증으로 고생을 했다. 아기에게 젖을 먹일 수 없게 된 미안함에 엄마 노릇에 더욱 정성을 들였다. 육아 기록을 하고 장난감과 옷을 만들면서 살림 재미에 푹 빠져들었다. 손재주와 눈썰미 덕에 수공예 공모전에 출품하여 여러 차례 상도 탔다. 상을 탄 것이 계기가 되어 텔레비전에 빈번하게 출연을 하게 되었고, 수공예 솜씨와 효성과 육아가 남다르다는 주위 분들의 추천으로 KBS 방송국의 '으뜸주부를 찾습니다'라는 전국대회에 뽑혀 나가기도 했다.

육아 이야기를 일간지에 투고했다가 출판사에서 원고 청탁을 받았고, 다른 사람들의 글과 함께 책으로 묶여 나왔다. 이때부터 글쓰기에 관심을 갖게 되었다. 샘터사의 '엄마가 쓴 동화'에 응모했고 심사를 맡으신 정채봉 선생님께 동화 공부를 해보지 않겠냐는 권유를 받았다. 서른일곱에 문학아카데미 동화사숙 171생이 되어 동화 공부를 시작하게 된 것이다. 한 달에 세 번씩 1년 과정의 창작 실기 위주의 수업을 받게 되었다. 정말 멋모르고 시작한 공부였다. 우리 아이에게 읽힐 동화를 쓰겠다는 소박한 생각에서 시작한 창작 수업은 내게 엄청난 체증이 되었다.

동화 쓰기가 재능이 신명과 만나는 치열한 몸 떨림이 있어야 한다는 것을 어렴풋이 깨닫게 되었을 때, 나는 그것에서 도망치고자 했다. 공부 시작한 지 세 달 만에 도중하차할 핑곗거리가 생겼다.

시어머님이 폐암으로 덜컥 입원을 하신 것이다. 항암 치료로 식욕을 잃으신 어머니 입맛에 맞는 음식을 장만하고, 4학년과 2학년짜리 남매가 하루 종일 어질러 놓은 집안일을 해 가며, 집과 병원을 오가느라 동화를 생각할 겨를이 없었다.

그러나 죽음을 앞둔 시어머니를 보면서 후회하는 삶을 살면 안되겠다는 자각이 들었다. "자기를 스스로 사랑하지 않으면 남도 사랑하지 않는다. 절대 포기하지 말라"던 선생님 말씀도 도움이 되었다. 인간에 대한 훈련은 탁월한 사람과의 교류라고 하셨는데, 그 말씀의 속뜻을 깨달은 나는 뒤늦게 동화에 대한 열병을 앓았다.

시어머님 돌아가신 후로 함께 공부했던 동인들을 따라 신춘문예에 응모했다. 연거푸 낙선되고 젊은 기개를 당할 수 없다며 포기하기로 마음먹었을 때, 남편이 제주도 여행을 보내 주었다.

산책길에 말라비틀어진 목화송이를 꺾어 왔는데 그동안 내가 동화를 쓴다고 들인 1공력은 아무것도 아니라는 생각이 들었다. 목화송이로 무명을 짜기까지 여인들이 들인 공력에 비하면 정말 하찮은 노력이었던 것이다.

그 2월 내내 친정어머니에게 길쌈 과정을 묻고 박물관에 가서 베틀의 구조를 익히면서 〈베틀노래 흐르는 방〉을 써서 응모를 했다.

당선 통보를 받기 전 날 한 마리 학이 소나무에 내려앉는 꿈을 꾸었다. 마흔 살에 계몽아동문학상을 받으며 늦깎이 작가가 된 것이다.

빛과 그림자

뒤늦게 동화를 쓰면서 내 인생이 빛났고 행복했다.

처음 쓴 장편동화 《달님은 알지요》가 삼성문학상에 당선이 되면서 아동문학 문단의 신데렐라가 되었다. 그 당시 가장 큰 상금을 받고 신문과 잡지, 텔레비전 인터뷰를 하면서 이름이 알려진 반면에 심적 부담도 컸다. 더 나은 작품을 발표해야 한다는 중압감으로 힘겨워할 때 아버지가 말씀하셨다. 강태공이 월척만 하는 건 아니다. 자꾸 쓰다 보면 좋은 글도 써지는 법이다. 그 말씀에 용기를 얻어 다시 글을 쓸 수 있었다.

남동생의 이혼으로 어머니가 어린 조카를 양육하셨는데, 엄마 정 모르고 자라는 조카에 대한 안쓰러움이 《내 이름은 나답게》를 쓰게 했다. 나 역시 아버지의 부재로 허기지고 외로운 시간을 보냈기에 상련의 정이 깊은 까닭이었다. 《내 이름은 나답게》가 스테디셀러로 독자들의 사랑을 받고 《쌀뱅이를 아시나요》로 문학성을 인정을 받을 즈음, 《달님은 알지요》가 MBC 느낌표! 선정 도서가 되었다. 이 책이 베스트셀러가 되면서 판매 수익금을 기적의 도서관 건립 기금으로 기부했는데, 어머니는 책 판 돈이 아파트 한 채 값이 되고 그 돈이 도서관을 짓는 데 쓰인다는 것을 신기해 하셨다. 그것으로 나는 어머니의 자랑감이 되었고, 효도를 한 셈이다. 신고를 겪으며 참고 산 보람을 어머니에게 안겨 드렸기에 나도 떳떳했다.

2003년 딸 아름이를 결혼시키고 유학 뒷바라지로 바쁠 즈음이었는데, 병원 응급실에 뇌출혈로 쓰러진 아버지를 모셔다 놓았다는 연락을 받았다. 두 번의 수술 끝에 아버지가 회복되신 것은 순전히 어머니가 밤잠 설쳐 가며 지극 정성으로 보살핀 덕이었다.

그러나 일 년 후에 병원 응급실에서 또 연락이 왔다. 이번에도 회사 사람이라며 아버지를 모셔다 놓고 사라졌다는 것이다. 나중에 어눌하게 말씀을 할 수 있게 된 아버지를 통해 기막힌 사실을 알게 되었다. 아버지는 그동안 감쪽같이 내연 관계를 유지한 것이다. 아버지는 두 번 다 그 여자 집에서 쓰러졌으며, 그 여자가 아버지와 약속한 돈을 안 주려고 파렴치한 짓을 했다는 것도. 예전에 그 여자가 아버지를 만나 선생질도 못하고 팔자에 없는 다방 마담을 한다고 악다구니를 쳐서 그 말만 믿고 아버지를 원망했는데, 그 여자 입에서 나온 말이 다 거짓으로 밝혀진 것이다. 꼼꼼한 성격의 아버지가 그간의 사정을 기록해 놓았는데, 아버지가 그 여자에게 얼마나 시달렸을지 알게 된 것이다.

아버지 대신 5남매를 거두느라 등골이 휘신 어머니는 배신감에 치를 떨며 5년 동안 아버지 대소변을 받아내셔야 했다.

나는 나대로 어머니 아버지가 번갈아 입원을 하시는 데다 중3이 된 조카 뒷바라지로 체력에 한계를 느껴 친정으로 이사를 했다.

2006년 5월, 결혼 29주년 기념 여행을 다녀와서 남편이 쉬고 싶다고 했다. 평소 감기 한번 앓지 않던 사람이라 갱년기가 온 줄 알고 같이 운동을 다녔다. 쉬는 동안 인사동을 돌며 전시회도 보고 남대문 시장에 가서 인형집 만들 재료를 사다 둘이 함께 인형집을 만들었다.

언젠가 남편이 "당신은 독자들에게 받은 사랑을 되갚으며 살아야 한다."고 말했다. 그래서 '동화나라 인형의 집' 박물관을 짓고 동화책 읽어 주는 할머니로 늙어 갈 결심을 하게 되었다. 우리 부부는 그 꿈을 이루기 위해 틈틈이 인형을 수집하고 인형집을 만들면서 의기투합했다.

7월 24일 일요일, 밤늦게 돌아온 남편은 소금에 절인 배추 같았다. 배가 고프다 해서 밥을 차려 주었는데 수저 든 손을 밥 위에 올려놓고 멍하니 있었다. 가슴이 철렁 내려앉았다. 중풍이 온 줄 알고 중풍 전문 병원에 갔다. MRI를 찍어 본 의사가 뇌종양이라며 큰 병원으로 가라고 했다.

그때의 충격은 말로 다 못하겠다. 큰 병원으로 옮기고 나서 마음을 다잡았다. 이왕 닥친 일 한 살이라도 젊었을 때 겪으니 오히려 잘 됐다고. 조직 검사 후에 임파선암 판명을 받았는데, 우리는 담담히 받아들이고 치료에 힘썼다.

나는 모든 일을 접고 남편을 보살폈다. 남편이 황제가 된 것 같다고 흡족해할 정도로 수발을 들었다. 식욕을 잃은 남편을 위해 고급 식기를 가져다 과일 한 쪽이라도 예쁘게 담아 대접했다. 가족에게 최선의 보살핌을 받고 있다는 안도감이 들도록 정성을 다했다. 남편이 마음을 느긋하게 먹은 뒤로 나도 토막잠이나마 달게 잘 수 있었다.

항암 2차 치료 후에 암세포가 사라졌다고 했다. 남편은 개선장군이나 다름없었다. 12월에 3차 항암 치료를 시작하면서 다시 식욕을 잃었다. 음식물이 들어간 게 없으니 위장에 가스가 차면서 대사 기능이 마비되었다. 폐에 고인 물을 뽑아내려고 엑스레이를 찍고 다시 CT 촬영을 하고 병실에 올라왔을 때, 숨이 가빠지면서 호흡을 멈췄다.

CT 촬영을 하느라 50여 분을 허비하지 않았어도 그렇게 허망하게 남편을 보내지 않았을 것이다. 나는 레지던트의 상황 판단 미숙을 인정할 수 없었다. 그날 밤 응급실에서 CT 촬영을 하느라 가쁜 숨을 참던 남편의 고통스런 얼굴을 떠올리면 미칠 것 같았다.

우리 어머니는 그때까지도 남편의 병명을 모르셨다. 외국 여행 중에 풍토병에 걸렸고, 전염성 많아 면회도 안 된다고 했으니까. 아버지 병수발로 고생하시는 어머니에게 충격을 드릴 수가 없었기 때문이다.

느닷없이 사위의 부음을 듣고 장례식장으로 오신 어머니는 몸부림을 치며 통곡을 하셨다. 사위를 큰아들로 여기며 믿고 의지하시다가 날벼락을 맞으셨으니 오죽하셨을까. 나는 그런 어머니 때문에 울지도 못했다.

지금도 어머니는 남편이 있는 납골당에 가면 사위가 좋아하는 '엄마표 커피 한 잔' 따라 주고 두런두런 이야기를 나누다 울음을 터뜨리시곤 한다.

어떤 날은 주머니에서 종이를 꺼내 들고 "서 서방, 좋은 글이 있어 가져 왔으니 들어보게." 하고 〈귀천〉을 읽어 주셨다.

나는 병실에서 수없이 많은 죽음을 목격했으면서도 다 남의 일이라 생각했다. 나는 절대로 험한 꼴 보지 않을 줄 알았다. 남들이 겪는 일이 바로 내 일이라는 걸 인정하기까지 시간이 걸렸다.

어느 날 갑자기 사고로 목숨을 잃고 어느 날 갑자기 벼락을 맞고, 어느 날 갑자기…….

그것이 인생이었다.

그리고 5개월 만에 아버지마저 보내 드렸다. 남한테 싫은 소리 한마디 못하고 법 없이도 살 양반이란 평판을 들었던 아버지는 여자 잘못 만난 죄로 부끄러운 말년을 보내다 돌아가신 것이다.

누구나 사랑하는 가족을 잃는 고통을 겪는다. 그 누구도 예외일 수는 없다. 왜 그걸 몰랐을까? 남편을 보내고 나는 한동안 정신을 놓고 지냈다.

그러던 어느 날 세수를 하고 얼굴을 닦을 때 거울 속의 내가 물었다. "언제까지 슬퍼할 거야?" 슬픔에 젖어 무기력하게 누워 있는 나를 지켜보는 남편의 마음이 어떨까 싶었다.

나는 다시 일을 시작했다. 인형을 만들고 남편이 만들다 만 인형집을 완성하느라 톱질을 하고 물감을 칠하면서 좋았던 일만 생각했다.

내가 평택 교육청에서 강연을 하는 동안 남편이 안성 시내를 돌아다니며 '백만 송이 장미' CD를 구해 놓고, 차에 오르자마자 시디를 틀어 온천가는 길 내내 함께 백만 송이 장미를 부르던 일을 떠올렸다.

평생 받을 사랑을 짧고 굵게 받았으니 그것으로 됐다고 생각했다. 늙고 추레해진 남편을 보지 않아 좋다고도 마음을 돌렸다.

세월이 약이라더니 남편을 보내고 하루도 못 살 것 같던 나는 잘 살고 있다. 전과 다름없이. 다만 그리움이 치밀어 오르면 대책 없이 눈물을 쏟는다. 그곳이 길거리이든 차 안이든.

동화책 읽어 주는 인형 할머니

작가 초청 강연회에서 만난 아이들이 "《달님은 알지요》 선생님이 쓴 거 맞아요?" 하고 물을 때가 있다. 내 옷차림새와 첫인상이 글을 읽으면서 상상한 작가의 모습과 다르기 때문이리라. 편집자들도 공작부인인 줄 알고 감히 범접을 못했노라고 해서 웃은 적도 있다. 나를 외양으로 판단하는 사람들은 있는 집에서 고생 모르고 자라 부르주아 남편 덕 보며 사는 온실의 꽃인 줄 안다. 내 얼굴에 신고를 겪은 티가 안 난다는 것이다.

살아가면서 이런저런 신고를 겪지 않는 사람이 몇이나 될까? 나도 겪을 만큼 겪고 살았다. 다만 내게 닥친 시련을 단련으로 받아 들였을 뿐이다.

나는 부모님의 결혼 생활을 내 인생의 교과서로 삼았다. 어머니의 전철을 밟고 싶지 않았기 때문이다. 우리를 등진 아버지도 미웠지만 아버지 위치에 걸 맞는 배우자 노릇을 못 해 준 어머니에게도 문제가 있다고 판단했다.

한동안 어머니는 남편에 대한 배반감으로 우울증과 무기력증에 시달렸다.

초등학교 문턱에도 못 가 본 산골 여자가 일가붙이 없는 서울에서 다섯 남매를 데리고 살아갈 일이 캄캄 절벽이었을 것이다. 나는 이때의 어머니 심정을 떠올리면 가슴이 저미듯 아프다.

나는 수도 없이 엄마처럼 살지 않을 거라 다짐하고 또 다짐했는데 결혼에 대한 두려움 중에 가장 큰 것이 남편의 변심이었다. 그래서 나처럼 우리 아이들이 아버지 없이 풀죽어 자라는 일이 생기지 않도록 노력했다.

나는 남편을 추켜올려 자존감을 높여 주고, 그 대신 남편이 내 존재를 무시하지 못하도록 했다. 여차할 경우 남편에게 기대지 않고 자립할 수 있는 능력도 키워야 했다.

어머니는 다섯이나 되는 자식들을 먹이고 입히느라 헐벗고 굶주리셨다. 입성도 남루했고 얼굴에 로션을 바르는 것도 호사라고 생각하셨다. 어머니 것은 아무것도 없었다. 어머니가 살림을 아낀다고 아버지 런닝으로 속옷을 만들어 입는 걸 보았을 때 어머니가 가여워 속으로 울었다.

나는 남편과 이웃에게 펑퍼짐하게 늘어져 있는 모습 보이지 않으려고 외양을 가꾸었다. 신문이나 잡지에서 얻은 정보를 통해 관심사를 넓히고 전시장을 찾아다니면서 심미안과 눈썰미를 키웠다. 주변 사람들에게 정성껏 차린 음식을 대접해 마누라 잘 얻었다는 부러움을 사도록 했다. 남편이 다른 이의 아내와 비교해 스스로 자존감을 높일 수 있어야 아내를 귀히 여기고 사랑한다고 생각했기 때문이었다.

사춘기 때 내 방은 마루에 연탄난로를 들인 열린 공간이었다. 사내 동생들이 드나들며 어질어 놓는 방을 예쁘게 꾸민 나만의 공간으로 갖고 싶은 소망이 간절했다.

어느 날 그 어설픈 방 창가에 작은 화분을 올려놓았는데, 방 안이 마술을 부린 듯 환하고 아늑해졌다. 그때 나는 알게 되었다. 꽃이 주는 아름다움이 위안이 되고 치유가 된다는 것을! 그때부터 나는 꽃을 좋아하고 집안을 꾸미고 치장하는 일을 즐기게 되었다.

아버지 대소변을 받아 내는 어머니는 작은 일에도 화를 벌컥벌컥 내시곤 했다. 어머니 속에 화가 든 탓이었다. 어머니는 옛날 고릿적의 상처까지도 다 마음에 담아 두고 억울해하고 아파하셨다. 어머니 얼굴이 마귀할머니처럼 변했다고, 이왕 닥친 일 마음을 편하게 잡수시라고 했지만 소용없었다.

다행히 나는 낙천적이고 긍정적인 기질을 가졌다.

내게 도움 되지 않는 나쁜 일은 다 털어 버린다. 좋은 일만 가슴에 담아 두고 살려고 노력한다. 마음을 편안히 하면 내 얼굴에 나타나고 상대방까지도 편안하게 한다는 것을 알기 때문이다. 그 덕에 스스로 얼굴을 찌푸려 주름살을 만들지 않게 된 것이다.

나는 무엇을 하고자 하면 온 정성을 모아 최선을 다한다. 그리고 "다 잘될 거야!" 하고 생각한다. 정성을 들인 만큼 운도 따르고 결과도 좋았다. 때로 그 결과가 뜻대로 이루어지지 않더라도 낙담하지는 않는다. 최선을 다했기에 후회도 없고 어쩌면 그것이 순리일 거라고 믿기 때문에 '아니면 말고' 식으로 마음을 비우는 것이다.

1996년에 허리 수술을 하고 나서 건강의 중요성을 알게 된 것도 큰 소득이다. 자기 몸 관리를 못하면 가족은 물론이고 여러 사람 신세를 지게 된다는 것을 알게 된 뒤로 운동을 열심히 하게 되었으니 말이다.

나는 지금도 세수를 하거나 화장을 할 때 거울을 들여다보고 말한다.

"넌, 잘하고 있어."

스스로 격려하고 위로해 주다 보면 힘이 솟는다. 남편을 돌보기 위해 병원 생활을 할 때도 거스러미가 일고 거칠어진 손가락에 쉰다섯 번째 생일 선물로 반지를 끼워 주었다. "넌 잘하고 있어. 애썼다." 하고.

그날 남편이 내 손을 어루만지며 말했다. "그 반지 내가 사 줬다고 생각해." 생전 간지러운 말 못하는 남정네가 "우리 이쁜이 사랑한다."고 울먹였다.

나는 혼자 있어도 외롭지 않다. 남몰래 떠올릴 수 있는 아름다운 기억이 많기 때문이다. 이제 나는 슬픔의 소용돌이에서 벗어나기 위해 내가 걸어갈 길의 결승점만 생각하기로 했다. 아이들에게 동화책을 읽어 주고 내가 만든 인형의 집을 구경시키는 일을 상상하면서.

스칼렛 오하라가 어머니의 땅, 타라에 남아 "내일은 내일의 태양이 뜬다"라고 독백하듯 나도 찬란하게 떠오를 내일의 태양을 맞이할 것이다.

2012년 《우리 집엔 형만 있고 나는 없다》(푸른숲주니어), 《맹꽁이 원정대, 몽골로 가다》(비룡소), 《연오랑과 세오녀》(비룡소), 《꽃님이》(어린이작가정신) 출간함.

2014년 《구름 속에 새처럼 숨어사는 집》(파랑새), 《우리 동백꽃》(파랑새) 출간함.

2015년 《캄소통》(사계절), 《사랑나무》(시공주니어), 《꿈꾸는 몽골 소녀 체체크》(웅진주니어) 출간함.

2016년 《그날 밤 인형의 집에서》(비룡소) 출간함.

한국 아동문학가 100인

신형건

대표 작품

〈손을 잡으려면〉 외 9편

작품론

신형건 동시에 나타난 도시적 감수성과 실험 정신

어린이와 함께 선생이 걸어온 길

손을 잡으려면

엄마가 그러는데,
내가 아주 어렸을 적에
손에 사탕을 꼭 쥐고 있느라

반갑다고,
손 좀 잡아 보자고
애걸복걸하는 이모 손을
끝끝내
안 잡은 적이 있었대.

지금
네 손을 잡으려면
내 손이
욕심껏 쥐고 있는 것부터
얼른 놓아 버려야겠지.

바로 요것!

손을 기다리는 건

손을 기다리는 건
어제 새로 깎은 연필,
내 방 문의 손잡이,
손을 기다리는 건
엘리베이터의 9층 버튼,
칠판 아래 분필가루투성이 지우개,
때가 꼬질꼬질한 손수건,
애타게 손을 기다리는 건
책상 틈바구니에 들어간
30센티미터 뿔 자,
방구석에 굴러다니는
퍼즐 조각 하나,
정말 애타게 손을 기다리는 건
손, 꼬옥 잡아 줄
또 하나의
손

마음

마음은 알 수가 없다
그래서
마음이 다 비칠 듯한
네 눈을
한참 바라본다

마음은 잡을 수가 없다
그래서
마음 가까이에 있는
네 손을
꼭 잡아 본다

꼭

꼭 잠그거라

문득, 엄마 목소리가 들려오는 듯해서
뒤를 돌아보았더니

졸졸졸졸—
물이 새고 있는 수도꼭지

다시 잠그면서 알았지

지그시 힘을 준 손끝에 보태어지는
'꼭'이라는

마음의 힘!

발끝으로 보는 길

지하철 역 통로로
앞을 못 보는 사람이 걸어갔다.

무심코
그 사람 뒤를 따라가는데, 문득
발바닥에 밟히는
올록볼록한 블록, 블록,
블록들……

눈을 감고
잠시,
걸음을 멈추었다가

다시 발길을 떼어 보니

캄캄한 발끝으로
희미한
길이 보였다

꿈틀꿈틀

지렁이가 꿈틀

흙이 꿈틀

지구가 꿈틀

지렁이가 꿈틀꿈틀

흙이 꿈틀꿈틀

지구가 꿈틀꿈틀

지렁이가 꿈틀꿈틀꿈틀

꿈틀꿈틀꿈틀 꿈틀꿈틀꿈틀

달팽이

느릿느릿 기어 오는
달팽이를 한참 바라보다가

두 손으로 귀를 꼭
막았다

그러자
달팽이 기어 오는
소리……
들리더니

달팽이가 내 귀에 들어왔다

리모컨

오늘 저녁, 우리 아빠는
텔레비전 시사 토론을 한참 보다가
"저 사람 순 거짓말만 하잖아!"
라고 외치더니 리모컨을 들고는
전원 버튼을
꾹, 눌러 꺼 버렸어.

그래,
나도 그러고 싶을 때가 있어.
누군가 내게
듣기 싫은 소리를 자꾸자꾸 할 때
그 사람 입을 향해 리모컨을 치켜들고
전원 버튼을
꾹, 누르고 싶을 때가 있어.

콕콕이

식이는
별명이 콕콕이야.
밥 먹을 때마다
콩을 보면 콕콕 집어 내고
햄만 보면 콕콕 집어 먹고
얼마나 잽싸게
콕콕, 콕콕 골라 먹는지
편식대장에
콕콕이라는 별명까지 붙었지 뭐야.
닭이 모이를 쪼듯
왜가리가 물고기를 쪼듯
음식을 먹는 식이를
보다 못한 엄마가
수리수리마수리 콕콕수리콕수리……
날마다 주문을 외웠더니,
마침내
백 일째 되는 오늘 아침에
글쎄, 식이 입이
뾰족한 부리로 변했대.
그러니 식이는 이제
젓가락도 숟가락도 포크도
다 필요 없게 됐지 뭐야.

명왕성에게

사람들은 참 얄궂기도 해.
언제는 '수금지화목토천해명'이라고
아홉 개 별 이름의 첫 글자를 따서
한 식구인 양 달달 외우게 하더니
이젠 행성 자격이 없다고, 너를 슬쩍
왕따 시키기로 했다지.
지구는 태양을 한 바퀴 도는 데
1년밖에 안 걸린다지만
너는 무려 248년이나 걸린다던데
그만 맥이 탁 풀리고 말았겠구나.
어쩌면 궤도에서 튕겨져 나가
멀리멀리, 태양계 밖으로 달아나 버리고
싶었을지도 몰라. 하지만
명왕성아, 네 이름만 들어도 난
여전히 가슴이 설렌단다.
그 아득히 먼 곳에서도
내가 매일 태양을 바라보듯
너도 태양을 바라보고 있겠지.
내가 밤하늘의 별들을 보며
거기, 태양계의 막내별인 너를 떠올리듯
여기, 내가 사는 푸른별 지구를
너도 물끄러미 바라보고 있겠지.
그러니 너를 왕따 시키기로 합의한
냉정한 천문학자들 말고
나 같은 아이를 생각하렴.
네 빛처럼 눈빛이 초롱초롱한
지구의 아이들을 떠올리렴.
잘난 천문학자들이 뭐라든 말든
제 빛깔, 제 크기로, 제자리를 지키며

248년을 1년으로 여기며
변함없이 태양 둘레를 도는 너에게
힘찬 응원 구호를 보내 줄게.
—수금지화목토천해명!
—수금지화목토천해명!

신형건 동시에 나타난 도시적 감수성과 실험 정신

《거인들이 사는 나라》와 《바퀴 달린 모자》를 중심으로

전병호

I. 신형건 동시에 나타난 의식의 현대성

1. 판타지

신형건의 동시에서 우선적으로 눈에 띄는 것은 어린이의 일상적 화법 형식의 진술체를 전적으로 도입하고 있다는 점이다. 이는 신형건의 동시가 이미지 형상화 이외에 메시지 전달에도 많은 관심을 갖고 있다는 말도 된다. 그러나 일상적 화법 형식의 진술체는 아무래도 지루한 설명에 떨어지거나 시적 긴장감과 시어의 탄력성을 잃기 쉬운 위험에 노출되어 있음을 부인하기 어렵다. 그래서 이에 대한 보완책이었을까. 그는 재치, 익살, 웃음, 우문현답 등 지나간 시대에는 말장난 정도로 가볍게 치부되던 언어들을 과감하게 시에 차용한다. 도치법, 점층법, 의문법도 즐겨 애용한다. 그 결과 시어가 어느 정도 긴장감과 탄력성을 얻게 된다. 그러나 그의 시를 보다 더 정확하게 설명하기 위해서는 이것만으로는 부족한 감이 있다. 그의 시를 한 차원 높은 단계로 끌어올린 직접적인 계기는 판타지의 도입이었다. 이는 이미 정선혜가 〈본질을 위한 탐조등〉이라는 글에서 신형건 동시를 형성하는 특질 중의 하나로 규정한 것으로써 필자도 이에 적극 동조한다. 그는 동시에 판타지 기법을 도입함으로써 새로운 시적 표현을 얻게 된다.

꽃을 향해 빵 쏘니까 팔랑
나비가 날아 나왔어
연달아 빵빵빵 쏘았더니
팔랑 팔랑 팔랑–
– 〈이건 아주 무서운 총놀이야〉 일부

언젠가 담벼락에 파란 분필로
커다랗게 문을 하나 그려 놓았는데
글쎄, 그곳을 입처럼 쩍 벌리고 하품을 하던걸.

– 〈우리 학교 담벼락〉 일부

책은 공책처럼 흰 종이로 변하고

떨어져 나온 글씨들은 소복이 쌓이지.
– 〈요술 손〉 일부

판타지 기법을 도입한 그의 시를 찾아보자면 많다. 이 판타지 시들은 《바퀴 달린 모자》에서 정점을 이룬다. 그러다가 그는 이런 시도 쓰게 된다.

될 수만 있다면, 장군이 되는 것보다

참새가 되는 것도 괜찮을 거야.

어깨에 쇠 쪼가리로 만든 가짜 별을 다는 것보다야

진짜 날개를 다는 게 훨씬

더 멋지지 않아? 아무리 작은 날개라도

맘껏 하늘을 날 수 있잖아.

대통령이 되는 것보다, 될 수만 있다면

참새가 되는 것이 좋을 거야.

–친애하는…… 에…… 국민 여러분…… 에…… 에……

수천만의 국민들 앞에서 더듬더듬

눈치를 보는 것보다야 내키는 대로 즐겁게

짹짹거리는 게 더 신나잖아.

…… (중략) ……

못된 짓을 해서 돌에 맞는 건

참새나 장군이나 대통령이나 모두

다 마찬가지 아냐! 짹짹짹!
– 〈장래희망〉 일부

비록 참새의 입을 빌려 말하고 있지만 이것이 누구의 목소리라는 것은 자명하다. 그 동안 그는 주로 생활 현장에서 억눌리고 소외 당하고 왜곡되고 방치되어 있던 어린이의 마음을 풀어 주고 시원하게 열어 주는 데 관심을 쏟고 있는 것처럼 보였다. 그런데 〈장래 희망〉에서는 어느새 대사회적인 문제에 대해서도 당당하게 발언하고 있었던 것이다. 이처럼 그가 동시로 풀어내는 대사회적 발언은 표면적으로는 어른들이 만들어

놓은 부조리한 세계를 신랄하게 비판하고 있는 것처럼 보인다. 그렇지만 정작 그가 하고 싶어하는 말은 따로 있었던 것으로 파악된다. 즉, 그것은 욕심 많고 힘센 소수의 어른들이 무참하게 깨뜨려 버린 이 세상의 질서와 평화와 자유를 원상으로 되돌려 놓고 싶어하는 의지의 표현이었던 것이다. 그렇기 때문에 그의 판타지는 현실에서 깨어지고 주저앉을 수밖에 없었던 욕망과 좌절을 충족시켜 주면서 세상 모든 것을 사랑으로 끌어안을 수 있다는 그의 꿈을 시적 공간 속에서 재현해 보여 준다.

> 갑자기, 높다란 공장 굴뚝에서 꽃들이
>
> 몽개몽개 피어나선 하늘로 떠올랐어.
>
> 그러곤 꽃구름이 되어 두둥실……
>
> 갑자기, 자동차들의 뒤꽁무니에서
>
> 향긋한 꽃 냄새가 폭폭 내뿜어지고……
>
> 갑자기, 길바닥에 뒹굴던 휴지들은
>
> 팔랑팔랑 나비가 되어 하늘로 훨훨……
>
> 갑자기, 길 가던 사람들도 한 치쯤
>
> 공중으로 떠올라 양팔을 휘저으며 뾰롱
>
> 삐리리 새들처럼 즐겁게 지저귀고……
>
> 그 순간, 도시의 빌딩들은 초록초록
>
> 초록 무성한 숲으로 출렁이고……
>
> – 〈언젠가 한 번은〉 전문

이 시대가 만들어 낸 난제인 전쟁, 환경오염, 공해, 소외감을 비롯하여 부패, 부조리, 사회 구조적 모순까지도 동심으로 녹여 내어 판타지 공간에서 원형처럼 화려하게 복원해 내는 그의 시는 때로 마술처럼 아름답다. 독자들은 그가 펼쳐 보여 주는 시의 아름다움에 젖어 잠시 환희에 잠겼다가 퍼뜩 깨어나면서 이렇게 말하게 된다.

"그래 맞아. 우리 사는 세상을 이렇게 만들어야 해."라고.

2. 어린이의 일상적 화법 형식의 독백체

앞에서 살펴본 것과 같이 그의 시에서 두드러져 보이는 것은 어린이의 일상적 화법 형식의 진술체를 즐겨 사용하고 있다는 점이다. 흔히 구어체 동시라고 쉽게 말하고 있지만 필자는 이것이 정확한 용어 사용이 아니라고 생각한다. 어린이의 일상적 화법 형식의 진술체를 동시에 도입한 것이 물론 그가 처음은 아니다. 그렇지만 그가 이를 시적 진술의 문체로 본격 도입했다는 점은 인정해야 할 것 같다.

> 창문이 없는 집, 답답하지?
> 가로수가 없는 길, 허전하지?
> 바람이 불지 않는 언덕, 가고 싶지 않아.
> 아이들이 없는 놀이터, 심심하지?
> 열쇠를 잃은 자물쇠, 영영 잠만 잘 테지.
> 불이 나간 저녁, 깜깜하지.
> 별이 없는 밤하늘, 말도 안 돼!
> 그럼, 이건 어떻겠니?
> ─내가 없는 세상!
> ─〈…… 없는〉 전문

대화를 하고 있는 것 같지만 자세히 살펴보면 화자의 발문만 있고 청자의 응답이 없다. 시적 화자가 혼자 묻고, 혼자 답하고 있다. 외롭고 쓸쓸한 아이의 독백이 분명하다. 그러므로 그의 어법은 어린이의 일상적 화법 형식의 독백체로 수정되어야 한다.

이 외로움과 쓸쓸함은 그의 시에 나타나는 큰 특징이다. 아마도 그의 시에 나타나는 시적 화자는 무척이나 외로운 소년인가 보다.

> 무작정 따라가 보기로 했어 / 우리 집 담벼락에 그려진 화살표를
> ─〈무작정〉 일부

> 짐짓 모르는 척 / 몇 발짝 앞서 가는 너를 조심 / 조심 따라가다 보면
> ─〈발뒤꿈치〉 일부

> 학교에서 집으로 돌아오는 길에 / 내가 할 수 있는 일은 뭘까?
> ─〈내가 할 수 있는 일〉 일부

> 화가 날 때 빈 깡통을 뻥 / 차 보는 것은 얼마나 상쾌한 일이야.
> ─〈깡통차기〉 일부

> 하늘은 커다란 눈 한 번 끔벅이지 않고 / 뭉게구름은 투덜투덜 몸만 자꾸 부풀리고 / 난 혼자야.

– 〈친구랑 다툰 날에 읽는 시〉 일부

그래, 너 참 오랜만이구나! / 고개를 떨구고 걷다 보니 무심결에 / 발끝에 밟히는 내 그림자.
– 〈그림자에게〉 일부

어느 구절을 읽어 보아도 외로움과 쓸쓸함이 물씬 묻어난다. 현재 화자의 가장 친한 친구는 그림자이다. 그리고 외로움에 지쳤기 때문일까. 화자는 "글씨를 자꾸 틀리면 되지(〈친구가 되려면〉 일부)"라는 구절에서 보듯 일부러 의도적인 실수를 함으로써 '지우개'로 비유된 '너'와 친해지고 싶다는 속내를 보여 준다. 마침내 그는 이런 시를 쓰게 된다.

꼭 닫혀 있는 줄 알았는데

그게 아니었구나.

가까이 다가가 보니

네 마음의 문은 빠끔 열려 있구나.

얼른 활짝 열고 싶지만

잠깐만 꾹 참을 테야.

그 대신, 문가에 있는 초인종을

가만히 누를게.

내 마음이 너를 부르는

기쁜 이 소리가 들리지 않니?

잘 들리지?

그럼, 어서 문을 열어 주렴!

– 〈초인종〉 전문

화자는 어찌 보면 소극적, 수동적이며, 유약한 것처럼 보이기도 한다. 그렇지만 상대를 사려 깊게 배려하는 마음을 끝내 잃지 않는다. 그는 결코 상대를 억지로 설득하려고 하지 않는다. 그는 상대에게 눈높이를 맞추고 긍정적으로 이해하고자 최대한 노력하는 자세를 보인다. 그렇기 때문에 굳게 닫힌 줄 알았던 네 마음의 문이 빠끔 열려 있는 것을 찾아낼 수 있지 않았겠는가. 그래도 그는 절대 그의 손으로 문을 열지 않는다. 그 대신 망설임과 설렘으로 초인종을 누른다. 이때 최종 선택인 문을 여는 행위는 너의 자율 의지에 맡겨 둔다. 그는 이렇게 조용히 끝까지 기다렸다가 스스로 문을 열고 나오는 너와 만나기를 희망한다.

이처럼 일상적 화법 형식의 독백체는 그의 시에 나타나는 화자가 '너'와 소통하는 방법이라고 할 수 있다. 이것은 '네'가 마음의 문을 활짝 열고 나오기 전까지 너를 향한 '나'의 수많은 독백을 낳게 된다. 그의 시에 나타나는 자유분방한 상상력은 이 독백과 밀접한 관계를 맺고 있는 것으로 보인다.

3. 자유분방한 상상력

그의 시에 나타나는 시적 전개 방식은 크게 두 유형으로 나뉜다. 먼저 그는 사물이 지닌 특성을 폭 넓게 찾아내서 상상력으로 접목시키고자 한다. 〈30센티미터 자를 산 까닭〉에서 볼 수 있듯 그가 펼치는 시적 상상력은 다채롭고도 풍요롭다. 그렇다고 이를 나열하듯 제시하는 것으로 끝내는 것이 아니다. 그의 시는 꼭 끝 부분을 열어 놓는다. 그럼으로써 독자도 마음을 활짝 열어젖히도록 상상력을 자극한다.

가려운 등을 긁을 수 있지

손톱에 끼인 때도 파낼 수 있지

발뒤꿈치만 조금 들면

천장에 친 거미줄도 걷어 내지

귀찮은 파리를 쫓을 수 있지

피리 부는 흉내도 낼 수 있지

노래하며 손장단을 맞출 수 있지

얏! 얏! 신나는 칼싸움도 할 수 있지

바람에 날리지 않게 시험지를 꾹 눌러 둘 수 있지

장롱 밑에 들어간 것도 꺼낼 수 있지

그래, 힘들었으니 좀 쉬라고

그냥 놔 둘 수도 있지

야아, 이 좋은 생각이 이제야 떠오르다니!

얄밉게 구는 네 등짝을 힘껏

후려칠 수도 있잖아!

그리고 또 뭐가 있더라……

분명히 있을 텐데……

뭐지? 뭐지…… 뭘까?

－〈30센티미터 자를 산 까닭〉 전문

둘째, 구체적인 시적 사물로 이미지화하기 어려울 때에는 무형의 유형화 기법을 활용해서 어린이들에게 친숙한 시적 사물로 형상화하여 보여 준다. 그리고 귀납적 방식에 의해 점진적으로 시상을 전개해 나가다가 마지막에는 자신의 의도를 절묘하게 결합시킨다. 이 과정에서 때로 교훈성이 드러나지만, 그것은 사과의 영양분처럼 잘 익은 단맛을 낸다.

> 그렇게 자꾸 보채지 말고
>
> 조금만 더 기다려 보렴.
>
> 아직 뜸이 덜 들었어!
>
> 지금 내 마음은 밥솥처럼
>
> 보글보글 끓고 있거든.
>
> 마음속에서 김이 폭폭 솟아오르고
>
> 그때마다 열릴 듯 열릴 듯
>
> 솥뚜껑처럼 달싹거리는 내 입!
>
> 보이지? 그럼 조금만 더 기다려.
>
> 이제 곧, 내 입이 크게 열리고
>
> 잘 익은 말이 새 나가면
>
> 그 순간, 넌 실눈을 뜨고
>
> 코를 벌름거리게 될 거야.
>
> 내 말에선 분명 맛있게 뜸든
>
> 밥 냄새가 날 테니까!
>
> – 〈뜸〉 전문

아마 추운 날 눈에 보이는 입김이 이 시를 형상화하게 하는 계기가 되었을 것이다. 입김이 밥솥의 김으로, 아직 정리되지 않은 마음이 밥솥에 넣은 생쌀로, 말할까 말까 망설이는 마음이 달싹거리는 솥뚜껑으로 비유되면서 무형의 유형화 기법에 의해 시적 화자의 복잡한 마음이 형상화된다.

이렇게 그의 시는 웃음과 익살과 재치를 동반하면서도 가벼움에 떨어지지 않고, 환경오염, 전쟁, 공해 등 동시에서 다루기 무거운 주제도 성공적으로 형상화시키게 된다. 이때 그의 시는 자유분방한 상상력에 크게 도움을 받는다. 이는 그의 시가 갖는 상당한 강점이 아닐 수 없다.

그의 이런 자유분방한 상상력은 《바퀴 달린 모자》에서 한껏 더 끼를 발휘하게 되는데, 이때 동서양 명작 동화의 내용을 차용하거나 실버스타인 등의 상상력을 접목시켜

서구적이며 환상적인 시 세계를 만들어 낸다. 그의 시적 상상력은 규격화·제도화된 일상을 살아가는 어린 독자들에게 때로 가슴 후련한 해방감과 일탈의 즐거움을 맛보게 하면서 시를 읽는 즐거움을 선사한다. 자칫하면 장황스런 요설로 빠져 버릴 위험성도 항시 내포하고 있지만 이를 한낱 기우에 머물게 하는 것은 투철한 시정신이 뒷받침되고 있기 때문이다.

4. 도시적 감수성

이상으로 그의 시에 나타난 특성을 중점적으로 살펴보았지만 아직 가장 중요한 점은 말하지 않았다. 그것은 다름 아닌 그의 시에 일관되게 나타나고 있는 의식의 현대성이다.

그의 시가 갖는 독특한 발상법과 표현은 도시적 감수성에서 기인한다. 이는 그가 성장 과정에서 자연스럽게 체득한 것으로 보이지만 그도 처음부터 도시적 감수성을 표출하는 시를 썼던 것은 아니다. 초기의 작품들은 연작시 〈아버지의 들〉에서 보듯 어느 정도 전통적 향토 서정에 의지하고 있다. 그러나 그는 곧 자신의 작품 세계를 바꾼다.

이 점, 그가 대학 재학 시절 약관의 나이로 등단한 것과 관련이 없다고 할 수 없다. 그가 등단할 무렵 그 당시 문단에서 왕성하게 활동하던 시인들은 대개가 농경문화를 호흡하며 살아온 윗세대들인 것이다. 그들의 작품 세계를 그대로 답습하기에 그는 너무 젊었고 향유하는 문화도 감각도 달랐을 뿐 아니라 또 시대도 산업화의 물결에 휩쓸려 급격히 도시화되는 시기였다.

가랑잎의 몸무게를 저울에 달면
'따스함'이라고 씌어진 눈금에
바늘이 머무를 것 같다.
그 따스한 몸무게 아래엔
잠자는 풀벌레 풀벌레 풀벌레……
꿈꾸는 풀씨 풀씨 풀씨……
제 몸을 맑아 먹던 벌레까지도
포근히 감싸주는
가랑잎의 몸무게를 저울에 달면
이번엔
'너그러움'이라고 씌어진 눈금에
바늘이 머무를 것 같다.
– 〈가랑잎의 몸무게〉 전문

초기작에 속하는 이 작품에서 그의 시가 장차 나아갈 방향성이 감지될 듯도 싶다. 그 때까지 주종을 이루던 보편적인 작시법이란 사물을 접하고 연상되는 감정을 자연스럽 게 표출하는 것이었다면 그의 시는 이를 따르지 않고 젊은이다운 새로움을 보이면서 지적인 조작을 가하고 있음을 알 수 있다.

"가랑잎의 몸무게를 저울에 달면 / '따스함' 이라고 씌어진 눈금에 / 바늘이 머무를 것 같다." 거나 또는 "'너그러움' 이라고 씌어진 눈금에 / 바늘이 머무를 것 같다."는 시 적 진술은 그 당시에 씌어지던 동시에서는 찾아보기 어려운 새로움이었다.

이 작품 이후 그는 대대적인 변신을 꾀하게 된다. 이른바 왕성한 창작 의욕으로 도시 적 감수성을 담은 시를 쏟아 내듯 쓰기 시작한 것이다. 그는 당시 그가 향유할 수 있었 던 도시 젊은이들의 세련된 언어 감각과 분위기 그리고 재치, 위트, 익살들도 시로 끌 어들였다. 그리고 서구 문화의 세례를 받고 자란 세대답게 서구 동화적 상상력을 근간 으로 한 시 세계를 활발하게 펼쳐 보였다. 이는 농경 문화를 주된 정서로 갖고 있는 기 성 시인들에 비해 한 세대 젊었던 그의 특권이기도 했다.

II. 신형건 동시를 바라보는 시각

필자 개인적으로는 《거인들의 사는 나라》와 《바퀴 달린 모자》가 우리 동시문학에 서 구적·도시적 상상력을 접목시킴으로써 전통적 향토 서정이 주종을 이루던 그 당시 동 시 문단에 변증법적인 발전의 계기를 가져오게 한 동시집이라고 생각한다. 즉, 우리 동 시 문단에서 1980년대 이전까지 풍미했던 농경문화 중심의 시대를 마감하고 도시적 가 치관과 정서를 담아내는 새로운 시대를 열게 한 시집으로 평가된다.

두 시집이 가진 이러한 선구성은 7, 80년대 동시 문단을 이끌었던 선두 주자 중의 한 사람인 노원호의 발언에서도 드러난다. 〈한국동시문학〉 2003년 여름호(통권 2호)에 실 린 "한국 이 시대의 동시 모습은 어떠한가?"라는 좌담회에서 "80년대 후반에 와서 이제 동시는 더 이상 발전할 수 없다고 생각"해 왔지만 《거인들의 사는 나라》로 인해 "동시의 가능성을 다시 인식"하는 계기가 되었다고 한 그의 진술은 나름대로 중요한 의의를 지 닌다. 그만큼 이 두 시집은 시대를 한 발 앞서는 새로운 감수성을 담아내었던 것이다.

더구나 1990년대에 들어서면서 대거 등단한 여성 시인들에게 끼친 그의 영향은 매우 큰 것이었다. 일부 여성 시인들은 이제까지 동시 문단의 주류를 형성해 온 남성 시인들 중심의 발상법과 시적 표현을 탈피하고 새로움을 추구하고자 일상적 화법 형식의 독백 체를 비롯하여 그의 시의 자양분을 대거 받아들이게 된다. 그만큼 그의 시는 억세고 강 한 것을 특정으로 하는 남성적인 시 세계라기 보다는 여리면서도 섬세한 도시 아이의 감수성을 담은 시 세계를 보여 줌으로써 여성 시인들에게 적극적으로 어필되는 면이 있었다.

더구나 그의 시 세계 전반에 엷게 드리워진 '너를 향한 그리움'은 청소년, 소녀들의 연애 정서와도 맞아 떨어진다.

아직 그 누구도 그의 시 세계를 훌쩍 뛰어넘거나 심화, 발전시킨 작품 세계를 보여주지는 못한 것으로 파악된다. 일부 시인들은 그의 시를 외형적인 면에서 접근하고자 했을 뿐, 필자가 신형건 동시의 특징으로 꼽은 판타지, 일상적 화법 형식의 독백체, 자유분방한 상상력, 도시적 감수성 등 그의 시의 핵심을 파악하는 데 미흡했기 때문에 단순 심리 묘사나 요설, 값싼 연애 감정 등을 단편적으로 표출하는 데 그치고 말았다. 또 일부 여성 시인들이 특유의 모성적 이미지를 표출하는 과정에서 동심의 무게에 짓눌린 나머지 어린이의 심리에 영합하는 태도를 보이는 경우가 적지 않았던 것이다. 그런데 이런 시작 경향이 새로움으로 인식되며 2000년을 전후한 시기에는 마치 유행처럼 대두되기도 했다. 그러자 일부 중진 및 원로 시인들로부터 신랄한 비판이 가해짐으로써 소위 말하는 '구어체 동시'는 뚜렷한 퇴조 현상을 보이게 된다. 얕은 시적 사유에 의지해서 어린이의 심리를 단순 묘사하는 데 치중하거나 시의 생명이라고 할 수 있는 리듬과 탄력을 잃고 산문화되는 등 시의 본질로부터 이탈하려는 움직임을 바로잡고, 시로서 가져야 할 표현 미학을 일깨워 주는 등 긍정적인 면이 없지 않았지만, 그렇다고 이 일로 그의 시가 폄하되어야 할 하등의 이유가 없다. 그는 아류와 아무런 상관이 없다.

지극히 다행스러운 것은 근래에 들어 그와 시적 흐름을 같이 하는 젊은 시인들이 눈에 띄게 늘고 있다는 것이다. 어쩌면 그것은 변화하는 시대처럼 막을 수 없는 큰 흐름인지도 모른다. 이들이 장차 한국 동시 문단에서 뚜렷한 한 흐름을 형성할 수 있을 거라는 기대는 필자만의 성급한 예상이 아니라고 믿는다.

발간된 지 벌써 15년을 넘어 20년이 다 되어 가려고 하지만 《거인들의 사는 나라》(1990)와 《바퀴 달린 모자》(1993)가 "새로운 동시란 무엇인가" 하고 한국 동시 문단에 던진 물음은 아직도 유효하다.

필자가 《거인들의 사는 나라》와 《바퀴 달린 모자》를 다시 꺼내 읽으면서 확인하게 되는 것이 있다. 그것은 그의 동시가 동시문학에 나타난 여러 문제점을 극복하는 데서 출발하고 있다는 점이다. 즉, 그는 두 동시집을 펴냄으로써 동시도 얼마든지 진화할 수 있으며, 치열한 실험이 가능한 장르라는 것을 깨닫게 해 주었다. 그 결과, 단순 명쾌성을 훼손하지 않으면서도 어린이의 마음을 섬세하게 담아낼 수 있다는 것을 알게 해 주었고, 장르의 벽을 넘지 않고도 동시도 얼마든지 대사회적인 발언이 가능하다는 것을 알게 해주었다. 또 동시가 궁극적으로 지향하는 세계인 '영원한 마음의 고향'이 반드시 농촌이 아니라도 시도될 수 있다는 것을 알게 해 주었다. 이런 여러 문제점을 극복해 낸 그의 동시는 비로소 현대라는 새로운 시대를 담아낼 수 있었던 것이다.

어린이와 함께 선생이 걸어온 길

1965년 경기 화성에서 태어남.

1984년 〈아동문예〉 신인문학상에 동시 〈친구에게〉 외 3편 당선됨.

　　　새벗문학상에 동시 〈초록 감〉 외 4편이 각각 당선되어 등단함.

1990년 동시집 《거인들이 사는 나라》로 대한민국문학상 신인상(아동문학 부문)을 수
　　　상함.

　　　경희대학교 치의학과를 졸업함.

1990~1993년 경기도 평택군 공중보건의사로 근무함.

1993~2001년 경기도 평택시 푸른치과의원을 운영함.

1994년 동시집 《바퀴 달린 모자》로 한국어린이도서상(저작 부문)을 수상함.

2001년 아동청소년문학 전문 출판사 푸른책들 발행인을 역임함.

2003년 아동청소년문학 전문지 월간 동화읽는가족 발행인을 역임함.

2006~2013년 국립어린이청소년도서관 자문 위원 역임함.

2008년 동시집 《엉덩이가 들썩들썩》으로 제2회 서덕출문학상을 수상함.

2008, 2011년 문화체육관광부 장관상을 총 2회 수상함.

2008~2010 건국대학교 대학원 동화미디어창작학과 겸임교수를 역임함.

2009년 동시집 《콜라 마시는 북극곰》으로 제5회 윤석중문학상을 수상함.

기타 아동청소년문학 전문 출판사 (주)푸른책들 대표로 취임함.

기타 초등학교 〈국어〉 교과서에 〈거인들이 사는 나라〉, 〈발톱〉, 〈시간여행〉, 〈그림
　　　자〉, 〈넌 바보다〉, 〈벙어리장갑〉, 〈공 튀는 소리〉 등 7편의 동시와 중학교 〈국
　　　어〉 교과서에 〈입김〉, 〈손을 기다리는 건〉, 〈넌 바보다〉 등 3편의 시가 수록됨.

한국 아동문학가 100인

이금이

대표 작품

〈벼랑〉

작품론

이금이 문학의 새로운 도전과 가능성

어린이와 함께 선생이 걸어온 길

벼랑

규완을 아파트 단지 입구에서 돌려보낸 난주는 집으로 향했다. 난주네 집은 대단위 아파트 단지 안에 섬처럼 박힌 저소득 임대 아파트다. 물론 규완은 난주의 집이 그곳인 줄 모른다. 규완에게 잘산다는 말을 한 것은 아니지만 넉넉한 집의 딸인 것처럼 행동했으니 속였다고 해도 할 말은 없다. 하지만 하루하루를 걱정해야 하는 가난한 삶의 남루함과 비루함을 거울처럼 들여다보면서 규완과 사귀고 싶지 않았다.

2년 전, 오래된 빌라의 반 지하 방에서 살다 처음 이사 왔을 때만 해도 난주는 이 아파트가 너무 좋았다. 엘리베이터를 타고 12층의 집으로 올라갈 때면 그곳이 타워 팰리스라도 되는 양 우쭐한 기분이 들기도 했다. 하지만 얼마 되지 않아 저소득 임대 아파트라는 곳이, 그 단지 아파트의 값을 떨어뜨리는 애물단지이며 가난이든, 장애든, 결손이든, 결핍을 주렁주렁 매단 사람들이 사는 곳이란 사실을 알게 되었다. 난주네가 치열한 경쟁을 뚫고 입주할 수 있게 된 것도 따지고 보면 아빠가 사고로 얻은 장애 덕분이었다. 난주는 브랜드 가치가 떨어진다며 출입구를 따로 만들자고 아우성치는 단지의 주민들을 미워하기에 앞서 그들보다 더 임대 아파트를 부끄러워하게 됐다.

난주는 광고 스티커들이 덕지덕지 붙어 있는 현관문을 두드렸다. 초인종은 고장난지 오래였다. 철컥, 문 따는 소리만 들리고는 그만이다. 게임하다 뛰어왔을 태주 짓이다. 난주는 문을 열고 집으로 들어갔다. 아빠도, 엄마도 아직이다. 있어 봤자 둘이 싸우거나 난주에게 잔소리만 할 텐데 없는 게 차라리 편하다.

난주가 들어왔는데도 태주는 게임하느라 쳐다보지 않았다. 어릴 때는 난주를 따르며 우스갯소리도 곧잘 하더니 중학교 2학년이 되면서부터 태주는 말이 없어지는 대신 게임만 해 댔다. 실은 난주도 별로 할 말이 없다. 임대 아파트 중에서도 가장 작은 13평짜리 실내는 좁은 복도 같은 주방과 방 두개, 화장실이 옴닥옴닥 붙어 있어 답답했다. 환한 햇살만으로도 좋았던 날은 며칠 되지 않았고, 불편한 것들만 늘어났다. 난주는 무엇보다 태주와 같은 방을 쓰는 것이 짜증났다. 열일곱 살의 여고생을 2차 성징이 나타나는 열다섯 살짜리 남동생과 한방을 쓰게 하는 부모의 무능력에 대해선 더 이상 이야기하기도 싫었다. 밤늦게까지 일하면서도 고작 이렇게 밖에 살지 못하는 부모가 한심했다.

난주는 안방에서 갈아입은 사복을 쇼핑백에 넣어 잡동사니가 잔뜩 쌓여 있는 베란다에 숨겨 두었다. 그리곤 태주가 있는 방으로가 교복을 벽걸이에 걸어 놓았다. 접혔던

자국에 스프레이로 물을 뿜으며 말했다.

"정태주. 나 씻고 올 동안만 해. 나도 컴 써야 돼."

태주는 듣는 둥 마는 둥 게임 속에 빠져 있었다.

세수를 하고 나온 뒤에도 몇 번이나 소리를 질러서야 태주는 '어휴!' 하며 주먹으로 책상을 친 다음 일어나 나갔다. 곧 안방에서 잔뜩 볼륨을 높인 텔레비전 소리가 들려왔다. 태주가 안방으로 가서 다행이라고 생각하며 난주는 책가방에서 디카를 꺼냈다. 최고급은 아니지만 괜찮은 신형이다. 난주한테 디카가 있는 것을 식구 들은 모른다. 아르바이트를 해서 휴대폰과 새 옷을 샀다는 말을 엄마 아빠는 믿었다.

"아르바이트했으면 수업료도 보태고 해 봐."

다른 부모들은 그 시간에 공부를 하라고 할 것이다. 그래 놓고도 성적이 나쁘다고 야단치는 건 뭔지. 엄마 아빠는 야단치는 것만이 부모가 할 수 있는 일인 줄 아는 모양이었다.

"바랄 걸 바래. 다른 애들은 가만히 있어도 부모가 다 해 주는 거야."

난주는 휴대폰을 사고, 옷을 사게 해 주는 그 일을 아르바이트라고 생각한다. 부모가 못해 주니 그렇게 해도 괜찮다고 생각한다.

난주는 규완과 찍은 사진들을 미니 홈피에 옮겼다. 휴대폰으로 찍는 것보다 훨씬 잘 나와서 기분이 좋았다. 사진 속의 난주는 남부럽지 않아 보였다. 잘생긴 규완이 남친인 것도 흐뭇했다.

난주가 처음 아르바이트를 한 것은 지난 겨울방학 때였다. 전단지를 돌리는 일인데 시급으로 쳐서 하루 2만 원 정도 됐다. 롯데리아 같은 곳에서 하고 싶었지만 나이가 어려 받아주지 않았다. 하루 2만 원씩 60일 정도로 계산하니 방학 동안 100만 원 정도 벌 수 있을 것 같았다. 100만원! 난주는 그 거금이 벌써 손안에 들어온 듯 흥분했다. 갖고 싶은 것들이 끝도 보이지 않게 줄을 섰다.

"잘됐다. 아르바이트해서 등록금 좀 보태. 아니, 무슨 돈이 그렇게 많이 들어간대."

아빠 치료비로 빌려다 쓴 빚을 갚느라 아직도 허덕대는 엄마의 뇌 구조를 보면 돈 생각이 99.9퍼센트를 차지하고 있을 것이다. 인문계 고등학교에 가는 난주에게 참고서를 사 주거나 학원을 보내주기는커녕 대학은 스스로의 힘으로 가라고 틈만 나면 다짐을 두었다.

"됐다 그래. 우선 메이커 교복부터 사고 나머지는 저금해 둘 거야."

"뭐? 값이 얼마나 차이가 나는데 메이커 교복을 사? 괜히 메이커 값이지, 품질은 다 거기서 거기야. 잔소리 말고 등록금 내는 데 보태."

엄마는 꿈쩍도 하지 않았다. 난주는 딸이 아르바이트를 한다는데 말리기는커녕 그

돈까지 뺏으려 드는 엄마가 너무 싫었다.

"요새 비메이커 교복 입는 애가 어딨다고 그래? 내가 중학교 3학년 내내 얼마나 쪽팔렸는 줄 알아? 교복도 제대로 못 사 줄 거면서 자식을 왜 낳았어!"

난주가 소리치자 엄마도 지지 않고 맞받아쳤다.

"왜 자식을 낳았는지 나도 발등을 찍구 싶다. 내가 자식들만 아니면 왜 이 고생을 하고 사는데!"

메이커나 비메이커나 별 차이 없다는 말은 메이커 교복을 입은 애들이나, 충분히 그것을 사 줄 능력이 있는 부모들이 할 말이다. 메이커나 비메이커는 우선 단추부터 달랐고, 천의 색은 물론 허리며 치마의 라인에서도 차이가 났다. 뿐만 아니라 구김도 더 잘 가고, 엉덩이나 소매가 더 반들거리는 것 같았다.

전단지 돌리는 아르바이트는 생각보다 힘들었다. 십 몇 층씩 오르내리다 보니 다리가 퉁퉁 붓고 허리가 아파서 며칠 동안은 제대로 걸을 수가 없었다. 뿐만 아니라 경비 아저씨한테 들켜 전단지를 모두 뺏기기도 했고 도망치다 다리를 삐기도 했다. 100만 원이라는 목표는 70만 원에서 50만 원으로 줄어들다가 간신히 교복 값이 되자 한 장도 더 돌리고 싶지 않았다. 난주는 아르바이트한 돈을 받자마자 누가 빼앗을세라 메이커 교복을 샀다.

"교복 사 주려고 했던 돈 나한테 줘, 그걸로 가방이랑 신발 사게."

전단지 돌릴 때 퉁퉁 부은 다리에 파스를 붙여 주었던 엄마가 순순히 10만원을 주며 한마디 했다.

"모양보다 튼튼한 걸로 사."

메이커 교복과 가방, 신발을 갖춰 놓으니 볼 때마다 흐뭇하고 뿌듯해서 빨리 학교에 가고 싶을 정도였다. 그리고 연달아 행운이 따라왔다. 규완이라는 멋진 남친이 생긴 것이다.

규완을 처음 본 건 졸업식을 한 다음 날 친구들과 어울려 롯데리아에 갔을 때였다. 난주 친구가 누군가를 보고 반가워했다. 잘 아는 오빠라고 했다. 난주와 친구들은 성호와 그의 친구, 규완과 합석을 했다. 난주는 규완에게 한눈에 반했다. 친구가 그 사실을 알고 다리를 놓아 주려 했으나 규완은 여자 사귈 마음이 없단다는 성호의 답변이 돌아왔다. 난주가 졸라 댄 끝에 성호가 규완을 속여서 데리고 나왔다.

넷이 다시 만났을 때 규완이 자리를 비운 사이 성호가 말했다.

"내 친구지만 나랑은 질적으로 다른 놈이야. 새벽에 신문 돌리고, 오후엔 주유소에서 아르바이트하면서도 학교에서 공부 짱, 인기 짱 먹는 놈이야."

난주는 규완이 실업계 고등학교에 다닌다는 것을 알고는 실망하였다. 난주가 여상에

227 한국 아동문학가 100인 작가·작품론 **이금이**

가라는 엄마의 말을 무시하고 인문계로 간 것도 실업계는 꼴통들이나 가는 것이란 사람들의 인식 때문이었다.

실업계 학교는 저소득 임대 아파트나 비메이커 교복처럼 그 사람에게 찍히는 낙인 같은 것이라고 여겼다.

그런데 규완은 실업계 학교에 다니는 데다가 가난하기까지 했다. 잘은 모르지만 아르바이트도 자기 용돈을 위해서가 아니라 당장 집에 보태 주기 위해서인 것 같았다. 하지만 난주는 규완이 좋았다. 규완 생각을 하면 좁아터진 집에서도 웃음이 나왔고 엄마가 야단을 쳐도 짜증나지 않았다. 두 번을 만난 뒤 규완이 그만 만나자고 했다.

"네가 좋아서 그만 내 처지를 잊었어. 난 대학 가려면 공부도 아르바이트도 더 열심히 해야 돼. 지금 내 형편에 여자 친구를 만나는 건 사치인 것 같다."

규완이 헤어지자고 하자 난주는 더더욱 헤어지고 싶지 않았다. 그래서 자존심 상하는 것도 무릅쓰고 매달렸다.

"자주 안 만나면 되잖아, 오빠. 그리고 나 용돈 많이 받으니까 데이트 비용은 내가 쓸게."

난주는 자기도 모르게 그렇게 말했다. 두 번째 아르바이트가 믿는 구석이었다.

난주는 규완을 만날 때 예쁜 옷을 입고, 밥값을 내고, 영화표를 사면서 은근한 기쁨을 맛보았다.

공원 화장실로 옷을 갈아입으러 들어간 난주는 창문 아래서 들려오는 소리에 까치발을 떴다. 창문으로 아이들의 머리통이 보였다. 욕설 섞인 대사와 함께 때리는 소리 낮은 비명 소리가 뒤섞여 들려왔다. 어떤 패거리가 삥을 뜯나 보다. 난주도 중학교 다닐 때 함께 몰려다니던 아이들과 함께 초등학생한테 삥을 뜯어 본 경험이 있다.

창밖에선 계속 욕설과 때리는 소리가 들려왔다. 대사의 내용으로 미루어 삥 뜯기는 애는 공원을 지나가다 우발적으로 걸린 애가 아니라 지속적으로 상납을 해 온 호구인 것 같았다. 아무렇든 자신과는 상관없는 일이었다.

난주는 옷을 갈아입고 나와 세면대 앞에서 입술에 립글로스를 발랐다. 그리고 새로 산 옷을 거울에 비춰 보았다. 규완이 눈부셔 할 생각만으로도 마음속이 환해졌다. 누군가와 서로 사랑하는 것이 이렇게 좋은 건 줄 몰랐다. 난주는 거울에 비친 모습을 다시 한번 점검하고 밖으로 나왔다.

난주는 화장실을 지나치며 창 밑의 패거리들을 슬쩍 보았다. 불빛 아래 아이들에게 둘러싸인 호구는 이 손길 저 손길에 떠밀려 다니며 맞고 있었다. 그 아이에게 가 멎었던 난주의 눈이 커졌다. 호구는 뜻밖에도 경화였다. 경화는 난주네 아빠가 사고를 당한 뒤 누워 있는 동안 살았던 반 지하 빌라의 주인집 딸이었다. 경화네는 동네에서 슈퍼를 했는데, 빌라는 난주네한테 세를 주고 자기네는 가게에 딸린 방에서 살았다. 태주와 동갑인 경화는 근처 중학교의 교복을 입고 있었다.

난주는 경화가 맞는 것이 고소했다. 그 애가 들고 나와 먹던 주전부리에 침을 삼켜야 했던 기억들이 떠올라서였을까. 밀린 방 값 독촉과 늘어나는 외상값 때문에 경화네 부모는 물론 경화 앞에서조차 잔뜩 주눅 들었던 일이 생각나서였을까. 난주는 그때 세상에서 경화가 가장 부러웠다. 햇빛도 제대로 들지 않는 반지하 방과, 편의점이나 대형마트에 비하면 슈퍼라는 간판이 민망할 정도로 보잘것없는 구멍가게지만 그것들을 가진 경화네가 세상에서 제일 부자 같았다. 난주는 가게 안에 있는 김이 설설 나는 통 속의 호빵이나 시원한 아이스크림은 물론 진열대에서 먼지를 뒤집어쓴 채 날짜를 묵히는 번데기 통조림까지도 부럽지 않은 것이 없었다. 태주가 라면과자를 훔치다 들켜 된통 당했던 일도 함께 떠올랐다. 경화는 동갑내기 태주는 물론 두 살 많은 난주한테도 함부로 까불었다.

'병신, 그때는 엄청 까불더니 꼼짝 못 하네.' 그때는 도저히 닿을 수 없는 구름 속의 성채처럼 여겨지던 아파트 단지 안에 살고 있는데다 새 옷까지 입은 난주는 어깨가 확 펴지는 기분이 들어 경화 앞에 보란 듯이 나서고 싶은 충동이 일었다. 하지만 공원에서 노는 패거리들과 어떻게든 얽히는 것이 겁나고 귀찮아서 그냥 지나쳤다.

난주는 규완이 새로 옮긴 주유소 근처 패스트푸드점에 가서 기다렸다. 아르바이트를 마친 규완이 문을 열고 들어섰다. 둘이 햄버거를 먹는데 규완이 누군가와 눈인사를 했다. 돌아다보니 노랑머리를 한 여자애였다. 노랑머리와 귓불에서 달랑거리는 커다란 귀걸이가 한눈에 날라리로 보였다. 여자애는 창가의 자리에 앉더니 무슨 책인가를 보며 햄버거를 먹기 시작했다.

"누구야?"

난주가 경계의 눈초리로 여자애를 바라보며 물었다.

"같이 일하는 애."

"주유소에서?"

"응"

"학생 아냐?"

"나랑 갑장이라는데 학교는 안 다닌다나 봐."

"날라리 같애."

"차림새는 저래도 날라린 아냐. 그림 하는 앤가 봐. 틈날 때마다 스케치북에 뭘 그리더라."

규완의 말에 호의가 담겨져 있는 것 같아 난주는 슬그머니 심통이 났다.

"그림 하는 애들 재수 없어."

"왜? 자기 세계가 분명하게 있는 것 같아서 나름 멋있던데."

"그건 오빠가 잘 몰라서 그래. 우리 반에 맨날 그림 그리는 은조라는 애가 있는데 애들이 다 이상한 애라고 해."

"잘난 척 와방하고, 사람 개무시하고, 나 야자 빠지려고 하면 꼭 자기도 빠진다고 쫓아와서 담임 스팀 받게 하고, 수업 시간에는 교과서에도 안 나오는 질문해서 선생님들 엿 먹이고, 암튼 제멋대로라니까."

난주가 은조를 떠올리며 열을 내자 규완이 쿡쿡 웃었다.

"너보다 제멋대로야? 말 나왔으니까 얘긴데, 걸핏하면 야자 빠지고 해서 대학 갈 수 있겠어? 아무리 귀여워도 그렇지, 너희 부모님이 너무 오냐오냐하시는 것 같아. 다시 말하자면 너 대학 떨어지면 나 니 남친 안 한다. 알았어?"

규완이 난주의 볼을 쥐고 흔들었다. 오냐오냐가 아니라, 무관심이시네요. 난주는 자신의 상황과는 삼만 리나 동떨어진 규완의 말에 갑자기 맥이 쭉 풀렸다.

"아이구, 우리 난주 삐치니까 더 귀엽네. 참, 난주야. 너 6월 14일이 무슨 날인 줄 알아?"

규완이 웃으며 물었다.

"6월 14일? 그날이 무슨 날인데? 오빠 생일이야?"

난주는 금방 기분이 풀어져 눈을 빛내며 규완을 바라보았다.

"무슨 데이 안 챙겨 준다고 심통이더니 어째 그날을 모르실까?"

"무슨 날인데? 응?"

"집에 가서 알아봐."

규완은 난주의 눈길을 피하며 끝내 알려 주지 않았다.

난주는 집에 도착하자마자 인터넷을 검색해 보았다. 그날은 키스데이였다. 난주의 가슴이 쿵쾅쿵쾅 뛰기 시작했다. 아직 난주와 규완은 손을 잡거나 어깨를 안는 정도였다. 기회가 있는데도 규완은 숙맥인 건지 부끄러움을 타는 건지 더 이상의 스킨십은 하지 않았다. 그런 규완이 6월 14일을 들춘 것은 그때 키스를 하겠다는 뜻임이 분명했다. 규완과의 키스는 상상만으로도 달콤하고 행복했다. 난주는 휴대폰에 그날을 디데이로 설정해 놓았다. 첫 키스에 어울리는 예쁜 옷이 필요했다. 돈이 필요한 난주는 문자를 보냈다.

"잠 좀 자자고."

머리를 반대편으로 하고 누운 태주가 성질을 부렸다.

　내일……가도……돼요?

　5시쯤이면 좋겠는데……

　난주가 교복 차림으로 사진 스튜디오에 들어서자 그가 문 앞에 '잠시 외출 중'임을 알리는 글귀가 쓰인 안내문을 걸곤 안에서 문을 잠갔다. 난주는 암실로 들어갔다.

　처음 사진 스튜디오에 가게 된 건 학교에 낼 증명사진을 찍기 위해서였다. 아직 규완을 만나기 전이었다. 작품사진이 벽을 장식한 실내 분위기가 보통 사진관과는 달라 보이는 것처럼 주인 아저씨도 그저 사진사라기보다는 예술가 같아 보였다. 아저씨는 의자에 앉은 난주의 머리카락과 옷매무새를 만져 주었다. 고객을 예쁘게 찍어 주려는 그의 모습에서 난주는 호감이 느껴졌다. 다음 날 사진을 찾으러 갔을 때 그는 난주의 이름을 기억하며 반갑게 맞이했고, 그동안 찍은 증명사진 중에서 가장 마음에 들게 나온 사진을 건네주었다. 돈을 내미는 난주에게 그가 말했다.

　"차 마시던 중인데 한 잔 줄까?"

　실내에는 원두커피 향이 가득 퍼져 있었다. 난주는 얼결에 고개를 끄덕이곤 벽 쪽에 놓인 벤치처럼 생긴 나무 의자에 앉았다. 곧 그가 커피가 담긴 머그잔을 건네주었다. 컵을 받아 쥘 때 여자 손처럼 부드러운 그의 손이 닿았다. 그는 좀 떨어진 자리에 앉아 커피를 마시며 음악에 귀를 기울였다. 컵을 쥔 섬세해 보이는 길고 흰 손가락이 자꾸만 눈에 들어왔다.

　"저 사진들 아저씨가 찍은 거예요?"

　난주가 벽에 걸린 사진들을 가리키며 물었다. 그가 그렇다고 했다.

　"우와, 되게 잘 찍는다! 어떻게 하면 사진 잘 찍을 수 있어요?"

　"피사체에 마음을 주면 잘 찍을 수 있지. 사진은 마음으로 찍는 거거든. 언제 모델로 해서 사진 찍어 줄까? 난주는 참 여러 가지 표정을 가지고 있어."

　난주가 열일곱 살이라고 하자 아저씨는 열아홉 살은 되는 줄 알았다며 놀란 눈을 했다. 난주는 자신이 숙녀라도 된 듯 기분이 좋았다. 저음의 목소리는 커피 광고 속의 남자처럼 좀 느끼했지만 징그러울 정도는 아니었다. 아빠보다 젊긴 하지만 난주는 중년의 남자가 그렇게 부드럽고 멋진 것을 처음 보는 것 같았다. 아빠는 물론 난주가 그동안 보아 온 중년의 남자들은 대개 무뚝뚝하거나 거칠거나 폭력적이었다.

　그는 구경을 시켜 준다며 암실로 데려간 다음 난주를 만졌다. 난주는 불쾌하기도 하고, 무섭기도 하고, 짜릿하기도 하고, 죄책감이 들기도 한…….

　아무튼 설명할 수 없는 혼란스러운 기분이 되었다.

그런데 그가 돈을 주었다. 난주가 뿌리치자 그는 난주의 손에 쥐어 준 다음 자기 두 손으로 꼭 감쌌다.

"앞으로 심심할 때 놀러 와. 그럼 사진도 찍어 주고 찍는 법도 가르쳐 줄게."

난주는 온몸에 힘이 쭉 빠지는 것 같았다.

사진관을 나온 난주는 한참을 걷다가 앞에 있는 건물의 화장실로 들어가 손에 있던 돈을 세어 보았다. 5만 원이었다. 난주는 얼떨떨했다. 아르바이트를 10시간도 넘게 해야 벌 수 있는 돈이었다. 15층짜리 아파트를 수십 번 오르내려야 겨우 만질 수 있는 돈이었다. 그 뒤로 사진관은 난주의 새로운 아르바이트 장소가 되었다.

헤어지자는 규완에게 용돈 많이 받는다고 큰소리칠 수 있었던 것도 다 이 아르바이트 덕분이었다. 대가가 돈일 때도 있지만 디카나 옷, 신발 같은 것으로 받을 때도 있었다. 그의 감각은 세련돼서 선물로 받는 것도 좋았다.

난주와 규완은 공원 벤치에 앉아 아이스크림을 먹었다. 6월 14일 밤이었다. 장마를 머금은 공기가 눅눅하고 후덥지근했다. 평일 밤이어선지 공원은 한적했다. 성호가 가출을 했다느니, 학교를 안 나온다느니 하는 쓸데없는 이야기를 하던 규완은 아이스크림을 다 먹은 뒤 말이 없어졌다. 그러곤 자꾸만 손바닥을 허벅지에 문질렀다. 난주는 곧 규완과 키스를 할 것이라고 생각하니 가슴이 뛰었다 그 감정을 숨기고 모르는 척 앉아 있는 것도 쉬운 일은 아니었다. 공연히 주위를 두리번거리던 난주는 경화와 경화를 괴롭히던 패거리들이 건너편 벤치에 모여 있는 것을 보았다. 벤치 옆에 서 있는 보안등 불빛이 그들의 모습을 환히 비추었다. 지난번과 달리 경화는 그들과 어울려 웃고 있었다. 오늘은 제대로 갖다 바쳤나 보지. 딱 한 번 그런 것을 가지고 계속 태주를 도둑놈 취급하던 경화 엄마의 모습이 떠올랐다. 기분 나쁜 기억을 떨쳐 버리려고 고개를 돌리는 순간 규완이 난주에게 얼굴을 들이밀었다.

"아얏!"

규완의 턱에 입술을 맞은 난주가 입을 감싸 쥐며 비명을 질렀다.

"미안, 미안해! 많이 아파?"

규완이 난주 얼굴을 어루만지며 어쩔 줄 몰라 했다.

"괘, 괜찮아."

또 다시 침묵이 흐른 뒤에 결국 둘은 입을 맞추었다. 덜덜 떠는 것이 그대로 전달되는 규완과의 첫 키스는 생각보다 훨씬 어설프고 어색했다.

은조가 학교를 그만두었다. 아이들이 떠드는 소리를 들어 보니 딱히 무슨 계획을 가지고 그만둔 게 아닌 모양이었다. 난주는 아이들이 은조를 이상한 애로 부르는 것처럼 자신은 노는 애로 부른다는 것을 알고 있었다. 중학교 때 노는 아이들과 어울렸던 전적이 그런 꼬리표를 붙였는지 모르겠지만 난주는 이상한 애보다 노는 애가 차라리 낫다고 생각했다. 노는 애가 비메이커 교복이나 임대 아파트 같은 거라면 이상한 애는 낡은 추리닝이나 빌라의 지하 방 같은 거다. 비메이커 교복이나 임대 아파트는, 비록 후지긴 해도 교복이고 아파트지만 낡은 추리닝이나 빌라의 지하 방은 근본적으로 다른 것이다.

난주가 보기에 은조는 세상을 몰라도 너무 몰랐다. 독판 잘난 척하더니 결국은 학교 밖으로 튕겨져 나가 이제는 아무것도 아닌 삶을 살게 됐다. 처음엔 보물 상자의 열쇠라도 손에 쥔 것처럼 신나겠지만 하루도 지나지 않아 머리를 쥐어뜯으며 후회하고 있을 것이다. 책이며 체육복 등 학교와 관련된 것들을 모조리 다른 아이들에게 줘 버린 것도 가슴을 치며 후회할 것이다. 난주가 그 애가 준 교복을 순순히 받은 것은 메이커 중에서도 허리 라인이 가장 예쁘게 나온 상표의 옷이기 때문이었다. 게다가 하복은 땀을 많이 흘려 여러 벌 있을수록 좋았다.

'앞날이 깝깝할 텐데 잘 지내라는 말이나 해 줄걸.'

난주는 은조가 준 교복을 볼 때마다 생각이 났다.

기말고사가 시작되었다. 시험 기간 동안은 자율 학습이 자유였다. 난주는 교실에 남았다. 규완은 난주의 성적이 이 정도로 바닥인 줄은 몰랐다. 공부할 방도 없고, 부모가 독서실 갈 돈도 주지 않고, 학원도 보내 주지 않아 공부를 못한다는 핑계는 댈 수 없었다.

설령 규완이 난주네의 형편을 안다고 해도 그것이 공부 못해도 되는 구실은 되지 않았다. 규완은 여전히 새벽에는 신문을 돌리고, 밤에는 주유소에서 일을 하고, 틈을 내 난주를 만나면서도 상위권의 성적을 유지하고 있기 때문이다.

"너 만나면서부터 더 열심히 공부하게 돼. 너한테 잘해 주지도 못하는데 너 때문에 성적 떨어졌다는 이야기는 듣지 않게 해 주고 싶거든. 나중은 없다지만, 정말 나중에 지금 못한 것 다해 줄게."

첫 키스를 한 뒤 규완은 난주와 결혼이라도 할 것처럼 굴었다. 난주는 그런 규완이 우습고 부담스럽기도 했지만 싫지만은 않았다. 규완과 결혼하면 엄마 아빠와 다른 삶을 살 수 있을 것 같았다. 절대로 싸우지 않고, 미워하지도 않고, 원망스러워하지도 않으면서 행복하게. 규완을 떠올리면 마음이 따뜻하고 든든해졌다.

자꾸만 흩어지는 마음을 간신히 잡고 공부하는데 문자가 왔다.

시험 기간이지? 오늘 올래?

그였다. 난주는 규완과 첫 키스를 하고 난 뒤로는 사진 스튜디오에 한번도 가지 않았음을 깨달았다.

　7월 14일은 실버데이로 은반지를 주고받는 날이란다. 실버데이 핑계를 대고 커플 반지를 사고 싶었다. 방학하면 하루쯤 시간을 내 놀이공원에 다녀오고 싶었다. 하고 싶은 게 너무 많았다. 난주는 가방을 챙겨 들고 학교를 나섰다.

　오늘만이야. 스튜디오에 잠깐 들렀다가 집에 가서 공부할 거야. 스튜디오에는 사진을 찍으러 온 사람이 있었다.

　"손님, 잠깐만 기다리세요."

　그는 난주에게 눈을 찡긋했다.

　난주는 나무 의자에 앉아 잡지를 들여다보았다. 자꾸만 그대로 나가고 싶었다. 하지만 텅 빈 주머니가 난주의 옷깃을 잡아당겼다. 손님이 가자마자 문을 닫아 건 그가 말했다.

　"요새 무슨 일 있었어? 안 들러서 궁금했다."

　난주는 대꾸 없이 먼저 암실로 들어갔다.

　"이제 안 와요."

　난주가 옷매무새를 가다듬으며 말했다. 그의 손길이 이렇게 불쾌한 것은 처음이었다. 차라리 다시 전단지를 돌리는 게 나을 것 같았다.

　"공부하느라 힘든 모양이네. 그래도 가끔씩이라도 들러."

　그가 다른 때보다 더 많은 돈을 주었다.

　스튜디오를 나오던 난주는 오토바이를 탄 성호와 맞닥뜨렸다. 난주는 얼른 뒤를 돌아다보았으나 그는 다행히 암실에서 나오지 않고 있었다.

　"오랜간만이야."

　난주가 어색하게 웃으며 말했다.

　"너, 여기 자주 온다."

　성호가 빙글빙글 웃었다. 난주는 가슴이 철렁 내려앉았다.

　"내가 언제?"

　"며칠 전에도 봤는데, 나 저기 피자가게서 배달해. 찍사랑 너랑 안에 있는데 가게 비었다는 팻말은 왜 붙이냐?"

　"내가 그걸 어떻게 알아? 난 사진 찾으러 왔을 뿐이야."

　난주는 짜증스레 말하곤 걸음을 빨리했다. 성호가 엔진 소리를 내며 천천히 난주 곁을 따라왔다.

　"그럼 사진 좀 보여 줘 봐."

　"아, 아직 안 나왔대서 그냥 가는 거야. 그리고 왜 오빠한테 보여 줘야 하는데?"

　난주가 쏘아붙였다.

"규완이도 알아?"

"뭘?"

난주가 멈춰 섰다.

"니가 사진관에 들락거리는 거, 변태 같이 느끼한 그 새끼, 이 근처에서 영계 킬러라고 소문이 자자하던데."

발밑이 푹 꺼지는 것 같았다.

난주는 다음 날 문제도 제대로 읽어 보지 못한 시험이 끝나자마자 스튜디오로 갔다.

"오늘 계속 니 생각하고 있었는데 텔레파시가 통했나 보네."

그의 말 한 마디 한 마디가 송충이가 돼 몸을 기어 다니는 것 같았다.

그런 거 아니에요. 하지만 말은 나오지 않고 입속만 바짝바짝 말랐다. 그가 난주를 암실 안으로 서둘러 끌고 들어갔다.

"너도 내가 생각났던 거지? 그러니까 앞으로 안 온다는 소리는 하지 마."

그가 난주의 쓰다듬으며 말했다. 싫다고 해. 싫다고 하라고! 하지만 그 소리는 목 안에서 맴돌 뿐이었다.

싫다고 말하는 대신 난주는 흑, 하고 울음을 터뜨렸다.

"왜 그래? 무슨 일이야?"

그가 난주의 어깨를 감싸 안았다. 친절하고 좋은 사람이니까 말하면 모두 해결해 줄 거야. 난주는 힘겹게 입을 열었다.

"저, 아저씨. 내가 여기 오는 걸 아는 오빠가 알았어요. 그 오빠가 협박을 해요."

걱정 말라고 해 주기를 기다리는데 갑자기 그가 난주를 떠다박지르듯이 밀치며 일어섰다. 서슬에 작업대에서 무엇인가 떨어졌다. 그는 밖으로 나갔다. 난주는 전혀 예상치 못했던 그의 태도에 당황해 옷을 추스른 뒤 따라 나갔다.

"아저씨……."

난주를 노려보는 그의 얼굴이 무섭게 변해 있었다. 처음부터 저런 얼굴이었으면 이런 일도 일어나지 않았을 것이다. 커피 향처럼 쿠키처럼 부드럽고 친절하고 달콤해서 무서운 것도 싫은 것도 몰랐던 거다. 난주는 어째야 할 지 몰라 앉지도 못한 채 서성거렸다.

담배에 불을 붙여 뻑뻑 피워 대던 그가 또 난주를 노려보았다. 다른 사람인 것처럼 시뻘겋게 충혈된 눈이었다.

"당돌한 계집애. 너 이제 봤더니 그놈이랑 짜고 접근한 거지? 어린 게 인생 그렇게 살지 마."

그의 말이 밀기라도 한 듯 난주는 커피를 마시던 나무 의자에 털썩 주저앉았다. 당연히 아저씨가 성호의 협박을 해결해 줄 거라고 믿었다. 어른이니까, 아저씨는 어른이고 자기는 아이니까. 아저씨가 처음 시작한 일이니까.

그가 지갑을 열더니 잡히는 대로 돈을 꺼내 던지듯이 난주에게 주었다 그리곤 더러운 물건을 대하듯 혐오스러운 표정으로 난주를 보며 말을 내뱉었다.

"다시는 여기 얼씬도 하지 마. 한 번만 더 오면 신고해 버릴 거야."

말로 설명하기 힘든 억울함과 배신감과 비참함이 냄비 속의 물처럼 끓어올랐다. 난주는 우는 대신 어금니를 꽉 깨물고 스튜디오를 나왔다. 그리곤 그 인간에게 자기가 아는 욕이란 욕은 다 퍼부었다.

휘청휘청 걷던 난주는 문자가 오는 소리에 소스라치게 놀랐다.

성호였다.

얘기 잘됐냐?

난주는 멍하니 서서 스튜디오와 문자를 번갈아 바라보았다.

왜 문자 씹냐? 모레 규완이 만나기로 했으니까 알아서 해.

난주는 공원에서 만난 성호에게 그가 준 돈에 엄마가 싱크대 안에 숨겨 둔 돈까지 합쳐 건네주었다.

"이것밖에 없어. 한번만 봐줘, 오빠."

난주와 성호가 앉아 있는 벤치 곁으로 유모차에 아기를 태우고 산책 나온 부부, 배드민턴 라켓을 든 부녀, 인라인 스케이트를 타는 모자, 강아지를 안은 젊은 아가씨 등이 지나쳤지만 아무도 난주를 눈여겨보지 않았다.

"사진관 들락거리면 돈이 더 나올 텐데 왜 이것밖에 없대? 규완이가 니가 어떤 계집애란 걸 알아도 좋아할까?"

성호가 난주 얼굴 위로 담배 연기를 뿜어 대며 말했다. 난주는 움찔 몸을 떨었다. 규완이 알게 되는 일은 상상만으로도 싫었다. 그 일에 비하면 공부 못하는 거나, 임대 아파트에 산다는 건 아무 흉도 아닌 것 같았다.

"앞으로 다시는 안 갈 거야. 그러니까 오빠, 제발……."

난주가 사정했다.

"내가 규완이 봐서 봐주겠는데 20만 원만 더 가져와. 나도 사정이 급해서 그래. 이번

주 넘기지 마라."

성호가 난주가 준 돈을 주머니에 넣으며 일어섰다. 싫다고 말해! 못한다고 말해! 하지만 난주는 그 말 대신 고개를 끄덕였다.

혼자가 된 난주는 한동안 멍하니 앉아 있었다. 어디서부터 어떻게 잘못됐는지 알 수 없었다. 지신은 돈이 필요했고 그 돈을 주겠다는 어른이 있었다. 그저 아르바이트라고 생각했을 뿐이다 그런데 왜 성호한테 절절 매는 거야? 규완한테 가서 먼저 말하면 되잖아. 그래서 규완이 헤어지자? 다 자기랑 만나려고 그런 건데, 그럼 헤어지면 돼. 아니, 그것보다 어른한테 말할까? 엄마, 아빠, 선생님들, 전단지 아르바이트 했던 치킨집 사장님, 경비원 아저씨……. 야단 칠 때는 줄지어서 있던 어른들이 도움을 청하려고 둘러보자 어디론가 모습을 감추어 하나도 보이지 않았다. 한 번도 자신이 자기 것이란 생각 따위 해 본적 없는데, 임대 아파트나 메이커 교복 같은 것들이 자기를 만들어 주는 것이라고 생각했는데, 지금 보니 자신은 온전히 자기 것이었다.

규완한테 말하면 이해해 줄까? 난주는 고개를 저었다. 헤어지더라도 규완에겐 자신이 그런 아이란 걸 알리고 싶지 않았다 이 세상 단 한 사람, 규완에게만은 그가 상상하는 모습대로 남고 싶었다. 온실안의 화초처럼 곱고 밝고, 귀엽고, 사랑스러운. 난주는 허리를 꺾으며 울음을 터뜨렸다.

공원 화장실로 간 난주는 울고 있는 경화와 맞닥뜨렸다. 난주가 들어가자 경화는 황급히 눈물을 닦곤 나가 버렸다. 난주를 알아본 것 같진 않았다. 멍하니 세면대에 기대서 있던 난주는 허겁지겁 화장실을 나가 주위를 두리번거렸다. 공원 앞에 있는 찻길을 건너는 경화가 보였다. 그쪽으로 뛰어간 난주는 찻길을 건넌 경화를 패거리들이 맞이하는 것을 보곤 주춤하였다. 패거리들은 경화를 자기들 사이에 끼워 넣고 골목으로 들어갔다. 난주는 빨간 불이 켜져 있는 횡단보도를 뛰어 건너갔다. 경화와 패거리들은 당구장과 피시방 등이 있는 4층짜리 건물 안으로 들어갔다. 난주는 머리 위에서 들리는 그들의 소리를 따라 계단을 올라갔다. 그들은 옥상으로 갔다. 망설이던 난주는 활짝 열린 옥상 문 뒤로 몸을 숨겼다. 딱 한사람 서 있을만한 공간이 있었다. 틈사이로 옥상의 소리가 들려왔다.

"이게 점점, 우리가 거지야?"

욕지거리와 함께 때리는 소리가 났다. 난주는 후들거리는 다리를 간신히 버티었다.

"어, 엄마가 눈치 채서 꺼, 꺼내 오기가 힘들어."

경화의 잔뜩 주눅 든 목소리가 들려왔다.

싫다고 말해!

"니가 가게 본다고 하고, 그때 판 돈 다 가져오면 되잖아."

"그, 그렇게 한 건데 아랫동네 마트가 생겨서 장사가 잘 안 돼서, 손님이 별로 없어."

못 한다고 말하라고!

"담배는? 담배는 왜 안 쌔벼 왔어?"

"자꾸 없어진다고 아빠가 개수를 다 세어 놓아서……."

경화의 말이 다 끝나기도 전에 퍽퍽, 때리는 소리와 함께 비명 소리가 들렸다. 자신이 맞는 듯 온몸이 움츠러들었다.

패거리들이 우르르 옥상을 빠져나간 뒤 난주는 겨우 문 뒤에서 나와 경화에게도 갔다. 쭈그려 앉아 울고 있던 경화는 처음엔 멀뚱한 얼굴로 난주를 올려보았다. 한참 맞은 것 같은데도 얼굴은 멀쩡했다. 얼이 반은 빠진 듯한 경화는 여전히 난주를 알아보지 못했다. 그런 경화를 내려다보자 가슴 밑바닥에 감추어져 있던 분노가 스멀스멀 기어 올라왔다. 자신도 예상치 못한 감정이었다.

"안경화, 오랜간만이다. 나 누군지 모르겠어?"

난주는 자기 입에서 나왔지만 자기 것 같지 않은 목소리를 들었다.

"나, 난주 언니?"

그제서야 경화가 난주를 알아보고 쭈뼛거리며 일어섰다. 그 얼굴에 희미한 반가움이 감돌았다. 자기네가 집주인이라고 으스대던 모습이 떠올랐다. 새삼스러운 모멸감이 분노와 뒤섞여 난주의 얼굴은 잔인하게 일그러졌다.

"재수 없는 계집애, 우리가 외상값 못 갚는다고 무시하더니 꼴좋다!"

"내, 내가 언제."

경화는 난주가 자신한테 왜 이러는지 조그마한 의심이나 반항 없이 단번에 겁을 먹었다. 난주는 한 걸음 다가섰다.

"내 동생한테 호빵 껍데기 주워 먹으라고 했던 것도 생각 안 나?"

잊고 있던 일이었다.

"왜, 왜 이래. 언니 나한테 왜 이래?"

경화가 삐죽삐죽 울음을 터트리며 물러섰다.

"너 쭉 보니까 계속 돈 갖다 바치더라. 그거 너네 집에서 훔쳐 온 거지? 내가 눈감아 줄 테니까 20만 원만 가져와."

경화의 얼굴이 두려움에 질리기 시작했다. 난주는 그 얼굴에 자기 모습이 겹쳐졌다. 난주는 그 얼굴을 지워 버리고 싶었다.

"내일까지야. 내일까지 안 가져오면 가만두지 않을 거야. 나, 아는 오빠들 많거든."

난주의 낮은 목소리가 이 사이에서 새어 나왔다. 경화의 눈이 공포로 텅 비었다. 난주 자신의 눈이었다.

싫다고 말해! 안 하겠다고 말하란 말이야! 난주는 경화에게 다가갔다.

"다, 다음에."

주춤 물러서던 경화의 몸이 철퍽 옥상 난간에 부딪혔다.

"안 돼. 내일까지야."

난주는 한 발 또 다가섰다.

"제발, 언니……. 다, 다음에 가져다 줄게."

싫다고 말하라고! 난주가 발자국을 떼 놓자 경화가 난주를 피해 옆에 있던 화분을 밟고 올라섰다. 그리곤 두 손을 모아 빌었다. "언니, 잘못했어. 다음에."

"니가 뭘 잘못했어? 뭘 잘못했냐구!"

난주는 소리치며 경화를 밀쳤다. 경화의 몸이 휘청하더니 눈앞에서 사라졌다. 세상이 텅 빈 듯 하얘졌다. 영문을 알 수 없어 우두커니 서 있던 난주는 그 자리에 털썩 주저앉았다. 자신 아래 놓인 온 세상이 아득한 벼랑인 듯했다.

이금이 문학의
새로운 도전과
가능성

신작 단편소설을 중심으로

황수대

1.

작가 이금이는 1984년 새벗문학상에 단편동화 〈영구랑 흑구랑〉이, 1985년 소년중앙문학상에 소년소설 〈봉삼 아저씨〉가 당선되어 작품 활동을 시작했다. 지금까지 스물여섯 권의 작품집과 한 권의 동화 창작 이론서를 펴냈으며, 1987년 장편 통화 《가슴에서 자라는 나무》(계몽사, 1988)로 계몽아동문학상을, 2007년 단편동화집 《금단현상》(푸른책들, 2006)으로 소천아동문학상을 수상하기도 했다. 또한 연작 동화 《밤티마을》(대교출판, 1994) 시리즈를 비롯해 《영구랑 흑구랑》(현암사, 1991), 《맨발의 아이들》(현암사, 1996), 《너도 하늘말나리야》(푸른책들, 1999), 《유진과 유진》(푸른책들, 2004) 등 다수의 작품이 스테디셀러를 기록하면서 문학성과 대중성을 고루 갖춘 동화작가로 인정받고 있다.

그렇다면 이처럼 양적이나 질적으로 탁월한 성취를 보여 주고 있는 이금이의 힘은 어디에서 나오는 것일까? 아마도 그것은 상당 부분 타고난 그의 문학적 재능에서 비롯된 것이겠지만, 보다 근본적인 요인은 작가를 천직으로 알고 진정으로 그 일을 즐길 줄 아는 그의 투철한 작가 정신에 있지 않나 싶다. 여기에 하나 더 덧붙인다면 어떤 상황에서도 인간에 대한 애정과 신뢰를 떨쳐 버리지 못할 것 같은 그의 마음씨도 한몫 차지하는 것으로 보인다. "글을 쓰는 물리적 시간보다 더 많은 정서적 시간을 필요로 하는 것이 창작입니다. 나는 그 정서적 시간을 '마음으로 글쓰기'라고 이름 붙였습니다. 구상(構想)이라고 할 수도 있는 그 시간은 내가 가장 즐기는 시간이기도 하지요"[1] 또는 "나는 개인적으로 비극적이거나 모호한 결말보다는 독자들에게 안도감을 주는 결말을 좋아하는 편입니다."[2]와 같은 진술은 작가 이금이의 진면목을 엿볼 수 있는 중요한 단서이다.

---

1 이금이, 〈동화작가가 되려는 당신에게〉, 《동화창작교실》, 푸른책들, 2006, p.12

2 같은 책, p.160

글을 쓰는 시간보다 더 많은 시간을 작품 구상에 몰두하고 고통스런 창작의 시간마저도 기꺼이 즐길 줄 아는 작가. 자신의 작품을 읽는 동안만이라도 진심으로 독자들이 행복해지길 바라는 작가. 바로 그가 이금이이다. 그런 까닭에 등단 이후 매년 한 권 이상의 작품집을 발표하면서도 그의 작품들은 대부분 고른 수준을 유지할 뿐만 아니라 따스한 인간애가 짙게 배어난다. 하지만 더러 그의 문학은 "치열하게 추구하고 있는 주제 의식이나 새로운 인물을 찾아 보려는 시선에 이금이는 단순한 작품 세계를 가진 작가로 이해된다."[3]는 김현숙의 평가나 "양부모, 정서 장애자, 남북 교류, 생태 환경, 전통문화 등 소재 주의라 할 만한 박제된 의식을 보여 준다"[4]는 원종찬의 평가처럼, 그 가치가 폄하되기도 한다.

그런데 사실 이러한 지적은 이금이 문학에 대한 총체적인 평가라기보다는 작가 개인의 취향에 대한 평가라고 보는 편이 타당하다. 데뷔 초부터 줄곧 사실동화만을 창작해 온 그에게 그와 같은 지적은 애초 피할 수 없는 것인지도 모른다. 실제 있었던 사건을 바탕으로 해서 그 위에 새롭고 독창적인 이야기를 창조하는 사실동화의 장르적 특성상 주로 일상에서 소재를 찾다 보면, 더욱이 그처럼 사회적 약자에 대한 관심과 애정이 각별하다 보면 새로운 인물 창조는 물론 치열한 주제 의식을 구현하기 어렵다. 그렇다고 해서 이금이 문학의 가치가 훼손되는 것은 절대 아니다. 왜냐하면 좋은 작가, 좋은 작품이란 어떤 소재를 취했느냐가 아니라, 다양한 문학적 조건을 활용하여 보편적인 삶의 진실을 얼마나 감동적으로 그려 냈느냐에 따라 결정되는 것이기 때문이다. 따라서 비록 비슷한 소재와 주제, 동일한 인물이 반복되긴 해도 아이들의 삶에 대한 진지한 탐색과 성찰, 섬세한 감각에 기초한 탁월한 심리 묘사 등까지 보여 준 성과만으로도 그가 오늘날 우리 아동문학을 대표하는 작가인 것만은 분명하다.

그런 그가 최근 청소년 소설을 여러 지면에 잇따라 발표함으로써 또 다른 관심을 불러일으키고 있다. 물론 이전에도 청소년 소설을 전혀 창작하지 않은 것은 아니지만, 최근 부쩍 청소년 소설 창작에 집중하는 모습을 보인다. 또한 작품들의 경향을 보면 기존 작품에 비해 그 대상 독자층은 물론 작품 외형에 있어 많은 차이가 있다. 그때문에 아직 속단하기는 이르지만 혹, 이러한 변화가 이금이 문학의 새로운 전환점이 아닐까 하는 생각이 들기도 한다. 이 글에서는 그 점에 주목해 이금이의 신작 단편소설인 〈늑대거북의 사랑〉(《베스트 프렌드》, 푸른책들, 2007), 〈쌩레미에서, 희수〉(《호기심》, 창비, 2008), 〈초록빛 말〉(《월간 주니어논술》, 2008년 1월·2월호)을 통해, 앞으로 전개될 그

3 김현숙, 〈맨발의 뜻〉, 《두 코드를 가진 문학읽기》, 청동거울, 2003, p.53
4 원종찬, 〈최근 아동문학 이대로 좋은가〉, 《동화와 어린이》, 창비, p.170

의 문학적 향방과 가능성을 살펴보려고 한다.

2.

　　이금이의 신작 단편소설 가운데 가장 먼저 발표된 〈늑대 거북의 사랑〉은 도서출판 '푸른책들'이 청소년 독자들을 위해 특별히 기획한 앤솔러지 소설집 《베스트 프렌드》에 수록되어 있다. 이 작품은 고등학생인 주인공 민재가 한때 애지중지했으나 공부에 방해된다며 엄마가 누군가에게 줘 버려 헤어졌던 늑대 거북 '울프'를 다시 만나면서 겪게 되는 심리 변화를 다루고 있다. 전체적인 짜임은 크게 셋으로 이루어졌는데, 첫째 단락은 민재가 중학교 때 자신의 영어 과외 선생님이자 짝사랑 상대였던 효진 선생님으로부터 '울프'에 대한 소식을 듣고 시골로 내려가는 과정을 그리고 있다. 그리고 둘째 단락은 민재가 울프와 헤어지게 된 상세한 내막이 서술되어 있으며, 마지막 셋째 단락은 민재가 울프의 처리 문제를 두고 고심하다 결국 집으로 데려오는 내용이 담겨 있다.

　　이 작품은 평범한 소재에 구성 또한 단조로워 박진감 넘치는 사건이나 등장인물들 간의 대립과 갈등, 극적인 반전 등은 기대하기 어렵다. 그럼에도 주인공의 작은 심리 변화까지 놓치지 않고 세세하게 그려 낸 작가의 솜씨가 예사롭지 않을 뿐만 아니라, 오늘날 불합리한 사회 현실로 인해 자아를 잃고 살아가는 청소년들의 삶을 진지하게 탐색하고 있어 만만치 않은 무게감이 느껴진다. 심리 묘사에 탁월한 재능을 지닌 작가로 평가받는 이금이 특유의 섬세한 감각과 문학적 진정성이 돋보이는 작품이다.

　　특히 이 작품에서 눈여겨봐야 할 점은 늑대 거북의 존재이다. 이 늑대 거북은 스토리의 전개에 있어 중요한 역할을 담당하며, 주인공의 내적 갈등을 유발하는 주요 원인으로 작용한다. 또한 주제를 효과적으로 부각시키기 위한 핵심적 장치로 쓰이는 등 상당한 비중을 차지한다. 작가는 이 늑대 거북을 통해 무엇이 서로를 위하는 사랑이고, 어떤 삶이 진정 가치 있는 것인지를 묻고 있다. 그런데 이 작품의 경우 그러한 작가의 의도가 너무 쉽게 노정되어 오히려 흥미를 반감시킨다. 이것은 기본적으로 단조로운 구성상의 문제이기도 하지만 일찍이 청소년 소설에서 흔히 경험했던 이야기 골격과도 관련이 있다. 이를테면 주인공인 민재와 엄마의 갈등 구조라든지, 주인공의 심리 변화를 암시하는 "꼭 맞아 처음엔 가뿐한 것 같던 선우의 신발이 오래 신고 있으니 발이 아팠다. 민재는 운동화를 꺾어 신었다."(p.139) 등이 바로 그것이다.

　　그럼에도 이 작품이 의미 있게 다가오는 것은 자기식의 삶을 살아가지 못하는 오늘날 우리들의 모습을 진지하게 성찰하고 있기 때문이다. 작중 인물인 엄마와 민재, 선우로 대변되는 비주체적 인물들을 통해 자신의 삶을 되돌아보게 만들고, 삶의 진정한 의미를 발견할 수 있게 만드는 힘은 이 작품이 지닌 최고의 미덕이라 할 수 있다. "보통은 반대를 무릅쓰고 선택하기 마련인 미술조차도 엄마가 시켜서"(p.107) 하는 마마보이 골샌님 선우와 "민재의 성적을 위해서라면 지옥행도 마다하지 않을"(p.119) 것 같은 엄마, 그런 엄마의 기대에 부응하기 위해 "더 이상 공부 외에는 아무것도 생각하지 않기로 맹세"(p.119)한 민재는 오늘날 우리들의 또 다른 모습일지 모른다.

> "그런데 왜 그렇게 만날 우울한 얼굴이야? 요새는 강 서방도 민재도 속 안썩인다면서."
>
> 민재는 자신의 성적이 아직 만족할 만큼이 아니어서라고 생각했다.
>
> "그러게 말이야. 민재가 마음잡고 공부하는데. 그러면 됐지. 가슴 한 쪽 없는게 어떻다고……. 난 엄마 자격이 없나 봐."
>
> 엄마가 그런 생각을 하지 않도록 성적을 더 올려야겠다고 다짐했다.
>
> 그런데 무심코 안방에 들어갔을 때, 옷을 갈아입던 엄마가 화들짝 놀라 옷가지로 몸을 가리던 모습이 떠올랐다. 수술을 하기 전에는 오히려 민재가 민망해서 피하면 피했지 아들 앞에서 스스럼없이 옷을 갈아입던 엄마였다. (pp.133~34)

하지만 작가는 그러한 삶이 얼마나 위선적이고 왜곡된 것인지를 일깨워 준다. 위의 인용문은 그런 작가의 생각이 아주 잘 나타나 있다. 유방암에 걸려 한쪽 가슴을 잘라 낸 엄마는 가슴 재건 수술을 권하는 큰이모에게 "이, 삼천만원이 든다는데……. 가슴 한쪽이 뭐가 그렇게 중요하다고 수술을 해? 그 돈 있으면 민재를 밀어 줘야지."(p.133)라며 민재의 말처럼 자신의 삶을 송두리째 가족을 위해 제단에 바친 듯한 태도를 보여 준다. 그러나 위에서 보는 것처럼 아내 혹은 엄마이기 이전에 아들에게조차 자신의 도려낸 가슴을 보여 주고 싶지 않은 여성으로서의 본성까지 감추지는 못한다.

이 점은 선우를 마마보이 골샌님이라 비웃으면서도 그런 엄마의 기대에 부응하기 위해 순종적인 태도를 보이는 민재의 삶 역시 조금도 다를 바 없다.

그러기에 작가는 작중 인물 가운데 하나인 선생님 남편의 입을 빌어 "여기든, 내 친구네든 도시보다 환경이 좋은 건 맞는데 울프가 사나워진 건 아니지. 늑대 거북은 원래 저런 거 아닌가."(p.131) 하고 우리들의 삶을 냉철히 되돌아볼 것을 주문한다. 그리고 "상대를 위해서 참는다고 생각하는 사랑, 그래서 더 의미 있다고 생각하는 사랑이 과연 옳은 사랑일까?"(p.137)와 같은 자기반성을 이끌어 내고, 결국 그토록 애지중지했던 울프가 물려고 했을 때 민재가 비록 서운하긴 했어도 그 사랑을 의심하지는 않았던, '울프식의 사랑'이야말로 진정한 사랑임을 깨닫도록 만든다. 이로써 작가가 좀처럼 길들여지지 않는 야생성 강한 늑대 거북을 등장시킨 의도가 무엇인지 곧 확인되며 결과적으로 그러한 시도는 상당한 효과를 거두고 있다.

나날이 심화되고 있는 무한 경쟁 속에서 우리에게 꼭 필요한 것은 어떤 사람이 되느
냐가 아니라 어떻게 살아갈 것인가 하는 문제이다. 하지만 애석하게도 대부분의 사람
들은 지나치게 눈앞의 현실에만 급급해 무엇이 삶의 진실이고, 가치 있는 것인지 헤아
리지 못한 채 살아가는 일이 다반사이다. 이는 청소년들이라고 해서 결코 예외는 아니
다. 그러나 자기 의지가 아닌 타인에 의해서 조종되어지고, 정작 자신보다는 지나치게
남을 의식해 살아가는 삶은 시간이 흐를수록 공허해지게 마련이다. 그런 점에서 아직
자신의 정체성을 확고히 세우지 못한 청소년들에게 무엇보다 중요한 것은 주체적으로
자신의 삶을 설계할 수 있는 기회와 용기를 주는 일이다. 이 작품은 바로 그 지점에서
출발하고 있는데 작가 이금이의 철학이 어떠한지가 잘 집약되어 있다.

3.

과거와는 판이하게 다른 요즘 청소년들의 삶과 사고방식을 이해하는 데 유익한 정보
를 제공하고 있는 〈쌩레미에서, 희수〉는 창작과 비평사에서 펴낸 《호기심》이라는 청소
년 소설집에 실려 있다. '10대의 사랑과 성에 대한 일곱 편의 이야기'라는 부제에서 알
수 있듯이, 이 책에는 다양한 색깔을 가진 청소년들의 사랑 이야기가 담겨 있다. 그 가
운데 한 꼭지를 차지하고 있는 이 작품은 고등학생인 선우와 희수의 사랑 이야기가 잔
잔하게 펼쳐진다.

주인공인 선우와 희수는 여러 변에서 아주 상반된 성격을 지닌 인물이다. "요새 같이
취직하기 어려운 시대에 미대 나오면 학원이라도 차릴 수 있잖아."(p.111)라는 엄마의
말에 그림을 좋아하는 것도 아니면서 미술 학원에 다닐 만큼 마마보이적인 선우와 "노
란 커트 머리와 귓불에서 달랑거리는 은색 링 귀걸이는 어디서든지 눈에 띄는 그 애의
트레이드 마크"(p.96)일 만큼 자유분방한 희수.

그 둘은 어떤 공통점도 찾아볼 수 없을 만큼 먼 대척점을 이루고 있다. 그래서 작품
초반에는 이들의 사랑이 과연 가능할까 하는 의구심이 들 정도이다. 하지만 이들의 사
랑은 너무 조용히 찾아온다. 미술 학원에 다니는 또래의 남자 아이들이 '유학 다녀온 부
잣집 딸'이니, '주유소 집 딸'이니 해서 희수에게 관심을 보일 때만 해도, 애써 무관심한
척하던 선우에게 희수가 먼저 다가온 것이다. 작가의 표현대로라면 선우와 희수는 이
제 더 이상 이솝우화에 나오는 '여우와 신포도'의 관계가 아닌 것이다.

역시 사랑의 힘은 위대한 것일까? 둘의 만남이 거듭될수록 희수에 대한 선우의 마음
은 더욱 애틋해진다. 선우는 희수와의 만남에 있어 가장 큰 장애물인 엄마로부터 벗어
나기 위해 갖은 핑계를 만들어 내는 등 조금씩 일탈하기 시작한다. 그러나 둘의 사랑은
오래 지속되지 못한다. 희수가 프랑스 여행을 준비하는 과정에서 선우는 희수와 관련

한 소문들에 대해 차츰 의구심을 갖게 된다. 그러면서도 "정선우, 희수에 대한 마음이 고작 그만큼이야? 설령 희수가 거짓말을 했다고 해도 네가 이해하고 감싸 주지 않으면 누가 하겠어."(p.121)라며, 희수에 대한 자신의 사랑이 거짓이 아닌 진실임을 입증하기 위해 애쓴다.

> 고시원을 나온 선우는 건물을 올려다보았다 옥상 귀퉁이에 방이 하나 올라앉아 있었다. 유학 갔다 온 것도 아니고, 주유소 집 딸도 고시원 집 딸도 아닌, 허름한 옥탑 방에 살며 주유소 알바를 하는 학교 안 다니는 부모 없는 아이, 그게 희수였다. 배경을 보고 좋아했던 것이 아닌데, 선우는 발밑에 허공이 놓인 듯 맥이 풀렸다. 어디선가 질문 하나가 들려왔다. 배경 보고 좋아했던 게 아니라고? 처음부터 희수가 그런 앤 줄 알았어도 좋아했을까? 선우는 자신 있게 그렇다고 대답할 수 없었다. 그럼 지금까지 희수에게 향하던 설레고 애틋하고 행복하던 감정은 무엇이지? 그것도 모두 가짜였다고 지워 버려야 하는 건가. 지워버리는 상상만으로도 가슴이 도려내는 것처럼 아파 와, 선우는 놀랐다. (pp.115~116)

하지만 선우는 친구 정기에게 희수가 미술 학원으로 찾아온 어떤 남자를 끌어안더라는 얘기를 듣고 질투심과 배신감에 희수를 찾아다니다가 그 소문들이 사실이 아님을 알게 된다. 그리고 위 인용문에서 보듯이 "배경을 보고 좋아했던 것이 아닌데, 선우는 발밑에 허공이 놓인 듯 맥이 풀렸다"는 말로 희수에 대한 자기의 사랑이 진실이 아니었음을 고백한다. 또한 집으로 돌아오는 길에 정류장에서 버스를 내리는 희수를 보는 순간 몸을 감추면서 "마음보다 몸이 먼저 한 일이었다."(p.126)며 자신의 비겁한 행위를 정당화한다. 반면에 희수의 경우는 프랑스로 떠나가서도 "난 여전히 검은 머리다. 여기선 검은 머리가 더 눈에 띄기도 해서지만, 노란 머리보다 훨씬 낫다는 네 말이 잊혀지지 않아서야."(p.127)라며 선우에 대한 일관된 자신의 사랑을 보여 준다.

이 작품은 성격적인 면이나 환경적인 면에서 사뭇 다른 두 인물의 사랑 이야기를 통해 물신화된 시대, 물신화된 우리들의 그릇된 사랑을 고발하고 있다. 작가는 그러한 자신의 의도를 관철하기 위해 희수와 선우같이 환경이 다른 인물을 작품 속에 끌어 와, 진실한 사랑은 눈에 보이는 물질적 조건이 아닌 서로를 이해하고 감싸줄 수 있는 마음에서 비롯되는 것임을 알려 준다. 그런 점에서 이 작품 역시 앞서 살펴본 〈늑대 거북의 사랑〉과 거의 동일한 내용상의 한계를 지니고 있다. 물질적 사랑에 경도된 사랑은 그 환상이 깨어지는 순간 아무 거리낌 없이 내쳐질 수 있다는 주제적 접근은 이미 많은 작가들이 즐겨 사용했던 것으로 전혀 새로울 것이 없다.

그와 같은 약점에도 불구하고 이 작품이 일정한 성과를 거두고 있는 것은 선우와 희수라는 독특한 캐릭터가 생생하게 살아 있기 때문이다. 이는 작가가 사전에 그것을 충분히 의식하고 있었던 것으로 짐작된다. 자식 교육이 취미이자 특기인 엄마에게 자신의 미래를 저당 잡혀 자존감이라고는 조금도 찾아보기 어려운 선우와 그 어려운 환경에서도 지신의 존재를 끝까지 지켜 내려는 희수. 작가는 지신이 창조해 낸 이들 인물들을 적극 활용해 사건 전개에 활력을 불어넣을 뿐 아니라, 동시에 의미의 다층화를 이루어 내고 있다. 이 작품이 단순히 청소년들의 사랑 이야기로만 읽히지 않고, 고난과 극복을 통해 변화를 추구하는 잘 짜인 성장소설로 이해되는 것은 다 그런 이유에서이다.

> 여긴 고흐가 마지막 생을 살았던 쌩레미야. 이곳에 오는 것은 내가 자신에게 내준 첫 번째 숙제였어. 함께 고흐의 자취를 따라 여행하자던 엄마와의 약속을 지키는 일…….
> 이곳에서 고흐의 그림에 넘실거리던 햇살을 느낄 수 있어. 그토록 절망적인 시기에 고흐는 어쩌면 그렇게 기쁨과 생명력이 넘치는 그림을 그릴 수 있었을까? 이곳에 와서야 비로소 알 것 같아.
> 이 격정적인 천재는 결코 고통을 피하거나 굴복하지 않고, 불평하지도 않았으며, 포용하고 이해하고 사랑했던 것 같아. 그리고 예술로 승화시켰겠지. 그렇기에 우리는 그의 광기마저도 순수한 열정으로 기억하며 감동받는 거겠지. (p.127)

이 글은 희수가 프랑스에서 선우에게 쓴 편지 글의 일부로 작품의 마지막을 장식하고 있는 내용이다. 잘 알다시피 쌩레미는 화가 고흐가 말년을 보낸 곳으로 작가가 사랑이라는 주제 이외의 또 다른 주제인 '성장'을 형상화하기 위해 도입한 상징적 공간으로 쓰이고 있다. 고흐는 쌩레미에 있는 한 요양소에서 환각, 발작 증세와 싸우면서도 '별이 빛나는 밤'과 같은 명작을 그려 냈다. 작가가 그런 장소로 희수를 떠나보낸 것도, 희수가 편지에 고흐와 관련된 에피소드를 담아 선우에게 보낸 것도, 알고 보면 작가가 그러한 의도를 충족시키기 위해 사전에 철저히 준비한 장치이다. '결코 고통을 피하거나 굴복하지 않고, 불평하지도 않았으며, 포용하고 이해하고 사랑'하는 삶, 그런 삶이야말로 순수한 열정으로 기억되며 진정한 감동을 준다는 구절이 오래도록 가슴에 기억될 만한 작품이다.

4.

올해 초 창간한 《월간 주니어논술》 1, 2월호에 연재되어 있는 〈초록빛 말〉은 청소년기에 누구나 한 번쯤은 겪게 되는 자아 정체성의 문제를 다룬 작품이다. 작가는 문이진이라는 한 여고생을 화자로 해서 현실과 욕망 사이에서 고뇌하는 청소년들의 삶의 단상을 예리하게 포착해 내고 있다. 그런데 이 작품은 여러 변에서 앞서 살펴본 두 작품과 확연히 구분되는 모습을 보여 준다 우선 '초록빛 말'이라는 제목에서 알 수 있듯이,

246

이 작품은 주제를 드러내기 위한 수법으로 여러 개의 중요한 상징이 쓰이고 있다. 또한 그 공간적 배경이 필리핀일 뿐만 아니라, 이야기 곳곳에 꿈 또는 환상과 관련한 장면들이 자주 등장해 전반적으로 몽환적 분위기가 물씬 풍긴다.

작품에는 세 명의 주요 인물이 등장한다. 이야기 속에 직접 등장하지는 않으나 풍족한 가정 형편에도 "부모가, 딸인 자기를 자신들을 빛내 줄 액세서리나 장식품으로나 여긴다며 대놓고 경멸"(p.162, 1월호)하다 자살하는 혜림. 그런 혜림을 볼 때마다 무수리가 된 듯한 기분에 "공부를 잘해 좋은 대학 가고, 높은 연봉을 주는 회사에 취직해 반찬 가게 딸에서 벗어나는 것이 꿈"(p.161, 1월호)일 만큼 가난에 대한 열등감으로 똘똘 뭉쳐 있는 주인공. 적은 메이드 월급으로 가족을 부양하면서도 억울하긴, 당연한 거지. 가족을 위해 좋아하지도 않으면서 나이 많은 한국 남자한테 시집가는 친구도 있는데." (p.153, 2월호)라며 자신의 희생을 묵묵히 받아들이는 자스민. 이들은 자신이 놓여 있는 처지는 다르나 모두 현실적인 문제에 속박당한 문제적 인물이라는 공통점이 있다. 하지만 각기 자신이 처한 환경을 인식하고 그것을 극복하는 방법에 있어서는 너무도 다른 모습을 보여 준다.

작가는 서로 다른 혹은 동일한 조건의 환경을 가진 이 세 명의 인물을 통해 자신의 의도를 구체화시킨다. 주인공을 중심으로 한쪽에는 혜림을 두어 주인공의 갈등을 유발하는 역할을 맡기고, 다른 한쪽에는 자스민을 두어 주인공의 갈등을 해소하는 조력자의 역할을 부여한다. 이를 통해 자신이 처한 환경을 슬기롭게 극복하는 것이 가치 있는 삶이라는 주제를 그리고 있는데, 이 작품의 묘미는 혜림과 자스민 그 둘 사이에서 줄타기를 거듭하고 있는 주인공과 그런 주인공의 내면에 흐르는 심리 변화를 상징적 수법을 통해 묘사한 다음과 같은 장면에서 찾을 수 있다.

> 햇살이 깊은 물속까지 쏟아져 들어와 퇴락한 집들과 둥치 굵은 나무, 그리고 길까지 짙은 에메랄드 색으로 빛났다. 서 있는 것이 처음엔 나무들 중의 하나인 줄 알았다. 수초처럼 하늘거리는 것이 바람에 살랑거리는 나뭇잎으로 보였다. 그런데 나무가 아니라 혜림이었다. 수초처럼 하늘거리는 긴 머리카락 사이로 물고기들이 드나드는데도 그 애는 나무처럼 서 있었다. 내가 가까이 가도 혜림이는 물속에 뿌리를 박은 듯 무표정한 얼굴로 미동도 하지 않았다. (p.154, 1월호)

위 인용문은 작품 서두를 장식하고 있는 주인공의 꿈 장면이다.

이 꿈은 작품 종반부에 또 다시 반복되는데 구조적인 면에서는 큰 차이가 없다. 다만 첫 번째 꿈에서 "내가 가까이 가도 혜림이는 물속에 뿌리를 박은 듯 무표정한 얼굴로 미동도 하지 않았다"는 부분이 두 번째 꿈에서는 "가까이 갔더니 무표정한 얼굴로 물

속에 뿌리를 박은 듯 미동도 하지 않고 있는 아이는 혜림이 아니라 나였다"로 대치되고 있다. 이것은 억압된 욕망이 무의식 속에 잠재되어 있다가 왜곡·상징화되어 나타난 것이 '꿈'이라고 본 프로이트의 견해와 일치하는 것으로, 작가가 혜림처럼 현실을 탈출하고 싶은 욕망이 간절함에도 그러지 못하는 주인공의 모습을 상징적으로 처리한 것이다.

이런 사실은 꿈의 배경인 호수가 지닌 의미를 분석해 보면 더욱 명징해진다. 이 작품에는 '주암호'와 '따알 호수'라는 두 개의 호수가 등장한다. 주암호는 주인공 아빠의 고향이 잠긴 호수인 동시에 혜림이가 자살한 장소이다. 그리고 따알 호수는 자스민의 고향 집이 있는 따알 섬을 둘러싸고 있는 곳으로, 화산 폭발로 인해 호수가 생기면서 여러 개의 마을이 잠겨 있다. 이들은 "그 호수 속으로 들어가면 영화처럼 새로운 세상이 펼쳐져 있을 것 같지 않니? 현실하고는 다른 세상 말이야."(p.161, 1월호)라는 혜림이의 말처럼, 각박한 현실에서 벗어나 도달하고 싶은 '마음의 안식처'를 가로막고 있는 현실적 '벽'을 상정한다. 따라서 "가까이 갔더니 무표정한 얼굴로 물속에 뿌리를 박은 듯 미동도 하지 않고 있는 아이는 혜림이가 아니라 나였다는 주인공의 자기 고백은 현실에서 탈출하지 못하고 얽매여 있는 자의식이 발현된 것이라고 할 수 있다.

주인공의 심리 변화를 상징적 수법으로 그려 낸 장면은 작품 종반부에 이르면 더욱 정밀해진다. 이틀 동안 자스민의 고향집에 머물게 된 주인공은 자신보다 어려운 환경에도 불평하지 않고 소박 하면서도 아름다운 꿈을 키워 나가는 자스민을 통해 조금씩 자신의 정체성을 찾아간다. "달디단 자스민의 새벽잠에 괜시리 콧날이 시큰해졌다."(p.153, 2월호)와 같은 심적 동요나 어설프지만 손으로 음식을 먹는 것에 도전하는 행위. 그리고 분화구 정상을 다녀오는 길에 시지프스 신화를 떠올리고 자신이 마치 바위덩이가 된 기분이라고 말하는 등 이전과는 다른 모습을 보인다. 그러면서 자신이 타고 있는 말 알렉산더와 함께 바다 같은 따알 호수 위를 마음껏 달려 보고 싶다는 생각을 하기도 한다. 하지만 "이 섬의 말들은 자기가 말인 걸 잊어버린 걸까?"(p.157, 2월호)에서 보는 것처럼, 여전히 자신을 닮은 빗자루처럼 볼품없는 알렉산더와 동격의 자리에 놓지 못한다.

"내가 그걸 잊었다고? 잊어버렸을 거라고?"

나는 분명히 들었다. 헉헉대는 콧숨에 섞여 나온 말의 말을.

"나는 내가 드넓은 초원을 갈기를 휘날리며 달리는 말이란 사실을 똑똑하게 기억하고 있어. 난 늘 꿈을 꾸지. 언젠가는 비탈길을 마구 달려 내려가 산자락이 발을 담그고 있는 저 넓은 호수 위를 들판인 듯 달려가겠다고."

(p.157, 2월호)

그러나 마침내 주인공은 내적 갈등을 마무리 하고 자신의 현실을 받아들인다. 위 인용문은 주인공의 심적 변화를 환상적인 수법으로 처리하고 있는 장면이다. 여기서 "내가 그걸 잊었다고? 잊어버렸을 거라고?" 하는 말은 주인공이 비로소 자신의 현실을 인정하고 그것을 끌어안게 되었음을 암시한다. 또한 "나는 내가 드넓은 초원을 갈기를 휘날리며 달리는 말이란 사실을 똑똑하게 기억하고 있어. 난 늘 꿈을 꾸지. 언젠가는 비탈길을 마구 달려 내려가 산자락이 발을 담그고 있는 저 넓은 호수 위를 들판인 듯 달려가겠다"는 말은 현실을 회피하지 않고 당당하게 맞서 싸우며 자신의 꿈을 키워 가겠다는 주인공의 의지적 표현이다. 이처럼 이 작품은 여러 가지 문학적 기법을 이용해 현실과 욕망 사이에서 혼란을 겪는 청소년들의 삶을 밀도 있게 그려 내고 있다.

5.

동화와 소설은 서사문학의 한 양식이라는 점에서 본질적으로 차이가 없다. 그런 만큼 작품을 형상화하는 데 필요한 소재와 주제, 플롯과 시점, 인물과 배경, 묘사와 문체 등의 제반 요소들을 기본 적으로 갖춰야 함은 물론이고, 그 평가에 있어서도 이러한 문학적 조건들을 얼마나 잘 충족하고 있느냐에 따라 결정된다. 그럼에도 동화가 특수 문학의 한 형태로 이해되는 것은 아동이라는 독자층을 대상으로 삼기 때문이다. 따라서 동화 창작은 소설 창작에 비해 아동의 눈높이에 맞는 내용과 형식을 갖춰야 하는 등 소설에 비해 많은 제약이 뒤따르며, 그것으로 인해 나름의 전문성을 보장받는다. 때문에 뛰어난 소설 작가라고 해서 좋은 동화를 쓸 수 있는 것은 아니며, 반대로 뛰어난 동화 작가라고 해서 좋은 소설을 쓸 수 있는 것도 아니다. 최근 작가 이금이의 행보가 주목되는 것도 다 그런 이유 때문이다.

지금까지 이금이의 신작 단편소설을 검토해 본 결과 일단 그의 도전은 성공할 가능성이 많아 보인다. 이미 앞에서 살펴본 것처럼 이들 작품은 그가 이전에 발표했던 청소년 소설과는 많은 차이가 있다 우선 《유진과 유진》(푸른책들, 2004), 《주머니 속의 고래》(푸른책들, 2006)가 중학생을 대상으로 하고 있다면, 이들 작품은 고등학생으로 그 대상 범위가 확대되고 있다. 또한 《유진과 유진》, 《주머니 속의 고래》에서는 좀처럼 찾아볼 수 없었던 다양한 문학적 기법들이 폭넓게 사용되어 철학적인 면에서나 문학적인 완결성 면에서 훨씬 깊이가 있다. 게다가 요즘 청소년들의 삶을 그들의 감각에 어울리는 세련된 필치로 담아내고 있어, 작가 자신의 청소년기 체험을 형상화한 다른 작품들에 비해 독자들과 쉽게 소통할 수 있는 장점을 지니고 있다.

일찍이 G 루카치는 소설을 "문제적 개인이 자기 자신을 향해 가는 편력, 즉 자체 내 이질적이고 그 개인에게는 아무런 의미도 없는, 단순히 현존해 있는 현실 속에 흐릿하게 사로잡혀 있는 상태에서 명확한 자기 인식으로 가는 길."[5]이라고 정의한 바 있다. 그 런데 이금이의 신작 단편소설들의 경우 그와 같은 정의에 잘 부합하고 있다. 〈늑대 거 북의 사랑〉에 나오는 민재나, 〈쌩레미에서, 희수〉에 나오는 선우, 〈초록빛 말〉에 나오 는 혜림은 다들 하나같이 각박한 현실에서 삶의 의미를 잃어버린 문제적 인물들이다. 작가는 이들 청소년들을 소설 속으로 끌어들여 정신적으로 피폐해진 오늘날 우리들의 모습을 반추하게 하고, 삶의 의미에 대한 자기 인식을 촉발시킨다. 그로써 "궁극적으로 인간 탐구요, 그로부터 인생 표현의 인간학"[6]으로 이해되는 소설 미학의 특성을 잘 형 상화하고 있다.

　그런데 사실 작가 이금이의 이와 같은 문학적 변화는 어느 정도 예견되었던 것이다. "나는 중·고등학생을 주인공과 독자로 삼은 본격 청소년 소설을 쓰고 싶었다. 하지만 나는 그 시기를 내 아이들이 중학생이 된 뒤로 미룰 수밖에 없었다. 내가 청소년이었던 때와는 30여 년의 세월만큼이나 달라진 요즘 아이들의 이야기를 쓸 자신이 없었기 때 문이다"라는 말에서 알 수 있듯이, 그는 이미 오래 전부터 청소년 소설 쓰기를 갈망해 왔으며 청소년들과 교감을 나누기 위해 부단한 노력을 기울여 왔다. 그리고 그는 자신 이 청소년 소설을 쓰고 싶어 한 이유가 책이 삶의 일부였던 청소년기에 경험한 자기 또 래 아이들의 삶이 담긴 이야기가 없다는 아쉬움 때문이었다고 한다.

　이러한 여러 가지 정황을 종합해 볼 때 최근 이금이의 행보는 그저 일시적인 현상이 아니라 앞으로 상당 기간 지속될 것으로 예상된다. 그런 점에서 최근에 발표된 이금이 의 신작 단편소설들은 그의 문학에 있어 새로운 전환점이 될 가능성이 높다고 생각된 다. 물론 아직 그 결과를 속단하기에는 시기가 너무 빠르고 성과물들이 너무나도 적다. 하지만 지난 24년 동안 줄곧 사실동화 창작만을 고집하면서 발표해 온 그 많은 작품들 의 문학적 성향으로 본다면, 개인적으로 그가 동화작가로서의 역량보다는 오히려 청소 년 소설 작가로서의 역량을 훨씬 많이 가진 것으로 판단된다. 부디 좋은 결실을 거두길 바란다.

5 　게오르크 루카치, 〈소설의 내적 형식〉, 《소설의 이론》, 문예출판사, 2007, pp.91~92
6 　장백일, 〈소설의 평가 조건〉, 《현대 소설의 이해》, 문학사상사, 1996, p.238

어린이와 함께 선생이 걸어온 길

1962년 충북 청원에서 태어남.

1984년 새벗문학상에 단편동화 〈영구랑 흑구랑〉 당선됨.

1985년 소년중앙문학상에 중편동화 〈봉삼 아저씨〉 당선됨.

1987년 계몽사아동문학상에 장편동화 〈가슴에서 자라는 나무〉 당선됨.

2007년 동화집 《금단현상》으로 소천아동문학상을 수상함.

2011년 동화집 《사료를 드립니다》로 윤석중문학상을 수상함.

2017년 동화 《하룻밤》으로 방정환문학상을 수상함.

저서

장편동화 《목장에 부는 꽃바람》(대교문화, 1988)

장편동화 《가슴에서 자라는 나무》(계몽사, 1988)

동화집 《영구랑 흑구랑》(현암사, 1991)

장편동화 《밤티 마을 큰돌이네 집》(대교출판, 1994)

장편동화 《솔모루 목장의 아이들》(동아출판사, 1994)

《목장에 부는 꽃바람》(대교문화, 1988)의 개정판

동화집 《맨발의 아이들》(현암사, 1996)

동화집 《지붕 위의 내 이빨》(두산동아, 1996)

장편동화 《모래밭 학교 빵호돌》(대교출판, 1996)

장편동화 《도들마루의 깨비》(시공주니어, 1999)

장편동화 《너도 하늘말나리야》(푸른책들, 1999)

동화집 《구아의 눈》(푸른책들, 1999)

장편동화 《꽃바람》(푸른책들, 1999)

《솔모루 목장의 아이들》(동아출판사, 1994)의 개정판

창작동화 《땅은 엄마야》(푸른책들, 2000)

장편동화 《밤티 마을 영미네 집》(푸른책들, 2000)

장편동화 《나와 조금 다를 뿐이야》(푸른책들, 2000)

동화집 《햄, 뭐라나 하는 쥐》(푸른책들, 2000)

《구아의 눈》(푸른책들, 1999)의 개정판

장편동화 《내 어머니가 사는 나라》(푸른책들, 2001)

동화집 《김치는 영어로 해도 김치》(푸른책들, 2001)

동화집 《아이스케키와 수상 스키》(푸른책들, 2001)

장편동화 《너도 하늘말나리야》(푸른책들, 2002)

　양장본(초판: 푸른책들, 1999)

동화집 《내 말이 맞아, 고래야!》(푸른책들, 2002)

동화집 《쓸 만한 아이》(푸른책들, 2002)

연작 동화 《내 친구 재덕이》(푸른책들, 2002)

장편동화 《모래밭 학교》(푸른책들, 2002)

　《모래밭 학교 빵호돌》(대교출판, 1996)의 개정판

장편동화 《미토는 똥도 예뻐》(푸른책들, 2003)

장편동화 《밤티 마을 큰돌이네 집》(푸른책들, 2004)

　개정판(초판: 대교출판, 1994)

장편동화 《아주 작은 학교》(푸른책들, 2004)

청소년 소설 《유진과 유진》(푸른책들, 2004)

장편동화 《도들마루의 깨비》(푸른책들, 2004)

　개정판(초판: 시공주니어, 1999)

장편동화 《다리가 되렴》(푸른책들, 2005)

　《가슴에서 자라는 나무》(계몽사, 1998)의 개정판

동화집 《팔만대장경 속 열두 동물 이야기》(보물창고, 2005)

장편동화 《밤티 마을 영미네 집》(푸른책들, 2005)

　개정판(초판: 푸른책들, 2000)

장편동화 《밤티 마을 영미네 집》(푸른책들, 2005)

동호 창작 이론서 《동화창작교실》(푸른책들, 2006)

연작 동화 《내 친구 재덕이》(푸른책들, 2006)

　개정판(초판: 푸른책들, 2002)

동화집 《금단현상》(푸른책들, 2006)

청소년 소설 《주머니 속의 고래》(푸른책들, 2006)

동화집 《아이스케키와 수상 스키》(푸른책들, 2007)

　개정판(초판: 푸른책들, 2001)

장편동화 《너도 하늘말나리야》(푸른책들, 2007)

　개정판(초판: 푸른책들, 1999)

장편동화 《내 어머니 사는 나라》(푸른책들, 2007)

　개정판(초판: 푸른책들, 2000)

장편동화 《너도 하늘말나리야》(푸른책들, 2007)

양장본 개정판(초판: 푸른책들, 2002)

장편동화 《꽃바람》(푸른책들, 2007)

재개정판(개정판: 푸른책들, 1999)

동화집 《쓸 만한 아이》(푸른책들, 2007)

개정판(초판: 푸른책들, 2002)

동화집 《푸르니와 고우니》(푸른책들, 2007)

《내 말이 맞아, 고래얍!》(푸른책들, 2002)의 개정판

동화집 《맨발의 아이들》(푸른책들, 2007)

개정판(초판: 현암사, 1996)

그림책 《송아지 내기》(푸른책들, 2008)

동화집 《선생님은 나만 미워해》(푸른책들, 2008)

청소년 소설 《벼랑》(푸른책들, 2008)

동화집 《선생님이랑 결혼할래》(보물창고, 2009)

장편동화 《첫사랑》(푸른책들, 2009)

동화집 《싫어요 몰라요 그냥요》(푸른책들, 2010)

청소년 소설 《우리 반 인터넷 소설가》(푸른책들, 2010)

청소년 소설 《소희의 방》(푸른책들, 2012)

동화집 《사료를 드립니다》(푸른책들, 2012)

청소년 소설 《얼음이 빛나는 순간》(푸른책들, 2013)

청소년 소설 《숨은 길 찾기》(푸른책들, 2014)

소설집 《청춘기담》(사계절, 2014)

장편소설 《거기, 내가 가면 안돼요? 1, 2》(사계절, 2016)

동화 《하룻밤》(사계절, 2016)

한국 아동문학가 100인

전병호

대표 작품
〈배나무〉 외 4편

인물론
정 많고 눈물 많은 시인, 전병호

작품론
잔잔한 웃음과 낮은 음성의 미학

어린이와 함께 선생이 걸어온 길
몽상, 그 유년의 기억들

배나무

배나무들은 어떻게
같은 날 꽃 피울까
버스 타고 들르는
마을마다 배꽃 폈네
어젯밤 잠도 안 자고
서로 전화했을 거야.

배나무들은 어떻게
같은 꽃을 피울까
산 배꽃도 웃을 땐
하얀 이를 내보이네
어젯밤 잠도 안 자고
거울 돌려 봤을 거야.

휴전선 고라니

철조망 안에
누군가 가꾼
작은 배추밭이 있다.

대낮인데도 주위를 두리번거리며
고라니 한 마리가
조심조심 걸어 나온다.

이때 풀숲에 숨어 있다가
얼른 뒤따라 달려 나오는
새끼 고라니 두 마리

새끼들이 맛있게
배추 잎을 뜯어 먹을 때도
어미는
두 귀 쫑긋거리며
주위를 둘러본다.

고라니야
괜찮아
내가 잘 지켜 줄게.

철조망이 어깨동무하고
배추밭을 둘러선다.

철조망이 한 줄 더
멀리 둘러선다.

봄 들판

새싹들이
땅을 짚고 일어서며
봄 들판을 들어 올렸다.

그걸 아무 생각 없이
발로
꾹. 꾹. 꾹. 꾹
밟고 다니다니,

미안해!
미안해!
앙감질 뛰며 돌아 나왔다.

해가 사는 집

노을 지는 산 너머에는
해가 사는 집이 있지.

날 저물면 해가 와서
곤한 잠을 자는 그 집.

그 산속 동물들도 와
함께 모여 자는 그 집.

봄 이사

노랑나비 날아드는 따뜻한 봄날 오후
서울에서 빠져나온 조용한 지방 도로를
이삿짐 트럭이 한 대 바삐 달려가고 있다.

헌 이불이며 자전거 낡은 책상을 높이 싣고
피곤한 듯 하품도 하는 운전석 아빠 곁에는
좋아라 손뼉치며 웃는 장난기 많은 두 형제.

고개 넘어설 때마다 활짝 열리는 산과 들
봄바람을 가르며 이삿짐 차는 달린다
양동이 화분에 담긴 패랭이꽃도 웃는다.

주인집 눈치 볼 일 이제는 없을 테지
신호등 없는 들을 마음껏 뛸 수 있겠지
아이들 얼굴을 보며 흰 구름도 달린다.

정 많고
눈물 많은
시인, 전병호

신현배

"어이, '거미줄' 시인! 나에 대한 글 좀 써 봐. 이제까지는 내가 그대 책이 나올 때마다 열 일 제쳐 놓고서 평을 써 줬는데, 그대도 사람이라면 그 빚을 갚아야지."

어느 날 밤, 나는 전병호 형의 전화를 받고 대답할 말을 잃었다. 그대도 사람이라면 글 빚을 갚으라. 아, 그것은 법적 절차를 밟겠다고 알리는 '내용 증명'보다 무서운, 내 양심을 찌르는 메가톤 급 협박(?)이었다. 그래도 일말의 양심이 남아 있는 나는 그 협박에 금방 꼬리를 내리고 "악성 채무를 조속한 시일 내에 변제하겠다."는 다짐을 하고 수화기를 내려놓았다.

전병호 시인은 나와 비슷한 시기에 등단했지만 나보다 일곱 살이 많다. 그래서 나는 그를 "병호 형"이라 부르고 있다. 내가 전병호 형과 한 달에 한두 번씩 정기적인 통화를 하게 된 것은 2001년 7월, 그가 동시조 '쪽배' 동인으로 참여하면서부터이다. 총무로써 연락책을 겸하고 있는 나는 그에게 꼬박꼬박 연락을 취했고, 무슨 할 말이 그리 많은지 전화 통화는 한 시간을 넘기기 예사였다. 그렇게 오랜 시간 통화하다 보니 수화기를 쥔 손은 저리다 못해 마비되었고, 나중에는 귀마저 감각이 무뎌졌다. 그래도 나는 그의 느리고 어눌한 충청도 사투리에 빠져 들어 시간 가는 줄 몰랐다. 그렇게 지내 온 지 벌써 7년이 되어 가니 세월 참 빠르다는 생각이 든다.

우리는 한 달에 한 번씩 '쪽배' 모임에서 만나 오긴 했지만, 그 자리는 신작 동시조 합평회여서 개인적인 이야기를 나눌 수가 없었다. 게다가 그는 경기도 일원의 벽지 초등학교에 근무하는 교사로, 평일에 학교 사택에서 지내다가 토요일에는 청주 집으로 내려가야 한다. 따라서 그를 서울 시내에서 자유롭게 만나기란 처음부터 불가능했다. 더욱이 그는 학교에서도 학년 주임, 교감 등을 맡으며 무척이나 바쁘게 지내 왔다. 전화를 걸면 밤 10시가 넘었는데도 그때까지 저녁도 못 먹고 사택까지 일감을 가져와 잡무를 처리하고 있기 일쑤였다. 사정이 이렇다 보니 그를 따로 만나지는 못하고 늘 전화 통화로 만족해야 했다. 하지만 나는 그와 '심야의 정담'을 하며 그의 문학과 인생에 대해 많은 것을 배울 수 있었다.

전병호 형은 충청북도 청주가 고향이다. 교동초등학교, 청원중학교, 청주공업고등학교를 졸업했고, 체신청 공무원으로 근무하다가 사표를 내고 청주교육대학에 입학해 2년 뒤에 졸업했다. 그리고 교사 발령을 기다리는 동안 충청도의 대표적인 신문인 충청일보에서 기자 생활을 했고, 충청북도 교육연구원에서 〈충북교육신보〉 편집 일을 하기도 했다. 전병호 형이 시인이면서 논리적인 글쓰기에 능한 것은 이처럼 2년여 동안 지방 언론사에서 근무했기 때문이다. 그는 1977년 충북 제원군 입석초등학교 교사로 발령받은 이래 만 31째 교직에 종사해 오고 있다.

전병호 형은 어려서부터 문학에 깊은 관심을 갖고 각종 문예지를 탐독해 왔다고 했다. 1970년대까지 시와 소설 등을 닥치는 대로 읽어 그 당시 문학을 훤히 꿰뚫고 있었다.

그는 중학교 시절부터 시를 쓰기 시작하여 고교 시절에는 청주 시내 고교생 문학 동아리인 '푸른 문'에서 김영삼 시인 등 기성 시인들에게 시를 배웠다고 한다. 그리고 대학에 들어가서는 〈시문학〉지 주최 전국 대학생 백일장에서 시, 수필 부문에 입상했고, 교사 생활을 하면서도 시를 계속 써서 1979년 〈충청일보〉 신춘문예 시 부문에 입상하기도 했다.

전병호 형은 학교에서 아이들을 가르치면서 동시와 인연을 맺게 되었다. 한창 습작을 할 때는 시를 써도 동시처럼 보여, 자신은 평생 동시를 써야 할 운명임을 알았다고 한다. 그 뒤 그는 동시를 꾸준히 써서 1981년 소년중앙문학상 동시 부문에 〈내가 타고 온 밤 기차〉, 1982년 〈동아일보〉 신춘문예 동시 부문에 〈비닐 우산〉이 당선되어 문단에 나왔다.

나도 1981년 〈시조문학〉, 1982년 〈소년〉 추천을 통해 등단했기에 전병호 형의 초기 작품들은 지면을 통해 접할 수 있었다. 그때 내가 느낀 것은, 그의 동시가 순수 서정 세계를 다루면서도 무척이나 따뜻하고 정겹다는 사실이다. 글이 곧 사람이라는 말도 있지만, 전병호 형을 나중에 겪어 보니 따뜻하고 정이 많은 사람이었다.

그가 '쪽배'에 들어온 지 얼마 안 되었을 때의 일이다. 어느 날 난데없이 전병호 형이 사고를 당했다는 소식이 날아들었다. 장마철을 앞두고 학교 급식실 지붕을 손보려고 소사 아저씨를 따라 슬레이트 지붕 위에 올라갔다가, 슬레이트가 무너지는 바람에 바닥으로 추락하여 허리를 크게 다쳤다는 것이다. '쪽배' 동인들은 이 소식을 듣고 놀라지 않을 수 없었다.

"아니, 선생님이 왜 지붕 위에 올라가 그런 사고를 당했지?"

"전병호 시인이 원래 착해서 남의 부탁을 잘 들어주잖아. 아니면 소사 아저씨가 고생하는 게 안 돼 보여 자청해서 지붕 위에 올라갔던가."

"그나저나 크게 다쳤다니 큰일이네."

우리는 앉아서 걱정만 하고 있을 수는 없었다. 서재환 동인의 봉고차를 이용해 모든 동인이 청주로 내려갔다. 그는 청주 근교의 정형외과 병원에 입원해 있었다.

그때 전병호 형은 웃음을 머금은 채 우리를 반갑게 맞아 주었다. 짧은 문병 시간이었지만, 우리가 입원실 문을 나설 때 침대 위에서 눈물을 글썽이며 우리를 전송하던 그의 모습은 지금도 잊을 수가 없다.

전병호 형이 입을 꾹 다물고 앉아 있을 때는 면벽 수행을 하는 스님처럼 엄숙하고 근엄해 보인다. 하지만 상대와 마주 보며 이야기를 나눌 때는 그의 얼굴에서 어린애 같은 웃음이 떠나지 않는다. 그 웃음이 얼마나 넉넉하고 맑은지 바라보기만 해도 절로 기분이 좋아진다. 그래서 그는 특히 여성 시인들에게 인기가 높은가 보다. 나는 처음에 이 사실을 몰랐는데, 문단 행사장에서 다투어 그의 주위로 몰려드는 여성 시인들을 보고서야 그가 얼마나 인기가 좋은지 알 수 있었다.

전병호 형은 의리가 있는 시인이다. 이 점은 고 류선열 시인과의 사연에서도 확인할 수가 있었다. 류선열은 1984년 아동문예 신인상을 받고 등단한 시인이다. 계몽사어린이문학상 장편동화 부문에 〈솔밭골 별신제〉가 당선될 만큼 재주 많은 시인이었는데, 37세라는 젊은 나이에 간암으로 요절하고 말았다.

전병호 형은 그의 오랜 문우로서 생전에 그와 동시에 대해 많은 이야기를 나누었다고 한다. 어느 날, 류선열 시인은 전병호 형에게 동시집을 낸다고 하면서 원고를 내밀며 발문을 써 달라고 부탁했다. 그 원고는 류선열 시인이 그동안 발표했던 작품들을 복사해서 가편집한 것이었다. 전병호 형은 자신이 적임자가 아니라고 사양했지만, "내 동시에 대해 가장 많은 대화를 나눈 사람이 전병호 시인이잖아." 하는 말에 더 이상 거절하지 못하고 발문을 써 주었다고 한다.

그때 전병호 형은 부천으로 발령이 나서 류선열 시인과는 6개월 동안 연락을 못 했다. 그런데 그 사이에 류선열 시인이 동시집을 못 내고 갑자기 세상을 떠났다는 소식을 들은 것이다. 뒤늦게 그의 죽음을 알고 흙무덤을 찾은 전병호 형은 눈물을 뿌리고 산을 내려오며 이런 생각을 했다고 한다.

'한 시대를 열심히 살다가 간 한 시인과 그의 작품이 휴지처럼 사라지게 할 수는 없어. 그의 작품을 묶어 후세에 남기는 것은 살아남은 이들이 마땅히 해야 할 일이야.'

전병호 형은 류선열 시인의 유고 동시집을 내줘야겠다고 결심했던 것이다. 그래서 출판사를 알아보았지만 여의치 않았다. 많이 팔아 줘야 한다고 했기 때문이다. 게다가 유족들도 동시집을 낼 형편이 못 되어, 전병호 형은 자신이 돈을 모아 내기로 하고 동시집 원고를 보관해 왔단다. 그로부터 오랜 세월이 흐른 뒤, 그는 충청북도 문예진흥기금 담당자를 알게 되었다. 전병호 형은 그에게 여러 차례 간곡히 부탁드려, 문예진흥기금을 타낼 수 있었다. 하지만 그것은 동시집을 내기에는 턱없이 모자라는 금액이었다. 그래서 전병호 형은 충북 지역 지인 몇 명이 출자한 출판사에서 동시집을 내려다가, '푸른책들'이라는 출판사를 운영하는 신형건 시인에게 부탁을 해 보았다. 이때 신형건 시인이 수락하여 류선열 유고 동시집 《샛강 아이》는 충청북도 문예진흥기금만으로 마침내 출간되었고, 전병호 형이 우편료를 부담하여 문단 식구들에게 배포되었던 것이다. 류선열 시인이 타계한 지 꼭 13년 만에 이룬 성과였다.

전병호 형은 2002년 가을에 류선열 동시집 출간을 위해 발문을 고쳐 쓰며 몇 번이나 펜을 잡았다가 도로 놓았다고 한다. 백지를 꺼내 놓고 펜을 들면 그때마다 가슴 깊은 곳에서 그 무언가가 서서히 회오리치며 치밀어 올라와 목젖에 덩어리로 뜨겁게 맺히면서 한꺼번에 왈칵 쏟아지려고 했기 때문이다. 전병호 형은 당시 자신의 심경을 "그것은 지난 십수 년 동안 가슴 깊이 묻어야 했던 억울함, 허망함, 허전함 등등 그런 억눌리고 감당키 어려운 감정들이 한데 응어리져 만들어 낸 피울음일 것이다."라고 토로하기도 했다. 아무튼 의리 있는 전병호 형이 아니었다면, 요절 동시인이 남긴 귀한 원고는 끝내 빛을 보지 못하고 휴지처럼 버려져 사라졌을 것이다.

전병호 형은 정말 눈물이 많은 시인이다. 그는 대표작 《들꽃초등학교》도 눈물로 썼다고 한다. 전병호 형은 IMF 직후에 《들꽃초등학교》의 무대가 되는, 경기도 파주시 적성면 적암리에 있는 적암초등학교로 발령을 받았다. 이 학교는 휴전선에서 얼마 떨어지지 않은, 전교생이 60명이 조금 넘는 작은 시골 학교였다. 동네 입구에 겨우 구멍가게가 하나 있을 뿐이고, 물건 하나를 사려고 해도 30분 이상 버스를 타고 멀리 나가야 했다.

이 학교에는 안타깝게도 결손가정 아이가 많고, 이곳으로 전학 오는 아이들도 있었다. 부모님이 돌아가셨거나 헤어져서 친척집에 맡겨진 아이들이었다. 전병호 형은 이 학교에 간 이듬해에 4학년 담임을 맡았는데, 하루는 수업 시간에 이런 일이 있었다고 한다.

'가족은 서로 사랑하고 살아야 한다.'는 지극히 평범한 이야기를 하고 있었는데, 갑자기 교실 안이 조용해지더란다. 이상하다 싶어 뒷자리를 보니, 한 남자 아이가 책상에 얼굴을 묻고 우는 것이었다. 평소에 장난도 잘 치고 활달한 아이였다. 아빠가 뺑소니 교통사고로 돌아가셔서 엄마와 떨어져 할아버지 댁에 맡겨진 아이였다. 아이들이 말하기를, 이 남자 아이는 가족 이야기만 나오면 운다고 했다.

또 한번은 수업 시간에 자신의 소원을 세 가지 이상씩 발표할 때였다. 그 남자 아이는 갑자기 큰 소리로 이렇게 말하는 것이었다.

"내 첫 번째 소원은 아빠 엄마와 함께 행복하게 사는 것입니다. 내 두 번째 소원도 아빠 엄마와……. 함께 행복……."

남자 아이는 더 이상 말을 잇지 못하고 책상에 엎드려 엉엉 울었다고 한다. 그러자

다른 아이도

"나도 엄마가 없는데……."

하면서 큰 소리로 따라 울고 교실 안은 온통 울음바다가 되었다는 것이다. 그 순간, 전병호 형은 한동안 아무 말도 못 하고 멍하니 서 있었다. 마음이 너무 아파 자신도 눈물이 나오는데, 문득 이런 생각이 들었다고 한다.

'내가 이 아이들의 아픔을 달래 주지도 못하면서 무슨 시를 쓴다하랴.'

전병호 형은 그 뒤에도 얼마 동안 아이들의 울음이 귀를 떠나지 않고 환청처럼 계속 들렸다. 그러던 어느 날, 밤늦도록 그 남자 아이의 이야기를 써 내려갔는데, 그렇게 시 형식을 빌려 쓰다 보니 다른 아이들의 삶도 보였다. 그래서 쓰고 또 써서 완성한 동시집이 《들꽃초등학교》이다.

전병호 형은 이 동시집을 펴낸 뒤 독자들로부터 '울었다'는 말을 가장 많이 들었단다. 그는 이 말이 그렇게 낯설게 들리지 않았는데, 자신도 이 시들을 쓰면서 많이 울었기 때문이다.

전병호 형은 우리 동시단에서 가장 촉망 받는 중견 동시인이자 평론가이다. 작가 작품론, 기획 연재물 등 다양한 비평문을 쉴 새 없이 써서 각종 지면에 왕성하게 발표하는 것을 보면 참 대단하다는 생각이 든다.

전병호 형은 언젠가 자신의 평론 활동에 대해 "공부하는 마음으로 평론을 쓴다."고 털어놓았다. 여러 동시인들의 작품을 깊이 들여다보면 개인적으로 많은 공부가 되고, 좋은 점이 있으면 받아들이려고 노력한다는 것이다.

전병호 형은 열심히 공부하고 노력하는 시인이다. 그의 작품 세계를 보더라도 순수 서정시를 비롯하여 현실을 노래한 시, 산문동시, 동시조에 이르기까지 아주 다양하며 그 성과 또한 만만치 않다. 이는 남들과는 다른 동시를 쓰겠다는 그의 부단한 노력의 결과라고 생각한다.

전병호 형은 올해나 내년쯤 다섯 번째 동시집을 선보일 예정이란다. 《들꽃초등학교》 이후 그는 또 어떤 변신을 꾀하고 있는지 벌써부터 그의 신작 동시집이 기다려진다.

잔잔한 웃음과
낮은 음성의
미학

전병호 시인의 동시 훑어보기

김종헌

'풀리지 않는 숙제', 동심을 찾아

햇살의 무게를 잽니다.

대바구니에

소복이 쌓이는

시골 햇살.

앉은뱅이 저울의

긴 바늘이

숫자를 더듬어 가리킵니다.

대바구니에

사과를 담던

과일장수는

햇살의 무게를 생각하고는

사과 몇 개를

더 올려 줍니다.

– 〈과일 장수〉, 《꽃봉오리는 꿈으로 튼다》, 아동문예사, 1987.

　햇살 따뜻한 시골 장터의 모습이 차분하게 그려져 있다. 이렇듯 대상을 경험하고 인식하는 내면화를 통해서 서정은 자리를 잡는다. 사물의 자세한 특징을 살핀 후 그것에 대한 주체(자아)의 인지적 반응을 나타내는 것이 곧 서정이다. 이때 서정적 주체는 세계와 상호 통합하는 통일성을 지향한다. 이 동시의 차분한 어조는 시인의 모습과 너무 닮아 있다. 그의 나직한 음성에서 우리는 바쁘기만 한 현대사회에서 잃어버린 정서를 찾을 수 있다. 에누리와 덤으로 인정 가득한 시골 장의 모습은 우리들의 근원에 남아 있는 정서이다. 우리는 전자음이 신나게 귓전을 울리며 호객행위를 하는 대형 마트의 시식 코너 앞에서 자본화된 친절을 서비스로 받지만, "햇살의 무게를 생각"하는 인정을 느낄 수는 없다. 이 근원적인, 잊지 못하는 서정이 곧 동심이다. 전병호 동시의 미학은 여기서 출발한다.

동심을 찾으려고 "풀리지 않는 숙제"를 안고 동시를 써온 시인 전병호. 그는 이 동심을 찾으려 그 특유의 차분한 어조로 대상에 다가서고 있다. 잘 알다시피 동시는 시인의 내면적 의식을 동심을 빌려서 말하기 때문에 동심을 바로 헤아리는 것은 참으로 중요하다.

구멍가게에서 산
비닐우산.

빗길로
나오면서 펴 들면
먹구름 갈라지며
언뜻 내비친
파란 하늘.

맑은 하늘 밑에 잠시 서서
즐겁게 듣는 소리
소나기 소리.

아, 구멍가게에서 산
파란 하늘

머리 위에
동실동실 띄우고
빗길을 갑니다.

빗소리도 데리고 갑니다.
　－〈비닐우산〉, 위의 책.

　이 동시에서 만나는 동심은 신명이 있다. 화자는 먹구름이 뒤덮인 하늘에서 내리는 비를 비닐우산 하나로 피하지만, "파란 하늘"을 "둥실둥실" 띄우고 신나게 빗길을 걸어가고 있다. 이 동시의 소재인 파란 비닐우산은 보잘것없고 임시방편으로 사용하는 허술한 우산이다. 따라서 경제적인 여유가 없음을 상징한다. 그러나 화자에게 그 비닐우산은 먹구름을 갈라내고 즐거움을 주는 존재이다. 한적한 시골 장터의 과일 장수나 빗속에 비닐우산 하나를 펼쳐 든 화자의 세계는 행복한 공간이 아니다. 그러나 시적화자의 정서는 평화스럽고 즐겁기만 하다. 더욱이 신명까지 있다.

　1987년에 발표된 시인의 첫 시집 《꽃봉오리는 꿈으로 튼다》(아동문예사)에 나타난 그의 시 세계는 이처럼 긍정과 상생의 동심을 바탕으로 하고 있다. 이는 그의 시에 나타난 명암의 대비를 통한 밝은 이미지에서 확인할 수 있다. "먹구름-파란 하늘"(〈비닐우산〉), "캄캄한 어둠-환한 빛"(〈반디〉), "어두워질 때-더 밝아지는 불빛"(〈달맞이꽃〉), "잠든 마을-환해졌다"(〈내가 타고 온 밤 기차〉), "어둠-하얗게 지우고"(〈눈 4〉) 등이 그것이다. 중요한 것은 이 명암의 대비가 긍정과 부정의 대립이 아니라는 것이다. 그것은 상호 관계성 속에 존재하는 유기체적인 관계에 놓인다. 이는 현실의 갈등을 통합하는 힘을 가지게 된다. 그래서 이 '밝음'은 답답함을 발산하는 '씩씩한 동심'이 된다. 이것은 막연한 꿈과 희망을 가진 추상적인 동심이 아니라 적극적으로 일어서는 주체가 되기에 의미가 있다.

　우리 집 하늘은
　반 평이다.

　처마와
　담 사이에서
　네모난 하늘.

　고개를 삐끔 내밀다
　해가
　그냥 가더니

달도

한걸음에

건너가 버린다.

옥상에 오르면

아무도 가지지 않은

수천 개의 별은 모두

내 차지이다.

우리 집 하늘은

억만 평이다.

– 〈우리 집 하늘〉, 위의 책.

　동시 〈우리 집 하늘〉에서 화자의 집은 "반 평"밖에 안 되는 비좁은 집이다. 이것은 〈별. 2〉에서 생일날 "나의 별"을 찾는 화자가 "웬일인지 그날 그 시간에 우리 집 하늘은 텅 비어 있었어요."라고 한 말의 연장선에 있는 자아와 세계의 분열이다. 그러나 내부에서 보면 "처마와 / 담 사이에서 / 네모난 하늘"만 보이지만 화자는 그곳에 머무는 것이 아니라 옥상(외부)으로 나옴으로써 "억만 평"의 하늘을 가지게 된다. "수천 개의 별"이 떠 있는 옥상은 모두 한 덩어리인 "우리 집"이다. 화자는 좁은 집에 대한 내적 갈등을 밖으로 시선을 돌림으로써 억만 평의 집으로 넓히고 있다. 그는 '우리 집-옥상-하늘'로 이어지는 공간의 이동으로 시적 자아를 주체로 세우고 있다. 그의 동시 한가운데 있는 이러한 자아는 〈별 3〉에서 "어두워진 하늘로 수없이 많은" "로케트탄"을 띄워 올리는 것과 같이 적극적 행동으로 나타난다. 이것은 행복한 서정적 공간을 설정해 두고 그 속에 화자를 집어넣는 방식이 아니라는 데 의의가 있다. 화자가 처한 현실을 그대로 투사하여 그 속에서 화자를 헤쳐 나오게 하는 서정적 전략이며 현실 인식 방법이다. 이것이 그가 세운 동심의 서정적 현실 대응이다. 이를 위해서 시인은 차분한 어조로 내면을 드러내며 깨달음에 이르는 화법을 구사하고 있다. 이런 어조는 자아와 대상 간의 거리를 친근하게 좁히는 역할을 한다. 그 거리 좁힘에는 인간과 인간의 심리적 소통이 함께하고 있으며 사물들의 내적 연관성을 중심으로 연기론적 조화를 중시하는 세계 인식 방법이 있다 이것은 연작 〈별 1~별 10〉에서 명확히 볼 수 있다.

　내가 태어나기도 전에 어머니는 나를 보셨대요. 머리에 가득 별을 이고 하늘에서 내려오더래요. 어머니의 꿈속에서였지요.

그날 밤부터 뒤꼍 장독대 위의 정화수에는 별들이 내려와 퐁당퐁
당 빠지기 시작했대요.

나는 누구였을까. 어느 곳에서 살았을까. 왜 내려왔을까. 무슨 일
을 하고 다시 어느 곳으로 언제 돌아갈까.

항상 풀리지 않는 숙제였어요.
– 〈별 1〉, 위의 책.

    연작 시 〈별 1〉은 탄생의 비밀과 죽음의 두려움, 그리고 그리움과 사랑하는 가족과
친구와 함께 살고 싶은 소망을 담고 있다. 이것은 동양사상의 연기론과 윤회론으로 설
명할 수 있다. 연기론적 세계관에 의하면 개개인의 생명은 다른 생명들에 의해 형성되
므로 생명은 상호존중의 관계를 갖게 된다. 〈별 1〉에서 화자인 '나'가 태어난 그 배경
이 마치 한 편의 설화처럼 펼쳐지고 있다. 어린이들은 늘 '사람이 어떻게 태어날까'라
는 생물학적 궁금증 속에서 '나는 어떻게 태어났을까' 하는 의문을 가지고 있다. 이러
한 의문을 시인은 "별"을 통해서 풀어 가고 있다. 〈별 1〉에 나타난 '나'의 탄생에 대한
비밀에서 그것을 읽을 수 있다. 어머니가 장독대 위에 떠다 놓은 정화수에 밤하늘의 별
들이 내려와서 '나'가 태어났음을 알 수 있다. 즉 '나'는 다른 근원(별)의 생명에서 분화
되어 태어난 것이다. 이 같은 화자와 별의 소통은 죽음에 대한 공포와 불안마저 해소하
고 있다. 강아지의 죽음이 은하계의 작은 별로 떠오르고(〈별 4〉), 태어난 지 일 년도 안
되어 세상을 떠난 조카가 별이 되어 밤마다 찾아오는(〈별 5〉) 시적 상상이 바로 그것이
다. 할아버지, 강아지, 조카 등 현생에서 같이 지내지 못한 화자의 사랑하는 가족이 별
이 되어 화자의 곁에 늘 함께 있다. 화자는 자기의 소망이 하늘로 올라가 다시 별로 떠
오른다는 순환적인 사고를 하게 된다. 이러한 화자는 '별'을 보며 소망을 빌기도 하고
죽어가는 나약한 타자를 위해서 기도하는 주체이다. 그래서 화자는 마을의 끝에 있는
길이 "하늘로도 이어져 있어 그 길을 따라 구름 언덕을 넘어가면 / 하늘에도 / 마을이
있"(〈별 7〉)을 것이라는 상상을 하게 된다. 이것은 '전생에서 현생으로' 이어지는 불교
의 윤회론적 사유로 설명 할 수 있다. 한편 〈별 10〉에서 화자는 하늘에 빛나고 있는 할
아버지 별, 조카 별, 강아지 별 "곁에 언젠가 / 내 별이 뜰 것"이라는 기대를 안고 있다.
이것은 '현생에서 내생으로' 이어지는 소통이다. 이러한 시적 사유는 서정적 회감에 의

한 통합의 사유에서 비롯된다 할 수 있다. 모든 사물은 자기 나름대로의 고민과 갈등을 겪고 있다. 여타의 동시가 시인이 이미 설정해 둔 어린이의 마음으로 세계를 읽어 내려 한 그 시절, 이미 시인은 동심의 실존적 가치를 찾으려 고민하였다. 아동이라 해서 다를 것은 없다. 시인은 첫 동시집에서 이를 과감하게 드러냈다.

상생적(相生的) 동심의 자기 성찰

넓고 넓은 하늘 아래서 전병호 시인이 찾아 헤매는 것은 나약하고 철부지 어린이를 형상화한 동심이 아니라 '나'의 정체성을 찾고 세계에 적극적으로 대응하는 동심이다. 그의 세 번째 시집 《꽃 속의 작은 촛불》(도서출판 한결, 2000)에서는 그가 첫 시집에서 찾은 '긍정과 상생의 동심'으로 대상을 읽어 가고 있음을 알 수 있다(시인의 두 번째 동시집은 1994년 관음출판사에서 낸 《소금 얻으러 간 날》인데, 이는 산문동시집이어서 이 글에서는 논외로 한다). 어린이의 시각은 단순하면서도 천진하기에 명료하다. 그래서 우리는 동심을 근원적이라 한다. 동시는 이 근원적 사유인 동심이 바탕이 되는 것이다. 많은 동시인들이 그토록 찾아 헤매는 동심은 바로 이것이다. 이것은 대상과 자아의 동일성을 회복하되 어느 한쪽이 다른 한쪽을 일방적으로 끌어안는 것이 아니라 상호 관계성 속에 있는 동심이다. 이 '상생적 동심'을 첫 시집에서 찾은 시인은 이제 그것으로 자연을 다시 관찰하고 있다.

약수를 긷고 내려오다가
깜짝 놀라 멈춰 섰다
아차, 물을 잠그지 않았네

다음 순간 다시 놀랐다
바위틈 약수를
잠가야 한다고 생각하다니

골짜기 따라 풀꽃 피우고
다람쥐가 마시며 가재도 살아가라고
쉬임 없이 퐁퐁 솟아나는
하느님의 물을!
　　－ 〈약수터에서〉, 위의 책.

시에서 시적화자는 생활 속에서 '길들여진' 습관으로 대자연을 대하려는 무의식적 행동이 나타나 있다. 이러한 사고는 자연과 인간의 관계를 인간 중심에 둔 것에 대한 반성적 성찰이다. 물을 잘 잠그는 '착함'에 매몰된 화자는 세계에 일방적으로 동화된 자아이다. 따라서 이 주체는 타자를 발견하지 못한 채 주어진 이미지에 편승할 뿐이다. 그러나 인용 시에서 화자는 '착한 주체'에 관습적으로 일치하려는 자신을 발견하고 놀란다. 주체가 주체를 바르게 세우기 위해서는 타자를 발견해야 한다. 약수터에서 그냥 내려오다가 "물을 잠그지 않"은 것에 "깜짝 놀"란 화자는 2연에서 그 착한 주체를 그대로 받아들이는 자신에 "다시 놀"란다. 화자는 사회의 법칙과 교육이라는 타자에 동일화하는 상징적 단계에서 벗어나 있다. 그래서 3연에 오면 약수를 풀꽃, 다람쥐, 가재 그리고 인간이 함께 마시며 살아가야 하는 상생의 이미지로 새롭게 만들어 낸다. 즉 1연이 어른에 의해서 '길들여진' 동심이라면 3연은 자연과의 관계 속에서 스스로 삶의 지혜를 '터득하는' 동심이다. 이 깨달음은 2연에서 "다음 순간 다시 놀"라는 화자의 모습에서 찾을 수 있다. 이로써 자연의 질서 앞에 주체를 우뚝 세우게 된다. 나아가서 인간 중심의 이기적인 생각이 자연의 질서를 벗어나고 있다는 사실을 깨닫게 된다. 이러한 동심을 시의 주체로 설정한 것은 매우 의미 있는 것이다. 이것은 아동의 마음을 시인이 결정해 두고 사물을 바라보는 것과는 차별적이다. 다시 말해서 작가의 마음속에 이미 정해져 있는 동심이 아니라는 것이다. 전병호 시인은 교육의 대상일 뿐인 동심을 탈주하여 대주체의 호출을 거부함으로써 세계를 역동적으로 구성할 줄 아는 동심을 찾았다. 이러한 세계 인식은 당연히 대상에 대한 인간 중심적인 사고의 한계를 반성하게 된다. 이로써 이 동시는 우리가 지향해야 하는 삶의 자세를 제시하고 있다. 이는 동심을 둘러싼 억압에서 벗어나게 하며 이로써 다시 동심을 주체로 세우게 된다. 다음 시를 살펴보기로 하자.

늦도록 기도를 한 것일까.

미사도 끝난 지 오랜 시간
찬송가를 부르며
목발을 한 아이가
혼자 돌아간다.

크고 우렁찬 아이의 찬송가는
하늘로 올라가

별이 되어 뜨고
밤길에 다시
대낮처럼 내리나 보다.

목발을 한 아이가
하나님과 함께 돌아간다.
— 〈목발을 한 아이〉, 위의 책.

이 작품은 그 어느 작품 못지않게 화자의 감정이 절제되어 있다. "목발을" 짚어야 하는 아이는 오랫동안 성당에 머물며 기도를 한 후 "크고 우렁"차게 찬송가를 부르며 돌아가고 있다. 아이가 처한 현실은 목발을 짚어야 하는 불행한 현실이다. 그러나 아이가 가는 "밤길"은 "대낮처럼" 밝다. 아이 스스로 부른 "찬송가"가 "별"이 되어 밤길을 비추고 있기 때문이다. 이처럼 아이가 처한 불행한 현실을 원망하거나 누구로부터 보호 받기를 바라지 않는다. 아이를 지켜보는 화자는 관찰자의 입장에 서 있을 뿐이다. 이는 주어진 상황을 더 구체화하여 그 아픔과 고통을 실감나게 한다. 즉 이 동시의 시적 공간은 미사가 끝난 지 오래된 고요한 성당과 혼자 돌아가는 밤길이다. 이 정적인 공간에서 아이는 우렁차게 찬송가를 불러 스스로 돌아가는 밤길을 환하게 하고 있다. 목발을 짚어야 하는 훼손된 세계에서 아이를 지켜 주는 것은 결국 스스로 부른 찬송가인 것이다. 이런 시적 상황의 설정은 어린이들의 행위에 대한 믿음이 없으면 불가능하다. 이 믿음은 동심을 주체로 세우기 위한 전략이다. 이처럼 그의 세 번째 시집에서는 타자를 인정하며 스스로 깨닫는 주체를 만날 수 있다. 이런 동심은 자기 속에 매몰되는 것이 아니라 다음 동시처럼 그 시선이 확대되어 나타난다.

봄날
누군가 자꾸
목련나무 밑으로
흰 손수건을 던진다.

누가 닦고 있나
목련나무 위 하늘

나도 손수건을 꺼내

272

창을 닦는다.

닦은 유리에서도

묻어나는 고운 때

티 없는 하늘이

창으로 들어온다.

또 누군가

목련나무 밑으로

흰 손수건을 던진다.

– 〈목련〉, 《꽃 속의 작은 촛불》, 한결, 2000.

이 동시에서 화자는 하얀 꽃 "목련"을 통해서 "티 없이 맑은 하늘"을 보고 있다. 그리고 행복감에 젖은 화자는 "손수건을 꺼내" 자기도 "창을 닦"으며 깨끗함에 동화되어 행복감을 느끼고 있다. 시적 자아는 "목련"의 아름다움만을 보는 것이 아니라 "목련나무 위 하늘"에 시선을 모으고 있으며, "티 없는 하늘"이 시적 자아가 닦아 놓은 유리창으로 들어옴으로써 맑은 봄날의 이미지에 동화되고 있다. 이 행복한 일체는 "또 누군가" "흰 손수건을 던"지는 행위로 확대 재생산되어 이어지고 있다. 이처럼 이 동시는 화자의 시선이 '목련'에서 '하늘'로 그리고 '사방'으로 확대되고 있다. 초기부터 세 번째 시집까지를 관통하는 그의 시학은 자아의 집착에서 벗어나 세계를 폭넓게 이해하며, 자아와 세계의 상호관계성 속에서 서정적 동일성을 회복하고 있다. 이는 타자와 대립 관계를 설정하면서 자아의 정체성을 찾는 인식과는 다른 세계 인식 방법이다. 이로써 주체적인 동심을 찾은 전병호 시인은 스스로 관조적 태도를 지니고 있다. 그래서 나직나직한 음성과 차분한 어조가 필요했던 것이다.

견딤과 포옹의 미학

깎아지른 절벽 틈도

싫다 하지 않습니다

내가 나를 얼마나

이겨 낼 수 있는지

이보다 더 거친 곳에서도

꽃 피울 수 있답니다

– 〈돌단풍꽃〉, 《들꽃초등학교》, 푸른책들, 2003.

그의 네 번째 동시집 《들꽃초등학교》(푸른책들, 2003)는 하나의 상징이다. 이 시집 전체에는 '평범한 행복도 갖지 못한 아이들'의 모습으로 가득하다. 시인의 가슴에는 이런 '들꽃초등학교' 아이들의 모습이 그대로 새겨져 있다. 그래서 그는 나직한 음성으로 슬픔에 젖은 아이들을 끌어안는다. 인용 시 〈돌단풍꽃〉에서 시인의 가슴속에 남아 있는 것은 작은 시골 학교의 아이들이 힘든 환경을 이겨 냈으면 하는 바람이다. 이 동시집에 등장하는 대부분의 화자들은 생일날 혼자서 들판에 나가 "콩새랑 꽃다지랑 민들레가 / 곁에 와 환하게 웃어 주지만" 가슴 한 쪽에는 뭔가 허전함이 남아 있다. 그 허전함을 달래는 것이 고작 "엄마가 해 주는 / 따뜻한 밥이 먹고 싶"(〈생일〉)다는 소박한 바람이다. 그래서 시인은 이들에게 "깎아지른 절벽"의 작은 "틈도 싫다 하지 않"고 기어이 "꽃 피울 수 있"다는 의지를 갖도록 일러주고 있다.

이러한 상황을 그려 내기 위해서 시인은 잔잔한 어조로 분열된 그들 삶을 하나하나 담아 가며 견뎌 내고 있다. 그리고 그 아픔을 직접 달래기보다는 조용히 관찰하면서 그들의 이야기에 귀 기울이고 있다. 그리고 스스로 강한 의지를 가지기를 바라고 있다. 이것은 문명으로부터 소외된 척박한 산골에서 자라는 아이들의 모습을 직접 제시함으로써 놓칠 수 있는 미적 형상화를 살리기 위한 방법이다. 또 한편으로는 현실의 불행을 스스로 이겨 내는 "돌단풍" 같은 강한 의지를 전달하기 위한 방법이다.

이처럼 그의 네 번째 시집은 현실의 분열과 갈등을 견딤의 미학으로 접근하고 있어 눈길을 끈다. 이 견딤은 현실에서 도피하는 것이 아니라 현실을 끌어안고 "내가 나를" 이겨 내는 시적 전략이다. 이를 위해서 그는 분열과 갈등의 일상을 구체화시켜 묘사하고 있다. 시적 화자가 서 있는 공간은 국어 시간에 자기 아버지의 이름을 쓰라는(〈받아쓰기〉) 문제도 낼 수 없을 만큼 결핍된 공간이다. 즉 "가족은 서로 사랑하고 살아야 한다"는 그 흔한 말조차 조심스럽게 해야 하는 공간이다. 이런 시적 상황에서 화자는 관찰자의 입장에서 분열된 공간을 바라보며 그 서러움을 안고 견딤으로써 스스로를 돌아보는 성찰의 기회를 얻는다. 이 성찰적 태도는 시인 한 사람의 반성이 아니라 독자 모두에게 자기를 돌아보게 하는 메시지가 되고 있다. 그래서 그의 동시는 아픔과 고통, 소외를 직접 제시하는 여타의 동시들과는 다른 차원에 있다.

너를 생각하면 지금도 미안하다

'가족과 가정' 단원이라

난 가족 사랑을 이야기했지

갑자기 참새 소리도 뚝 그치고

조용해진 교실

창 밖 하늘은 서럽도록 파랗게 빛나는데

아이들 등 뒤에 고개 묻고 너는

돌보다 무거운 눈물 뚝뚝 떨어뜨리는 것을

소리 내지 못하고 우는 너 보며

내 마음 얼마나 아팠던가

평소 조심했는데 그날은 깜빡.

너는 항상 웃는 장난꾸러기라서 그걸 믿고

내가 그만 오래도록 가족 사랑을 이야기했구나

– 〈선생님의 고백. 1. 그날은 깜빡〉, 위의 책.

　이 작품의 화자는 시골 학교의 마음씨 여린 선생님이다. 화자는 지극히 평범한 그 '가족 사랑'이라는 말을 하다가 "서럽도록 파랗게 빛나"는 하늘을 바라보며 그 이야기한 것을 청자인 "너"에게 "지금도 미안하다"며 사과하고 있다. 현실의 분열과 결핍이 너무나 선명하게 드러나 있다. 이것은 "항상 웃는 장난꾸러기"인 "너"가 "아이들 등 뒤에 고개 묻고" "돌보다 무거운 눈물 뚝뚝" 흘리는 모습에서 짐작할 수 있다. 소외된 현실을 차분한 어조로 전달하고 있다. 이를 위해서 시인은 화자를 자신과 동일시하여 나타내고 있다. 이는 문명에서 멀어진 산골 마을의 어린이들에 대한 관심을 집중적으로 나타내기 위함이다.

　이처럼 동시집 《들꽃초등학교》는 타자의 지극히 일상적인 체험을 자기의 목소리로 서술하고 있다. 관찰자의 입장에 선 낮은 음성의 어조는 타자의 아픔을 읽어 내는 데 매우 적절한 방법이다. 전지적 시점에서 불행한 어린이들의 모습과 심리적 아픔을 함께 전달하고 있다. 그래서 마치 지금 바로 옆에서 그런 일을 본 것 같은 생생한 느낌을 독자에게 주고 있다. 이처럼 그의 시는 낮은 음성이 주는 어조와 서술의 시점을 적절히 활용함으로써 시적 형상화를 선명하게 하는 효과를 얻고 있다.

5학년 여선생님이

술 취해서

큰소리로 밤새 노래 불렀대.

5학년 여선생님이

화가 몹시 나서

헛소문 낸 아이를 찾는대.

선생님 옆모습 보고

문득 자기 엄마 생각나서

승렬이가 한 말이래.

백합 같은 승렬이 엄마는

술 취해 슬픈 노래만 부르다가

작년에 집을 나갔대.

5학년 여선생님이

그 말 듣고

승렬이를 꼭 안아주셨대.

선생님도 울고 계셨대.

　　　– 〈야영날 밤〉, 위의 책.

　　앞에서 살펴본 동시 〈선생님의 고백, 1. 그날은 깜빡〉이 1인칭 시점의 서술이라면 위의 동시는 3인칭 시점이 된다. "승렬이" 엄마는 "작년에 집을 나"간 상태이다. 문제는 "백합 같은 승렬이 엄마"가 "술 취해 슬픈 노래만 부르다가" 집을 나갔다는 사실이다. 승렬이는 이 불행을 안고 결손가정으로 그대로 살아갈 수밖에 없는 현실이다. 자본의 질서에서 소외된 아픔과 어린이로서 엄마에 대한 그리움이 야영날 밤에 "헛소문"을 낼 정도로 곪아 있었다. 이것은 "5학년 여선생님"과 "승렬이"의 모습을 화자의 개입 없이 보여 주기에 더욱더 애상적이 된다. 이런 정서는 이 시집을 가로지르는 한결같은 어조에 묻어 있다. 즉 낮은 음성과 관찰자의 입장에 선 화자의 태도가 그것이다.

　　이러한 현실을 통해서 시인은 멍하게 서 있는 자기를 발견하고 있다. 이런 성찰적 자기 발견은 "너의 아빠처럼" 등 두드려 주는 마음으로 아이들을 포용하고 있다. 그리고 주변에 있는 하나하나의 동심이 마음속으로 들어와 '들꽃초등학교'로 자리 잡았다. 그래서 '들꽃초등학교'는 어려운 현실을 견뎌 냈으면 하는 시인의 마음으로 이 아픔을 껴안고 있다.

　전병호 시인의 시적 사유는 세계를 나의 내부에 옮겨 오는 동화나 나를 세계로 옮겨서 묶는 투사의 방법으로 이어지는 동일성과는 다른 정서를 지닌다. 훼손된 외적 세계를 원망하거나 저주하는 것이 아니라 두 세계를 나란히 병치하여 화자를 세우는 방식이다. 그것은 단순화이다. '보이는 대로 보는' 아동의 단순성을 앞세워 '있는 그대로'를 보고 있기 때문에 가능한 것이다. 이 사유 방법은 동일자와 대비되는 타자를 억압하거나 배제하지 않는다. 서정적 일치가 이루어지지 않는 시적 상황에서 화자는 통합의 원리를 찾아내고 있다. 그의 동시는 단순하지 않은 사실을 단순하게 그려 내고 있다.

몽상, 그 유년의 기억들

나는 하늘에서 내려왔다.

"......"

영문을 몰라 하니까 한 번 더 이야기한다.

나는 하늘에서 내려왔다.

순간, 황당해 하는 너의 얼굴이 떠오른다. 네가 지금 무슨 말을 하고 싶어 하는지도 안다. 그러나 어쩌면 좋은가. 나는 틀림없이 하늘에서 내려왔다.

"정화수를 떠 놓고 기도드린 지 석 달이 넘은 어느 날이었지. 누군가 부르는 소리가 들려 따라갔더니 산봉우리에 많은 사람들이 모여 서 있지 않겠니? 하늘에서 아기를 내려 준다고 했다는 거야. 그래서 나도 사람들 틈에 끼어 서 있었지. 잠시 후, 정말로 하늘에서 아기가 둥실 떠서 내려오지 않겠니? 사람들은 서로 자기가 아기를 받겠다고 팔을 높이 치켜들었지. 어떤 사람은 발을 동동 구르며 울부짖기도 했어. 그러나 아기는 사람들 손을 피해 나비처럼 날아다녔지. 그러다가 나와 눈이 마주치자 거짓말처럼 품에 와서 안긴 거야."

여름밤에는 들마루에서 엄마의 무릎을 베고 누워 별을 바라보는 날이 많았다. 그때마다 엄마는 나에게 이 말을 들려주셨다. 이미 수도 없이 들었지만 나는 그 이야기를 다시 듣는 것이 조금도 싫지 않았다. 오히려 엄마가 그 이야기를 들려주지 않으면 내가 졸라서 듣기도 했다.

"아기를 낳고 보니까 별을 가득 이고 내려오던 그 얼굴이 바로 네 얼굴이었어."

엄마의 이 말은 나를 더욱 감동시켰다.

따뜻한 햇살이 쏟아지는 담벼락에 기대어 서거나 마루에 앉아 파란 하늘을 바라보고 있으면 왠지 마음이 편했다. 배고픔도 추위도 우울도 슬픔도 다 잊혀졌다. 어떤 때는 까닭 없이 눈물이 나곤 했다.

"너 왜 우니?"

얼른 눈물을 훔쳤지만 들키는 일도 종종 있었다. 모른다. 그냥 눈물이 나왔을 뿐이다. 너무 눈부신 파란 하늘! 정말 하늘 어딘가에서 내가 살았을까. 가보고 싶다. 그러나 하늘은 너무 깊고 깊어서 내 눈빛도 가 닿을 수 없었다.

나는 왜 하늘에서 내려왔을까? 나는 누구일까?

알 수 없다.

그 애는 나랑 정말 마음이 맞았다. 그래서 매일 학교를 같이 다녔다. 그리고 그 애 큰 형님이 약국을 개업할 때는 월말 고사를 앞두고 이틀씩이나 석교동과 문화동 골목을 누비며 광고지를 돌려주기도 했다. 그 뿐이랴. 패쌈하러 갈 때도 같이 가 주었던 것이다.

마침내 난 그 애에게 내가 '하늘에서 내려왔다'는 사실을 알려주기로 했다. 그 애만큼 내 말을 믿어 줄 친구는 또 없을 것이니까.

하기야 전에도 이런 일이 몇 번 있었다. 정말로 친한 친구라는 생각이 들면 내 비밀 이야기를 들려주었다. 하지만 대부분이 다 내 말이 채 끝나기도 전에 먼저 황당하다는 표정을 지어 보였다.

"뭐? 뭐라고?"

이 애도 내 말을 알아듣지 못하는 건 마찬가지였다. 그래도 나는 인내심을 갖고 다시 말했다.

"?"

순간, 그 애 얼굴 표정이 여러 가지로 변하더니 마지막으로는 '장난이지?' 그러는 것 같았다. 나는 '아차!' 하는 마음으로 입을 꽉 다물어 버렸다. 그날 나는 다시 낙하산도 없이 하늘에서 떨어진 돌아이가 되고 말았다. 하긴 내가 생각해도 이해가 안 된다. 웃긴다. 도대체 말이 되냐. 내가 하늘에서 내려오다니. 하지만 엄마가 나에게 거짓말 하셨을 리가 있는가? 없다. 그래서 나는 하늘에서 내려왔다는 말을 계속 믿기로 했다.

왜 내려왔을까. 알 수 없다.

나는 누구일까. 알 수 없다.

하지만 나는 지금 지구별의 한 마을에서 살고 있다. 정확히 말하면 대한민국 충청북도 청주시 석교동, 수동, 탑동, 문화동, 수곡동이다. 나를 키운 건 무심천과 우암산과 명암 방죽이다.

그러나 이제 다시는, 절대로, 누구에게도 '하늘에서 내려왔다'는 말을 하지 않기로 했다. 아, 그렇게 영원히 마음속 깊이 묻기로 한 내 유년의 비밀!

소나기라도 한 줄기 쏟고 나면 우암산 봉우리는 어김없이 흰 구름에 휩싸였다. 흰 구름 덮인 우암산 봉우리를 바라보면 나도 모르게 가슴이 뛰었다. 그곳에 가면 하늘에 오를 수 있지 않을까. 왠지 자꾸 그런 생각이 들었다.

그 날은 정말 운 좋은 날이었다. 산 중턱에 올라갈 때까지도 구름이 꼼짝 않고 우암산 봉우리에 그대로 걸려 있었다. 조금만 더 오르면 산봉우리에 오를 거라고 생각할 때였다. 등성이 너머에서 갑자기 안개가 몰려왔다. 두어 발자국 앞을 분간할 수 없을 정도로 짙은 안개였다. 발이 헛디뎌졌다. 팔다리가 가시덤불에 긁혀 몹시 쓰라렸다. 그런데 갑자기 길은 어디로 숨어 버린 것일까. 키 큰 나무들이 다가와 자꾸 앞을 막아섰다. 그때 내가 산을 내려가지 못하게 될지도 모른다는 생각이 들었다. 우암산은 내가 더 이상 오르는 것을 원하지 않기 때문에 길을 숨기고 가시덤불 속을 헤매게 하는 것이 아닐까. 물에 빠졌다 나온 듯 흠뻑 젖은 몸으로 산을 내려와 보니 우암산 봉우리는 여전히 흰 구름에 덮여 있었다.

바람 부는 날이면 뒷동산에 올라 연을 날렸다. 실을 물고 멀어져 가다가 힘껏 당기면 피라미처럼 파드닥거리며 힘차게 바람을 거슬러 오르는 연! 까만 점이 되어 떠 있는 연을 바라보면 시리도록 파란 하늘이 눈에 가득 들어왔다. 해종일 그 하늘을 바라보는 것이 좋았다. 가끔 연줄에 편지를 걸어 띄우기도 했다. 편지는 대부분 연줄을 타고 오르다가 중간에서 떨어졌으나 그래도 몇 개는 하늘 끝까지 올라갔다. 그때 편지에는 마음속으로 '그리움'이라고 썼던 것 같다. 그런데 그 편지는 누가 받아 보았을까?

"호오~ 그래?"
처음이었다. 내 이야기에 그렇게 많은 관심을 보이는 사람을 만난 것은. 반 친구의 아버지이셨는데 교수님이라고 했다. 교수님은 나를 불러 이것저것 물어보셨다. 며칠째 집에 찾아와서 밤늦도록 책만 읽다가 가는 내가 눈에 뜨였나 보다. 교수님과 이야기를 나누다가 나는 그만 내 비밀을 다 털어놓고 말았다. 내가 하늘에서 내려온 아이라는 이 엄청난 사실을.
내 이야기에 진심으로 귀 기울여 주는 사람이 있다는 것은 얼마나 고마운 일인가. 그날이 그랬다. 마음 깊이 묻어 버렸던 내 유년의 비밀을 순식간에 다 털어놓고 말았다. 내 말이 끝날 때마다 교수님이 큰 관심을 보이며 "호오~ 그래.", "그렇구나.", "그래서?"를 반복하면서 자꾸 말을 시킨 것도 그 이유 중의 하나였다. 혹시 그동안 나는 말을 안 하려고 한 것이 아니라 내 말을 진심으로 들어 줄 사람을 기다렸던 것이 아니었을까.
"참 좋은 태몽이구나."
꿈이라니요? 교수님의 말씀이 웬일인지 낯설게 들렸다.
'아니에요. 난 꿈 이야기가 아니라 사실을 말하고 있는데요.'
나는 이렇게 외치고 있었다.
"어머니는 자신이 잉태한 아기가 자라서 장차 모든 사람이 우러러보는 훌륭한 사람이 되기를 바라지. 태몽은 그런 어머니의 마음을 담아 꾼 꿈이지."
하긴, 교수님 말씀이 맞다. 하지만 나는 왜 부정하고 싶은 것일까. 그러나 다시 생각해 보자. 이제 나는 내 자신에게 솔직해질 나이도 되지 않았는가. 그동안 다 알고 있으면서도 자신을 속이고 있었던 것은 아닐까.

그때부터였을까. 나는 점차 말이 없는 아이가 되어 버렸다. 내 천성(天性)은 서서히 거세되었다. 나는 보잘 것 하나 없는 아이에 지나지 않았다.

외사촌 동생은 첫돌이 지나도록 일어나 앉을 생각을 안 했다. 병원에 가 보았더니 뜻밖에도 뇌수막염이라고 했다. 이모는 물론 엄마의 낙심도 이루 말할 수 없었다. 외사촌 동생의 병이 깊어지면서 장롱 깊이 넣어 두었던 엄마의 패물도 하나씩 팔려 나갔다. 이모의 손가락에 마지막으로 금가락지 하나만 남았을 때 엄마는 눈물을 글썽이며 만류했지만 그마저도 곧 뽑혀 나갔다. 그리고 외사촌 동생은 조용히 숨을 거두었다.

그날 밤 나는 열이 펄펄 끓어올라 둥둥 떠다니면서 마구 헛소리를 했다. 나는 무엇인가를 끊임없이 부르짖다가 빌다가 깜빡 정신을 놓았다. 이틀 밤낮이 지나고 겨우 일어나 마루에 나와 섰을 때 낯선 별 하나가 우리 집 하늘에 와 떠 있는 것을 보았다.

나는 할아버지를 단 한 번도 뵌 적이 없다. 내가 태어나기 전에 돌아가셨기 때문이다.

"너는 할아버지를 쏙 빼어다 박았다."

친척 어른들께서 날 볼 때마다 이렇게 말씀하셨다. 그때마다 나는 거울을 보았다. 그러나 끝내 할아버지의 얼굴을 떠올릴 수 없었다. 그런 밤이면 우리 집 하늘에는 더 많은 별들이 나와 반짝거렸다.

독구는 나를 보고도 꼬리를 두어 번 흔들더니 곧 고개를 떨어뜨렸다. 밥그릇에 멸치를 듬뿍 넣어주어도 혀끝으로 두어 번 핥아보고는 더 이상 먹지 않았다.

독구를 안고 병원을 찾았다. 수의사는 고개를 젓더니 그냥 데려가라고 했다. 홍역이라고 했다.

"약은 안 지어 주셔요? 주사도 안 놓고요."

수의사는 빙그레 웃으면서 나를 돌아보았다.

"다른 강아지를 사지. 약값이 몇 배 더 들어."

"그래도 고쳐 주셔요."

"이미 늦었어."

다른 병원으로 갔다. 그 병원에서도 독구는 고치기 힘들다고 했다. 네 번째 간 병원에서야 겨우 주사를 맞히고 약을 타왔다.

"끄응 끙."

독구는 힘없이 눈을 떠서 나를 보고는 다시 눈을 감았다. 나는 독구의 머리만 쓰다듬었다. 밤이 되자 독구의 신음은 더 작아졌다. 눈도 뜨지 못했다. 마침내 숨소리가 끊겼다. 나는 더 견디지 못하고 독구의 곁에서 뛰쳐나오고 말았다. 그때 내가 잘못 보았을까, 내 곁을 빠르게 지나쳐 간 검은 그림자가 독구의 집으로 들어가는 것을.

"독구를 살려 주세요, 하느님."

나도 모르게 '하느님'을 불렀다. 밤하늘을 바라보던 내 눈이 촉촉이 젖었다. 그때 밤하늘 어둠을 헤치며 작은 별이 하나 새로 뜨는 것을 보았다.

생명은 어느 곳에서 와서 어느 곳으로 가는 걸까.

갑자기 아빠 엄마 생각이 났다. 형과 동생들 얼굴도 떠올랐다. 우리 가족도 언젠가는 헤어져야 한다. 우리는 어떤 인연으로 지구별에서 가족을 이루어 살고 있는 것일까.

그 도시가 어디인지는 정확히 모르겠다. 천안인가 아니면 홍성인가. 내 나이 열 몇 살 넘어 처음 가 본 그 도시는 사람들로 북적거렸다. 청주보다 작은 도시였는데 어찌된 일인지 돌아가는 거리마다 수많은 사람들이 쏟아져 나왔다. 순간 내가 이제까지 한 번도 만난 적 없는 수많은 사람들이 이곳에서 도시를 만들어 살고 있다는 사실이 경이롭게 느껴졌다. 그러나 다음 순간 나는 한없는 외로움과 쓸쓸함을 느꼈다. 같은 하늘 아래 살면서도 얼굴 한 번 보지 못하고 왔다가 가는 사람들이 얼마나 많은가. 있어도 있는　이 아니고 없어져도 없어진 줄 모르는 '나'라는 존재. 나는 그들의 무엇인가. 또한 그들은 나의 누구인가. 아무 대답도 할 수 없었다. 나는 힘이 쏙 빠진 채 깊은 생각에 잠기곤 했다.

친구가 놀러왔다가 밤늦게 돌아갔다. 나는 대문 밖까지 나와서 친구를 배웅했다. 친구네 집은 들판 건너 산 밑에 있었다. 친구는 씩 웃으며 손을 들어 보이고 휘파람을 불며 어둠 속으로 사라졌다.

그날따라 하늘에는 별이 붐볐다. 나는 습관처럼 고개를 들어 별을 찾아보았다. 외사촌 동생이 죽고 나서 우리 집 하늘에 찾아왔던 낯선 별을, 독구가 죽던 날 밤 우리 집 하늘에 새로 뜬 작은 별을, 어디 있는지 알 수 없는 할아버지의 별을.

그때였다. 들판 건너 산 밑 어둠 속에서 등이 반짝 켜졌다. 친구가 제 방으로 돌아가 등을 켠 것이다. 그때 퍼뜩, 스치고 간 생각하나! 그래, 바로 그거야.

"아아, 별!"

나도 모르게 탄성이 흘러나왔다. 그제야 나는 우리 집 하늘에 새 별이 뜬 이유를 알게 되었다.

깊은 밤 나는 동네를 벗어나서 들길을 걸어갔다. 들이 끝나자 산길이 나왔다. 산길이 끝나는 곳에서 길은 놀랍게도 하늘로 이어져 있었다. 나는 구름산맥을 넘어 하늘에 있는 동네로 갔다. 집집마다 창문에 등이 환하게 켜져 있었다. 별자리는 하늘에 있는 동네의 불빛이었다. 나는 불빛 환한 창마다 다가가서 가만히 두드려 보고 싶었다. 누가 살까. 무엇을 하고 있을까. 책을 읽고 있을까. 명상에 잠겨 있을까. 그러나 끝내 창문을 두드리지 못 했다. 나는 이곳을 몰래 찾아온 낯선 방문객이기 때문이다. 그러니까 흔적 없이 조용히 돌아가야 한다.

그런데 참 이상한 일이었다. 분명히 내가 처음 온 동네인데도 전혀 낯설다는 느낌이 들지 않았다. 집도, 길도 마찬가지였다. 낯익었다. 무슨 까닭인가?

그래, 나는 원래 하늘에 있는 동네의 주민이었던 거다. 그런데 왜 내려온 것일까. 이천 사백 년 전에도 누군가 말했다, 육신은 영혼의 감옥이라고. 그의 말에 따르면 내가 이 세상에 오게 된 이유는 육신소유죄 때문이다. 그것이 무엇을 뜻하는 것일까. 나는 우주의 어떤 불가사의한 법칙에 의하여 천상계에서 지상계로 순환하고 있는 것일까.

그러나 무엇보다도 분명한 것은 언젠가는 하늘 동네로 돌아가 그동안 비워 두었던 내 방의 등을 다시 켜야 한다는 것이다. 그동안 나는 무슨 일을 해야 하는가. 이것은 내 삶의 영원한 숙제가 되리라.

아아, 이제 나는 더 이상 외롭지 않아도 될 것이다. 천상에서 우리는 모두 이웃이기 때문이다. 지상에서는 눈물로 헤어져도 언젠가 다시 만날 테니까 말이다. 언젠가 다시 만난다는 것, 이것이 얼마나 큰 축복이고 위안인가. 밤하늘의 별을 가만히 바라보라. 별은 몇 억 광년 떨어진 아득히 먼 저곳에서 누군가 나를 향해 켜 놓은 등이다. 별을 보고 나는 우주의 심연은 허무가 아니라 모두가 함께 있는 인연의 무한 공간임을 깨닫는다. 그래서 별은 나를 보며 누군가의 눈빛처럼 반짝거리는구나!

나이를 먹으면서 나는 조금씩 깨달았다. 내가 그리는 영원한 마음의 고향은 하늘에만 있는 것이 아니라 지금 내가 살고 있는 이 땅에도 있어야 한다는 것을. 그것은 나와 인연을 맺고 살아가는 소중한 가족과 고마운 이웃과 이 세상 모든 것에 이르기까지 끊임없이 따뜻한 마음을 베풀라는 뜻일 게다.

이제 나의 시는 이 땅에서 동심의 낙원이 실현되기를 꿈꾼다.

그동안 펴낸 동시집은 《꽃봉오리는 꿈으로 큰다》, 《소금 얻으러 간 날》, 《꽃 속의 작은 촛불》, 《들꽃초등학교》가 있다.

한국 아동문학가 100인

원유순

대표 작품
〈모하메드의 운동화〉

인물론
연둣빛 파란 마음상을 안겨 주고 싶다

작품론
존재, 세계를 마주하다

어린이와 함께 선생이 걸어온 길

모하메드의 운동화

나는 지금 답답한 상자 안에 갇혀 어디론가 가고 있습니다. 상자 안에는 나 같은 운동화를 비롯하여 구두, 샌들, 슬리퍼 등 각양각색의 신발들이 들어 있습니다. 모두가 주인에게 버려진 것들이지요.

"우린 이제 어떻게 되는 거지?"

오른쪽이가 불안한 목소리로 물었습니다. 나는 대답할 기운이 없어 가만히 있었습니다. 그저 오른쪽이 옆에 몸을 바짝 붙이고 말이지요.

나는 석이의 왼쪽 운동화였습니다. 다다다 달리는 것도 좋아했고 쿵쿵 발 구르기도 좋아했습니다. 그건 내 짝꿍 오른쪽이도 마찬가지였습니다. 또 나와 오른쪽이는 앞서거니 뒤서거니 걸을 때마다 살짝살짝 마주치는 순간을 좋아했습니다. 스칠 듯 스칠 듯 비껴가는 그 짧은 순간의 아슬아슬함과 헤어졌다 다시 만나는 반가움이 엇갈리며 묘한 기쁨을 주었기 때문이지요. 그럴 때면 서로 마주보며 장난꾸러기처럼 헤헤 웃다가, 일부러 눈길을 돌리며 딴청을 부리기도 했습니다. 그러나 그건 모두가 지난 일이었습니다.

석이는 개구쟁이에다 덤벙거렸습니다. 그날 석이는 짧은 점심시간을 이용하여 운동장에서 축구를 했습니다. 오른쪽이가 가쁜 숨을 몰아쉬며 내게 말했습니다.

"왼쪽아, 속 시원하게 공 한번 뻥 차 봤으면 좋겠어."

나는 픽 웃었습니다. 공을 따라 죽도록 달리기만 했지 제대로 된 공을 한 번도 차지 못하는 석이를 생각하니 웃지 않을 수가 없었기 때문이지요.

"그러게 말이야. 네가 공을 찰 때면 나도 힘을 꽉 쥐고 발 받침을 해 줄 텐데……."

그때였습니다. 다다다 달리던 석이가 뚝 멈추더니 나에게 힘을 꽉 주었습니다. 나는 숨이 턱 막히는 순간의 짜릿함을 느끼며 몸을 바르르 떨었습니다.

'픽!'

그러나 공은 바람 빠지는 소리를 내더니 옆으로 데구루루 굴렀습니다.

"에이, 씨."

석이는 운동장 한가운데 털썩 주저앉았습니다. 힘이 쭉 빠진 나는 오른쪽이를 바라보았습니다. 오른쪽이도 맥 빠진 얼굴이었습니다.

그때 석이는 무슨 생각에선지 발에서 우리를 훌떡 벗었습니다.

"엄마한테 축구화를 사 달래야지, 안되겠어."

그러더니 우리를 멀리 집어 던졌습니다.

'아이쿠!'

나는 운동장 바닥에 머리를 쿵 박고는 정신이 아득해졌습니다. 한참 만에 정신을 차리고 보니 오른쪽이가 보이지 않았습니다.

"오른쪽아, 오른쪽아. 어디 있니?"

암만 불러도 오른쪽이는 대답이 없었습니다. 대체 오른쪽이는 어디로 간 것일까요? 어쩌면 나보다 더 멀리 날아가 운동장 가 하수구에 덜컥 빠져 버리지나 않았는지, 방정맞은 생각까지 들었습니다. 가슴이 싸하게 아려 왔습니다. 해가 지고 어둑해지자 더욱 겁이 났습니다. 저녁 안개가 스멀스멀 기어 와 내 몸을 촉촉이 적셨습니다. 오싹 추위가 느껴져 오돌오돌 몸을 떨었습니다. 오른쪽이가 옆에 있었다면 추위가 한층 덜했을 텐데요.

나는 운동장 한가운데 널브러져 밤을 꼬박 새웠습니다. 그러다가 새벽녘에 까무룩 잠이 들었습니다.

"허허, 요즘 녀석들은 물건 귀한 줄 모른단 말이야."

누군가 내 몸을 답삭 들어 올리는 바람에 정신이 번쩍 들었습니다.

"왼쪽아!"

그때 낯익은 목소리가 들렸습니다. 오른쪽이였습니다. 놀랍게도 오른쪽이는 바로 내 옆에, 아저씨의 손에 있지 않겠어요?

"오른쪽아! 어디 있었어?"

반가움에 크게 소리쳤습니다.

"저기 저쪽 화단 안에 있었어. 나는 네가 보였는데 너는 내가 안 보이는 모양이더구나."

"응, 나는 네가 하수구에 빠져 버린 줄 알고 퍽 걱정했어. 고마워."

나는 오른쪽이를 다시 만나게 되어 무척 기뻤습니다. 내게 팔이 있었다면 오른쪽이를 덥석 끌어안았을 것입니다. 오른쪽이도 내 옆에 몸을 바짝 붙이며 속삭였습니다.

"우리 이제부터는 절대로 떨어지지 말자."

우리를 주운 사람은 학교를 관리하는 아저씨였습니다. 이른 아침에 학교를 둘러보다 우리를 발견하였던 것입니다. 아저씨는 우리를 '주인을 찾아 주세요'라는 상자 안에 넣었습니다. 그곳에 있는 동안 우리는 혹시나 석이가 찾아오지 않을까 애타게 기다렸습니다. 그러나 석이는 끝내 우리를 찾지 않았습니다. 그곳에서 우리는 꽤 여러 날을 보냈습니다. 그러던 어느 날 누군가 우리를 가져가 깨끗하게 세탁을 하더니, 커다란 상자 속에 담았습니다. 그렇게 상자 속에서 우리는 몇 달을 보내야 했습니다. 가끔 흔들리는 것으로 보아 어디론가 실려 가고 있는 것이 분명했습니다.

"아휴, 갑자기 왜 이렇게 덥지?"

상자 속에 신발들이 아우성을 쳤습니다. 나도 진득하게 배어나오는 땀에 몸이 답답해졌습니다.

"우린 어디에 와 있는 걸까?"

나도 모르게 중얼거렸습니다.

"이대로 또 버려지는 건 아니야?"

잔뜩 겁먹은 목소리로 오른쪽이가 말했습니다.

그때 갑자기 환한 빛이 상자 속으로 쏟아져 들어왔습니다. 그와 함께 뜨거운 열기도 훅 끼쳤습니다.

"와아, 바깥세상이야."

상자 속에 있던 신발들이 아우성을 쳤습니다. 오랜만에 보는 햇살에 눈이 부셨습니다. 그래서 얼굴을 찡그리고 있었지만, 바깥세상이 궁금해서 귀를 활짝 열어 놓았습니다.

상자 속에 신발들이 하나씩 꺼내지고 나서야 나는 비로소 눈을 뜰 수가 있었습니다. 주위를 둘러본 나는 낯선 풍경에 어리둥절해졌습니다. 햇볕이 어찌나 뜨거운지 내 몸은 금방 쪄 낸 찐빵처럼 뜨끈뜨끈해졌습니다. 뽀얀 흙먼지 속에 보이는 것이라곤 낯선 사람들뿐이었습니다. 머리에 누르스름한 천을 뒤집어 쓴 사람, 발끝까지 덮는 긴 옷을 걸친 사람들이 눈에 띄었습니다. 뿌연 천막 아래 깃발 하나가 바람에 나부끼고 있었습니다. 거기에는 빨간 십자가와 알 수 없는 꼬부랑글자가 적혀 있었습니다. 바람이 없는데도 이따금 흙먼지가 일었습니다. 더위와 먼지 때문에 한동안 아무 생각이 나지 않았습니다.

그러던 어느 순간, 나는 한 남자 아이와 눈길이 마주쳤습니다. 머리털은 불밤송이처럼 부스스한데 뿌연 흙먼지가 내려앉아 누르스름하게 보였습니다. 햇볕에 탄 얼굴에도 뿌연 먼지가 내려앉아 버석버석 소리가 날 것 같았습니다. 나는 나도 모르게 얼른 아이의 발을 보았습니다. 아! 아이는 맨발이었습니다. 검은 구릿빛으로 빛나는 발등 그리고 때 묻은 발가락은 그 아이가 얼마나 오랫동안 신발을 신지 않고 살아왔는지 잘 말해 주었습니다.

"모하메드! 이거 네 거야."

문득 한 여자가 나와 오른쪽이를 집어 올리더니 아이에게 말했습니다. 아이는 순간 헤벌쭉 웃었습니다. 누런 아이의 이가 햇살에 반짝 빛났습니다.

"정…… 말요?"

모하메드라 불린 아이는 그렇게 말했습니다.

"그렇다니까."

상냥한 목소리로 여자가 말하자 모하메드는 수줍게 손을 내밀었습니다.

"한번 신어 봐. 발에 맞는지."

여자가 다시 말했습니다. 모하메드는 잠시 머뭇거리더니 발에 묻은 먼지를 털어 내려고 정강이에 발을 문질렀습니다. 그러더니 조심스럽게 나와 오른쪽이 폼 속 깊숙이 발을 들이밀었습니다. 매캐한 먼지 냄새와 함께 나뭇등걸처럼 딱딱한 모하메드의 발이 들어오자, 나는 잠시 숨을 멈추었습니다. 그리고 천천히 모하메드의 발을 온몸으로 감싸 안았습니다.

그렇게 해서 나와 오른쪽이는 모하메드의 운동화가 되었습니다. 모하메드는 우리를 신고 정중정중 뛰었습니다. 그러다가 문득 나와 오른쪽이를 벗어 가슴에 꼭 끌어안았습니다. 익숙하지 않은 냄새가 훅 끼쳤지만 그다지 싫지는 않았습니다.

"마이샤, 마이샤."

모하메드가 누군가를 불렀습니다. 색 바랜 자줏빛 천으로 머리를 감싼 작은 여자 아이였습니다. 길고 숱 많은 눈썹 아래 구슬처럼 까만 눈이 모하메드를 닮았습니다.

"이거 내 운동화야. 운동화."

모하메드의 목소리는 기쁨으로 가득했습니다. 그제야 나는 새 주인 모하메드가 우리를 참으로 사랑한다는 느낌이 들었습니다. 괜스레 가슴이 뻐근해지면서 눈시울이 후끈 달아올랐습니다.

"오빠, 나는 셔츠 받았어. 이거 봐."

마이샤는 품속에 꼭꼭 감춰 두었던 빨간색 티셔츠를 꺼내 흔들었습니다. 나는 그 셔츠가 '주인을 찾아 주세요' 상자 속에 우리와 함께 있던 셔츠라는 것을 한눈에 알아보았습니다.

"와아, 오늘은 정말 재수 좋다. 그치?"

"오빠, 운동화 안 신어?"

마이샤가 물었습니다.

"응, 깨끗하게 씻고 나서 신을 거야."

"나도 좀 씻고 입을 거야."

모하메드는 마이샤의 어깨를 감싸며 환하게 웃었습니다. 모하메드의 집은 석이네 집과 몹시 달랐습니다. 다 허물어진 담과 벽, 그리고 하나뿐인 방은 몹시 지저분했습니다. 물도 몹시 귀해서 모하메드는 새 오줌만큼의 물을 떠서 발을 닦았습니다. 그리고 우리를 한 번 신어 보고는 방 안 구석에 놓아두었습니다. 저녁이 되자, 모하메드의 여러 식구들이 한자리에 모였습니다. 방 안은 금세 움직일 수조차 없을 정도로 비좁아졌습니다. 좁은 방 안은 어두컴컴했지만, 전등은 들어오지 않았습니다. 긴 천으로 얼굴부터 발끝까지 몸을 감싼 사람이 불쑥 들어오는 바람에 나는 깜짝 놀랐습니다. 보자기를 뒤집어쓴 괴물이라도 들어온 줄 알았습니다.

"엄마!"

마이샤와 모하메드가 동시에 소리쳤습니다. 긴 천 속의 사람은 모하메드의 엄마였습니다.

"배고프지? 어서 저녁 먹자."

어둠 속에서 모하메드의 식구들은 감자로 만든 '볼로니'를 구워 조금씩 나눠 먹었습니다.

그렇게 며칠을 지내면서 오른쪽이와 나는 점점 이곳 생활에 익숙해졌습니다. 그리고 몇 가지 사실도 알게 되었습니다. 모하메드 엄마가 쓴 보자기 이름이 '부르카'라는 전통 의상으로 여자가 바깥출입을 할 때는 반드시 입어야 한다는 것, 하루에도 몇 번씩 여기 저기서 폭탄이 터지는 바람에 사람들의 얼굴에 웃음이 사라졌다는 것, 모하메드의 아빠도 몇 년 전 폭탄 사고로 돌아가셨다는 것 등이었습니다.

모하메드도 석이처럼 축구를 좋아했습니다. 비록 낡을 대로 낡아 너덜거리는 축구공이었지만, 모하메드와 친구들은 신나게 공을 따라다녔습니다. 아이들의 웃음소리는 메마른 땅을 적시는 빗방울처럼 신선했습니다. 참으로 오랜만에 나와 오른쪽이도 만났다가 엇갈렸습니다 서로 마주칠 때마다 우리는 벙긋벙긋 웃었습니다. 우리를 사랑하는 주인을 만났다는 기쁨에 가슴이 벅차올랐습니다. 게다가 모하메드는 공을 아주 잘 찼습니다. 모하메드가 나에게 힘을 꽉 주고 오른쪽이를 신은 발로 '뻥' 하고 차올리는 소리는 정말 세상에 그 어떤 소리보다 듣기 좋았습니다.

"모하메드, 모하메드."

누군가 공을 차고 있는 모하메드를 불렀습니다. 모하메드의 삼촌이었습니다.

"모하메드, 그만 놀고 어서 가서 일해."

삼촌은 모하메드를 향해 거무튀튀한 자루를 흔들어 보였습니다. 땟국이 흐르는 옷소매가 자루와 함께 펄럭였습니다. 모하메드는 삼촌에게서 자루를 받아 들고 어디론가 뛰어 갔습니다. 축구를 하던 아이들도 우르르 모하메드를 따라왔습니다. 어느 틈에 아이들은 모하메드처럼 커다란 자루를 들고 있었습니다.

"야, 저기 많다."

한 아이가 소리치며 달려갔습니다. 그곳에는 커다란 쇳덩어리들이 잔뜩 널려 있었습니다. 부서진 탱크 조각, 탄피, 떨어진 자동차 문짝들이었습니다. 모하메드가 고철 덩어리 속을 헤집고 다니는 바람에 나는 날카로운 쇳조각에 콕콕 찍혔습니다.

'아얏!'

오른쪽이도 쉴 새 없이 소리를 질렀습니다.

"야, 이거 얼마 받을까?"

모하메드 친구인 수마드가 자동차 문짝에 달렸던 고리를 빼들고 물었습니다.

"완달라, 완달라."

"아니야, 쓰리 아프가니, 쓰리 아프가니."

아이들은 시시덕거리며 쇳덩어리를 주웠습니다. 그것들을 주워서 팔면 돈이 되는 모양이었습니다. 모하메드의 자루도 제법 묵직해진 듯했습니다. 낑낑거리는 소리와 함께 내 몸에 실어지는 모하메드의 무게가 점점 무거워졌습니다.

모하메드가 허리를 구부려 몇 개의 쇳덩이를 들추고 있을 때였습니다.

"콰광!"

갑자기 마른하늘에 날벼락 치는 소리가 났습니다.

"아악!"

모하메드의 몸은 공중으로 붕 떴다가 툭 떨어졌습니다. 그 바람에 나는 그만 정신을 놓아 버리고 말았습니다.

내가 정신을 차린 곳은 어느 천막 안, 침상 밑이었습니다. 천막 안은 그야말로 아수라장이었습니다. 여기저기 피투성이가 된 사람들이 살려 달라 고래고래 고함을 지르고, 흰 가운을 입은 간호사들이 이리저리 뛰어다니고 있었습니다.

문득 오른쪽이가 보이지 않는다는 것을 나는 알았습니다.

"오른쪽아, 오른쪽아."

나는 울먹이는 소리로 오른쪽이를 불렀습니다. 사방을 두리번거려 보았습니다. 그러나 그 어느 곳에서도 오른쪽이를 찾을 수 없었습니다. 또 오른쪽이와 헤어졌다고 생각하니 말할 수 없이 마음이 아팠습니다.

'대체 어떻게 된 일일까?'

나는 생각을 모으려고 얼굴을 찡그렸습니다. 그때였습니다.

"으으~, 으으~, 내 다리, 내 다리……."

신음 소리가 침상 위에서 들렸습니다. 모하메드의 목소리가 틀림없었습니다.

'세상에! 그럼?'

벼락 치는 소리는 폭탄이 터지는 소리임이 분명했습니다. 나는 온몸이 떨려 숨조차 쉴 수 없었습니다.

"오른쪽아, 오른쪽아. 넌 어디 있는 거야?"

쉴 새 없이 눈물이 흘렀습니다. 침상 위에 모하메드도 몸부림치며 울었습니다.

모하메드는 오른쪽 다리를 잃은 게 분명했습니다. 그와 동시에 나는 오른쪽이를 잃었습니다. 가슴이 미어지는 듯했습니다.

"엄마, 엄마. 아악, 아파! 나 좀 살려 줘."

모하메드는 밤새도록 소리를 질러 댔습니다. 모하메드가 소리칠 때마다 내 가슴도 까맣게 타들어 갔습니다.

나중에 안 일이지만, 쇳덩어리 속에는 미처 터지지 않은 수제 폭탄이 있었는데, 그게 갑자기 폭발했다고 합니다.

꽤 여러 날이 지났습니다. 모하메드는 이제 아프다고 소리 지르지 않았습니다. 대신 하루 종일 말 한마디 없이 멍하니 앉아 있었습니다. 까만 눈에는 그렁그렁 눈물만 담겼습니다.

어느 날 모하메드는 나를 집어 들더니 가슴에 꼭 안았습니다. 모하메드의 큰 눈에서 눈물이 주르륵 흘러내렸습니다.

"생지옥이 따로 없어. 여기는……."

나는 몇 번이고 고개를 저었습니다. 대체 여기는 어디일까?

시도 때도 없이 쾅쾅 폭탄 터지는 소리가 들리고, 제대로 된 집 한 채 없는 곳, 나무와 풀 한 포기 찾기 힘든 메마른 곳…… 그러나 모하메드처럼 마음이 예쁜 아이들이 사는 곳.

모하메드는 천막 병원에서 퇴원하여 집으로 돌아왔습니다. 나도 모하메드와 함께 돌아왔습니다. 그러나 모하메드는 좀처럼 밖으로 나가지 않았습니다. 다 쓰러져 가는 방 안에서 혼자 놀았습니다. 모하메드는 이따금 나를 집어 들고 슬픈 눈으로 들여다보았습니다. 아마도 나를 신고 신나게 축구공을 따라다녔던 때를 생각하는지도 모르겠습니다. 문득 나는 오른쪽이가 한없이 보고 싶었습니다. '뻥' 하고 공을 차올리는 오른쪽이의 모습이 눈앞에 아른거려 더욱 그랬습니다. 대체 오른쪽이는 어디에 있는걸까요?

"모하메드, 이거 네 거다."

그러던 어느 날이었습니다. 삼촌이 불쑥 기다란 목발을 내밀었습니다. 모하메드의 얼굴에 실긋 웃음이 번졌습니다.

다음 날 아침 일찍, 모하메드는 나를 신고 목발을 들었습니다. 집 밖으로 나오자 선득선득 찬 바람이 불었습니다. 삭막한 땅에도 겨울이 오나 봅니다. 건조한 바람은 어디 가고 진득한 바람이 불었습니다.

모하메드는 한 발자국 한 발자국 힘들게 걸었습니다. 모하메드는 걸을 때마다 어찌나 세게 힘을 주는지, 내 몸은 바스라질 것만 같았습니다. 그러나 나는 꾹 참고 무게를 견뎌 냈습니다.

어디론가 한참 동안 힘들게 걷던 모하메드는 문득 걸음을 멈추었습니다. 나도 눈을 들어 주변을 살피다가 그곳이 퍽 낯이 익다는 것을 알아챘습니다. 모하메드가 사고를 당한 바로 그곳이었던 것입니다.

'끔찍한 이곳에 왜 왔지?'

나는 얼른 모하메드의 마음을 알 수가 없었습니다. 그때 모하메드의 발가락이 내 몸 속에서 꿈틀 움직였습니다. 갑자기 내 가슴은 마구 뛰기 시작했습니다.

'아, 그래. 오른쪽이!'

알 수 없는 예감이 온몸을 쩌르르 훑고 지나갔습니다.

모하메드는 오랫동안 주변을 찬찬히 살폈습니다. 나도 두 눈을 움직여 사방을 빠르게 살펴보았습니다. 모하메드가 갑자기 겅중겅중 달려갔습니다. 내 가슴도 콩콩 방망이질을 쳤습니다. 나는 거친 쇳조각 속에 마구 처박혔습니다. 그래도 나는 아픔을 느끼지 못했습니다. 오직 마음속에는 오른쪽이, 오른쪽이뿐이었습니다.

'아아!'

나는 그만 숨이 턱 막혔습니다. 정말이지 기적처럼 야트막한 언덕배기에 오른쪽이가 있었던 것입니다.

"오른쪽아, 나야, 나. 왼쪽이."

나는 오른쪽이를 마구 불렀습니다. 오른쪽이는 나보다 십 년은 더 늙어보였습니다.

"오른쪽아, 정신 차려."

그러나 오른쪽이는 나를 알아보지 못하는 것 같았습니다. 그저 뽀얀 먼지를 뒤집어 쓴 채, 초점 잃은 눈으로 멍하니 하늘만 바라보고있었습니다.

모하메드는 언덕배기에 털썩 주저앉아 오른쪽이를 집어 들었습니다. 한참이나 오른쪽이를 쓰다듬던 모하메드는 나도 벗어 들었습니다. 그리고 나란히 우리 둘을 손에 들고 바라보았습니다.

"축구 선수가 되고 싶었단 말이야."

순간 모하메드의 눈에서 눈물이 주르륵 흘러내렸습니다.

습한 바람이 언덕을 쓸고 지나갔습니다. 오른쪽이 몸에서 뽀얀 먼지가 후르르 날려 내 몸 위에 떨어졌습니다. 순간 오른쪽이가 눈을 번쩍 떴습니다.

"왼쪽아."

오른쪽이가 벌쭉 웃으며 나를 불렀습니다. 나는 그예 찔끔 눈물을 흘리고야 말았습니다.

연둣빛
파란 마음상을
안겨 주고 싶다

안선모

시를 잘 썼던 친구

지금으로부터 31년 전 인천교육대학교 학생 휴게실은 다른 날보다 더욱더 떠들썩했다. 학생들이 가장 선호하는 장소, 가장 마음 편하게 휴식을 취하는 그 휴게실에서 원유순과 나, 그리고 다른 한 친구의 3인 시화전이 있던 날이었기 때문이다.

학장님과 국어과 교수님들이 첫 테이프를 끊고 들어오셨고 뒤이어 기다렸다는 듯 친구들과 후배들이 우르르 몰려왔다. 그때의 감동과 부끄러움을 잊을 수가 없다. 정말이지 얼떨결에 하게 된 3인 시화전이었다. 원유순과 가까이하게 된 건, 바로 그때부터였다. 당시 학보사 주간이었던 고 손동인 교수님이 자주 입에 올리던 사람이 이동렬 선생님과 원유순이었다.

"선배 중에 동화 쓰는 이동렬이가 있다. 또 동기 중에 문학에 관심이 많은 원유순이가 있다. 그러니 자주 만나서 공부를 하는 것이 어떻겠니?"

하지만 나는 별 관심이 없었다.

3인 시화전에서 가장 돋보인 시는 원유순의 '생일'이었다. 나는 원유순의 시 '생일'을 보고 큰 감동을 받았다. 자세한 내용은 기억할 수 없지만 생일날, 아침 밥상에 오른 미역국을 보며 자신을 낳아 준 부모님을 생각하는 가슴 찡한 시였다. 원유순의 시는 따뜻했고, 서정적이었으며 온유했다. 반면에 나의 졸시는 도전적이고, 반항적이었다. 시를 읽으며 막연히 '이렇게 따뜻한 시를 쓰는 이 친구는 어떤 아이일까? 하지만 이 친구는 나와는 어울리지 않아.'라고 단정했다.

시화전이 끝나고 며칠 후 손동인 교수님은 우리 셋을 불러 원고지에 한 자 한 자 꾹꾹 눌러 쓴 편지 한 장을 주셨다. 용기와 격려를 가득 담은 사랑의 편지였다. 아울러 문학의 길이란 게 그리 만만치 않다는 충고도 가득 들어 있었다.

지금까지 살아오면서 가장 아쉬운 것이 있다면 손동인 교수님으로부터 충분히 지도를 받을 수 있었는데 놓쳤다는 것이다. 가까운 곳에 스승님을 모셔 놓고 왜 다른 데에 한눈을 팔았을까, 하는 것이다.

당시 인천에는 '묵시회'라는 대학생 문학 클럽이 있었다. 여러 대학의 학생들이 모여 구성되어 제법 활발하게 문학 활동을 벌였다. 시화전을 열기도 하고, 한 달에 한 번 회지를 만들었고, 진지하게 토론을 했다. 신포시장에서 만나면 밤새도록 막걸리를 마시며 시간 가는 줄도 모르고 문학을 논했다. 때로는 나이 드신 선배 문인들을 방문하며 선후배 간의 정을 나누기도 했다. 그때 선배들이 김구연 선생님을 만나러 간다는 소리를 들었지만 아동문학에 대해 전혀 관심이 없었던 나는 가지 않았다. 한 선배가 쓴 '동화'를 보며 '동화는 참 유치하구나.' 하고 생각했던 시절이었으니까. 나는 사람을 만나는 걸 좋아하고, 술 마시는 것도 좋아했다. 문학이라는 고리로 연결된 사람들을 만나는 게 너무나 좋았다.

그런데 원유순은 결혼하고 나서 묵시회에 나오지 않았다. 일찍 결혼한 때문이었을까? 그때 나는 원유순은 나와는 다른 사람이라고 생각했다. 그리고 그런 친구를 이해하기가 정말 어려웠다. 결혼을 했다는 이유로 어떻게 하고 싶은 일을 포기한단 말인가. 분명 문학에의 열정으로 활활 타오르고 있으면서 왜 그것을 일정 부분 포기해야 하는 것일까? 그러나 나는 친구의 깊은 속을 잘 모르고 있었던 듯하다.

동화의 길로 들어선 친구

졸업 후, 우연히 내가 살고 있는 곳에서 버스 두 정거장 정도 떨어진 곳에 원유순이 살고 있다는 것을 알게 되었다. 나는 주저 없이 반가운 마음으로 달려갔다. 우리 동창생들 가운데 유일하게 졸업하기 전에 결혼했던 원유순은 마치 아이들이 소꿉장난하는 것처럼 소박하고 단출하게 살림살이를 마련하고 남편과 단둘이 널따란 집에서 살고 있었다.

나를 만나자 원유순은 흥분하여 글에 대한 이야기를 줄줄이 늘어놓았다. 교원들의 잡지 〈새교실〉에 글을 응모하여 당선되었다는 이야기, 신춘문예에 여러 번 응모하였는데 최종심에서 번번이 떨어져 이제는 다른 길로 문단 데뷔를 하겠다는 이야기 등. 친구의 벌게진 얼굴에서 동화에 대한 열정을 느꼈다. 책꽂이에 가득 꽂혀 있는 동화와 관련된 책들을 보며 나는 내 경솔함을 꾸짖었다.

'아, 이 친구는 이렇게 문학의 길을 가고 있었구나. 그런데 나는 그것도 모르고 단순히 문학을 포기했다고만 생각했으니…….'

친구가 어렵게 마련한 단독 주택에는 비싼 가구도, 특별한 혼수품도 없었지만 동화의 향기가 넘쳐흘렀고, 동화에 대한 열정이 가득했다 그곳에서 나는 처음으로 동화를 만났다. 그리고 동화에 대해 처음으로 진지하게 생각해 보게 되었다. 동화는 어린애들이나 읽는 유치한 글이라고 생각했던 나에게 통화의 기쁨을 알려 준 것이 바로 원유순이었다. 그 후 나는 동화책을 닥치는 대로 읽었다.

그때 나에게 동화에 대해 이야기하던 원유순의 얼굴이 지금도 너무나 생생하게 떠오른다. 반짝반짝 빛나던 눈, 무언가를 향해 끝없이 나가는 집념 그리고 자신감. 그때 웃고 말하던 그 얼굴은 이 세상에서 가장 순수하고 행복한 얼굴이었다.

그날, 집으로 돌아와 난, 나 자신에 대해 한참 동안 생각해 보았다.

'저 친구가 저렇게 무언가를 이루며 나아가는 동안 난 무엇을 했나?'

그런데 아무리 생각하고 또 생각해도 내가 한 일은 별로 없었다. 고작해야 일기장에 그날의 사건과 느낌 정도를 간단하게 끄적거린 것 정도였다. 원유순에게 자극받아 난 무엇이든 써야만 한다고 생각했고, 쓰기로 결심했다. 그리고 무작정 컴퓨터 앞에 앉았다. 그런데 무작정 컴퓨터에 앉는다고 동화가 나오겠는가. 동화에 대해 제대로 공부한 적도 없으면서 의욕만 있다고 동화가 나오겠는가.

그때 원유순을 안 만났다면 내가 과연 동화를 쓸 수 있었을까? 그때의 만남으로 내 동화 인생이 시작되었으니 원유순은 나에게 있어 인생의 나침반 역할을 해 주었다고 해도 과언이 아니다.

그 후, 원유순의 뒤를 따르며, 원유순의 글을 읽으며, 원유순의 책들을 부러워하며 나는 걸었다. 동화의 길을 향해.

원유순은 참 잘도 썼고, 많이도 썼다. 잘나가는 동화작가로도 인정받았다. 주제도 다양하게 선택했고, 주제와 연령에 맞게 술술 재미있게 잘도 풀어 나갔다. 그게 바로 원유순이 갖고 있는 선천적인 능력이었다.

'나는 왜 저 친구처럼 물 흘러가듯 술술 동화를 쓰지 못하는 걸까? 왜 원유순처럼 구성을 탄탄하게 하지 못하는 걸까? 친구에겐 쉬운 동화 쓰기가 나에겐 왜 이렇게 힘들게 느껴질까?' 친구와 모든 것을 비교하자니 내 자신이 너무 미약하고 초라하여 견딜 수 없을 때도 있었다. 말은 안 했지만 속으로는 질투도 났고, 속도 상했고, 상처도 많이 받았다. 그런 날이면 더욱더 책을 많이 읽었고, 컴퓨터 앞에 앉아 있는 시간이 더욱더 길어졌다.

그러던 어느 날, 문득 깨달은 게 있다.

'원유순은 원유순이고 나는 나다!'

그렇게 생각하니, 마음이 편해졌다. 이렇게 깨닫게 되기까지 얼마나 오랜 시간이 걸렸는가. 그런데 내 친구 원유순은 정말 잘 쓴다.

해바라기 같은 열정을 품고 있는 친구

원유순이 학교를 퇴직한다고 했을 때, 나는 적극 반대했다. 그러고 보니 그 옛날 옛날, 결혼한다고 했을 때도 적극 반대했던 것 같다. 나의 이런 오지랖을 원유순은 어떻게 생각할지 모르겠지만. 나는 오지랖이 넓어 참견을 잘하는 편이다.

원유순이 같은 교직에 있어 마음 든든할 때가 많았는데 떠난다면 어쩐지 멀어질 것 같은 생각이 들어서였다. 마음 한편으론 교직을 떠나는 친구가 부러웠다.

'교직을 떠나면 시간이 많겠지.

시간이 많으면 책도 많이 읽겠지.

책을 많이 읽으면 좋은 글도 많이 쓰겠지.

글 쓸 소재를 찾기 위해 여행도 많이 다니겠지.

그러면 또 좋은 글을 쓸테지.

와, 부럽다, 정말 부럽다.'

좋은 글을 쓰고 싶어 안달이 나 있는 나의 온 신경은 온통 그렇게 연결되어 있었다.

교직을 떠나고 더 바빠진 친구를 만나는 건, 한 달에 한 번 작가들의 연주 모임 '아띠' 연습 날뿐이다. 시간이 날 때마다 바이올린 연주를 하면 기운이 난다는 친구, 그 친구와 부평과 부천이라는 아주 가까운 거리에 살고 있지만 바쁘다는 이유로 자주 만나지는 못하고 있다. 공식적인 행사 자리에서나 겨우 만날까.

하지만 나는 원유순이 단국대에서 공부를 하는 한편 다른 대학에 나가 강의도 하고, 또 글 제자들과의 소통을 위해 카페(연둣빛 파란 마음)를 운영하고 있으며, 낙도 또는 오지에 있는 학교에 가서 책을 읽어 주는 모임을 주관하며 좋은 일을 하고 있다는 것을 알고 있다. 그만큼 나는 원유순에게 관심이 많다.

길을 가다 해바라기를 보면 원유순이 생각난다. 꽃은 꽃대로 열매는 열매대로 제 몫을 톡톡히 해내고 있는 해바라기. 살아가는 동안 성실하게 자기 일을 해 나가고, 한눈 팔지 않고 동화의 길을 걸었으며, 남편 뒷바라지도 잘하고, 아들 둘도 잘 키워 낸 내 친구 원유순은 해바라기 같은 열정을 품고 있는 동화작가다.

만약 내가 원유순에게 상을 줄 수 있다면 '연둣빛 파란 마음상'을 안겨 주고 싶다. 18년 동안 연둣빛 파란 마음으로 동화를 썼으니까 말이다. 아이들에게 연둣빛 파란 마음을 갖도록 해 주었으니까 말이다. 앞으로도 이 세상 사람들에게 연둣빛 파란 마음을 갖도록 할테니 말이다.

안으로 열정을 담고 열심히 살아온 내 친구, 원유순.

그녀가 자랑스럽다. 그리고 무지무지하게 부럽다.

존재,
세계를
마주하다

정혜원

작가들은 이데올로기적 컨텍스트를 공유하기 때문에 역사적으로 같은 기간에는 서로 비슷한 점이 많기 마련이다. 우리가 어떤 역사적인 사건이나 특정 문화의 특색에 대해 알면, 텍스트가 창작된 시기나 장소와 어떤 연관 관계가 있는지, 그 환경이 어떻게 텍스트에 영감을 주는지를 알 수 있게 되어 더 큰 즐거움을 누릴 수 있다. 그러나 작가가 마주하는 세계는 작가마다 다르게 작용할 수 있다. 그러나 작가가 마주하는 세계는 작가마다 다르게 작용할 수 있다. 작가 원유순은 생명체가 끊임없이 세포 분열을 하듯, 그가 마주하는 세계를 쉼표 없이 그려 낸다.

어릴 적 추억이 묻어나는 강원도 땅에서 작가적 영감을 가지게 되었다. 오빠의 시를 읽으며, 친구 집에서 책을 빌려 보며 자신도 모르는 사이에 작가 수업을 하고 있었던 것이다. 1990년대 계간 〈아동문학평론〉 추천, 계몽아동문학상, MBC창작동화대상 등에 당선됨으로써 주목받는 신인으로 등단하여, 독자들에게 사랑받는 동화작가로 현재까지 왕성하게 활동 중이다. 작가 원유순은 다른 작가들이 그렇듯이 이 세계, 즉 제도권 속에서 부딪치는 문제들에 대해 가만히 있지 못한다. 작가가 대면하는 세계는 끝없는 고통을 안은 채 잉태의 과정을 겪게 되고 곧 산고의 아픔을 통해 작품을 내놓는다.

충돌, 그 뼈아픈 상흔에 대하여

사실상 작가들이 인식하게 되는 모든 상황은 문제의식을 발동한다. 인간이 만물의 영장이라고 하는 교만한 자세로 군림하던 때부터 이 사단이 시작되었다고 해도 과언이 아니다. 자연과 인간이 조화롭게 살던 세상은 사라지고 이제 자연도 반기를 들기 시작했다. 최근 몇 년 동안만 보아도 그 실체를 확인할 수 있다. 지금 세계 곳곳에 일어나는 이상 자연현상과 자연재해들이 그것이다. 인간들이 자신들이 욕망만 채우려다 보니 더 이상 자연도 참지 않고 보복을 시작했는지 모를 일이다. 작가는 인간과 자연이 충돌하는 지점에서 스스로 뼈를 깎는 아픔을 토로하고 있다. 자연이 충돌하는 지점에서 스스로 뼈를 깎는 아픔을 토로하고 있다. 자연을 순수하게 그려 내고 싶은 열망, 그러면서도 자연과 인간이 조화롭지 못한 채 존재하는 것에 대한 회환, 또 상흔들까지 사회 문제로 내놓고 있다.

작은 생명의 소중함을 일깨우고 험한 자연환경 속에서도 씩씩하게 살아가는 풀꽃들의 생태를 따뜻한 시선으로 그려 낸《날아라 풀씨야》(웅진닷컴, 1998), 경제 사정으로 부모와 헤어져 시골에서 생활하게 되지만 그 속에서 만나는 자연을 통해 성장해가는《똘배네 도라지 꽃밭》(웅진닷컴, 1999), 생태계 훼손으로 수달들의 안식처를 빼앗긴《콩달이에게 집을 주세요》(대교출판, 1999), 영월 최대의 지역 축제 중 하나인 섶다리 축제를 다룬《꽃봉오리는 꿈으로 큰다뫼다리 마을의 섶다리 놓는 날》(파랑새어린이, 2005)이 있다.

특히《콩달이에게 집을 주세요》는 영월 어라연 주위에 살던 수달 이야기를 담은 생태 동화이다. 자연을 지키고 싶은 작가의 마음은 수달을 대변하고 있다. 인간의 욕심으로 쌓아 올린 댐의 높이만큼 자연으로 대표되는 수달과의 거리도 멀어진다.

> "음, 사람은 글쎄다. 참으로 모를 존재들이란다. 어떤 사람은 우리들을 위해 좋은 일을 하기도 하고 또 어떤 사람들은 우리들에게 무척 두려운 존재이기도 하지."
> 엄마의 얼굴이 몹시 어두워졌습니다. 콩달이는 그런 엄마의 마음을 알 수 없었습니다. (p.65)

콩달 엄마가 인간에게 느끼는 감정은 '불신'과 '불안'이다. 인간의 이익을 위해서라면 무엇이든 부수고 쌓아 버리는 행동 때문이다. 순진무구하게 그려지는 콩달은 엄마의 이런 말을 이해하지 못하지만 점점 사건이 진행됨에 따라 깨닫게 된다.

작가는 작품 속 세상도 첨예하게 그려 내고 있다. 사람들이 콩달 엄마를 덫을 놓아 잡아갔고 댐을 만든다는 이유로 수달의 집을 다 없애 버린다. 또 친구 달달이가 집에 갇혀 죽는 사건, 동네에서 함께 살던 수달들은 환경의 변화로 먹이를 잃고 새 보금자리를 찾아 고향을 등지는 사건, 이사를 가다가 괴물 같은 차에 치어 죽는 사건 등 비극적인 현실이 바로 지금 우리 자연의 현주소다. 이렇게 적나라하게 그려 내는 상황을 보고 독자들은 사람들이 저지른 만행에 대해 심각성을 인식하게 될 것이다.

> "나를 길러 준 아저씨는 정말 좋은 분이었어. 내가 아기였을 때 엄마처럼 돌보아 주셨고 또 이곳 강가에 놓아주면서도 걱정을 많이 했어. 내가 먹이를 잡지 못할까 봐 말이야."
> 예쁜달이는 아저씨 이야기를 하면서 다시 목소리가 잠겨 들었습니다. (pp.162~63)

작가가 자연과 인간에 대한 얼마나 많은 관심과 배려를 기울이고 있는가를 단적으로 보여 주는 장면이다. 자연을 훼손하는 사람들이 있는가 하면, 분명히 한쪽에서는 자연과 환경을 보호하는 사람들이 있다. 작가가 의도하는 바에 따라 무조건 작품이 구성되는 것이 아니라 다른 두 가지 측면을 동시에 보여 주어 독자로 하여금 스스로 판단하고 감상하도록 하고 있다. 그러나 궁극적으로 자연과 환경을 파괴하는 것에 분노하고 있다. 작품 속에 드러나듯이 때로는 아주 날카롭게, 때로는 진중하게 메시지를 띄우고 있다.

그림자, 빛을 보다.

예전에 비해 모든 것이 풍족하다고 하지만 여전히 가난에 허덕이고, 어른들의 문제에 휘말려 몇 겹의 고난 속에 살아가는 아이들이 그림자처럼 존재한다. 많은 작가들이 소외된 아이의 문제를 다룬다. 그렇기 때문에 더 예민하고 조심스러울 것이다. 대부분이 그렇듯 소외된 아이들을 위로하며 용기와 희망의 메시지, 자신감을 가지고 현실을 극복할 수 있는 힘을 실어 주려고 한다. 대체적으로 이런 소재의 동화들은 교실 안 아동의 현실성을 기반으로 한다. 그러나 현실 그대로를 동화로 구성한다면 아동들의 내면적 경험에 위배된다. 독자인 아동은 그 동화에 관심을 가지고 읽게 될 것이고 무언가 얻으려는 지적이고 정서적인 과정을 거치게 될 것이다. 마이클 폴라니는 사실에 대한 지식은 '개인적 지식'으로 바뀌어야만 총체적인 인성에 도움을 준다고 주장하고 있다. 결국 독자들 개개인이 가지고 있는 공적, 사적 지식과 경험이 체화되고 공감대를 형성해야 한다는 것이다. 작가는 동화 속에서 생명을 얻은 인물들을 하나하나 살피고 무한히 정성을 쏟고 있다. 작가는 작품 속에 등장하는 소외된 아이들을 그림자 같은 유령으로의 존재가 아니라 생명력 넘치는 인물로 부각시킨다.

집집마다 말 못할 사정과 가난이 공존하는 공간, 주공 임대 아파트를 배경으로 한 《열 평 아이들》(창비, 1998), 글도 못 읽고 혼자만 뒤떨어져 놀림의 대상이 된 삼디기가 연보라의 우정으로 책을 읽게 되는 《까막눈 삼디기》(웅진닷컴, 2000), 사회 문제로 대두된 소아비만의 문제를 들여다본 《뚱보 은땡이》(세손교육, 2002), 천재와 바보가 함께 공존하는 자폐아 만복이 이야기를 다룬 《바보 천재 만복이》(진선출판사, 2003), IMF 이후 많은 건강한 가정들이 경제적 문제로 해체되었는데 노숙자가 된 아빠와 보육원에 맡겨졌던 아들이 겪는 《아빠와 토스트》(두산동아, 2004)가 그것이다. 성인들이 힘들다고 말할 때 그 뒤에서 함께 공존하는 아동들은 몇 겹의 고통과 설움을 감수해야 한다. 아동들은 그들이 처한 극한 상황을 감당하기에 아직 너무나 버겁기만 하다. 소외된 아동들에 대해 돌리는 작가의 눈빛에는 따뜻함과 세심함이 묻어난다.

특히 《아빠와 토스트》에서 보여 주는 등장인물에 대한 애정은 진한 감동을 일으킨다. 길가에 늘어선 작은 포장마차는 또 어느 가장이 가족들을 위해 일하는 신성한 일터일 것이다. 경제적인 문제로 보육원에 맡겨졌다가 다시 아빠와 살게 된 훈이와 토스트 장사를 하는 아빠의 생활고를 다른 이야기다. 훈이는 어린 나이에 가정의 해체와 경제난이라는 큰 어려움을 겪게 되는 불운한 인물이다. 아동들에게 이런 현실적 고통은 남보다 빨리 애어른이 되는 결과를 낳는다. 사회에 빨리 편입된다는 긍정적인 면보다 그 나이에 경험해야 할 소중한 또래 문화와 추억을 공유하지 못하는 부정적인 면이 적지 않다. 훈이가 가졌을 정신적 공황 상태와 부모와의 별리에 대한 두려움이 고스란히 작품 속에 녹아나 있다. 이런 복합적인 감정과 상황은 훈이가 더 이상 아빠에게 기대감을 갖지 않게 한다. 그 결과 훈이는 아빠의 경제 상황을 지나치게 고려한 나머지 급식비를 걱정하다가 선생님의 돈을 도둑질하게 된다. 이 과정을 슬기롭게 대처해 나가는 선생님의 자세에서 작가의 따뜻한 시선이 배어 있다.

> "너 민들레꽃 아니?"
>
> 뜬금없는 선생님 말에 선생님이 펼쳐 보이는 사진으로 저절로 눈길이 갔다. 하얀 수염을 단 민들레 꽃씨가 하늘 가득 날고 있는 사진이었다.
>
> "훈아, 이거 봐라."
>
> 선생님이 손가락으로 민들레꽃을 가리켰다.
>
> "하나의 민들레 포기가 이렇게 많은 민들레 씨앗을 퍼뜨리는 거다. 너는 이 민들레 씨앗이 되는 거야."
>
> "네?"
>
> 선생님 말이 어려웠다. 무슨 말인지 알 수 없었다.
>
> "어려울 때는 남의 도움을 받아도 된다는 말이야. 그건 부끄러운 게 아니란 뜻이지. 왜냐하면 이다음에, 네가 커서 어른이 되어 어려운 사람들을 많이 도와주면 되기 때문이란다. 이 민들레 씨앗처럼, 네가 받은 사랑을 어려운 사람에게 대신 나누어 줄 때 너는 훌륭한 사람이 되는 거야."

> 그제야 나는 어렴풋이 선생님의 말뜻을 알 것 같았다. (pp.93~94)

도움을 주는 자와 도움을 받는 자는 분명 다르다. 선생님은 훈이가 도움을 받는 것에 대한 부담을 줄여 주려고 상징적으로 민들레꽃 사진을 보여 준다. 작은 나눔을 통해 민들레 홀씨처럼 침윤될 나눔의 운동을 기대하고 있는 것이다. 선생님의 따뜻한 정과 배려하는 마음에서 훈이는 자신이 도둑질한 사실에 대해 더 깊이 반성하는 계기가 되었다. 만약 선생님이 별말 없이 도움을 주는 것으로 설정했다면 이토록 독자들에게 진한 감동을 주지 못했을 것이다. 이러한 세심한 배려는 작품의 현실성을 잘 살리면서 극적인 분위기를 가미하여 한층 재미와 감동을 배가시킨다. 일차적으로 작가 스스로 고단하고 절망적인 현실을 사실적으로 수용한다. 이차적으로 그런 현실과 허구적 세계를 주도면밀하게 구성한다. 훈이와 아빠, 훈이와 선생님의 관계 속에서 다시 희망의 씨가 돋아나기 시작한다.

참을 수 없는 존재의 가벼움

작가는 그가 마주하는 세계에 대해 치열한 대결 구도를 그린다. 아직 끝나지 않은 게임에 안테나를 세우고 날카로운 시각으로 작품을 내놓는다.

페리 노들먼은 "아동은 수없이 많은 경험을 향유"할 필요가 있다고 한다. 아동이 만나는 세계 속에서 그들만이 갖는 감정과 경험을 축으로 진정한 아름다움과 세상을 알아 가게 되기 때문이다. 여기서 문제가 되는 것은 성인들이 보여 주는 세상, 즉 작품의 세계이다. 작가는 그늘진 사회의 현실을 보여 주면서 은근히 계몽적인 담론을 일삼기 마련이다. 작가가 작품을 통해 무엇인가 메시지를 전하려는 것은 당연한 일이다. 그 당연함 속에 아동들이 시달려야 할 계몽적 폐해도 적지 않았다. 작가적 역량은 이러한 계몽의 폐해를 줄이면서 날카로운 현실을 적당한 긴장과 스펙터클한 재미, 잠복된 희망을 어떻게 조합하며 구성하는가에서 진면목이 드러난다. 이런 면에서 그의 작품은 실패하지 않는다. 똑같이 제시되는 사회 문제라고 해도 작가는 상투적인 잣대나 시각보다 작가 특유의 시각으로 구현해 내기 때문이다. 이것이 이 작가의 가장 큰 장점이라 할 수 있을 것이다.

소련 KAL기 격추 사건을 모티브로 러시아와 한국과의 관계를 짚어 나가며 이데올로기와는 별개로 동심은 통한다는 《둥근 하늘 둥근 땅》(계몽사, 1994), 한센병을 앓은 적이 있는 부모를 둔 '미감아' 문제를 다룬 《넌 아름다운 친구야》(푸른책들, 2001), 동남아시아인과 국제 결혼해서 겪게 되는 외국인들의 인권 문제와 가족들이 겪는 갈등 문제를 다룬 《우리 엄마는 여자 블랑카》(중앙출판사, 2005), 새로운 희망을 찾아온 새터민들이 한국에 들어와 적응하기까지 갈등을 그린 《피양랭면집 명옥이》(웅진주니어, 2007), 해외 입양을 소재로 한 것인데 여기서 특이한 점은 일반적으로 입양아들이 겪었을 정체성에 대한 문제보다 입양 보낸 부모들의 삶을 조명한 《양손 씨의 양복》(한겨레아이들, 2007)이 대표적 작품이다. 사회적으로 가장 이슈가 되고 있는 외국인 인권 문제, 새터민 적응 문제, 해외 입양문제, 이데올로기, 타자에 대한 고정관념 등을 흡인력 있게 창작해 낸 작품들이다.

《넌 아름다운 친구야》는 특별한 소재로 우리의 오만과 편견에 대해 일침을 놓는 작품이다. 소위 '문둥병'이라고 불리는 '한센병'을 소재로, 사람들의 고정관념과 타자에 대한 차별을 그려내고 있다. 한센병은 단지 피부병의 일종일 뿐이지, 사람들의 의식 속에 뿌리 깊게 남아 있는 전염병이 아니다. 이 작품은 한센병을 둘러싼 사람들의 의식의 변화를 '미감아'인 미우의 시점에서 생생하게 풀어내고 있다. 우리는 타자에 대해 관심과 배려를 철저히 배격한다. 다수인 우리가 기성세대에 발생한 고통을 현재 그 후손인 미우에게 또 미감아라는 굴레를 씌워 고통을 세습되게 한다. 작가는 한센병에 대해 무지한 독자들에게 방향을 바로잡고 타자에 대한 관심과 배려를 촉구한다. 그러나 의사인 다슬이 엄마가 방송에 출연해서 한센병에 대해 언급하는 행위, 책 출간, 이 사건으로 인해 왕래가 없던 외갓집에서 화해를 청하는 장면에서 작위적이란 말이 떠오른다. 작품에 등장하는 인물들이 필요 이상으로 관계를 맺는 것은 오히려 독자들로 하여금 식상하게 만든다. 차라리 모르는 의학박사가 방송에서 말하는 것을 온 가족이 보게 되는 설정이 계몽 담론을 피해 갈 수 있는 한 방법이다. 강박적인 해피엔딩의 결말은 보는 시각에 따 라 작가 의도하는 바를 삭감시킬 여지를 준다. 그러나 미우가 선생님 수첩에 '미감아'라는 빨간 글씨로 올라간 줄도 모르고 즐겁게 생활하는 장면에서는 미우의 순수한 아동의 모습을 참신하게 그려 내고 있다. 형준에 의해 그 사실을 알게 되고 곧 미우의 마음속에 균열이 일기 시작한다. 미우가 가족의 슬픈 역사를 통해서 자신도 그 고통의 늪에 빠지게 된다. 이러한 과정을 묘사하는 데서 작가는 각 인물들마다 예민한 감정선을 잘 따라 가고 있다. 미우 옆에 친구 다슬이는 친구를 잃지 않으려고 노력한다. 설사 무서운 한센병이 걸린다고 해도 서로에게 아름다운 친구로 남을 수 있다는 진한 우정을 함께 말하고 있다. 세태를 풍자하고 비판하는 동화일수록 가려운 데를 긁고 배설하고 싶은 것을 시원하게 배설하는 용기가 필요하다. 더 과감히 세상을 향해 비판하지 못한 것이 아쉬움으로 남는다. 그러나 이런 난점에도 불구하고 다른 작가들이 다루기 힘든 소재 발굴이나 선명한 주제 의식, 등장인물의 내면 심리 묘사, 세태 풍자가 뛰어난 작품이라고 할 수 있다.

《얀손 씨의 양복》은 해외 입양 문제에 대해 지금까지와는 전혀 다른 시각을 보여 주고 있다는 데 주목해야 한다. 해외 입양을 한 부모는 나름대로 사정과 문제가 있기 마련인데, 그런 사정은 재고하지 않고 무조건 냉혈한이나 천륜을 거스른 파렴치한으로 간주되었다. 입양아가 낯선 나라에서 겪게 될 수많은 고통과 정체성에 대한 것은 이미 많은 작가들이나 대담 프로그램에서 다루어졌다. 누구나 할 수 있는 이야기를 또 쓴다는 것은 바람직하지 않다. 세상을 보는 새로운 시각, 새로운 잣대의 도입이 무엇보다 필요하다. 이 작품이 바로 작가적 기지가 십분 발휘한 것이라 볼 수 있다. 입양아 자신도 문제지만 자식을 이국땅에 보내야만 했던 부모들의 심정과 그 후의 삶에 초점을 맞추고 있기 때문이다.

"왜 그렇게 애비 말을 못 알아들어? 애비가 죽으면 너 혼자 어떻게 살아갈 거야? 다리도 못 쓰는 주제에 누가 너를 먹여 주고 재워 준대?"

아버지는 마구 소리를 쳤습니다. …… (중략) ……

"이 멍청한 놈아, 애비가 하느님이냐, 부처님이야? 어떻게 안 죽어. 잔말 말고 애비가 떠나거들랑 큰 소리로 사람을 불러. 그리고 얌전히 있다가 외국으로 입양되면 그곳에 가서 잘 살아. 잘사는 미국에는 너 같은 애들이 타고 다니는 바퀴 달린 의자도 있다더라. 그거 타고 다니면서 학교도 다니고, 맛있는……."

아버지는 목이 메어 말끝 맺지 못하고, 다시 울음을 터뜨렸습니다. (pp.149~152)

양복점 할아버지가 아들을 남의 집 앞에 버리는 장면이다. 아내는 이들을 낳자마자 죽고 그나마 아들은 소아마비로 꼼짝도 못하고, 노동자로 살던 할아버지는 아들 때문에 하던 일도 그만둔다. 극한 가난은 아들 근우를 버리는 치명적인 결과를 낳는다. 당시 근우아버지는 자신의 능력으로는 그 선택이 최선이라고 생각했고 비록 자신과는 떨어지지만 근우가 선진국에 가서 잘 먹고 잘 살기를 바라는 의도였다. 그러나 아들에게는 나라와 부모에 대한 깊은 불신을 주고, 할아버지는 평생 가슴속에 아들에 대한 그리움과 죄의식, 방황으로 괴로워하다가 죽는다. 그 사이를 연결하는 인물이 민재이다. 민재는 양복점 할아버지가 만들어 준 양복으로 인해 잠깐 친하게 지낸다. 할아버지가 남긴 양복을 네덜란드로 입양 간 근우에게 전하며 할아버지와 화해하게 돕는 조력자이다. 독자들은 지금까지 결과만을 놓고 선악을 판단하던 자세에서 벗어나 여러 가지 상황을 고려하고 이해하려는 노력을 기울일 것이다. 오히려 양복점 할아버지에 대한 측은지심을 가지고 한 발자국 더 성장하게 될 수 있을 것이다. 이런 남다른 작가의 의식이 돋보이는 작품이다.

《우리 엄마는 여자 블랑카》는 끊임없이 사회 문제로 대두되는 외국 여성들의 인권 문제를 다룬 작품이다. 일반적으로 동화에서 외국 근로자의 문제, 외국 여성들이 결혼 후 다른 문화와 겪는 갈등, 혼혈아로 태어난 2세들의 문제들이 주로 다루어졌다. 많은 외국인 여성들이 코리안드림을 안고 한국으로 향한다. 그러나 기다리고 있는 현실은 그들이 원하던 이상향이 아니다. 모든 것이 낯설고 힘겨운 현실이다. 작품 속에서도 베트남에서 온 새엄마를 둔 것 때문에 친구들과 주위 사람들에게 곱지 않은 시선을 받아야 하는 딸의 심리 상태가 잘 나타나 있다. 더 적극적인 장면은 새엄마가 자신과 같이 낯선 땅에 와서 천대받고 무시당하는 여성들을 위해 앞장서는 것이다.

"인권을 보장하라"
"우리를 사람처럼 대해라. 우리는 짐승이 아니다."(p.83)

누구나 인간으로서 가질 권리와 행복이 있다. 세상은 만민이 평등하다고 하지만, 실제 우리가 마주하는 세상은 인권이 유린된 현장을 곳곳에서 만날 수 있다. 작가는 이런 상황을 참을 수 없었기에 또 작품으로 독자들과 생각을 나누고 싶었던 것이다. 다문화 가정이 점점 늘어나는 추세에 더 이상 외국인 가정을 타자로 간주하는 것은 모두를 위해 도움이 되는 판단이 아니다. 인간 삶에 있어 인권이란 가장 근본이 되는 사안이다. 철저히 타자로 취급되는 외국인 여성들과 첨예하게 대립되는 사회를 담담히 그려 내고 있다. 어렵게 생각하면 한없이 어려울 수 있는 소재지만 작가는 독자들이 앞으로 더 많이 직면하게 될 인권 문제에 대해 외면하지 않고 올곧은 시각으로 간파하고 있다.

《피양랭면집 명옥이》는 북한에서 희망을 안고 사선을 넘어온 우리 동포의 이야기이다. 아직도 반공 이데올로기가 남아 있어 새터민들이 자리 잡는 데 어려움을 겪는다. 거기다 남한도 복잡다단한 문제들 때문에 새터민들에게 따뜻한 온정을 베풀지 못 한다. 전혀 다른 정치 체제와 낯선 문화와 언어, 관계들이 그들을 더 버겁게 할 것이다. 정전 상태로 수십 년간 보낸 결과가 같은 민족끼리 깊은 골을 패이게 했다. 새터민 명옥이네는 다행히 평양냉면집을 하고 이 사회에 적응해 나간다. 그러나 또 그 속에 존재하는 명옥이는 친구들에게 따돌림을 받는다. 명옥이는 남한 아이들의 곱지 않은 시선과, 타자화하는 경향과, 달라진 환경과 문화에서 오는 차이에서 상처를 받게 된다. 그런 과정 속에서 아토피인 힘찬이와 명옥이가 냉면 때문에 친해지게 된다. 여기서 냉면은 단순한 먹을거리가 아니다. 힘찬이와 명옥이의 공감을 형성하고 한민족의 동질성을 회복하는 상징적인 음식 문화인 것이다. 지금도 남한에서의 삶을 힘겹게 지탱하고 있는 새터민들에게 더 이상 무거운 이데올로기 문제를 적용해서는 안 될 것이다. 작가처럼 이데올로기 문제를 떠나 진정으로 남북의 아이들이 소통하는 방법을 모색해야 할 것이다. 이제 작가의 의도처럼 새터민을 진정 같은 민족으로 품고 함께 나아갈 수 있는 합의가 이루어지도록 노력해야 할 것이다. 이것이 작가가 독자에게 보내는 작은 메시지이다.

작가 원유순의 작품을 만날 때마다 밀란 쿤데라란 작가와 클로즈업된다. 역사 속에 던져진 인간 존재의 의미와 삶의 무상함을 되새기는 그의 작품에서 받았던 그 느낌이 오롯이 되살아나기 때문이다. 우리는 살면서 그것이 무엇이 되었든 간에 마주치는 세계 속에 '참을 수 없음'과 '흘러넘침'을 경험하게 된다. 그래서 우리 속에 우리를 얼마나 죽였던가, 또 얼마나 우리 존재에 대해 수많은 밤을 괴로워했던가. 첨예하게 맞서는 좌절감에 반복적으로 괴로워하고 때로는 외면하기도 한다. 작가 원유순은 그가 마주하는 세계에 비굴하게 숨지 않는다. 타협하지도 않는다. 당당히 맞서서 끝없이 그의 생각의 바다를 거닐며 말 걸기 게임을 즐긴다. 그가 그려 낸 세상은 특별하다. 또 다음 장에 그려질 작품들이 기다려진다.

어린이와 함께 선생이 걸어온 길

1957년 10월 1일 강원도 횡성에서 아버지 원성록, 어머니 김원숙 사이에서 1남 3녀 중
　　　장녀로 태어남. 세 살 때 강원도 원성군(원주)으로 이사함.

1970년 강원도 원주 일산국민학교 졸업함.

1976년 경기도 양평 용문중·고등학교 졸업함.

1978년 인천교육대학 졸업함. 안선모·민은기와 함께 졸업 기념 3인 시화전 개최함.
　　　1월 5일 최진황과 결혼했고, 인천 백석국민학교에서 교사 생활을 시작함.

1980년 남편 최진황이 중등 교사직을 그만두고 한국교육개발원으로 직장을 옮김.

1981년 큰아들 산내 태어남. 같은 해 6월 친정어머니 김원숙이 암으로 세상을 떠남.

1982년 작은아들 아름 태어남.

1984년 KBS 후원 '집배원에 관한 동화 모집'에서 동화 〈달빛〉이 당선되어 상금 30만
　　　원을 받음.

1986년 한국교육신문 주최 교원문예상에서 동화 〈개미와 민들레〉가 가작 당선됨.

1990년 단편동화 〈개구리 선생님〉으로 계간 〈아동문학평론〉 신인상과 〈크리스마스 선
　　　물〉로 한국아동문학가협회 신인상을 받음. 단편동화집 《배꼽으로 웃는 나라》
　　　(효성사) 출간함.

1992년 단편동화집 《개구리 선생님》(엘맨출판사) 출간함.

1993년 장편 아동소설 〈둥근 하늘 둥근 땅〉이 계몽사아동문학상에 당선되어 상금 500만
　　　원을 받음. 단편동화 〈할아버지는 여름지기〉가 제1회 MBC창작동화 대상에 가
　　　작 당선됨. 생애 처음으로 태국을 비롯한 동남아시아 5개국을 여행함.

1994년 장편동화 《둥근 하늘 둥근 땅》(계몽사) 출간함. 인하대학교 교육대학원 국어교
　　　육과 입학함.

1996년 장편동화 《호랑나비 림보》(두산동아) 출간함.

1997년 단편동화집 《뿡뿡 선생님》(엘맨출판사), 장편 아동소설 《멋대로 가족은 지금 행
　　　복 중》(지경사), 단편동화집 《별난 숙제》(꿈동산), 장편동화 《연어가 전해 준 편
　　　지》(꿈동산) 출간함. 인하대학교 교육대학원 졸업함.

1998년 장편 아동소설 《열 평 아이들》(창비), 단편동화집 《날아라 풀씨야》(웅진닷컴)
　　　출간함. 대만 타이베이에서 열린 아시아아동문학학회에 참가함.

1999년 단편동화집 《쥐구멍에 들어가 봤더니》(여명미디어), 단편동화집 《힘찬이와 당
　　　찬이》(견지사), 장편동화집 《콩달이에게 집을 주세요》(대교출판), 장편동화집
　　　《똘배네 도라지꽃밭》(웅진닷컴) 출간함.

2000년 큰아들 산내 연세대학교 공학계열에 입학함. 장편동화《개똥이 업고 팔짝팔짝》
　　　(대교출판), 장편동화《까막눈 삼디기》(웅진닷컴) 출간함. 단편동화〈나비야,
　　　날아라〉가 6차 교육 과정 4학년 1학기 읽기 교과서에, 〈개미와 민들레〉가 6차
　　　교육 과정 2학년 1학기 읽기 교과서에 수록됨.

2001년 단편동화집《꼭 하고 말 테야》(여명미디어), 단편동화집《조금 늦어도 괜찮아》
　　　(채우리), 장편동화《호기심 천국과 꼬마시인》(채우리), 장편 아동소설《넌 아
　　　름다운 친구야》(푸른책들) 출간함.

2002년 작은아들 아름 성균관대학교 경영계열에 입학함. 휴직을 하고 영국으로 1년간
　　　어학연수를 떠남. 단편동화집《안녕 내 동생》(현대문학북스), 저학년장편동화
　　　《피자반장》(푸른나무), 저학년장편동화집《뚱보 은땡이》(세손교육) 출간함.

2003년 2월 영국 어학연수를 마치고 인천불로초등학교에 복직함. 장편 아동소설《누
　　　나를 사랑해》(계림출판), 장편 판타지동화《넌 나의 소중한 친구야》(세상모든
　　　책), 단편동화집《바보천재 만복이》(진선출판사) 출간함.

2004년 장편동화《아빠와 토스트》(두산동아), 장편 판타지동화《아바타엄마》(그린북),
　　　장편동화《진짜 우리 할머니야》(늘푸른아이들), 장편 아동소설《아빠, 행복하
　　　세요》(주니어김영사) 출간함.《까막눈 삼디기》가 대만과 인도네시아에 번역 출
　　　간됨.

2005년 장편 아동소설《뫼다리 마을의 섶다리 놓는 날》(파랑새어린이) 출간함.《뫼다
　　　리 마을의 섶다리 놓는 날》로 어린이도서상을 수상함. 장편동화《우리 엄마는
　　　여자 블랑카》(중앙출판사), 장편동화《피양랭면집 명옥이》(웅진주니어), 장편
　　　동화《몰라 몰라 찐국이》(우리두리) 출간함.

2006년 장편 기획 동화《우리는 소리를 듣지 못하는 야구부입니다》(두산동아), 장편
　　　아동소설《엄마의 무지개》(계림출판), 장편동화《똥장군하고 놀면 안 돼요?》
　　　(아이앤북), 장편동화《북한산 다람쥐의 대단한 모험》(가문비) 출간함. 단국대
　　　학교 대학원 문예창작과에 박사 과정 공부를 시작함. '제2차 세계아동문학대
　　　회'에 참가하여 외국 작가들과의 간담회를 주관함.《피양랭면집 명옥이》가 일
　　　본어로 번역 출간됨.

2007년 장편동화《얀손씨의 양복》(한겨레아이들), 장편 판타지《마지막 도깨비 달이》
　　　(디딤돌), 장편동화《너는 왜 나를 좋아하지 않아?》(중앙출판사) 출간함. 9월
　　　오랫동안 몸담아 오던 교직을 떠남.

2008년 서울예술대학 문예창작학과에서 '아동문학창작실습'을, 경인교육대학교 평생
　　　교육원에서 '독서 지도'를 강의함. 장편동화《이야기 아저씨 청계천 징검돌》(아

이앤북), 장편동화 《늦둥이 이른둥이》(좋은책어린이), 단편동화집 《김치를 좋아하는 마녀》(삼성당), 장편 판타지 《색깔을 먹는 나무》(시공주니어) 출간함. 12월 《색깔을 먹는 나무》로 제 18회 한국아동문학상 수상함.

2009년 동화 《눈꽃나무》(봄봄), 《모하메드의 운동화》(봄봄), 장편동화 《호기심대장 무름이》(아이앤북), 《타임머신을 타고 온 선생님》(좋은책어린이), 《엄마의 풀꽃 반지》(아이세움), 단편동화집 《날아라 풀씨야》, 장편동화 《똘배네 도라지꽃밭》이 개정판으로 재출간됨. 6월 경기도 여주 전원주택으로 이주함.

2010년 장편동화 《내 꿈은 100개야》(살림어린이), 장편 아동소설 《김찰턴순자를 찾아줘유!》(주니어 랜덤) 출간함. 12월 《까막눈 삼디기》 100쇄 발간, 독자들과 기념 잔치를 가짐. 단편동화 〈고양이야 미안해〉가 7차 교육 과정 4학년 1학기 읽기 교과서에 수록됨.

2011년 장편동화 《내 총을 받아라 두두두》(효리원), 장편 아동소설 《신발장 바퀴벌레와 초파리 이미선》(시공주니어), 단편동화집 《새털할머니》(도서출판 문원) 출간. 2월 단국대학교 문예창작학과 졸업, 문학박사 학위를 받음. 명지대학교 예술대학원 문예창작학과 출강함. 5월 《김찰턴순자를 찾아줘유!》로 제 43회 소천아동문학상을 받음.

2012년 단편동화집 《고양이야 미안해》(시공주니어), 장편 아동소설 《하이퐁세탁소》(아이앤북), 단편동화집 《진짜 일기왕은 누굴까?》(소담주니어), 장편동화 《산골아이 나더덕》(웅진주니어), 그림동화 《꿀방귀뚱방귀》(봄봄) 출간함. 단국대학교 대학원 문예창작학과 출강함. 《늦둥이 이른둥이》《타임머신을 타고 온 선생님》이 중국어 번역 출간됨.

2013년 단편 아동 소설집 《북녘친구 남녘동무》(국민출판사), 기획 아동소설 《발레하는 수녀님》(동아출판사), 장편동화 《남자애들은 왜?》(좋은책어린이), 《여자애들은 왜?》(좋은책어린이), 《잡을 테면 잡아 봐》(시공주니어), 《빵 터지는 빵집》(크레용하우스) 출간함. 한국아동문학가 100인에 선정, 《원유순 동화선집》(지식을만드는지식) 출간함. 7월 《잡을 테면 잡아 봐》로 제 23회 방정환문학상을 받음.

2014년 《똥보 은땡이》의 개정판 《무쇠팔 은땡이》(주니어북스) 출간함. 단편동화 〈잡을 테면 잡아 봐〉가 한국아동문학인협회 1/4분기 우수동화로 선정됨. 8월 한국문화예술위원회 해외 레지던스 프로그램에 선정, 스웨덴에서 3개월간 머물면서 스톡홀름대학교에서 특강 1회, 스톡홀름한국학교에서 동화 리딩 6회, 현지 초등학교 Lugnets Skola에서 동화 리딩을 하고, 스웨덴한인회보와 인터뷰를 함.

2015년 장편 아동소설 《떠돌이 별》(파란자전거), 《1951년 서민국 어린이》(아이앤북),

기획 아동 소설집 《내일은 행복할 거야》(국민출판사), 그림동화 《똥통에 풍덩》(키다리) 출간함. 《내일은 행복할 거야》의 인세 2%를 월드비전에 기부하기로 함. 《남자애들은 왜?》, 《여자애들은 왜?》가 중국어로 번역 출간됨.

2016년 장편동화 《돈벼락 똥벼락》(이마주), 《그저 그런 아이 도도》(크레용하우스), 장편 아동소설 《곤충장례식》(아이앤북), 《귀족놀이》(밝은미래), 《우정계약서》(잇츠북어린이) 출간함. 《진짜 일기왕은 누굴까?》가 중국어로 번역 출간됨. 중편동화 〈그저 그런 아이 도도〉가 한국아동문학인협회 3/4분기 우수동화로 선정됨.

2017년 단편동화 〈커지는 병원〉이 크메르어판으로 번역 출간되었고, 《아빠와 토스트》의 개정판 《아빠하고 마주보고 웃은 날》(상상스쿨), 장편 아동소설 《놀이터를 돌려줘》(라임), 《행운의 문자주의보》(잇츠북어린이) 출간됨.

한국 아동문학가 100인

권영상

대표 작품
〈오늘 밤에도〉 외 4편

인물론
권영상, 향기로운 이야기꾼

작품론
어린이들의 유토피아를 찾는 마술사

어린이와 함께 선생이 걸어온 길

오늘 밤에도

생일 케익에
초를 세웁니다.

초에 불을 켜고
생일축하 노래를 부릅니다.

이 땅에 살고 있다는
70억이나 되는
많은 사람들

오늘밤도
수없이 많은 사람들이
가까운 이들의 생일을 위해

이 밤
고요히 촛불을 켜고
노래를 부르고 있겠습니다.

그러고 보면 단 하룻밤도
이 땅에 노래가
그친 날은 없었습니다.

세상에서 가장 아름다운 사랑

너를 위해서라면
나는 죽을 수도 있다.

이 말은
천성산 늪에 외롭게 사는,
도롱뇽을 살리겠다는
어느 스님의 말씀입니다.

사람이, 사람도 아닌
도롱뇽을 위해
아까운 목숨을 바치겠답니다.

그때 스님의 이 말을 듣고
도롱뇽은 얼마나
울었겠습니까?

꼬박 백 일을 굶으면서
스님은 도롱뇽을 위해
또 얼마나 많은 눈물을 흘렸겠습니까?

비를 기다리는 우산

우리들
다 나가버리고 나면
너는 어두운 현관에 혼자 남아
하루 종일
비 올 하늘을 그리워한다.

네가 바라는 하늘은
지금 네 마음을 알까?

현관 구석에 꼿꼿이 세워둔
너를 바라본다.

문을 열고
먼 하늘을 향해
활짝,
네 마음을 펼쳐 보여 주고 싶다.

창을 열어요

자, 창문을 열어요
저녁 노을이
넘쳐 들어올 겁니다.

물결처럼 밀려온 빨간 노을이
창턱이 차도록
지금 출렁이고 있어요.

아, 잊을 뻔 했군요.
창문을 열기 전에
방안에 놓인 하얀 그릇들이며
하얀 모자며 하얀 모시옷들은
미리 숨겨 두어야겠어요.

넘쳐 들어온
노을에 빨갛게
물들어버릴지 모르니까요.

내 마음의 손

이리저리
흔들리는 내 마음은
누가 잡아주나?

그때를 위해 내 안에
손을 넣어주신 분이 있다.
어머니.

나는
그 손으로
흔들리는 내 마음을 잡는다.

아무도
날 위로해 주지 않을 때
그 손으로
내 마음을 쓰다듬는다.

권영상,
향기로운
이야기꾼

하청호

권영상은 강원도 사람이다. 또한 강원도는 권영상을 품고 있다. 그래서 그에게는 강원도의 자연과 인정이 살아 숨 쉬고 있다.

권영상은 서울에서 꽤 오래 살았지만 도회적이지 못하고 투박스럽다. 나는 이런 그를 좋아한다. 큰 키에 조금은 건들거리며 걷는 모습도 좋고, 술이라도 한잔하면 어리광을 부리는 장난기도 사랑스럽다. 이럴 때면 그의 큰 몸집 속에는 귀여운 어린이가 함께 살지 않나 하는 즐거운 상상을 해 보기도 한다. 권영상과의 인연은 지금부터 꼭 30년 전으로 거슬러 올라간다.

강릉의 C 시인의 출판기념회에 초대받아 참석했을 때 일이다. 당시 그의 첫인상은 강원도의 땅 모양을 닮은 큰 키에 우뚝한 코, 그에 못지않은 문학적 열정에 깊은 인상을 받았다. 그 후 시로 읽는 삼국유사인 동시집 《동트는 하늘》의 발문을 쓰면서 그의 내면에 잠재해 있는 문학적 토양이 넓고 깊다는 것을 느꼈다.

나는 문학은 소통이라고 생각한다. 인간과 인간, 인간과 자연, 자연과 자연이 서로 소통하면서 그 속에 담긴 우주적 질서, 생명의 고귀함과 아름다움을 만나는 기쁨인 것이다.

권영상은 이 소통을 함에 있어 자유분방하며 쌍방이다. 쌍방이라는 것은 그의 상상력이 뛰어나기 때문이다. 상상력이라는 것은 인간이 동물과 구분되는 잣대가 된다. 사실 나이를 먹는다는 것은 이 상상력이 소멸되는 과정이 아닌가 생각한다.

그러나 그는 50대 중반의 나이에도 상상력을 잘 간직하고 있을 뿐만 아니라 확대 재생산하고 있다. 교육심리학자 피아제(Piaget)는 '어린이는 마법, 의인화, 모방의 세 가지에 의해 정신생활의 많은 부분이 이루어진다.'고 했다.

특히 마법과 의인화는 상상력과 현실 의식의 뒷받침이 절대적으로 필요하다.

그의 독특하고 창조적인 상상력은 이것을 뒷받침하기에 충분하고 넘쳐 났다.

권영상은 1979년 '아동문예'에 동시 〈새〉가 천료된 이후 전념하던 동시 작업에 한계를 느낀다. 그의 샘솟는 상상력은 동시라는 그릇으로는 부족했기 때문이다. 그래서 다른 장르에 관심을 가져 1990년 '한국문학'에 수필 〈난(蘭)〉으로 신인상에 당선되고, 1991년 '시대문학' 봄 호에 시 〈발〉 외 5편으로 신인상에 뽑힌다. 더 나아가 1993년 MBC창작동화 공모에 단편 〈쥐라기 아저씨와 구두〉로 당선되어 동화의 영역까지 창작의 지평을 넓혀 나갔다.

권영상은 그가 나고 자란 강원도의 자연과 살붙이를 통해 다양한 문학적 상상력을 이끌어 내었으며 이러한 상상력의 산물을 담을 그릇, 즉 다른 장르를 차근차근 일구어 왔던 것이다.

그는 강원도의 기질을 사랑했고, 그곳의 사람과 하늘과 별과 꽃, 바다와 강을 사랑했다. 이런 것들이 그를 키운 전부라고 했다. 펜을 들면 거기에서는 맑은 강원도의 샘물 소리가 졸졸 흘러나왔고 대관령 그 위에 펼쳐지는 장엄한 저녁노을을 신념처럼 사랑한다고 했다.

권영상의 가슴속에는 그리움과 한(恨)이 있다. 때로는 그리움과 한을 주제하지 못해 방황하기도 하고 가까운 사람에게 그것을 표출하기도 한다. 이것은 그가 세상을 소통하는 또 하나의 방법이기도 하다.

그의 어린 시절은 간난과 힘겨움의 연속이었다. 그러나 신산(辛酸)한 날들의 상처는 그에게 삶의 가치와, 세상을 보는 폭넓은 눈, 자연과 소통하는 상상력을 키워 주었다. 생각하건대 그의 인간다움은 이러한 상처에서 연유된다.

시인 복효근은 '향기가 배어나는 사람의 가슴속엔 커다란 상처가 하나 있다. 잘 익은 상처에선 꽃향기가 난다.'고 했다.

권영상은 가슴속의 상처를 향기로 바꿀 줄 아는 사람이다. 그의 수많은 창작물을 읽으면 하나같이 인간다운 냄새가 난다. 특히 아버지에 대한 그리움과 한을 문학적 향기로움으로 승화시키고 있다.

대표작 중의 하나인 '담요 한 장 속에서' 나타나는 '가만히 일어나 / 내발을 덮어주시는' 아버지, 그에게는 그리움의 상처로 남고, 가슴속에 회한인 병약한 어머니, 어머니가 남겨 준 당신이 쓰던 벼루와 먹, 몽당붓 역시 아픈 상처로 남아 있는 것이다. 그러나 그는 이러한 그리움과 회한의 상처를 극복하여 삶의 원천으로 삼고, 창작의 향기로운 매듭으로 엮어 내는 것이다.

《모모》의 작가 '미하엘 엔데'는 인간이 자기에게 내면세계가 있다는 것을 잊어 버리면 자신의 진정한 가치도 잊는 것이다.'라고 했다.

권영상은 끊임없이 변화를 추구한다. 내면세계에서 꿈틀거리는 새로운 생각들을 용케도 찾아내어 작품으로 빚어낸다.

언젠가 그는 이렇게 말했다. '생명성은 끝도 없이 새로운 것을 찾아 앞으로 나아가기를 원한다. 지금의 나를 부인하고 새로운 나를 찾으려는 시도로 꽉 차 있는 것이 생명성이다.' 이 말은 '미하엘 엔데'의 말과 상통한다.

그는 정체를 두려워한다. 그가 말한 생명성은 이 정체를 탈출하기 위한 의미를 부여하는 것이라 생각된다. 그의 동화와 수필에 대한 탐구도 시문학의 정체에 대한 두려움에 연유하기도 하지만 근본적인 것은 새로움을 갈망하는 생명성에 기인하고 있다고 생각된다.

그래서인지 그는 여행을 즐긴다. '괴테' 역시 '인간은 노력하는 한 방황하게 마련이다.'라고 했다. 그는 작가로서 새로운 변화를 위해 안락한 일상을 버리고 인도, 네팔, 이집트 등을 돌아다녔으며, 여행이 끝나면 새로운 창작의 세계를 열어 나갔다.

권영상, 그와 나는 연필시 동인으로 오래 함께했다. 만날 때마다 느끼는 것이지만 그는 참 부자다. 왜냐하면 그가 즐겨 입는 사파리 형식의 큰 주머니에는 시와 동화의 소재가 가득 들어 있기 때문이다. 오늘 끄집어내면 며칠 후 다시 꽉 채워질 것 같은 그의 주머니. 그러니 부자일 수밖에 없다.

언젠가 서울에서 모임을 갖고 헤어질 때 길이 서툰 나를 서울역까지 데려다주고 돌아서는 그에게는 사람 향기가 났다. 향기로운 그와 함께하면 내 몸에도 향기가 배어들 것 같다.

어린이들의
유토피아를 찾는
마술사

이정석[1]

1. 들머리

사람은 누구나 자기 고유의 색깔을 지니고 싶어 한다. 개인의 장신구부터 옷차림새, 머리 모양새, 음식 솜씨 등 자신의 특색 있는 고유의 독창성을 가지고자 애쓴다. 특히 젊은이들은 남과 비슷하게 보이거나 동일하게 보이는 것을 대단히 싫어한다. 어찌 젊은이뿐이랴. 대부분의 사람들은 지구상에 단 하나밖에 없는, 유일무이한 자기 생명의 존엄성을 타인의 그것과 비교하여 유사성이나 동일성으로 폄하, 치부한다면 자존심을 심각하게 훼손한다고 생각할 것이다. 그만큼 주체성이니 개성이니 하는 것을 소중히 여긴다.

특색 있고 차별적인 고유한 상품의 그것을 브랜드(Brand)라고 하고, 개인의 내면의 독특한 색깔이나 향기를 인품(人品), 인격(人格)이라고 하고, 한 민족의 가치 있는 물질이나 정신의 총체를 문화(文化)라고 하고, 문학가들의 독특한 글투를 문체(文體)라고 한다. 이 모두를 거칠게 하나로 집약하여 표현한다면 고유 스타일 즉 정체성(正體性, Identity)이라고 할 수 있다. 유명한 미키마우스, 아기 공룡 둘리, 함평 나비, 마이크로 소프트사, 코카콜라 등만을 말하는 것이 아니다. 문학에서도 김소월의 민족적 서정시 경향, 황순원의 간결체 소설 등 독특한 문학 정체성의 향기도 그에 해당한다고 할 수 있다.

이렇게 세상에는 고유 스타일을 추구하는 사람들이 대부분인데, 이와는 대조적으로 혹시 문학인 중에서 자신의 문학적 정체성이나 독특한 이미지, 개성, 문체를 거부히는 사람이 있을까? 놀랍게도 문학적 정체성을 정면으로 부정하는 시인이 있다. 바로 권영 상이다.

정체(正體)가 정체(停滯)를 낳을 줄 몰랐다. 내 눈은 항상 그런 소재(註―작고 보잘 것 없는 것이 아름답고, 존재의 참다움을 지니는 소재임)에 매달렸고 그런 소재들의 바깥으로 탈출하지 못했다. 다시 말

---

1 童詩人 兒童文學家

하자면 나는 나의 정체성(正體性)을 찾음과 동시에 나는 그들에 얽매이는 정체성(停滯性)에 빠져 버리고 말았다. 생명성은 끝도 없이 새로운 것을 찾아 앞으로 나아가기를 원한다. 지금의 나를 부인하고 새로운 나를 찾으려는 시도로 꽉 차 있는 것이 생명성이다. 그런 의미에서 보면 나는 지금(註-1996년 경) 정체성의 늪에 갇혀 있다. 한 가지 스타일에 빠져 똑같은 것을 찍어 내는 듯하는 작업이 나를 절망케 한다.[2]

권영상 시인의 문학적 정체성을 부정한 고백 속에는 두 가지의 의미가 들어 있다. 하나는 정체성(正體性)을 획득한다는 것보다는 정체성(停滯性)에 빠지는 것을 더 두려워하고 있다는 것과 다른 하나는 끊임없이 다양한 문학적 실험을 해 보겠다는 것이다. 어찌 보면 자신에 대한 혹독한 채찍이요, 안이한 자신에 대한 질타요, 자기 변신을 위한 시뻘건 인두질이라 할 수 있을 것이다. '지금의 나를 부인하고 새로운 나를 찾으려는 시도로 꽉 차 있는 것이' 권영상 자신의 '생명성'을 찾고 유지하는 것이라고 판단하고 있다. 권영상이 문학적 정체성을 부정하는 것은 역설적으로 자기 목소리가 분명한, 정체성을 확립한 시인임을 고백하는 것이며, 한걸음 더 나아가 자신은 문학적 매너리즘에 빠지지 않고 수시로 다양한 색깔을 보여 주는 변화무쌍한 시인으로 거듭나겠다는 다짐이라고 할 수 있다.

1979년에 문단에 등단한 권영상 시인은 2008년 여름까지 12권의 동시집을 출간하였다.

제1동시집《단풍을 몰고오는 바람》(1981)
제2동시집《햇살에서 나오는 아이들》(1985)
제3동시집《동트는 하늘》(1987)
제4동시집《한 해를 살면》(1987)
제5동시집《버려진 땅의 가시나무》(1988)
제6동시집《밥풀》(1991)
제7동시집《벙어리장갑》(1992)
제8동시집《납작납작한 코끼리》(1993)
제9동시집《아흔아흔 개의 꿈》(1996)
제10동시집《신발코 안에는 새앙쥐가 산다》(1999)
제11동시집《월화수목금토별요일》(1999)

2 권영상, '정체성에 대한 두려움', 〈아동문학평론〉, 제79호, 1996, pp.234~240

제12동시집《실끝을 따라가면 뭐가 나오지》(2004)

권영상의 동시 문단 30년을 시 경향에 따른 시대 구분을 하면 최창숙의 언급처럼 크게 세 시기로 나눌 수 있다.[3] 제1기는 고향인 강원도에서 깨끗하고 아름다운 자연을 노래한 1979년 등단부터 제4동시집《한 해를 살면》이 출간된 1987년까지이며, 제2기는 제5동시집《버려진 땅의 가시나무》가 출간된 1988년부터 제9동시집《아흔아홉 개의 꿈》이 나온 1996년까지 '특정 정치인 중심의 역사가 아닌 민중 중심의 역사를 생각'하면서 '소외 받고 보잘 것 없는' 소재들에게 관심을 둔 시기이다. 제3기는 1999년 제10동시집《신발코 안에는 새앙쥐가 산다》부터 현재까지 놀랍고 재미있는 발상의 동시, 다양한 문학적 실험을 하고 있는 시기라고 할 수 있다.

사실 12권 각각의 동시집을 읽어보면 시대 구분하는 것이 어리석은 일처럼 느껴진다. 왜냐면 동시집 하나하나가 모두 개성이 있는 동시집이어서 같은 문학적 성향을 가진 몇 시기로 묶기가 어렵기 때문이다. 그러나 제2기의 동시들은 몇 가지 측면에서 매우 공통적인 경향을 지니고 있어서 자연스럽게 시기를 3등분할 수 있음을 발견하였다. 특이한 권영상의 제2기(1988~1996) 문학적 특성을 나열하면 첫째로 '소외받고 작고 보잘 것 없는 소재들'을 통해 자신의 사회 현실 의식을 표현하였다는 것이다. 그의 지적대로 길바닥에 떨어진 열쇠, 단춧구멍, 밥풀, 휴지조각, 버려진 너트, 구석자리 등 쓸모 없거나 일반 사람에게 관심이 적고 멀어진 다양한 소재를 통해 힘없는 민중들의 모습을 그리고 있음을 볼 수 있다. 둘째, '무력적 정치현실에 직면'하면서 가졌던 시인의 고민스런 내면적 자아의식을 표출하고 있다는 것이다. 주로 거울, 강물, 국물이 든 숟가락, 세수대야 물, 그림자 등을 통해 심층에 쌓여 있던 방황과 자기부정, 소외 등을 찾아 자신의 삶이나 생활 자세를 끊임없이 추스르고 있다. 셋째는 들풀이나 들꽃을 끌어 들여 민중의 팍팍한 삶과 끈질긴 저항 그리고 희망을 노래하고 있다는 것이다.

그러므로 권영상 동시 문학의 제2기(1988~1996)를 사회현실 참여시기로 정리한다면 제1기(1979~1987)는 서정적 자연 찬미 시기, 제3기(1997~현재)를 아직도 진행 중이므로 정리하기는 어려우나 해학과 익살 등 파격적인 동시 실험 시기로 요약할 수 있을 것이다.

이 평론에서는 그의 서정적 작품 경향은 지극히 일반적인 것이므로 생략하고 제2시기의 작품을 이해할 수 있는 키워드인 '들풀'을 통해 권영상 시인이 천착한 민중의식과 자아의식을 살펴보고, 제3기에서 화려하게 꽃을 피우고 있는 낯설게 하기, 해학과 익

---

3 최창숙, '문학에 놓은 징검다리, 권영상', 한국 아동문학학회 정기세미나 자료, 2007.

살을 통해 얻어지는 깨닫기를 훑어보고 초기부터 지금까지 관심의 끈을 놓지 않고 있는 시인의 아버지 생각하기에 대하여 주마간산 격으로 서술하고자 한다.

2. 민중 의식과 자아 의식 찾기

풀들 중에 이름이 없는 풀은 없다. 식물학자들의 손에 의해 거의 모든 풀들은 학술적으로 고유한 이름이 붙여졌기 때문에 '이름 없는 풀'이란 없으며 다만 '이름 모를 풀'이 있을 뿐이다. 사람에게도 누구나 고유한 자기만의 이름을 지니고 있다. 이름 없는 사람이 어디 있겠는가. 단지 상대방의 이름을 모를 뿐이다. 들에서 터를 잡고 사는, 수많은 이름 모를 풀들을 우리는 보통 싸잡아 '들풀'이라고 부른다. 아울러 우리는 이름이 가진 수많은, 의식이 깨어있는 사람들을 함께 '민중'이라고 한다. 보통 들풀의 강인한 생명력을 이야기한다. 마찬가지로 민중의 질긴 생명력을 말한다. 그래서 들풀이나 민중은 동일한 상징적 의미를 가지고 있다.

권영상은 1980년대 후반 삶의 터전이 서울이라는 공간으로 바뀐다. 그러면서 자연히 무력적 정치 현실과 직면하게 되고, 역사에 대한 올바른 인식과 민중 중심의 역사를 생각하게 되었다고 '정체성에 대한 두려움'이라는 글에서 고백하였다. 그래서인지 그는 제5동시집부터 최근 제12동시집까지 '들풀'을 지속적으로 노래하고 있다. 비를 맞고 있는 들풀, 바람과 맞서는 들풀, 잘려진 들풀 등 계절에 따라 변화하는 들풀들의 생태적 특징에서 민중의 삶과 동일한 요소를 찾아 심도있게 표현하고 있다. 들풀에 대한 시인의 접근 방식도 시대에 따라 변화하고 있는데 제2기의 작품 속에서는 들풀을 통해 감정이나 생각을 직설적으로 풀었다고 한다면 2000년 이후에 등장하는 들풀에 관한 작품에서는 감정이 매우 절제되어 있음을 볼 수 있다.

① 풀들을 베고 난 자리에 나가보면 / 풀들은 장마비가 그치는 사이로 / 다시 차 올랐다. // 낫날에 파랗게 커오르던 / 꿈을 베이고도 / 들풀은 화내지 않는다. // 아픈 상처일수록 / 우리들보다 더 먼저 / 용서할 줄 아는 이름 없는 들풀들. // 가득히 차 오르는 풀숲에서 / 우리들보다 더 먼저 // 손을 내밀고 기다리는 / 노란 들꽃들의 웃음.
– 〈풀들이 보내는 악수〉 전문 (제5동시집)

② 들꽃은 / 바람을 맞으며 산다. // 들꽃은 따로이 집이 필요없다. / 촛불과 등이 필요없다. / 이슬을 맞을 줄 알고 / 비와 바람을 맞을 줄 알면 된다. // 들꽃은 / 바람을 비켜서지 않는다. / 비와 바람을 비키지 않는다. //

들꽃은 긴 어둠 속에서도 / 아침을 기다리기 위해 / 지치지 않는다. // 그렇기에 들꽃은 / 쓰러져도 아름다운 / 들꽃으로 남는다.

    – 〈들꽃〉 전문 (제6동시집)

③ 바람이 / 심하게 불어도 / 풀들은 / 바람을 보고 / 고개를 숙이지 않는다. // 바람이 / 불면 불수록

/ 바람을 향해 / 풀들은 등을 돌린다.

    – 〈풀들은〉 전문 (제8동시집)

① 〈풀들이 보내는 악수〉는 들풀들의 생명력은 무력에 견디면서 오히려 풀 자신들을
무참히 베어버린 살인자나 탄압자에게 웃음과 화해의 손을 내밀고 있음을 알 수 있고
② 〈들꽃〉에서는 어렵고 험한 어떤 환경에서도 비굴하게 타협하지 않고 희망을 잃지
않으면서 끝내는 아름다운 꽃을 피우는 들꽃의 장엄한 승리를 보여 주고 있으며 ③ 〈풀
들은〉에서는 들풀과 적대적인 관계인 바람과는 대결, 비타협의 불굴의 모습을 보여 주
고 있다. 제2기에 창작된 이 세 작품에서는 시인이 가지고 있는 시대적 감정이나 생각
을 여과되지 않고 직설적으로 토로하고 있음을 알 수 있다.

④ 흙바람이 / 풀들의 머리채를 쥐어 흔든다. // 사납게 / 휘몰아질 때에도 / 풀들은 바람과 맞서지 않

았다. / 바람이 가면 / 가는 대로 / 허리를 낮추며 흔들렸다. // 그런 때에도 / 가만히 풀섶을 뒤지면 /

풀섶 밑은 고요했다. / 그 고요한 자리에 / 숨겨 놓은 / 풀종다리의 귀여운 알들 // 오. 고놈들을 / 감

추어 내려고 / 풀들은 바람에 순종했다.

    – 〈풀들은〉 전문 (제9동시집)

동시 〈풀들은〉에서는 앞의 ①~③ 창작시기 보다 늦게 창작되었는데, 들풀에 화자의
시선이 있지 않고 풀숲에 숨어있는 '풀종다리의 알'에 있다. 작품의 차원이 달라져 있
다는 것이다. 이 작품은 약자에 대한 사랑이나 희생을 주로 그렸다고 할 수 있다. '흙바
람'으로 상징되는 반사랑적 존재와 풀들로 나타난 이웃이나 부모들과, '풀종다리의 알'
로 표현된 약자나 어린이가 이 작품의 중요한 세 축을 이루고 있다. 이 작품에서 가장
의미심장한 시어는 바람과도 대결하지 않은 '순종'이라고 할 수 있다. 어찌 보면 순종은
소극성이나 비굴성이 함축되어 있지만 2연에서 '바람과 맞서지 않았다'는 시행으로 보
아, 능력의 부재로 인한 부정이 아니라 자발적 의지에 의한 부정으로 비굴성보다는 희
생성을 더 강조한 것이라 할 수 있다. 그리고 시적 화자의 눈이 앞부분에서는 주어로
쓰인 '흙바람'에게 있다가 뒷부분에서는 '풀들'이나 '귀여운 알들'로 옮겨지고 있다. 그
래서인지 중간에서 사동형과 피동형이 혼재되어 있음을 볼 수 있다.

이 작품과 김수영의 〈풀〉을 대비하여 동시가 아동문학적 특성을 일목요연하게 잘 보여 주고 있다. 물론 권영상의 입장으로 보면 김수영의 〈풀〉과 비교한 점이 작품의 창의성을 의심하고 있지 않을까 하는 것으로 오해할지 모르겠지만.

'풀이 눕는다 / 비를 몰아 오는 동풍에 나부껴 / 풀은 눕고 드디어 울었다 / 날이 흐려서 더 울다가 다시 누웠다'로 시작되는 김수영의 〈풀〉은 한국 시사를 빛내는 수작이다. 이 시에는 민중의 저항을 상징히는 '풀'과 불의를 상징하는 '바람'이 서로 극복할 수 없는 갈등으로 대결하고 있다. 독자들을 팽팽한 긴장감으로 몰아가고 었다. 김수영은 '풀-바람'의 대결 구도 속에서 철저하게 '풀'의 입장으로 민중의 생명력을 노래하고 있다. 그에 비하여 권영상의 '풀들'은 전술한 것처럼 세 축이 서로 대결하고 있지 않고 '풀들'이 순종하여 포용과 희생으로써 화합과 조화를 이루고 있다. 즉 권영상은 '흙바람-풀들-풀종다리의 알' 이라는 삼각 구도 속에서 오히려 시적 화자의 눈높이를 풀종다리의 알이 있는 낮은 풀섶에 더 머물게 해서 자연과 인간 사회에서 가장 필요한, 함께 어울려 사는 데 없어서는 안 될 화해와 타협을 암시하고 있다. 여기에서 우리는 아동문학이 지향하는 점이 무엇인지 분명하고 확실하게 알 수 있으며, 또한 동시가 가지는 특성이 어떤 것인지도 발견할 수 있는 것이다.

⑤ 방금 / 손수레가 / 지나간 자리 // 바퀴에 밟힌 들풀이 / 푸득푸득 / 구겨진 잎을 편다.

– 〈들풀〉 전문 (제12동시집)

동시 ⑤ 〈들풀〉은 2연 6행된 아주 짧은 작품이지만 많은 의미가 담긴 동시이다. 원래의 모습으로 돌아가려는 들풀의 자생력에서 생명의 역동성을 발견할 수 있다. 이 작품이 지니는 서정성도 뛰어나지만 작품에 내포된 사회성도 김수영의 〈풀〉에 못지않다고 할 수 있다. 손수레와 대립되는 들풀의 의미를 굳이 새기지 않더라도 분명 동시의 한계를 넘는 작품이라고 할 수 있다. 특히 '푸득푸득'이라는 시어에서 보이는 생명력은 수많은 말이 필요 없음을 알 수 있다. 이 시어를 이 작품의 화룡점정이라고 해야 하지 않을까.

이울러 가장 최근에 창작된 ⑤ 〈들풀〉은 앞에서 언급한 것처럼 시인의 뜨거운 감정이나 직접적인 생각이 드러나지 않고 냉철한 가슴에서 우러난 차분한 어조를 띠고 있는 것을 볼 수 있는데 이것으로써 시인의 현실 의식이 더 내밀해지고 견고해지고 있다는 것을 알 수 있다.

제6동시집 〈밥풀〉은 많은 시사점을 준다. 특히 권영상의 내면 의식에 대한 단면을 보여 주는, 매우 흥미로운 동시집이라고 할 수 있다. 암울했던 80년대를 지나면서 시인으로서 과연 자신의 존재 이유가 무엇이며, 무슨 역할을 하는 사람인가에 대한 강한 의

구심, 반성, 자괴감 등이 드러나 있는 작품집이라고 할 수 있다. 그는 동시집 표제 〈밥풀〉에 '작은 것을 더욱 아끼는 시집'이라는 부제를 붙이고 있는데, 일상에서 관심을 두지 않는 그런 작은 소재를 통해 소외되고 밀려난 민중의 모습을 그리고 있는 것이 아닐까 여겨진다. 특히 자신의 무기력한 모습 속에 숨어있는 강한 자아의식을 대비적으로 보여 주고 있다.

> ⑥ 흘러가는 물에 / 머리를 감고 / 물속을 들여다본다. // 물은 흐르는데 / 물 아래 / 나와 함께 머무르는 얼굴 // 시간처럼 / 물은 멀리멀리 / 흘러가는데 / 물속엔 / 아직도 떠나지 못하고 / 혼자 남은 사람 // 어디서 / 많이 본 듯하다.
>
> – 〈나〉 전문 (제6동시집)

> ⑦ 밥상을 들고 나간 자리에 // 밥풀 하나가 오도마니 앉아 깊은 생각에 잠겼다. // 바깥을 나가려든 참에 되돌아 보아도 // 밥풀은 흰 성자의 모습으로 그 자리에 앉았다. // 바쁜 발걸음 아래에서도 발길을 무서워하지 않는다. // 밟히면 그 순간 으깨어지고 마는 두려움, 그런 두려움도 없이 // 이 아침 분주한 마당에 앉아 깊은 생각에 잠겼다. // 나이 어린 성자의 얼굴로.
>
> – 〈밥풀〉 전문 (제6동시집)

동시 ⑥ 〈나〉는 흐르는 물속에 비친 자신의 얼굴을 보면서 시대에 맞춰 적응하지 못하고 과거에 집착하고 있는 자아의식을 보여 주는 작품이라 할 수 있다. 여기서 흐르는 물은 내면적 자아를 들여다 보는 거울 같은 매개체라고 할 수 있으며, 암울한 80년대에 대한 시인의 부채 의식이 드러나 있다고 할 수 있겠다. 그만큼 권영상 시인의 방황이나 고민이 컸음을 알 수 있다. 제6동시집의 표제 작품인 〈밥풀〉에서는 시인의 결연하고 단호한 내면 의식을 대조적으로 보여 주고 있다. 먹다가 우연히 흘린 한 알의 '밥풀'이 '밟히면 그 순간 으깨어지고 마는 두려움'을 이기고 앉아 있다. '밥풀'을 죽음도 불사한 매우 결연한 '성자'로 표현하고 있다. 여기서 잠깐, 분주한 방바닥에 앉은 '밥풀' 대신 권영상 시인 자신을 대치시키면 어떨까. '밥풀'은 권영상 시인의 다른 표현이 아닐까. 그런 의미에서 3연의 '나가려는 참에 되돌아 보아도'는 상당히 중요한 시구임을 알 수 있다. 비록 시적 화자가 직접적으로 자신을 드러내고 있지 않지만 '나가려는 참에'의 주체가 어투로 보아 '나'라는 1인칭이라는 것을 암시하고 있으며, '되돌아 보아도' 는 반성, 각성, 숙고의 의미를 지니고 있다고 할 수 있다. 어쩌면 '나가려는 참에 되돌아 보아도'는 떨어진 '밥풀'을 통해 내면적 자아를 발견하는 시인의 의도적인 주시 또는 순간적인 자아성찰의 과정을 서술하고 있다고 할 수 있다. 즉 '밥풀'은 시인과 동일한 인격체라는 말이다. 그러고 보면 이 동시 ⑦은 때가 되면 '성자(聖者)'가 되겠다는 시인의 결연한 자아의식을 표현한 작품이라고 할 수 있겠다. 시인의 무서운 자기 선언이 아닐까한다.

3. 낯설게 하기

현대사회에서는 일련의 새로운 인식 추구라는 인간의 심리적 특성을 지극하기 위해 예술 건축 상업 등 사회 전반에서 의도적으로 과장된 낯선 모습을 이용한 경우가 아주 많이 있음을 볼 수 있다. 누드 컴퓨터도 그렇고 철골 구조가 보이는 건물이 그렇고, 안이 들여다 보이는 찻집도 그렇다. 즉 이런 기법은 기계적으로 기억되고 인식된 현상과 사물을 생소하고 낯선 것으로 바꾸어서, 대상을 새롭게 또는 정확하게 접근할 수 있게 한다. 낯설게 하기는 일상화되어 있는 우리의 지각이나 인식의 틀을 깨고 대상이나 사물의 모습을 낯설게 하여 그것의 본래의 새로운 모습을 찾는 것을 말하는데 '고정관념 깨기', '삐딱하게 보기', '시치미 떼기' 등은 낯설게 하기와 동일한 의미로 쓰인 용어라고 할 수 있다. 권영상 시인은 과감하게 동시 문학에 낯설게 하기를 도입하고 있다.

> "자 모든 고정 관념을 버리자구. 시는 엄숙한 것만이 아니거든. 시는 고상한 것만이 아니라구. 뭔가 주려고 하는 시는 딱 질색이야. 그런 거는 너무 많이 들었잖아. 고상한 체 하는 것도, 분위기 잡는 것도 질색이야. 그런 것은 어른들한테나 던져 주라구⋯⋯. 그래서 나는 남들과 똑같은 시를 쓰지 않기로 했어. 그 많은 시들 중에서도 내 빛깔의 시를 지키기 위해서⋯⋯."

권영상 시인은 '엄숙한 것', '고상한 것', '뭔가 주려는 것', '분위기 잡는 것'이 바로 고정적인 일상, 낯익은 사고이며, 깨뜨려야 하는 대상으로 파악하고 있다. 고정 관념을 깨뜨리는 행위는 인식의 대전환이나 발상의 전환을 전제로 한다. 제2기 때부터 슬슬 나타나던 '낯설게 하기'가 제3기 제10기 동시집 〈신발코 안에는 새앙쥐가 산다〉에 들어와서는 본격적으로 나타난다. '어' 하고 읽다가 보면 '아!' 하고 고개를 끄덕이게 된다. 기계적인 인식의 틀을 과감히 깨뜨리고 있음을 볼 수 있다.

> ⑧ 바퀴를 단 학교는 / 없을까요. // 봄이면 버들잎이 피는 / 개울가에 / 여름이면 / 파도소리 시원한 바다에 // 가을이면 / 과수원길 옆 / 파란 하늘을 보는 그곳으로 / 겨울이면 / 철새가 날아오는 / 얼음장 위로 / 우리들이 밀고 다닐 / 바퀴를 단 학교는 없을까요.
> – 〈굴러다니는 학교〉 전문 (제6동시집)

⑨ 찬물을 끼얹지 마 / 쑥쑥 살아오르는 기분들이 놀라 / 움츠러들잖니. / 찬물을 끼얹지 마 / 그러나

코뿔소가 놀라 아기 코뿔소로 / 움츠러든다면 그거 어떻겠니? / 커다란 거인이 놀라 / 난쟁이가 되고,

할아버지가 놀라 / 오줌싸개 아기로 움츠러들 수만 / 있다면 / 휙- 찬물을 / 끼얹어도 되겠지. / 우리

네 무서운 할아버지들도 / 아마 그건 / 좋아하실 걸.

– 〈찬물 끼얹기〉 전문 (제8동시집)

⑧ 〈굴러다니는 학교〉와 ⑨ 〈찬물 끼얹기〉는 고정관념 깨기를 시도하는 작품이다. 이 작품들은 제2기 때 창작되었으며 이미 이때부터 권영상 시인의 낯설게 하기가 시작되었다고 할 수 있다. 제8동시집에도 〈납작납작 코끼리〉, 〈능금나무 아래에서〉, 〈오리발〉, 〈구멍으로 들어오시는 철공소 사장님〉, 〈63빌딩을 원두막으로 만들어서〉, 〈벼룩시장〉, 〈쥐는 높은 곳에〉, 〈그믐날 밤에 놀란 아이들〉 등이 있고 제9동시집에도 〈털보목수〉 등과 같은 작품들이 있다.

⑩ 길거리에 누어 놓은 예쁜 강아지 똥, 아기가 떨어뜨린 밥풀 몇 알, 생선뼈 서너 마디…… 그런 게

다 내 밥이야. 그러니 내 밥을 건드리지 말아줘. 공중을 날다가도 배가 고프면 나는 제일 먼저 거기에

가 내리지. 내 밥이니까. 더럽지 않냐구? 천만에. 이 세상 그 무엇도 그보다 부럽지 않다구. 그걸 먹으

면 집 안마당을 아흔아홉 바퀴나 돌 수 있어. 거위 등을 타고 온종일 놀 수 있어. 그러니 제발 내 밥을

건들지 말아 줘. 그게 내 소원이야. 웃기지 말라구? 그래. 파리, 내 마음을 네가 어떻게 알겠니?

– 〈누구에게나 다 소원이 있다〉 전문 (제10동시집)

⑩ 〈누구에게나 다 소원이 있다〉는 사람들이 인식하는 '강아지똥'에 대한 경도된 사고를 '파리'의 입장에서 여지없이 깨뜨리고 만다. 더러움이란 다만 인간만이 가지는 주관적인 생각과 태도일 뿐이다. 경천동지(驚天動地)는 도치된 현상을 경험했을 때만 생기는 것이 아니라 자신의 가지고 있는 고정 관념을 버려야만 생기는 것이다.

중국 역사에서 고정 관념을 깨는 행위로 생명을 구한 훌륭한 인물이 발견된다. 송나라 때 〈자치통감〉을 지은 대학자 사마광이다. 사마광이 어렸을 적 친구들과 물이 가득 찬 큰항아리 주위에서 놀다가 한 아이가 항아리에 빠져 모두 당황했는데 사마광이 침착하게 돌로 항아리를 깨서 그 구멍으로 친구를 구출했다는 것이다. 빠진 아이를 항아리 위에서 건지지 않고 돌로 항아리를 깬 후 항아리 옆구리에서 구하는 사마광의 행위 속에 기계적인 사고의 위험성과 참신한 발상의 위대성이 극명하게 대조되어 있음을 발견할 수 있다. 고정 관념을 벗어 던지면 인간의 정결한 '밥'과 파리의 맛있는 '강아지똥'은 동일한 가치를 지난 대상이 되는 것이다.

⑪ 아래층에 할머니 집이 있다면 좋겠다. 그 아래층에 아이스크림 가게 있다면 더욱 좋겠다. 그 아래층엔 치킨집이 있고, 그 아래층엔 중국집이, 그 아래층엔 만화가게, 그 아래층엔 수박밭이 있다면 정말 좋겠다. / 바다에서 헤엄치다 싫증나면 수박 하나 먹고, 수박 먹다 싫증나면 만화책 보고, 만화책 보다 배고프면 자장면 먹고, 치킨 먹고, 쓱쓱쓱 입 문지르고는 아이스크림 먹고 할머니 집에 올라와선 옛날이야기 듣고, 옛날에 옛날에 도깨비가 있었는데 대추나무에 올라가 대추를 따먹다가……. 할머니 무릎 베고 스르르 잠들 수 있다면 좋겠다. 참 좋겠다.

– 〈할머니 무릎 베고 스르르〉 전문(제10동시집)

권영상의 작품 중에서 어린이들의 고정적인 일상을 깨뜨리는 것 중의 최고는 아마 〈할머니 무릎 베고 스르르〉가 아닐까. 어찌 보면 어린이 유토피아라고 할 수 있으며 인간 세상을 닮은 가장 완벽한 어린이 천국이라고 할 것이다. 이 동시는 일자 상승식 구성 방법을 구사하고 있는 것으로 작품 속에 나오는 세계는 바다의 세계 (1층)→ 수박의 세계 (2층)→ 만화의 세계 (3층)→ 자장면의 세계(4층)→ 치킨의 세계 (5층)→ 아이스크림의 세계 (6층)→ 가족의 세계 (7층, 8층)로 구분 지을 수 있다. 자연 (1층, 2층)과 인간 (7, 8층)과 물질 (4층, 5층, 6층), 그리고 정신 (3층, 7층)이 조화롭게 어울린 절대 적인 세계를 꿈꾸고 있음을 볼 수 있다. 마지막 '좋겠다'의 반복적 표현에서 어린이들의 소망이 얼마나 간절한지를 알 수 있다. 결국 권영상은 낯설게 하기라는 문학적 기법을 이용해 기존의 관념을 부수고 신나는 어린이들의 유토피아를 꿈꾸고 있다고 할 수 있다.

4. 아버지 생각하기

권영상은 1985년 부친을 여읜다. 그 뒤부터 그의 작품 속에 아버지의 모습이 등장하기 시작한다. 제8동시집 서문에서 '아버지에 대한 관심도 빠뜨릴 수 없다. 그것은 남성에 대한 나의 존경심 때문이다. 아주 오랫동안 다루어 볼 만한 끈끈한 맛이 배어 있는 대상이다.'라고 언급할 만큼 현재까지도 '아버지'는 권영상 시인이 천착한 대상이기도 하다. 그렇다고 해서 물론 그가 남성 우월주의자는 아니다. 그리고 남존여비 사상에 찌든 사람도 아니다. 다만 돌아가신 아버지에 대한 존경심과 아버지 사랑에 대한 그리움의 표현일 뿐이다.

여기서 지적하고 싶은 것이 하나 있다. 그것은 그의 작품 중에서 아버지를 제재로 삼았던 동시들이 대부분 문학작품으로서 완성도가 높다는 사실이다.

⑫ 신재화. / 엄마의 이름을 쓸 줄 몰라 / 아버지는 / 신재와 / 그렇게 쓰신 일이 있었다지요. // 그 후로 / 아버지는 엄마의 이름을 / 쓰실 때마다 // 바른손이 아파서, / 그러시며 / 연필을 넘기셨다지요.

// 아무리 어려운 일도 / 혼자 손으로 / 다 해 내시던 아버지가 // 엄마의 이름을 적으실 때만은 / 바른손이 아파서- / 그러시며 / 눈시울을 붉히셨다

– 〈아버지와 아들〉 전문 (제9동시집)

⑬ 담요 한 장 속에 / 아버지와 함께 나란히 누웠다. / 한참만에 아버지가 / 꿈쩍하며 뒤척이신다. / 혼자 잠드는 게 미안해 / 나도 꼼지락 돌아눕는다. / 밤이 깊어가는데 / 아버지는 가만히 일어나 / 내 발을 덮어주시고 / 다시 조용히 누우신다. / 그냥 누워있는 게 뭣해 / 나는 다리를 오므렸다. / 아버지 하고 부르고 싶었다. / 그 순간 / 자냐? 하는 아버지의 쉰 듯한 목소리 / -네. 나는 속으로만 대답하고 돌아누웠다.

– 〈담요 한 장 속에〉 전문 (제6동시집)

⑭ 밀어 드릴까요? / 마을 할아버지의 짐수레를 보고 / 지나치기가 미안했다. / -누군진 모르겠다만. / 그 말에 짐수레에 손을 얹고 / 천천히 밀었다. / 한참만에 할아버지가 물었다. / -아버지가 누구신고? / 나는 머뭇거렸다 / -그럼 뉘 집에 사시는고? / -대추나무집요. / 내 대답에 흘끔 돌아다보시던 할아버지가 / -허, 참. 정수 그 사람. / 그러신다. / 할아버지가 말하는 / 정수 그 사람은 우리 아버지다.

– 〈돌아오는 길에〉 전문 (제2동시집)

⑫ 〈아버지와 아들〉에서는 초등학교 문턱에도 가보지 못한 아버지의 모습을 담담히 그리고 있다. 사랑하는 아내의 이름 석자도 쓰지 못하는 아버지의 처지가 독자에게 측은한 생각을 들게 하지만 진실된 아버지의 모습에서 오히려 아버지에 대한 진한 그리움을 느끼게 한다. ⑬ 〈담요 한 장 속에〉는 아버지와 아들 사이에 말없이 교류되는 사랑과 존경, 신뢰 그리고 끈끈한 가족애가 드러난 작품이다.

〈돌아오는 길에〉는 평범한 것 같으면서도 깊은 의미를 지니고 있는 수작(秀作)이다. 마을 할아버지와 시적 화자인 '나'가 노중(路中)에서 전개된 간단한 대화가 대부분인데도 '나'의 겸손함과 웃어른에 대한 공경심, 남을 돕는 마음, 착하고 순수한 마음이 잘 나타나 있으며, 또 10행 '그럼, 뉘 집에 사시는고?'에서 어린이의 인격을 존중하는 마음과 13행의 '허 참. 정수 그 사람'에서 진심으로 고마워하는 할아버지의 마음이 군더더기 없이 명료하게 나타나 있다. 이 작품을 읽다 보면 굳이 고맙다는 표현을 할 필요가 없다는 것을 알 수 있다. 고마움은 입으로 하는 것이 아니라 마음으로 전하는 것이다. 시골 할아버지의 순박한 모습 그대로이다. 때 묻지 않은 순박한 노인과 순수하고 깨끗한 소년간의 짤막한 대화가 작품 속에서 조화의 극치를 이루고 있다.

5. 웃어보기와 깨닫기

권영상의 작품 속에는 항상 해학과 익살이 숨어 있다. 해학은 개인, 사회의 부정적 현상이나 모순을 웃음으로써 비판, 조롱, 비난, 공격하는 풍자와는 달리 감미로운 미소를 유발시키고, 즐거움을 주며, 눈물 없이는 웃지 않을 수 없는 웃음, 악의 없는 익살을 말한다. 해학은 소박하고 자연스런 과정에서 발생하는 것이다. 동시의 해학은 내용에 따라 과장된 행동이나 표정 때문에, 어리석음 때문에, 무지 때문에, 서로 대조된 생각과 행동 때문에, 상황의 역전 때문에 동물들을 통한 우의 때문에 등 다양한 경우에 생긴다. 권영상의 작품들엔 소박한 일상에서 발견되는 경이로움 속에 그의 건강한 해학성이 들어 있다.

⑮ 코딱지를 돌돌돌 말아서 / 꼭꼭꼭 눌러서, 빈대떡처럼 꼭꼭꼭 눌러서, 그래선 강아지 밥그릇에 뚝뚝뚝 수제비처럼 뜯어 넣었어. 그랬더니 강아지가 밥을 먹다 말고 그러잖겠니. / 오늘은 밥이 짭짤한데, 왠지 간이 맞어.

– 〈강아지만 모르게〉 전문 (제12동시집)

⑯ 기타를 못치는 외삼촌은 / 라디오에서 기타 소리만 나오면 / 딩가딩가 기타치는 시늉을 한다. / 까닥까닥 어깨를 추어올리며 / 햇빛 몰아치는 해변으로 가자! / 그러며 노래한다. / 한 손으로 기타 줄 잡고 / 또 한 손으론 연실 기타 줄 치는 / 시늉을 하며 / 햇빛 몰아치는 해변으로 가자 그런다. / 엄마가 시끄럽다며 뛰어나와 / 얘, 기타 하나 사주라! / 그러면 / 외삼촌은 머쓱해 가지고 / 꾸부정히 들어간다. 제 방으로

– 〈외삼촌〉 전문 (제12동시집)

⑰ 상수리나무 타고 놀다가 / 바락바락 노래하다가 바락바락. / 것도 심심하면 / 뚜루루, 나무 아래로 뚜루루, 오줌을 눈다. / 칫칫칫칫, 상수리 잎에 떨어지는 / 칫칫칫칫, 오줌 소리에 / 상수리나무가 소스라친다. / 앗 뜨게 앗 뜨게! / 것도 모르고 상수리나무 그늘에 / 한숨 자러 온 할배 염소. / 할배 염소 잔등에 픽픽픽 / 오줌 줄기 픽픽픽 떨어지자 / 할배 염소 삐그덕, 고개를 치켜든다. / 이눔 봤나! 감히 할애비 등판에다! / 할배 염소가 상수리나무를 들이받는다. / 이거 집에 가기 다 글렀구마.

– 〈심심하면〉 전문 (제12동시집)

⑱ 호박 밭에 / 호박이 큰다. / 자꾸 자꾸 자꾸…… // –정말 / 비좁아 못 살겠네! // 생쥐가 / 이부자릴 싸들고 / 또 집을 옮긴다.

– 〈호박 밭의 생쥐〉 전문 (제12동시집)

⑮ 〈강아지만 모르게〉는 전형적인 '시치미 떼기'의 형태로 홍소나 포복절도하며 웃는 가가대소, 박장대소와 같이 거침없이 쏟아져 나오는 웃음이라고 한다면 〈외삼촌〉은 과장 행동으로, 허점을 찔러서 악의 없는 웃음을 안겨 주고, 〈심심하면〉은 처지나 상황의 역전으로 일어난 일 때문에 배꼽잡고 웃을 수 있고, 〈호박 밭의 생쥐〉는 우의와 어리석음 때문에 잔잔한 미소를 던져 준다.

⑮ 〈강아지만 모르게〉의 시적 화자는 어린 소년이라고 할 수 있다. 코딱지를 '돌돌돌' 마는 것부터 개구쟁이 짓이다. 수제비처럼 '뚝뚝뚝' 뜯어 강아지 밥에 넣어 준 것이다. '왠지 간이 맞어'는 마지막 강아지 말로써 개구쟁이가 노리는 핵심적인 목적이 완벽하게 달성되었다는 성취감으로 앙천대소하는 것이다. 시적 화자와 독자 관객은 제3자인 강아지를 보고 웃는 것이다.

〈외삼촌〉에서는 처음부터 기타를 치지 못하는 외삼촌이 노래를 부르며 기타치는 과장된 행동을 보이다가 어머니의 말 한 마디에 상황이 역전되고 만다. 기타치는 것을 과장되게 흉내내는 모습도 우습지만 어머니 말씀에 기가 죽어 제방으로 들어가는 모습도 우스꽝스럽다.

〈심심하면〉에서는 상수리 나무 가지 위에서 오줌을 내갈기며 놀다가 일어난 일을 익살스럽게 표현하고 있다. 어린 시절 사내아이들에게는 한번쯤 있음직한 사건이 아닐까 하는데 이 작품의 해학성은 세 가지에 있다고 할 것이다. 첫째는 재미있는 의성어를 시용하였다는 점이다. 오줌 싸는 소리 '뚜루루', 상수리 나뭇잎에 오줌 떨어지는 소리 '칫 칫칫칫', 할배 염소 등에 오줌 떨어지는 소리 '픽픽픽', 그리고 할배 염소가 고개 쳐드는 소리 '삐그덕'이 작품의 해학성을 배가시키고 있다. 이 의성어를 소리 내어 읽으면서 평자도 얼마나 웃었는지 모른다. 이 글을 쓰는 순간에도 웃음에 실실 나온다. 둘째는 '염소 할배'의 등장이다. 염소가 등장함으로 인해 평면적 구조가 입체적으로 바뀌었다. 더욱 염소는 아이의 할아버지 같은 '할배'가 아닌가. 독자들은 손자 아이가 나무 위에서 '할배' 등에 오줌을 내갈기는 장면을 상상하면서 또 얼마나 전율할 것인가. 셋째는 작품의 마지막 시행에 '이거 집에 가기 다 글렀구마'를 배치한 점이다. 이 말투에 배어있는 사내아이의 낭패감이 손에 잡힐 것만 같다. 일그러진 사내아이의 표정이 이 마지막 행을 읽는 독자의 얼굴을 가격하는 웃음의 펀치가 아니겠는가!

〈호박 밭의 생쥐〉에서는 하필 커져가는 호박 밑에 집을 만들어 사는 생쥐의 어리석음 때문에 웃음 항아리에 빠진다. 또 생쥐에게 무슨 이부자리가 있겠느냐마는 그 은밀한 이부자리를 들고 가는 가장 원초적인 이사 형태에서 생쥐의 다급함도 느끼면서 웃을 수 있는 것이다.

6. 마무리

 동시 〈골목길 걷는 게 나는 참 좋지〉에서처럼 권영상 시인은 가슴이 따뜻한 사람이다. 그의 많은 동시를 읽어보면 따스한 동화를 낭송한다는 느낌이 들 때가 많다. 동시 〈골목길 걷는 게 나는 참 좋지〉도 평범한 이웃들의 저녁 이야기 들이 동화처럼 펼쳐진다. 가난 하지만 사람의 온기를 느낄 수 있으며 따뜻한 식탁의 구수한 된장국 냄새가 물씬 풍긴다. 장만영의 〈정동 골목〉이라는 시가 생각난다. '얼마나 우쭐대며 다녔었나, / 이 골목 정동 길을. / 해어진 교복을 입었지만 / 배움만이 나에겐 자랑이었다. // 도서관 한 구석 침침한 속에서 / 온 종일 글을 읽다 / 돌아오는 황혼이면 / 무수한 피아노 소리, / 피아노 소리 분수와 같이 눈부시더라.' 로 시작되는 서울 정동 골목길의 풍경을 그리고 있는데, 도서관에서 공부를 끝내고 집으로 돌아가는 골목길에서 느낄 수 있는 인간적인 정을 표현하고 있다. 개인적인 생각이지만 장만영의 중산층이 사는 골목길보다 권영상의 서민층의 사는 골목길이 더 따스하고 인간적이다.

 ⑲ 해가 깜물 진 뒤의 골목길 / 그 촉촉한 골목길 걷는 게 나는 참 좋지. / 노을에 빨갛게 물든 기와 지붕이. / 옥상 위에서 장을 익히는 장 단지들이. / 담장 위에 나란히 키우는 화분들이, / 저녁 어둠에 천천히 묻혀 갈 때 / 그때가 골목 걷기에 참 좋지. / 슬렁슬렁 집으로 돌아오는 강아지, / 강아지를 위해 얼른 길 비켜주고. / 자전거를 몰고 돌아오는 아저씨, / 아저씨를 위해 얼른 길 비켜주고. / 그때, 뒤 집인가 담장 너머에서 날아오는 소리 / -엄마, 찬장 속 고구마 먹어도 돼! / 그런 낯익은 목소리가 나는 참 좋지. / 딸깍, 켜지는 담장 낮은 집의 안방 저녁 불 / 그 아래에 둘러앉아 / 밥 먹자, 그러는 엄마의 다정한 목소리가 / 나는 더없이 좋지.
 - 〈골목길 걷는 게 나는 참 좋지〉 전문 (제12동시집)

 이처럼 그의 작품은 대체로 서정적이고 따뜻하다. 그러나 그의 작품 경향을 한 가지로 규정하는 것은 매우 위험하다. 그는 내용이나 형식에서 일정한 것을 고집하지 않고 새로운 것을 추구하고 있기 때문이다. 본론 부분에서 살펴본 바와 같이 제2기의 내면적 자아를 탐색했던 작품 외에 낯설게 하기, 해학과 익살 등으로 웃어주기, 아버지 생각하기 등 다양한 형식과 내용에서 여타 동시인들의 추종을 불허하는 창의적이고 실험적인 작품을 많이 쓰고 있다. 비록 이 평론에서는 언급하지 않았지만 삼국유사 속에 살아있는 '역사를 이끌어 가는 또 다른 주체들의 질박한 이야기'인 제3동시집 《동트는 하늘》도 그의 다른 면모를 보여 주는 동시들이다. 그는 동시집마다 형식과 내용에서 다양한 무지갯빛을 마술사가 되어 보여 주고 있다. 정말 그를 어린이들의 유토피아를 찾아가는 마술사라 불러야 하지 않을까.

광고 문구에 '여자의 변신은 무죄'라는 것이 있다. 이 광고 문구는 새로움을 추구히는 여자는 항상 아름답다는 뜻으로 쓰이고 있는 듯 하다. 이 문구에다 권영상 시인을 대입해서 '권영상 시인의 변신은 무죄'라 하면 그에 딱 알맞은 표현이라고 할 것 같다. 아니 그는 더 강렬하게 '권영상의 변신은 필수'라고 자신을 정의해 달라고 할지 모르겠다.

끝으로 동시 ⑪ 〈할머니 무릎 베고 스르르〉와 같은 어린이들의 유토피아를 찾는 마술사 권영상, 생명력을 지닌 작품을 쓰기 위해 무수히 변신하는 카멜레온 권영상이 되기를 기원한다.

【참고 문헌】

노경수, 〈서정시에서 서사시 관념시 그리고 동심〉, 〈흙빛문학〉 40호, 2004.

황정현, 〈권영상론〉, 〈한국현대아동문학작가작품론Ⅱ〉 이재철고희기념논총, 청동거울, 2001.

최창숙. 〈문학에 놓인 징검다리, 권영상〉, 한국 아동문학학회정기세미나 자료, 2007.

어린이와 함께 선생이 걸어온 길

1952년 3월 1일(음력) 강릉시 초당동 361번지에서 아버지 권정수와 어머니 신재화의
  3남 3녀 중 3남으로 태어남. 본관은 안동(법률상으로는 1953년 4월 10일). 강
  릉의 동명국민학교, 강릉중학교 졸업 후, 17년간의 어머니의 병환으로 고교를
  진학하지 못하고 3년간 꿈 없이 방황함. 3년 뒤 강릉상업고등학교에 입학하여
  졸업함.

1977년 경북 영주 소재 대영중학교에 국어교사로 첫발을 디딤.
  위의 학교를 사직하고, 강원도 정선군 소재 함백국민학교 부임함.

1979년 월간 〈아동문예〉에 〈새〉로 등단함.

1980년 〈강원일보〉 신춘문예에 동시 〈길〉이 당선 됨.(심사 박용열, 심우천 시인)

1981년 첫 동시집 《단풍을 몰고오는 바람》(창조의 샘) 출간함. 11월 22일 결혼함.(아내,
  백향란)

1982년 소년중앙문학상에 동시 〈햇살에서 나오는 아이들〉 당선됨.(심사 유경환 시인)

1984년 성균관대학교 교육대학원(국어교육 전공) 입학함.

1985년 경기 이천군 소재 경남중학교로 전보 이동함. 2개월간 〈아동문예〉에 시로 읽는
  삼국유사 〈동트는 하늘〉을 연재함. 부친 타계하심.(향년 77세) 이때부터 '아버
  지'를 주제로 작품을 쓰기 시작함. 동시집 〈햇살에서 나오는 아이들〉(아동문예
  사) 출간함.

1986년 경남중학교를 사직하고 서울 용산구 소재 서울 배문중학교로 옮김. 8월 15일
  딸 나래 태어남. 서사시 〈동트는 하늘〉로 한국동시문학상 수상.(아동문예사)

1987년 성균관대학교 교육대학원 수료.(논문, 윤동주 시의 원형적 탐구) 서사 동시집
  〈동트는 하늘〉(아동문예사) 출간함. 계몽아동문학상 수상함.(주식회사 계몽사)
  동시집 《한 해를 살면》(주식회사 대교) 출간함.

1988년 동시집 《버려진 땅의 가시나무》(도서출판 남광) 출간함.

1989년 제19회 한국아동문학회 세미나에서 '90년대 한국아동문학의 위상'을 주제로 발
  표함. 동시집 〈버려진 땅의 가시나무〉로 세종아동문학상 수상.(소년한국일보)

1990년 월간 〈한국문학〉에 수필 〈蘭〉으로 한국문학 신인상에 당선됨.(심사, 수필가 박
  연구, 윤모촌) 동시집 《버려진 땅의 가시나무》로 문예진흥원으로부터 문학작품
  우수창작 지원금을 받음.

1991년 〈시대문학〉 봄호에 시 〈발〉 외 5편으로 시대문학 신인상에 당선됨.(심사 성춘복
  시인) 동시집 《밥풀》(동화문학사) 출간, 〈새싹문학상〉 수상.(새싹회)

1992년 서울 서문여자중학교로 자리를 옮김. 동요 동시집 《벙어리 장갑》(계몽사) 출
　　　　간함.

1993년 연예정보신문에 인도 기행 '갠지스로 가는 길' 연재. 동시집 《납작납작한 코끼
　　　　리》(상서각) 출간함. 동화 〈쥐라기 아저씨와 구두〉로 MBC동화대상 단편 부문
　　　　당선됨.

1994년 교육방송 EBS의 '어린이 명심보감'에 1년간 출연함. 〈아동문학평론〉 봄호에
　　　　〈중견의 야심작〉 동시 특선됨. 첫 장편동화집 《숨쉬는 말촉마을》(대교출판) 출
　　　　간함.

1995년 〈앞선문학〉 6월호, 〈아동문학평론〉 여름호에 권영상 동시 특선됨. 장편동화집
　　　　《내별에는 풍차가 있다》(동아출판사) 출간함. 장편동화 《춤추는 원숭이 치치》
　　　　(중앙일보사) 출간함.

1996년 월간 〈아동문예〉에 동시 특선됨. 환경동화 《나무도 시를 좋아하지요》(학생과학
　　　　문고편찬회), 《도시로 날아온 꽃씨》(학생과학문고편찬회) 출간함. 동시집 《아
　　　　흔아홉개의 꿈》(미리내) 출간함. 월간 〈순수문학〉에 동시 특선됨. 김종상론 '일
　　　　과 어머니를 찬미한 대지와 그리움의 문학'을 발표함.(한국아동문학, 제11호)
　　　　단편동화집 《다락방 코끼리 아저씨》(책만드는집) 출간함.

1997년 단편동화집 《물오름 마을의 겨울눈》(국민서관) 출간, 간행물윤리위원회 추천
　　　　도서로 선정됨. 단편동화집 《대장장이 작은 옹당씨》(오늘어린이). 《아버지가 데
　　　　려온 쑥곰》(대원사) 출간함. 〈아동문예〉 8월호에 동시 특선됨. 《아버지가 데려
　　　　온 쑥곰》이 간행물윤리위원회 청소년 추천 도서로 선정됨.

1998년 동화집 《물오름 마을의 겨울눈》으로 우수도서창작패 받음.(한국아동문학인협
　　　　회) 서문여자중학교에서 배문중학교로 발령 받음. 열 번째 동화집 《개미 꼬비》
　　　　(도서출판 문원) 출간됨. 권영상 작품론 '순수 서정 속에 감춘 잔잔한 감동'이
　　　　발표됨.(현대아동문학작가회 연간집 제4호, 이정석) 동화집 《개미 꼬비》가 간
　　　　행물윤리위원회의 청소년 추천 도서로 선정됨.

1999년 계간 〈아침햇살〉 여름호에 동화 〈목수 노랑눈썹이〉가, 특집 〈시와 동화〉 여름
　　　　호에 이야기 시가 특선됨. 이야기 동시집 《신발코 안에는 생쥐가 산다》(도서
　　　　출판 문원) 출간됨. 〈창조문예〉 10월호에 동시 특선됨. 이야기 동시집 《월화수
　　　　목금토별요일》(재미마주) 출간됨. 권영상론 '동심과 자연의 역설적 진리' 발표
　　　　됨.(아동문학 평론 93호, 서울교대 교수 황정현)

2000년 〈시와 동화〉 여름호 특집 〈시인 작가 마주보기〉 게재함.(이상교 시인 공저) 유
　　　　년 동화 《달 속으로 뛰어든 바퀴》 외 10권 출간.(교육문화사) 〈아동문학연구〉

가을호에 울릉도 기행 연작 동시 특선됨. 〈동시와 동화나라〉에 동시 특선됨. 단편동화집 《은고양이》로 대산재단 창작지원금 받음. 단편동화집 《은고양이》 (국민서관) 출간됨.

2001년 동시 〈그대 앞에 설 때면〉, 〈실끝을 따라가면 뭐가 나오지〉가 초등 교과서에 수록됨. 유아동화집 《아기 기린을 보러가요》(삼성출판사), 단편동화집 《순복이 할아버지와 호박순》(대교출판), 장편동화집 《우리는 어른이 된다》(두산동아) 출간함.

2002년 유년위인동화집 《김홍도》 외 9권 출간.(동그라미세모네모) 전자신문 〈KTF 한국통신〉에 '동화작가 권영상에게 듣는 글'을 주제로 인터뷰함.

2003년 동화집 《형, 모래모치한테 인사해》(진선출판사) 출간함.

2004년 수필전문지 월간 〈ESSAY〉에 1년간 수필을 연재함. 12번째 동시집 《실끝을 따라가면 뭐가 나오지》 출간함. 계간 〈아동문학평론〉에 연작시 〈산수유꽃〉 특선됨. 권영상의 시 세계 '서정시에서 서사시 관념시 그리고 동심' 발표됨.(흙빛문학 여름호, 한서대 노경수) 동시 〈실끝을 따라가면 뭐가 나오지〉로 은하수동시문학상 대상 수상함. 〈월간문학〉 12월호에 신현득 선생님과의 〈권두 대담〉, 〈영원한 고구려의 아이〉 씀.

2005년 〈시와 동화〉 봄호에 동시 특선됨. 마산MBC 주최 제7회 고향의 봄 창작 동요제에 동시 〈기차역이 있는 바다그림〉 금상 수상.(작곡 안영준) 14번째 동화집 《수피》(도서출판 문원) 출간함. 세계의 명화 《케테 콜비츠》(한국헤밍웨이) 상재함.

2006년 동시 〈햇빛이 칠해준 우리집〉, 〈공룡을 만들어 보자〉로 에듀 콘서트. 〈귀뚜리의 음악여행〉 공연.(이화여고 100주년 기념관, 작곡가 신동일) 단편동화집 《수피》가 한국문예진흥원 우수동화 10선에 선정됨. 동시 〈느티나무 아래서〉가 한국문예진흥원 창작지원작으로 선정됨.

2007년 소년소설 《동글이 누나》(사계절출판사) 출간함. 권영상론 '문학에 놓은 징검다리' 주제 발표됨.(한국아동문학학회 정기 세미나, 최창숙) 소년소설 《동글이 누나》가 한국문예진흥원 우수동화 10선에 선정됨. 동시 〈햇빛 좋은 가족〉이 한국문예진흥원의 창작지원작품으로 선정됨. 10월 어머니 타계하심.(향년 97세) 한국문화예술진흥위원회의 2008년도 우수창작지원금 받음.
세계 명작 시리즈 《천로역정》(효리원) 엮음.

2008년 〈교차로신문〉에 칼럼 연재. 〈시와 동화〉 45호에 '권영상 특집' 게재됨.(사진, 작품론, 인물론, 연보) 〈오늘의 동시문학〉 겨울호에 2008년 동시의 흐름 '젊은 여성 시인들의 눈부신 활약' 씀. 학습서, 초등학생이 꼭 읽어야할 《향가와 고려가요》(살림어린이) 출간함. 학습서, 초등학생이 꼭 읽어야할 《옛시조와 가사》 ①, ②(살림어린이) 출간함.

2009년 중학교 신입생을 위한 《자신만만 중학생》(처음주니어, 추현숙 공저) 출간함. 동시집 《구방아, 목욕가자》(사계절출판사), 《잘 커다오, 꽝꽝나무야》(문학동네) 출간함. 〈아동문학평론〉 133호 겨울호에 '아평이 만난 시인 권영상' 특집 게재됨.(신작 동시 7편, 나의 동시 창작론: 시란 물같이 잘 흐르는 것) 전병호 시인이 '권영상 작품론: 꼭 필요한 만큼 받는 햇살의 미학' 씀.

2010년 동시집 《잘 커다오, 꽝꽝나무야》로 한국아동문학상 받음. 동시집 《구방아, 목욕가자》로 제42회 소천아동문학상 받음. 서울문화재단 문학창작기금 지원 받음. 산문집 《뒤에 서는 기쁨》(좋은생각) 출간함.

2012년 동시집 《엄마와 털실뭉치》(문학과지성사) 출간, 기획예산부 후원 우수문학도서로 선정됨.

2013년 서울배문중학교에서 명예 퇴임함.

2014년 동시집 《신발코 안에는 새앙쥐가 산다》 등 전자책 출간함.

2015년 EBS 라디오 윤덕원의 시 콘서트 '시인을 만나다'에 출연함. 〈동시마중〉 '이바구, 권영상 시인에게 듣는다' 인터뷰 특집이 실림. 《권영상 동시선집》(지식을만드는지식) 출간함.

2016년 '한국 아동문학 현황과 발전 방향' 국회 포럼에 토론자로 참여함.

한국 아동문학가 100인

선안나

대표 작품
〈그 사과밭에 생긴 일〉

인물론
그녀를 알고 세 번 놀라다

작품론
혼탁한 세상 속 길을 밝히는 자기긍정의 힘

어린이와 함께 선생이 걸어온 길

그 사과밭에 생긴 일

옛날 아주 먼 옛날 있었던 이야기가 아니고,
바로 요즘 있었던 이야기입니다

짝퉁은 싫어

토돌이네 할아버지가 병이 났어요. 눈이 침침하고 귀가 잘 안 들린대요. 가슴이 답답하고 숨도 콱 막힌대요.

"참맛사과만 먹으면 금방 나을 텐데……. 토돌아. 과일 가게에 한번 가보겠니?"

할아버지가 말씀하셨어요.

"예, 할아버지."

토돌이는 얼른 대답을 하고 '모퉁이 과일 가게'로 달려갔어요. 할아버지가 지난 18년 동안이나 참맛사과를 꾸준히 사왔던 단골가게이지요.

"아줌마, 참맛사과 있어요?"

"어쩌니. 오늘은 진짜배기가 없는데."

산양 아줌마가 미안한 표정을 지었어요. 진열대에는 참맛사과 딱지를 붙인 짝퉁사과가 빤질빤질 빛나고 있었지요.

"저거라도 줄까?"

아줌마가 물었지만 토돌이는 "아니요" 고개를 저었답니다. 모양은 진짜처럼 보이지만 짝퉁사과는 불량 식품이란 걸 알고 있었거든요. 오랫동안 먹어왔던 참맛사과 맛이 그리운 나머지, 할아버지가 짝퉁을 조금 맛보았다가 얼마나 고생하셨는데요. 심장이 벌떡 벌떡 뛰고 울화가 치미는 증세로 며칠 잠도 못 주무셨지요.

"아줌마, 참맛사과 나오면 꼭 알려 주세요."

"오냐. 꼭 그렇게 하마."

깡충깡충 뛰어가는 토돌이를 보며, 아줌마는 부끄러운 마음이 들었어요.

아무리 오래 거래해 온 참맛사과밭에서 보내 온 사과지만, 짝퉁은 이제 그만 받아야겠다고 생각합니다. 언젠가 참맛사과가 다시 나올 때, 그때 다시 주문하기로 마음먹습니다.

참맛사과가 소중한 이유

집이 가까워지자 토돌이의 귀는 축 늘어졌어요. 할아버지가 많이 실망하실 일이 걱정이었거든요. 가뜩이나 몸도 안 좋으신데 말이에요.

"아이참. 참맛사과가 빨리 나오면 좋을 텐데."

그런데 그때 '다이따 백화점' 배달 트럭이 저만치 보였어요. 트럭에서는 노래가 흘러나오고 있었지요. "뭐든지 다 있다. 다이따 백화점~"하고 말이에요.

"맞아. 다이따 백화점에는 참맛사과가 있을지 몰라."

토돌이는 배달꾼 아저씨에게 백화점 가는 길이면 좀 태워달라고 부탁하였어요.

"그렇게 하려무나."

멧돼지 아저씨는 흔쾌히 옆자리에 앉게 했답니다.

"그런데 사과를 사러 간다고 했니? 사과는 이 동네에도 팔잖니."

"그냥 사과는 있는데 참맛사과가 없어요."

"다른 사과나 과일도 많은데 왜 꼭 참맛사과를 찾지?"

"할아버지께 드리려고요. 우리 할아버지는 제가 태어나기도 전부터 참맛사과만 드셨거든요."

토돌이의 눈앞에는 사과를 맛있게 드시는 할아버지 모습이 떠오릅니다. 일하는 틈틈이 또는 느긋하게 쉬면서 참맛사과를 몇 쪽씩 즐기는 것은 할아버지 생활의 큰 기쁨이었지요. 가만히 사과 맛을 음미하며, 할아버지는 미소를 띤 채 고개를 끄덕이거나 때론 무릎을 치셨답니다.

사과가 그렇게 맛있나 싶어서 토돌이도 먹어보았지만 별 맛은 없었어요. 달지도 않고 좀 딱딱하기도 했어요. 먹고 난 뒤 싱싱한 향기가 코끝에 오래 남긴 했지만요.

"무슨 맛인지 잘 모르겠어요."

토돌이가 솔직히 말하자 할아버지는 자연의 맛이라서 그렇다고 하셨어요. 음료수는 강한 맛과 향이 입맛을 끌지만 몸에 안 좋고, 물은 별다른 맛과 향을 느낄 수 없지만 생명을 살리는 힘이 있다고요.

"참맛사과는 맑은 물과 같단다. 자연 농법만 고집한 사과라서 먹을수록 눈이 환해지고 귀가 밝아지지. 그래서 세상이 더 잘 보이고 작은 소리도 들을 수 있게 된단다."

그 말끝에 할아버지는 언제나 걱정을 하셨어요. 어찌된 셈인지 요즘은 과수원 주인이나 일꾼이나 과실나무를 가꿀 생각은 않고 열매 얻을 궁리만 한다고요. 남보다 더 많은 과실을 팔기 위해 해로운 물질이나 약품 처리를 함부로 한다고요.

"하지만 안심하고 먹을 수 있는 참맛사과가 있으니 얼마나 다행이냐?"

그러면서 할아버지는 행복한 웃음을 짓곤 하셨어요. 참맛 과수원 내꼬야 사장이 일꾼들을 죄다 길거리로 내쫓기 전까지는 말이에요.

막무가내 내꼬야 사장

"일꾼들을 길거리로 내쫓았어? 왜? 내꼬야 사장은 또 누구야?"

운전을 하던 멧돼지 아저씨가 눈이 휘둥그레져서 물었습니다.

"그건 말이에요……."

토돌이는 입을 오물대며 대답을 하였어요.

금만세 씨가 새로운 사장으로 오기 전까지만 해도 과수원은 평온하였습니다. 때로 비바람이 불고 천둥 번개가 치기도 했지만, 그쯤이야 늘 있는 문제들이었지요. 비록 대규모 과수원은 아니었지만 참맛사과의 맛과 영양가는 널리 인정받고 있었고, 일꾼들은 그 점에 큰 자부심을 가지고 있었답니다.

그런데 금만세 사장이 툭하면 '내꼬야' 외쳐대는 바람에 일이 꼬이기 시작했어요. 그러면서 내꼬야 사장이 어떤 가지를 어떻게 자르고 어떤 약을 주라고 콩이야 팥이야 지시하지 뭐겠어요.

일꾼들은 그 말에 순순히 따르지 않았답니다. 언제 가지를 치고 어떤 거름을 주어야 하는지는 오래 참맛사과를 가꾸어 온 일꾼들이 더 잘 알았으니까요. 무엇보다 내꼬야 사장이 자연 농법이 아닌 '조은 게 조타' 농법을 자꾸 강요했거든요.

"언제까지 케케묵은 자연 농법을 고집할 건가? 이웃의 〈얼씨구나〉 과수원을 좀 봐. 〈조아조아〉 과수원을 좀 보라고. 〈그까이꺼〉 과수원은 또 어떻고? 다들 일찍부터 '조은 게 조타' 농법을 써서 오늘날 전체 과일 매출량의 70%나 생산하고 있잖아?"

내꼬야 씨가 핏대를 올렸지만 일꾼들은 눈만 껌뻑댈 뿐이었어요.

"조은 게 조타 농법은 못 써유. 몸에 나빠유."

"누가 그걸 모르나! 하지만 다른 과수원에서도 다 쓰고 있지 않나."

"님들 한다고 나쁜 걸 따라하면 안 되쥬."

내꼬야 사장은 속이 부글거렸지만 일단 꾹 참으며 별렀지요.

'감히 내 말을 거역해? 어디 두고 보자!'

옛말에 '두고 보자는 놈 무섭지 않다'는 속담이 있지요. 그러나 그 말이 언제나 맞는 건 아니었어요. 금만세 씨는 진짜 무서웠거든요. 사과밭 일꾼들을 몽땅 내쫓고도 모자라, 빨리 잡아가서 혼내 주라고 툭하면 파출소에 신고했어요.

"왜? 일꾼들이 무슨 큰 잘못을 했나?"

멧돼지 아저씨의 작은 눈이 또 커졌어요.

"아니에요. 나쁜 건 내꼬야 사장이죠!"

토돌이의 입이 쑥 나왔어요. 할아버지가 속병이 난 것도, 토돌이가 참맛사과를 구하러 다녀야 하는 것도 따지고 보면 다 내꼬야 사장 때문이니까요.

그 일은 참맛사과 묘목을 심으려는 일꾼들을 내꼬야 사장이 가로막은 데서 시작되었어요.

"이 묘목은 심지 마. 조은 게 조타 농법에 안 맞아. 대신 닐리리야 꿀배를 심도록 해."

"그게 무슨 말이더래유? 참맛사과밭에 참맛사과나무를 심어야쥬."

"머니만타 그룹에서 일하는 내 친구의 특별 부탁이야. 내가 전에 머니만타 그룹에서 일했다는 거 알지? 내 체면도 좀 봐줘."

"닐리리야 꿀배를 먹으면 닐리리야 노래만 부르게 되잖유? 그건 안 되쥬."

"머니만타 그룹에서 우리 사과를 얼마나 많이 사 주고 있나? 과수원이 잘 돼야 자네들한테도 좋지. 글쎄 좋은 게 좋은 거라니까."

금만세 씨가 아무리 구슬려도 돌아오는 대답은 같았답니다.

"안 되는 건 안 되는 거구먼유. 우리는 농사꾼여유."

그러면서 일꾼들이 부득부득 참맛사과나무 묘목을 심는 바람에 내꼬야 사장은 화가 머리끝까지 나고 말았어요.

'사장은 나야! 무슨 묘목을 심을 건지는 내가 결정할꼬야!'

내꼬야 사장은 일문들이 심어놓은 참맛사과 묘목을 한밤중에 몰래 뽑아버렸어요. 그리곤 그 자리에 닐리리야 꿀배를 왕창 심어 놓았지요.

"워떻게 이럴수 있대유?"

다음 날 아침 일꾼 대표가 한달음에 달려왔지만, 내꼬야 사장은 도리어 큰소리를 쳤어요.

"얼마든지 이럴 수 있어. 왜? 나는 사장이니까. 내 밑에서 일하기 싫어? 그럼 관둬. 일꾼은 얼마든지 많거든."

그러면서 내꼬야 사장은 일꾼 대표를 쫓아내 버렸답니다.

"아니, 세상에 뭐 그런 나쁜 놈이 다 있대? 잘못은 지가 하고 애꿎은 일꾼은 왜 쫓아냈대?"

멧돼지 아저씨가 화가 나서 콧김을 씩씩 내뿜었답니다.

"그래서? 그 다음엔 어떻게 됐는데?"

"어떻게 됐냐면 말이죠……."

네네 알께모야 짝퉁 사과

"봤지? 내 말 안 들으면 이렇게 되는 거야."

내꼬야 사장은 일꾼들을 한 바퀴 둘러보았어요. 속으로 '이젠 내 말을 더 잘 듣겠지' 생각하면서 말이에요. 그런데 웬걸, 모여서 웅성웅성 하더니 일꾼들이 똘똘 뭉쳐선 따지는 게 아니겠어요.

"사장님, 그러면 안 되쥬? 어서 사과하세요."

"내가 왜 사과해? 절대 사과 못해!"

"그럼 우리도 사장님 밑에서 일 못하겠네유."

일꾼들은 모두 일손을 놓곤 우르르 과수원을 나갔답니다.

"그런다고 내가 겁낼 줄 알아? 내 뒤에 누가 있는 줄 알기나 해?"

내꼬야 사장은 흥, 콧방귀를 뀌었답니다. 일꾼들이 다시는 일터로 돌아오지 못하도록, 울타리를 죄다 둘러치곤 빗장을 굳게 잠가버렸지요. 일꾼들이 길거리에 나앉게 된 것은 그때부터랍니다.

"금 머시긴지 하는 그 사장, 심뽀 한번 고약하네!"

콧김을 푸푸거리며 멧돼지 아저씨가 물었어요.

"그래도 일꾼들이 있어야 할 테니, 곧 과수원으로 돌아갔을 테지?"

"아니요. 그게 아니구요……."

놀랍게도 내꼬야 사장은 기발한 생각을 했어요. 네네 일꾼이랑 알께모야 일꾼을 죄다 끌어 모아 짝퉁 사과를 생산한 거예요!

네네 일꾼이란 내꼬야 사장 말에 무조건 네네 하는 일꾼이랍니다. 그들은 늘 이런 식으로 말하지요. "네네 사과밭은 당연히 사장님 꺼죠. 네네. 일꾼은 당연히 사장 말을 들어야죠. 네네 사장님 무조건 옳습니다." 하고요.

알께모야 일꾼들은 그보단 약간 복잡해요. 머리는 있는데 가슴이 없거나, 들을 수 있지만 귓구멍을 틀어막고 있거나……. 어쨌건 이들은 내꼬야 사장 입장에선 더 부리기 편한 일꾼이었죠. 왜냐면 생각이 의외로 '쿠울~' 하거든요.

'사장이랑 일꾼이랑 싸우든 말든 알께모야. 내 자리만 꽃방석이면 되지. 널리리 배면 어떻고 니나노 자두면 어때. 머니머니 해도 머니만 많이 주면 나야 좋지.'

18년 동안이나 참맛사과나무를 돌봐 온 일꾼들이 몽땅 쫓겨났지만, 과수원은 끄떡없이 잘 돌아갔어요. 말 안 듣는 일꾼들도 없겠다, 조은 게 조타 농법을 사용하여 빤질빤질 빛나는 짝퉁사과를 쏟아냈지요.

한입만 먹어봐도 유해물질이 끈적끈적 느껴지는 짝퉁 사과. 아삭아삭 씹히는 맛이라곤 없이 퍼석한 네네 알께모야 짝퉁 사과. 그런데도 짝퉁 사과를 전보다 더 많이 팔 수 있었던 건 오로지 머니만타 그룹의 아낌없는 후원 덕분이었어요.

머니만타 그룹에서 '쑥쑥커' 비료를 아낌없이 지원해 주었거든요. '알콩달콩 눈가림' 꽃가루도 뿌려주고, 주문까지 왕창 해주었지요. 머니만타 그룹과 관계된 수많은 과일가게 진열대 맨 앞자리에 짝퉁 사과를 수북이 쌓아두게 하였고요.

"그런 일이 있는 줄 몰랐구나. 우리 집은 닐리리야 꿀배를 먹고 있어서 말이야."

"닐리리야 꿀배는 몸에 아주 해롭다던데요? 먹을수록 눈과 귀가 나빠진대요. 정신도 흐려지고."

"그랬구나. 난 몰랐지."

멧돼지 아저씨는 고개를 끄덕였어요. 싱싱한 다른 과일도 고루 식구들에게 먹여야겠다고 혼잣말처럼 중얼거렸지요.

드디어 백화점 앞에 도착했어요.

"과일 매장은 저쪽이란다. 참맛사과를 꼭 구해가도록 해라."

"고맙습니다, 아저씨. 안녕히 가세요."

토돌이는 꾸벅 인사를 하고 백화점 안으로 깡충깡충 뛰어갔어요.

매장 안에는 갖가지 과실이 그득했답니다. 〈얼씨구나〉, 〈조아조아〉, 〈그까이꺼〉 3대 과수원 과일이 맨 앞쪽에 푸짐하게 쌓여 있었지요.

그 옆에 '참맛' 딱지 사과를 보고 토돌이는 반가워서 물었어요.

"누나, 이거 참맛사과 맞아요? 짝퉁 말고 진품 말이에요."

고양이 점원 누나는 토돌이를 가만히 바라보았어요.

"짝퉁을 아는구나. 어른들도 대부분 잘 모르는데 사실은 이것도 짝퉁이야. 진품 참맛은 시중에 안 나오거든."

"그럼, 이제 영영 안 나오나요?"

"그건 아니고⋯⋯."

점원 누나는 반가운 소식을 전해주었어요. 길거리 천막 농원에 머물고 있던 참맛사과밭 일꾼들이, 단골에게 조금이나마 참맛사과 맛을 보이려고 준비 중이라고 했지요.

참맛사과를 사랑하는 사람들

"그게 정말이냐? 그럼 당장 주문을 해야지!"

토돌이 얘기를 듣자마자 할아버지는 벌떡 일어났어요.

"그게 아니구요, 할아버지. 참맛사과밭 일을 알리기 위해 역 앞에서 문화제를 연대요. 그 자리에서 일꾼들이 참맛사과를 나눠줄 거래요."

"그래? 그렇다면 꼭 가야지!"

할아버지는 반가워하였어요. 그동안 좋은 과일을 꾸준히 먹게 해 준 일꾼들 준다며 떡 방앗간에서 떡까지 주문하였지요.

토요일에는 이슬비가 내렸지만 많은 사람들이 문화제에 모였어요.

"어, 백화점 누나네?"

"아, 너도 왔구나."

누나가 토돌이에게 반갑게 웃었어요.

누나는 '참맛사과를 사랑하는 사람들의 모임' 줄여서 '참사모'의 회원이라고 했어요. 일꾼들이 일터에서 쫓겨나자마 참맛사과를 사랑하는 이들이 모여 참사모를 만들었대요.

"우리가 먹을 과일이니 우리가 지켜야지. 안 그러면 해로운 과일만 시장에 가득하게 되잖아. 그치?"

차분히 말하는 누나는 참 의젓해 보였답니다.

"참맛사과 특별품입니다."

일꾼들이 짝퉁이 아닌 진품 참맛사과를 나눠주었어요.

"이게 도대체 얼마만이야."

할아버지는 감개무량하여 연신 사과를 어루만졌어요. 기뻐하는 할아버지를 보니 토돌이도 기분이 참 좋았지요.

때마침 할아버지가 맞춰두었던 시루떡이 배달되었어요. 토돌이는 누나와 함께 뜨끈한 떡 접시를 고루 돌렸답니다. 조금 뒤에는 록 밴드의 신나는 연주와 노래가 있었어요. 토돌이도 구경꾼들과 함께 박수치며 즐겁게 깡충깡충 뛰었어요.

그런데 참맛사과밭 일꾼의 아내가 남편에게 보내는 편지를 읽다가 울먹일 때는 토돌이도 눈물이 났어요.

"잘못도 없는데 일꾼을 왜 내쫓아요? 내꼬야 사장은 정말 나빠요."

"머니만타 그룹 비위 맞추느라 그래. 사람보다 돈이 더 중요한 거지."

누나가 말해주었어요.

내꼬야 사장은 짝퉁 사과를 내놓은 주제에 '진품사과 예약운동'을 벌인 참사모 회원들을 오히려 고발하였대요.

"방귀 뀐 놈이 성낸다더니, 허참……."

누군가 옆에서 하는 말이 웃겨서 토돌이는 헤헤 웃었어요. 주위에 있던 사람들도 모두 웃음을 터뜨렸지요.

심심뽀 영감의 시커먼 심뽀

토돌이의 할아버지는 '참사모' 회원이 되었답니다.

할아버지를 따라 토돌이도 모임에 따라 나가보았는데 회원들은 정말 다양했어요. 나이, 성별, 사는 지역, 직업 저마다 달랐지만, 몸에 좋은 과일, 정직한 일꾼을 지켜주려는 마음은 똑같았답니다.

"할아버지, 이것 좀 보세요."

토돌이는 누나가 일러준 대로 참사모 홈페이지를 할아버지께 보여드렸어요.

일꾼들 소식이며 회원의 글, 수많은 이의 응원 글을 할아버지는 꼼꼼히 다 읽었어요. 할아버지가 '어르신 무료 컴퓨터 교실'에 다니기 시작한 것은 그 다음날부터였지요.

봄이 지나고 어느덧 여름이 되었어요. 그러나 일꾼들은 여전히 일터로 돌아가지 못하고 있었어요.

"일꾼들이 마지막으로 과수원 주인과 담판을 짓는다는구나."

참사모 홈페이지를 살펴보던 할아버지가 새 소식을 토돌이에게 들려주었어요.

"내꼬야 사장이 과수원 주인 아니에요?"

"월급 사장이야. 땅 주인은 따로 있단다."

참맛과수원 주인인 심심뽀 영감은 과수원을 여러 개 가진 부자래요. 참맛사과밭도 심심뽀 영감이 오래전 헐값으로 사들인 황무지를, 일꾼들이 개간하여 번듯한 사과밭으로 키워낸 거래요.

"그러니 설마 일꾼들을 모른 척이야 하겠니?"

그 말을 하면서도 할아버지는 못미더운 표정이었지요.

아니나 다를까, 심심뽀 영감은 찾아간 일꾼들을 만나주지도 않았답니다.

"회장님, 얘기 좀 해유! 사과밭 처음 만들 때 회장님이 뭐라고 했시유? 이거 심어라 저거 심어라 간섭 안할 테니 좋은 사과만 생산하라고 했잖아유. 그래서 그렇게 했는데 지금 와서 왜 모른 척 하세유?"

대문을 아무리 두드려도 심심뽀 영감은 대답이 없었어요.

"좋아유. 그럼 나올 때까지 여기서 기다리겠구면유."

두 명의 일꾼이 심심뽀 영감의 집 앞에서 자리를 깔고 앉았어요. 아무 것도 먹지 않고 버틴 지가 하루 이틀 사흘…….

"에구, 햇볕이 이리 뜨거운데. 저러다 쓰러지겠구면."

할아버지는 안절부절 어쩔 줄 몰랐어요.

토돌이는 할아버지를 따라 심심뽀 영감의 집 앞에 가보았어요. 심심뽀 영감의 집은 금방이라도 날아갈 것처럼 위세당당 했고, 처마 밑에 쪼그리고 있는 일꾼들의 모습은 초라했어요.

"밥 먹어가면서 기다려도 되잖아요. 그렇게 해요."

할아버지를 비롯한 참사모 회원들은 자기 식구인양 안타까워하며 일꾼들을 번갈아 지켰어요.

일꾼들이 일주일이나 밥을 굶었지만 심심뽀 영감은 끝내 코빼기도 비치지 않았어요.

"머니만타 그룹의 비위를 맞추겠다는 거죠. 그래야 더 편하게 더 많은 돈을 벌 수 있을 테니까요. 이젠 참맛사과밭을 나올 수밖에 없습니다."

마침내 사표를 내는 일꾼들의 모습이 텔레비전에 나왔어요.

"어떻게 가꿔 온 사과밭인데……."

눈물 흘리는 일꾼들을 보며 할아버지는 속상해서 어쩔 줄 몰랐어요.

"깨끗한 과일을 지켜야지. 정직한 사람이 잘 살 수 있어야지. 돈만 아는 인간들이 활개 치는 세상이라니 이게 말이 되느냐 말이야!"

토돌이도 어쩐지 분해서 주먹이 불끈 쥐어졌어요. 긴 시간을 함께 해 온 일꾼들을 하루아침에 모른 척하는 심심뽀 영감의 심뽀를 이해할 수가 없었어요.

작은 마음들이 만든 사과나무 숲

그러나 일꾼들도 그대로 주저앉지 않았어요. 똘똘 뭉쳐 새로운 과수원을 열기로 한 거예요!

"잘했구먼, 당연히 그래야지."

할아버지는 무릎을 치며 기뻐하셨어요.

그런데 일꾼들의 퇴직금만으로는 과수원을 열기에 어림이 없었어요. 사과밭을 구하고, 농사에 필요한 장비도 마련하고, 일꾼들 품삯도 주기 위해 더 많은 돈이 필요하대요.

"자연의 맛을 지켜온 참맛사과가, '참맛상큼' 사과로 다시 태어납니다."

〈바른소리나팔〉 악대가 동네 구석구석 뿜빠뿜빠 알리고 다녔어요.

그러거나 말거나 바로 이웃의 〈얼씨구나〉, 〈조아조아〉, 〈그까이꺼〉 과수원에선 못 들은 척, 눈길 한 번 주지 않았답니다. 이웃 일꾼이 억울하게 내쫓겨도 모른 척, 짝퉁을 생산해도 모른 척, 단식을 해도 모른 척…….

참사모 회원들은 분통을 터뜨렸어요.

"어떻게 그럴 수 있지? 정말 너무들 하잖아. 같은 과수원이면서 말이야."

"조은 게 조타 농법 전문가들이니 그렇지. 머니만타 그룹에서 '쑥쑥커' 비료를 얼마나 많이 보내주는데. 의리고 뭐고, 돈이 최고인 거지."

"머니만타 그룹이 문제야. 돈으로 구석구석 사람을 조종하니."

어른들의 말을 들을수록 토돌이는 머니만타 그룹이 무서워졌어요. 모든 일을 따져보면 언제나 '돈'과 '머니만타 그룹'으로 연결되니 말이에요.

하지만 모든 사람들이 진실을 외면한 건 아니었어요. 〈싱싱쿠나참외〉, 〈시원타수박〉, 〈톡톡앵두〉 등 자연 농법을 꾸준히 지켜온 작은 과수원 일꾼들은, 자기 일처럼 나서서 참맛상큼 사과밭을 알렸지요.

참사모 회원도 부지런히 소문을 냈고, 덕분에 까맣게 모르고 있던 이들이 참맛사과밭 일꾼들에게 생긴 일을 하나 둘 알게 되었어요.

입에서 입으로 소문이 번지자, '참맛상큼 사과나무 사기' 운동이 파도처럼 힘차게 벌어졌답니다.

"적은 돈이지만 사과 묘목 사는 데 보태세요."

"군인입니다. 한 달 월급을 보냅니다."

사과나무 한 그루 값, 두 그루 값…….이름 모를 사람들의 성금과 주문이 끝도 없이 밀려들었어요. 깜짝 놀랄만한 금액이 며칠 사이에 모였지요.

"정말 놀라워요, 할아버지!"

"그렇지? 얼핏 보면 나쁜 사람들이 이기는 것 같아도 그렇지 않아. 양심 있는 사람들이 훨씬 많거든. 이런 사람들이 세상을 함께 지키는 거란다."

할아버지는 흐뭇한 웃음을 지으셨지요. 토돌이도 마음 가득 기쁨과 뿌듯함을 느꼈어요.

며칠 뒤 일꾼들에게 참한 땅을 빌려주겠다는 땅 주인도 나섰어요.

드디어 〈참맛상큼〉 사과밭이 새롭게 태어나게 된 거예요.

참맛상큼 사과 주세요

"토돌아, 과일 가게에 가보겠니?"

할아버지가 말씀하셨어요.

"예, 할아버지."

토돌이는 '모퉁이 과일 가게'로 달려갔어요.

"아줌마, 참맛상큼 사과 있어요?"

"있다마다. 과수원에서 방금 보내왔단다."

산양 아줌마가 활짝 웃으며 대답했어요.

진열대에는 싱싱한 참맛상큼 사과가 그득하였어요.

사과를 담은 바구니를 안고, 토돌이는 가벼운 걸음으로 집에 갑니다.

싱싱한 사과 향에 토돌이의 코는 저절로 벌름벌름. 아삭한 맛을 떠올리자 입안엔 침이 고였어요. 할아버지와 한 쪽 두 쪽 나눠 먹는 사이, 어느새 참맛상큼 사과의 맛을 담뿍 알아버린 토돌이거든요.

무엇보다 참맛상큼 사과밭에는 토돌이의 사과나무가 있어요. 한 푼 두 푼 모아왔던 저금통을 털어 토돌이도 사과나무 한 그루를 샀거든요. 어쩌면 이 사과는 바로, 그 나무의 열매인지도 모르지요?

그녀를 알고
세 번
놀라다

오윤현

　동화작가 선안나, 그녀와 저는 도반(道伴)입니다. 저희 뒤에 정채봉이란 그림자가 있고, 15년 넘게 동화라는 '꼬부랑길'을 함께 걸어온 것입니다. 오랫동안 같은 지역에 사는 이웃이라 이래저래 만날 기회가 많았지만, 몇 년 전까지만 해도 그녀에 대해서 아는 사실이 별로 없었습니다. 사뿟사뿟한 걸음걸이, 자늑자늑한 몸짓, 사근사근한 말을 보고 들으며 '참 참한 작가로구나' 하고 눈짐작만 했을 뿐입니다. 그런데 지난 3,4년 여러 계기들로 자주 어울리면서 놀라운 점을 몇 가지 발견했습니다.

하나, 그녀가 뿔났다

　2008년 그녀와 저는 여의도 KBS 본관 앞 거리에서 조우했습니다. 한밤에 열린 '공영방송 장악 저지'를 위한 촛불문화제에 참가한 것입니다. 두 시간 남짓 어두운 길바닥에 앉아서 그녀와 저는 구호도 외치고 노래도 따라 불렀습니다. 모처럼 소리 높인 운동가와 구호. 그녀와 저는 사뭇 진지했고 가슴이 화끈거려 쉽게 자리를 뜨지 못했습니다.

　어디 이날뿐인가요. 2006년 경영진이 삼성 관련 기사를 삭제해 발생한 '시사저널 사태' 때에도 그녀는 '거리'에서 있었습니다. 파업 기자들과 함께 자본 권력에 항의하는 구호도 외치고, 자본 권력을 우롱하는 우화도 쓴 것이죠.

　2008년 6~8월에도 그녀는 자주 광화문 거리에 서 있었습니다. '광우병 소 수입반대' 촛불집회에 백미숙 작가 등 여러 동화작가들과 함께 나와 당시 정부를 성토하는 구호도 외치고 행진도 한 것 입니다. 경찰의 강경 진압이 있던 날에는 종로경찰서장실에 전화를 걸어, 민중의 지팡이답게 시위대를 보호하고 존중하라고 일갈하기도 했습니다. 음메, 멋쩌!

　도대체 이같이 적극적인 그녀의 사회 참여 의식은 어디에서 비롯된 것일까요? 역사가 책 속에 있는 것이 아니라 바로 자신과 부모님, 조부모님의 삶을 규정지은 구체적 현실임을 피부로 깨달은 것은 십여 년 안팎의 일이래요. 어린이가 읽는 동화를 쓰지만 작가는 어린이가 아니므로, 당대를 사는 성인들이 마땅히 해야 할 책무들이 있다고 느낀 순간부터, 할 수 있는 실천을 조금씩 하게 되었대요. 인터넷에 사이버아동문학관을 열고 아동문학 자료보존 운동을 3년 동안 하고, 국립어린이청소년도서관의 성격을 연구도서관으로 돌려놓는데 일조한 것도 그래서였고요.

국가권력의 폭력에 민감해진 것은 대추리 사태가 계기였다는군요. 2006년 5월, 경찰과 군은 평택의 대추리 마을을 초토화시킵니다. 미군 부대를 확장하기 위해 생활 터전을 지키는 농민들을 무자비하게 내몬 것입니다. "내 부모 같은 사람들이 고향에서 쫓겨나는 모습을 보며 울었다"라고 그녀는 돌이켰습니다. 대추리 주민을 위해 성금을 보내는 정도였지만, 그 이후 또 다른 약자들의 삶에 더욱 민감해지게 되었다는군요.

그녀는 요즘도 촛불 집회에 틈틈이 참석합니다. 그녀는 그 이유를 이렇게 설명했습니다. "지금 우리가 어떻게 하느냐에 따라서 어린이들의 미래가 달라진다. 때문에 가만히 있을 수가 없다" 어쩌면 그녀의 촛불 집회는 계속될지 모릅니다. 그렇지만 그녀는 전혀 개의치 않는 눈치였습니다.

둘. 같은 점, 다른 점

저와 그녀 사이에는 닮은 점이 꽤 많습니다. 호랑이띠 동갑내기인 점도 그렇고, 농촌에서 자라고 아버지들이 농협에 다닌 점도 똑같습니다. 형제자매가 4남매인 점도 자녀를 1남 1녀 둔 것도 동일했습니다. 물론 정채봉 선생에게 동화쓰기를 사사받은 것도 같고요.

이쯤 되면 글 솜씨와 글맛도 비슷해야 하는 거 아닌가요. 그런데 그녀와 저는 이 부분에서 달라도 너무 달랐습니다. 이유를 따져 보니, 기실 그녀와 저는 같은 점보다 다른 점이 더 많았습니다. 일단, 농촌에서 자랐지만 그녀는 책을 읽느라 호미 자루를 잡아본 적이 거의 없더군요. 반면, 저는 공휴일만 되면 논밭에 나가 농약을 뿌리거나 김을 맸고, 해거름이면 소꼴도 베었지요. 형제자매도 4남매로 똑같지만 그녀는 남동생이 셋 있는 장녀였고 저는 누님만 셋 있는 막내였습니다.

이 같은 환경의 차이가 창작법의 차이를 부른 게 아닌가 싶습니다. 작품을 끄집어내는 태도도 엄청 차이가 납니다. 저는 좋은 창작 아이디어가 떠오르면 마구 떠벌이는 편입니다. 마치 당장에 쓸 것처럼 말예요. 그렇지만 그녀는 자신의 작품 이야기를 다른 이에게 잘 꺼내 보이지 않습니다. 마치 깊은 산속 꿀밤나무처럼 은근히 꽃을 피우고 열매를 맺곤 하죠. 《떡갈나무 목욕탕》이 그랬고 《삼거리 점방》도 그랬습니다. 얼마 전에도 제가 '요즘은 어떤 작품을 구상 중이냐'고 묻자 그녀는 그냥 빙그레 웃기만 했습니다.

그 탓에 저는 그녀가 새로운 작품을 써 내거나 책을 펴 내면 깜짝 놀라곤 합니다. 그냥 조용조용 움직이고 빙그레 웃기만 하는 그녀의 몸에서 어쩜 이렇게 야무진 글이 나오는지 신통방통합니다. 평론도 마찬가지입니다. 늘 타인에게 조곤조곤 말하는 줄 알았는데, 시퍼렇게 날이 선 문장들에 여러 번 깜짝 놀랐습니다. 내가 아는 동화작가 선안나와 이 평론가가 동일 인물이 맞는가 싶을 정도였지요.

거침없는 자신의 평론에 대해 그녀는 이렇게 해명합니다. "바른 말을 한다는 건 힘든 일이다. 그러나 듣기 좋은 말만하면 문학계가 썩는다. 언어는 병들고 작가들은 안주하게 된다. 정직한 말을 해야 아동문학계도 살고 작가들도 산다고 믿는다" 그런 의미라면 '맵고 신랄한 비평'에 언제든지 놀랄 준비가 되어 있습니다. 환영!

셋. 놀랄까 놀래킬까

천둥 같은 비평은 가끔 제게도 몰아칩니다. 언젠가 한번은 "윤현 씨는 정채봉 선생에게 글쓰기는 안 배우고 술버릇만 배운 것 같다"라고 면박을 주기도 했습니다. 맞는 말입니다. 회사 업무를 핑계로 '홀로 우주와 마주하는' 창작자의 고독과 집중에 소홀하고, 어쩌다 의자에 앉아도 10분이 멀다하고 엉덩이가 달싹거립니다. 몸이 이렇게 나태하고 촐싹거리니 어린이들의 눈길이 더 자주, 더 오래 가는 작품이 나올 리가요.

짐작컨대 그녀에게도 글과 관련한 애로와 고민은 있을 겁니다. 그렇지만 늘 신중함과 집요함으로 그 '벽'을 잘 타 넘으리라 믿습니다.

앞으로도 마찬가지입니다. 여전히 사근사근, 사뿟사뿟, 자늑자늑하게 움직이면서 또 깜짝 놀랄만한 글을 발표하겠지요. 그날이 언제가 될지 꽤 기대됩니다.

그렇지만 이번에는 솔직히 제가 그녀를 놀라게 했으면 하는 바람입니다. 늘 말이 앞서고 솜씨가 미욱해서 자신은 없지만, 이번에는 '번쩍 짜릿한 작품'으로 그녀를 놀래고 싶습니다. 글쎄, 그날이 언제가 될지 저도 잘 모릅니다. 그렇지만 그녀가 절 한 번 더 놀라게 하기 전에 그날이 왔으면 하는 바람입니다.

혼탁한 세상 속
길을 밝히는
자기긍정의 힘

이충일

1. 동심에 대한 이해와 오해

오이디푸스 신화에서 시작해서 소설에는 자신의 의지와는 무관하게 움직이는 삶의 통절한 허망함이 자리한다. 인생에서 결코 넘어 설 수 없는 운명의 한계와 절망감을 그려내는 일들은 소설의 원천적 소재가 되어왔다. 자아는 세계와의 소통을 통해 안정을 얻기도 하지만 영속적인 비극 속으로 침몰하는 경우가 허다하다. 비극에서 시작하여 더 큰 비극으로 침몰하는 카프카의 서사 구조[1]는 그 단적인 예라 할 수 있다.

반면에 동화가 궁극적으로 희구하는 세계는 위로와 희망을 통해 구원을 이루는 데에 있다. 그래서 정채봉은 동화를 일컬어 "인간의 영혼을 위로하고 승화시키는 문학"이라 하지 않았던가. 엄혹한 현실 질서 안에서 상처받고 지쳐있는 동심을 어루만져 주고 더 나아가 힘 있는 주체로서 우뚝 세우는 일이야 말로 동화 문학 핵심 미학일 것이다. 그러나 이것은 말처럼 쉽지 않다. 동화의 외피를 썼으나 얄팍한 교훈주의나 단순한 미담 가화류에 머무는 수많은 작품을 우리는 보아 왔다.

1990년대는 동심의 재발견이 시작되었던 시기다. 금기의 영역 이를테면 똥, 오줌, 털과 같은 오물의 세계가 동화의 소재로 출현하기 시작했고, 합리적으로 기율적인 문명 세계에서 잃어버린 세계를 순수한 동심에서 찾으려는 시도가 일어나기 시작했다. 오물의 출현이 동심의 영역 확장이라고 한다면 잃어버린 세계는 동심의 순수성을 되찾기 위한 노력일 것이다. 여기서 잃어버린 세계는 다름 아닌 초자연과 어린이의 신비한 상상력이 증발 당한 세계라고 할 수 있다.

작가 선안나는 궁극적으로 동심의 세계를 지향한다. 고전적인 의미에서 서사가 하나의 '길 찾기 양식'이라면 그녀가 찾는 길은 잃어버린 동심과 상상력의 세계이다. 혼탁한 세상을 헤쳐 나가는 힘이 바로 여기에 있다고 믿고 있는 것이다. 그녀의 글쓰기는 물질화된 사회와 어른들의 편견과 폭력 속에 소외되고 사물화된 아이들을 대상으로 한

---

[1] 소설가 커트 보네거트는 우리가 익히 알고 있는 동화나 소설, 희곡 등의 이야기 구조를 그래프로 나타내어 분석하였다. 그래프 모양은 행불행의 시간과 순서, 횟수에 따라 다양하게 나타났는데 카프카의 경우는 무한대의 비극으로 치닫는 형상이었다.

다. 그렇다고 유난하거나 거창한 이야기를 늘어놓기보다는 깔끔하고 압축된 문장으로 최소한의 진폭 속에 담아낸다. 간결하지만 명료하게 소박하지만 풍부하게 그려 내는 것이 선안나 문학의 매력이다.

　그녀의 작품에 땅 밑의 수류처럼 흐르고 있는 주제 의식은 '동심을 통해 잃어버린 세계를 찾는 것'이다. 또한 그 밑동을 구성하고 있는 기본적인 사유는 '자기다움' 혹은 '자기 긍정의 힘'과 닿아있다. 1995년 제16회 한국어린이도서상 특별상을 수상한 단편동화집 《길 잃은 페르시아 왕》에 실린 작품들은 이러한 작가 정신을 실현하기 위한 동종의 씨앗들이라 할 만하다. 2001년 《떡갈나무 목욕탕》과 2003년 《고양이 마을 신나는 학교》, 2005년 장편동화 《삼거리 점방》은 그 씨앗의 개화이자, 열매를 이루는 작품들이라 할 수 있다.

2. 길을 잃은 왕, 잃어버린 길

　선안나는 1990년 새벗문학상에 단편동화 〈길 잃은 페르시아 왕〉이, 1991년 〈동아일보〉 신춘문예 에 단편동화 〈꽃샘 눈 오시는 날〉이 각각 당선되면서 작가로 입문하였다. 단편집 《길 잃은 페르시아 왕》(1995)은 이 두 작품을 비롯하여 초기 단편들을 모아 엮은 것이다. 등단작이기도 한 〈길 잃은 페르시아 왕〉은 그의 작품 세계를 이해하는 중요한 열쇠가 된다. 이 작품은 현실을 드러내는 비유적 상징과 동화적인 상상력이 적절하게 어우러져 있다.

　작품 속에 아이는 햇볕 한 자락 들지 않는 구석방에서 누나와 단둘이 산다. 엄마는 얼굴도 모르고 누나는 공장에서 일을 해야 하기 때문에 낮이면 기차역 구석에 앉아 사람들을 구경하는 것이 유일한 즐거움이다. 그곳에서 아이는 스스로를 페르시아 왕이라고 하는 사람을 만나게 된다. 그 사람은 허름한 옷차림에 옆구리에는 녹음기를 끼고 다니는데 스피커에서는 늘 '선구자'가 흘러나온다. 사람들은 모두 미쳤다고 비웃고 위험하다고 경계하지만 아이만은 그가 진짜 페르시아의 왕일 것이라고 믿는다. 처음엔 위험한 사람이라고 여기던 누나도 동생의 말을 듣고는 마음 한쪽을 열게 된다.

　"누나, 누나, 내가 왕한테 누나 얘길 했어. 그랬더니 뭐랬는지 알아? 누나는 원래 별이었대. 그런데 자기처럼 길을 잃은 거래" (p.57)

　아이와 누나, 페르시아 왕은 모두 물질 문명사회에서 주변화된 인물들이다. 이들만

이 가면²을 벗은 서로의 모습을 있는 그대로 받아들인다. 그런데 어느 날 아이는 녹음기를 부수는 젊은이들에 맞서 사자처럼 저항하는 왕을 목격한다. 결국 경찰이 출동하고 왕은 사막의 마른 눈빛으로 힘없이 끌려간다. 이 젊은이들이 문명사회의 폭력성을 대변하는 인물들이라면 경찰은 반사회적 타자들을 관리하고 격리하는 사회적 기재를 상징한다. 경찰은 길 잃은 페르시아 왕을 찾은 것이 아니라 발작을 일으킨 위험인물을 사회로부터 격리시켰을 따름인 것이다.

작가는 시간과 공간, 인물을 설정하는 면에서도 단단한 구성력을 보여 준다. 별이 길(공간)을 잃고 땅에 내려와 있다거나 1700년 전 모래 위를 호령하던 왕이 길(시간)을 잃고 기차역 주변을 서성이고 있다는 발상은 매우 흥미롭다. 또한 이성(그리스)에 대한 대항으로써 페르시아 왕(인물)을 설정하고 근대 산업화의 상징인 기차역을 배경으로 하고 있다는 점도 이야기를 풍성하게 한다. 제목뿐 아니라 곳곳에서 주요 모티브로 등장하는 '길' 또한 다양한 상징성으로 독자 몫의 여백을 선사하고 있다.

이 작품집에 실려 있는 작품에서도 '길 잃은' 아이들을 쉽게 만날 수 있다. 눈 먼 소녀 다솜이, 돌아가신 아버지를 그리는 아이, 어른들의 명령에 짓눌려 있는 곤이, 길들임을 거부하는 집 고양이, 못생긴 외모로 고민하는 완이……. 〈꽃샘눈 오시는 날〉은 분황사 동백나무가 눈을 고치기 위해 백일기도를 드리는 다솜이에게 마음과 정성을 쏟으면서 한겨울에 꽃을 피우는 이야기이다. 붉은색 동백꽃을 볼 수 없는 다솜이에게 하늘에서 꽃눈이 내리면서 아이의 시린 영혼을 어루만진다. 〈바구니의 축복〉에서 하늘나라 아버지가 딸인 겨울 아가씨 바구니에 담아준 '축복'의 선물이 바로 '눈'이었다. 동백나무와 겨울 아가씨는 이들을 위로하고 싶은 바로 작가 자신일 것이다.

하지만 현실을 안고 있는 환상들이 역동적인 힘을 발휘하지 못한다는 점에서 초기 작품의 한계가 드러난다. 환상은 현실과 욕망의 차이를 좁히는 것이다. 그런데 환상이 위로를 주기 위한 목적에 지나치게 눌려 버리면 현실은 오히려 지워지고 만다. 의인동화에서 더욱 두드러지는 이러한 경향은 이후 《떡갈나무 목욕탕》이나 《고양이 마을 신나는 학교》, 《푸푸한테 친구가 생겼어요》를 통해 자연스럽게 극복되는 면모를 보인다.

3. 놀이는 힘이 세다

아이들이 자라면서 가장 많이 듣는 말 중 하나가 아마도 "참고 견뎌야 해. 그래야 꿈을 이룰 수 있어"가 아닐까. 성실과 인내는 인생의 중요한 지침이 되는 미덕임에 틀림

---

2 칼리지브란의 시 〈How I Became A Madman〉에는 '잃어버린 가면'이 나온다. 그가 자신을 가려주던 가면을 도둑맞고 민낯으로 거리를 나서자 사람들은 그를 미친 사람이라고 부르기 시작한다.

없다. 허나 그 이면에는 몰개성화로 몰아가는 어른들의 이기적인 욕망이 숨어있음도 주목해야만 할 것이다.

선안나는 주어진 삶에 맹종하지 않고 '자기다움'을 찾는 과정을 지속적으로 보여 준다. 〈나는 그냥 나〉(《떡갈나무 목욕탕》), 〈낙타의 자랑거리〉, 〈가시 풀과 오두막집 사나이〉, (《꼬맹씨와 푸짐댁》)에서는 우화적 상상력으로 〈나는 내 친구〉(《내 친구 찔찔이》), 《엄마 나 여기 있어》, 《삼거리 점방》 등에서는 사실적 기법으로 표현하고 있다. 주인공이 자기 본성을 찾는다는 설정은 '아이들이 진정으로 원하는 것이 무엇일까'에 대한 답을 찾는 과정이기도 하다.

2003년에 발표된 〈고양이 마을 신나는 학교〉는 이 해답을 '놀이'에서 찾았다. 이 작품은 초기작 〈하늘의 연못〉과 〈밝음이 드디어 문을 열다〉에서 보여 준 씨앗이 개화한 것으로 볼 수 있다. 〈하늘의 연못〉은 마음속에 살고 있는 늙은 도깨비 소탕 작전을 재미나게 그리고 있다. 이 늙은 도깨비는 마음속에 살면서 항상 "싸우지 마라, 떠들지 마라, 남들이 하지 않는 일은 너도 하지 말라"고 외치는 어른을 빗댄 것이다. 그리고 〈밝음이 드디어 문을 열다〉는 점잖고 교양 있는 집고양이를 거부하고 고양이의 본성을 찾아가는 밝음이의 성장을 다룬 작품이다. 《고양이 마을 신나는 학교》의 주인공 견우는 늙은 도깨비를 몰아내려는 곤이와 고양이의 본성을 잃지 않으려는 밝음이가 포개어진 인물이다. 여기에 판타지 양식을 덧입으면서 상상의 영역들은 훨씬 더 깊고 넓어졌다.

사건은 고소공포증이 있는 주인공 견우가 체육 시간에 구름사다리 건너기 시합을 하다가 그만 바지에 오줌을 싸면서부터 시작된다. 권위로 억압하는 고릴라 선생님, 야만적인 철구 패거리, 치졸한 왕참견 할머니는 견우를 견딜 수 없게 만들고 자연스레 고양이 마을로 인도한다. 고양이 학교에 입학한 견우는 그곳에서 생김새가 달라서 차별받는 꼬마 뱀 초록버들과 겁이 많아서 무시 당하는 호랑이 큰머리하나를 만난다. 고양이 학교의 교육 과정은 매우 특별하다. 기초 과정으로는 마음껏 엉엉 울기, 실컷 소리 지르고 욕하기, 미운 놈 패주기 그리고 현장 실습이 있다. 그 다음은 초급 과정인데 고양이처럼 높은 곳에 오르는 법 고양이처럼 쥐를 놀리는 법, 고양이처럼 당당하게 행동하는 법 등을 배운다. 마음속 억눌림과 화를 풀어낸 뒤, 견우는 고소공포증을 극복하고 나무위에 오를 수 있게 된다.

선안나는 꿈속에서 하늘빛 고양이를 만나고 나서 이 작품을 쓰게 되었다고 한다.

"고양이는 에메랄드빛 눈으로 나를 가만히 바라보았는데 그 눈빛을 마주한 순간 무어라 표현할 수 없는 우주적인 느낌이 들었다. 뭐랄까, 본래적 자아를 대면한 듯한 느낌이었다."

─《동화 창작을 꿈꾸는 이들에게》 중에서

이즈음에 작가는 힘센 것들에 억눌려 심신의 곤고함을 많이 느끼던 중이기에, 약자이면서도 마땅히 언어로 표현하지도 못하는 아이들 마음에 더 가까워질 수 있었다고 한다.

아이들은 본래 신나게 놀고 때로는 티격태격 싸우기도 하는 것이 본성이다. 하지만 견우에게 가해진 억압들은 극복하기 힘들 정도로 컸다. 아빠의 죽음과 엄마의 종교 몰입, 차이를 인정하지 않고 순종만을 강요하는 선생님, 약한 친구를 괴롭혀서 즐거움을 찾으려는 아이들 틈에서 견우는 본래의 건강한 자아를 잃고 만 것이다. 고양이 학교는 잃어버린 자신 즉 자아를 되찾게 해 주기 위한 환상의 치료공간이다.

이 작품의 가장 큰 특징은 질박한 맛을 추구하던 기존의 방식과는 다르게 나아감의 기상이 두드러진다는 점이다. 엄청나게 큰 나무 위에 올라가 하늘빛 고양이(본래적 자아)와 마주 앉는 마지막 장면에 오기까지 고양이 학교에서는 자신을 치유하고 남을 이해하는 과정이 유쾌, 상쾌, 통쾌하게 펼쳐진다. 이런 의미에서 〈고양이 마을 신나는 학교〉는 판타지의 장점을 잘 살려낸 작품이다. 판타지는 내적으로 이미 놀이의 본성을 가지고 있기 때문이다. 흄이 말한 것처럼 환상은 권태로부터의 탈출 놀이 결핍된 것에 대한 갈망을 통해 주어진 것을 변화시키고 리얼리티를 바꾸려는 욕구이다. 아이들이 놀이에 열중하는 동안 그들의 공간은 또 다른 세계가 펼쳐지는 판타지의 세계라 해도 무방하다. 고양이 학교에서 수업이라고 하는 것이 바로 이 놀이였던 것이다. 마음껏 욕하고 소리칠 때 나팔꽃이 활짝 피는 나팔꽃 방, 미운 놈을 진흙으로 반죽하여 실컷 밟아주는 진흙 방을 거치며 "그 무엇도 나를 막을 수 없어"라고 목청 높여 노래도 부른다.

현실의 원칙이 잠시 중단된 공간에서 견우는 신나는 놀이를 통해 불안과 공포를 이겨낼 힘을 얻는다. 그 힘은 곧 차가운 현실과 맞서 싸울 수 있는 자기다움, 자기 긍정의 힘이기도 한 것이다.

4. 오래된 미래가 꿈꾸는 작은 세상

"지역적인 것, 작은 것, 친밀한 것, 자연적인 것, 인간적인 것을 지향하는 추세는 결국 자연이 승리할 것이라는 사실을 보여 준다."(헬레나 노르베리-호지《오래된 미래》 중에서)

'오래된 미래'는 형용모순이다. 그런데 이 모순 안에는 현대 문명에 대한 강력한 자의식이 숨어있다. 여기서 말하는 '자연의 승리'는 선안나가 갈망하는 본질적 동심과 무척 닮아있기도 하다. 그녀는 동심의 본질을 작고 친밀하며 지역적이고 자연적인 것에서 찾고 있기 때문이다. 그녀의 작품 중에 의인동화가 많은 이유도 이와 무관하지 않을 것이다. 2003년에 나온《떡갈나무 목욕탕》에 실린 6편의 단편 중에도 3편이 의인동화에 속할 정도다. 하지만 표제작 〈떡갈나무 목욕탕〉은 엄밀하게 말하면 우화와 판타지의 경계에 있는 작품이라 할 수 있다. 현실과 환상이 머뭇거림 없이 펼쳐진다는 점에서 우화가 느껴지기도 하지만 다른 세계를 위한 알레고리가 아니라는 점에서는 병치 구조의 판타지에 더 가깝게 느껴진다. 아무튼 경계의 모호함이 있어 더욱 흥미로운 작품이다.

〈떡갈나무 목욕탕〉은 '문명과 자연'이라는 해묵은 카테고리를 노마라는 사랑스러운 캐릭터와 떡갈나무 목욕탕이라는 환상적인 공간을 통해 신선하게 그리고 있다. 사람들은 대개 문명의 발전은 자연을 얼마나 조직적으로 지배하고 정복했느냐에 순도가 달라진다고 믿는다. 작품 속 사냥꾼은 뭇사람의 믿음을 대신하는 인물이다. 반면 목욕탕 주인 노마는 자연과 사람의 분별과 위계에서 자유로운 인물로 형상화되어 있다. 너구리를 정성껏 보살펴 숲으로 보낸 이후, 숲속의 동물들이 함께 목욕탕을 찾아온다. 그들은 목욕료 대신에 신비한 잎사귀를 두고 가며 잎이 든 욕조는 산 계곡 물처럼 투명한 향기로 가득해진다.

"자연을 보호의 대상으로 여기는 것은 인간의 오만함이다"라고 주장하는 생태주의자들의 말처럼 자연은 보호의 대상이 아니라 다만 사이좋게 지내야 할 친구인 것이다. 이 작품은 인간과 자연이 더불어 살아가는 방식에 대해서도 많은 생각을 하게 한다.

5. 하잠리에서 길을 찾다.

〈삼거리 점방〉은 "한 인물의 굴곡진 삶을 서정적인 여백을 통해 보여 준다"는 호평과 함께 2005년 제15회 한국아동문학상을 수상한 작품이다. 다른 작품들과 비교하여 우선 배경부터가 매우 구체적이어서 예사스럽지 않은 느낌을 받았다. 육십여 가구가 모여 사는 아담한 시골마을과 삼거리에 위치한 점방, 하루에 세 번밖에 오지 않는 버스를 타고 나가야 언양 읍내에 닿을 수 있는 곳이 이 작품의 장소적 배경이다. "옛집 뒤뜰에 숨겨 두었던 보물을 서툰 곡괭이질로 상하게 싶지 않았기에 적지 않은 세월 손대지 않고 고스란히 묻어 두었다"는 작가의 말처럼 〈삼거리 점방〉은 유년기 고향의 풍경을 그린 작품이다.

하잠리는 몸이 불편하여 기어 다녀야 하는 붙들이를 넉넉하게 안아주는 고향의 원형적 이미지를 가진 곳이다. 붙들이는 공부에는 도통 관심이 없지만 손기술이 좋아 오복만물점 아저씨 밑에서 열심히 기술을 갈고 닦는다. 도장방, 수선방, 목공소 아저씨들도 모두 붙들이에게 밥을 벌어먹고 사는 법을 가르쳐 준 스승들이다. 반면에 어머니는 당당하게 사는 법을 가르쳐 준 정신적인 스승이라 할 수 있다. 붙들이 위로 자식 다섯을 보내고 남편까지 잃고서도 꿋꿋이 살아냈던 어머니야말로 붙들이가 누구보다 강인하게 살아갈 수 있는 정신력을 준 원천이었던 것이다.

하지만 고향이 반드시 행복으로 충만한 공간은 아니다. 그곳엔 미성숙한 자아가 대처할 수 없었던 갖은 폭력성이 내재해 있기 마련이다. 더러는 가난의 기억과 더러는 뒤엉킨 가족사나 소중한 사람과의 이별로 인한 슬픈 기억들이 혼재하는 공간이 고향이다. 하잠리도 별반 다르지 않다. 어느 봄날 붙들이는 자신의 전부와도 같은 어머니를 잃고 만다. 쇠약해진 어머니를 위해 그토록 좋아하던 만물점 일도 관두었던 붙들이었다. 허망하기 짝이 없는 이별이건만 붙들이는 오히려 먼저 간 가족들을 위로한다. 그리고 혜오 스님과의 운명적인 만남이 이어진다.

이 작품의 서사 구조에는 회자정리, 거자필반(會者定離, 去者必返)이라는 불교적인 정서가 반복, 확장되어 나타나는 것이 특정이다. 혜오 스님이 어머니를 대신하는 정신적 스승이라는 점에서는 단순 치환이지만 더 큰 운명적 만남을 이어주는 인물이라는 점에서는 심화 확장인 것이다. 한겨울, 혜오 스님은 임신한 여자를 들쳐 업고 붙들이의 집을 찾아온다. 여자와의 만남 그리고 아기의 탄생은 붙들이에게 벅찬 행복을 가져다준다. '외딴집은 난생처음 사람 사는 집이 됐다'는 본문의 서술처럼 붙들이는 비로소 무엇이 진정한 행복인지를 깨닫게 된다. 하지만 이 깨달음은 환희임과 동시에 처절한 슬픔이다. 봄이 오면 여자와 아이는 떠나야 하기 때문이다. 복사꽃이 모두 지자, 붙들이는 어머니에 이어 두 번째의 이별을 겪게 된다. 익숙할 만도 하지만 이번에는 더욱 견딜 수가 없다. 게다가 유일하게 기댈 언덕이었던 혜오 스님마저 떠나고 절친한 이웃이었던 점방 할매도 이사를 간다.

슬픔의 역설인가. 이러한 이별은 이내 더 크고 소중한 만남으로 되돌아온다. 점방 할매와의 이별은 삼거리 점방이라는 든든한 생활 터전을 마련해 주었고 혜오 스님과의 이별은 여자, 아이와의 재회로 이어진다. 생살을 도려내는 듯한 고통이 가져다준 것은 아이러니하게도 안식할 집과 영원히 함께 할 가족이었던 것이다.

그러나 저절로 우연이 인연이 되고 행불행이 자유자재로 뒤바뀌는 것은 아니다. 붙들이의 조건 없는 사랑과 베풂이 있었고, 낯선 공간으로 여인과 아이를 찾아나서는 크나큰 간절함도 있었다. 취객들에게 "뱅신 꼴값한다"라는 말을 들으며 생전 해본 적도 없는 싸움질도 했고, 온몸에 피멍이 들도록 얻어맞기도 하며 붙든 가족이고 행복이다. '인생에 기적은 드물고, 생활은 족쇄처럼 옭아매는 것'(본문 p.102)이라지만 기적이 기적처럼 일어날 수 있는 것 또한 인생이다. 《삼거리 점방》은 신을 빌어 투사된 인간이 꿈이 아니라 우리가 가장 보잘 것 없다고 여기던 한 사람을 통해 희망과 꿈이 완성되는 방식을 보여 주고 있다. 이른바 '하잠리 붙들이 신화'인 것이다.

작가 선안나의 작품에는 우리가 저열하다고 믿었던 것들을 고귀한 것으로 끌어 올리는 힘이 있다. 그리고는 고귀와 저열을 나누려는 믿음이 기실은 얼마나 찬란한 오해요 나르시시즘의 저열한 욕망이었는지를 깨닫게 한다. 작가는 사람과 자연, 어른과 아이, 아이와 아이 간에 그어 놓은 금들을 하나하나 해체하고 있는 중이다. 나르시시즘이 지워진 자리에는 '자중자애(自重自愛)'를 새겨 놓는다. 자기 합리화를 거두고, 궁극적으로 자기 긍정의 힘을 바탕으로 남을 배려할 수 있게 하기 위해, 유년기 독자의 자기애를 먼저 촘촘히 충족 시켜 주고자 하는 작가. 선안나가 앞으로 넘어서고 지워나갈 경계들이 얼마가 될 지 기대가 된다.

어린이와 함께 선생이 걸어온 길

1962년 울산광역시 울주군 삼동면에서 태어났다.

삼대가 함께 사는 대가족 속에서 부대끼며 또 많은 사랑 받으며 자랐다. 할아버지는 천주교 공소 회장이셨고 일요일엔 온 가족이 함께 미사를 보았다. 그 틀에서 자랐기에 종교적 심성과 영성이 기질 속에 내재되었을 것이다. 또한 농촌의 삶, 자연의 정서를 유년기에 몸으로 습득하였다.

어디서 숫자 5를 배워와 학교에 가겠다고 졸라대는 바람에 한 살 일찍 초등 학교에 입학했다. 4학년 때 성공한 기업인이 학교에 최신식 도서관 건물을 지어 주어, 세상을 미처 알기 전에 책의 세계로 빨려 들어갔다. 빼곡한 책들을 거의 다 읽어치운 뒤, 현실세계의 가치관과 제도와 사람들을 납득하기 어려워 가슴에 무언가 짓눌린 듯 답답함이 늘 있었다. 말이 없고 생각이 많았으며 책 읽기를 좋아했고, 백일장마다 수상을 하면서 유년기와 청소년기를 보냈다. 그러나 작가는 특별한 사람들인 줄 알았기에 글 쓰는 사람이 될 줄은 몰랐다.

고등학교를 졸업한 뒤 현대그룹에 입사했다. 배움은 좋아했지만 대학에 꼭 가야한다는 생각은 들지 않았고, 대가족의 장자로 동생들과 자식들 뒷바라지에 힘겨운 부모님께 부담을 드리고 싶지 않았다. 집안 어른들은 마을 유지로서 인품이나 씀씀이가 늘 넉넉하였고 자녀들에게 남달리 깔끔하고 고운 입성을 입혔으며, 빈둥대며 책이나 읽고 있어도 게으름을 기꺼이 묵인해 주었기에 스스로 부르주아인 줄 알았다. 그러나 철이 들고 보니 첩첩이 무거운 짐을 지고 걸어가는 약한 인간으로서의 부모님 모습이 보였기에, 열여덟 이후로 부모님께 손을 벌린 적이 없이 스스로 생활하고 결혼 비용도 마련하여 독립하였다.

십 대 후반과 이십 대 초반에는 회사 생활을 하며 여행도 많이 다니고, 벗들과 어울려 다니며 영화도 많이 보고, 춤추러 가기도 하고 미팅도 적지 않게 했다. 문학회, 산악회, 합창단, 탁구회, 영어공부 써클…… 많은 모임에 가입하여 많은 사람들을 만나는 가운데 방송대 가정학과 4학년을 공부하기도 했다. 어딜 가든 책을 들고 다니는 습관과 글쓰기를 좋아하는 버릇은 여전했다. 체 게바라나 시몬느 베이유 등 타인의 고통에 민감하였던 영혼들에 강렬히 매료되었으나 자신이 발 딛고 선 현실을 비판적으로 인지하지 못했다. 바로 가까이에서 노동자들이 착취당하고 죽어가고 있었는데도, 개인의 불행을 아파하고 조직의 냉혹함에 분개할 뿐이었지 잘못된 제도와 사회구조의 문제로 바라볼 줄 몰랐다.

결혼 후 서울로 오게 되었다. 다른 여성들처럼 '주부' '아내' '엄마' '며느리' 등등의 역할을 열심히 하려고 노력하며 살았지만 마음에 늘 허허로움이 있었다. 내가 누구인가 하는 물음이 끈질기게 들었고, 평생 이렇게만 살아갈 수는 없다는 생각을 하게 되었다. 너무 친숙하여 자신의 일부로만 여겼던 문학, 그러나 간절한 마음으로 문학에 목매달지 않고선 내가 나일 수 없음을 깨달았다. 장르 가운데 동화를 택하여 습작하게 된 것은 어린 아들이 있었기 때문이었는데 결과적으로 기질에 잘 맞는 선택이었다.

정채봉 선생님을 만나 공부를 시작하게 되어 동화에 대한 각오와 비전을 처음부터 높게 가질 수 있었음은 행운이었다. 작가가 되기 위해서가 아니라 쓰지 않고는 견딜 수 없어서 글을 썼기에 등단 여부는 관심사가 아니었다. 언제 어떤 글이든 완성도 있게 써낼 수 있는 능력을 먼저 갖추어야 한다고 여겼기에 3년의 습작기간이 길다고 생각한 적은 없었다.

1990년 새벗문학상에 동화가 당선되고, 이어서 1991년 〈동아일보〉 신춘문예에 당선되면서 작가의 길을 걷게 되었다. 좋은 글을 쓰기 위해서는 먼저 인식이 올바르고 세계관이 폭넓지 않으면 안 된다는 생각이 들어, 방송대 국문과를 편입 졸업한 뒤 성신여대 국문과에서 석사와 박사 과정을 차례로 천천히 이수하였다. 창작과 연구, 강의를 병행하며 꾸준히 걸었다. 성신여대 겸임교수 및 단국대학교 문예창작과 초빙교수로 아동문학을 가르치며 창작과 평론 활동을 겸했다. 공부와 창작의 즐거움이 모두 크지만 창작이 훨씬 어렵고 훨씬 매혹적이라고 생각한다.

작가가 된 이후 발행한 책과 수상 이력은 자료가 많이 있으므로 생략한다. 어릴 적 책들이 해 준 말들을 믿고 더듬더듬 자신의 길을 찾아 왔듯, 여전히 더듬더듬 나아가는 중이라 어디로 어떻게 가게 될지 나 자신도 궁금하다. 내가 누구일지 여전히 궁금하며, 알 수 없는 미래가 두렵고도 설렌다.

한국 아동문학가 100인

신현배

대표 작품
〈면회 간 날〉 외 4편

인물론
2,250만 명 중 한 사람–990재

작품론
인간화된 사물과 대화하기

어린이와 함께 선생이 걸어온 길

면회 간 날

전방 부대 위병소 앞
늘어선 나무들이
군기 바짝 들었는지
차렷자세로 서 있다.
떼쟁이 매미가 보채도
눈도 깜빡 안 한다.

연병장을 가로질러
일등병이 내려온다.
잠에서 금방 깬 듯
허청대는 걸음걸이.
겨울에 떠났던 형이
여름으로 오고 있다.

닳도록 얼굴 보다
눈물로 어루만지고
장독 뚜껑 열듯
모자 자꾸 벗겨 보고.
여름해 암만 길어도
엄마의 면회는 짧다.

장끼 3

휴전선 근처 야산을
혼자 지키는 꿩은

군인들을 닮아서
목청이 아주 좋다.

순찰병
오는 기척에
"꿩꿩!
근무 중 이상무!"

사격장 총소리는
자장가로 듣다가도

사람 발소리가
지뢰밭으로 향하면

철조망
가시 돋친 소리로
"꿩꿩!
위험해, 물러가!"

권사할머니 1

창세기 첫장에서
요한계시록 끝장까지

씨앗 같은 말씀을
가슴에 옮겨 적는다.

할머니 깊은 신앙이
연필심보다 더 곧다.

권사할머니 2

우리 할머니에게는
기도가 동아줄이다.

하늘에서 내려보낸
질기디질긴 동아줄.

날마다 그 줄을 잡고
천국을 오르내린다.

늙은 호박

호박네 하느님은
성미가 급한가 봐.

몇 달 만에 애호박을
할아버지 만들었네.

염소도 그 앞에 서면
고개 숙여 "음매애!"

2,250만 명 중
한 사람
—990재

송재진

1

— 신현배 시인을 조심하세요.

실제로 그가 얼마나 위험한 인물인지, 글방 샌님처럼 얌전하게 상대방 말에 귀를 기울이거나 가재 잡는 곰처럼 느적느적 일에 열중해 있을 때는 결코 알아차릴 수 없습니다. 수인사를 나누고 얼마쯤 지나 곁을 주기 시작했거나 처음 만났더라도 술잔을 두어 순배 주고받은 다음에는 후회하셔도 소용이 없습니다. 이미 엎지른 물일 테니까요.

그러므로, 특히 한번 터진 웃음을 참지 못해 쩔쩔맸던 경험이 있는 분이라면 더더욱 제 이야기에 귀를 기울이셔야 합니다.

우리는 대개, "웃는 낯에 침 못 뱉는다."거나 "웃으면 복이 온다."는 속담을 금과옥조로 여기며 살고 있습니다만, 신현배 시인 앞에서만은 그와 같은 신념을 접으셔야 합니다. 그리고 "웃으면 쫓겨난다."는 참 무참한 잠언 하나를 가슴에 새겨야만 합니다.

아시다시피 신현배 시인과 저 송재진의 목소리·웃음소리 톤은 제법 높은 경지(?)를 넘어섰을 뿐 아니라 전혀 방정(方正)하지 않습니다. 그럼에도 불구하고 더러는 "호탕하고 질탕한 그 목소리·웃음소리 덕분에 스트레스가 한방에 날아갔다."며 거듭하여 '웃음 터뜨리기'를 주문하는 분도 있습니다. 아무리 그렇더라도 시도 때도 없이 헤프게 웃음을 터뜨릴 수는 없는 일 아닌가요?

때와 장소에 따라서는 저희도 조신(?)하게 군답니다. 그럴 때면 어김없이, "오늘 웃음소리를 한 번도 못 들었는데, 혹 안 좋은 일이라도 있어요? 아니면 몸이 불편하세요?" 물어 오는 탓에 곤혹스러운 적도 많습니다.

어쨌든, 그런 두 사람이 어느 날 종로2가에 있는 한 호프집에 들어가 생맥주를 시킨 지 5분도 안 되어 쫓겨나고 말았습니다.

저희에게 퇴장 명령을 내린 그 가게 주인은 "두 사람의 웃음소리가 어찌나 큰지 하늘이 놀라고 땅이 놀라고 바다가 놀라는 것까지는 알 바 없지만…… 단골손님들을 놀라게 한 죄만은 용서할 수 없다."고 근엄하게 선언하는 것이었습니다. 옐로우 카드를 아예 생략한 채 내민 레드카드를 받아 든 신현배 시인과 저는 좀 억울하기는 했지만, 흡

한국 아동문학가 100인 작가·작품론 **신현배**

사 대역 죄인처럼 고개를 숙인 채 일어설 수밖에 없었습니다.

"쯧쯧, 그러게 좀 조용히 웃을 일이지. 넌 정말 구제 불능이야!"

횡허케 술집을 빠져 나오면서 신현배 시인이 던진 이 한마디에 저는 정말로 억울해졌습니다. 따지고 보면 저는 그와 함께 '웃은 죄'밖에 없거든요. 되레 웃음보를 터뜨리게끔 익살맞은 우스갯 소리를 풀어 낸 신현배 시인의 원죄가 더 큰 거 아닌가요? 실제로 그는 다음과 같은 글을 쓰기도 했으니까요.

언젠가 저는 아동문학가들과 함께 송재진의 웃음소리에 대해 이야기를 나눈 적이 있습니다. 그때 어느 분이 제게 이의를 제기하더군요.

"송재진 시인이 웃음소리가 크다고요? 어, 어? 그럴 리가 없는데. 저와 만났을 때는 웃지도 않고 아주 조용하셨어요."

그래서 저는 그분에게 이렇게 말했지요.

"선생님은 유머 감각이 전혀 없는 분인가 봐요. 송재진 시인이 미친 사람도 아닌데 아무때나 허허허, 웃겠습니까. 재미있는 말을 들어야 폭포처럼 웃음을 쏟아내지요. 그와 마주 앉은 지 5분이 지났는데도 웃음소리를 듣지 못했다면, 선생님의 유머 감각을 의심해 보셔야 합니다."

뭐, 그만한 일을 가지고 "위험 인물 어쩌고, 저쩌고 호들갑이냐?"며 흰자위를 보이실지 모르겠습니다만 참말로 심각하게 받아들이셔야 합니다. 이번 여름, 대전에서 열렸던 한국동시문학회 세미나 뒤풀이때 사회를 맡은 그의 재간을 지켜보던 박방희 시인은 "성인 문단에서는 소설가 황석영을 가리켜 '황구라'라고 하는데, 우리 아동 문단에는 '신구라'가 있다"고 무릎을 쳤을 정도니까요.

신현배 시인은 참으로 익살맞은 사람입니다. 볼펜 파는 상이군인 흉내를 비롯하여 유기현의 전설 따라 삼천리, 이재철·강정규·송종호 선생님 성대모사 등등…… 쉴 새 없이 날아오는 웃음 폭탄 세례는 정말 감당하기 어렵습니다.

그뿐이 아닙니다. 스스로, "애창곡이 수십 곡이나 되고, 마이크만 잡으면 노래에 흠뻑 취하게 되는 내게는 아무래도 딴따라 기질이 있나 보다." 한 바 있으며, 평론가 최지훈 선생님 "아동 문단 3대 가수 중 한 사람이 신현배 시인이다."고 꼽을 정도인 그의 노래에 붙잡히면 참으로 대책이 안 섭니다.

절대 잊지 마세요, 신현배 시인을 만날 때면 언제나, '웃으면 쫓겨난다.' 는 잠언을. 그래도 웃음을 참기 어렵겠다 싶으면, 제게 전화하세요. 여러 마디로 잘게 잘게 끊어 최대한 소리를 줄일 수 있는 '웃음방귀법'을 공짜로 전수해 드리겠습니다.

우리 집에 팔려 온

피아노 저 녀석은

전 주인이 음대생,

연습 벌레였다지?

날마다 모차르트를

강물처럼 풀어 놓는.

그만큼 노래했으면

외우는 곡 많을 텐데

피아노는 어쩌면

저렇게 능청맞을까?

주인이 바뀌었다고

〈산토끼〉도 떠듬떠듬.

신현배 시인의 작품 〈피아노〉 전문인데요. 그가 펴낸 두 권의 시집 《거미줄》과 《매미가 벗어 놓은 여름》을 펼치면, 도처에서 이같이 능청스러운 익살이 달려들어 겨드랑이를, 발바닥을, 가슴을 간질입니다. 하지만 이렇게 마주치는 익살은 사석에서 펼치는 말장난이나 재치와는 전혀 다른 모습으로 우리를 찾아옵니다.

이를 두고 전병호 시인은, "그의 시를 읽을 때 특기로 드러나는 해학, 또는 능청스러움은 사물과 나누는 대화를 통해 발현되는 신현배의 시적 개성이다. 이때 독자는 시적 화자와 인간화된 사물의 대화를 들으면서 공감대를 형성하고, 다른 한편으로는 고정 관념에서 벗어나 사물의 새로운 모습을 보게 되는 일종의 심리적 해방감을 맛본다. 이런 면에서 볼 때 신현배의 시를 형성하는 주된 원리는 낯설게 하기의 일종임을 알 수 있다."고 말한 바 있습니다.

언젠가 '네 웃음소리는 사람들을 무장해제시킨다."며 웃던 그야말로, "어린이는 물론 일찍이 어린이였던 어른에게까지, 활달한 상상력으로 빚은 동심의 시를 건져냄으로써 무장해제시키는 시인"입니다.

2

어쩌면 이쯤에서 신현배 시인에 대한 여러분의 경계심이 다소 눅어졌을지도 모르겠네요. 그래서 다시 한 번 일러 드립니다.

─신현배 시인을 조심하세요.

그 까닭을 말씀드리기에 앞서, 시 한편을 보여 드리겠습니다.

날벌레 그림자 하나
걸리지 않는 날엔

해종일 답답한 거미
말벗이나 돼 주려고

물소리 바람소리가
제 발로 걸려드네.

신현배 시인의 첫 시집 제목이기도 한 작품 〈거미줄〉 전문입니다.

앞서 말씀드린 바와 같이 워낙 여러 가지 재간을 지닌 '신구라'인지라, 그와 함께 있으면 깜빡! 시간을 헤아리지 못하고 맙니다. 이러구러한 사정으로 올 들어서는 그런 일이 거의 없었습니다마는, 작년까지만 해도 신현배 시인과 만나 반주를 곁들인 저녁을 들고 엉덩이를 떼면 어김없이 막차를 타기 위해 허둥거리거나 작은 차 신세를 지기 일쑤였습니다.

주고받은 이야기의 울타리라야 고작 문학·출판·가족 그 언저리일 뿐인데도 할 말은 언제나 수북히 남고, 시간은 늘상 저 혼자 바쁘게 저희들을 앞질러 가 버리곤 했습니다.

그럴 때마다 저희 두 사람은 집사람의 소리 없는 눈총에 맞아 고꾸라지며 회개하지 않으면 안 되었습니다. 하기야 영혼을 닦느라 면벽 참선한 것도, 지갑을 두툼하게 채우느라 애를 쓴 것도 아니면서 허청, 휘청 귀가하는 가장에게 축복을 내려 줄 아내가 세상에 어디 있겠습니까. 그런데도 다시 만나면 저희는 또 다시 시간의 덫에 걸려 버둥거렸습니다. 헤어질 때면 저희는 노상, 입안에 넣고 야금야금 깨물어 먹었어야 할 사탕을 부지불식간에 꿀쩍! 삼켜 버린 것처럼 숨이 꺽꺽 막혔습니다.

"귀가 시간이 늦는 것은 만날 퇴근 뒤에 만나니까 그래. 우리가 만약, 아침 일찍부터 만난다면 그렇지 않을 텐데……."

누가 먼저 그 말을 꺼냈는지 기억나지 않지만, 곧바로 눈빛을 반짝이며 의기투합한 저희들은 그로부터 며칠 뒤를 디데이(D-Day)로 정하고 한 치의 착오도 없이 실행에 옮겼습니다.

그날 저희들은 어렸을 적의 기억을 나누고, 철부지 문학 청년 때 부렸던 시퍼런 객기를 되새기는 등 그동안 시간에 치여 못 다했던 이야기의 샘물을 부지런히 퍼 올렸습니다.

하루 내내 이어진 대화 속에는 다음과 같이 우스꽝스러운 계산도 들어 있었습니다.

"지구촌에는 대체 술꾼이 몇 명이나 될까?"

"가만, 어린 왕자가 조사한 술꾼의 수가 750만 명이었어. 당시 인구는 20억, 오늘날 인구가 대략 60억이니까……."

"맞아, 그러니까 오늘날 지구촌의 술꾼은 2,250만 명이야."

"그럼 우리는 2,250만 명 중 한 사람인 셈이군!"

우리는 배꼽을 잡은 채 한참동안 낄낄거렸습니다. 무척이나 복된 하루였습니다.

아, 그러나 저희들은 그날 밤에도 기총 소사 같은 아내의 눈총을 맞고 장렬하게 꼬꾸라지고 말았습니다!

한동안 만나지 못할 때면 송수화기가 뜨거워질 정도로 오랫동안 전화에 매달리곤 합니다. 저뿐만 아니라, 그와 가깝게 지내는 이라면 한두 시간의 전화 통화는 대수도 아닙니다. 그러고는 한결같이, "이제 와서 인간관계를 무를 수도 없는 노릇! 어쩌다가 '제발로', '물소리 바람소리'처럼 '거미줄'에 걸려들어 꽁꽁 묶여 버렸는지 모르겠다."고 말합니다.

이쯤에서 충심으로 권해 드립니다. 한국동시문학회 카페에서 혹시나 '거미줄'을 발견하시거든 얼른 몸을 피하셔야 합니다.

'거미줄'에 걸려드는 것은 '날벌레'만이 아닙니다. 부디 '거미줄'을 조심하세요. '거미줄'은 온라인 카페에서 통하는 신현배 시인의 다른 이름(닉네임)입니다. 실제로 요즈음 몇몇 카페에서는 출입이 뜸한 '거미줄'을 찾아 헤매는 '중독자'들이 적지 않다는 사실을 덧붙입니다. 정말입니다.

수인사를 나누고 얼마쯤 지나 곁을 주기 시작했거나 처음 만났더라도 술잔을 두어 순배 주고받은 다음에는 후회하셔도 소용이 없습니다. 이미 엎지른 물일 테니까요.

3

신현배 시인을 처음 만난 것은 1993년 1월, 한국 아동문학인협회 총회가 열린 한글회관에서였습니다. 이것은 제가 떠올린 기억이 아닙니다. 훗날, 그때 주고받았던 말은 물론이고 제 옷차림까지도 고스란히 재생해 낸 신현배 시인의 기억에 따른 것입니다.

"또, 또 그놈의 기억 변비 현상!" 짐짓 놀라면서도 속으로는 "신현배 시인의 기억력은 가히 천재, 아니 구백구십재는 될 거야." 그렇게 생각하곤 합니다. 그는 화제에 오른 작가의 약력(출생 및 등단 연도와 그 매체, 대표작 등)은 물론 웬만한 작품에 대해서도 줄줄, 좔좔 머뭇거림이 없습니다. 심지어는 10여 년도 더 지난, 무심코 지나쳤던 일들까지 고스란히 되새겨 낼 뿐 아니라 술자리에서 흘렸던 부스러기 말조차도 미주알고

주알 기억해서 매양 주위 사람들을 놀라게 합니다. 때때로 서로의 기억이 엇갈릴 경우, 누가 맞고 틀리는지 내기를 하기도 했는데 그를 이겨 본 적은 거의 없습니다.

스스로의 기억력을 믿지 못하는 까닭에 뭐든지 적어 둬야만 안심하는 저와 달리, 그는 좀처럼 따로 적는 법이 없습니다. 그런데도 또박또박 반추해 내는 그를 시새움 섞인 눈으로 부러워하던 어느 날 문득 이런 생각이 들었습니다.

"아깝다! 그만큼 비범한 기억력이라면 충분히, 밥을 넉넉하게 얻을 수 있는 직업을 가질 수도 있었을 텐데…….." 전업 작가인만큼, 더욱이 시인인 그가 경작한 글값만으로는 그리 포실하지 않으리라는 것은, 불을 보듯 환한 일이니까요.

용산공고를 졸업한 신현배 시인은 대학에 진학하지 않았습니다. 이런 선택은, 그가 중학교 1학년 때 사고로 뇌수술을 받았던 춘부장께서, 중학교 3학년 때 급성 위궤양으로 수술을, 고등학교 1학년 때 바람이 들어(중풍) 반신불수로 8년 동안 자리보전을 하다 돌아가신 데서 크게 영향을 받았을 겁니다.

혹자는, "그렇게 안 봤는데 속물이군." 하실지도 모르겠습니다만, 그를 만날 때마다 저는 "신현배 시인에게 좀 더 공부할 기회가 주어졌다면 좋았겠다."는 안타까움을 지울 수 없습니다. 그래서 "그가 지금, 의사나 교사라면—결코 그래서는 안 되는데도 신분상승 또는 돈을 많이 버는 수단으로 이와 같은 직업을 선택하는 이들과는 분명히 차별화된—얼마나 따뜻하고 살가운 '의사 시인' 또는 '교사 시인'이 되었을 것인가! 그랬다면 그도 그의 집도 퍽 튼실할 텐데!" 그런 생각이 들기 때문입니다. "역사에는 가정(假定)이 없다."고 하는 만큼, 이것 역시 부질없는 꿈일 따름이지만 말입니다.

각설하고, 글머리에서 "글방 샌님처럼 얌전하게 상대방 말에 귀를 기울이거나 가재 잡는 곰처럼 느적느적 일에 열중" 운운했는데, 그것이야말로 신현배 시인을 말할 때 빼놓을 수 없는 이야기입니다.

동시조 '쪽배' 동인 총무를 맡고 있는 그는 '쪽배'가 출범한 1992년부터 17년째인 지금까지 단 한 차례도 합평회에 빠진 적이 없을 정도로 성실한 사람입니다. '쪽배'의 기본 문학 정신이 워낙 "순수한 열정과 치열한 자세"이지만, 문학을 삶의 맨 앞에 놓는 한결같은 마음이 아니라면 결코 이룰 수 없는 기록입니다.

또한 저는 그가 약속 어기는 것을 본 적이 없습니다. 이미 "술자리에서 흘렸던 부스러기 말조차도 미주알고주알 기억해서 매양 주위 사람들을 놀라게" 한다고 밝혔지만, 그는 술자리에서 가물가물 맺은 약속일지라도 허투루 지나치는 법이 없습니다.

몇 년 동안 계속된 연재는 물론 여느 원고도 마감 날짜를 어긴 적이 없는 것이나, 몇 달에 걸쳐 자료를 수집·조사하고 현지를 답사한 다음에야 비로소 원고를 쓰는 것은 작가로서 당연히 갖춰야 할 덕목이지만, 여간 대수로운 일이 아닙니다.

이처럼 진정성과 신실함을 담보하고 있는 까닭에, 신현배 시인과 그의 시집이 다음과 같은 평판을 받고 있었습니다.

우리 겨레만의 고유한 "정형의 틀 속에서도 이만큼 만만치 않은 포에지의 획득은 물론 내용과 형식이 잘 맞아떨어지는 안정감을 작품 편편이 누림으로써 동시조의 특성을 잘 살려낸 결정(結晶)을 빚고 있"는 것은 "시조와 동시조를 아울러 하는 그의 탄탄한 역량에 힘입은 것이 아닌가 확신한다." (진복희 시인)

"활달한 시적 상상력과 이미지 처리에 능숙한 시인이다." "그는 독창적인 가진술을 바탕으로 자연과의 동화된 세계를 보여 준다. 신현배는 이러한 가진술에, 보다 더 활달한 시적 상상력을 결합하여 우리에게 시조의 고정된 틀에서도 얼마나 자유롭게 시적 사유의 폭을 넓힐 수 있는가를 확인시켜준다." (김용희 시인)

갖은 재간으로 또 다른 상상력을 변주하는 그가, 아무쪼록 "거미줄"과 "매미가 벗어 놓은 여름"을 디딤돌 삼아 한층 더 깊어지고 넓어지기를, 그래서 앞으로 우리에게 찾아올 그의 시집이 한층 튼실해지고 그의 가정 또한 포실해지기를 비손하며 무딘 글을 그칩니다.

인간화된
사물과
대화하기

전병호

1. 들어가며

1981년 〈시조문학〉 시조 추천 완료, 1982년 월간 〈소년〉 동시 추천 완료, 1986년 〈조선일보〉 신춘문예 동시 당선, 1991년 〈경향신문〉 신춘문예 시조 당선, 제11회 창주문학상 동시 당선 등으로 이어지는 신현배의 등단 경력은 누구 못지않게 화려하다. 2008년 10월 현재 그의 문단 경력은 27년을 넘는다. 그런데 현재까지 그가 펴낸 동시집은 단 두 권이다. 《거미줄》(시간과공간사, 1996)과 《매미가 벗어 놓은 여름》(홍진 P&M, 2005)이 그것이다.

필자는 그가 첫 동시집 《거미줄》을 펴냈을 때 이렇게 썼다.

그는 15년 만에 첫 동시집 《거미줄》을 펴냈다. 참 무던한 사람이다. 그의 동시집을 읽으니 어렴풋이나마 시작 태도를 파악할 수 있을 것 같다. 또 겉으로 드러내지는 않았지만 많은 그의 생각들과 만나게 된다. 《거미줄》에 게재된 67편의 시는 대부분 완성도가 높고 수준이 고르다. 오랫동안 갈고 다듬어 쓴 많은 작품 중에서 선별하여 동시집을 엮었다는 것을 알겠다. 동시집을 많이 펴냈다는 것이 곧 훌륭한 시인의 척도가 될 수는 없겠지만 시에 대한 열의는 가늠해볼 수 있을 것이다. 신현배 시인도 마음만 먹었다면 벌써 몇 권의 동시집을 펴냈을 것이다. 시적 역량에 비추어 볼 때 충분하다. 그런데도 그는 자그마치 15년 만에 첫 동시집을 펴냈다.

지나친 과작이기 때문인가. 아니다. 시작의 열의가 부족하기 때문인가. 그것은 더욱 아니다. 신현배는 두 번째 동시집 《매미가 벗어 놓은 여름》도 10년 만에 펴냈다. 이번에도 10여 년 동안 써온 작품 중에서 고르고 골라 묶어냈다. 다른 것이 있다면《거미줄》은 동시· 동시조집이라면 《매미가 벗어 놓은 여름》은 순수 동시조집이라는 점이다. 총 83편 적지 않은 분량이다. 그는 이 동시집도 처음엔 두 권으로 나누어 펴낼 계획이었다고 한다. 그것을 한 권으로 압축해서 펴냈다.

신현배는 '쪽배' 동인이다. '쪽배'는 어린이가 이해할 수 있고 감상할 수 있는 격조 높은 동시조를 많이 지어 보급하자는 취지로 결성된 동시조 동인 모임이다. 매월 마지막 주 토요일에 만나 작품 합평회를 개최한다. 한 번이라도 참석해본 사람이라면 '쪽배' 합평회가 얼마나 치열한지 알 것이다. 1992년에 결성되어 20년 넘게 이어오고 있다.

앞에서도 밝혔지만 그는 중앙일간지에서 실시하는 신춘문예에서 동시와 시조 부문에서 당선했다. 그 정도라면 문학적 수준을 객관적으로 인정받았다고도 할 것이다. 그렇지만 그는 16년 동안 단 한 달도 거르지 않고 '쪽배'의 합평모임에 참가해서 시 정신과 작품을 갈고 닦았다. 그리고 두 권의 동시집을 펴냈다.

2. 체질화된 전통율격

신현배는 이제 동시조 시인으로 이미지를 굳혀가고 있다. '신현배' 하면 자연스럽게 '동시조'가 연상되기 때문이다.

첫 동시집 《거미줄》에는 단시조 또는 연시조 형태의 동시조, 정형적 형태의 동시, 자유동시, 산문동시 등 다양한 형태의 시들이 실려 있다. 그렇지만 이들은 모두 전통율격의 틀에 담겨 있다는 공통점을 갖는다.

다람쥐 잠든 숲속 / 나무구멍에 /
청설모 자지 않고 / 겨울을 나네. /
창문 하나 없는 방 / 바람이 찬데 /
불씨 한 점 없이 / 겨울을 나네
– 〈청설모〉 1연

〈청설모〉는 7.5조의 음수율을 갖고 있다. 7.5조나 8.5조를 세밀하게 나누면 3.4.2.3이 된다. 즉 4음보이다. 이 시는 2행이 하나의 진술을 완성시키므로 결국 최소단위 4개가 모여서 1행을 이루는 셈이다.

〈지렁이〉도 표면상으로 드러난 형태는 자유동시이다. 이 작품도 다음과 같이 시각적으로 재구성하여 놓으면 전통율격을 사용하고 있는 사실이 한눈에 파악된다.

지렁이는 / 땅속을 달리는 / 지하철이다. //
간밤에 잠을 설친 / 이슬방울들이 /
지난 밤의 꿈과 함께 / 부푼 맘을 실으면 /
무지개처럼 깔리는 / 태깔 고운 흙길. //
두더지가 뚫어 놓은 / 널따란 굴을 지나, /

땅강아지 숨어 사는 / 비좁은 굴을 지나, /

땅말벌이 모여 사는 / 시끄러운 굴을 지나 /

오늘의 종착역인 / 밑뿌리에 닿으면 //

이슬이 있던 자리마다 / 들꽃이 핀다. /

지렁이 빛깔 같은 / 들꽃이 핀다.

한편, 산문동시 〈설문대 할망〉도 4음보를 기준 율격으로 하여 재구성해 놓으면 재미 있는 사실을 알 수 있다.

한라산과 일출봉은 겨우 한 걸음 거리.

한라산을 베고 누워 제주도 앞바다 관탈섬에

두 다리를 걸쳤다는 설문대 할망.

깊다는 물은 전부 찾아다니며

자나깨나 키 큰 자랑.

용담동 용소물은 겨우 발등에 차고,

서귀포 홍리물은 무릎까지 찬다며 뻐기다가,

한라산 물장오리 맨발로 들어가

이제까지 안 나오는 설문대 할망.

설문대 할망은 언제 돌아오실까.

설문대 할망을 불러낼 수 없을까.

깨끗한 명주 속옷 백 벌 만들어 주면,

다리를 육지까지 놓아 준다는데.

필자가 임의로 재구성해 본 이 산문동시도 음보가 넷이 모여 한 행을 이루고 있으며, 이로서 전통율격을 가진 정형시임이 드러난다.

이와 같은 사실을 통해 신현배는 자유동시와 산문동시에서도 우리의 전통 시가처럼 2내지 4음절을 최소 단위로 하고 이 최소 단위 넷이 모여 한 행을 이루는 전통율격을 사용하고 있음을 알 수 있다. 그의 시는 전통율격이 체질화되어 있다. 간혹 1음절, 또 는 5, 6음절이 음보를 이루는 최소 단위의 구실을 하기도 하지만 이는 변조라고 보아도 무방하다. 1음절이 최소 단위를 이룰 때에는 길게 발음하고, 5음절이나 혹은 그 이상 일 경우에는 그만큼 빨리 발음하면서 4음보에 맞추게 된다. 이렇게 길게 혹은 짧게 발 음하여 4음보의 규칙에 적용하도록 하는 것이 전통율격에 대한 우리의 감각인 것이다.

이런 변조는 조선 시대의 시조는 물론이고, 가사에도 있었다. 현재도 정형시나 자유시에서 기본 율격을 4음보 1행으로 하는 전통율격과 변조를 사용하고 있는 예를 얼마든지 찾아볼 수 있다.

필자가 생각하기를, 시조를 쓰는 사람은 먼저 우리 가락이 몸에 배어 있어야 한다고 본다. 우리 가락이 몸에 배어 있는 사람이 아니면 절대로 좋은 시조를 쓰기 어렵다. 그만큼 시조 창작에서는 가락이 중요하다. 신현배는 선천적인지 후천적 노력에 의해서 길러졌는지 아직 파악하지 못했으나 전통율격이 체질화된 사람임에 틀림없다.

동시조는 시다. 다시 말하면 동시조는 우리 가락을 가진 동시이다. 그렇다면 동시조는 다음 조건을 충족해야 한다. 동시조는 시이며 동시이고 시조이어야 한다. 이와 같은 조건을 충족시키는 작품을 쓰기는 쉽지 않다. 거칠게 표현하면 엄청난 노력에 비해 성과는 미미하다고 생각될 때가 많다.

동시조는 아직도 안과 밖으로부터 너무나 많은 도전을 받고 있는 장르이다. 그렇기 때문에 수준 높은 작품을 지속적으로 내놓지 않으면 장르 자체가 존폐 위기로까지 내몰릴 수 있는 가능성이 항시 존재한다. 그래서 특히 동시조를 쓰는 사람들은 문학적으로 뛰어난 작품을 쓰지 않으면 안 된다. 전통의 계승 발전이라는 측면에서도 동시조에 대한 관심은 범 문단적으로 이루어져야 한다. 동시를 쓰는 시인이라면 기본적으로 훌륭한 동시조를 쓸수 있는 능력을 갖추어야 할 것이다. 대화를 나누어 보면 동시조의 중요성을 인정하지 않는 사람은 없다. 그렇지만 현실적으로 동시조를 쓰는 시인은 몇 명 되지 않는다. 이 사실을 어떻게 받아들여야 할까. 동시조를 쓴다는 것은 참 외로운 작업이다. 그럼에도 일부에서는 오랜 세월 변함없이 동시조에 전념해 오고 있는 사람들도 있다. 신현배는 그 중의 한 사람이다.

3. 신현배의 시 세계

초기의 시 세계는 향토서정이나 자연친화적 세계를 중점적으로 그리고 있다. 향토서정을 전통율격이라는 틀에 담는 것은 지극히 자연스러운 일이다. 첫 동시집《거미줄》에 실린 시들이 대부분 그러하다.

꽃가마 할머니 가마, 오십 년 전 족두리 가마

서낭당 고갯길에서 연지곤지 떼어내어

돌처럼 던지셨다지, 아들 낳게 하옵소서.

장날 어스름이면 서낭당까지 나와

여우 고개 무서움도 돌로 눌러 버리고

장터 간 할아버지를 기다렸다는 할머니.

홍역 앓던 어린 나를 굽은 등에 업고서

장승님 발 밑에서 눈물로 빌던 소원,

내 손자 뜨거운 열 빼어 여우에게 주옵소서.

　　– 〈서낭당〉 전문

이 시는 요즘 어린이들에게는 까마득한 옛날이야기이겠지만 어른이면 누구나 유년시절에 한두 번쯤은 듣고 자랐을 것 같은 향토 민담을 소재로 하고 있다. 전래동화, 야담, 우화, 전설, 신화, 세시 풍속 등을 전통율격에 담아낸 그의 시는 많다.

　전통율격은 형식적이면서도 추상적인 '틀'이라고 할 수 있다. 전통율격을 차용한 그의 작품은 나름대로 독특한 리듬을 가진다. 전통율격을 차용했다고 해도 내용, 쓰인 낱말, 어조, 분위기에 따라 각각 리듬이 달라지기 때문이다. 그렇지만, 이 리듬은 이미 태어나면서부터 몸에 밴 우리 고유의 가락이다. 따라서 그의 시는 몸에 밴 가락에 얹어 향토서정의 세계로 우리를 인도한다.

　자연친화적 세계를 그려낸 순수 서정시들도 마찬가지이다.

겨우내 가슴 열어 / 산이 품은 동물 식구

첫눈이 지은 이불을 / 다 함께 덮고 자네.

드르렁 코고는 소리에 / 꿩이 놀라 푸드덕!

　　– 〈겨울잠〉 전문

한겨울 눈 내린 깊은 산 속의 정경이 눈앞에 선하게 펼쳐진다. 동물 식구들이 드르렁 코고는 소리에 '꿩이 놀라 푸드덕!' 날아오름으로써 산속의 정적을 깨는 것이 아니라 오히려 더 깊은 산의 정적을 느끼게 해주는 묘미를 이 시는 갖고 있다. 이 자연친화의 공간은 시인이 그리고자 하는 동심의 세계를 구체적으로 나타낸 것이다.

　첫 동시집 《거미줄》에 나타난 시 세계에 대한 필자의 생각을 솔직하게 밝히자면, 작품으로는 뛰어나지만 독자 수용 미학적 입장에서는 재고해야 할 점이 많다고 생각한다. 그의 동시는 향토서정과 자연친화적 세계를 중점적으로 그리고 있기 때문에 현대의 아파트촌에서 살아가는 도시 어린이들의 정서를 폭 넓게 수용하지 못하고 있다. 향토서정은 더 이상 현대를 살아가는 어린이들의 지배적인 정서가 아니다. 지금 우리에

게는 새로운 시대에 어울리는 새로운 도시 서정이 필요하다. 지난 시대의 향토서정은
이미 누군가 정리해 놓았어야 할 과거의 시 세계일 수도 있다.

　자연친화적 세계를 그린 그의 시도 나름대로 높은 문학성을 내세울 수 있지만 현실
의 어린이가 전혀 등장하지 않는 깊은 산속의 세계를 그리고 있다는 점이 불만이다. 또
어른 시조의 분위기를 완전하게 벗어 버리지 못했다는 느낌도 떨쳐 버릴 수 없다.

　이에 대한 자각 때문일까. 두 번째 시집에서 그의 시 세계는 많은 변모를 꾀한다. 우
선 눈에 띄는 가장 큰 변화는 어린이들에게 가까이 다가간 시를 쓰고 있다는 사실이다.
비유하자면 깊은 산속에서 도시 아파트 단지로 내려왔다고 할까. 산에서 이사 와서 이
제는 동네 어디에서나 쉽게 만날 수 있는 아저씨 같은 이웃이 되었다고 할까. 일상생활
에서 자주 만나는 사물과 장면들이 시적 소재로 등장하는 것도 이 때문이다.

　그가 일상에서 시적 사물과 마주쳤을 때 의식적으로 시도하는 작업은 사물을 인간화
하는 것이다. 사물을 인간화한다는 것, 그것은 곧 사물을 의사소통이 가능한 유기적 대
상으로 인식하는 것이다. 그는 인간화된 사물과 대화를 시도하는 한편, 마음에 비친 사
물의 모습을 시로 형상화하여 보여 준다. 그때 사물들은 시인 앞에 어떤 모습으로 나타
나는가. 도식적이고 관념적인 모습을 벗어 버리고 동심의 눈에 비친 모습으로 나타난
다. 이것이 새로움을 안겨준다. 즉, 신현배가 새롭게 인식한 시작 방법은 '인간화된 사
물과 대화하기' 라고 할 수 있다. 이때 신현배 시를 읽은 독자들도 일종의 심리적 해방
감을 맛본다. 신현배 시를 새롭게 형성하는 주된 원리는 동심의 눈으로 낯설게 바라보
기임을 알 수 있다.

　그가 이런 시작 방법을 도입함으로써 얻은 것은 무엇인가.

우리 집에 팔려 온 / 피아노 저 녀석은 /

전 주인이 음대생. / 연습 벌레였다지?

날마다 모차르트를 / 강물처럼 풀어 놓는.

그만큼 노래했으면 / 외우는 곡 많을 텐데

피아노는 어쩌면 / 저렇게 능청맞을까?

주인이 바뀌었다고 / 〈산토끼〉도 떠듬떠듬.

　– 〈피아노〉 전문.

〈피아노〉에서 얄미울 정도로 시치미를 뚝 떼고 '주인이 바뀌었다고 / 〈산토끼〉도 떠
듬떠듬.' 한다고 넉살을 보이는데 웃음이 나오지 않을 수 없다. 그 넉살이 시를 빚게 하

는 힘이 되고 독자와의 거리를 좁히는 역할을 하게 된다.

  이외에도 이 작품이 갖고 있는 장점은 많이 거론할 수 있다. 우선 동시조이면서 동시가 되어 있다. 또 가락을 맞추기 위해 무리하게 글자수를 가감해서 어색함을 주는 그런 생뚱맞은 작위성이 없다. 시조로서의 가락이 훌륭하게 살아 있다는 말이다. 시상과 가락이 상충할 때는 먼저 가락을 취하는 것이지만, 이 시에서는 충분히 숙성시킨 시상을 표출하고 있기에 가락과 시상이 절묘하다 싶게 잘 어우러진다. 그러나 무엇보다도 어린이들의 생활에 친숙한 소재를 찾아내어 시화했다는 것이 변화라면 가장 큰 변화이다.

  신현배의 시적 경향을 크게 두 가지로 나누어 볼 수 있다. 하나는 이미지를 중시한 시들이고, 또 하나는 일상생활 속에서 시적 소재를 찾아내어 메시지와 이미지의 조화를 이루고자 한 시이다. 전자의 시들은 비교적 초기작에 속한다. 후자는 최근작에 속한다. 최근작들이 훨씬 더 독자들과의 공감대가 크다. 즉, 그의 시는 이제 어린이들의 일상생활도 담기 시작했다.

  햇빛을 베개 삼아 / 잠만 자던 헌 우산이 //

  후드득 빗소리에 / 반가워 눈을 뜬다. //

  오늘은 철이 손잡고 / 학원에 가겠구나.

  기지개를 활짝 켜고 / 거리로 나선 우산이 //

  목말탄 아이처럼 / 우쭐우쭐 길을 간다. //

  접었다 펼친 마음이 / 무지개를 그린다.

  – 〈우산〉 전문

  이 작품도 신현배 시의 장점을 고루 갖추고 있다. 첫 연에서는 인간화된 사물을 친구처럼 바라보고 생각하는 마음을 표현하고 있다. 둘째 연에서 시적 화자는 관찰자적 입장을 취하면서도 인간화된 우산의 모습을 그린다.

  신현배 시의 특정으로 파악되는 여러 요소들, 이를 테면 사물을 인간화하여 낯설게 바라보기, 능청스러움과 해학으로 표출되는 재미성, 물 흐르듯 자연스러운 시상과 어울리는 유연한 가락 등으로 그만의 독특한 색깔을 가진 시를 빚어낸다.

  그런데 이 시에서 그는 한 가지 덕목을 더 덧붙였다. 동요적 요소를 적극 차용한 것이다. 이는 독자 수용 미학적 측면에서 볼 때 독자에게 한 발 더 가까이 다가가는 성과를 거두게 된 것이라고 할 수 있다. 이제까지 그의 작품에 대한 독자는 고학년이거나 청소년이 될 수도 있었다. 그러나 그는 이런 시도에서 성공적인 모습을 보여줌으로써 독자층을 넓혔다.

신현배 시는 최근까지도 전통적인 소재에 대한 관심은 여전하다. 그렇지만 작품의 표현 기법에서는 많은 변화를 보였다.

고려청자 가득 싣고 해남을 떠난 배가
완도 바다 밑에 바위처럼 잦아들어
한 천 년 잠을 잤대요, 한 점 섬도 아니면서.

오고 가는 뱃길이 얼마나 고단했으면
청자 다 풀어 놓고 단잠 들었을까요.
그 덕에 완도 바다가 비췻빛으로 푸르지만.

세월도 눈감아 준 배를 흔들어 깨워서
해양 유물 박물관 전시실에 모셨어요.
바다를 떠난 하루가 천 년만 같겠어요.
– 〈완도배〉 전문

완도배는 고려 11세기 후반의 장삿배이다. 해남의 도요에서 개성으로 청자를 실어 날랐던 배이다. 풍랑을 만나 바다에 가라앉은 것을 1983~1984년에 인양해서 해양유물전시관에 모셔 놓았다. 이 배는 현재, 우리 전통 한국 배의 실물로서는 가장 오래된 것으로 알려져 있다.

〈완도배〉는 제목을 읽고 나서 어쩌면 내용이 고루할지도 모른다고 생각한 우려를 말끔히 씻어 준다. 1연 종장에서 '한 천 년 잠을 잤대요, 한 점 섬도 아니면서'라든가 2연의' 얼마나 고단했으면 / 청자 다 풀어 놓고 단잠 들었을까요.'와 3연 초장에서 '배를 흔들어 깨워서'와 같은 구절은 어린이의 눈으로 보고 쓴 충분히 공감할 수 있는 표현이다. 또한 '완도 바다가 비췻빛으로' 푸른 까닭을 감각적으로 표현해서 보여 주고 있는 점도 인상적이다.

그는 전통을 나타낼 수 있는 소재를 즐겨 다루면서도 이를 현대 감각적으로 재현해 냄으로써 오늘의 어린이들이 공감할 수 있는 작품을 빚고 있는 것이다.

4. 나가며
그의 제1동시집 《거미줄》은 수준 높은 작품집이 틀림없다. 그러나 독자들의 호응도

는 그리 높지 못했던 것으로 생각된다. 그 이유가 무엇일까. 필자로서도 독자 수용 미
학적 측면에서 오랫동안 가졌던 의문이었다. 작품 창작 방법상의 문제점은 없는 것일
까. 필자가 말하고 싶은 것은 문학을 위한 문학의 추구는 독자층을 알게 모르게 한정짓
게 된다는 점이다. 더구나 제1동시집《거미줄》에 실린 작품에는 어른 시조와 구분이 안
될 정도의 시적 사유를 요구하는 작품도 많았다고 기억한다. 또한 산사의 스님 같은 정
적인 생활 중심의 소재를 상당 부분 시화해온 것도 많은 영향을 미친 것으로 파악한다.

제2동시집《매미가 벗어 놓은 여름》에 나타난 그는 산사에서 도시로 내려와 아파트
와 골목을 걷는다. 아파트 놀이터에서 뛰어 노는 어린이도 보고 어린이들이 잃어버리
고 간 우산에도 눈길이 머문다. 그의 작품에서 사람 냄새, 땀 냄새가 풍기기 시작한다.
술주정하는 이웃집 아저씨도 등장하고 늦은 밤에 속상한 일이 있는지 담배 피우는 아
저씨, 이른 새벽에 아파트를 순찰하는 경비 아저씨도 나타난다. 건강한 사람이 흘린 땀
냄새는 맡기 좋다. 가난하지만 웃음과 희망을 잃지 않는 사람들 즉, 주변에서 흔히 볼
수 있는 보통 사람들의 삶이 많은 공감대를 형성한다.

문학작품이라면 잠시라도 현실의 삶을 외면할 수 없는 것인데, 아직도 문단에는 자
신들만 어린이의 삶을 표현한다고 우기는 사람들도 있다. 편향적인 시선으로 모든 어
린이의 삶을 포용할 수는 없다.

신현배는 오랜 동안 순수 서정시를 써온 솜씨로 도시 어린이들의 삶을 조화롭게 담
아낼 것으로 믿는다. 더구나 그것이 우리 가락에 담는 작업을 하나 더 거쳐야 한다. 쉽
지 않을 것이다. 앞으로의 시작에 많은 기대를 거는 것도 이 때문이다.

어린이와 함께 선생이 걸어온 길

1960년 12월 28일(음력 11월 11일) 서울시 마포구 아현동에서 태어남.

1973년 서울 은평초등학교를 졸업함.

1976년 서울 연서중학교를 졸업함.

1979년 서울 용산공업고등학교 토목과를 졸업함.

　　　　월간 〈소년〉 동시 1회 추천.

1980년 계간 〈시조문학〉 시조 1회 추천.

1981년 계간 〈시조문학〉 시조 추천 완료.

1982년 월간 〈소년〉 동시 추천 완료.

1983년 창주문학상 수상함.(동시 부문)

　　　　대현출판사 편집부 입사하여 출판계에 첫발을 내디딤.

1986년 〈조선일보〉 신춘문예 동시 당선됨.

　　　　정음문화사 편집장이 됨.

1991년 〈경향신문〉 신춘문예 시조 당선됨.

1992년 도서출판 기린원 편집장이 됨.

1995년 도서출판 번양사 편집장이 됨.

1996년 동시집 《거미줄》(시간과공간사) 출간함.

　　　　광명문학상 대상을 수상함.

1997년 합동시집 《어린 달과 어울리러》(동시조동인회 '쪽배' 1호·가람출판사) 출간함.

1999년 합동시집 《5 대 3》('쪽배' 2호. 책만드는집) 출간함.

2001년 합동시집 《산길·메아리·탑·수평선·파도》('쪽배' 3호. 선우미디어) 출간함.

2002년 가나출판사 편집 주간이 됨.

2003년 합동시집 《우리 가락 좋은 동시》('쪽배' 4호·예림당) 출간함.

2005년 동시집 《매미가 벗어 놓은 여름》(홍진P&M),

　　　　합동시집 《날마다 봄여름가을겨울 산울림이 울었다》('쪽배' 5호·가꿈) 출간함.

2006년 우리나라좋은동시문학상을 수상함.

2008년 합동시집 《사로잡고 사로잡혀》('쪽배' 6호·가꿈) 출간함.

2010년 동시집 《산을 잡아 오너라!》(섬아이),

　　　　합동시집 《앞서거니 뒤서거니》('쪽배' 7호·가꿈) 출간함.

2011년 동시집 《햇빛 잘잘 끓는 날》(아평) 출간함.

2012년 소천아동문학상을 수상함.

합동시집 《햇빛 잘잘 실눈 살짝》('쪽배' 8호·가꿈) 출간함.

2014년 합동시집 《아픔은 모른다는 듯 햇빛조차 화안했다》('쪽배' 9호·가꿈) 출간함.

2015년 동시 선집 《신현배 동시선집》(지식을만드는지식) 출간함.

2016년 합동시집 《졸였던 그 아픔 가지마다 벙글벙글》('쪽배' 10호·가꿈) 출간함.

2017년 합동시집 《동그란 리본으로 노랗게 핀 영혼들》('세월호' 앤솔로지·동시조 '쪽배' 동인) 출간함.

한국동시조문학대상을 수상함.

2018년 합동시집 《푸른 솔 그늘인가 솔 푸른 그늘인가》('쪽배' 11호·소야주니어) 출간함.

한국 아동문학가 100인

이상권

대표 작품
〈소쩍새 우는 밤에는〉

작품론
동화의 틀을 깨다

인물론
잎새 하나로 세상을 보다

어린이와 함께 선생이 걸어온 길

소쩍새
우는 밤에는

1

언니, 나가서 놀고 싶어. 마당에서 나비랑 새랑, 풀이랑 꽃이랑 돌멩이랑 막대기랑…… 보고 싶어. 나비들은 어떻게 말하는지 궁금해. 새들은 뭐라고 말하는지, 개미들은 뭐라고 말하는지, 뭘 먹고 사는지. 언니야, 몰래 문 열고 나가보면 안 될까? 딱 한 번만.

안돼, 그랬다가 아빠 눈에 띄면 혼나.

언니, 아빠 몰래 나가면 되잖아?

나도 나가고 싶어. 나는 돌멩이 소리를 듣고 싶어. 돌멩이는 무슨 소리를 내면서 굴러다닐까? 돌멩이는 어떻게 굴러다닐까?

언니, 나는 해랑 말하고 싶어. 해는 어떻게 말할까?

장인 장모가 경상도 사람인데, 사위가 전라도 사람이라고 반대했대. 80년대 초에 두 사람이 만났으니 오죽했겠어. 광주 민주화 운동이 일어난 다음 핸가 그 다음 핸가 만났다니까, 그때는 전라도 사람들을 다 빨갱이라고 손가락질하던 시절이잖아?

그때 무시무시했지. 나도 방학 때 대구에 있는 친구네 집에 갔다가, 얼마나 곤욕스러웠는지 몰라. 친구 부모님이 친구한테 왜 전라도 친구를 사귀냐고 하는 말을 들었으니까.

두 사람은 그런 반대를 뿌리치고 결혼을 했다지. 건강한 아이만 태어났다면 행복했을 텐데. 첫아이는 얼굴은 멀쩡했지만 팔다리가 문어처럼 흐물흐물했대. 장인이 와서 보고는 사탄의 저주를 받았다고, 당장 아이를 버리고 헤어지라고 했대.

아, 어떻게 그런 말을 할 수가 있냐? 장인이 목사였다면서?

대한민국에 이상한 종교도 많고, 이상한 목사도 많잖아? 문제는 둘째 아이야. 둘째만은 건강하기를 바랐는데…… 언청이에다 목이 왼쪽으로 90도 정도 돌아가 있었대. 엑스레이를 찍어 보니까, 목뼈가 굳어서 원래대로 목을 돌리기는 어렵다고 했다니……

이거 아빠 핸폰인데 혜빈아, 추석 다음 날 롯데월드 가자. 우리 추석날 올라가. 지금 바닷가에서 아빠랑 아빠 친구분이랑 회 먹고 있어.

좋아, 아침 일찍 가서 본전 뽑자. 난, 어른들 이야기할 때 재미없던데.

재미없어. 캄캄해서 바닷가에도 못 가고.

그럼 모해?

그냥 있어. 어른들 이야기 듣고 있어.

먼 이야기?

몰라. 누군지는 모르지만 외계인을 낳았다는 이야기.

헐, 진짜?

그래.

2

언니, 여기 들어가기 싫어. 여기만 들어오면 어지럽고, 똥 마렵고, 오줌 마렵고.

생각을 바꾸면 괜찮아. 우린 이사하는 거야.

이사 가기 싫어. 어지럽고, 똥 마렵고, 오줌 마렵고. 어지러워 어지러워, 우엑 막 나오려고 해. 배 속에서 막 나오려고 해. 배 속에 있는 것들이 다 나와 버리면 어떡하지?

좋은 생각만 해. 우린 밖으로 나간다. 해가 떴다. 나비도 보인다, 꽃도 보인다. 새도 보인다. 너는 나가고 싶어했잖아? 좋은 생각만 해. 그럼 안 어지러워. 난, 날마다 이사 했으면 좋겠어. 방안에 있는 것보다 이사 가는 게 더 좋아. 좋은 생각만 해. 햇볕이 들어온다. 만져 봐. 보드라워. 저 소리. 저게 새소리, 저게 자동차 소리, 저게 아이들 소리…… 좋은 생각만 해.

어지러워. 똥 마렵고, 오줌 마렵고……

두 사람은 가족하고 인연을 끊고 살았대. 틈만 나면 와서 아이를 버려라, 보호시설에 맡겨라 하니까, 아예 가족들이 찾을 수 없는 섬에 가서 살기도 했대. 한번은 장인이 섬까지 찾아왔대. 해서 이삼 년에 한 번씩은 이사를 다녔대.

아이들 때문에 이사하기도 힘들었을 텐데……

물론이지. 집에 가 보니까, 자그마한 장롱이 하나 있더라고. 옛날에 쓰던 뒤주 있잖아? 꼭 그만해. 내가 갔을 때도 아이들이 그 속에서 나오더라고. 평상시에 손님이 오면 아이들을 그 속에다 가뒀고, 이사 갈 때는 아이들을 그 속에다 넣어서 운반했대. 육지에서 섬으로 이사하려면 하루 종일 걸리거든. 살림살이도 화물차에다 실었다가 다시 배에다 실었다가 다시 화물차에다 실었다가. 그 긴 시간을 좁은 장롱 속에서 숨죽이고 있었을 아이들을 생각해 봐.

얼마나 멀미를 했을까. 정말 잔인하다. 그 정도면 부모가 미친 거 아냐?

혜빈아, 너 어딘가에 갇혀본 적 있어?

헐, 갑자기 왜?

작년에 시골 할머니네 집에서 언니 오빠들이랑 숨바꼭질하다가 창고에 있는 뒤주에 숨은 적이 있었는데, 그때 문이 안 열려서 막 울었거든.

헐, 뒤주가 뭐야?

쌀 담는 커다란 통. 장롱 같은 거.

무지무지 답답했겠다.

진짜 아무도 나를 찾지 않자, 갑자기 무서워지는 거야. 밀어도 뚜껑이 열리지 않고, 갑자기 이상한 세상으로 툭 떨어진 느낌. 하도 무서워서 소리쳐 운다고 우는데, 울음도 안 나와.

나도 그런 적 있어. 캠프 가서 혼자 길 잃었을 때……

그거하고는 비교도 안 돼.

3

나갈 거야. 밖에서 해가 불러. 해가 부르면 다 나와. 새도 나오고, 나비도 나오고, 돌멩이도 나오고, 풀도 나오고, 나무도 나오고, 달도 나오고, 별도 나오고, 바람도 나오고. 나도 나가고 싶어. 언니도 들리지? 저 소리, 저, 저, 저……

응, 들려. 너는 기어갈 수 있으니까, 조심해서 나가. 엄마 아빠 오기 전에. 어서 벽 잡고 일어나. 문을 밀어 봐. 밖에서 잠겼을 텐데.

우와, 열렸다. 아빠가 문 잠그는 걸 깜빡했나 봐. 문이 열렸는데도 캄캄해.

아빠가 까만 천으로 문을 가렸어. 천 밑으로 나가면 마루야. 마루에서 내려가 미닫이 문을 열면 토방이고, 토방 아래가 마당이야. 보이니, 마루가 보이니?

언니, 보인다. 마루가 보이고, 토방, 하늘, 땅, 나무…… 언니, 나무들은 다 팔 벌리고 있다! 팔이 수십 수백 개다! 해가 밥한다! 뜨겁다! 눈이 아프다! 흙은 이상하다! 만져진다. 부스러기다. 근데도 힘 있다. 무너지지 않는다. 새다! 나비다!

말해 봐. 어디서 사냐고? 뭘 먹고, 어떻게 날아다니냐고? 날고 싶다. 그치, 나도 나도 날고 싶다. 하늘은 얼마나 높아? 해는 어떻게 떠 있어?

언니, 누가 온다! 대문이 열린다.

어서 들어 와, 어서!

아이들은 햇볕을 보지 못해서 얼굴이 백인보다 하얘. 동굴 속에서 사는 장님새우처럼 핏줄이 다 보이고, 몸속에 있는 뼈하고 살이 구별 안 돼. 큰애는 그냥 애벌레처럼 굴러다닐 수는 있지만 기어가지도 못해. 그나마 둘째가 조금씩 기어다니는데, 그 아이도 올챙이처럼 아등바등 1시간 남짓 몸부림쳐야 십여 미터를 갈까 말까 하니까. 근데 두 아이가 머리는 기가 막히게 좋았대. 아이 엄마가 책을 읽어주면, 그 내용을 다 외워서 다음 날 둘이 몇 번이나 주절거린다고 하더라고. 수학도 어지간한 것은 다 하고, 백과 사전도 읽어주면 다 외운대.

덩치는 얼마나 커?

아, 못 보겠더라고. 내가 봤을 때는 이십 대 중반쯤 되었을 텐데, 전혀 안 컸더라고. 큰애는 중간 정도 크기의 개만 하고, 둘째는 제법 큰 우리나라 토종개만 해. 그래봤자 둘 다 몸무게가 15키로 내외. 얼굴만 사람 모양이지 큰애는 팔다리가 퇴화해서 잘 보이지도 않아. 그나마 둘째가 구부러졌지만 팔다리가 보이더라고.

그런 아이들을 평생 방에다 가둬서 키웠다 이거지?

아이들이 나올까봐 바깥에서 문고리를 잠그고, 문틈으로 바깥을 볼까봐 까만 천으로 문을 가리고. 그래도 아이들이 몇 번 나온 모양이야. 한 번은 마당에 나왔다가 소나기를 만났는데, 피하지도 못하고 비를 쫄딱 맞아서 죽을 뻔한 적도 있었고, 또 한 번은 동네 개가 마당에 나온 아이를 공격해서 죽을 뻔했고…… 그래서 못 나오게 하는데 자꾸 나오니까, 나중에는 개목걸이를 채웠대. 처음에는 다리에다 채우고, 손에다, 허리에다, 나중에는 목에다 채웠대. 벽에다 못 박아서 끈을 묶고 개처럼 묶어놓기도 했대.

말도 안 돼. 이건 있을 수 없는 이야기야. 말도 안 돼!

우리 토토가 낑낑거린다. 자기랑 안 놀아준다고?

혜빈아, 몇 개월 됐지?

4개월.

토토는 묶어서 키우니?

아니. 토토는 묶이는 거 싫어해. 오빠는 자꾸만 묶으라고 하지만, 묶어서 키울 바에는 안 키우는 게 나아. 안 그래?

내가 그래서 개 안 키우잖아? 니네는 단독이라 풀어 키울 수 있지만, 우리는 아파트라 안 돼. 아, 끔찍해. 어떻게 개처럼 묶어서……

그게 무슨 말이야?

그냥, 외계인 이야기.

뭔 말을 하는지……

4

소쩍새다아! 소쩍새는 땅속나라에서 왔대. 땅속나라 소식 전하는 거래. 땅속나라 이야기는 밤에만 말해야 한대. 낮에 말하면 다른 새들이 다들 땅속나라로 가겠다고 야단이고, 난리가 난대. 그래서 밤에 몰래, 용기 있는 새들만 모으는 거래. 땅속나라로 가자고. 땅속나라는 어른들이 없대. 아이들만 있고, 동물들도 서로 잡아먹지 않는대. 아이들도 날아다닌대.

언니, 우리도 소쩍새 따라서 가자. 가고 싶어. 거기 가면 우리도 날아다닐 수 있을까?

땅속나라에 가면, 꽃도 만지고, 닭처럼 뛰고, 거미처럼 줄도 타고, 나비처럼 날 수 있을 거야. 너는 이담에 다시 태어난다면 뭐가 되고 싶어?

해! 해가 되고 싶어. 그 다음에는 달! 그 다음에는 별, 그 다음에는 구름, 그 다음에는 눈, 그 다음에는 날아다니는 새들……

난, 돌멩이 되고 싶어. 굴러다니고 싶어. 나비랑 새한테도 말하면서…… 그 다음에는 흙이 되고 싶어. 그 다음에는 지렁이, 그 다음에는 그 다음에는 음 소쩍새. 그렇지만 그렇지만, 다시는 다시는 사람으로 태어나고 싶지는 않아.

나도, 다시는 사람으로 태어나지 않을 거야. 벼룩이나 쥐며느리가 더 나아. 돈벌레나 바퀴벌레가 백배 천배 더 좋아. 다시는 사람으로……

아이들 아버지가 울먹이면서 말하는데, 처음에는 처갓집 식구들 눈에 띄지 않으려고 하다 보니, 모르게 아이들을 데리고 갈까봐 신경 쓰다 보니 그렇게 방에다 가두게 되었대. 딱 한 번 이웃에게 아이들을 보여 준 적이 있는데, 그분들이 질겁을 하고 도망가더래. 사람이 아니고 괴물이라는 듯이. 아이들이 너댓살 먹었을 때 그런 일이 생겼고, 그 뒤로는 아무한테도 아이들을 보여 주지 않았대.

그래도 어떻게? 아이들 부모도 배운 사람이라면서?

배웠으니까 더 그런 거지. 사회적 체면 따지고 뭐하고. 친구들 한 번 만나고 오면 얼마나 속상했겠어. 죽이고 싶었대. 내 인생이 저 병신들 때문에 이렇구나, 하고. 막 때리기도 하고, 사흘 동안 아무것도 안 주고 장롱 속에다 가둬 놓기도 했대. 그래도 안 죽더래. 아이들 엄마는 화병으로 10년 전에 돌아가셨나 봐. 그러자 별 생각을 다 했대. 농약을 사다가 아이들을 먼저 죽이고 자신도 죽을 생각을 했고, 집에다 휘발유 뿌리고 아이들이랑 같이 죽을 생각도 했고…… 근데 장롱 속에서 자기들 똥 먹으면서 사는 그 인간 같지 않은 인간들, 단 하루도 자신의 도움 없이는 살 수 없을 것 같았던 생명이 사흘간이나 사는 걸 보고는, 그런 생각을 접었대. 세상에 자기들이 싼 똥을 먹고 버티더래. 그때 '아, 다 제 목숨 가지고 나왔구나' 하는 생각이 들더래. 그러면서 '이제 죽을 날이 머지 않았으니, 지옥에 가서 그 대가를 치러야지요' 하고 담배만 피워대는데, 차마 그 사람을 욕할 수 없더라고.

아저씨, 정말요? 정말로 자기 똥을 먹고 살았대요? 정말로 사흘 동안 아무것도 안 주고 가둬 놓았대요, 아저씨. 진짜 있었던 일이에요? 아저씨……

어어, 핸드폰 게임을 하고 있는 줄 알았더니 다 듣고 있었네. 미진아, 아저씨가 하는 말은 하나도 꾸밈없는 사실이란다. 아저씨가 작년에 본 일이야. 어어, 울먹울먹하네. 어이 친구, 자네 닮아서, 자네 딸이 감수성이 예민하구먼.

아저씨, 그래서 그 아이들…… 그 언니들 어떻게 됐어요? 지금 어딨어요?

지금? 미진아, 아저씨가 재작년에 어떤 라디오 방송에 출연해서 장애인 복지에 대해서 이야기를 한 적이 있단다. 아저씨 하는 일이 그런 일이거든. 그리고 몇 개월 뒤 낯선 사람한테서 전화가 온 거야. 자신을 좀 도와달라고. 자신은 장애인인 두 딸이랑 살고 있는데, 자신이 병에 걸려서 얼마 살지 못할 것 같으니 도와달라고. 그래서 간 거야. 내 방송을 듣고, 망설이다가 연락을 했대. 가 보니까 아버지는 말기 암으로 오늘 내일 하고 있었고, 두 딸이 장롱 속에서 겁먹은 개처럼 얼굴만 내밀고 있는데…… 미진아, 아저씨도 비명을 지를 뻔했단다. 그건 인간이 아니었어. 뭐라고 해야 하나? 벌레나 곤충의 몸에 사람 얼굴만 붙어 있는 것 같은데…… 꿈을 꾸는 것 같고, 하도 당황해서 차마 말도 안 나와. 내 휴대폰이 울려서 꿈이 아니란 걸 알고, 떨리는 손으로 장롱 속 사람들 살을 만지는데…… 벌레들도 등을 만지면 꿈틀꿈틀 하는데…… 딱딱한 나무토막처럼…… 가슴 속에서는 울음이 복받치는데, 이상하게도 눈물은 안 나오더라고. 나를 따라서 동네 사람들이 몇 명 왔는데, 아무도 장애인인 딸들에 대해서 몰랐어. 이장님도, 이웃도, 그 동네서 5년간 살았다는데……

아저씨, 불싸앙, 불싸앙해서……

미진아, 우리 사회에는 그렇게 사는 사람도 있더라. 나이 마흔다섯인 아저씨도 부끄럽지만 그때 처음 알았고, 얼마나 내 자신을 반성했는지 모른다. 두 아이는…… 실은 이십 대 후반이니까 아이들은 아니지만, 내 눈에는 아이로 보였으니까. 아무튼 두 아이는 내가 아는 목사님한테 맡겨졌어. 아이들의 아버지는 곧 돌아가셨고, 목사님은 아이들을 잘 보살펴 주었어. 나도 몇 차례 가서 만났어. 놀러도 갔어. 지리산도 가고, 한라산도 가고…… 울릉도는 바람이 세서 못 가고, 금강산도 가려다가 못 가고. 목사님은 날마다 아이들을 차에 태우고 전국을 돌아다니셨어. 그게 당신이 해줄 수 있는 일이라면서. 목사님은 해와 달을 모시고 다니는 기분이라면서, 오히려 아이들한테 고마워하셨어. 항상 웃는 얼굴. 나도 그렇게 해맑은 사람의 얼굴은 아직까지 보지 못했어. 아이들은 둘이서만 뭐라고 말을 했는데, 도무지 알아들을 수 없었어. 사람들 말 같지만 알아들을 수 없고, 새나 고양이 소리도 섞인 것 같고. 입으로 하는 말도 있지만, 눈짓 몸짓으로 말을 주고받고, 가끔은 서로 얼굴을 비비기도 했어. 지난달에 그 아이들은 마치 약속이나 한 듯이 같은 날에, 조용히 누워서, 이제 갈 때가 되었다는 듯이, 소쩍새가 유난히도 크게 우는 날 밤에, 조용히 눈을 감았어.

소쩍새 우는 날에요?

그래, 소쩍새 우는 날 밤에……

미진아 머해? 왜 답장 안 해.

동화의
틀을 깨다

김태희

들어가기 전에: 변명의 글

1997년 편집자 생활을 시작하며 동화작가 이상권을 알았다. 입사하고 처음 작업한 것이 《하늘로 날아간 집오리》에 들어가는 화보 작업이었다. 원고와 그림은 이미 다 끝난 상태였고, 앞부분에 들어가는 부족의 사진을 구하고 그에 맞는 설명글을 다는 것이었다. 그렇게 편집자와 작가로 인연이 닿아 작품 이야기도 하고, 책도 만들고, 집에 가서 고구마도 캐고, 풀이름 꽃이름도 알고, 여러 작품에 주인공으로 나오는 그의 딸 단후가 커 가는 모습도 볼 수 있었다.

그럴 때가 좋았다. 지난 추석날 저녁 걸려온 작가의 부탁은 분명 처음에는 '가문의 영광'이었다. 지금 마감을 훨씬 넘겨가며 아무 글도 못 쓰고 있는 나는 작가 이상권과 원수가 될 것 같다. 어쩔 수 없다. 지금이라도 눈 딱 감고 못 쓰겠습니다 하면 맘 좋으신 강정규 선생은 그래라 하실 것도 같은데(그러기를 바라시는 것 같기도 한데), 창피하고 죄송해서 못하겠다. 하지만 안다. 차라리 한 사람한테만 창피하고 죄송하면 더 좋았을 것이라는 것도.

1. 《딸꼬마이》와 《'고독한 가수'와 꼬마 배우》

작가 이상권은 1991년 《딸꼬마이》와 《'고독한 가수'와 꼬마 배우》(이하 《고독한 가수》)라는 장편동화를 출간하며 동화작가의 길을 걸었다. 물론 그는 1994년 계간 창작과 비평에 소설을 발표하며 등단한 소설가이기도 하다. 《딸꼬마이》에서부터 1995년 펴낸 장편소설 《그리운 시냇가》까지 보면 그의 초기 작품 세계에는 파탄을 맞는 농촌 경제와 그로 인해 고통 받는 사람들의 삶의 애환이 강하게 나타나 있다.

딸꼬마이는 제목에서부터 드러나듯 딸을 그만 낳으라는 의미의 '딸그마이(딸끄마이)'가 키가 작은(땅꼬마) 옥례와 결합되면서 '딸꼬마이'가 된 것이다. 주인공 '딸꼬마이'네나 그 동네 사람들 대부분이 송아지를 사서 길러 큰 부자가 될 꿈을 꾸면 소를 팔 때는 송아지 살 때의 가격밖에 되지 않거나, 수박 농사를 지어서 한몫 챙기려는 꿈은 품종이 좋지 않아서 망치게 되고, 양파 농사를 지었다 하면 값을 못 받아 썩은 내가 진동하도록 그냥 둔다. 부모의 짐을 덜어 주기 위해 도시로 떠나 공장일을 하면서 야학교를 다니는 '딸꼬마이'의 언니도 있고, 도시로 올라갔다가 생활고에 못 이겨 다시 고향으로 왔지만 결국 다시 도시로 야반도주하는 이웃도 있다. 물론 이것이 단지 70, 80년대만의 이야기는 아니다.

《고독한 가수》는 마치 《딸꼬마이》에서 장독대 장독까지 차압당한 혜진이네가 대도시 변두리에서 힘들게 새 삶을 꾸려가는 이야기로도 읽힌다. '고독한 가수'는 주인공 시주의 별명이다. 시골 학교에서 전학와 아이들의 놀림감이 된 시주와 '꼬마 배우'라는 별명을 가진 깡패 영재는 친한 친구가 된다. 영재 덕분에 반 아이들 앞에서 센 체하면서 '창피'라는 놈을 몰아냈지만, 영재와 어울려 거리 동냥을 하고 그 돈으로 오락실에서 오락을 하며 도시 유흥에 빠져 지낸다.

같은 학교 같은 반 아이들이지만 빈부 격차는 엄청 나서 시주네가 하루하루 먹고사는 것에 힘들어할 때 짝꿍 미리는 미국 갈 준비를 하며 온갖 과외와 학원을 다닌다.

지금 관점에서 보면 다분히 신파적인 요소가 강한 《딸꼬마이》와 《고독한 가수》가 여전히 유효한 것은 각 작품에 나오는 '가족'이라는 공동체의 공고성 때문일 것이다. 옥례네 식구들과 시주네 식구들, 그리고 그 이웃들이 서로 나누는 믿음과 사랑은 때로 서로를 미워하고 아프게 하지만 결국 가족이기에 함께 울고 웃으며 역경을 헤쳐 나간다는 만고의 진리를 새삼스레 일깨운다. 이것은 《고독한 가수》에서 미리네 외 촌이 돈 때문에 미리를 유괴하는, 비상식적인 일이 비일비재하게 일어나는 도시인의 삶과는 차원이 다르다.

2. 시우와 생태동화

이상권은 리얼리즘 계열의 초기 동화에서 벗어나 시골 출신인 자신의 특징이 잘 드러나는 글쓰기에 접근한다. 국내에는 낯설기만 한 용어인 '생태동화'라는 장르를 개척한 것이다. 《하늘로 날아간 집오리》(1997)를 시작으로 《풀꽃과 친구가 되었어요》(1998), 《그녀석 왕집게》(2004), 《멧돼지가 기른 감나무》(2005) 등 다루는 동물이나 식물, 곤충들은 다르지만 모두가 자연과 인간이 소통하고, 함께하는 삶에 대해 이야기한다. 이때부터 작가는 자신의 아명 '시우'를 주인공으로 내세우고, 여러 작품에 시우를 등장시킨다. 수달, 족제비, 애벌레, 멧돼지, 암탉 등 야생동물이 되었든, 집짐승이 되었든 중요한 건 사람과 맺는 관계이다. 이들의 관계는 어느 한편이 우위에 있는 것이 아니라 서로의 존재를 인정하고 조화롭게 사는 것이다.

---

1 《딸꼬마이》는 2002년 우리교육에서 개정판이 나오면서 '딸꼬마이'의 실제 모델의 머리말을 덧붙였고, 《고독한 가수》는 내용을 좀 더 수정해서 2008년 《비밀에 싸인 아이》라는 제목으로 개정판이 나왔다.

〈긴 꼬리 들쥐에 대한 추억〉(《하늘로 날아간 집오리》)은 먹을 것이 없어 인가로 들어온 꼬리가 긴 들쥐와 그런 들쥐한테 손가락을 물린 소년의 한판 승부를 다룬다. 교묘하게 덫과 약의 그물망을 빠져나가는 영리한 들쥐와 독이 오를 대로 오른 소년은 목숨과 자존심을 내걸고 필사의 결투를 펼친다. 들쥐가 '나도 성가시게 하지 않을 테니까, 같이 살아갑시다!'라고 말하는 것을 끝끝내 외면하고 결국에는 잔인하게 날카로운 밤송이로 쥐구멍을 틀어막은 소년은 가시에 찔려 온몸이 피투성이가 되어서라도 탈출하고 만 들쥐를 보고서야 깨달음을 얻는다.

〈멧돼지가 기른 감나무〉(《멧돼지가 기른 감나무》)는 이 세상에서 가장 무서운 존재가 인간이라는 것을 아는 야생 멧돼지가 인간 역시 쉬벡 자연을 해칠 수 없다는 것을 온몸으로 보여 주는 이야기다. 먹이를 찾아 밭에 내려온 야생 멧돼지에게 당산나무 밑에 있는 뜸돌을 들 만큼 힘이 세다고 '뜸돌양반'이라는 이름까지 붙여주며 먹이도 주고 말도 건네며 자신과 동일한 인격체로 대하는 수남아재한테는 뜸돌양반도 동물로서 할 수 있는 최대한의 도리를 지키지만, 마구잡이로 자신을 제압하려는 쌍칼한테는 무서운 초자연적 괴력을 보여 준다. 또한 야생 멧돼지의 가족 사랑은 사람들의 그것보다 더 애틋하다.

《그 녀석 왕집게》에도 보면 땅벌이나 불개미, 쥐며느리를 일방적으로 제압하려는 인간에게 그들이 가하는 필사적인 복수 장면이 나온다. 이런 생태동화들은 동물이 되었든 곤충이 되었든 생명을 가진 자연의 존재들은 인간과 마찬가지로 모두 자신과 가족을 위해 최선을 다한다는 것을 보여 준다.

더 나아가 '가중나무고치나방' 애벌레의 삶을 애벌레의 관점에서 다룬 《애벌레를 위하여》는 작고 하찮은 미물을 통해 대자연의 우주적 시각을 보여 준다. 작가의 말대로 "애벌레랑 사람이랑 다 같은 존재"임을 이렇게 고통스러울 정도로 치열하게 보여 주는 작품은 없을 것이다.

결국 이상권이 말하는 '생태동화'란 동물이나 식물의 습성에 관한 정보를 전달하기 위한 것이 아니다. 자연과 인간이 함께 어울리고, 서로의 존재를 인정하고 그 가치를 존중하는 것이 우리네 삶이고 자연의 섭리라는 것을 일깨우기 위함이다.[2]

좀 더 정확한 의미에서의 '생태동화'로 펴낸 책들은 《낙하산을 타고 날아가는 거미》, 《곤충의 왕 딱정벌레》, 《여치 사냥꾼 멋쟁이 조롱박벌》 등 '생태지식책'이라는 부제를

---

2 생각해 보니 대부분의 옛날이야기에는 호랑이나 까치나 토끼 같은 동물들이 나오고, 자연스레 사람과 정을 나누고, 함께했다. 어떤 메시지를 주기 위한 주요한 소재나 주조연급 등장인물들은 당시에 흔했던 동식물들이었다. 이상권에게도 마찬가지가 아닐까? 그가 '동화'라는 장르를 통해 어떤 이야기를 할 때 그걸 전달하는 방식은 자신이 어렸을 적부터 온몸으로 보고 듣고 자라며 체험한 동식물에 관한 에피소드인 그것이 지금 우리에게는 생소한 일이 되어버려서 굳이 '생태동화'라는 이름을 붙이게 된 건 아닐까?

달고 나온 이런 작품이라 할 수 있다.

3. 《싸움소》와 《황금박쥐 형제의 모험》

　이상권은 성장동화를 써도 주인공이 사람으로 등장하지 않는다. 《싸움소》는 사람이
보는 동물, 자연에 대한 관점이 아니라 동물 입장에서 사람과 나누는 삶에 대해 다룬
다. 이 작품의 주인공은 소다. 달이 환한 밤에 태어난 '달소'가 어른 소(싸움소)가 될 때
까지의 과정을 다루는데, 달소가 머무는 공간인 외양간에 밤마실 나오듯 모여드는 동
물들의 수다가 이야기의 한 축을 이끌어가고, '달소'라는 이름을 지어준 주인집 아들 민
구와 동물과 사람의 관계를 뛰어넘는 우정이 한 축으로 전개된다. 달소가 태어난 외양
간에는 참으로 많은 동물들이 함께한다. 달소의 엄마 '깊은 우물'이 있고, 늙은 '상이군
이' 쥐 할머니가 있고, 가끔 산토끼가 이 마을 저 마을 소식을 전하러 오고, 장닭 '물똥
이' 아저씨와 '누렁이' 개가 있다. 동물들은 모두 사람의 말을 알아듣고, 자기네끼리 정
보를 교환하고 관계 맺는 방식은 바로 인간 사회의 축소판이라 할 수 있다.

　달소의 이야기를 알아듣고 달소와 말을 나누는 사람은 아홉 살 소년 민구다. 철없던
송아지 달소는 주변 동물들의 관심과 사랑 속에서 무럭무럭 자란다. 엄마가 일 나가면
외로움도 느끼고, 머리에 뿔이 솟고, 코뚜레도 뚫고, 여자친구 왕눈이에게 애정을 느끼
고, 엄마가 팔려가 이별의 슬픔을 맛보기도 한다. 마치 사람이 나고 자라 겪는 사사로
운 일들 같다. 주인집을 위해 쟁기질을 하며 노동의 고통에 힘들어도 하고, 민구 아버
지 수술비를 위해 '싸움소'로 거듭나면서 주변 동물들과 더욱 돈독한 관계를 맺고, 마을
사람의 사랑을 한몸에 받게 된 달소는 어른 소로서 성장하면서 진정한 삶의 의미를 깨
닫는다. 아울러 우리는 '달소'가 성장하는 모습을 통해 민구 역시 커 가는 모습을 목격
하게 된다.

　《싸움소》가 작가 이상권만의 방식으로 독특하게 풀어낸 성장동화라면, 두 권으로 된
《황금박쥐 형제의 모험》은 이상권만이 쓸 수 있는 생태판타지 모험소설이다. 아이들은
모험소설을 좋아하고, 특히나 판타지를 좋아한다. 2003년 출간 당시 우리 동화계는 아
직 이렇다 할 만한 모험소설이나 판타지가 없었다. 하지만 누구나 할 수 있는 이야기가
아니어서일까? 작품의 독창성은 인터넷에 올라온 한 단체의 합평 때문에 출간 즉시 지
나치게 폄하된다.[3]

3　사람들은 익숙한 패턴의 이야기를 좋아하나 보다. 조앤 롤링의 〈해리 포터〉 시리즈도 처음에는 여러 출판사를 돌며 퇴짜 맞았
던 작품이라는 것을 잊어서는 안 될 것이다. 고양이 학교 역시 출간 당시 평단에서는 평이 안 좋았던 걸로 기억한다. 하지만 백이
면 백 아이들이 스스로 찾아 읽는 책이 되었고, 몇 년 뒤 프랑스에선가 무슨 훌륭한 상을 받자 '좋은 작품'으로 자리 잡았다. 이 단
체에서는 역시나 고양이 학교에도 좋은 평을 내리지 않았다. "(……) 너무나 황당한 일들이 많이 일어나다 보니 줄거리 요약도 잘
안 되어 힘들게 읽었다. (……) 비현실 공간이 계속 나오나 어디로 해서 어떻게 연결된 것인지, 또 어떤 모양으로 어떻게 이루어진
것인지 거의 알아차리기가 어렵다. 그저 뭉글뭉글 피어오르는 안개 속을 헤매는 기분이다. 수많은 특이한 장소로 우리를 데려가

이 책은 동굴 속 모험을 통해 현재와 과거, 바깥세상과 땅속나라가 여러 층위로 얽혀 있지만 탄탄한 구성과 긴박감 넘치는 빠른 전개로 단숨에 읽을 수 있는 책이다. 사촌지간인 시우와 길우는 만모산 숲에서 놀다가 이상한 동굴을 발견한다. 그 속으로 들어간 두 아이는 식물의 영혼인 푸른 불빛이 주는 빛과 식물들의 꿀로 살아가는 땅속나라 '소란토' 아이들을 만나게 된다. 소란토 사람들은 배꼽 위는 도깨비이고, 아래쪽은 호라이인 '호깨비'에 맞서 나라를 지키기 위해 안간힘을 쓰고 있는 중이다. 현실에서는 엄마한테 주눅 들어 사는 공부벌레 시우와 겁쟁이에 다리마저 저는 소심한 소년 길우가 소란토 아이들과 함께 온갖 위기와 역경을 무릅쓰고 소란토의 평화를 되찾는 이야기다. 여기서는 내용을 살피는 것보다 당시 합평회 때 올라온 이야기들을 중심으로 조금만 살펴보려 한다.

첫째, 인물에 관한 이야기. 합평글에서는 시우와 길우가 "매력적이지 않다. 밉상이라는 이유로 판타지 주인공은 아무나 하냐"면서 시우가 길우를 오랜만에 만나 눈물을 글썽일 때는 언제고 조금 넘어가면 자기를 놀린다고 길우한테 비비탄을 쏘아대는 것이 일관성이 없다며 비판한다. 아이든 어른이든 감정의 동물이다. 오랜만에 사람을 만나면 반갑고 좋아서 눈물을 흘리다가도 놀다가 장난치고 마음 상하면 상처 주는 게 우리들 아닌지. 이런 식의 내용은 비판이라고 할 수도 없을 것 같다. 그리고 판타지동화의 주인공을 꼭 '매력적이고 밉상이 아닌' 인물이 맡으라는 법은 없다. 그리고 매력적이다, 밉상이다 이런 판단은 주관적인 것이지 그 작품에 묘사된 인물 형상과는 거리가 멀다.

둘째, 문장에 관한 이야기. 합평글에서는 "길우의 눈은 물에 불린 콩처럼 부풀어 있었다."라는 이상권의 문장을 놓고 "초등학교에서도 이렇게 쓰면 당장 선생님한테 한 소리 얻어들을 문장"이라며 비난한다. 이상권은 자기 글에서 판에 박힌 듯한 문장을 잘 구사하지 않는다. 특유의 서정성과 생명력 있는 묘사가 돋보이는 문장들은 때로 촌스럽고 어색할 수도 있겠지만, 그 어떤 문장도 이런 비난을 받을 정도는 아니라고 본다.

셋째, 이야기 구성의 문제. 합평글에서는 "〈황금 박쥐〉의 줄이요? 다 늘어진 팬티 고무줄입니다. 첫눈에 뻔히 알아서 뒤가 궁금하지 않거나, 무슨 괴물이 튀어나올지 전혀 예측불허여서 하나도 궁금하지도 않거나입니다."라고 써 놓았다. 이건 작품을 읽어보면 알 수 있는 문제다. 작가는 소란토라는 땅속나라를 만들어내면서 그곳 아이들의 생김새며 생활, 놀이 같은 것들을 새롭게 창조했다. 또한 소란토를 정복하려는 괴물 호깨비와 호물, 정탐꾼 검은나방 등 모든 것이 작가의 생태적 상상력과 지식에서 새롭게 탄

지만 그곳들이 뚜렷하게 그림으로 다가오지 않는다. (……) 그림이 칼라로 화려하게 곳곳에 그려져 있지만 그림의 도움을 받아도 고양이들의 학교나 고양이들이 다니는 길, 밤 모임을 하는 장면 따위가 어색하기만 하다. (……) 이런 세부 사실에서 진실성을 잃으면 우리는 작품에 믿음을 갖고 빨려들기가 어렵다."

생한 것들이다. 그리고 소란토의 시간과 바깥세계의 시간의 흐름이 다른데 작가는 이 것을 작품 곳곳에서 잘 묘사하고 있다. 사천 년 전 소란토에서 '황금박쥐 탈'을 쓴 정의 의 용사를 내보내어 바깥세상을 돕다가 힘을 잃게 되었다는 소란토 아이들의 이야기와 현실에서 길우의 이웃집 할머니가 위안부 생활을 했을 때 보았던 박쥐인간 이야기를 연결해 소란토 아이들을 돕고, 다시 바깥세상으로 돌아온 아이들은 몸과 마음이 훌쩍 자라난다.

합평글에서 넷째, 작가의 사고방식까지 거론한다. 그러면서 "작가의 생활감각, 사고 방식이 요즘 일반인들의 보편적 인식수준보다 늦되거나 상식적이지 않다"고 단정한다. 이런 식으로 이야기를 끌고 가면 이 작가의 모든 작품에 해당하는 이야기로 되어버리 고 만다.

다섯째, 편집의 문제. 합평글에서는 편집자 자질론을 들면서 "이런 원고를 책으로 덜 컥 내버리는 것은 결과적으로 작가의 이력에 오점이 될 테고", 이 시리즈가 속해 있는 "컬렉션도 망가지고, 평자들은 '역시 우리는 판타지가 안 되냐' 하고 한숨 쉴 테고, 이 미 전문가 못지않은 판타지의 소비자인 아이들은 코웃음칠 테고…… 하여튼 손실도 이 만저만한 손실이 아니게 되어 버렸다"고 이야기한다. 《황금박쥐 형제의 모험》은 지금 이라도 다시 평가받았으면 하는 책이다. 나는 작가 이상권이 지금껏 보고 듣고 생각하 고 상상하던 생태적 상상력과 철학이 이 작품에서 빛을 발했다고 본다. 그리고 판타지 의 소비자인 아이들은 역시나 작품을 볼 줄 알았다. 인터넷에서 아이들이 올린 글을 살 펴보면 아이들이 얼마나 전문가다운 식견으로 작품을 보았는지 알 수 있다. 어쩌면 이 책은 너무 시대를 앞서 나왔는지도 모른다. 하지만 내가 정말 놀랐던 것은 우리네 비 평문화. 그 합평글은 누가 봐도 지나치게 주관적이고 사적인 감정으로 씌어졌다. '아 동문학에 대한 다양한 공부를 하고 아동문학으로 세상과 소통'하며 아동문학판에 강력 한 입김을 행사할 수 있는 사람들의 글이 그렇게 비논리적이고 감정적일 수 있다는 사 실에 절망했다. 지금 다 지난 일을 새삼 들춰내서 그렇긴 하지만 나로서는 한번은 할 수밖에 없는 이야기이므로 모두의 양해를 바란다.

마치면서

나는 작가 이상권의 동화라는 틀에 갇혀 있지 않고, 그 틀을 깨고 자기만의 작품 세 계를 만들어나가서 좋다. 동화니까 문장은 이래야 한다, 이런 소재는 다루면 안 된 다…… 동화를 문학 밖으로 밀어 넣고 일정한 크기와 법칙으로 규격화한 사람들은 결 국 편집자나 평론가 같은 동화판 사람들이다. 그래서 작가들은 자꾸 주눅이 들어 새로 운 시도를 하지 못한다. 그러면 또 그들은 말한다. 요즘 작가들 너무 똑같은 작품들만 내는 것 아니냐고.

　작가 이상권이 동화를 쓰기 시작한 지 20년 가까이 되어 간다. 어느덧 그는 40여 권의 책을 낸 중견작가가 되었다. 그는 한결같이 생명과 자연을 화두로 하면서도 늘 새로운 이야기를 만들어 냈다. 《하늘로 날아간 집오리》, 《똥이 어디로 갔을까》, 《애벌레가 애벌레를 먹어요》, 《엄마 생각》, 《난 할 거다》 등 똥 이야기가 되었든, 벌레 이야기가 되었든, 자신의 청소년기를 다뤘든 그 속에는 자신을 지켜준 가족과 자연이 들어 있다. 어린 시절 그가 누렸던 (때때로 힘들고 고통스러웠겠지만) 자연이 선사한 추억들은 이제 어떤 작가고 감히 소유할 수 없고, 복원할 수 없는 '희망과 꿈'이 되어 버렸다. 그래서 그는 외롭겠지만 앞으로도 이런 작업을 계속 해 나가야 할 것이다.

　이상권은 한때 '생태작가'라는 명성에 걸맞지 않게 그가 쓴 작품에 나오는 자연물이 계절에 맞지 않아, 이 동물의 울음소리는 이게 아니다, 라는 비난을 받기도 했다. 그때 그가 말했다. 사람들은 "경험한 걸 믿지 않고, 오로지 백과사전만 믿는다"고. 똑같은 꽃이라도 지방에 따라, 마을에 따라 피는 시기가 다르며, 그해 기온이 어땠느냐에 따라 피는 시기는 또 달라지며, 늘 똑같은 것은 자연이 아니라는 그의 말을 시간이 지날수록 점점 더 깊이 이해하게 되었다. 그건 나 같은 형편없는 편집자에게 큰 교훈이 되었다.

　결국 걱정했던 대로 글은 내 의도와는 다르게 흘러가고 마무리되었다. 하지만 개인적으로는 그의 작품들을 다시 읽으며 동화작가 이상권에 대해 다시금 생각해 본 소중한 시간이었다.

잎새 하나로
세상을
보다

김기정

오래된 물음과 대답

"뭘 어떻게 써야할지 모르겠어요. 단 한 줄도요."

19년 전 소설을 쓴다는 어느 선배에게 간절히 묻고 싶던 물음이다. 그러나 아직까지 대답을 듣지 못했다. 그 선배에게 대놓고 묻지 않았으니, 선배 역시 말로 답하지 않았을 뿐이다.

그때 나는 글 한 줄 쓸 자신이 없는 작가지망생이었다. 국문과에 들어가면 저절로 다 써질 줄 알던 바보였다. 욕망이 커지는 만큼 절망도 컸던 걸까? 원고지 앞에 앉을 엄두도 못 내는 건 당연했다. 그 겨울, 시를 쓰는 선배들은 내 어깨를 다독이며 나를 위로했다. 봄에 '소설을 쓰는 굉장한 선배'가 복학을 한다고 했다. 나에겐 눈이 번쩍 뜨일 만큼 반가운 소식이었다. 가뜩이나 주위엔 온통 시를 쓰는 이들뿐이어서 불만이었는데, 소설을 쓰는 선배가 생긴다면 뭔가 부빌 언덕이라도 생길 듯싶은 것이었다.

하지만 봄이 오고 기다리던 선배를 눈앞에 마주했을 때, 나는 적잖이 실망하고 말았다. 소설을 쓴다는 그 선배는 이제 막 모내기를 끝내고 상경한 청년 농사꾼이라면 딱 어울릴 그런 차림과 생김이었다. 게다가 도무지 말이 없고 술자리에서도 막걸리 한두 잔만 딱 걸치고는 그만이었다. 내가 '요즘 세상에 가뭄에 콩 나듯 드문 작가지망생 후배입니다. 저 좀 살려주세요! 글 한 줄 안 써져요.' 하고 몇 번이나 간절한 구원의 눈빛을 보내었지만, 선배는 막걸리 잔이나 권하며, "그러니? 열심히 써라. 마셔!" 이 말만 되풀이했다. 그리고 얼마 뒤 그 선배는 나를 더더욱 절망케 했는데, 점퍼 주머니에서 두툼한 원고지 뭉치를 꺼내더니 보란 듯이 굵은 펜으로 줄줄줄 써내려가는 것이었다. 문학 회실 소파, 강의실 창가, 술집 탁자, 햇볕 좋은 바위…… 장소를 가리지 않고 원고지를 채워 나갔다.

"어떻게 막히지도 않고 그렇게 쓰세요?"

신기해하며 물으니, 선배는 깊은 눈으로 나를 보며 느릿느릿 대답한다.

"여기 요놈하고 나하고 한판 싸움이야. 내가 멈추면 지는 거야."

그러고는 선배는 굵은 펜으로 원고지 위에 호미질을 하듯 써내려갈 뿐이었다. 선배의 펜놀림은 꼭 내가 사름에 괭이질하는 것만 같았다.

그가 바로 작가 이상권 형이었고, 내 인생에서 원고지 앞에 절망을 느끼게 한 최초의 작가이기도 했다. 지금 생각해도 아찔하다. 어느 누가 그렇게 인정사정없는 속도로 그토록 생생한 이야기들을 써댈 수 있을까?

방 한 칸의 희망

대학을 졸업하고 나서도 나는 여전히 글 한 줄 제대로 쓰지 못하고 원고지 앞에서 끙끙대고만 있었다. 그러는 중에도 상권 형은 가끔, (지금 생각하면 일부러 그랬다는 생각이지만) 글을 쓰겠다는 후배들을 부르곤 했다.

"인사해라! 너희들 형수님 될 사람이다."

일찍이 내가 아는 상권 형은 여자 후배들 앞에서도 말을 더듬거렸다. 낯선 여자들 앞에서는 더더욱 수줍어해서 벌건 얼굴에 몸을 배배 꼬기까지 했던 기억이 또렷하다. 그런데 어느 날 갑자기 상냥한 형수님을 앞에 두고 큰 소리로 우리에게 인사를 시키다니.

그날은 신혼살림을 차릴 집으로 이사를 하는 날이었다. 나는 방 안 가득한 책 짐들 사이에 가슴께까지 차올라온 원고더미를 보았다. 내가 알겠다는 듯이 원고더미를 톡톡 두드리자, 형은 눈은 내리깔고 입술은 내밀고 목은 뻣뻣이 하고 고개만 한 번 까딱 했다. 사실 그때도 나는 상권 형이 몹시 얄미웠다. 원고지조차 제대로 쳐다보지 못하는 내게 그런 가혹한 증거물을 보여 주다니.

한두 해 뒤던가, 우리(글을 쓰리라는 놈팽이 셋. 나중에 한 놈은 대학상사, 또 한 놈은 시나리오 작가가 되었다)는 상권 형이 방 두 칸짜리 새집으로 이사 가는 트럭 뒤에 몸을 싣고 있었다. 상권 형은 숟가락으로 냄비를 두드려대며 노래를 불렀고, 우리는 낄낄거리며 덩달아 신났다. 왜 그토록 즐거웠는지는 모르지만, 작가로서 온전히 살아간다는 그것만으로도, 상권 형은 우리에게 별 같은 존재였지 않았을까 싶다. 그도 그럴 것이, 글만 써서 두 칸짜리 방을 마련하다니, 어찌 놀랍고 기쁘지 않겠는가? 이런 기분 좋은 기억은 그 뒤로, 상권 형이 더 큰 집으로 또다시 이사를 할 때도 마찬가지였다.

작가란 이름으로 온전히 살아간다는 것. 형은 그랬다. 여느 선배들처럼 문학을 쉬 입에 올리는 사람이 아니었다. 적어도 나는 그 시절 상권 형에게서 문학이니 소설이니에 대한 화려한 말잔치를 한 번도 들은 적이 없다. 그러고 보면 형은 그저 묵묵히 원고지 위에 밭을 일구기만 했다. 그런데도 나는 괜히 볼멘소리를 해댔다.

놈팽이 중 한 놈이 상권 형의 원고더미를 가리키며 묻는다.

"넌 언제 작품 보여 줄 건데?"

원고지만 봐도 어지러운 내가 뭐라고 말하겠는가.

"형은 날 말려 죽이려는 게 틀림없어."

동화의 발견

상권 형을 알고부터 10여 년 이상, 내가 주목한 것은 소설가 이상권이었다. 그때까지도 내가 오로지 소설쓰기에만 골몰하여서 그럴 수도 있겠지만, 일찍이 상권 형의 찰지고 미더운 문장들은 소설가 이문구에서 보지 못한 또 다른 그만의 뭔가가 있었다. 나는 아마도 상권 형의 소설작품들을 기다렸던 게 맞다.

하지만 아쉽게도 몇 년 간 내가 직장에 다니게 되면서부터 상권 형을 만나지 못했다. 간간히 소식은 듣긴 했지만, 여전히 글에 대한 욕망만 가득한 나는 형을 보기가 민망했으리라. 얼굴을 맞대면, 형은 아무 말도 않고 깊은 눈으로 날 빤히 볼 테니.

그런 어느 날, 아내가 상권 형이 보내온 동화책 한 권을 내밀었다. 《하늘로 날아간 집오리》. 마지막 책장을 덮으면서 나는 두 가지 생각을 했다.

'동화에도 이런 문장을 쓰네. 아, 울림이 다르다.'

'상권 형하고 동화가 참 잘 어울린다.'

그리고 두어 해 뒤에 나온 《똥이 어디로 갔을까?》를 보았을 때, 나는 엉덩이를 들썩이며 소리를 쳤다.

"히야! 동화가 이렇게 재밌다니."

소설가 이상권이 아닌 동화작가 이상권을 왜 몰라보았을까? 나는 왜 진작 그걸 깨닫지 못했을까?

돌이켜보면, 상권 형은 문학회실 탁자에 우리를 앉혀 놓고 흥얼흥얼 초고 원고들을 읽어주곤 했다. 그건 농촌봉사활동을 갔을 때, 골목 어귀에서 수줍은 웃음을 짓던 아이이기도 했고, 비탈진 밭에서 종일 호미질 하는 할머니의 한숨소리이기도 했으며, 저녁 노을이 지고, 별이 내려앉는 마을이기도 했다. 그때는 그저 신기하고 재밌게만 여겼을 뿐, 상권 형이 보고 듣고 느끼는 것마다 이야기가 된다는 건 미처 깨닫지 못했다. 상권 형 깊은 눈 저 너머에 뭐가 있는지는 몰랐던 것이다.

다니던 직장을 그만 두고 몇 달이 지나서 나는 사우건 형을 찾았다. 상권 형의 집은 그새 한 번 더 이사를 한 뒤였다. 우리들이 이삿짐을 나르지 않은, 새 아파트였다. 이삿짐을 날라주지 못한 건 형에겐 좀 미안한 일이다. 바쁘단 핑계로 소식이 뜸했으니.

형이 눈치를 챘는지 먼저 대놓고 묻는다.

"그래, 요즘엔 글 좀 쓰니?"

"예. 얼마 전에 직장도 그만뒀어요."

형이 내 눈을 노려보며 다시 묻는다.

"그래? 각오는 돼 있어?"

…….

형이 말하는 '각오'는 몹시 무섭고도 절박한 것이란 걸 잘 안다. 평소에도 곧잘 이런 말을 하지 않던가.

'글을 쓸 땐 목숨을 바쳐라. 죽기살기로 써 보기나 하였느냐?'

바로 이게 형이 말하는 '각오'였다. 그랬다.

'형의 작업은 늘 처절한 싸움이었지. 난 여태 도망 다녔지만 형은 맞서 싸웠어. 상권 형은 말이 없고 수줍음도 많고 약해도 보이지만 참 무섭고 치열한 작가다.'

생각해 보니, 그때 처음으로 이제야 글을 쓰고 있다고 고백한 셈이다. 형을 만난 지 꼭 11년 만이었다. 그러고 나니, 이상하게도 상권 형이 덜 무서워졌고, 한편으로 치르지 못한 오래된 빚을 청산하는 기분이었다.

자고로 산다는 것

도봉산 자락에 있는 상권 형의 텃밭에 가는 재미는 보기보다 기대 이상으로 쏠쏠했다.

막걸리 한 병을 사들고 천천히 오솔길을 오른다. 그렇다고 뭐 특별한 얘기를 나누는 건 아니다. '문학이 뭔지.', '동화는 뭔지.' 남의 답답한 속을 아는지 모르는지 형은 언제나 그 텃밭 농사 얘기로 즐거웠다.

"신기하지? 이 땅은 감자는 안 되고 고구마는 잘 돼. 진짜 농부들은 땅에 뭘 심어야 잘 되는지 아는 거다."

"이것 봐라? 어젯밤에 두더지가 왔다갔나 보다. 왜 왔을까?"

"히히. 애벌레 이 자식들이 이파리를 다 갉아먹고 제 집을 대궐같이 지어 놨다."

…….

처음엔 형 얘기를 듣고 간신히 장단만 맞추고 낄낄거리는 정도일 뿐이었다. 나는 시골에서 자랐으나, 농사일하고 담쌓고 살았으니. 그러나 상권 형을 보면서는, 작은 텃밭 농사조차도 아무나 짓는 게 아니란 걸 깨닫는다. 그리고 더 나아가 동화도 아무나 쓰는 게 아니라는 것도. 더구나 형은 텃밭 농사, 풀잎 하나, 벌레 하나에서 뭔가를 볼 줄 알았다. 상권 형의 농사 얘기를 들으면 들을수록 내 귀엔 상권 형이 말하는 농사 얘기 하나하나가 글을 어떻게 써야 하며, 동화란 무엇인가에 대한 강의처럼 들렸으니 말이다.

참으로 이상하지만 절묘하게도 딱 들어맞는 얘기이다. 형은 그냥 얘기도 알레고리와 은유를 섞을 줄 아는 것이다.

용인 고기리 시골로 이사를 하고 형은 그림그리기에 푹 빠져 있다고 한다. 나뭇잎과 꽃과 풀, 눈에 잡히는 대로 그린다고 했다. 나는 딱 한 마디 "어울려요." 하고 대답했다.

지난 봄 집 언덕에 올랐을 때, 형은 손가락으로 여기저기를 가리키며 하나하나 이름을 말했다. 현호색, 노루귀, 각시붓꽃, …… 내 무딘 눈에 그저 파릇한 새순이거나 아무런 그냥 꽃이었으나 그제야 내 눈에도 그 하나하나 꽃과 이파리들이 새로이 보인다. '아이고, 난 아직 멀었구나.' 혼자 깊은 한숨을 쉰다.

며칠 전엔 사마귀가 집 귀퉁이에서 짝짓기를 하느라 온통 시끄러웠다고 했다. 사흘 밤낮 짝짓기하는 놈들을 구경하는 게 형이다. 벌레들도 작가를 알아보는 것이다.

상권 형을 생태동화작가라고 말한다. 그런데 내 생각은 좀 다르다. 나도 동화에 골몰하다 보니, 그 안에는 온갖 생명들이 숨을 쉰다. 사람과 온갖 자연이 동화 안에서 살아간다. 당연 수많은 목숨들과 그 존재에 대한 발견. 이런 건 동화를 쓰는 데 필연이다.

어쩜 그런 면에서 상권 형은 자연을 제대로 본 셈이다. 상권 형의 작품 안에는 그것들이 다 녹여져 있다. 적당히 생태 얘기나 하자는 게 아니다. 그 안에 우주를 담는 것. 인간 그리고 생명을 담아내는 것. 그건 아무 작가나 할 수 있는 직업이 아니다. 생태동화작가 이상권은 그 한 부분일 뿐이다. 거기엔 밤하늘 은하수를 품은 깊은 우물의 시간과 생각과 눈물이 담겨 있으니. 그 안에 그만의 우주를 담을 작정인지도 모르겠다. 도대체 무엇을 담을지 지켜보는 나는, 그 깊고 시린 눈이 부러울 따름이다.

상권 형의 작품《애벌레를 위하여》머리말에 이런 구절이 있다.

'……그럴 때마다 저는 가중나무고치나방 애벌레들이 사는 산에 가서, 녀석들이랑 똑같이 비도 맞았고, 찬바람이 부는 밤에는 산초나무 밑에 누웠습니다. 몸으로 애벌레들의 삶을 알고 싶었습니다. 저는 비바람 치는 밤에 알몸으로 몇 시간 동안 산초나무 밑에 서 있기도 했습니다……'

나는 이 작품을 다 읽고 다시 머리말을 한 번 더 읽으면서 진저리를 치고 말았다. 형은 진작부터 말하고 있었다. 작가는 어떠해야 하는지, 작가는 어떻게 글을 써야 하는지. 이야기란 무엇인지. 내 오래된 멍청한 질문들에 형은 온몸으로 말하는 작가다. 나에게는.

어린이와 함께 선생이 걸어온 길

1964년 전남 함평에서 태어남.

1991년 한양대 국문과를 졸업함.

1994년 계간 〈창작과 비평〉 가을호에 단편소설 《눈물 한번 씻고 세상을 보니》로 등
　　　단함.

1995년 소설 《그리운 시냇가》(세계사) 출간함.

　　　에세이 《삶이 있는 꽃이야기》(푸른나무) 출간함.

1996년 소설 《꽃 지고 새 울면》(웅진) 출간함.

1997년 동화 《하늘로 날아간 집오리》(창비) 출간함.

1998년 동화 《풀꽃과 친구가 되었어요》(창비) 출간함.

1999년 그림책 《보리밭은 재밌다》(길벗) 출간함.

2000년 동화 《똥이 어디로 갔을까》(창비) 출간함.

　　　동화 《겁쟁이》(시공주니어) 출간함.

2001년 동화 《애벌레가 애벌레를 먹었어요》(웅진) 출간함.

2002년 동화 《아름다운 수탉》(창비사) 출간함.

　　　동화 《아파트꽃밭》(보림) 출간함.

2003년 에세이 《들꽃의 살아가는 힘을 믿는다》(웅진) 출간함.

　　　그림책 《산에 가자》(보림), 《잘가 토끼야》(창비) 출간함.

2004년 동화 《황금박쥐 형제들의 모험》(창비) 출간함.

2005년 소설 《애벌레를 위하여》(창비) 출간함.

2006년 동시 《숲의 소리》(샘터) 출간함.

2007년 동화 《싸움소》(시공주니어) 출간함.

2008년 소설 《난 할 거다》(사계절) 출간함.

2009년 소설 《성인식》(자음과 모음) 출간함.

2010년 소설 《사랑니》(자음과 모음) 출간함.

2011년 소설 《발차기》(시공사) 출간함.

2012년 소설 《하늘을 달린다》(자음과 모음) 출간함.

2013년 그림책 《눈미끄럼 타는 할아버지》(시공주니어) 출간함.

2014년 소설 《마녀를 꿈꾸다》(시공사) 출간함.

　　　동화 《왕방귀아저씨네 동물들》(이마주) 출간함.

2015년 에세이 《야생초밥상》(다산책방), 《엄마의 꽃밥》(다산책방) 출간함.

2016년《옛 그림 속에 숨어있는 상상동물》(현암사) 출간함.

동화《딱새의 복수》(시공주니어) 출간함.

한국 아동문학가 100인

이준섭

대표 작품
〈푸른 꿈 칭칭 감는 담쟁이〉 외 1편

작품론
농본적 서정의 정겨움과 함박웃음의 넉넉함

인물론
집념과 끈기의 시인

어린이와 함께 선생이 걸어온 길

푸른 꿈 칭칭 감는 담쟁이

소나무 칭칭 감고
솔잎 보며 꿈을 펴다

높고 깊은 푸른 잎을
칭칭
층층
올라와서

오늘도
푸른 꿈을
칭칭
높이높이 펴는
담쟁이.

물방울꽃

잎 다 진 나뭇가지
첫눈 쌓인 나뭇가지
해 떠오르자 눈 녹아
물방울꽃 조롱조롱
추워서
더 맑게 빛나는
햇살구슬 눈부시네.

앙상한 나뭇가지
물방울꽃 송알송알
따 먹으려 손 대자마자
물구슬로 흘러내리네
앙상해
더 해말간 나뭇가지
봄꿈 하나 안겨주네.

농본적 서정의 정겨움과
함박웃음의 넉넉함

김종헌

고통을 이겨낸 할아버지의 "또랑또랑"한 이야기

여름밤엔 / 동그랗게 둘러 앉아 / 수제비죽을 호록호록 먹는다. // 양판 가득 후룩후룩 먹으면서 / 이
야기꽃 꽃피우는 할아버지 곁엔 / 쑥향 짙은 모깃불이 피어오른다. / 더덩그런 보름달도 떠오른다. //
별꿈이 뜨락 가득 새록새록 쌓일 때 / 꼬마 동생은 할머니 품에 쌔근쌔근 잠들고 / 집은 풀벌레 울음
속에 안겨 깜박깜박 잠들고 / 마을은 달빛 속에 안겨 소록소록 잠들고. // 별빛 달빛 꿈자락이 소복소
복 쌓이는 / 동그란 멍석 위 오순도순 우리 형제들은 / 밝고 고운 꿈 속에서 선녀가 되어 / 달나라로
별나라로 / 날아다니고 있다.

– 〈멍석〉[1] 전문

멍석에 둘러앉아 저녁을 먹는 다정한 가족의 모습에서 전원적 삶의 편안함을 느낄
수 있다. "멍석"은 곡식을 말리기 위해서 짚으로 짠 자리이다. 그런데 이 동시에서는 멍
석이 가족 간의 소통을 위한 중요한 공간으로 설정 되어 있다. 온 가족이 둘러 앉아 저
녁을 먹으면서 "이야기 꽃"을 피우고 있다. 이러한 풍경은 바쁜 오늘을 사는 우리들에
게는 부럽기만 한 장면이다. 그런데 여기에 인간만 있는 것이 아니라 인간과 자연이 함
께 있다. 이 열린공간은 산업화나 디지털시대에는 찾아 볼 수 없기에 그립기만 한 동경
의 대상이다. 분명 지난 시절에 있었던 과거이지만 오늘날에는 동경의 대상이 되어 있
는 멀어진 공간이다. 저녁을 먹는 곁에 "쑥향 짙은 모깃불"이 피어오르고 "더덩그런 보
름달"이 떠올라 밝혀 주고 있다. "풀벌레 울음"도 반찬이 되고 "달빛"도 반찬이 될 수
있다. 이준섭 시인은 이처럼 농촌을 영원히 그리워 할 수밖에 없는 이상적인 공간으로
형상화 하고 있다. 여기서 주목할 것은 첫 동시집《대장간 할아버지》이후《내 짝꿍 개
똥참외 녀석》,《아이들이 우르르 쏟아 내는 아침햇살》에 이어 제4동시집인《옛이야기
들려주는 황금빛 은행나무 할아버지》까지에 나타나는 일관된 정서는 농경 사회의 문화
를 바탕으로 하고 있는 것이다. 그러나 이 농촌의 모습에서 탈농과 이농에 대한 쓸쓸함

---

1   이준섭, 《내 짝꿍 개똥참외 녀석》, 시대문학사, 1991.

이나 농촌의 전원적인 삶을 막연히 동경하는 것이 아니라는 점이다.

디지털 시대를 산다고 해서 농경 사회와 산업 사회의 질서가 사라진 것은 아니다. 그러나 대부분의 가치가 디지털에 의존하고 있기에 우리는 그 편리함에 매몰되어 지난 것에 대한 가치를 잊어버리고 있다. 자본주의의 메커니즘과 정보와 문명의 편리 속에서 농본적인 정서는 어떤 의미를 가질까? 특히 디지털 시대에 태어나서 디지털적인 사고를 하며 자라는 어린이들에게 전통적인 농본의 정서는 어떻게 받아들여질까? 그들에게 농본의 정서는 잊힌 것이 아니라 새롭게 알아야 할 지식일 뿐이다. 아직도 농경 사회와 산업 사회의 질서와 정서가 공존하고 있지만 요즘의 어린이들에게 그것은 낯선 것이 분명하다. 그들은 이러한 정서를 토속적, 또는 전원적이라는 수식어를 붙여가며 이해해야 한다. 아니 농업 박물관을 견학하며 그 시대의 삶을 학습해야 할지도 모른다.

근대 문명의 급속한 발전이 우리들의 생활을 위험하게 하고 또 기계와 센서가 인간을 소외시켰다고 하면 그들은 상당히 의아한 표정으로 고리타분한 옛이야기를 한다며 고개를 가로저을 것이다. 그러나 어른은 분명 이러한 문명과 자본과 속도라는 근대적인 단어 앞에서 농본적 세계에 대한 아련한 기억을 떠올리며 회상에 빠지며 그때의 인정을 그리워 할 것이다.

이러한 어린이와 어른의 생각의 차이를 고민한 동시 시인이 이준섭이다. 그는 어떻게 하면 인간적인 냄새와 인정을 요즘의 어린이들에게 전달할까 하는 것을 고민하였다. 이것은 단순히 어른이, 시골 출신의 어른이, 도시의 삶에 회의를 느껴서 던지는 푸념이나 탈고향의 막연한 쓸쓸함과는 차별적이다. 사실 전통과 현대 사이에서 갈등하고 전통지향적인 시를 고민한 것은 어제 오늘의 일만은 아니다. 과거 수많은 시인들이 이러한 정서적인 차이를 고민하고 또 동경하며 그것을 표현하였다. 그러나 일관된 목소리로 어린이를 대상으로 하여 한평생을 갈등한 시인은 그리 흔치만은 않다.

망가져 못 쓰게 된 쇠붙이를 모아 / 쓰다쓰다 다 닳아진 쇠붙이도 모아 / 녹슬고 거칠어진 쇠소리도 모아 / 구석에서 썩고 있는 어둠을 밝혀 / 땀흘리며 낡은 풀무 빙빙 돌리면 / 푸른 꿈 푸른 햇살 활활 타올라 // 아직도 땜때울 것 무척 많은 듯 / 오늘도 고쳐 만들 것 참 많은 듯 / 내일 위해 새로 만들 것 참 많은 듯 / 또랑또랑 또또랑 망치질 소리 / 콩알만한 땀 흘리며 일만 하시는 / 대장간 할아버지도 계신단다야.

  – 〈대장간 할아버지〉[2] 전문

---

2 이 동시는 1981년 7월 〈소년〉에 발표된 것인데, 이준섭 시인의 첫 동시집인 《대장간 할아버지》(진명출판사, 1986)에 수록되어 있다.

인용 동시를 두고 생각해 볼 것은 "대장간"이라는 시어이다. 이는 이 동시가 발표된 1981년의 시대적 상황과는 상당한 거리감이 있다. 다시 말하면 당시의 시대적 상황에 맞지 않는 정서가 배어있는 시어라는 것이다. 그래서 급격한 산업화의 시대적 과업이 달성되던 산업 사회의 중심에서 대장장이 할아버지에 대한 이야기를 풀어놓는 이유가 궁금하지 않을 수 없다. 이는 이준섭의 동시집 전체를 보면 다소 의문이 풀린다. 그의 첫 동시집은 "할아버지"가 많이 등장한다. 세대가 다른 어린이들이 어른이 된 시인의 지난 일을 거부감 없이 듣게 하려는 의도로 "할아버지"를 등장시켰다. 시인은 어린시절을 농촌에서 보낸 것이 분명하다. 그러나 '아버지'의 삶을 이야기 하는 것이 아니라 "할아버지"의 삶을 이야기함으로써 어린이 독자들에게는 더 먼 옛날의 농경적인 생활이었음을 짐작하게 하고 있다. 그리고 "내 짝꿍 개똥참외 녀석"이 등장한다. 이로써 두 가지를 생각할 수 있다. 어린 시절의 핍진한 삶을 바탕으로 한편으로는 그리움에 빠지고 또 한편으로는 그것을 지금의(또는 당시의) 어린이들에게 들려주려는 것이다. 이를 위한 시적 장치로 "할아버지"와 "개똥참외 녀석"을 등장시켰다고 볼 수 있다. 즉 "개똥참외 녀석"이 짝꿍으로써 어린 시절의 기억을 되살리는 역할을 한다면, "할아버지"는 어린이들에게 과거의 삶을 이야기하는 매개물임과 동시에 그 삶을 이야기하는 화자가 되는 것이다. 이러한 시적 장치를 통해서 시인이 이야기 하고 자하는 것은 "망가져 못 쓰게 된"것을 고쳐 쓰는 아낌의 정신과 "내일을 위해" "땀 흘리는" 산업 사회의 성실한 시대정신이다. 이처럼 시인은 "어둠을 밝혀" "내일을 위한" 삶을 살았던 이야기를 들려주고 있다. 한편 인용 시에 나타난 "아직도"라는 시어는 지금 들려 주는 이야기가 현대에 흔치 않은 것이 분명하지만 가치 있는 것임을 짐작할 수 있다. 또 "계신단다야."라는 간접 화법을 선택함으로써 그러한 모습이 (옛날에는) 있었다는 것을 들려주기 위한 것임을 알 수 있다. 이러한 시어를 선택한 것은 시인이 과거의 경험 속의 정서를 어린이들에게 강요하지 않기 위함이다. 즉 간접적인 방법으로 들려만 주는 형식을 취함으로써 어린이들의 거부감을 무마시키고자하는 시인 특유의 표현으로 볼 수 있다. 이러한 표현의 특징은 〈엿장수 할아버지〉 등 많은 동시에서 확인된다. 그의 동시에 등장하는 할아버지들은 "일제시대의 무서운 어둠"과 "6·25사변의 피 묻은 어둠에"(〈땜장이 할아버지〉) 젊음을 바친 분들이다. 시인은 이들의 이야기를 들려 줌으로써 산업화된 사회에서도 "또랑또랑 망치질"을 하고 또 "골목길"을 다니며 엿을 팔고, 또 "시골 장터 어둔 골목길 모퉁이에서" "별로 할 일도 없는 것 같은" "땜질"을 하며 시대적 아픔과 고통을 극복하고 있음을 전달하고 있다. 이준섭 시인은 이러한 할아버지의 구멍 난 삶을 어린이들에게 들려주고 싶었던 것이다.

노스텔지어를 자극하는 농본적 정서

그의 첫 동시집에는 장독대, 누에고치, 호미, 깨꽃, 골무, 바느질, 족두리, 두레박, 표주박 등 농경 사회의 유물을 나타내는 시어들로 그득하다. 이는 그가 자연과 함께 사는 시골의 모습을 담아 간직하고 싶었기 때문이라 생각된다. 1980년대 초는 산업화의 문명이 가난을 없앴지만 그 반대급부인 인간의 소외와 인정의 메마름은 근원적인 세계로서의 노스텔지어를 자극하는 것이 분명하다. 그것은 다음 동시에서 잘 나타나 있다.

비 오는 날 시골 버스 / 흙탕물 버스 // 자빠져도 흙 묻어도 / 꼬시런 버스 // 비 오는 날만 타는 버스 / 신나는 버스 // 울퉁 불퉁 시골길을 / 물장구치네. // 시골의 만원 버스 / 장날 버스죠 // 강아지, 닭, 돼지, 오리…… / 고추, 마늘, 깨…… / 사람 설 곳 없어도 / 뛰는 생선들 // 십리도 못 왔는데 / 시장된 버스.

– 〈시골 버스〉[3] 전문

시골 장날 운행하는 버스는 "강아지, 닭, 돼지, 오리" 등 가축과 "고추, 마늘, 깨" 등 야채 그리고 "생선들"까지 함께 타서 "십리도 못 왔는데 / 시장"(〈시골 버스〉)이 되어 버리는 북새통이다. 이러한 모습은 분업화된 컨베이어 벨트 앞에서 똑같은 제복을 입고 앉아서 규격품을 만들어내는 산업화의 삶에 비해 인정이 넘치고 여유로움이 있다. 서정시가 지향하는 동일성은 문명적 세계에 있기 보다는 농경적 세계에 더 가까이 있다. 이러한 농경 사회에 대한 회상은 자연과 고향의 정서를 물씬 느끼게 한다. 이 여유로운 공간에서 시인의 체험을 바탕으로 구체적인 놀이와 농촌의 모습을 실감나게 엮어 낸 것이 연작 동시 〈내 짝꿍 개똥참외 녀석〉[4]이다. 이는 체험이 밑바탕에 있기에[5] 보다 현장감이 더하다. 그런데 문제는 이러한 농촌의 정서를 바탕으로 한 것이 탈농의 안타까움이 아니라는 것이다. 다만 희망과 사랑의 인정을 나타내고 고향에 대한 그리움을 형상화 하고 있을 뿐이다. 또 과거의 가난과 아픔을 이겨내려는 강한 의지를 보이고 있다. 이것은 그의 동시에 나타나는 꿈, 봄꿈, 무지개, 파란, 땀방울, 땀 흘리며, 바쁘게 등의 시어가 그것을 뒷받침 해 준다.

3 이준섭, 《대장간 할아버지》, 진명출판사, 1986.

4 〈내 짝꿍 개똥참외 녀석〉은 첫 동시집(《대장간 할아버지》, 진명출판사, 1986)에 33편이 수록되어 있고, 그의 두 번째 동시집(《내 짝꿍 개똥참외 녀석》)은 이것을 표제어로 하여 발표하였다. 여기에는 8편이 수록되어 이 동시는 총 40편의 연작으로 마무리되어 있다.

5 나는 이준섭 시인을 개인적으로 잘 모른다. 다만 이번 작품론 청탁을 받고 두 차례 전화 통화를 한 것이 전부이다. 그래서 혹시 이러한 시인의 개인적인 삶에 대한 판단이 잘못될 가능성도 있다. 내가 이렇게 시골 체험을 '핍진한'이라는 표현을 써 가면서 이야기하는 근거는 동시집에 나와 있는 그의 이력을 참고로 한 것이다. 그는 전북 부안에서 출생하여 첫 동시집을 발표할 당시는 서울에 살고 계셨다. 이러한 사실로 미루어 시골의 어린 시절에 대한 경험을 형상화시키기 위한 시적 수단으로 "개똥참외 녀석"을 등장시켰다 볼 수 있다.

할머니께서는 / 한 여름 땡볕 에서도 / 밭두렁에 앉아 / 못 쓸 잡풀들을 캐내신다. // 땀범벅 흙범벅 / 잡풀 범벅된 밭고랑에서 / 용케도 잡초만 골라 캐시며 / 조그만 땅뙈기를 조금씩 넓혀 가신다. // 쉼 없는 손 끝에 / 땀띠 솟은 목덜미에 / 바람 소리인 듯 / 소쩍새 울음 소리인 듯 / 구우르는 땀방울이 여. // 한여름 불볕 속에서도 / 우거지는 푸르름이 대견스러워 / 땀범벅 흙범벅 된 무딘 호미로 / 해종 일 가난의 뿌리를 캐내신다.

– 〈할머니와 호미〉[6] 전문

땡볕에 앉아 잡풀을 뽑아 내며 "땅뙈기를 조금씩 넓혀 가"시는 할머니는 대장간 할아 버지가 "또랑또랑 망치질로" 어둠을 밝혀 내일을 위해 사는 모습과 닮았다. 이것은 농경 사회의 기본적인 삶의 방식이다. 그러나 할아버지의 망치질과 할머니의 호미질은 남녀 에 따라서 노동의 정도가 다른 농경 사회의 단면을 그대로 보여 주고 있다. 이렇듯 남성 과 여성의 역할은 달랐지만 그 노동의 내면에 있는 근면·성실한 삶의 태도는 동일한 것이 다. 그것은 "해종일 가난의 뿌리를 캐내"신 할머니와 "땀 흘리며 낡은 풀무를 빙빙 돌리" 던 할아버지에서 확인된다. 이러한 사실은 농촌에 대한 막연한 관념을 없앤 이준섭 동시 의 특징으로 꼽을 수 있다. 곧 삶의 핍진성이 밑받침된 구체성의 미학이라 할 수 있다.

이처럼 제1시집에서 제2시집을 가로지르는 시적 상상력은 농경 사회의 성실함을 들 려주려는 "할아버지"의 마음이 들어 있다. 그러면서 "내 짝꿍 개똥참외 녀석"을 등장시 켜 시골의 풍경을 회상하면서 인간적인 정서를 들려주고 있다.

그리운 "개똥참외 녀석"

"내 짝꿍 개똥참외 녀석"은 "풀섶길"에서도 만나고, 어쩌다 들린 "시골 국민학교"에 서도 만난다. 또 "시골 고향에 오면" 생각나기도 하고, "유행가를 부르는 아이"를 볼 때 도 생각나는 어린시절의 단짝친구이다. 시인은 이렇게 "내 짝꿍"을 동시에 불러내어 어 린시절 생활을 어린이 독자들에게 들려주고 있다. 그래서 독자는 이 동시들을 옛날이 야기 듣는 것처럼 쉽게 읽어갈 수 있다. 이 연작 동시에는 게 잡기, 참외 서리, 보릿고 개, 병정놀이, 썰매타기, 연날리기, 감꽃 목걸이, 땅뺏기 놀이, 재기 차기, 삐비뽑기, 구슬치기, 이삭줍기 등 농경 생활을 바탕으로 한 놀이가 많이 나타난다. 어린이 독자 들에게 이것들은 전래 놀이라 이름 붙여 그 놀이 방법을 하나하나 배워가야 할 것이다. 어쩌면 흥미가 없는 것일지도 모른다. 그래서 시인은 "–난다", "–었지"처럼 서술어의 시제를 모두 과거로 처리하여 단순하게 그러한 기억을 재생시키고 있다. 이로써 "구수

---

6 이준섭, 《대장간 할아버지》, 진명출판사, 1986.

한 사투리"같은 인정을 담아내고 있다. 이러한 시적 세계에는 갈등이 없다. 즉 서정성이 짙은 농촌의 모습과 그 속에서 자연과 어울리는 삶을 통해서 인간과 인간이 어떻게 어울려 살아야 하는가에 대한 답을 찾고 있다. 그것이 산업화의 한복판에서 발표되었다는 점에서 그 의의가 있다. 농본적 토대가 축소될수록 그에 비례해서 인간성이 상실되는 현실을 안타까워하며, 동심의 동일화로 그 회복을 꿈꾸고 있는 것이다.

마음껏 먹고 놀며 살수 있는 / 아주 커다란 꿈의 동그라미 속에서 / 가위 바위보를 해서 / 자기 땅을 조금씩 넓혀가는 / 땅뺏기놀이를 하곤 했엇지. // 가위바위보를 해서 이겼을 때 / 엄지손가락을 중심으로 / 자기 손의 한뼘만큼씩 / 땅을 넓혀가곤 했었지. // 가위 바위 보도 하지 않고 / 돈으로만 많은 땅을 몽땅 사서 / 벼락 부자가 되었다는 / 복부인 얘기를 들었을 때는 //

어쩌다 / 땅뺏기 놀이에서 / 가장 정정당당히 딴 많은 땅을 / 골고루 다 되돌려 노놔주던 / 내 짝꿍 개똥참외 녀석이 / 몹시도 생각나곤 한다.

— 〈내 짝꿍 개똥참외 녀석·19—땅뺏기 놀이-〉[7] 일부

위의 동시에서 어린이들의 놀이에 일정한 규칙이 있음을 알 수 있다. "가위 바위 보"가 그것이다. 이 규칙을 지키며 "정정당당히" 많은 땅을 넓혀가는 것이 땅뺏기 놀이의 핵심이다. 그러나 이 동시의 시적 배경은 땅 투기가 일어나던 때임을 알 수 있다. "복부인"과 "벼락부자"라는 단어를 통해서 급격한 산업화로 인한 개발에 맞춰 부자들이 개발지역의 땅을 투기목적으로 사두고 돈을 번 시대적 상황을 엿볼 수 있다. 시인은 이러한 시대에 그것이 잘못 되었음을 지적하면서 어린 시절에 정정당당히 땅을 넓혀가던 그 놀이를 회상하고 있다. 그리고 놀이가 끝나면 "딴 많은 땅을 골고루 다 되돌려 노놔주던" 그 짝꿍을 그리워한다. 산업화로 인한 자본의 폭력성에 대한 비판이자 농경 사회의 정직함이 잘 드러나 있다. 이것이 이준섭의 동심이다. 어린이들 끼리 하는 "땅뺏기 놀이"에는 갈등이 없다. 놀이를 하는 그 순간 땅을 넓히려고 했지만 놀이가 끝나면 다시 골고루 나누어 주는 그 행위는 갈등과 삶의 모순에서 벗어나 동일성에 이르는 과정이다. 시인이 그의 체험을 들려주는 의도가 바로 이러한 진정성에서 비롯된 것이다.

이준섭 시인의 이러한 근원적 세계에 대한 동일화의 꿈은 그 공간이 어디든지 간에 펼쳐진다. 그리고 그 방식은 한결 같다. "옛날 옛날 한 옛날이야기를 / 재미있게 들려주"(〈골동품 가게〉, 〈내 짝꿍 개똥참외 녀석〉)는 식으로.

7 이준섭, 《대장간 할아버지》, 진명출판사, 1986.

한결같은 즐거움과 소박한 함박웃음

　제3시집인 《아이들이 우르르 쏟아내는 아침햇살》에는 〈동그라미〉의 연작[8]이 이어지고 또다시 새롭게 〈아침햇살이〉를 연작시[9]로 발표한다. 이 연작시에 나타난 시어들을 살펴보면 다음과 같다. 새 하늘, 꿈방울, 새소리, 초록빛, 꿈 가루, 흰 구름꽃, 꽃구름, 빛구슬, 해맑간 얼굴, 힘찬 발길, 눈부심, 밝은 웃음, 꽃봉오리, 솟구쳐 등이다. 이들 시어에서 짐작할 수 있듯이 〈아침햇살이〉 연작은 모두 상생의 희망적인 이미지를 담고 있다.

　장마철 / 비 개인 아침 한때 / 물구슬 굴리는 아침 햇살이 / 새 세상 하나 펼쳐놓고 있다. // 안개 속의 산봉우리 잡힐 듯 다가서고 / 푸른 잎들 이슬구슬 쏟아 놓고 / 아이들도 우르르 쏟아져 나오고. // 음빛 금빛 물구슬 반짝거리는 / 아스팔트 위에서 떠는 아이들 / 풍선이 되어 하나씩 둘씩 떠오르고 / 하늘에는 꽃구름송이 피어오르고. // 숲 그늘 같은 바람을 흠뻑 들이마신 / 유리나는 아침햇살을 칭칭 감고 / 생선비늘 같은 노래 구절들을 쏟아 놓는다. / 푸른 강물 따라 흘러간다. // 저 멀리 강 건너 고층 아파트들이 / 큰 삼촌의 조각품처럼 아츰다운 / 눈부심의 새 세상 하나 / 아침 햇살이 펼쳐 놓고 있다.

– 〈아침 햇살이·14〉[10] 전문

　인용시는 장마 끝에 만나는 햇살의 반가움을 여러 각도에서 표현해 놓고 있다. 장마 중이지만 잠시 "비 개인 아침 한 때"의 모습을 시각적으로 형상화하였다. 멀리 있던 산봉우리가 안개 속에서 시야에 환하게 들어오고 나뭇잎에 맺힘 이슬이 상큼하게 다가온다. 이러한 햇살의 반가움을 무엇보다도 즐거워하며 "우르르 쏟아져 나오는" 어린이들의 모습에서 장마가 얼마나 지루했던가를 짐작할 수 있다. 이처럼 아침햇살은 "집집마다 새 하늘을 하나씩 내려놓고"(〈아침햇살이〉2) 이러한 시적 상황과 문법은 전체 20편에 고르게 나타나고 있다. 한결같이 "아침햇살"은 푸른 들판에, 창가에, 새벽 산길에, 새벽 풀밭에, 산모롱이 미끄러운 언덕길에 비치고 있다. 늘 부지런한 사람의 뒤를 따라서. 그래서 얼었던 땅을 녹여 주고, 새 잎을 돋게 하고, 탐스런 꽃봉오리를 피우고 있다. 다소 구태의연한 느낌이 있지만 이 아침햇살의 환희와 아름다움 속에 묻어둔 사랑

8　동시 〈동그라미〉 연작은 제2동시집 《내 짝꿍 개똥참외 녀석》(시대문학사, 1991)에 12편이 수록되어 있고 제3동시집 《아이들이 우르르 쏟아내는 아침햇살》(대교출판사, 1994)에 13편이 수록되어 총 25편으로 완결된 연작 동시이다.

9　〈아침햇살이〉 연작은 총 20편으로 제3동시집에만 수록 되어 있다. 그의 네 번째 동시집 《옛이야기 들려주는 황금빛 은행나무 할아버지》(정인출판사, 2008)에 〈아침햇살이〉라는 동시가 수록되어 있으나 이는 연작이 아닌 독립적인 동시로 발표하였다. 그러나 시적 정서는 연작 동시와 비슷한 이미지를 지니고 있다.

10　이준섭, 《아이들이 우르르 쏟아내는 아침햇살》, 대교출판사, 1994.

의 의미를 읽어 낸다면 이 연작 동시의 가치를 느낄 수 있을 것이다.

　한편 〈동그라미〉 연작 동시도 시적 이미지는 이와 비슷하다. 동그라미가 갖는 부드러움과 미끄러움, 나아서는 원만함의 정서를 생활 속에 대입시켜서 동시로 형상화하고 있다. 즉 꽃망울, 까치소리, 생일 선물, 산타 할아버지, 새 달력, 생일 케이크, 스케이트, 외갓집 가는 길 등 주변의 구체적인 사물이나 소리를 모두 동그라미의 이미지로 그려내고 있다. 그것은 때로는 반가움이고 또 설렘이며 기쁨과 행복이다. 이처럼 이 〈동그라미〉 연작시를 관통하는 정서는 희망과 정겨움의 동심이다.

문득 날아온 편지 / 까치 소리 같은 편지는 / 동그라미. // 내 짝꿍의 편지로구나 / 전혀 뜻밖의 편지로구나 // …… (중략) …… // 편지로 듣는 짝꿍의 목소리는 / 가슴을 울려 주는 동그라미. / 오래오래 간직하고픈 동그라미.
　－ 〈동그라미·19〉[11] 일부

구불구불 산길 따라가는 / 외갓집 가는 길은 / 동그라미. // …… (중략) …… // 외할머니 손길처럼 새하얀 물 졸졸 흐르는 산 속 / 꼬불꼬불 산길 따라 외갓집 가는 길은 동그라미. / 방학하면 맨 먼저 가 보고 싶은 동그라미 길.
　－ 〈동그라미·25〉[12] 일부

　〈동그라미·19〉는 편지를 받는 기쁨을, 〈동그라미·25〉는 방학 때 외갓집에 가는 설렘을 표현하고 있다. 늘 같이 있어 쫑알쫑알 다정하게 이야기를 하지만 할 말이 남아 있는 듯한 것이 어린시절 친구 사이이다. 한편 시골에 있는 외갓집을 가는 설렘과 기쁨도 어린시절 빼 놓을 수 없는 즐거움 중의 하나이다. 이처럼 그의 동시는 한결같은 즐거움과 어린이들의 기쁜 생활을 담고 있다. 그러면서도 제1동시집에서 이어오던 전통적인 것의 가치와 소중함은 여전히 이어가고 있다.[13] 즉 일하는 할머니와 할아버지의 모습을 통해서 풍성하고 여유 있는 농본적 삶을 그려내고 있다. 다음 동시 〈함지박〉을 읽어보자.

할아버지의 힘든 일을 지게가 할 때 / 할머니의 힘든 일은 함지박이 했다. // 모처럼 호박떡을 할 때도 / 함지박에 버무려 앉혀야 더 달콤하다. // 어쩌다 김치를 담을 때도 / 함지막에 버무려야 더 맛이

11　이준섭, 《아이들이 우르르 쏟아내는 아침햇살》, 대교출판사, 1994.
12　위의 책.
13　이는 시인의 세 번째 동시집 《아이들이 우르르 쏟아내는 아침햇살》에도 "바지랑대", "시루떡", "지게", "간장 항아리", "자리끼", "조리질", "함지박" 등의 농경 문화의 갖가지 사물들이 등장하고 있는 것으로 알 수 있다.

있다. // 산밭에만 나가시면 / 함지박 가득 깨를 털어 담는다. / 잘 익은 풋고추도 따 담는다. / 물컹물컹 잘 익은 감도 따 담는다. / 자루 가득, 푸대 가득, 가마니 가득 채워 준다. // 오늘도 잘 여문 곡식을 가득가득 담아 / 머리에 이고 함박함박 웃으시며 들어오시는 / 할머니의 함지박.

　– 〈함지박〉[14] 전문

　　이 동시는 할머니와 함께 한 유년의 기억을 담고 있다. 그것은 작은 함지박에 깨, 고추, 감, 곡식들을 가득 담고 함박 웃으시는 할머니의 모습 속에 나타난 풍족함과 여유이다. 이것은 서정적 공간으로서의 농촌이 아니라 생산의 공간으로써의 농촌을 배경으로 했기에 가능하다. 이는 농본적 삶의 원리가 몸에 밴 이준섭 동시의 한 특징이다. 시인은 꼭 보존해야 할 가치가 있는 것을 "함지박"에 담아 두고 있다. "함지박"이 환유하는 농경 사회는 자본의 논리에 따라서 이윤을 창출하는 것이 아니다. 소규모의 자급자족형이거나 아니면 영세한 농가의 모습이다. 그 작은 함지박이지만 직접 가꾼 농산물을 갖가지 담고 돌아오는 할머니의 웃음이 주는 의미는 여러 가지이다. 먼저 농경 사회의 남성 중심의 세계에서도 스스로 일을 지켜나가는 생활의 중심에 선 할머니의 모습이다. 가부장적 농경 사회에서 할아버지의 "지게"에 대응하는 "함지박"을 통해서 할머니는 생활의 터전을 지켜오고 있다. 또 다른 면은 "오늘도 잘 여문 곡식을 가득가득 담"는 한결같은 풍성함이다. 그래서 할머니는 자상함을 넘어서 농경적 세계를 지탱하는 중심이다. 이것은 "함지박"을 늘 곁에 두고 김치를 담는 살림살이부터 산밭의 깨를 털어오는 농사일에 이르기까지 함께 하는 할머니에서 확인할 수 있다. 이 동시가 실린 동시집이 발간된 시대가 1994년이다. 이때는 정보 사회로 진입하여 각 가정에 개인용 컴퓨터가 빠르게 보급되고 있었으며 국민 소득이 2만 달러에 육박하고 있던 그 시대였다. 이러한 문명과 경제적 풍요 속에서도 소박한 농경의 모습을 잊지 못하고 있는 시인은 그 정서를 혼자 간직하기에는 가슴이 너무 무거웠을 것이다. 문명과 풍요의 즐거움 속에서 함지박의 소박한 함박웃음이 있었음을 잊지 않게 하려는 것이 아닐까.

　　그러나 이러한 전통적인 소재는 제3집에서는 제1집의 그것과 약간의 차이가 있다. 즉 제1집이 그리움과 과거에 대한 회고적이라면 여기서는 행복과 어머니의 사랑이 그 중심에 놓여 있다. 그리고 "동그라미"를 통한 밝음의 지향을 특징으로 꼽을 수 있다.

다시, 옛이야기를 들려주는 할아버지

　　문명은 끊임없이 발달되어 왔으며 앞으로도 계속 이어질 것이다. 따라서 어린이들

14　앞의 책.

은 농경 문화와 산업 사회의 정서를 점점 더 잊어 갈 것이다. 이는 어린이들뿐만 아니라 어른도 마찬가지이다. 그러나 그 시대를 살아온 세대는 자본과 문명에 축소되는 세계에 대한 미련이 더욱 강하게 남을 것이다. 이러한 서정적 정서는 농촌과 자연에 대한 시적 탐구로 이어지게 마련이다. 그래서 일까? 이준섭 시인은 해방 직후 태어나서 전쟁을 겪고 격동의 재건기를 거치면서 가난을 체험했고 또 개발 독재의 성장 속에서 '밥'만으로 살 수 없음을 몸으로 체험하였다. 이러한 가난, 전쟁, 그 극복, 독재로 얼룩진 세월을 민주화와 지식 정보 사회를 맞았음에도 불구하고 농촌과 농본적 상상을 떨쳐 버릴 수 없었던 모양이다.

제4시집인 《옛이야기 들려주는 황금빛 은행나무 할아버지》(정인출판사, 2008)는 지금까지 발표된 동시의 최종판이라 해도 과언이 아니다. 즉 제1시집에서 나타난 "할아버지"의 실체가 드러나 있다. 바로 '옛 이야기'를 들려주고자 하는 "할아버지"이다. 시인은 이제 스스로 할아버지가 되어 반문명적인 삶의 모습을 들려주고 있다. 여전히 등장하는 시제는 "절구통", "복조리" 등 농경 문화의 산물이며, "나팔꽃", "개나리 꽃" 등 자연을 대상으로 하고 있다. 시적 문법도 종전과 유사하다. 즉 시인이 전달하고자 하는 메시지를 옛이야기 들려주듯 하려는 의도에서 "-곤 했었지"와 같은 과거 시제를 사용하고 있다. 그리고 그 정서도 '나누는 것'에 대한 즐거움이나 욕심을 버리고 자연과 함께 순리대로 살고자 하는 바람을 담고 있다.

> 할머니께서는 / 해마다 복조리 거시며 하는 말씀 / "복은 욕심을 버리고 / 꿈은 씨앗을 심는데서 오느니라." / 올해엔 나도 꿈의 씨앗을 심게 / 복조리나 하나 사 둘까.
> – 〈복조리〉[15] 일부

위의 동시에서는 금기 많고 자연 앞에 조심했던 농경 사회의 조상들의 모습을 엿볼 수 있다. 정초에 "복조리"를 걸어두는 풍습은 거저 복을 많이 받기를 바라는 것이 아니라 "욕심을 버리고" "꿈의 씨앗을 심"는 것이다. 이처럼 복은 그냥 바라기만 해서 오는 것이 아니라 능동적이고 적극적인 행동을 통해서 얻어지는 것임을 분명히 하고 있다. 정보 사회를 살면서 무한 경쟁의 메커니즘은 인간에게 횡재에 대한 기대를 더 부풀리고 있는 것도 사실이다. 이러한 현실에서 인용동시는 사물화 되어가는 인간에게 노력과 분수를 아는 것이 참으로 중요하다는 것을 일깨워 주고 있다. 복은 꿈의 씨앗을 심어 두어야 온다는 할머니의 가르침은 섬세하고 일상적이다. 시인은 과거 어린 시절

---

15 이준섭, 《옛이야기 들려주는 황금빛 은행나무 할아버지》, 정인출판사, 2008.

에 할머니에게 들었던 잔소리 같은 가르침을 정확하게 기억하고 있다. 이 가르침은 자본과는 거리가 있는 자연적 질서이다. 오랜 세월을 살면서 터득한 삶의 원리가 들어 있다. 자연과 더불어 살며, 인간과 더불어 사는 갈등이 없는 사회에 대한 열망은 이러한 당연함이 현실에 없기에 더 애절하게 들린다. 오늘의 우리는 "절구통에 떡쌀을 넣고" "절구공이를 내려치"면 그 소리가 마을 고샅길을 따라 울려 퍼지는 소박함이 있는 공간이 그리운 것이다. 거기에는 인정이 있기 때문이다. "김이 모락모락 나는 떡을 / 이웃집 마다 돌리며 / 웃음꽃이 자갈자갈 피"(〈절구통〉)는 공간이 바로 그곳이다. 이처럼 절구통은 농경 사회의 생활도구를 넘어서 인정이 넘치는 사회 모습의 환유이다. 이것은 오늘날 꼭 있어야 할 것 중의 하나이기에 더 소중하게 느껴진다. 이것은 즐거움이다. 이것은 삶의 근원이다. 이것은 농본적 정서에서 출발한다. 그러기에 시인은 지식 정보화가 고도로 발달한 오늘에도 이 이야기를 떨쳐 버리지 못하고 있다. "아이들을 불러 모"아 이 이야기를 해 주어야 한다. 마치 "무거운 지팡이를 4개나 짚고 서서"도 "별빛보다도 총총한 옛이야기를" 들려주고 싶은 은행나무처럼.

원광명리에 살고 있는 / 500살 먹은 은행나무 할아버지 / 무거운 지팡이를 4개나 짚고 서서 / 한옛날부터 전해오는 황금빛 갑옷을 입고 서서 / 아이들을 불러 모으고 있는 은행나무 할아버지. // 그 높고 높은 팔을 / 휘휘 휘둘러서 별빛을 끌어 모으고 / 그 넓고 넓은 품을 / 깊이깊이 여닫고 여닫으며 햇살 끌어 모아 / 별빛보다 총총한 옛이야기 은행열매처럼 매달고서 / 아이들을 불러 모으고 있는 은행나무 할아버지. // 아, 나도 한그루 은행나무로 태어나 / 날마나 날마나 햇살 끌어모아 칭칭 감으며 / 밤마다 밤마다 풀벌레울음 칭칭 감으며 / 황금빛 은행나무 옛이야기를 들려 주며 / 황금빛보다 눈부신 아이들을 불러 모으는 / 500살 은행나무 할아버지로 살아가고 싶다.

– 〈은행나무 할아버지〉[16] 전문

위의 동시에 나타난 화자의 마음은 곧 시인의 마음이라 해도 지나침이 없을 것이다. "황금빛보다 눈부신 아이들을 불러 모으는 / 500살 은행나무 할아버지로 살아가고 싶"은.

이제는 마침표를 찍어야 할 때

인간은 로봇과 다르다. 가장 큰 차이가 감정의 유무이다. 감정을 가진 인간은 삶의 체험 속에서 얻는 지혜와 정서를 축적한다. 그래서 그것이 사라진 먼 훗날이 되면 무척 그리워한다. 정보 사회로 깊이 들어온 오늘날에도 많은 시인들이 자연을 노래하고 또

---

16 앞의 책.

지난 시절을 회고하면서 오늘의 갈들을 풀어낼 묘안을 찾는 것에서 그것을 확인 할 수 있다. 문명의 발달로 도시와 농촌의 거리가 사라지고, 일방적으로 도시화 되어가고 있지만 시인은 두 공간을 넘나들면서 고뇌하고 있다. 자연의 일부이기도 한 인간은 자연의 정서와 자연적 질서를 벗어난 법과 문명 속에서 갈들이 있게 마련이다. 이는 전통서정시가 자연과 일치하고자 하는 동일성의 원리와 같은 맥락으로 볼 수 잇다. 이준섭 시인의 시적 세계가 바로 이러하다. 그는 여전히 도시와 농촌의 경계에서 머뭇거리고 있다. 그의 발걸음은 도시로 나아가지만 눈길은 자꾸만 농촌을 뒤돌아보고 있다. 네 권의 동시집을 상재하는 동안 이준섭 시인의 일관된 정서는 농경 문화의(전통적인) 생활 도구에서 얻는 지혜와 인정이 있다. 그리고 자연에서 배우는 '나눔의 즐거움'이다. 이처럼 이준섭의 시 세계는 문명 속에서 반문명적인 삶을 바탕으로 한 인정을 그리고 있다. 마치 시골 마을의 푸근한 풍경과 할아버지 할머니의 따뜻한 품 같은 공간이다.

이준섭 시인의 동시를 죽 읽어 보면서 흙을 밟은 지가 너무나 오래되었다는 생각을 했다. 산업화와 지식 정보화의 산물이기도 한 컴퓨터로 이 글을 쓰면서 그 편리함에 고마움을 느끼기보다 착잡한 마음과 안타까움이 드는 이유는 무엇인가. 그러면서 이문재 시인의 〈농업박물관 소식〉 연작이 떠올랐다. 농경 사회의 모습이 박물관에 가 있어야 하는 현실, 그러나 그 현실이 당연하게 받아들여지지 않고 서글프게만 느껴진다.

"내 아들은 학교에 들어가서 농부였던 할아버지를 농업박물관에서 관람하"(이문재, 〈농업박물관 소식—목화 피다〉[17])는 일을 막으려는 마음이 이준섭 시인의 마음이었을까. 결코 짧지 않은 세월동안 시인은 농본적 정서를 고집하며 자본이 지배하는 욕망을 견제해 왔다. 그러나 아이의 눈으로 본 현실의 모습이 아니라 할아버지를 통해서 들은 이야기로 파악된 현실이기에 어린이독자들에게는 상당한 거리감이 있다. 동심에는 착실하게 동일화되었지만 동심을 시적 주체로 설정하지 못하고 시적 청자로 남게 했다는 것이 그 한계라 할 수 있다. 즉 어린이들의 내면이 작품에 나타나지 않음으로써 독자와의 정서적 감응이 문제라는 것이다. 현실의 핍진한 경험으로 농촌에 대한 상투적인 인식을 없애려는 노력은 돋보이지만 소재의 폭과 깊이가 문제로 지적되지 않을 수 없다. 이제는 전통문화에 대한 교육적 전언을 넘어서서 섬세한 서정적 인식을 독창적인 미학으로 승화시켜 과거를 뛰어넘는 시작(詩作)을 기대한다.

---

17 문재, 《마음의 오지》, 문학동네, 1999.

집념과 끈기의
시인

이준관

　　이준섭은 나와 이름이 비슷하다. 그래서 더러 친척이냐고 물어보는 사람이 있다. 이준섭은 이름만 비슷한 것이 아니라 고향도 같고 대학도 같은 학교를 나왔다. 게다가 같은 동인에 동시까지 함께 쓰고 있으니 친척이라고 오해할 만도 하다. 친척은 아니지만 이준섭과 나는 가까운 친척처럼 각별한 사이로 지내고 있다.

　　우리가 처음 만났던 게 70년대 중반이었으니까 이준섭과 나무 35년 동안 변함없이 우정을 나누고 있는 셈이다. 이준섭과 처음 만난 것은 전주에서 있었던 전북아동문학회 월례 모임이었다. 나는 술도 못한데다가 사람과 잘 어울리지 못한 성격이라서 구석에 말없이 앉아 있는데 유난히 말소리가 크고 활달한 친구가 와서 술을 권했다. 내가 술을 못한다고 하자 술도 못하면서 무슨 문학을 하느냐고 부득부득 술을 따라 주었다. 그리고 그는 옆 사람과 격의 없이 술잔을 주고받으며 열정적인 목소리로 문학을 이야기했다. 말하는 틈틈이 막걸리처럼 텁텁하고 푸근하고 사람 좋은 너털웃음을 웃어가면서 사람들과 잘 어울렸다. 시골 농부처럼 텁텁하고 소탈한 친구, 그게 처음 만난 이준섭이었다.

　　이준섭은 전주 이씨 회안대군의 후손이다. 회안대군은 조선 태종 이방원의 형으로서 제2차 왕자의 난을 피해 전주로 내려왔단다. 아버지는 전북 부안군 하서면 면장을 했고 어머니는 줄포면장의 따님이시다. 비교적 유복한 가정에서 태어나 하서초등학교를 나와 부안중을 다녔는데 그때만 해도 버스가 없어 8km 넘는 거리를 날마다 걸어서 다녔다고 한다. 3년간 장거리를 걸어다녔기에 지금도 걷기 대회에 출전할 정도로 체력이 강한 편이다. 군산고를 다니던 시절엔 하숙집에 역기가 있어 저녁마다 역기, 아령 등 근육운동을 했다. 이때부터 체력 단련을 일상적으로 하기 시작해서 지금까지 해오고 있다.

　　별 어려움 없이 학교를 다니던 이준섭은 고등학교 3학년 때 아버지가 빚보증을 잘못 서는 바람에 가세가 기울어져 한때 방황을 했다고 한다. 대학 진학을 앞둔 고교3년 때 공부는 하지 않고 달이 뜨면 울면서 혼자 노래를 부르며 거리를 배회했던 아픈 기억을 지니고 있다. 그 여파로 대입에 떨어진 그는 집에서 농사일을 도와주면서 재수를 했단다. 재수하면서 국어 교과서에 나오는 좋은 문장(모든 시 작품은 물론이고 김진섭의 백설부, 정비석의 산정무한, 마아커스아우렐리우스의 페이터의 산문……)은 거의 다 외워버렸는데 이때 암기한 문학작품들이 훗날 시인이 되는 자양분이 되지 않았나 생각된다고 한다.

이준섭은 초등학교 시절 공부보다는 놀기를 좋아했단다. 자치기, 팽이치기, 참외서리, 멱 감기, 밤에 게 잡기 등 노는 데 온통 하루를 다 보냈단다. 소년 시절에 뛰놀았던 추억들이 후에 〈내 짝꿍 개똥참외 녀석〉이라는 연작 동시에 아름답게 형상화된다. 이준섭이 문학과 인연을 맺은 것은 초등학교 5학년 때 담임 김세권 선생님을 만나면서부터이다. 담임 선생은 일기를 쓰도록 지도를 하였는데 이준섭이 쓴 일기를 종례 시간에 읽어주고 칭찬을 해 준 것이 계기가 되어 글쓰기를 좋아하게 되고 성인이 되어서도 꾸준히 일기를 쓰게 되었다고 한다. 그리고 담임 선생은 평행봉, 철봉 등 다양한 운동을 가르쳐주었는데 이 또한 어른이 되어서도 이준섭이 가장 좋아하는 취미가 운동이 된다.

이준섭이 본격적으로 문학에 눈을 뜬 것은 전주교대 2학년 때 〈5월의 언덕에 누워〉라는 수필을 대학 학보에 실은 것이 계기가 되었다. 그 후 수필을 학보에 몇 차례 더 싣게 되었고 가을엔 〈중앙일보〉 '중앙시조'에 처음으로 시조를 써서 투고하여 실리게 된다. 중앙시조에 무려 다섯 번이나 뽑혀 그 당시로는 큰 동인 5백 원 고료를 받아 친구들에게 밥도 사주고 술도 사준다. 졸업 후에도 〈여성 동아〉, 〈여성 중앙〉, 〈샘터〉에 시조를 투고하여 발표하였는데 특히 1970년 〈샘터〉 독자란에 〈해바라기〉라는 작품을 발표한 후 전국 각지의 여성들로부터 펜팔이 쇄도한다. 이준섭은 펜팔 여성들을 찾아 경상북도, 경상남도 지방을 무전여행을 하는데 그에겐 이때가 가장 아름다운 젊은 시절의 추억이었다고 한다.

이준섭은 동시보다 시조로 먼저 등단한다. 경복궁에서 있었던 개국 기념 시조 백일장에 나가 입선한 것이 계기가 되어 시조 시인 장순하를 만나 시조 창작에 심취하게 되었고 그 당시 당선하기 어려웠던 〈월간문학〉에 두 번 가작 입선하자 연이어 시조문학에 1979년 추천 완료되어 3번의 관문을 거쳐 시조 시인으로 등단하게 된다. 가작 두 번으로 당선한 경우는 이준섭이 처음이었다.

시조 시인으로 등단한 이준섭은 동시로 다시 등단하게 된다. 군생활을 마치고 복직한 이준섭은 〈교육자료〉, 〈새교실〉 등에 동시를 투고하여 뽑혔고 1980년에 드디어 〈동아일보〉 신춘문예에 〈강강수월래〉라는 동시가 당선되어 동시인으로 등단하였다. 이후 1987년 11월 한국방송대학보사 문학작품 모집에서 시부문에 〈칼을 간다〉로 당선하여 놀라게 했다. 그는 등단 후 동시집 《대장간 할아버지》, 《내 짝꿍 개똥참외 녀석》, 《아이들이 우르르 쏟아내는 아침 햇살》, 《옛이야기 들려주는 황금빛 은행나무 할아버지》를 펴냈고 시조집도 4권이나 펴냈다.

이준섭은 김포문인협회를 조직하여 김포문화협회 초대회장을 지냈다. 서부 전선 애기봉 아래 하서종고에서 근무할 때 김포지역 문인들과 김포문인협회를 만들어 초대 회장을 맡아 김포문학을 창간하였다. 김포문학을 5집까지 내었으며 〈김포신문〉에 신춘문예 작품공모를 신설하도록 하고 작품 심사도 맡아 후배 문인 양성에도 도움을 주었다. 1991년부터 1994년까지 김포지역에서 문인협회를 조직하여 학교 근무가 끝나면 문인들과 만나 김포문학을 창간을 의논하고 후배 문인들을 양성한 일에 대하여 이준섭은 지금도 보람을 느끼고 있다.

이준섭처럼 집념이 강하고 끈기 있는 사람도 드물 것이다. 이준섭이 얼마나 끈기가 있는가 하면 〈월간문학〉에 시조가 가작으로 입선을 하자 연거푸 또 응모해서 가작에 입선하여 결국 당선이 된 것만 보아도 알 수 있다. 집념과 끈기는 이준섭의 트레이드 마크다. 이런 집념과 끈기가 바로 오늘날 이준섭을 만들어냈다. 7전8기 끝에 〈동아일보〉 신춘문예에 당선하고 4년 동안 벽지 학교에 근무한 끝에 교장까지 승진을 하였으며 검정고시를 통해 중·고교 교사 자격을 취득하고 한국방송대학을 남보다 몇 년을 더 다닌 후에 졸업을 한 일 등등 그가 집념으로 똘똘 뭉친 사람이라는 예는 얼마든지 있다. 젊은 시절 이준섭 집에서 하룻밤을 잔 적이 있었다. 자정 넘은 시간까지 문학 이야기를 나누다가 나는 잠이 들었다. 잠결에 불빛이 느껴져 눈을 떴다. 시계를 보니 새벽 4시였다. 그때까지 잠자지 않고 이준섭은 노트를 펴 놓고 머리를 감싸쥐고 시를 쓰고 있었다. 펴 놓은 노트에는 수없이 썼다가 지운 시 구절과 머리카락이 수북이 떨어져 있었다. 그때의 가슴 뭉클한 감동을 지금도 나는 생생히 기억하고 있다. 시에 대한 이준섭의 이런 열정과 집념과 노력은 나에게도 큰 교훈이 되었다.

이준섭은 또한 혀를 내두를 정도로 부지런한 사람이다. 그는 한때 휴전선 가까운 벽지 학교에서 근무를 했는데 새벽 일찍 일어나 항상 첫차를 타고 학교에 출근을 했다. 학교에서 나에게 전화를 하곤 했는데 너무 이른 시간이라서 나는 이부자리에서 잠이 덜 깬 채로 전화를 받은 적이 한두 번이 아니었다.

이준섭은 겉으로는 늘 사람 좋은 텁텁한 시골 농부 같지만 속으로는 뜨거운 열정이 있는 정의의 사나이다. 그는 불의를 보곤 그냥 지나치지 않는 불같은 성격을 갖고 있다. 그가 전남 장흥에 있는 장흥관산고등학교에 근무할 때 이런 이준섭의 불같은 성격을 엿볼수 있는 일화가 있다. 그 학교 교장이 근동에서는 소문난 비리의 대표적인 표본이랄 수 있는 사람이었다. 그 교장은 권위 의식이 강한 인물로서 교사들에게 강권을 휘두르고 게다가 유도의 유단자여서 누구도 그의 권위에 도전할 엄두를 내지 못했다. 그런데 이준섭이 그 교장에 맞서 교장실에 가서 비리를 따졌다고 한다. 여간만 용기가 없이는 할 수 없는 행동이었다. 강력하게 비리를 따지자 교장이 발끈 화를 내면서 유도 엎어치기로 이준섭을 교장실 바닥에 메다쳤다. 이준섭은 교장실 바닥에 쓰러졌지만 다행히 크게 다치친 않았다. 이는 그의 불같은 정의감을 엿볼 수 잇는 대표적인 일화다.

이준섭은 운동을 좋아한다. 초등학교 때 배운 평행봉 철봉을 지금도 즐겨 한다. 물구나무서기도 잘 하는데 한번은 세미나에 가서 방에서 벌떡 물구나무서기를 한 채 방을 왔다 갔다 하는 것을 보고 놀란 적이 있다. 초등학교 운동회 짝체조를 할 때면 물구나무서기를 도맡아 했다고 한다. 요즘도 매일 5분 이상 물구나무서기를 하고 평행봉은 이틀에 한 번씩 한다고 한다. 그래서인지 60이 넘었지만 지금도 젊은이 못지않은 근육을 자랑한다. 한번은 설악산에 가서 하룻밤을 같이 자고 울산바위를 올라가는데 추운 겨울에 등산복도 아닌 얇고 가벼운 평상복을 입고 울산바위를 한달음에 올라가 나를 깜짝 놀라게 했다.

교장으로서의 그의 중요 업적들이 더러 있지만 우선 성남동중학교장으로 있을 때 2005학년도에는 교육부 지정 방과 후 학교 시범운영 연구학교로 지정받아 45개 반의 방과 후 학교 교육 과정(국어, 영어, 수학은 물론 제빵 반, 축구반, 플루우트 반 등)을 운영하여 사교육비 2억 5,000만원을 절약하는 성과를 거두어 지역 사회의 칭찬을 받은 바 있다.(자세한 교육내용은 경향신문사 발행 뉴스메이커(2005. 11. 24)에 보도되어 있음)

지난 해에는 그가 근무하고 있는 광문중학교에 모처럼 남교사가 4명이나 부임하게 되었다. 행정실까지 합하니 남교사가 13명이 되었다. 중학교에도 여교사 비율이 90% 되는 현시대에 남교사가 많은 것은 운동하기 좋은 행운이라 생각한 그는 체육부장에게 말해서 학교 남교사 축구부를 만들어 동아리 활동을 시작, 정상 교육 과정에 넣어 예산 편성까지 하여 광명, 시흥시내 많은 학교들과 친선게임을 하여 7승 2패라는 놀라운 성과도 거두었단다. 이것도 모두 교장인 이준섭이 광문중 축구부 공격수로 앞장섰기 때문이 아니었을까? 또한 그는 여름방학을 맞이하여 광명시 내 중고등학생들과 같이 5박 6일 동안 싸이클 전국국토순례대회에 참가하여 제주도를 자전거로 일주하기도 해서 광명시 선생님들 사회에서 화제가 되기도 했다. 문인이 안 되었으면 체육인이 되었을 거라는 그의 말이 과장이 아니라는 것을 실감할 수 있었다. 이번에 우리나라 최초로 스포츠를 소재로 한 동시집《운동장 들어올리는 공》을 펴내게 된 것도 바로 운동을 좋아하는 그의 취미 때문이다.

이준섭이 운동을 좋아한다고 해서 감성이 무딘 사람이라고 생각하면 오해다. 이준섭의 차를 타면 은은한 클래식 음악이 흐른다. 우리나라 토종 막걸리처럼 텁텁하고 걸걸한 품새에 어울리지 않게 그는 클래식광이다. 며칠 전 커피숍에서 만나 헤어질 때 이준섭이 뭔가를 내민다. 보니까 클래식 시디 음반이다. 그러면서 그는 "쇼스타코비치의 로망스 곡이 정말 좋아"라고 기다렸다는 듯 클래식 이야기를 꺼낸다. 이준섭이 음악 이야기를 꺼내면 눈에 생기가 돌고 목소리가 커진다. 그는 클래식 연주회가 있으면 열심히 발품을 팔며 찾아다닌다. 나보고도 가자고 몇 차례 졸랐는데 클래식에는 문외한인 내 음악 수준으로는 연주회 내내 잠이나 잘 것 같아서 사양했다. 시골 농부처럼 텁텁하고 소탈한 인상에 모차르트나 차이콥스키나 베토벤이 잘 조합이 되지는 않지만 나만 만나면 입에 침을 튀기면서 클래식 음악을 들으라고 추천하고 한다. 그는 특히 베토벤의 교향곡 5번(운명), 9번(합창)을 좋아한다고 자랑한다. 소품도 좋지만 모든 예술은 좀 규모가 크고 웅장한 작품이 더 길이길이 남을 것이라고 강조하곤 한다.

이준섭을 보면 왜 그가 감성적인 시를 쓰게 되었는지를 알 수 있다. 클래식을 들으면 시냇물이 졸졸 흐르는 소리, 새들이 숲에서 노래하는 소리가 떠오르면서 자신도 모르게 음악의 세계에 빠져든다는 그의 말에서 시인다운 '이준섭'의 모습이 그려진다.

그는 교육자로서도 성공적인 삶을 살았다. 교직에서 가장 오르기 어려운 교장까지 승진했다. 특히 경기도에서 교대와 방통대만 나와 중등 교장이 된 사람은 자신이 유일할 것이라고 스스로 말하듯 학벌의 불리함을 극복하고 교장까지 되었다. 교직에 있을 때는 교육 발전을 위한 35가지 교육 제안을 발표해서 그 중 몇 가지가 채택되기도 했다. 이렇게 성공적인 삶을 살 수 있었던 것은 이른 아침 시간에 따르릉 벨이 울려 전화를 받으면 '나 이준섭이야'하고 이미 학교에 출근해서 전화를 거는 그의 부지 참과 끈기와 집념과 뚝심 덕분이다. 근면하고 부지런한 성품 그대로, 그리고 사람 좋아하는 성격 그대로 정년퇴직한 후에도 문단 행사나 시상식에도 빠지지 않고 얼굴을 내미는 사람, 그게 바로 이준섭이다.

어린이와 함께 선생이 걸어온 길

1946년 전북 부안군 하서면 청호리 45번지에서 출생함.

1959년 부안군 하서면 하서초등학교 졸업함.

1967년 전주교대학보 5월호에 최초로 수필 〈5월의 언덕에 누워〉 발표함.

　　　　10월 중앙일보 중앙시조 뽑혀 본격적으로 문학 공부를 시작함.

1968년 전주교육대학 졸업함.

　　　　전북 고창군 성송초등학교 발령 받음.

1971년 전북 고창군 하남초등학교 복직 발령 받음.

1975년 중등교원검정고시 국어과 합격함.

　　　　〈월간문학〉 신인상 시조 가작 입선함.

1977년 〈월간문학〉 신인상 시조 당선됨.

1979년 〈시조문학〉 시조 천료됨. '동심의 시' 동인회 창립멤버로 참가함.

1980년 〈동아일보〉 신춘문예 동시 당선됨.

1981년 광주일보창간기념 현상 공모 동시 부문 당선됨.

1986년 동시집 《대장간 할아버지》 출간함.

1987년 한국방송대학보 문학작품 모집에서 시 〈칼을 간다〉 당선됨.

1988년 시조집 《새아침을 위해》 출간함.

1991년 청구아동문학상 동시 부문 수상함.

　　　　동시집 《내 짝궁 개똥참외녀석》 출간함.

1991~1994년 경기도 김포시 초대 문인협회장 역임함.

1991~1995년 한국교육신문 모니터 요원으로 활동함.

1991년 시조집 《설레임이 녹아 흐르는 뜨락》 출간함.

1994년 동시집 《아이들이 우르르 쏟아내는 아침햇살》 출간함.

　　　　한국방송통신대학 국어국문과 졸업함.

1996년 한국아동문학상 수상함.

1997년 시조집 《곧추서는 깊은 골짝》 출간함.

1998년 대교아동문학상 동시 부문 심사를 맡음.

1999년 전라시조문학상 수상함.

2001년 수필집 《국화꽃 궁전》 출간함.

2003년 장편동화집 《잇꽃으로 핀 삼총사》 출간함.

2004년 한정동아동문학상 수상함.

2006년 시조집《반짝이는 물비늘》출간함.

2007년 대교아동문학상 동시 부문 심사를 맡음.

2008년 동시집《옛이야기 들려주는 황금빛 은행나무 할아버지》출간함.

　　　한정아동문학상 심사를 맡음.

　　　〈경기일보〉교육 칼럼을 집필함.(2008년 2~6월)

　　　〈월간문학〉시조 월평을 집필함.(2008년 6~8월)

　　　경기도 광명시 광문중학교장으로 정년 퇴임함. 황조근정훈장 수상함.

2009년 동시집《운동장 들어올리는 공》출간함.

　　　동시집《황금빛 은행나무 할아버지》로 방정환아동문학상 수상함.

2011~2015년 제7차 교육 과정 국어 6학년 1학기 교과서《문학의 향기》에 동시〈산을
　　　오르면〉수록됨.

2014년 전자책 시집《장미원에서》출간함.

　　　전자책 단편동화집《꿈을 만드는 할아버지》출간함.

2015~2016년 한국동시문학회 회장 역임함.

2015년《이준섭 동시선집》(지식을만드는지식) 출간함.

2016년 동시조집《꽃구름송이 발로 차며 놀다》(아침고요출판사) 출간함.

　　　〈동심의 시〉출간함.(1980년 1월 창간호~2018년 36호)

2017년 전자책 동시집《황금빛 은행나무 할아버지》출간함.

　　　이준섭 동시 서평집《행복하게 읽으며 잘 쓰는 법》출간됨.

2018년 동시집《사각사각 내려오는 길》로 천둥아동문학상 수상함.

한국 아동문학가 100인

조장희

─────────⊹─────────

대표 작품
〈무지개글방 굴뚝에 새 무지개 한 자락이 걸렸구나〉

인물론
온화하면서도 냉철한 전형적인 '충청도 샌님'

작품론
속삭이는 감동, 그리고 이슬 같은 충격

어린이와 함께 선생이 걸어온 길

무지개글방 굴뚝에
새 무지개
한 자락이 걸렸구나

그놈은 내게 처음엔 하나의 씨앗으로 왔습니다. 그 씨앗은 우선 내게서 말을 빼앗아 갔습니다. 다음엔 내가 아주 좋은 말만 골라 하게 하였습니다.

그놈이 처음으로 내게 오던 날, 큰 아들이 내게 불쑥 흑백 사진 한 장을 내놓으면서 말했습니다.

"아버지, 기뻐하세요. 이제야 손자를 보시게 됐습니다. 이게 바로 아가가 자랄 아기 집을 찍은 초음파 사진입니다."

이들은 무슨 씨앗처럼 생긴 것이 찍힌 사진 한 장을 내게 보여줬습니다. 평평한 셀룰로이드 판에 찍힌 흑백 사진이었습니다.

나는 그 사진 속의 씨앗을 계속 만져 보았습니다. 그런데 그게 평면의 사진이 아니었습니다. 점점 사진 속의 씨앗은 만질수록 올록볼록해지고 있었습니다.

"아이 간지러워."

씨앗이 말했습니다.

"할아버지 간지러워요."

씨앗이 계속 말했습니다. 마침내 키득키득 웃었습니다.

"뭐? 내가 네 할아버지라고?"

"할아버지가 할아버지를 모르세요? 키드득!"

나는 새삼 할아버지란 말의 의미를 생각해 보았습니다. 그리고 얼만가의 시간이 지났습니다. 처음에 그 씨앗이 내게 왔을 때는 씨앗이 생긴 지 5주쯤이었는데 이번에 다시 만난 그놈은 벌써 7주나 되었다는 것이었습니다.

"할아버지!"

이번에도 그놈은 할아버지를 부르더니

"이 소리가 무엇인지 알아맞혀 보셔요."

다짜고짜 내 귀에다가 몸뚱이를 바짝 들이대는 것이었습니다.

─쿵쾅! 쿵쾅! 쿵쾅! ……

무슨 기관이 힘차게 돌아가는 소리였습니다.

"맞다. 기관차 달리는 소리지?"

"할아버지 기관차가 뭐예요?"

"기관차는 기차를 끄는 엄마 기차지."

"엄마 기차라고요? 점점 더 어려운 말만 하시네. 자, 할아버지 다시 들어보셔요. 그냥 내 가슴에서 나는 소리여요."

그놈은 다시 몸뚱이를 내 귀에 바짝 들이대는 것이었습니다. 다시 그 소리에 귀를 기울이던 나는 무릎을 탁 쳤습니다.

"아따, 그놈! 바로 네가 기관차로구나!"

"할아버지 안녕! 다음에 또 만나요."

—쿵쾅! 쿵쾅! 쿵쾅! ……

그렇게 훌쩍 돌아가 버린 놈을 또다시 만나게 된 것은 10주가 조금 지난 뒤였습니다.

"할아버지, 안녕하셔요? 여기가 무지개글방인가요?"

다시 찾아온 그 녀석은 대뜸 무지개글방이 여기냐고 물었습니다.

"아니, 너 여기가 무지개글방인 줄을 어떻게 알았지?"

"저기 그렇게 쓰여 있잖아요. 무·지·개·글·방."

녀석은 글씨를 한 글자, 한 글자씩 또박또박 끊어 읽기까지 했습니다. 나는 너무나도 신기했습니다. 벌써 글씨를 읽을 수 있다니!

"너 글씨도 읽을 줄 아는구나. 누구한테 벌써 배웠니? 이 할아버지가 가르쳐 주려고 했는데…….''

"누구한테 배우다니요. 지금은요 그냥 느낌으로 알아요. 얼마 지나서 세상에 나갈 때 모두 까먹는다고 하지만…….''

"네가 지금 할아버지한테 하는 말도 네가 세상에 나갈 때는 까먹는단 말이냐?"

"그럼요. 까먹는다기보다는 잠깐 입 다물고 지내야 된댔어요."

"그러면 어째서 이 할아버지에게는 다 말하고 보여 주는 것이냐?"

"그건 나하고 가장 친한 우리 할아버지니까 그렇죠."

"얘, 그럼 빨리 서둘러야겠구나. 네가 까먹기 전에 말도 하고 글씨도 읽을 수 있게."

"키, 키드득. 그건 서둘지 않아도 돼요. 난 몇 주 전에야 겨우 할아버지를 만났는데요, 뭘. 서둘지 마셔요."

나는 겨우 한숨을 쉬고 내가 너무 조바심을 내는 것이 아닌가, 생각하며 쓴웃음을 참고 있는데 녀석은 쉬지 않고 그냥 또 물어왔습니다.

"할아버지, 빨·주·노·초·파·남·보는 또 뭐여요?"

"아, 그건 무지개의 아름다운 일곱 가지 빛깔이란다.''

나는 무지개는 왜 일곱 빛깔이 나는지 설명하지 않기로 하고 바로 다음 말로 이어 갔습니다. 왜 무지개가 일곱 빛깔이 되는지 과학적으로 설명하다가 보면 무지개의 신비로움이 사라지고 말기 때문이었습니다. 또 얼마 있다가 세상 밖으로 나가면 곧 잃어버릴 것을 애써 가르쳐 줄 필요가 없기 때문이기도 했습니다. 그러나 녀석은 이미 알고 있는지도 모르지요. 나는 곧 무지개의 일곱 가지 빛깔에 대해 말하기 시작했습니다.

"'빨'은 바로 빨간 빛깔을 말한단다. 빨강은 아주 뜨겁고, 힘차고, 맑음을 뜻하는 빛깔이야. 이것이 지금 엄마와 연결된 탯줄을 통해 네 몸속으로 들어오기 때문에 네 스스로 기관차가 되어 '쿵쾅! 쿵쾅! 쿵쾅!……' 네 심장을 고동치게 하는 거란다."

"아, 그러면 그게 피와 같은거군요."

"옳지! 잘 알았구나."

"그럼 '주'는 뭐예요?"

"음, 주황 빛깔을 말하지. 다음에 오는 '노'의 노랑 빛깔과 빨강과의 중간 빛깔이라고나 할까. 노랑 빛깔이 강하면 주황이지만 빨간 빛깔이 더 세면 주홍이라고도 하지."

"주황이나 주홍은 아주 비슷한 빛깔이군요."

"그렇지, 그렇지. 주황은 아주 따뜻한 빛깔이란다. 빨강은 뜨겁지만 주황은 아주 따뜻하단다. 너 뜨거운 것과 따뜻한 것을 구별할 수 있니?"

녀석은 냉큼 대답을 못하고 생각하는 듯 한동안 말이 없었습니다. 그리곤 한참만에야 별로 자신이 없는 목소리로 말했습니다.

"할아버지, 그럼 그게 미지근한 것과 같은 건가요?"

"아니, 너 미지근하다는 말도 알아?"

나는 속으로는 깜짝 놀랐으나 태연히 말했습니다.

"그러나 이번엔 잘못 알았어. 미지근하다는 말과는 아주 다른 뜻이야. 따뜻하다는 말에는 안온함과 부드러움과 사랑이 담겨 있단다. 바로 사람으로 태어나면 이런 따뜻한 빛깔을 항상 마음속에 간직하고 살아야 한단다. 어때 너도 그렇게 할 수 있겠지?"

"네에."

녀석은 아주 다소곳하게 대답했습니다. 그리곤 이제껏 쿵쾅거리며 돌아가던 기관소리조차 조용해져서 나를 깜짝 놀라게 했습니다.

"그럼 '노'는 뭐예요, 할아버지?"

녀석은 다시 빠른 말씨로 내게 물었습니다. 그리곤 조용하던 가슴의 고동 소리도 다시금 쿵쾅! 쿵쾅! 힘차게 기관소리를 내며 돌아가고 있었습니다.

"노란 빛깔을 말하지. 노랑은 아주 해맑고 부드러운 빛깔이야.
너 새봄에 갓 깨어난 솜털 병아리를 아니?"

432

녀석은 고개를 끄덕이며 말했습니다.

"알아요. 따뜻한 엄마 닭의 품속에서 스물한 밤 만에 알을 깨고 나오는 아기 닭이 병아리잖아요."

"내 그럴 줄 알았다. 그것도 그냥 느낌으로 안 것이지?"

"예, 그래요. 누가 가르쳐 주지 않아도 지금은 느낌이 있어요. 그런데 할아버지는 제가 느낌으로 알았다는 걸 어떻게 아셨어요?"

"이놈아 나도 느낌으로 알았다. 어허허허!"

"키키키드득……. 할아버지, 우린 느낌으로 통하는군요."

"그래, 우린 서로 통해서 좋구나. 노란 빛깔은 해맑은 솜털 병아리처럼 부드러운 빛깔이지. 느낌으로 통하는 우리 아기 마음의 빛깔하고 또한 같단다."

그리고 나는 덧붙여 설명했습니다.

"노란 빛깔이 앞의 빨간 빛깔 약간과 섞이면 주황색이 되지만 다음다음에 오는 시원한 파란 빛깔과 어울리면 다음에 오는 '초'의 초록 빛깔이 된단다."

"할아버지 알았어요. 노랑은 따뜻함과 시원한 빛깔의 중간에 선 색깔이군요."

"오호! 느낌으로 알아내는 네 생각은 어디까지인지 이 할아버지는 짐작이 가지 않는구나."

내 말에 녀석은 좀 쑥스러운지 고개를 움칠하더니 차분한 목소리로 말했습니다.

"할아버지께서 좀 서두르셔야 할아버지의 말씀을 이번 기회에 다 들을 수 있지요. 그래서 제가 좀 더 서둘렀나 봐요."

"뭐! 그럼 이제 이 할아버지한테는 그만 오겠다고?"

깜짝 놀라서 묻는 내 말에 녀석은 고개를 끄덕이며 말했습니다.

"이제부터는 우리 엄마하고 더 많은 이야기를 해야 해요. 그리고 엄마가 보여 주는 것도 열심히 봐야 하구요."

"그렇담 이 할아버지가 좀 서둘러야겠구나. 이제 네가 엄마에게 돌아가면 내년 여름까지는 어떠한 이야기도 더 들려줄 수가 없을 테니까 말이다. 하지만 네가 세상에 나올 때는 지금까지 보고 들은 모든 것들을 까맣게 잊는다니 이건 또 어쩌지……."

나는 잠시 망설였습니다. 그러나 나는 이내 다시 마음이 조급해졌습니다.

"좋아! 그래도 무지개 이야긴 이번에 끝마쳐야겠다."

"그렇게 하세요, 할아버지."

나는 서둘러 녀석에게 무지개 이야기를 계속했습니다.

"초록은 아주 싱그러운 빛깔이란다. 세상의 나무와 풀들이 모두 이 빛깔이지. 색깔이 연한 연초록은 봄의 빛깔이지만 짙은 진초록은 한여름의 빛깔이란다. 봄과 여름을 보내며 세상의 모든 생명이 자라지. 사람도 이와 같단다. 너도 마찬가지야."

"그럼 다음에 오는 '파'도 한여름의 빛깔이겠군요."

"그렇지, 한여름의 시원한 빛깔이 파랑이지. 파랑은 무더운 한여름에도 좀 시원하게 보내라고 준 빛깔이란다. 수평선 위로 뭉게구름이 피어오르는 바다의 빛깔이 바로 이 파랑이란다."

"이것도 우리에게 꼭 필요한 빛깔이군요. 그렇담 다음의 '남'은 무엇인가요?"

녀석의 말소리가 점점 더 서두르는 기색이었습니다. 그러나 나는 좀 더 느긋한 목소리로 대답해주었습니다.

"남색 빛깔이지. 여기서부터 맨 앞의 빨강이 다시 간섭하기 시작하지. 파란색에 빨강이 약간 간섭하면 남색이 된단다. 이 색은 여름의 다음 계절인 가을빛이란다. 연초록, 진초록의 봄과 여름을 보내며 자라던 풀과 나무들이 익어서 열매를 맺는 가을 하늘이 이 빛깔이란다. 바로 '쪽' 이란 풀로 물감을 들인 것 같다고 쪽빛 가을 하늘이라 부르지."

"그렇다면 다음의 '보'는 보라색인가요? 빨강이 더 강하게 간섭한 색이 보라색이죠?"

"그래, 그래, 네 느낌 그대로야. 보라색은 아주 고귀한 빛깔이지. 그런데……."

내가 보라색에 대하여 채 설명을 하지 못했는데 녀석은 어느새 제 엄마의 뱃속으로 돌아가 버렸습니다.

보라색은 아주 고귀한 색으로 황실에서나 사용하는 빛깔이라고 이야기해 주고 무지개 속에는 이 모든 것들이 함께 담겨있다고 말해 주고 싶었지만 녀석은 이미 제 엄마 뱃속으로 들어간 뒤였습니다.

녀석이 이 세상에 태어날 때에 오늘밤 나하고 나눈 이야기를 다 잊고 우렁찬 울음만으로 온다한들 어쩌겠습니까.

무지개글방 벽난로 속에서는 따뜻한 불길이 타오르고 있습니다.

저 굴뚝에 무지개 한 자락이 휘영청 능청 걸린다면 녀석에게 군밤을 구워 줄 날도 멀지 않겠지요. 그날이 된다면 녀석과 오늘밤의 이야기를 다시 나눌 겁니다.

난 이제부터 녀석을 위해 새하이얀 배냇저고리에 걸쳐줄 고귀한 보랏빛 망토를 준비해야겠습니다.

온화하면서도 냉철한
전형적인
'충청도 샌님'

박경용

풀며

가뜩이나 이래저래 심신이 고달픈데, 요즘은 내 친구 장희에 대한 걱정까지 겹쳐 시름이 더 깊다.

고향의 죽마고우 외에 문단 친구들 사이에서도 너나들이하는 문우가 더러 있기는 하지만 "장희냐?" "경용이니?" 하면서 확 터놓고 지내는 친구는 장희와 나 사이가 유일하다.

반세기에 걸친 우리 우정의 자취를 어찌 한꺼번에 낱낱이 다 말할 수 있으랴.

이 자리에서는 그와 나와의 우정에 얽힌 몇 가지 추억담을 몇 단계 '시절'(時節)별로 나누어 이야기함으로써 그의 인품과 성격, 취향 등을 자연스럽게 드러내고자 한다.

1. 청진동 시절

대학 동기이기는 하지만 학창 시절엔 특별한 교류 없이 지냈던 그가 1962년 늦가을, 서울의 청진동에 홀연히 모습을 드러내었다.

대학을 졸업하던 해인 1960년에 〈조선일보〉 신춘문예에 동시 〈엄마 마중〉으로 입선, 그 이듬해에 같은 신문 신춘문예에 동시 〈산골 겨울밤〉으로 당선된 사실만을 알고 있던 터였다.

신구문화사라는 출판사에 몸담고 있던 선배 아동문학가 이종기씨를 만나는 자리에서였다. 그 출판사에 취직한지 얼마 되지 않는다고 했다. 동창에 동류의식까지 겹쳐 우리는 쉽게 어울렸고, 그로부터 3년 남짓, 둘만의 청진동 시절을 열게 된 것이었다.

비록 짧기는 했으나 그 시절은 퍽 의미 있는 세월이었다. 시도때도 없이 만나서 문학에 대한 열정을 불태우곤 했는데, 예나 지금이나 주로 내가 떠들고 그는 잠자코 듣기를 즐겼다.

이때에야 나는 그의 인간적 면모를 꿰뚫게 되었는데, 과묵하고 신중하고 침착하고 느긋한, 한마디로 전형적인 '충청도 샌님' 그것이었다.

그와의 재회가 이루어지던 그해 (1962) 겨울의 한 '사건'을 나는 평생 잊지 못한다.

퇴근 무렵에 맞추어 그에게 근작 몇 편을 자랑하려고 단골 다방으로 불렀더니, 자리

에 앉자마자,

"너, 어저께 〈동아일보〉에 발표한 동시 있지 않니?"

하고 평소의 그답지 않게 흥분하는 것이었다.

"응, 〈가난하지만 굳센 벗들〉 말이지? 근데 그게 어째서?"

"이종기 선생이 그 작품을 읽고 아마 충격을 받았나 봐."

"충격이라니?"

"아냐, 크게 충격 받은 것 같아. 자기도 그런 사회참여적 생활 동시를 쓰려고 꽤 오래 전부터 별러 왔었는데, 그만 박경용이가 모범 답안 같은 참여시를 먼저 써버렸다는 거야. 그래서 자기는 이제 당분간 동시 쓰기를 그만둬야겠다고 하더라."

"그래? 그럴 것까지는 없는데……. 사실은 그 작품 말이야, 내 취향과는 거리가 먼 건데, 하도 참여시니 생활시니 하고 떠드는 작자들이 많아 시험삼아 한번 써본 것뿐이야!"

"무슨 경향의 시면 어때? 작품으로서의 수준이 문제 아니겠니?"

"하긴, 그렇기는 하다만……."

"나도 이종기 선생과 다를 게 없어. 작품이 영 안 돼."

잔뜩 풀이 죽은 그가 안쓰러워서,

"용기 내. 야, 인마, 폴 발레리는 20년도 넘게 침묵했다지 않나? 조급할 게 뭐 있냐?"

이렇듯 얼버무리기는 했어도, 처음으로 속내를 드러낸 그가 오히려 돋보이는 것이었다.

내 자랑을 하기 위해 새삼 들먹이는 옛얘기가 아니다. 겸허함 뒤에 숨겨져 있는 조장희의 저력, 그 무서운 일면을 엿보이게 하고자 의도적으로 털어놓는 것이다.

그 무렵, 그는 새로운 환경에 적응하느라 창작 행위를 잠깐 접어놓은 듯했다. 자유시든 시조든 동시든 작품이 씌어지는 대로 나는 그를 찾았고, 그는 언제든 내 작품을 읽고 "좋아!"를 나직이 연발하면서 내게 힘을 실어 주었다.

말하자면 내 미발표작의 일차적 일급 독자로서 큰 몫을 했던 시절의 조장희. 평생 문우로서의 탄탄한 우정을 다진 값지고 소중한 때가 바로 이 청진동 시절이었던 것이다.

2. 충무로시절

편집자로서의 실력을 착실히 쌓은 그는 1960년대 중반 이후, 월간 〈어깨동무〉 편집자가 되어 충무로 시절을 열게 된다.

청진동 시절보다 훨씬 바쁜 나날이었지만, 짬짬이 시간을 내어 예의 그 '일급 독자' 노릇을 톡톡히 해주었다. 뿐만 아니라, '글짓기' 란을 맡기는가 하면, 내 건의를 받아들여 연재물로 '명작 동시 감상'을 마련하는 등 나를 위해 지면을 최대한으로 할애해 주었다.

아동문학계에서 단짝으로 소문난 그와 나 사이를 더러 질시하는 무리가 있었던 모양이다. 왜 박경용에게만 특혜를 베푸는가, 더욱이 글짓기는 본령이 아닌데도 굳이 박경용에게 맡기느냐는 등 말이 많았던 것을 나는 정작 모르고 있었다.

어떤 후배가 어느 자리에서 있었던 그런 시비의 한 토막을 내게 살짝 귀띔해 주는 것이었다.

그들의 핀잔에 장희가 대꾸한 말이 퍽 인상적이었다. 그걸 대충 추리면 다음과 같은 내용이었다.

"나, 경용이를 봐준 것 없어. 실력이 있으니까 쓸 뿐이야. 편집자와 필자는 서로 거래하는 사이거든! 거기에 어찌 정실이 끼어들 수 있겠나? 잡지사로서는 상품이 좋은 걸 사들일 뿐이지. 그리고 글짓기 지도를 두고 전문성 어쩌구 하는데 꼭 교사 아동문학가여야 할 까닭이라도 있어? 우선 작품을 가려내는 안목이 뛰어나야 하고, 논리적인 평을 깔끔하게 붙여야 하는데, 그걸 제대로 할 수 있는 필자가 박경용밖에 없다는 게 내 생각이야!"

전해 들은 내 콧등이 찡할 정도였는데, 그 무렵, 어느 성인 잡지 기자인 동창 문우가 전해 준 술자리에서의 또 다른 사연은 사뭇 내 눈 시울을 붉힐 만큼 느꺼운 것이었다. 약간 어눌했을 장희의 말,

"경용이는 우리처럼 직장이 없지 않니? 글만 쓰고 사는데 그게 밥이 못 되는 건 뻔하고. 그러니 너나 나나 봐줄 수만 있다면 최대한 봐주는 게 친구 도리 아니겠어?"

며칠 뒤에 만났지만 그는 그런 사실을 끝내 토설하지 않았다. 결국 참지 못한 내가 먼저 운을 뗐다.

"그저께 k를 만났다며?"

"그랬지. 오랜만에 한잔 했지."

"다른 얘긴 없었고?"

"뭐, 늘 하던 얘기지."

그런 사람이 조장희다.

그는 내가 알기로 잡지사를 방문하는 모든 문인들을 차별 없이 대우했다. 꼭꼭 차를 대접하는 건 기본이고, 밥 때 되면 밥, 술 때 되면 술 사고, 그러면서도 원고 청탁 따위는 지극히 인색하고 엄격했다. 늘 온화한 인상이지만 냉정할 때는 매몰찰 정도로 쌀쌀맞았다. 공과 사를 확실히 가리는 그 성정이 장차 그로 하여금 편집인으로 대성하게 만든 또 하나의 밑천이었던 것이다.

충무로 시절이 저물어 가던 1960년대의 끝자락.

한 연대를 넘기지 않은 시점에 첫 시집을 엮어야겠다며 정초부터 부산을 떤 나머지,

한 묶음 시 원고를 들고 그를 찾았다. 내 첫 시집 원고라는 말에 무척 부러운 눈치였다. 발문을 부탁했더니 '불감청 고소원'이라 했다.

그 첫 시집 《어른에겐 어려운 시》에 딸린 그의 발문은 그 당시는 물론, 오늘날까지도 종종 주변 사람들 입에 오르내리는, 그야말로 '명문'(名文)으로 평가되고 있다. 나와 그의 진면목의 일단이 아낌없이 부각되어 있는 짤막한 글이기에 여기 그대로 옮겨 적는다.

책 끝에

경용인 참 부자다.

그러나 대부분의 부자가 그러하듯이 그 또한 몹시 인색한 부자다.

이 주머니에 손을 넣어도 시요, 저 포켓에 손을 찔러도 원고요…….

주머니마다에 손을 넣었다 뺄 적마다 마술사의 손처럼 시를 끄집어낸다.

그러니 기막힌 부자다.

그런데, 활자로 세상에 빛을 보인 것이 160여 편, 거기서 100여 편을 뭉턱 잘라 뒷포켓에 넣고, 여기 고작 60여 편을 묶었다니 이보다 더한 인색이 또 어디에 있겠는가.

항상 재고(在庫)가 풍부하다는 그의 문학적인 '부(富)'에 갈채를 보내고, 시를 아끼는 그의 '인색'에 바로 그거야, 하고 쌍수를 들 뿐, 이제 첫딸을 시집 보내는 그의 잔잔한 설레임에 조금 질투를 느끼는 바다.

1969, 초봄 조장희

3. 서소문 시절 전반기

1970년대로 접어든 지 얼마 되지 않아 중앙일보사에서 출판국이 별도로 출범하자, 장희는 〈어깨동무〉 편집장을 그만두고 〈여성중앙〉 편집차장으로 자리를 옮긴다.

이때부터 그는 편집자로서의 지위를 확실히 굳힌 채 〈학생중앙〉 편집부장, 〈여성중앙〉 주간으로 자리를 바꾸면서 고속으로 승진을 거듭한다. 그러느라 정작 자신의 창작에 몰두할 정신적·시간적 여유를 갖지 못하고 문단과도 거의 벽을 쌓은 처지가 되고 만다.

〈소년중앙〉 창간호부터 고정 집필자로 참여하게 된 나는 출판국에 들를 때마다 사무적인 일을 끝내고는, 곧장 그를 찾아 그의 아까운 시간을 축내는 '손님'으로 전락하기에 이르렀다.

그래도 예전 버릇은 남아 때때로 나는 신작 초고를 읽어 주기도 하고, 문단 안팎 사정을 귀띔해 주기도 하면서 휴화산 같은 그의 '창작열'의 불씨가 사그라지지 않도록 자극하려 나름대로 애썼다.

고마웠던 것은 그렇듯 바쁜 직장 생활을 꾸려가면서도 '손님'인 나를 한결같은 자세로 맞아 주는 점이었다. 아무리 바빠도 따돌리는 법이 없고, 아무리 쫓겨도 내 작품과 말에 눈과 귀를 기울여 주는 것이었다. 둘만의 오붓한 시간과 자리는 줄어든 대신, 〈중앙일보〉 신문사 및 출판국 식구들의 사사로운 자리에 업저버 자격으로 내가 끼어들어도 어색하지 않을 정도여서 오히려 자연스런 술자리가 잦은 편이었다.

그렇게 정신없이 돌아가던 1970년대의 중반, 내 고향(포항)의 문학 예술 애호가들의 모임인 '흐름회'(회장 한흑구 선생. 유명한 수필가)에서 '귀향 시화전'을 종용해 왔다. 카탈로그 초안을 대충 만들어 편집 디자인 전문가인 장희에게 감수를 청했다. 한번 쭉 훑어본 그가 빙그레 웃으며 말했다.

"잘 만들었네."

"어디 손볼 데는 없니?"

"시를 잘 쓰는 안목이면 안 될 거 뭐가 있겠니?"

그리고는 헤어지고, 얼마 뒤 포항에서 내 귀향 시화전이 일주일 예정으로 막을 올렸다.

한산하기만 하던 시화전이 막을 내리던 토요일 오후였다. 아무런 사전 연락도 없이 장희가 느닷없이 전시장에 터억 나타난 것이 아닌가.

"어떻게 된 거야, 연락도 없이."

"경용이 네 행사인데 안 올 수 없잖니?"

폐막 술자리에서 코가 삐뚤어지게 마시고, 단둘이 바닷가 술집에서 완전히 식초병이 된 뒤, 새벽녘에 내 본가로 가서 둘은 그만 인사불성이 되고 말았겠다.

이튿날, 한낮의 해장을 끝내자마자 그는 귀경을 서둘렀다. 내가 여비 몇푼을 쥐어 주려니까 그는 한사코 손사래를 쳤다.

"걱정 마아. 팔린 작품도 몇 점 없던데……."

"그래도 그렇지 인마, 멀리 내 고향까지 왔다 가는데……."

"걱정 말라니깐. 회사에 출장 간다는 핑계 대고 왔어. 출장비 받아 왔거든."

4. 서소문 시절 후반기

1980년대, 서소문 시절 후반기는 그에게 있어 최전성기였다. 출판국의 요직을 두루 거친 뒤, 마지막엔 직선제 출판국장으로 취임하기에 이른 것이었다. 초급대학 출신으로는 감히 상상조차 못할 최상급 지위였다. 그의 능력과 인품이 빚어낸 알찬 결실이 아닐 수 없었다.

1970년대 후반부터 그는 편집 실무자에서 관리자로 차츰 변신하면서 꽤 오랜 동안 잃었던 자신의 '문학적 영토'를 회복하려는 의지를 내게 확고히 내비쳤다. 그 사이, 동시에서 동화 창작으로 탈바꿈, 겨우 명맥을 유지할 정도로 내놓던 동화들을 본격적으로 창작하기 시작한 시기가 바로 이 무렵이다.

워낙 과작(寡作) 체질인 그는 한 작품을 탈고하기까지 엄청난 산고(産苦)를 치렀다. 그 치열하고도 고통스러운 모습을 간간이 지켜보는 내가 몸살을 앓을 지경이었다.

동화 청탁을 받으면 으레 내게 먼저 이야기하고, 탈고하고 나면 꼭 나한테 한번 읽히고서야 직성이 풀리는 그였다. 1960년대에서 1970년대 전반까지 그가 내게 한 역할을 내가 그에게 하는 몫으로 그 입장이 뒤바뀐 꼴이었다.

1980년대로 접어들자 동화작가로서의 면모를 확실히 다진 그는 알레고리·판타지·새타이어 등 본격 동화의 본질에 투철한 작품들을 잇달아 내놓음으로써 크게 주목을 받게 되었다. 특히 아포리즘의 성격이 강한 주제를 간결하고도 윤택한 문장으로 다룬 짤막한 동화들은 큰 인기를 끌었다. '현대판 이솝우화' 라 할 이 일련의 단편들은 그로 하여금 〈향장〉이란 잡지에 최초로 연재를 도맡게 한 결과를 불러오기까지 했다.

1982년 가을이었다. 〈소년한국일보〉에서 주관하는 세종아동문학상 심사 위원의 한 사람으로 내가 위촉되었다. 주관자 측에서 미리 보내온 대상 작품들을 면밀히 검토해 본 결과, 그 해따라 동시든 동화든 별로 신통한 게 없었다.

만일의 경우에 대비해서 〈향장〉에 연재된 장희의 동화들을 복사해 갔다. 세종아동문학상의 특별한 내규를, 그 전에도 두어 번 심사해 보았기에 익히 알고 있었던 까닭이다. 본심 심사 위원은 주관자 측에서 건넨 대상 작품들 외에도 즉석에서 대상작을 임의로 제출할 수 있다는 내규의 한 대목.

다른 심사 위원인 윤석중, 장수철 선생도 나와 동감인 듯 의중에 있는 대상 작품을 선뜻 점찍지 못하고 망설이기만 하는 것이었다.

드디어 내가 자초지종을 말씀드린 끝에 복사해 온 조장희의 작품들을 나누어 드렸다. 그러자 두 분의 표정이 갑자기 밝아지는 것이었다. 쉽게 결론이 났다.

"마침 마땅한 작품들이 없어 어떡하나 했는데……."(윤석중)

"잘됐네요. 조장희 동화 좋아요. 상의 내규가 그렇다니, 규정에 어긋나는 것도 아니고……."(장수철)

심사를 마치고 식당으로 올라가 저녁 먹기 전에 슬쩍 신문사 현관에서 장희한테 전화를 걸었다.

"야, 만일 너한테 세종아동문학상이 주어진다면 어쩔래?"

"뭐? 발표한 작품이 별로 없는데……."

"〈향장〉에 실린 동화들 있지 않니?"

"그런 데에 발표한 작품도 대상작이 될 수 있니?"

"그러기에 말인데, 만일 그렇다면?"

"그럼 타야지. 야, 니가 심사 위원이니?"

"기다려 봐. 내일쯤 무슨 연락이 갈 테니……."

〈엄마 참나무와 아기 도토리〉라는 작품으로써 그 세종아동문학상(제15회)을 수상한 것이 그에겐 엄청난 도약의 계기가 된 듯했다.

그 뒤로 그는 마치 물을 만난 고기처럼 잇달아 왕성한 창작 활동을 편 끝에 첫 동화집 《아기 개미와 꽃씨》를 출간(1986)하고, 그 해에 대한민국문학상을 수상하는 등 동화 작가로서의 주가를 한껏 높였다. 그런데 그의 그 첫 동화집 해설 발문을 내가 집필함으로써 《어른에겐 어려운 시》 발간 이후에 졌던 마음의 빚을 16년 만에 되갚은 셈이었다.

5. 양수리 시절

무려 20년 남짓한 세월을 서소문 일대에서 흘린 만큼 그곳에는 여기저기 장희의 발자국이 찍히지 않은 데가 없었는데, 특히 술집과 음식점은 그야말로 '도처유청산'이었다.

그는 미식가이다. 음식을 가려서 먹는 편인 나와는 달리, 그는 가려 먹지 않는 대신 최고의 요리에 집착하는 편이다. 가령 나는 육식이라곤 쇠고기만 먹을 뿐인데, 그는 보신탕까지도 즐긴다. 다만 같은 보신탕이라도 아주 소문난 단골을 두고 나 몰래 동료들과 어울려 찾아가곤 하는 낌새였다.

꽤 오래 전 1970년대 초, 어느 날, 점심시간 지나 그를 만났더니 역겨운 비린내를 풍기는 것이었다.

"보신탕 먹었지?"

"응, 아주 잘하는 데가 있으니 너도 한번……."

"야, 집어치워라. 개고기를 먹는 놈이 그게 사람이냐? 먹을 게 그리 없냐? 개고기를 다 처먹다니!"

내가 와락 역정을 내며 고함을 치는 바람에 그도 그만 기가 질렸던 모양이다. 그 뒤로 그는 내 앞에서 보신탕의 '보' 자도 꺼내지 않았다.

둘이 궁합이 썩 잘 맞는 음식(안주)은 생선회였다. 나는 워낙 바닷가 태생이라 그렇다 하려니와 산골 출신(충북 청원)인 그가 그토록 회를 즐기는 식성을 나는 도무지 이해하기 어려웠다.

고깃집에 가더라도 꼭 쇠고기만 찾는 까탈스러운 내 식성이 심히 마땅찮았던가 보다. 어느 날 회식 자리에 내가 늦게 도착했는데, 〈중앙일보〉 출판국 식구들이 고기를 구우며 소줏잔을 기울이고 있었다. 장희가 소리 높여 말했다.

"이 집엔 송아지 고기가 일품이야. 오늘은 경용이 널 위해서 그걸 먹기로 통일했는데 한번 먹어 봐. 아주 연한 게 혀에서 살살 녹아."

한 점 집어 맛보니 정말 그럴싸했다. 내친 검에 연거푸 몇 점을 삼키고 나자, "와아!"

하고 모두들 폭소를 터뜨리는 것이었다.

"그것 봐. 고기 맛도 모르면서 가리기는 뭘 가려?"

"돼지고기야. 기름 뺀 돼지고기."

"앞으로 박선생도 돼지고기를 자시게 생겼으니 우리 조부장님이 편하게 되었네요."

알고 보니, 장희의 제안으로 나를 곯려 주려고 꾸민 한마당 연극이었다. 보신탕 때문에 내게 당한 망신을 그런 식으로 '복수' 한 것이다. 나는 일찍이 그가 누구와 얼굴 붉히고 다투는 모습을 한 번도 본 적이 없다. 모름지기 장희에게 있어서의 '복수'란 늘 그런 식이었다.

화려한 1980년대를 보내고 1990년대로 들어서자 그도 예외없이 서소문 무대에서 내려올 채비를 해야만 했다. 아쉬운 건 그의 심정만이 아니었다. 1970년대 시월유신 이후부터 수시로 종적 감추기를 잘하는 내게 든든한 통신망이 끊어질 판이었기 때문이다. 나를 찾던 사람들이 궁여지책으로 장희에게 전언하거나, 심지어는 책을 포함한 우편물까지 '조장희 전교'로 보내오기 일쑤였던 것이다.

잠적했다가 쓰윽 나타나면, 번번이 어디서 뭘 하다 왔느냐고 묻지도 않은 채 메모해 둔 전달사항이나 책·편지·엽서 따위를 꼬박 꼬박 건네 주던 충실한 '연락책'의 그.

어쨌거나, 아쉬운 퇴직 끝에, 한때 마포의 오피스텔에 거처하는가 싶더니, 세 양수리(경기도 양평)로 둥지를 옮겨 틀고 모처럼 망중한을 누리면서 동화 창작에 전념하던 시절. '두물머리'라는 이름이 좋아, 강촌 풍광이 맑고 고와, 여름 한철 흐드러지는 연꽃밭이 좋아, 그리고 이따금 술병 들고 찾아오는 친구가 좋아 그 둥지에서 유유자적하던 그를 나는 여러 차례 찾아가 술잔을 기울이곤 했었다.

그의 두 번째 동화집 《벼락맞아 살판났네》는 마포 오피스텔 시기 거두어진 수확이었다. 그 뒤를 이어 나온 《해를 삼킨 이무기》는 낙향 후에 엮어 낸 것이었고.

자신의 아호인 '예천'으로 부르던 그 두물머리 둥지를 언제 떠났는지는 정확한 기억이 없다. 단지 새 세기가 열린 2000년대 초가 아니었을까 짐작할 따름인데, 고향의 노모를 모시기 위해 갑작스럽게 귀향했다는 소식을 접한 뒤인 2001년 여름, 내가 오랫동안 소속해 온 친목모임인 '부하회' 회원들을 데리고 내 고향 포항으로 소풍 나선 김에 청주에 들러 그를 모시고 간 일이 있다.

비록 2박 3일의 짧은 일정이었지만, 퍽 오랜만에 그와 함께 파도 소리에 젖으며 쌓인 회포를 맘껏 풀 수 있었음이 현재로서는 마지막 추억으로 짙게 각인되어 있다.

맺으며

그는 요즈음 투병 중에 있다.

작년 12월 6일에 그가 입원해 있다는 청주의 '하나병원'을 찾아 갔었다. 동화작가 이상교, 이규희, 그리고 서소문 시절의 그가 아끼던 사진작가 황헌만과 더불어.

우리 일행을 맞은 그는 병자 같지 않게 밝은 표정이었다. 약간 창백하기는 했으나, 술과 담배를 끊은 지 꽤 오래여서 그런지 군살 없이 끼끗한 30대의 옛 모습에 더 가까워져 있었다. 아예 병상에다 자그마한 탁자까지 올려놓고는, 책도 읽고 동화작품 구상을 위한 메모도 한다며, 조금은 더 어눌해진 말씨로 열심히 근황을 알리는 것이었다.

옛날의 장희와는 사뭇 다른 분위기.

전혀 장희답지 않은 그 새삼스럽고도 낯선 모습을 어떻게 풀이해야 할지, 50년이 넘는 금란지교(金蘭之交)의 직감으로써도 영 난해하기만 한 것이었다.

마침내 쾌유의 징조, 회춘의 길조로 마음속 점괘가 나오자 조금은 그날 밤의 발걸음이 가벼워졌었다.

장희야, 제발 이 바람을 저버리지 말고, 어서 자리를 털고 나와 경용이의 시름 한 자락을 덜어 주게나.

속삭이는 감동,
그리고
이슬 같은 충격

창작동화집 《아기 개미와 꽃씨》를 중심으로

김병규

낯익음과 새로움

조장희의 동화는 낯익지만 새롭다.

그의 단편동화들을 읽으면, 어디서 많이 본 듯한 친숙한 느낌이 든다. 그것은 우화나 전래동화를 닮았기 때문이다. 여기서 '닮았다'는 것은 그런 분위기가 느껴진다는 뜻일 뿐이다.

좀 더 구체적으로 말하면 〈나비와 할미꽃〉, 〈연못과 창포못〉, 〈개미와 매미〉, 〈뽈치 대장〉 등은 우의성과 풍자가 뛰어난 우화풍이고, 〈게가 되고 싶은 새우〉, 〈못난이 호박〉, 〈늙은 밤나무〉, 〈귀뚜라미는 사마귀를 이긴다〉 등은 토속적인 소재, 유래가 담긴 줄거리, 그리고 자연스런 의인화 수법 따위가 마치 전래동화를 떠올리게 한다.

하지만 우화나 전래동화와는 분명히 다르다. 우화에 문학성을 보태 창작동화의 전형으로 빚어냈으며, 전래동화 유형을 빌려 쓴 작품은 거기에 창의성이란 효소를 넣어 고유의 겨레 어린이 문학으로 발효시켰다.

낯익음은 그 틀과 그릇이고, 새로움은 거기에 담긴 내용물이다.

떡에 견주어 보자(요즘 작가든 독자든 동화를 아이들 과자쯤으로 여기는 경향이 있다. 이건 잘못이다. 동화는 마음의 떡, 정서의 떡이다). 그 떡의 모양과 담은 그릇은 낯익었지만, 그 떡의 맛과 빛깔과 향기는 새롭다는 것이다.

낯익음은 반가움이 되고 새로움은 신선한 자극으로 귀한 일깨움을 준다. 이것은 바로 독자의 폭과 이어진다. 유치원 원아부터 초등학교 어린이는 물론 어른들까지도 독자로 끌어들이는 조장희 동화의 인력은 바로 이 낯익음과 새로움이 어우러져 내는 시너지 효과에서 비롯된다.

서로 비슷한 주제를 다루고 있는 이솝 우화와 조장희의 동화를 견주어 보는 것은 이런 낯익음과 새로움을 이해하는 데 도움이 된다. 우화에 없는 문학성을 어떻게 덧입혔으며, 창의성은 어떻게 발효시켰는지 엿볼 수 있을 터이다.

족제비와 싸웠던 생쥐들이 늘 지기만 하는 것이었습니다. 그들은 모임을 갖고 동료 중 몇몇을 골라 장군으로 선출하였습니다. 자기들의 패배가 통솔력의 결여라는 결론을 내렸기 때문이지요. 장군들은 여타 동패들과 다르다는 것을 나타내기 위해 뿔을 만들어 머리에 꽂았습니다.

이들이 전투를 했을 때 군대 전체가 패배하여 도망을 쳤습니다. 모두 쥐구멍으로 안전하게 들어갔으나 장군들은 그러질 못했습니다. 뿔 때문에 구멍으로 들어가지 못하고 장군들은 잡혀 먹히고 말았던 것이지요.

– 〈오만은 몰락한다〉 (《이솝 전집》, 민음사)

동화 '뿔치 대장'은 양지숲의 우두머리로 아름다운 뿔을 가진 수사슴의 이야기다.

자신의 뿔을 아주 자랑스럽게 여길 뿐 아니라 한껏 거드름을 피운다. 작은 뿔이나마 항상 날카롭게 갈기를 잊지 않는 산양이 간곡히 말했다. 뿔은 아름다운 치장일 수도 있지만, 적을 만나면 무기로 써야 할 것이니, 아름답게 가꾸기보다는 날카롭게 갈아야 한다고. 하지만 뿔치는 귀담아 두지 않고 흘려버렸다.

어느 봄날, 떠돌이 수사슴 하나가 양지숲에 나타났다. 뿔치는 그의 볼품없는 뿔을 보고 비웃었다. 그 뿔의 가지는 많지 않았지만 끝은 날카롭게 갈려 있었는데…….

"뿔치레나 하면 사슴인 줄 아느냐. 살만 뒤룩뒤룩 찐 돼지 같은 놈아!"

떠돌이 사슴도 지지 않고 대들었습니다.

"뭐라고? 이놈이 감히 나를 모욕했어. 내가 매운 맛을 단단히 보여 주지. 자, 덤벼라."

두 사슴은 곧 싸우기 시작했습니다.

처음엔 몸집이 큰 뿔치 대장이 이기는 듯했습니다. 그러나 얼마 되지 않아 뿔치 대장의 가지 많은 뿔이 마침 옆에 서 있던 나뭇가지에 얽혀 들어 빠지지 않았습니다. 이때를 놓치지 않고 떠돌이 사슴이 날카로운 뿔로 공격을 퍼부었습니다.

싸움은 곧 끝났습니다. 살기 좋은 양지숲을 등지고 절룩이며 쫓겨 가는 뿔치 대장의 그 아름답던 뿔은 온통 가지가 꺾인 채 말이 아니었습니다.

조장희의 동화는 이솝 우화와 그림동화를 버무려 놓은 안데르센의 동화를 닮았다. 여기서 '닮았다'는 것은 분위기만 느껴지는 것이 아니라 그런 격을 갖췄다는 뜻이다. 사실 〈아기개미와 꽃씨〉, 〈싸릿골 이야기〉, 〈야아! 세상 참 넓구나〉, 〈외로운 눈사람〉 등은 우리 정서를 기준으로 보면 안데르센 동화에 뒤질 바도 없다.

약한 존재와 강한 생명력

조장희 동화의 주인공들은 하찮지만 생명력이 강하다.

작품을 두루 살펴봐도 나비, 할미꽃, 연꽃, 까마귀, 눈사람, 개미, 매미, 감자, 토마토, 호박, 병아리, 새우, 아기개미, 꽃씨, 조개, 갈대, 쥐, 귀뚜라미, 다람쥐 등 작고 힘없는 것들만 나온다. 이들을 괴롭히는 악역이래야 기껏 물뱀, 까마귀, 오리, 집돼지, 고양이, 사마귀 따위다. 장편《괭이 씨가 받은 유산》에도 주인공 고양이 미요 말고는 아주머니, 할머니, 털보 아저씨, 이층집 아줌마 등 평범한 사람들이 나올 뿐이다.

그의 동화 '집' 속에는 이런 오종종한 존재들이 모여 아옹다옹 살고 있다. 하지만 이들이 엮어 내는 삶이 그럴듯한 것은 작가의 의인화 솜씨가 그럴듯한 덕분이다. 그래서 할미꽃의 이야기가 아니라 할미꽃 같은 사람의 삶으로, 못난이 호박의 이야기가 아니라 못난이 호박 같은 사람의 삶으로 승화시켜 놓은 것이다.

그 그럴듯한 이야기가 독자의 가슴을 크게 울리는 것은 저마다 치열한 삶을 살아가고 있기 때문이다. 이 치열한 삶은 효과적으로 드러내기 위해 작가는 이분법적인 '이것'과 '저것'을 대비시켜 놓는다. 제목만 봐도 〈개미와 매미〉, 〈멧돼지와 집돼지〉, 까마귀와 허수아비〉, 〈엄마참나무와 아기도토리〉와 같은 꼴이 여럿이다. 이것은 옳음, 바름, 정직, 따뜻함, 희망 따위일 수 있고, 저것은 그름, 굽음, 거짓, 차가움, 절망일 수 있다. 이렇게 옳음–그름, 따뜻함–차가움처럼 짝지어 마주 세워 놓은 것은 분명히 퇴영적이고 유치하다.

하지만 고루한 수법을 버젓이 쓰고 있으면서도 '우화 형식을 빌린 탓에 어쩔 수 없었다.'고 변명하지 않는다. 그것이 교만이나 무지가 아님을, 대비된 인물들은 잘 견주어 꼼꼼히 살펴보면 발견할 수 있다.

그에 앞서 작가가 편들어 주는 쪽의 면면부터 먼저 알아보는 게 순서일 것 같다. 이른 봄에 나온 나비는 진달래, 개나리한테서 못 얻은 꿀을 할미꽃에서 얻고(〈나비와 할미꽃〉), 향기 좋은 창포잎을 좋아하고 연약한 연잎을 업신여기던 개구리는 결국 물뱀의 공격에서 벗어나게 해준 연잎을 좋아하게 된다(〈연못과 창포못〉). 아무도 거들떠보지 않던 깨어진 기왓장 틈에 낀 아기호박은 나중에 씨호박으로 대접받고(〈못난이 호박〉), 우선 입에 단 토마토밭을 선택했던 서울 쥐보다 감자밭을 맡았던 시골 쥐는 풍성하게 거둔다(〈감자와 토마토〉).

이들로 미뤄 보면, 여느 동화에서나 마찬가지로 못나고 약하고 어려운 환경에 있는 조건만으로 선택당한 듯하다. 하지만 그렇지 않다. 앞에서 말했듯이, 꼼꼼히 따져 나가면 숨은 그림처럼 감춰 놓은 놀라운 장치, 또는 속뜻을 찾아낼 수 있다.

이런 대단찮고 변변찮은 주인공들이 갖는 특징으로 이런 몇 가지를 손꼽을 수 있을 것이다.

첫째, 성장한다는 것. 〈연못과 창포못〉에서 연잎은 작을 뿐 아니라 대가 여리고 뻘흙에 뿌리를 박고 있어서 개구리로부터 홀대를 받는다. 그 잎이 자라서 물뱀에게 잡혀 먹힐 위기에 놓인 개구리를 구해 준다. 그래서 개구리로부터 "내가 잘못했어. 내 목숨을 건져준 이 은혜를 어떻게 갚지?"라는 말을 듣는다. 〈아기개미와 꽃씨〉에서 꽃씨는 땅을 뚫고 올라 새싹으로 움튼다.

둘째, 준비하고 기다릴 줄 아는 것. 나무 둥치 여기저기에 구멍이 난 '늙은 밤나무' 는 새들도 짐승들도 누구 하나 거들떠보지 않았다. 잎이 엉성해 산새들이 쉴 수 없고, 쭉정이 밤송이 몇 개만 달고 있어 토끼, 다람쥐가 눈을 흘겼으며, 둥치에 이마를 부딪친 곰도 "사람들이 어서 베어가 버렸으면 좋겠어."라고 투덜거린다. 그래도 늙은 밤나무는 꾹 참고 기다린다. 겨울이 되자, 짐승들이 슬금슬금 찾아든다. 늙은 밤나무는 그들을 진심으로 반긴다. 맨 윗구멍엔 산새의 둥지로 내주고 가운데 구멍은 다람쥐가, 맨 아랜 토끼가 쓰게 한다. 뿌리 아래 땅굴엔 곰이 들어가 살게 한다. 〈산 속의 꼬마거인〉에선 제일 작은 다람쥐는 양식 준비를 잘해 다른 동물들로 부터 꼬마 거인으로 대접받는다.

셋째, 남을 변화시킨다는 것. 무서운 사마귀는 사람을 못 울리지만 귀뚜라미는 노래로 사람의 눈에서 달빛에 반짝이는 구슬 같은 눈물을 흐르게 하고(〈귀뚜라미는 사마귀를 이긴다〉), 어둡고 축축한 땅 속에서 8년 동안 목청을 가다듬어 온 매미는 개미가 노래의 아름다움을 느끼도록 해 준다(〈개미와 매미〉).

이처럼 작품 속의 인물들이 성장하고, 준비하며 기다리고, 또 남을 변화시킨다는 것은 치열한 삶의 증표이다. 치열한 삶이란 바로 강한 생명력을 갖고 있다는 뜻이다.

조장희 동화의 생명력은 작고 하찮은 인물들의 강한 생명력에서 비롯된다. 속이 알찬 주인공이 알맹이 있는 이야기를 엮어낸 것이다. 여기서 생겨나는 감동은 파도처럼 닥치지 않는다. 다만 속삭이듯 그렇게 스며든다.

결국 동화란, 여린 이야기지만 생명력 있는 문학임을 증명하고 있다.

큰 환상과 긴 여운

조장희의 동화는, 짤막한 이야기지만 환상은 크고 여운은 길다.

동화가 좋은 문학일 수 있는 것은 환상의 힘이다. 특히 복주머니만하고, 손수건만한 그의 동화에 어떻게 그리나 큰 환상을 담을 수 있는지 놀랍다.

〈외로운 눈사람〉은 1400 글자(200자 원고지 7장) 안팎의 짧은 작품이다. 함박눈이 내린 뒤, 배나무 곁에 눈사람이 하나 생겼다. 눈나라에서 듣기로는 이 세상에는 별의별 신기한 것이 많다고 했는데, 강아지 한 마리 참새 한 쌍도 나타나지 않았다. 그때 앙상한 가지의 배나무가 조금만 기다리라고 했다. 봄이 오면 온통 달라지기 시작한다고. 그러자 눈사람은 펄쩍 뛰었다. 따뜻한 바람이 불면 자신은 자취도 없이 녹아 버릴 테니까.

얼마 지나지 않아 남쪽에서 따뜻한 바람이 불어오기 시작했습니다. 그러자 눈사람은 걱정했던 대로 힘없이 녹아내리기 시작했습니다.

녹아내린 눈사람은 물이 되어 땅 속으로 스며들었습니다. 물이 되어 땅 속에 스며든 눈사람은, 배나무의 뿌리로 빨려들어 가지를 타고 올라가 하이얀 배꽃으로 피어났습니다. 눈사람이 되기 전 하얀 눈송이로 이 세상에 왔던 눈사람은, 이제 그 눈송이를 닮은 하이얀 배꽃으로 피어나 이 세상을 다시 보게 된 것입니다.

"아, 이렇게 아름다울 수가!"

세상이 온통 달라져 있었습니다.

이 장면을 읽으면, 독자 스스로가 눈사람인양 오롯이 녹아 뿌리로 빨려들어 가지를 타고 올라가 하얀 배꽃으로 피어난 듯한 환상에 빠진다. 그래서 새싹이 돋아나고 양지 쪽엔 개미들이 줄지어 나들이 가고, 나비 팔랑팔랑 날고, 시냇물 졸졸 흐르고, 제비꽃 냉이꽃 골목마다 피어나며, 그 꽃대궐 초록대궐 속에서 아이들이 뛰노는 광경이 떠오른다. 배꽃이 발견하는 세상이 어디 이 뿐이겠는가?

이처럼 동화 속 곳곳에 기막힌 환상을 숨은 그림처럼 감춰 놓았다. 떠벌리는 들뜬 환상이 아니라 눈 동그랗게 뜨고 숨죽이며 바라보는 환상이다.

이 환상과 더불어 손꼽을 수 있는, 조장희 동화의 큰 미덕은 감동의 여운이다. 종소리처럼 길게 이어지는 여운은 열린 결말에서 나온다.

편안한 우리를 뛰쳐나온 멧돼지가 어둠이 채 걷히지 않은 산을 향해 힘차게 달려가는 인상적인 모습(〈멧돼지와 집돼지〉), 자기 집이 있는 소나무를 벗어났다가 세상 끝까지 갔다 온 줄 아는 개미가 잠자리, 제비, 비행기에 차례로 업혀 세상 구경을 하고 달나라 별나라까지 여행할 꿈을 꾸게 되는 놀라운 충격(〈야아! 세상 참 넓구나〉)이 여운의 진원지다. 엄마참나무의 '하나 둘 셋!' 소리에 맞춰 마침내 눈을 꼭 감고 뛰어내려 낙엽 사이로 사라진 아기도토리의 앞날에 대한 흥분된 기대(〈엄마참나무와 아기도토리〉), 약속을 지키기 위해 물가로 내려가 찬물에 발을 담근 채 추운 겨울에도 그곳을 떠나지 않는 갈대의 외롭지만 의연한 초상(〈갈대의 약속〉)의 엽서 그림 같은 결말은 우리 가슴에 있는 환상의 문, 머리에 있는 상상의 문을 활짝 열어 준다.

속삭이는 충격과 이슬의 자극

조장희의 동화는 물론 허구다. 하지만 현실보다도 더 현실적인 허구도 많다.

편안한 마음으로 가끔 미소 지으며 읽는 중에 문득 가슴이 뜨끔해서 몸을 곧추세우게 하는 작품이 있다. 마치 불이 다 꺼진 줄 알고 그저 미지근한 잿더미를 맨손으로 뒤적이다가 남아 있는 불씨에 데워 깜짝 놀라는 꼴과 같은 감동이 있는 것이다.

〈강아지 해피〉는 제목과 달리 전혀 행복하지 못한 강아지 이야기다. 해피는 날마다 주인마님의 품에서 향긋한 치즈와 고소한 비스킷을 먹으며 행복하게(?) 산다. 어느 날 밤, 두 괴한이 들어와서 마님을 꽁꽁 묶어놓고 입술엔 테이프를 붙여 놓았다. 깜짝 놀란 해피가 다른 식구들에게 알리려고 아무리 짖어도 멍멍 소리가 나오지 않았다.

"너희 주인마님이 생으로 네 목청을 따고 금목걸이를 걸어 주었다만, 벙어리 강아지가 된 네게 이게 무슨 소용이겠니. 이것도 내가 실례해야겠다."

두 괴한은 해피의 목걸이까지 떼어 가지고 어둠 속으로 사라진다.

하찮은 욕심이 눈 덩이처럼 커지고 전염병처럼 번져 아름답던 싸릿골 마을이 자취도 없어지는 〈싸릿골 이야기〉도 현실을 무섭게 풍자하고 있다. 다람쥐가 무지개빛이 도는 예쁜 돌멩이를 주워 목걸이를 만든다. 산토끼는 잘 생긴 돌을 굴려다가 자기 굴 앞에 세운다. 이때부터 싸릿골 짐승들은 예쁜 돌멩이를 주워 와서 다람쥐처럼 목걸이를 만들고, 산토끼처럼 잘 생긴 돌을 굴려다가 집치장을 해댄다. 짐승들의 돌 욕심이 싸릿골을 휩쓴다. 황토가 드러나고, 나무도 뿌리가 뽑힌다. 이제 짐승들의 마음도 변한다. 얼굴에 웃음이 없어지고 눈빛만 날카로워진다. 그러던 중 밤에 무섭게 비바람이 몰아친다. 다음날, 등성이도 골짜기도 없어진 싸릿골엔 그저 붉은 흙탕물이 질펀히 깔려 있다.

이런 동화는 우리 인간들에게 무서운 경고를 보내고 있다. 하지만 이 경고는 큰 소리로 외치는 것도 아니고, 전류처럼 찌릿하게 충격을 주는 것도 아니다. 이슬처럼 움찔하게 할뿐이다. 다만 이 이슬은 손등에 떨어지지 않고, 마음 한가운데에 떨어진다. 그것도 조용히 떨어진다.

동화가 주는 충격은 마음에 떨어지는 찬 이슬 같다. 이럴 수 있는 것의 그의 작품이 잘 뜸이 들었기 때문이다. 깊은 사색은 뜸이 든 동화로 이어진 것이다. 그러다 보니 분량으로 말하는 대작에는 관심이 없고, 가능치도 않다.

상아로 아기 얼굴을 조각하듯 한 편 한 편 빚어 온 조장희는 동화의 장인이다. 그의 동화는 이 땅에서 오랜 생명력을 갖고 소나무처럼 푸를 것이다.

세계적인 경영 사상가이자 베스트셀러 《티핑포인트》와 《블링크》, 《아웃라이어》의 저자인 말콤 글래드웰은 좋은 글을 이렇게 정의했다. (조선일보 2009년 2월 14일자 기사)

'독자들을 끌어들이면서 뭔가 의미가 있는 아이디어를 제공하는 이야기여야 한다. 또 좋은 글은 분명 해야 한다. 간단하고 우아하게 설명 할수 없으면 독자를 잃고 만다.'

사족이지만, 문학과 별로 관계없지만, 이 말로 조장희 동화에 대한 이야기를 끝맺고 싶은 욕망을 떨쳐 버릴 수가 없다.

* 1986년 샘터에서 출간한 《아기개미와 꽃씨》는 절판되었으며, 현재 도서출판 푸른책들에서 《아기개미와 꽃씨》(2000)과 《도깨비는 심심하다》(2002)가 나와 있다.

어린이와 함께 선생이 걸어온 길

1939년 7월 18일 충북 청원군 강내면 연정리 155번지에서 한학자이셨던 조부 벽천(壁泉) 조절형(趙喆衡)의 만득자(晩得子) 성진(誠振)을 아버지로, 여산송씨(礪山宋氏) 부현(富賢)을 어머니로 태어나다. 이때 조부의 연세 68세, 아버지 19세, 어머니 20세였다. 내 출생기가 조부 벽천의 이때껏 남아 있던 빛바랜 일지에 고스란히 기록되어있다.─기묘년 7월 18일 날씨 청명하고 장손 출생하다. 양력으로는 9월 1일 금요일 오후 2시 50분경 미시(未時)말, 사흘 뒤 7월 20일에는 장손 삼날을 맞다. 명왈 장희(名曰 莊熙) 자왈 경재(敬哉), 장차 시를 즐기며, 문장은 자유로운 기상을 타고났다─적으셨으니 뒷날 그 손자도 벽천의 그 푸른 물을 함께 자아올려 무지개를 띄우리라. 무지개 예(霓), 샘 천(泉) 자를 써 예천(霓泉)이라 스스로 호를 삼고 동화작가로 시늉하고 있으니 어쩔까, 다행이랄까?

1944년 조부 벽천 돌아가시다. 향년 72세 내 나이 불과 5세의 기억으로는 먹 향기 그윽했던 할아버지의 방을 놀이터로 알고 그분이 쓰시던 이른바 문방사우를 장난감 삼아 놀다가 옷에다 먹칠하기 일쑤요, 귀한 연적들을 몇 개인가 깨고도 꾸중 대신 어허 이런 쑹한 첫첫……. 고작 몇 번인가 혀를 차시던 기억과 할아버지 손에 붓대 잡힌 조막손으로 그리듯 쓴 내 최초의 글씨 입춘축(立春祝), 여덟 글자 입춘대길 건양다경(立春大吉 建陽多慶) 이 두 폭의 대련이 사랑방 문틀 위에 팔(八)자로 붙어 할아버지 가신지 오랜 뒤 내 초등학교 저학년 시절까지 바람에 펄럭이고 있었던 사실 등 아주 지엽적이고 단편적인 것들이 고작이다.

1946년 신탄진 초등학교에 입학하면서부터 대전 신흥초등학교, 청주 주성초등학교, 고향인 청원군 강내초등학교에 이르기까지 철도 기관사였던 부친을 따라 4개 초등학교를 전전하면서 친구를 깊게 사귀지 못하고 외롭게 지냈다. 이 무렵 청주 지방방송국에 근무하시던 숙부의 도움으로 그때의 지방 초등학생으로는 드물게 〈소학생〉, 〈소년〉 등의 잡지를 정기 구독했다.

1949년 철도기관사였던 부친, 29세로 갑자기 요절하시다. 아버지에 대한 기억은 경부, 경의선을 달리던 철마를 지선인 충북선으로 옮겨 타시고 좀 답답해하시지 않았나 생각된다. 기관차의 위용부터 대단한 경부선, 경의선을 달리던 그것과는 달리 왜소한 기관차를 몰고 짧은 거리의 충북선을 달렸으니까. 아버님이 경부, 경의선에서 지선인 충북선으로 옮기신 것은 좀 더 고향 가까이에서 근무하라는 내 조모의 청을 거절치 못하셨기 때문으로 안다. 당시 청주 시내에 살았던 우리는 농번기가 되면 어머니는 고향집에서 농사를 지으시던 할머니의 호출로 불려 가시고 청주의 집은 갑자기 주부가 없는 남자 셋만의 홀아비 아닌 홀아비살림이 되었다. 이때 일요일에 승무하게 되면 하루 종일 외톨이로 남아있을 어린 아들이 안쓰러워 몇 번인가 나를 당신의 기관차에 태우시고 충주까지 달려갔다(당시 충북선의 종점은 제천이 아니라 충주역이었음). 아버지는 이때 손수 밥을 지어 도시락을 싸오셨는데 도시락 밥 위에 새까만 석탄가루가 어느 틈엔가 들어가 있었던 기억이 새롭다. 아버지 돌아가시기 직전 나는 초등학교 4학년 때 고향인 청원군 강내초등학교로 전학했었다. 이때 시골 초등학교에 전학 온 내가 전교 1등이라는 영예와 함께 상품으로 받은 《왕자와 거지》를 탐독했다.

1950년 초등학교 5학년 때 6·25전쟁이 발발했다. 이후 9·28 수복 때까지 시골 동네 공회당을 돌면서 수업이라고 계속했으나, 별반 참여하지 못하고 인공 치하를 견뎌냈다.

1952년 강내초등학교 졸업 후 전국의 졸업생이 일제히 국가고시라는 것을 치고(51년 졸업생이 1차) 그 성적으로 중학교에 입학하던 제도에 따라 청주사범학교 병설 중학교에 입학(나는 청주중학교엘 가고 싶었으나 요절하신 아버지의 "장의는 사범 학교를 보내라"는 유언을 지키려는 어른들의 의지가 강하게 작용)했다. 이때 반공 포로를 석방한 이승만 대통령의 관제 데모 동원령에 의해 "통일 없는 휴전은 결사반대" 등의 구호를 외치며 일주일에 한 번 이상 학생 행진에 동원되다. 이 무렵 6·25전쟁 중에 창간된 〈학원〉, 〈학생계〉, 〈새벗〉, 〈어린이 다이제스트〉 등 학생잡지 및 어린이 잡지 등을 용돈을 아껴 구독해서 보았다.

1953년 이승만 대통령의 간곡한 "통일 없는 휴전 결사반대"의 의지를 꺾고 6·25전쟁의 휴전이 성립됨.

1955년 청주사범병설중학교 졸업 후, 청주고등학교 입학함.

1957년 당시 청주 지방의 고교생 문예반을 중심으로 조직 되어 온 푸른문학동호회에 참가(당시 2대 회장 김문수)하여 청주고 동기 동장인 김문수(소설가), 홍기삼(평론가)과 본인 등이 모두 서라벌예대 문창과에 장학생으로 진학하는 계기가 되었다. 청주 지방 방송국에서 반공 드라마 현상 공모 소식을 듣고 고서점을 뒤져 《CBS무대》라는 단편 라디오 드라마 대본집을 구입해 이서구, 조남사, 이보라 등의 작품을 단 한 번 읽고 작품을 써서 응모했다. 당선작 없는 가작으로 입선, 처음으로 전파를 타다. 이후 단편 드라마를 지방 방송국의 청탁에 의해 한 편 더 써서 녹음 과정에 성우로 출연하기도 했다.

1958년 〈충북신보〉(충청일보의 전신) 신춘문예 공모에 동화 〈영만이와 우장옷과〉를 응모, 당선작 없는 가작으로 입선되다. 청주고등학교 졸업 후 서라벌예대 문창과에 입학함. 김동리, 서정주, 박목월 등의 강의를 듣다.

1960년 〈조선일보〉 신춘문예에 동시 〈엄마 마중〉이 가작 입선됨. 당시 당선작으로 신현득의 동시, 오문호(오영민)의 동화가 기억된다. 서라벌예대 졸업 후 같은 해 4·19혁명으로 자유당 정권이 붕괴하고 장면 내각이 집권함.

1961년 〈조선일보〉 신춘문예에 동시 〈산골 겨울밤〉이 당선됨.(심사 윤석중) 이해 같은 〈조선일보〉 신춘문예 소설 부문에 청주고 동창 김문수가 당선됨. 청주 지방에서는 문단 경사라고 본인과 김문수의 2인 당선 축하회가 열리기도 했다. 청주고 시절 친구인 이한우(화가)와 함께 신생 지방신문 S일보사 주최로 청주 클로바다방에서 동시화전 개최, 이어 초등학교 순회 전시 중 첫날 청주청남초등학교 전시 도중 5·16군사정변으로 중단됨. 그해 8월 1일 공군 94기 병으로 자원 입대함.

1962년 이후 대구, 김포 등의 공군 기지에 근무하면서 조선일보 지상을 비롯, 부산의 국제신문 문화 부장이었던 최계락 시인과 부산일보의 이종택 시인 등을 만나 그들 신문에 작품을 몇 편 발표했으나 원고료는 받지 못하고, 도움을 주었던 고참 및 동료 등에게 주머니를 털어 원고료인 양 막걸리 잔을 사주던 씁쓸한 기억도 있다. 그로 인해 부대 내에 시인이 있다는 소문이 나서 한 청년장교의 연애편지를 대필해 주는 등의 곤욕을 치루기도 했다.

1964년 7월 31일 공군 만기 제대함.(공군예비역 하사) 시인 신동문 선생의 주선으로 도서출판 신구문화회사 입사 후 〈한국의 인간상〉 〈국사대사전〉 등의 집필 편찬 작업에 참여함.

1966년 11월 6일 윤석중 선생을 주례로 모시고 정인숙과 결혼함.

1967년 월간 어린이잡지 어깨동무에 입사함. 후에 편집장으로 근무하며 만화가 고우영, 김원빈 등을 미술기자로 영입, 함께 일을 하기도 했음. 장남이 태어남. 백일에는 이원수, 이종기, 어효선, 황영애 등 아동문학가들의 축복을 받음.

1969년 중앙일보 출판국에 입사하며 〈여성중앙〉 창간 작업에 참여함. 이후 〈소년중앙〉, 〈학생중앙〉, 〈음악세계〉, 〈라벨르〉 등의 중앙일보 발행 잡지 제작에만 몰두(그 사이 창간부장, 주간 등을 거침). 창작 활동은 한동안 접어두었음.
7월 14일 차남이 태어남.

1970년 중앙일보 출판국에서 함께 일하던 전영호 형이 태평양화학의 홍보실로 옮겨 사보 〈향장〉의 편집을 맡으면서 어느 날 불쑥 찾아와 "동화작가가 동화를 써야지 뭐하는 거냐."고 힐난하며 강제이다시피 10장 정도의 짧은 동화를 매달 쓰라는 명령 아닌 명령을 내리고 갔다. 이후 전형에게 고삐를 잡힌 나는 잡지 제작의 틈틈이 자료도 찾고 조사도 하며 때로는 신장개업한 장인인 듯 착각에 빠지며 쓴 작품들이 〈흰 나비의 날개옷〉, 〈야아! 세상 참 넓구나〉, 〈갈대의 약속〉, 〈뿔치 대장〉, 〈나비와 할미꽃〉, 〈연못과 창포못〉, 〈까마귀와 눈사람〉, 〈늙은 밤나무〉, 〈감자와 토마토〉, 〈개미와 매미〉, 〈못난이 호박〉, 〈못난이 병아리〉, 〈엄마참나무와 아기도토리〉, 〈몸살 앓는 조개〉(초등학교교과서 3학년 1학기 읽기에 실리면서 〈진주를 품은 조개〉로 개제), 〈게가 되고 싶은 새우〉, 〈외로운 눈사람〉 등등 우화 형식의 짧은 동화를 3년 가까이 연재하면서 사보에 동화 연재 붐을 일으켰다고도 한다.

1982년 사보 〈향장〉에 연재했던 일련의 작품들로 뜻밖의 세종아동문학상을 받다.

1986년 중앙일보 출판제작국장에 취임. 〈월간중앙〉, 〈소년중앙〉, 〈학생중앙〉, 〈여성중앙〉, 〈영 레이디〉, 〈라벨르〉, 〈음악세계〉, 〈문예중앙〉, 〈계간미술〉 등의 잡지 군단과 단행본 제작을 총괄 지휘하다. 첫 동화집 《아기개미와 꽃씨》를 샘터(편집장 정채봉)에서 출간하고 출판문화회관에서 출판기념회를 열다. 이 동화집으로 1986년 대한민국문학상을 수상하다.

1992년 30여 년 가까이 근속해 오던 중앙일보를 떠나 경향신문 출판편집국장으로 직장을 옮기다.

1993년 경향신문 출판편집국장을 의원사직함. 40여 년 가까운 직장 생활을 청산하고 창작 활동에만 전념하기로 결심함. 오피스텔에 집필실을 마련하다.

1994년 어려서 들었던 도깨비 이야기를 옴니버스 스타일의 장편동화로 엮어 작가가 화자로 직접 등장하는 등 새로운 이야기로 재창작하여 장편동화집 《벼락맞아 살판났네》(동아출판사)를 내 나름대로는 야심작으로 출판하다. 이 동화집으로 어린이 문화대상을 수상하다.

1995년 집필실을 경기도 양평군 양수리 일명 두물머리로 옮겨 장편동화 《괭이씨가 받은 유산》(중앙 M&B)에서 출판하고, 1996년 5월 소천아동문학상을 받다. 그때 수상소감을 말하는 자리에서 다음과 같은 이야기를 했다.

나는 동화란 모든 문학의 원초라고 생각합니다. 문자로 기록되기 이전의 구전문화(옛날이야기)그게 바로 동화였습니다. 우리가 세상에 태어나서 처음으로 겪게 되는 문화적인 충격, 그건 바로 동화입니다. 이 최초의 충격은 어른이 되어서도 우리의 뇌리에 살아 있습니다. 그래서 나는 동화란 어린이들만의 읽을거리가 아니라 어른들도 힘께 읽는 문학이어야한다고 생각합니다. 어른이 되어서 세파에 시달리며 황폐해진 가슴 밑바닥에 잊은 듯 숨겨져 있는 무구한 동심의 순수를 흔들이 깨울 수 있는 감동의 문학, 그게 바로 동화이어야 합니다. 그렇기 때문에 나는, 동화는 어린이들이나 읽는 읽을거리여서는 안 된다고 주장합니다. 어른이 읽어서 시시하고 싱거운 이야기는 어린이에게도 시시하고 싱거울 뿐입니다. 절대로 어린 독자들을 깔봐서는 안됩니다. 나는 동심천사주의를 배격합니다. 선과 악, 옳고 그름을 정확하게 판별할 힘을 길러주어야 그 어린이가 바른 생각을 가진 어른으로 자랄 것입니다. 그래서 나는 동화에서도 풍자와 비판을 수용해야 한다고 생각합니다. 정도의 차이는 있겠지만 어린이가 읽기에 조금 벅찬 주제라도 동화가 될 수 있다는 생각입니다.

1998년 단편동화집 《해를 삼킨 이무기》(교학사)를 펴냄. 군사 독재 정권이 민주 시민운동에 어떻게 굴복하는지, 자유를 찾는 과정이 상징적으로 그려졌다는 평을 듣고 계엄 검열 하에서 어떻게 그런 동화가 신문(중앙일보)에 발표 되었나 화제가 되기도 했다. 이 작품집으로 1999년 제9회 방정환문학상을 수상하다.

2002년 단편동화집 《도깨비는 심심하다》(푸른책들)를 펴냄.

2004년 《괭이씨가 받은 유산》을 《괭이씨 미요》로 개제 후 랜덤하우스중앙에서 새롭게 출판함.

2005년 장편동화집 《벼락맞아 살판났네》를 효리원에서 새롭게 출판하다.

2008년 고향의 누옥을 헐어내고 그 자리에 한학자이신 조부의 기념관으로 벽천제(碧泉濟)를 신축준공하고 '벽천기념문고(碧泉紀念文庫)' 곁에 '무지개글방'이란 이름으로 서재(집필실)를 마련하고 파킨슨이란 해괴한 병을 친구삼아 몇 권의 동화를 집필함.

한국 아동문학가 100인

오순택

대표 작품
〈아름다운 것〉 외 4편

작품론
직관적 감성 언어, 그 상큼한 뿌리에 머물기

인물론
대쪽, 그리고 치밀함과 섬세함

어린이와 함께 선생이 걸어온 길

아름다운 것

세상에서
가장 아름다운 것은
아기다.

아기의 눈
아기의 코
아기의 입
아기의 귀

그리고
아기의 손가락
아기의 발가락

아기는
이따가 필 꽃이다.

귀이개

귀이개로
귀지를 파다 보면

친구와 소곤소곤 나눈
귓속말도
귀이개에 묻어 나오고

선생님의 귀한 말씀도
부스러기가 되어 버린다

그래,
쪼그만 게
내 비밀을 다 캐내는구나.

무지개

여름 오후
해님이
잠깐 졸고 있는 사이.

소나기가 놓고 간
일곱 줄 현악기.

부리 고운 새가 날아가며
튕겨 보지요.

아기염소가 웃는 까닭

꽁지 몽땅한 새가 날아가면서
싼 똥.
노란 민들레 꽃잎에
똑―
떨어졌다.

민들레가 화들짝 놀란다.

새순을 뜯어 먹고 있던
아기염소가
꺄르르 웃는다.

달이 떨어진다면

엄마와 함께
시골 할아버지 집 가는데

둥근 달이
나뭇가지에 걸려있다.

"엄마,
달도 떨어지면 아프겠지요?"

"그럼,
깨어져 조각달이 되겠지."

직관적 감성 언어,
그 상큼한 뿌리에 머물기

윤삼현

1. 들어가며

한국 동시 문학 100주년을 지나 다시 첫 해를 보태는 해다. 이 기념비적 연대기에는 동시 문학이 일구어 놓은 놀라운 성과의 산맥이 자리 잡고 있다. 현대 한국 동시사와 더불어 명멸한 숱한 시인과 그들의 창작의 산고와 짙은 호흡이 켜켜이 층위를 이루어 쌓여 있는 것이다. 굵다란 발자국을 찍은 시인, 한때 스쳐지나간 시인도 있겠고, 기존 궤도에서 이탈하여 독자적 산봉우리를 쌓아 간 시인도 없지 않다. 굵은 획을 그은 시인들, 그들이 이룩한 동시의 산봉우리는 한국 동시의 지표 노릇을 해 왔고 한국 동시의 정체성 역할을 했으며 그 발전 가능성에 대한 예측 통로 구실을 해 왔다.

한국 현대 동시의 견인차 역을 맡은 여러 시인들이 있다. 그들은 간단 없이 동시의 현 주소를 묻고 동시의 내일에 대답을 찾아 고뇌하기를 멈추지 않았다. 오순택 시인도 그 중의 한 시인이다. 그는 '새와 꽃의 시인'으로 알려졌으며 부단히 변화와 갱신을 통해 동시의 질적 수준을 끌어올리는 데 한 몫을 맡아 왔다. 오순택 시인은 동심 언어의 마력을 일찍 깨달아 독특한 수법으로 시적 대상을 존재 전환시키는 마법을 부려온 시인이다. 동심 정신을 잃지 않은 동시인으로 19권의 동시집을 펴냈고 매번 푸른 서정의 나래를 활짝 꽃 피워 냄으로써 문단 널리 문명을 각인시켰다.

그의 동시를 개진해 보는 작업은 한국 동시의 중요한 한 흐름의 맥을 짚는 일이며 동시 특유의 새로운 발견의 체험이 될 것이다.

2. 하얀 백지위에 그려나간 직관적 마법

오순택 시인의 언어는 직관성에 기초한다. 동심 언어가 대체로 낭만적 이상성 혹은 물활론적 원리에 따라 논리적 판단이나 추리 경험 따위의 기존 관념을 따르지 않고 대상을 직접 파악하기 십상이지만 오순택의 직관은 펼쳐진 세계 속으로 신비적 참여가 가능한 열린 직관을 취한다. 그의 순수 직관은 마치 흐트러짐 없이 잘 정돈된 하얀 백사장에 상큼하고 그지없이 순수한 동심 언어로 그려놓은 그림을 보는 기분이다. 이런 때 묻지 않은 동심 언어는 언제라도 무결점의 미소년 소녀를 대하는 행복감을 가져다 준다. 순수, 정결성은 어떻게 보면 동심 의식의 독법으로 동심 소유자의 전유물에 다름 아니다. 순수성, 정결성은 티 없는 마음으로 세계를 볼 때 신선하게 펼쳐지는 탈일상적 감각에 의한 발랄한 영상을 가능케 한다. 다양한 감각으로 내면에 떠오르는 즐거운 세상 보기, 그것이 시인의 순수 직관이다.

산은
삼각형이다
삼각형인 산은
바람이 불어도
넘어지지 않는다.

산새는 산 속에 살며
굴참나무 잎처럼
뾰족한 부리로 휘파람을 분다.

(가운데 줄임)
아침에 맑은 이슬로 세수하고
기지개를 켜는 산은
나무처럼 자란다.

굴참나무 잎 같은
맑은 목소리를 가진
메아리가 사는 산.

산은
초록 삼각형이다.
– 〈산은 초록 삼각형이다〉 일부

시각적 이미지와 감각적 표현 전략에 의해 위 시는 태어났다. 이른바 직관적 감성 언어에 의한 강렬한 순수 직관적 세상 보기에 동참하게 만드는 작품이다. 산은 때 묻지 않은 순수성을 가지고 있어 무결점의 동심으로 세상을 보고자 하는 시선들의 주 목표물이다. 산 바라보기는 인위적 발길이 머물지 않는 원초적 순수로서의 자연을 표상한다. 순수 자연이 뿜어내는 맑은 숨소리가 밝고 싱싱한 분위기를 동반하며 독자에게 다가옴에 따라 독자는 그 시적 장면에 즐겁게 참여하게 된다. 이 반응과 반향은 독자의 가슴에 상당한 울림으로 고이고 파장을 일으키리라는 믿음을 준다. 화자가 맑은 목소리를 낸다는 것은 세계를 응시하는 맑은 눈을 소유하였음을 말하며 그 시선은 당연히 순수, 정결함을 지향하는 시정신의 확보를 촉진하고 자연과 일치해도 좋은 적극적 태도를 갖도록 동일화를 꿈꾸게 하는 것이다.

　직관적 세상 보기는 오순택의 두드러진 시적 매력으로 자리 잡았다. 자세히 살펴보면 그의 거의 모든 시가 발자국 하나 찍히지 않은 하얀 백사장을 대하는 듯한 깔끔함과 상큼함, 정결함을 체험하게 하는 순수마력이 항존한다. 그러한 인식의 실체는 산을 초록 삼각형으로 보는 것처럼 직관적 파악의 바탕 위에서 비롯하고 있다.

　엄마가 / 아기 똥꼬를 / 들여다봐요.

　꼭 / 나비가 꽃을 / 들여다 보는 것 같아요.

　똥꼬가 / 뽀꼼 열려요.

　튜브에서 / 치약이 나오듯 / 똥이 나와요.

　향내 / 소올솔 풍겨요.

　– 〈똥꼬가 뽀꼼〉 전문

　아기 똥도 직관법으로 보면 치약이 되고 향기가 된다. 우리의 시에서 전통적 독법으로 읽는다면 아기의 일거수 일투족이 모두 사랑 그 자체로 은유되어 왔다. 그러한 독법은 근원적 사랑, 이를테면 아빠, 엄마의 사랑, 가족 구성원간의 응집된 애정에서 발생되는 장면들이 순연무구한 사랑의 세계로 다루어져 왔다. 지속적으로 관류해 온 사회적 공감대에 의한 아기 보기 또한 언제나 사랑을 짙게 보여 주는 좋은 장면이다. 〈똥꼬가 뽀꼼〉은 그런 시각이라기보다 직관에 의해 선택되어 순수함과 즐거움이 내재된 시로 볼 수 있다. 일상 어법을 기초로 하여 탁월한 직관의 시선으로 찾아낸 신선한 소우주가 마침내 아기의 똥꼬에서 치약이 나오는 마법의 세계였던 것이다. 시인의 건강하고 싱그런 동심, 순수하고 아름다운 사고방식이 직관의 독법과 만나면 이처럼 경이로운 세계를 창조할 수 있게 되는 것이다. 결국 동심적 직관은 감각적 시어와 투명한 상상을 바탕으로 전개되는 동심 행보를 통해 얻어지는 것임을 오순택의 시들은 말해준다. 부정적 어법으로는 결코 얻어질 수 없는 것들이다. 시인의 오감은 사방팔방으로 열려 어떤 시적 대상과 만나도 교감할 준비가 되어있음을 엿보게 하는 대목들이다.

3. 생명, 원초적 경이로움과 꿈틀거림

오순택 시인에게 동심은 삶과 유리되지 않는다. 동심 그 것 자체가 삶의 흐름이며 삶의 동력이 되는 것임을 전제로 깔고 있다. 동심은 시인의 삶을 움직이고 온전한 인식에 도달케 하는 하나의 목표이자 시적 추구의 의미 전부라고 해도 과언이 아니다. 삶은 역동적 움직임을 지시한다. 그것은 조그만 꿈틀거림으로도 확인할 수 있고 미세한 감지로도 인식할 수 있다. 가벼운 몸짓으로도 상쾌한 생명감을 느끼게 된다. 신비한 생명력으로서의 동심은 자그만 새싹 같은 것을 감지하는 신비한 생명의 눈을 확보하는데 탁월한 재주가 있다. 신비한 생명력은 쉴새 없이 지저귀는 새와 같은 속성을 지녔다. 저절로 굴러 떨어지는 물방울 같은 에너지를 함유하고 있다. 생명이 주는 움직임은 아이들 함성, 혹은 경쾌하고 신선한 시냇물 소리 같이 정겹고 즐거운 속성을 지닌다.

다람쥐가 들추고 간
마른 풀섶 사이
애기똥풀 꽃이 핀다.

노오란 작은 꽃잎이
꼬옥 애기똥 같아
붙여진 이름
애기똥풀 꽃.

가만히 들여다보면
애기똥 냄새가 나는 것 같다.

누구 하나 보아주지 않는
보잘 것 없는 꽃
애기똥풀 꽃.

오늘은 바람이
꽃잎을 들춰 본다.
- 〈애기똥풀 꽃〉 전문

다람쥐가 들추고 간 마른 풀섶에 애기똥풀 꽃이 피는 놀라운 생명 현상을 대면하는 화자의 떨림이 잡혀오는 시다. 정적인 분위기에 의해 가만히 애기똥풀 꽃을 들여다보는 화자의 시의식은 매우 순도가 높은 맑고 정갈한 시의식이다. 그러나 실제 시적 화자가 느끼고 있는 심미적 정서(Aesthetic Emotion)는 매우 강렬한 호응으로 생명 현상과 대면하고 있다는 사실이다. '노오란 작은 꽃잎', '애기똥 냄새', '꽃잎을 들춰 보는 바람'에서처럼 개별적인 이미지들이 결속하여 시상을 통일하고 의미를 집약시켜 감으로써 존귀한 생명체로서의 시적 대상과 순수 동심을 등가적인 관계로 절묘하게 비쳐 보이게 하는 데 이 시의 매력이 있다. 생명의 귀한 꿈틀거림으로 촉발된 작은 에너지가 동심 에너지로 확장하여 궁극적으로 우주에 가득찬 생명의 기운을 맛보게 하는 완성으로서의 꽃잎으로 발전하는 전개 양상을 보여 준다. 애기똥풀 꽃을 들춰 보려는 독자의 창과 애기똥풀 꽃을 그려 보여 주려는 시인의 창의 소통 거리를 가깝게 그리고 역동적으로 잇대주는 시적 체험을 맛보게 한다.

'들추고 간다, 핀다, 들여다보면, 들춰 본다' 감각적 시어를 통해 호기심 천국에 사는 어린 화자의 즐거운 동심 탐색, 설레는 동공의 놀림 등 순수 동심의 숨결, 친밀감이 증폭된다. 오순택 시인은 《꽃과 새》(학예원) 시집에서 새와 꽃 70편을 묶어 예쁘고 정겹고, 사랑이 물씬 밴 서정의 꽃밭을 차려 낸 바 있다. "대상에 대한 화려한 변주는 오순택 동시의 근간을 이룬다. 꽃잎은 시가 되고 편지가 되며, 새가 되고 별이 된다."라는 진단에서 오순택 시인의 동시 세계의 핵심에 존귀한 생명에 대한 시적 인식이 크게 자리 잡고 있음을 알 수 있다. 동시에 '재미, 유익, 감동'의 세 조건을 충족시키는 언어 예술이라고 볼 때 이러한 시적 인식은 보다 큰 감동체로 독자에게 전달되리라 믿는다.

나는 물이에요.

졸졸 쫄쫄 촐촐 악기 같은 새 소리도 흉내내며 산 속 바위 등을 지나 개울에 이르면, 어디서 왔는지 그 곳에는 얼굴이 푸르스름한 친구들이 기다리고 있었지요.

가다가 숨차면 댐에 갇혀 햇볕에 포슬포슬 등을 말리기도 하고, 그래도 심심하면 폭포처럼 뛰어내려 하야말갛게 부서지며 깔깔댔어요.

물은 물끼리 만나면 즐거워요.

금세 강에 다다랐는지 토끼풀 주섬주섬 모아 꽃 피우는 강가를 바라보며 우리는 한 마음이 되어 큰 강을 만들지요.

강은 깊을수록 휘휘 휘파람을 불며 흘러가지요.

…… (중략) ……

후유! 손이 조그맣고 귀여운 여자 아이였어요. 나는 하얀 이를 드러내며 웃어주었지요.

"너를 만나려고 낙동강 일천 삼백리를 달려 왔지."

나는 나푼나푼한 이파리처럼 말했지요.

– 〈우리가 물이 되어 만난다면〉 일부

7차 교육 과정 6학년 국어 교과서에 실린 시다.

동시가 상상력의 산물이며 발견의 원리를 바탕에 깐 가열찬 시 작업의 결과물임은 두말할 나위가 없다. 이러한 정서적 소산물로서 질서 있는 창작 작업 위에 자유로운 상상력을 녹여 낸 작품들에 대해서 더욱 감정의 동요를 일으키게 된다. 극명한 의미를 끌어내는 데 매우 유익하며 감동의 강도 또한 크게 작용하는 잇점이 있어서이다. 울림의 확보 여부는 동시에서 보다 중요한 영향을 행사하는 법이다. '우리가 물이 되어 만난다면'은 물의 여로를 다루었다. 시작점에서 도착점에 이르기까지 여정을 산문시 틀 속에 담았다. 물은 세상의 삼라만상의 생명을 살리는 소중한 생명 원천이다. 순수 동심, 사랑의 베품, 역동적 에너지를 발산하며 물은 끊임없이 나아간다. 물은 또한 동심과 등가적인 것으로 설정되어 아이들의 천진함이며 순수 정조를 물에 투사, 경쾌한 행보를 벌여나간다. 물이 벌이는 몸짓, 입말, 깔깔 웃음, 지저귐 등이 상쾌한 동시 향연을 펼치고 있는 이유는 동심 독자를 그 안에 끌어들이고자 하는데 있다. 시인이 차린 생명 공간에서 물의 역할은 분명하다. 고귀한 생명에로의 시선을 넓혀 그 고동 소리를 극대화하여 들려주고자 함이다.

4. 소통, 그 내적 울림

동심의 문학은 인간 정신의 진실과 아름다움이 함축된 무한한 우주다. 이 우주라는 문을 통해 시인과 독자는 소통한다. 특별한 공간을 무대로 하는 동심 사유방식은 늘 우주를 넘나들기 위해 자아를 변모시키고 세계와 자기를 하나로 묶기도 한다. 자아와 세계의 만남을 우리는 소통이 이루어졌다라고 말한다. 화자와 세계의 소통, 독자와 화자의 소통, 양자가 공히 원만히 이루어질 때 명료한 이해와 반향이 가능해진다.

오순택의 시에서 원시림의 짙은 향내가 묻어난다는 것은 매우 주목되는 일이다. 동심의 본질을 꿰뚫고 있다는 사실을 반증하는 일이기 때문이다. 원시성은 동심의 본질인 단순 명쾌성과 맥을 같이 한다. 그의 시들이 단순 명쾌성을 표방하면서 인위적 발걸음을 허용치 않는 자연을 탄력있게 활용하고 있다는 것은 그런 점에서 아무런 가식이나 꾸밈이 개재되지 않은 원초적 원시 공간에서 동시를 빚고 있다는 말로도 설명이 가능하다. 그의 일련의 시에서 거침없는 소통이 행해지거나 대상과의 관계 맺기가 활달하게 이루어지는 가운데 살가운 감동으로 끌어가는 장면은 매우 투명한 소통을 증언해 준다.

산은

비스듬히 누워있었다.

연둣빛 가슴에

키 큰 나무와 키 작은 풀꽃과

노래를 좋아하는 새를 품고

산은

천 년 전부터

바위를 베고 누워 있었다.

…… (중략) ……

새가 공중으로

초록빛 노래를 쏘아 올릴 때마다

하늘엔 별이 하나씩 태어났다.

– 〈푸른 메아리〉 일부

산은 상투적 관념의 지배를 벗어나 인위적 꾸밈이 하나 없고 신선하며 순수하고 단순한 모습으로 그려져 있다. 원시림에서 맡을 수 있는 태초의 숲 향기나 나무 냄새가 짙게 풍긴다. 오래전 그 모습으로 원시의 본질을 그대로 유지하고 있는 것이다. 단순명쾌성을 추구하는 동심이 호흡을 맞출 수 있는 조건을 갖추고 있는 것이다. 원시적 호흡을 하늘로 날릴 때마다 '별'로 상징되는 우주가 하나씩 태어난다고 했다. 그 태어남은 우주와 관계를 맺어 가고자 하는 동심 독자와 소통을 전제로 한 시 의식을 얘기한다. 어둠과 암묵의 세계에서는 소통이 이루어지지 않는다. 밝음과 긍정적 관계 맺기에서 소통이 이루어지는 법이다. 태초의 생명성을 유지한 푸른 메아리가 사는 산을 통해 시인이 말하고자 하는 의도는 지상과 천상을 연결하는 소통에 의한 신비로운 창조성을 일깨우려 함이다. 빛이 너울거리는 숲이 우거진 동심이 보듬은 원시림, 이 원시림이야말로 순수의 동심과 일치하는 동격의 객관적 상관물이라 하겠다. '초록 삼각형'이나 '푸른 메아리'에 드러난 숲이며 산은 생명의 원시림, 씩씩거리며 숨소리 내뱉으며 주고받기하는 소통의 산이다.

새는

하느님이 만든
악기입니다.

그 악기가
소리를 내면
우리의 귀는 깨어납니다.

새는
이 세상에서
가장 고운 목소리로
저희들끼리만
알아들을 수 있는
말을 합니다.
– 〈새의 악기〉 일부

동심은 동심끼리 소통 구조를 같이 한다. 동심이 없는 어른들은 동시가 어려운 언어에 불과할 뿐이다. 감응하지 못해 느낌이 없고 그 가치를 인식하지 못한다. 그러나 동심을 확보한 일차, 이차 독자들은 동시의 세계가 쉽고 재미있게 다가오는 즐거운 놀이 언어와 같다. '새의 악기'는 동심끼리 아름다운 동심의 언어를 소통하며 주고받기를 나누어가는 발견의 가치를 일깨우는 사이다. 새소리는 단순한 악기가 아니다. 천상의 소리로 고운 목소리를 갈망하는 지상의 모든 동심 시청자들을 향해 내는 지극히 존귀한 소리다. 그 소리는 비록 종교적 상징에 의해 발화되어 흘러나오고 있으되 다시 보편적 동심과 코드를 맞춰 이 땅의 동심소유자들과 일치하고자 하는 존재 전환의 신비악기이다.

전철을 타고
아빠와 나란히 앉았다.

팔을 벌려
나를 포옥 감싸준
넓은 아빠 어깨가
포근하다.

말을 하지 않고

어깨만 마주 대고 앉아 있어도

아빠의 마음 알 것 같다.

그네처럼 매달려 있는

손잡이

너무 높아

쳐다만 봤다.

아빠는 나의 손을 꼭 쥐어 주었다

"얼른 커야지!"

하시며.

　전철 안의 아버지와 아들의 풍경이 따뜻하게 그려진 시다. 보편적 동심으로 살아가는 따스한 사람의 숨결이 고스란히 잡히는 온돌방 같은 언어의 기능을 보여 준 시라서 계몽성과 예술성을 공히 확보한 시라고 할 수 있다. 아버지와 아들의 무언의 소통이 단계적으로 이루어지는 것을 볼 수 있는데, 팔 벌려 안아주기→ 마주 대고 앉기→ 쳐다보는 손잡이→ "얼른 커야지"의 말씀등을 통해 거듭 아버지와 아들의 내적 언어가 속속 교호작용을 벌인다. 따뜻한 부성애를 일깨우는 위 시에서 가슴 깊은 곳에 채워져 있는 자식에 대한 사랑을 조용히 그리고 정감 있게 표출하는 아버지상을 재확인하여 볼 수 있게 된다. 아이 옆에서 아버지는 때로는 친구처럼, 때로는 정감 있는 보편적 아버지 그대로, 아들에게 개방적 호흡을 나누어주며 온몸으로 소통하고 있다. 아이나 아버지나 소통이 가져다 준 반향과 울림은 결코 작지 않다. 화자의 표정에는 말은 생략되어 있지만 내면의 파장이 그대로 비쳐 보인다. 따뜻한 말 한 마디로, 그윽한 눈길 하나로, 마음을 열어 품어주는 사랑의 몸짓 하나로 금방 소통이 이루어지는 사람들, 그들이 바로 동심이란 것을 오순택 시인은 한 편의 시로 일깨워 준다.

5. 나가며

　원초적 싱그러움과 환희와 축복의 언어로 충일하게 동심을 채색해 가는 시인, 그가 오순택 시인이다. 단순 명쾌성의 동심 원리를 바탕으로 비교적 절제된 언어에 의해 동심 의미망을 훑고 있다. 판타지를 접목한 시들은 감각적 사물 이미지로 무장하여 동심적선율이 흥건히 넘친다. 그의 동시의 특징은 다양하지만 대체로 순수, 정결성을 기초로 하여 직관의 마법에 의한 발상을 얻어 창작에 임하고 있음이 드러났다. 또한 역동적 생명성을 다루거나 내적 울림과 반향을 일으키는 자와와 세계의 소통 구조에 주목하여 동심을 재해석하는 데 창작의 주안점을 두고 있음이 밝혀졌다. 그의 절제된 언어, 섬세한 묘사, 신선한 비유는 동심 독자를 확보하는 데 매력이 크다. 나아가 시적 감동을 전달하는데 있어서도 탄력을 주리라 믿는다. 직관적 감성 언어의 광맥을 부단히 캐어가는 수고, 이러한 점은 한국 동시 발전을 견인해 온 중견 시인인 그에게 거는 기대가 여전히 큰 이유가 될 것이다.

대쪽,
그리고 치밀함과
섬세함

문삼석

1

"웃어!"

모두들 웃는다. 협박조로 들리는 명령을 받들어서가 아니라 느닷없이 튀어나온 의외의 괴성에 폭소를 터뜨리고 만 것이다.

어느 문학 기행 때였던가? 단체 사진을 촬영할 때의 이야기다. 사진사는 그때까지만 해도 좋은 카메라(?)를 소지하고 있다는 이유로(실은 촬영 솜씨도 발군이지만) 모든 촬영을 전담하고 있었던 사무국장 오순택 시인이었다. 단체 여행은 절대적으로 신속한 행동이 요구된다. 특히 단체 사진 촬영은 더더욱 신속을 요한다. 한 명이라도 해이한 분위기에 휩싸여 게으름을 부리면 전원이 참여한 단체사진 촬영은 거의 불가능하다. 그렇지만 어느 모임에서나 느리고, 어긋나고, 어깃장부리는 사람들은 꼭 있기 마련이 아니던가?

사진사 오순택 시인은 그걸 용납하지 않았다. 고성이 한두 번 오가고 나면 일행은 한 사람도 빠짐없이 질서정연하게 도열한다. 가쁜 숨을 몰아쉬며 서둘러 도열한 면면들의 표정이 온화할 리가 없다. 그럴 때 흔히 쓰는 방법이 무엇이던가? 통상관례는 '김치이'나 '치이즈'를 합창하는 일일 것이다. 그런데 그 부드럽고 나긋나긋한 용어를 사용하는 대신 오순택 시인은 '웃어!'라는 군대식 명령어를 외친 것이다.

폭소가 아니 나올 수가 없다. 이미 오순택 시인의 성격을 잘 알고 있는 터가 아니던가? 외견상 그는 매우 강해 보인다. 대쪽이라고나 할까? 그 언어적인 표현에 관한한 나긋나긋하면서도 부드러운 표현을 그에게서 바란다는 건 필시 연목구어일 터이다. 이러한 현상은 사실 남에게 굽히길 싫어하는 곧은 그의 성격에서 비롯된 것인지도 모른다.

그렇지만 과연 그의 내면도 겉처럼 강직하기만 한 것일까?

겉 다르고 속 다르다는 말이 있다. 강하고 빈틈없어 보이는 언행 뒤에 숨어있는 한없이 여리고 부드러운 심성의 소유자, 그게 바로 오순택 시인임을 아는 사람은 그리 많지 않다.

연전에 존경하는 원로의 장례식에 함께 참여한 적이 있었다. 하관 절차가 이루어지고 있는데, 갑자기 오순택 시인이 자리를 떴다. 볼일을 보러 갔으려니 했던 나는 한참 뒤 장지에서 약간 떨어진 곳에서 등을 보이고 서있는 오순택 시인을 발견하고 무심코 다가갔다. 그러다가 멈칫했다. 오순택 시인의 어깨가 심하게 떨리고 있었던 것이다.

오순택 시인은 울고 있었다. 아무리 참으려 애를 써도 끝내 입술을 들추고 터져 나오고야 마는 비통한 울음, 오순택 시인은 바로 그런 울음을 울고 있었던 것이다.

무엇이 그를 그토록 오열하게 했는지는 잘 모른다. 그러나 평소에 풍기던 냉철하고 사리분별에 가차가 없던 얼굴과는 달리 진한 눈물을 보여 준 오순택 시인의 모습에서 필자는 오순택 시인의 또 다른 모습을 보고 숙연해질 수밖에 없었다.

오순택 시인은 1942년 전남 고흥의 어느 산골 마을에서 태어났다. 부친은 향토의 토반으로 넉넉한 가세를 이어가고 있었으므로 오순택 시인의 어린 시절은 넉넉하고 여유로웠다.

그러나 고교 3년 시절, 병석의 부친이 돌아가시면서 가세가 급격히 기울기 시작했고, 좀체 호전되지 못한 가세 때문에 결국 오순택 시인은 대학 진학을 포기하고 만다.

그 뒤 오순택 시인은 순천, 광주, 대구 등지를 떠돌며 유랑 아닌 유랑 생활을 하다 군에 입대한다. 70년 초, 군 생활을 마친 오순택 시인은 무작정 상경하게 되는데, 서울에 별 알음이 없던 그로서는 당장의 기숙이 문제였다.

"갈 데 없는 몸, 별 수 있습니까? 당시 갓 결혼해 알콩달콩 살고 있던 친구(동화작가 박종구) 단칸 신혼방에서 한동안 신세를 졌죠."

그의 서울 생활은 이처럼 어이없는 해프닝으로 시작되었다.

그러나 구원의 손길이 닿은 것은 그리 오래지 않았다. 다행하게도 일주일여 만에 스승인 전봉건 시인의 부름을 받은 것이었다. 당시 〈현대 시학〉을 주재하고 있던 선생은 오순택 시인의 딱한 사정을 듣고 흔쾌히 잡지사에서 일하게 해 주었고, 숙소 주선으로부터 먹을 것, 입을 것 등 소소한 일에까지 세세하게 보살펴 주는 등 낯설기만 했던 서울 생활에 적응하는 데 결정적인 도움을 주었다.

2년여 동안 정봉건 선생을 도우면서 지내던 오순택 시인은 역시 선생의 주선으로 어느 의학 전문 잡지사 기자로 취직이 되는데, 이곳이 바로 이후 30여 년 동안 봉직하게 된 평생직장이 되었다.

직장을 옮기고 몇 해가 지나서 선배로부터 부탁 아닌 부탁을 하나 받는다.

"편집부에 근무한 미스 김이 내 처제라네. 잘 좀 이끌어 주게."

그는 미모의 새내기 사원 김해랑이었다. 오순택 시인은 친구의 부탁을 가슴에 깊이 새겼다. 그래서 한때의 이끎에 그치지 않고, 지금껏 평생을 함께 해온 반려자로 삼은 것이다.

오순택 시인이 전봉건 시인과 연을 맺게 된 것은 1965년 〈시문학〉 10월호에 선생의 추천으로 시 〈손〉이 당선되면서부터였다. 그 뒤 〈음악〉(1966년 시문학 3월호)과 〈두 개의 아침엽서〉(현대 시학) 등이 연이어 선생의 추천으로 당선되어 문단에 정식으로 등단하게 되는데, 그러니까 오순택 시인은 정봉건 선생께서 문단에 등단시킨 직계 애제자가 되는 셈이다.

"내 생애에서 잊지 못할 한두 사람을 들라고 한다면 난 주저없이 두 사람을 꼽을 수가 있어요. 첫째는 오늘의 나를 있게 한 전봉건 시인이고, 둘째는 50년 지기라고 할 수 있는 동화작가 박종구지요."

두 사람 모두 그가 한창 어려운 때에 손을 내밀어준 잊지 못할 은인인 것이다.

2

오순택 시인은 순천에서 고등학교 시절을 보냈다. 재학 시절부터 문학에 매력을 느껴 각종 문학 활동에 참여하게 되는데, 당시 전국 고등학교 학생들을 대상으로 한 동인지 〈가로수〉 창간에 참여하여 다수의 고교생들과 교유하는 한편, 학내에서 〈검은 흙〉이라는 동인지를 발간하여 문학에 대한 열정을 키워가기도 했다.

당시 순천에는 김승옥 소설가(당시는 서울대생), 문병란 시인(순천고교 교사), 허의녕 시인 등이 문명을 떨치고 있던 때라 감수성 많은 고교생인 오순택 시인으로서는 그들로부터 음으로 양으로 많은 문학적 영향을 받지 않을 수가 없었다. 그러나 그러한 오순택 시인도 처음부터 그처럼 문학에 큰 관심과 열정을 갖게 된 것은 아니었다.

고등학교 1학년 때 오순택 시인은 순천지역 고등학교 백일장에 참가하여 낙선의 고배를 마시게 된다. 소박한 꿈을 짓밟아버린 이 쓰라린 기억은 오순택 시인의 오기에 불을 붙였다. 그래서 당시 인기를 끌던 〈학원〉 잡지를 비롯하여 고교생 대상 각종 잡지나 신문 등에 단골 투고자가 되고, 그에 비례하여 많은 작품이 입상하게 되면서부터 시에 대한 그의 열정이 불붙게 된 것이었다.

그리하여 고교를 졸업 후 방황하던 시절에도 꾸준히 시작을 멈추지 않는데, 결국 1966년에 전봉건 선생의 추천으로 시인으로 등단하게 된 것이다.

등단 이후 오순택 시인은 스승의 기대에 어긋나지 않는 시인으로서의 천품을 발휘해 나간다. 남도 정서를 바탕으로 한 토속적이면서도 세련된 시어 구사로 주목 받을 몇 권의 시집을 상재한다. 첫 시집 《그 겨울 以後》를 비롯하여 《탱자꽃 필 무렵》, 《南道詞》등이 그것인데 발간할 때마다 시단의 많은 주목을 끄는 시인으로 성장해 나갔다.

그러나 천성적으로 순수한 동심의 소유자인 오순택 시인은 난해한 현대성이나 시류적 이념 따위에 함몰된 성인 시로부터 점차 이탈하여 동심 쪽으로 궤도를 수정하기 시작한다. 그 결과가 바로 1982년도에 제정된 계몽사아동문학상 당선으로 드러나게 되며, 그 이후로는 오로지 동시 창작에 골몰하여 오늘날에는 발군의 동시인으로 활동하고 있는 것이다.

오순택 시인의 첫 시집에 수록된 시 작품(부분)과 역시 첫 동시에 해당된 작품 한 편을 들어보기로 한다.

겨울나무들이 기다리고 있었지.
프로스트 마을처럼
채과를 마친 가지들이 손을 흔들고 있었지.

따다 남은 과일 한 알마저 또렷이 보인 과일나무 곁에서
우리는 오래오래 포옹했지.
철근 같은 팔뚝에 조여지는
쿵쿵 뛰는 가슴.
진한 꽃물이 들었는가.
빛나는 눈썰미 깨끗한 눈가에
한 알 이슬이 어리었지.
(후략)
— 시 〈그 겨울 以後〉 부분

나리나직/ 꽃의 말에/ 귀 기울이는 봄비//
꽃잎에/ 고운/ 발자국 놓고 간다.//
알몸이 되어/ 푸르르푸르르 떨고 있는/ 풀잎에 앉으면/ 초록 구슬이 되는/ 봄비.//
연못엔/ 음표를 놓고 간다.
— 동시 〈봄비〉 전문

3

나와 오순택 시인은 계몽사아동문학상을 통해 인연을 맺었다. 계몽사아동문학상은 1982년에 도서출판 계몽사가 당시로서는 획기적인 상금을 내걸고 제정한 아동문학 공모전이었다.

둘은 나란히 응모해서 동시 부문 공동 당선의 영광을 누렸다. 규정에는 당선작과 가작을 각 1편씩 뽑는 것으로 되어있었으나, 두 사람의 작품이 우열을 가릴 수 없다는 당시 심사 위원이었던 정한모 시인과 유경환 시인의 강력한 건의를 받아들여 첫 회임에도 불구하고 규정을 어기고 공동 당선자를 내게 된 것이었다.

당시 시골 생활을 하고 있던 필자로서는 서울에 올라와 상을 받고 내려가는 일만도 번거로운 일이었으므로 당시 다른 수상자들과 얘기를 주고받을 수 있는 여유나 시간을 가질 수가 없었다. 오순택 시인과도 그저 눈인사만 나눴을 뿐이었고, 그 이후로도 더 이상의 교류가 없었다.

그러다가 제10회 계몽사아동문학상 시상식이 열리던 날, 필자는 계몽사로부터 당시 함께 주관하고 있던 소천아동문학상 수상자로 선정되어 상을 받게 되었다. 수상자들과 가진 간담회 자리에서 당시 계몽사 운영 위원으로부터 뜻밖의 제의를 받았다. 필자가 제1회 수상자인 만큼 그간의 수상자들과 함께 동호인 회를 만드는 데 앞장서 주지 않겠느냐는 것이었다. 그러면서 응분의 지원책까지 제시했다. 당시는 필자로서도 시골 생활을 벗고 서울로 올라와 있던 터였으므로 쾌히 승낙을 하고 동아리 조직에 착수했다. 그렇지만 혼자서 할 수 있는 일이 아니었다. 협력을 해 줄 사람이 필요했다. 그래서 찾아낸 사람이 오순택 시인이었다. 그는 서울에 살고 있었고, 1회 출신으로 나와 함께 공동 당선된 사람이었다. 더이상 좋은 조건일 수가 없었다. 전화번호를 찾아 다이얼을 돌렸는데 대뜸 들려오는 음성은 아주 시원시원한 응낙의 목소리였다. 둘은 자주 만났다. 규약을 만들고, 수상자들의 주소를 확인하고, 계몽사와 계속 협의를 해가면서 일을 추진하여 드디어 창립총회를 가질 수 있게 되었다. 오늘날의 계몽아동문학회는 그렇게 하여 만들어졌다.

나는 오순택 시인보다 나이가 한 살 더 많다. 그게 내가 회장이 되고 그가 사무국장이 된 까닭이다.

"회장과 사무국장만 있으면 웬만한 모임을 끌어갈 수 있어요. 제가 사무국장을 맡아 실무를 총괄하겠습니다."

이 약속은 거의 20년이 가까운 지금까지 그대로 지켜지고 있다.

오순택 시인의 계몽아동문학회에 대한 애정은 각별하다. 그가 한 동안 건강 문제로 모든 활동을 접고 있었을 때에도 유일하게 놓지 않았던 모임이 계몽아동문학회였다. 그의 그와 같은 관심과 열정이 있었기 때문에 오늘날의 계몽아동문학회가 존재할 수 있었다고 해도 과언이 아니다.

흔히 지인들은 말한다. 그는 불이고 필자는 물이라고, 그러면서 이 불과 물의 조화가 있었기에 한 모임의 끈끈한 지속이 가능했었다고 말한다. 일리가 있는 말이다. 계몽아동문학회의 오늘은 누가 뭐래도 그의 치밀한 업무 설계와 과단성 있는 추진력에 바탕을 두고 있다는 사실을 부정할 사람은 아무도 없다.

어떤 일에 임하는 오순택 시인의 치밀함은 함께 일해 본 사람은 누구나 알고 있다.

모르긴 해도 오순택 시인의 서재에는 아마도 이런저런 스크랩북들로 가득 차 있을 것이다. 사실 신춘문예 당선작을 비롯하여 웬만한 문학적인 주요 자료들은 어김없이 그의 스크랩북에 채집되어 있다. 그뿐이 아니다. 거의 반세기 전에 시행되었던 문학상 공모 광고문으로부터 당선 통지서에 이르기까지 참으로 희귀한 개인사적 사료들도 그의 스크랩북에 어김없이 채록되어 있다.

몇 년 전, 당신의 손자 손녀(쌍둥이) 돌잔치에 초대되어 간 적이 있었다. 그런데, 막상 초대된 손님들의 시선을 빼앗은 것은 예쁜 아이들이 아니라 바로 오순택 시인이 내놓은 손바닥만한 동시집과 두툼한 스크랩북이었다. 여러 권으로 묶여 나온 스크랩북은 손자 손녀들의 출산에서부터 그때까지의 성장 과정을 촬영한 사진첩이었다. 그러나 여느 사진첩과는 확연하게 달랐다. 매사진마다 해설 또는 감상이랄 수 있는 문장들이 달려있었는데 그 글자들은 거의가 신문이나 잡지 등에서 직접 채자하여 오려 붙인 것들이어서 보는 이들의 얼을 빼앗기에 조금도 부족함이 없었다.

급한 성격 때문에 웬만한 일은 그저 대충대충 지나가려니 하고 생각한다면 그건 그를 이해하는 데 치명적인 오산이다. 오순택 시인은 컴퓨터에 버금가는 섬세함과 치밀함을 지닌 사람이다.

4

"쌍둥이에 관한 일이라면 내게 물어봐!"

그는 딸부자다. 아들 없이 딸만 셋을 두었다. 그런데도 그는 자녀에 관한 한 큰소리를 땅땅 치고 산다. 그건 아무래도 세 딸이 모두 아들 못지않은 효녀들이기 때문일 것이다. 세 딸 모두 지금은 출가외인이 되었지만 아버지를 생각하는 정성과 애정은 타의 추종을 불허한다. 별 볼일 없는 아들이라면 열인들 무엇 하겠는가? 아들 열 못지 않은 딸이 그에게는 셋이나 있으니 더 말할 나위가 없다.

그런데 그 세 딸 가운데 위로 둘이 바로 쌍둥이다. 원샷으로 일거에 둘을 얻는 출산법은 분명히 경제적인 육아법이 아닐 수 없다. 그런데 이 경제적인 육아법을 오순택 시인은 자신의 특기로만 한정하지 않았다. 바로 큰딸에게도 그대로 전수하여 대 이어 쌍둥이 출산이라는 미풍을 세습한 것이다. 그러나 일신우일신이랄까? 딸은 그보다 진일보하여 아들과 딸이라는 이란성 양성 쌍둥이를 분만하였으니 이 얼마나 가상하고 미쁜 일이던가?

이 쌍둥이 손자 손녀는 오순택 시인으로 하여금 인생에 대해, 그리고 동시에 대해서 새로운 인식과 각성을 안겨준 계기가 되었다. 퇴직 후 별다른 일이 없던 그였으므로 꼼짝없이 '아이 봐주는 할아버지'가 될 수밖에 없었는데, 한 시간여의 긴 시간이 소요되는 딸네 집으로 출근하기 위해 그는 거의 매일 새벽밥을 먹고 출근 버스를 타야하는 수고(?)를 감내하지 않을 수가 없었다. 아무나 할 수 있는 일이 아니었다. 그러나 투자 뒤에는 결실이 있는 법, 그의 이 애틋한 손자 손녀 사랑은 그로 하여금 아이에 대한 관심과 사랑의 깊이를 더욱 심화시키는 계기가 되었는데, 이는 급기야 '채연이랑 현서랑'이라는 초유의 손자 손녀에게 주는 헌정동시집을 발간하게 된 쾌거를 낳은 것이었다. 비매품으로 발간되어 일부 친지들에게만 증정된 '채연이랑 현서랑'은 손바닥 크기의 귀여운 동시집이다. 오순택 시인이 아이들과 생활하면서 직접 지은 작품에다 손수 찍은 사진을 나란히 배치하여 구성한 이 동시집은 발간 당시 많은 사람들의 감탄을 자아내기에 충분했다.

앞으로도 오순태 시인은 이러한 망외의 소득을 더 올릴 수 있을는지 모른다. 글쎄, 모르긴 해도 둘째, 셋째 딸들이 할아버지 오순택 시인의 도움을 필요로 할 일을 저질러 놓고(?) 구원의 메시지를 보내온다면 과연 박절하게 거절할 수가 있을는지 필자로서는 장담할 수가 없기 때문이다.

그의 작품에 대한 자세는 매우 진지하다. 한 편의 작품을 쓰기 위해 그는 천리행도 주저하지 않는다. 그의 기행시집《그곳에 가면 느낌표가 있다》는 수십 번에 이르는 국토순례가 바탕이 되었고, 초등국어(말하기 듣기 쓰기, 6-1)에 수록된 '우리가 물이 되어 만난다면' 역시 낙동강 발원지인 강원도 태백시를 수차 찾아가 확인한 뒤에야 씌어질 수 있었다.

두서없는 글이 되었다. 한마디로 오순택 시인은 탁월한 시인이다. 그의 떳떳하고 곧은 삶의 자세는 조선 시대의 선비를 떠올리게 한다. 그러면서도 한없이 부드럽고 섬세한 감성과 아름다운 언어감각은 우리들에게 언어 예술의 진수를 맛보게 해 주고 있다.

오순택 시인의 작품 한 편을 읽어 보자. 그리고 정갈하고 맑은 동심의 세계에 빠져 보자.

우리나라의 새는 / 악기입니다. //

까치는 이른아침 / 사립문에 꽃물 묻은/ 햇살을 물어다 놓고 /

까작, 까작, 까작 / 타악기 소리를 내고 //

실개천 말뚝에 앉은 / 털빛 고운 물총새는 /

돌 틈을 흐르는 물소리 같이 / 목관악기 소리를 냅니다. //

가르마를 타듯 / 바람이 보리밭을 헤치고 지나가면 / 종달새는

피리소리를 내며 /

돌팔매질을 하듯 / 보리밭에 내려앉고 //

몸은 솔숲에 숨겨 놓고 / 꽃 같은 고운 목소리만 /

내어 보이고 있는 뻐꾸기는 / 금관악기입니다. //

우리나라 새는 / 예쁜 악기입니다.

– 〈우리나라의 새〉 전문

어린이와 함께 선생이 걸어온 길

지나온 길

1942년 4월 26일(음) 전남 고흥군 두원면 대금리 646번지의 산골마을에서 오만기(부)와 김정임(모)의 3남 3녀 중 장남으로 태어남. (내가 태어난 생가는 동복 오씨 의재공파의 시조인 오전(吳銓) 암행어사가 태어난 집이다. 한국풍류문화연구소 총서 ③권 송수권 시인의 시집 《사구시의 노래》〈암행어사 오전(吳銓)과 자사 치고갯길〉에서 밝힘)

두원국민학교(현 초등학교)와 고흥중학교를 졸업함. 부모님은 고향에서 고등학교를 다니라고 하였으나 무작정 순천이나 광주로 가야겠다고 고집하고 고향을 떠남. 그리고 순천농림고등학교 교장 선생을 찾아가 입학을 허락 받음.(중학교를 졸업한 그해에 고흥중학교 교장선생이던 박형렬 교장선생이 순천농림고등학교 교장에 부임한 것) 고등학교 3년 동안 오월운(月雲), 오소향(小鄕)이란 필명으로 학원 잡지를 비롯, 전국 고등학생을 대상으로 한 신문 잡지 등의 문학상에 응모하여 입선함. 그때 문예반을 만들어 문학동인지 〈검은 흙〉, 〈가로수〉를 펴냄. 고등학교 3학년 때 순천시내 중심가의 다방에서 박종구와 함께 시화전을 개회하여 큰 반향을 일으킴.(소설가 김승옥 씨가 서울에서 내려와 격려해 주었고 전남매일 신문에서 문학기사로 다룸.) 그리고 성균관대학교의 전국고등학생 백일장대회에 참가함.

이 시기에 소설가 김승옥(62년 〈한국일보〉 신춘문예에 단편소설 〈생명연습〉 당선), 서정인(62년 사상계에 단편소설 〈후송〉 당선), 시인 허의녕(61년 사상계에 시 〈4월에 알아진 베고니아 꽃〉 당선), 문병란(59년 현대문학에 시 추천), 극작가 정조(59년 〈조선일보〉 신춘문예에 희곡 〈마지막 기수〉 당선) 선생으로부터 문학에 대한 열정을 배움. 고3 때 병석에 계셨던 아버지가 돌아가시고 가세가 기울기 시작하여 모 대학에 입학했으나 등록금을 마련하지 못해 포기하고 공무원 시험을 보았으나 떨어짐. (나에겐 생각조차 싫은 쓰라린 가족사가 내재하고 있다. 작은 아버지—당시 서울에서 중학교에 다녔음—가 좌익운동을 했다는 이유로 가족이 수난을 당하기도 했다. 그런 가족사 때문에 공무원이나 교사가 될 수 없다는 것을 후에 알았음.)

그때 비로소 시인이 되어야겠다고 맘먹음. 시에도 인생에도 정밀적확(精密的確)이라는 좌우명을 시(詩) 노트에 써 놓고 〈현대문학〉, 〈자유문학〉, 〈사상계〉 등 잡지를 탐독함. 그리고 세계문학과 한국문학작품을 섭렵함. 특히 로버트 프로스트와 프랑시스 잠의 시를 좋아 함. 그때 〈문학춘추〉라는 잡지를 접하고 추천 위원인 전봉건(全鳳健) 선생에게 사사하기로 마음 먹음. 1965년 4월호 〈시문학〉이 창간되고 그해 10월호에 시 〈손〉이 첫 회 추천작으로 게재됨. 그리고 1966년 3월호에 〈음악〉이 추천되어 문단에 등단함. 또 같은 해 〈현대 시학〉에 〈그리고 얼마나 여러 번〉, 〈두개의 아침 엽서〉, 〈잊혀진 노래〉등이 신인 작품으로 추천 형식을 거쳐 발표되면서 시인으로 문단에 데뷔함.

박종구, 서정춘과 함께 '새물결문학동인회'를 결성하고 함께 한국 문단에 입성하기로 결의한 결과임. 박종구는 1974년 〈경향신문〉 신춘문예에 동화 〈은행잎 편지〉로 이원수 선생에 의해 동화작가로 등단하고, 서정춘은 1968년 〈신아일보〉 신춘문예에 시 〈잠자리 날다〉로 서정주 선생에 의해 시인이 됨.

몇 년간의 순천에서의 생활을 접고 광주에서 몇 해 머물다가 대구로 가서 잠깐 생활함. 그때 소설가 윤후명, 이채형, 시인 이재행, 박해수, 장상태, 김옥기 등과 교우함. '포물선' 문학동인회에 참여했음.

1970년 군 복무를 마치고 그 해, 전봉건 선생이 주재한 현대시학사에 입사(이때 시인 박제천, 홍신선, 노향림, 한분순, 이건청, 유승우, 정영일, 박진환 등을 만남)하며 서울 생활을 시작, 그 후 의학 관련 전문지의 기자, 편집장, 취재부장, 편집국장 등을 거쳐 2000년에 퇴직함.

박홍근, 유경환 선생으로부터 아동문학 입문을 권유받고 1976년 동시 〈꽃나무〉, 〈봄 마중〉 등을 월간 〈새소년〉에 발표하면서부터 동시를 쓰기 시작함. 월간 〈아동문예〉 1981년 6월호에 특선 동시 〈벌레를 노래한 시〉 15편을 발표하고 그 작품으로 한국동시문학상을, 그리고 1982년엔 〈꽃잎〉 외 4편으로 제1회 계몽아동문학상을 받으면서부터 아동문학가로 활동함. 한편 계몽아동문학상, 대한민국문학상, 눈높이 아동문학상, 마로니에 여성 백일장, 공무원문예대전, 동서커피문학상, 마로니에 전국 청소년 백일장, 한국해양재단 해양영토 글짓기 등 심사를 맡음.

시집, 동시집 그리고 문학상.

1962년 유년시집 《바람 꽃 다듬다》(신파도) 펴냄.

1965년 시 〈손〉이 〈시문학〉에 첫 회 추천됨.(전봉건 시인 추천)

1966년 시 〈음악〉이 〈시문학〉에 추천됨. 시 〈그리고 얼마나 여러 번〉, 〈두 개의 아침 엽서〉, 〈잊혀진 노래〉 등이 〈현대시학〉에 신인추천 작품으로 발표됨.

1972년 첫 시집 《그 겨울 이후》(신망애사) 펴냄. 시집 《그 겨울 이후》 출판 기념회를 프레스그릴(현 프레스센터)에서 가짐. 시인 박제천, 홍신선, 한분순, 이만근 등과 함께 '시법(詩法)' 동인 결성함.

1977년 시집 《탱자꽃 필 무렵》(시문학사) 펴냄.

1981년 제4회 한국동시문학상 수상함.

1982년 제1회 계몽아동문학상 수상함. 노화종합고등학교(전남 완도군 노화읍 소재) 교가 작사함.

1983년 연작시집 《남도사(南道詞)》(아동문예사) 펴냄.

1985년 동시집 《까치야 까치야》(아동문예사) 출간 및 문화공보부 추천 도서로 선정됨. 위인전 《유관순》(홍신문화사) 엮음.

1987년 동시집 《종달새 방울 소리》(아동문예사) 펴냄. 〈현대시학〉에 낮은 목소리로 향기로운 이미지를 꿰어가는 시가 있는 산문 〈낮은 목소리의 이미지〉를 2년간 연재함.

1988년 동시집 《부리 고운 동박새》(눈높이대교출판) 펴냄.

1989년 동시집 《꼬마 시인》(아동문예사) 펴냄.

1990년 동시집 《초록빛 마을》(아동문예사) 출간 후 문화부 추천 도서로 선정됨. 이후 대한민국문학상 수상함

1991년 동시집 《작은 별의 소원》(계몽사) 펴냄.

1993년 동시집 《아름다운 느낌표》(선영사) 펴냄. 말하는 그림책 예예《동물 이야기》, 《새 이야기》.《곤충 이야기》, 《꽃과 나무》, 《과일과 채소》(계몽사) 등 5권 펴냄. 재미있는 선영 학습 글짓기 《내 맘 어때요?》, 《오는 정 떠나는 즐거움》, 《가장 아름다운 목소리로》, 《함께 이야기해요》, 《궁금하죠? 들어보세요》, 《재미있게 배우고 주장을 펼치세요》, 《글짓기 용어사전》(선영사) 등 7권 펴냄.

1995년 동시집 《산은 초록 삼각형이다》(도서출판 가꿈) 펴냄. 《어린이 한국문학(전 50권)》(계몽사) 펴냄.(문삼석, 김숙희 신충행, 강정훈, 김향이, 오순택 공동 기획 편집)

1996년 4학년 2학기 국어 읽기에 동시 〈귀이개〉 수록됨.

1997년 동시집 《꽃과 새》(학예원) 펴냄. 5학년 2학기 국어 말하기·듣기·쓰기에 동시 〈나는 나무가 좋습니다〉 수록됨. 월간 〈새벗〉에 〈풍경이 있는 기행동시〉를 2000년까지 연재.

1998년 《1학년 EQ 동시집》(문공사) 펴냄. 동시집 《꽃과 새》로 박홍근 아동문학상 수상함.

2000년 엄마 사랑 담은 예쁜 동시집 《파란 꿈 고운 동시》(은하수) 엮음. 우리 아이 좋

아하는 《으뜸 동시 45편》(은하수) 엮음.

2002년 6학년 1학기 국어 말하기·듣기·쓰기에 동시 〈우리가 물이 되어 만난다면〉 수록됨.

2004년 세계 명작 《안네의 일기》(효리원) 엮음.

2005년 아기 사진 담은 포켓 동시집 《채연이랑 현서랑》(아동문예사) 펴냄.

2007년 기행 동시집 《그 곳에 가면 느낌표가 있다》(아동문예사) 펴냄. 두일초등학교 (경기도 파주시 교화읍 소재) 교가의 가사를 씀.

2008년 〈계정문학〉 여름호에 '현대문학 100년을 점검한다 : 아동문학 100년' 게재함. 함평나비휴게소(광주~무안 간 고속도로)에 시 〈꽃과 나비의 입맞춤〉이 새겨진 시비가 세워짐.

2009년 경기문화재단 우수 작품 창작 지원금 받음. 동시집 《아기염소가 웃는 까닭》(청개구리) 펴냄. 아동문학 전문 잡지 〈아동문예〉에 월평 〈이달의 동시 동시인〉 5년 간 집필함.

2010년 동시집 《아기 염소가 웃는 까닭》이 우수 문학 도서로 선정되어 지원금을 받음.

2011년 동시집 《공룡이 뚜벅뚜벅》(아동문학평론) 펴냄. 한국문인협회 작가상을 수상함. 계몽아동문학회 회장에 추대됨.

2012년 《시인 할아버지의 사진이야기》(아동문예) 펴냄. 서울문화재단 문학창작 지원금 수혜.

2013년 동시집 《바퀴를 보면 굴리고 싶다》(아침마중) 출간 후 우수 문학 도서로 선정, 지원 받음.

2014년 한국시학상 수상.

2015년 《오순택 동시선집》(지식을 만드는 지식) 펴냄. 한국문인협회 회원 동시 181편 모음 《까치발로 오는 눈》(가꿈) 엮음.

2016년 등단 50주년 기념 동시·동시조 100편 《꽃발걸음 소리》(아침마중) 펴냄. 동시집 《꽃발걸음 소리》 세종도서문학나눔 우수 도서 선정됨.

2017년 수도박물관(뚝섬 소재)에 동시 〈물을 마시며〉 게시됨. 한국동시 대표작 선집 《바람과 햇빛과도 손을 잡고》(아동문예) 엮음. 예총예술문화상 수상.

2018년 3학년 1학기 초등 국어 교과서에 동시 〈소나기〉 수록됨. 동시집 《목기러기 날다》(아침마중) 펴냄.

아내와 세 딸 그리고 일곱 손녀 손자들

1971년 미당 서정주 시인 주례로 김해랑과 결혼함.

1972년 첫째 오그린, 둘째 오다운 태어남.

1977년 셋째 오은강 태어남.

2000년 오그린 유상규와 결혼함.

2004년 오다운 이형과 결혼함.

　　　쌍둥이 손녀 유채연, 손자 유현서 태어남.

2006년 손녀 이다인 태어남.

2008년 오은강 박기택과 결혼함.

　　　손녀 유시연 태어남.

　　　손자 이연오 태어남.

2009년 손자 박태율 태어남.

2013년 손자 박지율 태어남.

문단 활동

1976년 한국현대 시인협회(모윤숙, 김종문 회장 재임 기간)의 재정간사를 맡으면서부터 문학단체에 몸담기 시작하여 (현재) 한국 아동문학인협회 자문 위원.

(현) 한국문인협회 아동문학분과 회장. 계몽아동문학회 회장. 한국동시문학회 자문 위원. 아동문예 편집자문 위원. 한국시학 편집 위원. 한국 아동문학인협회 자문 위원.

한국 아동문학가 100인

강숙인

대표 작품

〈아주 오래된 노래〉

인물론

스물일곱이었던 그녀

작품론

낮고 소외된 곳을 향한 사랑

어린이와 함께 선생이 걸어온 길

아주
오래된
노래

1.

　나는 오늘 그 노래를 들었다. 내 아버지의 노래이자 내 어머니의 노래, 무엇보다 우리 조선 유민들의 노래인 그 노래를.

　햇살이 느지막이 기운 오후, 바람을 쐬려고 지팡이를 짚고 들판으로 나갔을 때였다. 내가 오후면 으레 바람을 쐬러 나가곤 하던 그 들판에 한 여인이 서 있었다. 머리를 틀어올린, 서른을 조금 넘어 보이는 부인이었다. 옷차림으로 보아 그 여인은 우리 조선 유민이 아니고 한족이었다. 조선이 한나라에 망한 지 어느덧 수십여 년의 세월이 흘렀으니, 조선 땅 어디에서건 조선 유민만큼이나 한족을 흔히 볼 수 있는 것은 지극히 자연스런 일이었다.

　나는 여인과 스무 걸음쯤 떨어진 곳에서 멈추어 섰다. 여인은 내가 그곳에 멈추어 선 것도 모르는 듯 먼 하늘만 하염없이 쳐다보고 있었다. 그러다 어느 순간 여인의 입에서 나지막이 노래가 흘러나왔다. 바로 그 노래였다.

　　님더러 물을 건너지 말랬는데도
　　님은 기어이 물을 건너가시네
　　사나운 물결이 님을 휩쓸어 가니
　　아 나는 이제 어찌 살려나

　오랜 세월 그 노래를 불러왔고, 또 들어온 노래인데도 노래는 새삼 내 가슴을 후려쳤다. 오래 전에 세상을 떠난 아버지와 어머니가 생각났다. 나보다 먼저 세상을 떠난 아내도 떠올랐다. 사랑하는 사람들을 잃었을 때의 상실감이 바로 엊그제의 일인 듯 다 늙어버린 내 몸과 마음을 사납게 뒤흔들었다. 아, 내가 사랑했던 사람들은 다 어디로 갔는가. 그리고 또 내 나라 조선은 어디로 사라져 버린 것일까.

　아마도 노래가 주는 가슴 시린 슬픔 때문이었을 것이다. 나도 모르게 내 발걸음이 낯선 한족 여인에게로 다가간 것은.

여인이 돌아보았다. 여인의 눈가에 이슬이 맺혀 있었다. 여인과 두어 걸음 떨어진 곳에 멈추어 서면서 나는 여인에게 말을 건넸다.

"아주 가슴 아픈 노래군요. 부인이 부르니, 더욱 애절하게 들립니다."

사실, 십년 전까지만 해도 나는 한족이 우리 노래를 부르는 것을 그다지 좋아하지 않았다. 하지만 이제는 나이가 들어서인지, 한족이건 우리 조선 유민이건 노래가 부르는 사람에게 위로가 된다면 그것으로 좋다는 생각이 들었다.

"사랑하는 사람을 잃으신 건지요?"

나는 조심스레 다시 물었다. 여인이 손끝으로 눈가의 눈물을 찍어내며 고개를 끄덕였다.

"지난 해 남편을 잃었어요. 남편이 생각날 때면 이 노래를 부르곤 한답니다. 바로 눈앞에서 남편을 잃은 노래 속 여인의 슬픔을 생각하면 내 슬픔이 조금은 위로받는 느낌이 들어요."

"노래에 얽힌 사연을 아십니까?"

"네. 이 노래는 이제는 사라진 옛 조선의 노래라고 하더군요. 조선의 뱃사공인 곽리자고란 사람이 어느 날 이른 새벽 나루터에 나갔다가 머리가 하얗게 센 미친 남자를 보았답니다. 남자는 술병을 손에 들고 물속으로 걸어 들어가고 있었지요. 남자의 아내가 달려와 남편을 말렸지만, 남편은 아내를 뿌리치고 물속을 걸어 들어가 결국 물에 빠져 죽고 말았답니다. 아내는 통곡하며 들고 있던 공후를 타면서 이 노래를 부르고는 물속에 몸을 던져 남편을 따라가고 말았지요. 곽리자고가 집으로 돌아와 아내에게 그 이야기와 노래를 들려주었더니 아내가 공후를 가져와 그 노래를 다시 불렀답니다. 그때부터 그 노래는 공무도하가, 또는 공후인이란 이름으로 조선 유민들뿐 아니라 우리 한족들까지 널리 부르는 노래가 된 것이지요."

여인이 말을 마치고 나를 잠시 바라보더니 다시 말을 이었다.

"상투를 트신 것을 보니 조선 분이신 것 같은데, 설마 노래에 얽힌 사연을 몰라서 물어보신 건 아니시지요?"

나는 고개를 끄덕이며 솔직하게 대답했다.

"사실은 우리 조선 유민들이 알고 있는 것과 한나라 사람들이 알고 있는 사연이 똑같은지 궁금했습니다."

"나라가 달라도 같은 노래인데, 사연이야 같겠지요. 아니 그런가요?"

여인이 호기심어린 눈빛으로 나를 바라보며 물었다. 조금 전까지 여인의 얼굴을 물들였던 슬픔은 이제 거의 사라지고 없었다.

"네, 거의 같습니다."

거의 같다는 것은 완전히 같다는 것과는 다른 이야기다. 하지만 한족 여인에게 우리 조선 유민들의 사연을 구구절절이 이야기할 필요는 없을 것 같아 더 이상을 말하지 않았다.

"어머니!"

저만치에서 대여섯 살쯤 되어 보이는 사내아이가 달려오고 있었다. 여인이 아이를 보며 빙긋 웃었다.

"제 아들이에요. 노인장과 이야기를 나누다 보니, 마음이 차분하게 가라앉은 것 같네요. 그럼……."

여인은 내게 목례를 하고 아이에게 다가갔다. 나는 아이의 손을 잡은 여인이 들판 저 너머로 사라질 때까지 바라보고 있다가 집으로 돌아왔다.

내가 내 아버지와 어머니, 그리고 이제는 사라져버린 조선에 대한 이야기를 쓰기 시작한 것은 그 날밤부터였다. 더 늦기 전에 내 아버지와 어머니가 다시 지어 불렀던 노래 '공무도하가'에 대한 이야기를 글로 써서 남겨 놓아야 한다는 생각이 들었다. 내가 세상을 떠난 뒤에도 그 노래에 담긴 또 다른 사연을 조선의 유민들이 언제까지나 기억해 주었으면 싶었다.

일렁이는 등잔불 아래 죽간을 펼쳐놓고 어린 시절 기억을 더듬어가며 나는 한 자, 한 자, 노래에 깃든 사연을 쓰기 시작했다.

2.

내 아버지의 이름은 곽리자고, 내 어머니의 이름은 여옥이다. 아버지는 나라의 녹을 먹는 관리였으며, 내 나이 열세 살 때까지 우리 식구는 왕검성에서 살았다. 비록 높은 관직은 아니었지만 아버지는 나라와 백성을 위해 충실하게 맡은 일을 했다. 그 무렵에 조선은 우거왕이 다스리고 있었고, 우거왕을 보필하는 여러 측근들 중에 성기 대신이 가장 백성들의 존경을 받고 있었다. 아버지도 물론 그분을 존경하고 따랐다.

"성기 대신님은 우리 조선의 대들보이시다. 유하 너도 나중에 자라면 그분처럼 나라를 위해 일하는 사람이 되어야 한다."

아버지는 어린 내게 가끔 그렇게 이야기하곤 했다.

우리 조선은 이웃 한나라와 오래도록 평화로운 관계를 유지하고 있었다. 그러나 우거왕이 나라의 힘을 키우기 위해 북방 흉노와 손을 잡자 한나라 무제는 조선에 사신 섭하를 보냈다. 흉노와의 관계를 끊도록 우거왕을 회유하려는 속셈이었다.

우거왕은 무제의 청을 거부했고, 백성들은 그런 우거왕의 결정을 자랑스럽게 여겼다.

"큰 나라면 다야? 남의 나라 일에 웬 간섭이람! 대왕폐하께서 무제의 청을 잘 거부하셨어. 암 잘하셨고말고."

반면에 두 나라 사이가 나빠질까 걱정하는 백성들도 있었다.

"우리 폐하께서 잘하신 건 틀림없는데, 무제가 또 다른 트집이나 잡지 않을는지, 원."

아버지도 그 일에 대해서는 조금은 근심하는 편이었다. 그리고 아버지의 근심은 곧 사실로 드러났다. 한나라로 돌아가던 섭하가 패수(요하: 중국 동부지방 남부 평원을 흐르는 강)를 건너기 직전, 마중 나온 조선의 장수를 죽이고 한나라로 돌아가 버린 것이다.

무제는 사신으로 갔다가 조선의 관리를 죽이고 돌아온 섭하에게 벌을 내리기는커녕 오히려 칭찬하면서 요동군 동부도위의 벼슬을 내렸다.

요동은 조선과 바로 맞닿아 있는 땅이었다. 아무 잘못도 없는 조선 관리를 죽인 섭하가 그 요동땅을 다스리게 되자, 우거왕과 조선 백성들의 분노는 하늘을 찌를 듯했다.

"이는 우리 조선을 철저히 무시하는 처사다. 한나라의 오만과 무례를 절대 이대로 넘겨서는 안 된다."

우거왕이 노하여 군사를 보내려 하자 성기 대신은 좀 더 신중하게 결정하시라고 아뢰었다.

"이는 무제가 노리는 일인지도 모르옵니다. 무제에게 우리 조선을 침략할 빌미를 주어서는 아니 될 것입니다."

하지만 우거왕은 단호했다.

"우리가 이 일을 그냥 넘어가면 무제는 앞으로 한층 더 우리 조선을 핍박하려 들 것이오."

우거왕은 즉시 요동으로 군사를 보내 섭하를 죽였다. 성기 대신의 염려대로 그것은 무제가 바라던 바였다. 조선을 침략할 구실만 찾고 있던 무제는 기다렸다는 듯이 그 일을 빌미 삼아 조선으로 쳐들어왔다. 내가 열두 살이던 해, 가을의 일이었다.

오만이나 되는 한나라 육군과 칠천에 이르는 수군이 왕검성으로 쳐들어왔다. 우거왕은 지세가 험한 곳에 군사를 배치하여 한나라 군사를 크게 무찔렀다. 당황한 한나라 무제는 사신을 보내 협상하려 했다. 우거왕도 시간을 벌기 위해 태자를 보내 협상하려 했지만, 양측이 서로를 의심하여 협상은 깨지고 말았다. 여러 번의 싸움 끝에 한나라 육군과 수군은 왕검성을 포위했고, 우리는 성문을 굳게 잠근 채 한나라에 대항했다. 그리고 그 전쟁은 해를 넘겨 이듬해까지 지루하게 계속되었다.

조선 백성들이 힘을 합쳐 왕검성을 굳건하게 지켜내자, 한나라 무제와 조정 대신들은 이마를 맞대고 대책을 강구했다.

"조선 백성들의 저항이 완강하여 정면 대결로는 왕검성을 함락시키기 어렵사옵니다. 적을 깨트리는 가장 빠른 방법은 내부 분열을 획책하는 것이옵니다. 지금 왕검성은 포위 상태가 오래 계속된지라, 화친을 원하는 대신들도 제법 많을 것이옵니다. 은밀히 성 안으로 사람을 들여보내, 그들을 매수하여 조선 조정을 분열시킨다면 머지않아 우리는 왕검성을 함락시킬 수 있을 것이옵니다."

결국 한나라의 간자(첩자)가 남몰래 성안으로 들어와 화친을 주장하고 있던 몇몇 대신들을 만났다. 간자는 대신들에게 많은 뇌물을 바쳤고, 성이 함락된 뒤에 더 많은 상을 받고 한나라의 높은 벼슬도 받을 것이라는 달콤한 미끼를 던졌다.

그 무렵, 왕검성 내에서도 한나라와 화친하자는 주장이 서서히 고개를 들고 있었는데, 한나라에 매수된 대신들은 이제 적극적으로 화친을 주장하고 나섰다. 그들 중 가장 강력하게 화친을 주장한 사람은 조선상(벼슬이름) 역계경이었다.

"전쟁이 너무 오래 계속되어 백성들과 군사들이 모두 지쳤습니다. 이대로 계속 항전하다가는 결국 성이 함락되고 말 것이옵니다. 어서 성문을 열고 항복하여 한나라와 화친을 도모한 다음 훗날을 기약해야 하옵니다."

백성들의 신임을 받고 있는 성기 대신이 역계경의 말을 얼른 반박하고 나섰다.

"우리뿐 아니라 한나라 군사들도 지치긴 마찬가지요. 조금만 더 버티면 한나라 군사들을 완전히 물리치고 이번 전쟁에서 승리하게 될 것이오. 지금 항복하면 우리는 앞으로 내내 한나라의 지배를 받게 될 것이오. 항복은 결코 있을 수 없는 일이오."

"성기 대신의 말이 옳도다. 짐과 짐의 백성들은 결코 한나라에 항복하지 않을 것이니라. 끝까지 항전하여 반드시 이 전쟁에서 승리할 것이로다."

우거왕이 이처럼 단호하게 결정을 내리자 역계경은 왕검성에서 더 이상 자신이 설 자리가 없음을 깨달았다. 우거왕은 더 이상 역계경을 신임하지 않았고, 백성들은 성기 대신만을 따르고 있었다. 결국 역계경은 자신의 식솔과 휘하 무리를 거느리고 몰래 성을 탈출하여 남쪽 진국으로 망명해 버렸다.

그러자 남은 화친파 대신들은 은밀히 만나 머리를 맞대고 계략을 꾸몄다.

"우거왕이 저리 완강하니 이제 우리가 살길은 성을 탈출하여 한나라에 투항하는 것뿐인 듯하오."

결국 조선상(벼슬이름) 노인, 니계상(벼슬이름) 참, 장군 왕겹 등은 식솔들과 휘하 무리를 이끌고 성을 탈출하여 한나라에 투항했다. 그 와중에 노인이 죽었고, 나머지 대신들은 다시 모의했다.

"우리가 한나라에 투항한 것만으로는 부족하오. 우거왕을 죽여 전쟁을 끝내고 성을 함락시켜야 한나라가 우리의 공을 인정해 우리 앞날을 보장해 줄 거요."

"허나 성안에 있는 우거왕을 우리가 무슨 수로 죽인단 말이요."

"성안으로 자객을 들여보내는 거요. 우리가 투항한 일로 성안 분위기가 어수선할 테니 이때 자객을 보내 우거왕을 암살하면 성공할 수 있을 거요. 마침 한나라 군사 중에 솜씨 좋은 자객들이 있다 하니, 그자들을 성안으로 들여보내기로 합시다."

나라를 배반한 대신들의 계략대로 우거왕은 한나라 자객의 칼에 살해당하고 말았다.

우거왕이 그렇게 어이없이 세상을 떠나자 아버지 어머니와 성안 백성들이 얼마나 비통해 했는지, 아직도 기억에 생생하다. 나 또한 그때 열세 살 어린 나이였지만 어른들 못지않게 슬펐다. 이제 우리 왕검성과 조선이 어찌 될 것인지, 어린 나는 두렵고 또 두려웠다. 게다가 우거왕이 그렇게 돌아간 지 얼마 지나지 않아 왕자인 장까지 성을 빠져나가 한나라에 투항하는 바람에 성안 백성들은 혼란과 절망에 빠져들었다.

하지만 왕검성은 그리 쉽게 함락되지는 않았다. 우리에게는 성기 대신이 있었기 때문이다.

"대왕폐하께서는 우리 조선을 당당히 지키시려다 나라를 배신한 역적들이 보낸 자객의 칼에 돌아가셨소. 우리는 폐하의 뜻을 이어 받아 끝까지 왕검성을 지키고 우리 조선을 지켜야 하오."

성기 대신의 연설에 백성들은 다시 마음을 추스르며 한마음으로 외쳤다.

"왕검성을 끝까지 지키자!"

"우리는 조선 백성이다. 최후의 한사람까지 조선을 지킨다!"

아버지와 어머니 그리고 나도 백성들 틈에 서서 한마음으로 외쳤다. 끝까지 왕검성을 지키고 조선을 지키겠노라고. 나는 우리의 결의가 언제까지나 변치 않고 마침내 왕검성을 지킬 것이라고 믿었지만, 그것은 어린 나의 소박한 바람일 뿐이었다.

아침저녁으로 바뀌는 것이 백성들의 마음인지도 모른다. 한나라 군사들의 공격이 점점 심해지고, 투항한 왕자 장이 항복밖에 살길이 없다고 계속 선동하자 백성들도 동요하기 시작했다. 아무리 버텨봤자 결국 성을 지켜내지 못할 거란 절망감이 백성들 사이에 돌림병처럼 번져가기 시작했다. 성 밖에서 항복하라는 선동이 계속되자 백성들의 마음도 하나 둘 흔들리기 시작했다. 한나라의 공격과 나라를 배신한 자들의 선동이 나날이 심해졌다.

그때 나는 열세 살 소년이었지만 왕검성이 곧 함락되고 말 것이라는 사실을 예감하고 있었다. 한나라군의 공격 때문이 아니라, 우리 내부에서 먼저 무너지리라는 사실 또한 알고 있었다.

그 예감은 이내 사실로 나타났다. 왕자 장과 배신자들은 항복하고 살길을 찾으려면 먼저 끝까지 항전하자고 고집하는 성기 대신부터 없애야 한다고 백성들을 선동했다. 그리고 어느 여름 밤, 그 선동에 넘어간 몇몇 배신자들 손에 성기 대신은 목숨을 잃었다. 성기 대신의 죽음 앞에 끝까지 싸우려던 백성들은 넋을 잃었고, 결국 성은 함락되고 말았다.

성이 함락되자 끝까지 싸우려 했던 백성들은 포로가 되어 한나라로 끌려가는 신세가 되었다.

아버지와 어머니, 그리고 나 우리 세 식구도 그렇게 끌려가는 신세가 될 뻔했지만 아버지는 성이 함락되던 날, 어머니와 나를 데리고 탈출했다.

"우린 자유로운 조선 백성이다. 죽어도 조선 백성으로 죽어야지, 한나라에 끌려가 노비로 살 수는 없다."

성이 함락되던 날 많은 사람들이 탈출하려 했지만 성공한 사람은 많지 않았다. 다행히 우리 세 식구는 운이 좋았다. 우리는 죽을 고비를 넘기고 가까스로 한나라 군사를 따돌린 뒤, 왕검성에서 아주 멀리 떨어진 곳으로 달아났다.

그곳은 마을 앞으로 강이 흐르고 나루터가 있는 작은 마을이었다. 아버지는 그곳에서 배를 마련하여 물고기도 잡고 사람들을 태워 강을 건네주기도 하면서 지난날과 전혀 다른 삶을 살기 시작했다.

3.

하지만 아버지는 지난날과 다른 삶에 좀처럼 적응하지 못했다. 어부 일이나 뱃사공 일이 힘들었다는 뜻은 아니다. 오히려 아버지는 태어날 때부터 어부였던 것처럼 물고기를 잘 잡았고, 익숙하게 노를 저었다. 하지만 그것은 알맹이가 없이 버려진 조개껍질 같은 삶이었다. 아버지의 마음은 텅 비어 세상 무엇으로도 채울 수가 없었다. 조선이 세상에서 사라졌을 때 아버지의 넋도 함께 어디론가 사라져버린 것만 같았다. 아버지의 입은 꼭 필요한 말을 마지못해 할 때 외에는 늘 굳게 닫혀 있었다. 울지도 웃지도 않았고, 얼굴은 언제나 무표정했다. 살아 있으면서도 마치 죽어 귀신이 되어 떠도는 혼처럼 아버지는 그렇게 살았다.

아버지가 그토록 오래, 사랑하는 나라를 잃어버린 상실감을 이겨내지 못했던 것은 조선 땅을 지배하러 들어온 한나라 관리들의 횡포 탓도 있었다. 조선이 망한 뒤 한나라는 조선 땅에 네 개의 군(郡)을 설치하여 한나라 관리들이 다스리게 했다. 때문에 조선 땅에 있는 한나라 사람들은 대부분 조선 유민들을 억압하고 무시했다. 관리건 일반 백성이건 한나라 사람들은 남의 땅에 들어와 살면서도 마치 오래 전부터 이 땅의 주인이었던 것처럼 오만불손했다. 내 나라 땅에 살면서도 마치 남의 땅에 더부살이하는 것처럼 숨죽이고 살아야 하는 어처구니없는 상황에 아버지는 절망했다. 또한 그런 지경인데도 자신이 할 수 있는 일은 목숨을 이어가는 것밖에는 없다는 사실에 아버지는 한층 절망했다.

어머니는 그런 아버지를 지켜보며 슬퍼하고 안타까워했지만, 어머니는 아버지처럼은 살 수 없었다. 나라가 망했어도, 어머니에게는 그보다 더 중요한 일, 자식을 키우고 집안을 지켜야 하는 일이 남아 있었기 때문이다. 어머니는 부지런히 밭을 매고 길쌈을 했다. 한나라 사람들에게 아니꼬운 일을 당해도 잘 참아 넘겼다. 때로 어머니는 키가 부쩍부쩍 자라는 나를 보면서 웃기도 하고, 아버지가 고기를 많이 잡아오는 날이면 식구들을 배불리 먹일 생각에 행복한 표정을 짓기도 했다. 그럴 때 아버지는 여전히 표정 없는 얼굴로 어머니와 나를 멍하니 바라보곤 했다.

그런 속에서도 세월은 흘러, 우리가 강나루 마을에 정착한 지 두 해가 지났다. 나는 열다섯 살이 된 그해 봄부터 아버지를 따라 강으로 나가 함께 일했다. 그리고 그 봄이 다 갈 무렵 아버지와 나는 그 사내와 그의 아내를 만났다.

아버지와 내가 처음 그들을 만났을 때 그들은 한가롭게 강가로 놀러 나온 사람처럼 보였다. 사내는 강가에 앉아 강물을 바라보며 술을 마시고 있었고, 여인은 공후를 뜯으며 노래를 불렀다. 두 사람 모두 한나라 옷을 입고 있었으며, 사내는 상투를 틀지 않은 채여서 우리는 그들이 당연히 한나라 사람일 거라고 생각했다. 특이한 것은 풀어헤친 사내의 머리가 하얗게 세어 있다는 사실이었다. 먼발치에서 봐도 사내는 노인이 아니었다.

"저 사람, 머리가 왜 저렇게 하얗게 세었을까요? 아버지보다 나이가 더 든 것 같지도 않은데……."

나는 아버지에게 물었지만 대답을 기대한 건 아니었다. 아버지가 워낙 말이 없어서, 나는 언제부터인가 혼자 묻고 혼자 대답하는 일에 익숙해져 있었다.

"관심 갖지 마라, 한나라 사람이다."

뜻밖에도 아버지가 즉시 대답했다. 나는 놀라 아버지를 보았다. 아버지는 무표정한 얼굴로 그물을 손질하고 있을 뿐이었다.

이틀 뒤 강가에서 나는 다시 그들을 보았다. 하루 일을 끝내고 집으로 돌아가려 할 때였다. 사내는 지난번처럼 강을 바라보며 술을 마시고 있었고, 여인은 공후를 타며 노래를 부르고 있었다. 여인의 목소리가 청아했고, 공후 소리와 함께 강가에 울려 퍼지는 노래는 애절하면서도 아름다웠다. 가뭄에 대지를 적시는 단비처럼 노래가 내 마음속으로 촉촉이 스며들었다.

나는 짐짓 노래에 관심 없는 척하면서 아버지를 보았다. 내가 한나라 노래에 마음이 흔들린 것을 알면 아버지가 언짢아할 것 같아서였다. 물론 그런 감정조차도 드러내지 않는 아버지이긴 했지만.

내가 막 아버지의 얼굴로 눈길을 돌렸을 때, 나무껍질 같은 아버지의 얼굴에 어떤 표정이 스쳐갔다. 놀라는 것 같기도 하고 기쁜 것 같기도 하고 슬픈 것 같기도 한, 한마디로 잘라 말할 수 없는 복잡한 표정이었다. 더욱 놀라운 것은 아버지의 입에서 흘러나온 말이었다.

"조선 노래구나."

그물과 낚시 도구들을 챙겨 집으로 돌아갈 준비를 하던 아버지는 그대로 주저앉은 채 노래를 끝까지 들었다. 나도 더 이상 아버지의 눈치를 보는 일 없이, 한껏 노래에 빠져들었다. 이윽고 노래가 끝나가 아버지는 천천히 자리에서 일어섰다. 나도 물고기가 든 바구니를 들고 일어섰다. 아버지의 입은 도로 굳게 닫히고, 표정 또한 없었지만 나는 아버지가 나 못지않게 노래에 마음이 흔들렸다는 것을 알고 있었다.

아버지와 나는 말없이 걸었다. 우리가 막 강변 모래밭을 벗어났을 때였다. 등 뒤에서 해맑은 목소리가 나비처럼 내 귓등으로 날아와 앉았다.

"저 좀 보셔요."

아버지와 나는 동시에 뒤돌아보았다. 노래를 불렀던 여인이 아버지에게 다가왔다. 여인은 내 손에 들린 물고기 바구니를 흘끗 보더니 아버지에게 말했다.

"물고기를 좀 사고 싶군요. 오늘은 빈손으로 나왔는데, 물고기 값은 다음번에 만나면,"

"조선 유민이십니까?"

여인의 말이 미처 끝나기도 전에 아버지가 물었다. 나는 눈을 동그랗게 뜨고 아버지를 쳐다보고는 여인에게 눈길을 돌렸다. 여인이 고개를 끄덕이더니 나지막이 말했다.

"댁도 조선 유민이세요? 사실은 그래서 마음 놓고 조선 노래를 불렀답니다. 한나라 관리들은 조선 노래를 못 부르게 하지요. 조선 노래는 우리가 조선 사람임을 일깨워 주니까요. 그리고 한나라 관리들은 우리가 조선 사람임을 잊기를 바라지요……."

"그 노래를 한 번만 더 불러 주십시오. 물고기는 그냥 나누어 드리겠습니다."

"남편이 괜찮다고 한다면, 그리 하지요."

여인은 강가에 앉아 술을 마시고 있는 남편에게 다가가 몇 마디 이야기하더니 우리에게 오라고 손짓했다. 아버지와 나는 강가로 가, 그들과 마주앉았다. 아버지가 먼저 입을 열었다.

"조선 유민 곽리자고라고 합니다. 왕검성에서 살았고, 조선의 관리였지요. 이젠 이렇게 살고 있지만……."

왕검성이 함락된 후, 아버지가 다른 사람에게 그렇게 짧게라도 자신에 대해 이야기한 것은 그날이 처음이었다. 사내가 아버지를 보며 말했다.

"난 자랑스레 밝힐 만한 이름도 없는 사람이오. 그냥 백수광부, 머리가 하얀 미치광이 사내라고 불러 주시오."

　여인이 들릴락 말락 한숨을 내쉬더니 공후를 들었다. 조금 전에 들었던 그 노래가 다시 강가에 울려 퍼졌다. 애절하고 아름다운 노래는 내 마음을 흔들고 무심한 강물을 물결치게 만들고, 마침내는 하늘의 눈시울까지 노을빛으로 적셔 버렸다.

　노래가 끝난 뒤, 한동안 아무도 말을 꺼내지 않았다. 모두 노래가 주는 가슴 먹먹한 여운에 잠겨 있었다. 이윽고 아버지는 그들에게 물고기를 나누어 주고 노래를 들려주어 고맙다고 인사한 다음 자리에서 일어났다.

　집으로 부지런히 걸으면서 나는 아버지에게 말했다.

　"아직도 그 노래가 귓가에서 맴도는 것 같아요. 앞으로 자주 그 분들을 만날 수 있었으면 좋겠어요."

　아버지는 아무 대답도 하지 않았지만 나는 어쩐지 '나도 그렇구나'라고 말하는 아버지의 목소리를 들은 듯한 기분이 들었다.

　그날 저녁, 아버지가 잠시 바깥에 바람을 쐬러 나갔을 때, 나는 어머니에게 강가에서 만난 사람들 이야기를 했다. 아버지가 그 사람들과 말을 주고받았다고 하자, 어머니는 눈물을 글썽였다.

　"이제 되었다, 유하야. 아버지는 차츰차츰 말을 많이 하시게 될 거야. 예전에 아버지는 아주 다정하고 자상하셨잖니. 아, 그래. 그렇게 하면 되겠구나."

　어머니는 눈을 반짝 빛내더니 벽장에서 작은 함을 꺼냈다. 그 함에는 어머니가 아끼는 패물이 들어 있었다. 어머니는 패물함에서 옥 목걸이를 꺼내들었다.

　"이 목걸이를 주고 공후를 사야겠다. 엄마가 노래를 꽤 한다는 거, 우리 유하도 잘 알지?"

　나는 어머니의 생각을 알아차리고는 활짝 웃었다. 어머니도 오랜만에 환하게 웃었다.

　며칠 뒤에 어머니는 정말 공후를 사왔다. 어머니는 공후를 타면서 우리에게 조선 노래를 불러 주었다. 어렸을 때부터 자주 들었던, 내가 잘 아는 노래였다. 아버지는 말없이 듣고만 있었는데, 표정이 여느 때보다 조금은 부드러워진 것 같았다. 어머니는 내가 아는 노래 몇 곡을 더 부르고 나서 아버지에게 물었다.

　"강가에서 만난 그 부인이 부른 노래가 무슨 노래여요?"

　"무슨 노래인지는 모르오. 왕검성에 있을 때 몇 번 들은 노래인데……. 당신도 들으면 알 텐데……."

　"그 노래, 지금 해볼 수 있나요?"

　아버지가 고개를 저었다.

　"언제라도 혹시 그 부인을 또 만나거든 그 노래를 불러 달라고 하세요. 그리고 집에 와서 나한테 들려주세요. 나도 아는 노래면, 금방 따라 부를 수 있을 거예요. 그럼 다음부터는 내가 그 노래를 당신하고 유하한테 불러줄게요."

"그리하리다."

아버지가 선선히 대답했다. 어머니가 나를 바라보며 가만히 웃어 보였다. 나도 소리 없이 웃으며 고개를 끄덕였다.

4.

어머니가 공후를 사오고 나서 얼마 안 있어 우리는 백수광부와 그의 아내를 강가에서 다시 만났다. 백수광부는 여전히 술을 마셨고, 아내는 공후를 타며 노래를 불렀다. 아버지는 그들에게 잡은 물고기를 나누어 주면서 지난번에 부른 노래를 또 들려 달라고 부탁했다.

백수광부의 아내는 공후를 타며 노래를 불렀다. 그날 아버지는 집으로 돌아와 어머니에게 그 노래를 불러 주었다. 왕검성이 함락된 이후, 아버지가 처음으로 소리 내어 노래를 부른 것이다. 어머니는 감격스러운 듯 또다시 눈물을 글썽거렸다. 아버지는 기억나는 대로 노래를 한 번 더 불렀고, 노랫말이나 곡조가 미심쩍은 대목은 내게 물어보기도 했다.

어머니는 공후를 타면서 아버지가 들려준 노래를 불렀다. 아버지는 기억을 더듬어 노래에 틀린 부분이 있으면 즉시 바로잡아 주었다. 세 번 노래를 다시 부른 뒤에 아버지가 마침내 고개를 끄덕였다.

"바로 그거요. 그 부인이 부른 노래, 이젠 집에서도 들을 수 있겠군."

어머니가 함박웃음을 머금고 아버지를 바라보았다.

"그 부인이 우리가 모르는 조선 노래를 부르거든 잘 듣고 와서 오늘처럼 불러주세요."

아버지는 가만히 고개를 끄덕였다.

그 뒤로도 아버지와 나는 강가에서 백수광부와 그의 아내를 가끔씩 만났다. 만날 때마다 그들은 늘 같은 모습이었다. 남편은 술을 마셨고, 아내는 노래를 불렀다.

아버지는 백수광부의 아내가 부르는 노래 중에서 처음 듣는 노래가 있으면 반드시 한 번 더 불러달라고 청했다. 아버지는 그 노래를 잘 기억했다가 집으로 돌아와 어머니에게 들려주었다. 기억이 확실하지 않으면 다음번에 만났을 때 그 노래를 또 청해서 들었다. 아버지가 새 노래를 죄다 외워 어머니에게 불러주면, 어머니는 공후를 타면서 완전히 익힐 때까지 몇 번이고 그 노래를 불렀다. 이렇게 해서 어머니가 부르는 조선 노래가 한 곡 한 곡 늘어났고, 그와 함께 아버지의 말문도 트여갔다.

봄이 가고 여름도 지났다. 백수광부와 그의 아내를 만나는 횟수가 늘어갈수록 그들에 대한 내 궁금증도 커져만 갔다. 어느 가을날 저녁 무렵, 그들을 만나고 나서 집으로 돌아가면서 나는 아버지에게 말했다.

"백수광부는 무언가 괴로운 일을 잊으려고 그렇게 술을 마시는 것 같아요. 그리고 그 부인은 남편의 마음을 달래 주려고 노래를 불러주는 것 같고……. 대체 무슨 사연일까요? 뭐가 그리 괴로운 걸까요?"

아버지가 한숨을 내쉬었다.

"나라를 잃은 통분을 아직도 삭이지 못한 거겠지."

"저도 그럴 거라고 생각은 하지만, 어쩐지 그보다 더한 사연이 있는 것만 같아요. 술을 마실 때 백수광부의 얼굴은 몹시 슬퍼 보여요. 가슴속에 지독한 슬픔이 고여 있는 사람 같아요. 아버지, 그분들은 대체 어떤 분들일까요? 어쩐지 일반 백성은 아니었을 것 같다는 생각이 들어요. 아버진 궁금하지 않으세요?"

"물론 많이 궁금하지. 사실은 그래서 기다리고 있단다. 그분들이 사연을 말해 줄 때를 말이다."

아버지와 그런 이야기를 나눈 뒤, 며칠이 지나지 않아 나는 그들의 사연을 알게 되었다. 어느 쌀쌀한 아침, 아버지와 같이 강가로 나갔다가 뜻밖에도 나는 백수광부를 만났다. 그 이른 아침에 백수광부는 혼자 강가 모래밭에 앉아 하염없이 강물만 바라보고 있었다. 아버지가 먼저 백수광부를 알아보고 그쪽으로 다가갔다. 나도 아버지를 따라갔다.

"이렇게 이른 시각에 혼자 어쩐 일이십니까?"

아버지가 말을 걸자 백수광부가 뒤돌아보았다. 신기하게도 그 아침에 백수광부는 취해 있지 않았다. 손에는 술병도 들려 있지 않았다. 백수광부는 아버지를 잠시 쳐다보더니 나지막하게 말했다.

"일찍 일하러 나오셨군요. 잠깐만 앉아 보세요. 어쩐지 이 아침에는 누구에게든 내 이야기를 하고 싶군요."

아버지가 백수광부처럼 모래밭에 앉았다.

나도 아버지 옆에 앉았다.

"왕검성에서 살았다고 하셨지요?"

백수광부가 물었다. 아버지가 고개를 끄덕였다.

"예."

"성기 대신님을 아십니까?"

"왕검성의 백성들 모두가 그분을 알지요. 모두가 그분을 어버이처럼 믿고 따랐는데 그만……."

"대신님이 돌아가시지 않았다면 왕검성이 함락되지 않았을까요?"

아버지는 잠시 침묵을 지키다 내뱉듯이 대답했다.

"조선의 국운이 그뿐이었다면, 대신님이 살아 계셨어도 왕검성은 함락되었을지도 모르지요. 아니면 대신님을 믿고 우리가 끝까지 싸워 마침내 한나라 군사를 물리쳤을 수도 있고요. 다만 한 가지 죽어도 용서할 수 없는 것은 성밖 배신자들의 선동에 넘어가 대신님을 무참히 살해한 성안의 배신자들입니다."

아버지의 목소리가 부르르 떨려 나왔다. 내 마음속에도 새삼스레 울분이 치솟았다.

"그 배신자들이 누구인지 아십니까?"

"그때 우린 그 배신자들을 끝내 찾아내지 못했습니다. 그래서 아직까지도 그 일이 뼈에 사무치게 분하고 원통합니다."

한동안 아버지도 백수광부도 말이 없었다. 문득 내 마음속에서 의문이 일었다. 백수광부는 왜 그 이야기를 지금 하는 것일까?

그때 아버지가 입을 열었다.

"혹시 그 배신자들이 누군지 아십니까? 내 짐작에 백수광부께서도 왕검성에 사셨던 듯합니다만, 맞는지요?"

"맞습니다. 난 왕검성에 살았고, 배신자들이 누군지도 알고 있습니다."

"누굽니까, 그자들이?"

아버지가 높고 빠른 목소리로 물었다.

"장 왕자를 따르던 몇몇 수하들이었지요. 성안에 남아 있던 그들은 결국 왕자의 뜻에 따라……."

내 마음속에 또다시 의문이 일었다. 나는 아버지를 보았다. 아버지는 굳은 표정으로 백수광부를 빤히 바라보고 있었다.

"혹시 장 왕자의 수하였습니까?"

아버지가 백수광부를 다그치듯 물었다.

"내 아우가 왕자의 수하였지요. 내가 무척이나 사랑했던 그 아이가 그 일을 지휘했습니다. 나도 나중에 성이 함락된 뒤에 그 사실을 알았지요. 무너진 왕검성을 생각하면, 사라진 내 나라를 생각하면, 원통하게 돌아가신 대신님을 생각하면 내 손으로 그 아이를 벌해야 하는 건데, 차마 그럴 수가 없었습니다. 그 일을 두고 고민하고 괴로워하다 보니 어느 날 머리가 하얗게 세어 있더군요. 이러지도 저러지도 못하는 내 자신이 싫어서 여기저기 떠돌며 살다가 여기 강나루까지 오게 되었습니다."

백수광부는 죄를 고백하는 사람처럼 가슴속에 담아두었던 말을 다 쏟아내고는 입을 다물었다. 아버지도 할 말을 잃은 듯 입을 떼지 못했다. 우리는 강가에 앉은 채 저마다의 생각에 잠겨 침묵하고 있었다.

달려오는 발소리와 함께 백수광부를 부르는 그의 아내의 목소리가 들렸다. 우리는 일어났다. 백수광부의 아내가 다가왔다.

"여기 있었군요, 얼마나 걱정했는지 몰라요."

"걱정할 일이 뭐가 있소? 아침에 보는 강이 참 좋구려."

백수광부가 담담하게 말했다. 부인이 남편을 보고 우리를 보았다. 부인의 눈빛이 불안해 보였다. 나는 차마 부인을 똑바로 바라볼 수가 없어서 슬그머니 눈길을 떨구었다.

"그만 들어갑시다."

백수광부가 아버지에게 목례를 하고는 돌아서서 걷기 시작했다. 부인도 우리에게 눈인사를 하고는 남편을 뒤따랐다.

그날 아침, 아버지와 나는 오래도록 강가에 우두커니 서 있었다. 백수광부와 그의 아내가 완전히 사라진 다음에도 아버지와 나는 넋 나간 사람처럼 계속 그 자리에 서 있었다.

5.

그 뒤로 한동안 우리는 그들을 강가에서 만나지 못했다. 아버지도 나도 어쩌면 그 일을 다행으로 생각했는지도 모르겠다. 그들을 만나면 어떻게 대해야 할지 난감했던 것이다.

날씨가 추워졌다. 짧은 가을이 끝나갈 무렵, 어느 이른 아침이었다. 아버지와 나는 여느 날처럼 강으로 나갔다. 옅게 물안개가 낀 날이었다. 막 강변 모래밭에 이르렀을 때 우리는 옅은 안개 너머에 서 있는 두 사람을 보았다. 그들이었다.

"여보, 제발 진정하세요, 제발……."

부인이 남편의 옷소매를 붙잡고 울음 섞인 목소리로 애원하고 있었다. 부인의 목소리를 듣는 순간 아버지와 나는 심상찮은 일이 벌어지고 있음을 알았다. 아버지와 나는 급히 그들에게 달려갔다. 그 사이에 백수광부는 부인을 뿌리치고 첨벙첨벙 물속으로 걸어 들어갔다. 부인이 달려가 다시 남편을 붙잡았지만 백수광부는 힘껏 부인을 밀치고 첨벙첨벙 물속으로 계속 걸어 들어갔다.

"안돼요, 여보!"

부인이 울부짖었다. 우리가 부인 앞에 이르렀을 때, 한손에 술병을 든 백수광부의 모습이 막 물결에 휩쓸려 사라지려는 찰나였다. 부인이 다시 울부짖었고, 백수광부의 머리가 강물 위로 한번 쑥 떠오르는가 싶더니 이내 물속으로 사라져 버렸다. 눈 깜짝할 사이에 일어난 일이라 아버지도 나도 어찌해 볼 도리가 없었다. 물이 차갑고 또 생각보다 훨씬 깊은지라 백수광부가 살아 있을 가능성은 거의 없다는 것을 아버지도 나도 잘 알고 있었다.

부인이 모래밭에 주저앉아 통곡하기 시작했다. 아버지가 부인에게 다가가 조심스레 말했다.

"부인, 제가 배를 저어 부군을 찾아보겠습니다."

하지만 부인의 귀에는 아버지의 말이 들리지 않는 듯했다. 여느 때처럼 부인은 공후를 들고 남편은 술병을 들고 강가로 나왔다가 갑자기 일이 벌어진 모양이었다. 부인은 잠시 더 통곡하더니 문득 눈물을 씻고는 모래밭에 놓여 있는 공후를 집어 들었다. 아버지와 나는 영문을 몰라 멍하니 부인을 바라보고만 있었다. 부인이 공후를 타면서 노래를 부르기 시작했다.

님더러 물을 건너지 말랬는데도
님은 기어이 물을 건너가시네
사나운 물결이 님을 휩쓸어 가니
아 나는 이제 어찌 살려나

노래는 처절하고 구슬펐다. 코끝이 찡해지면서 절로 두 눈에 눈물이 핑 돌았다. 내가 노래에 취해 멍하니 서 있는데, 부인이 갑자기 강물로 뛰어 들어갔다. 순간 아버지가 후다닥 달려갔지만 이미 강물이 부인을 삼켜버린 뒤였다.

"빨리 배로 가자. 시신이라도 건져야지."

얼이 빠져 서 있는 나를 보고 아버지가 소리쳤다. 우린 강에 배를 띄우고 여기저기 찾아보았지만, 백수광부도 그의 아내도 찾지 못했다. 강 아래쪽 위쪽을 다 훑어보았지만 허사였다. 우리는 도로 모래밭으로 나왔다.

"집으로 돌아가야겠다. 마을 사람들에게 알려, 같이 시신을 찾아야겠구나."

말은 침착하게 했지만 아버지의 목소리는 가늘게 떨리고 있었다.

어머니는 집으로 도로 돌아온 우리를 보고 눈을 휘둥그렇게 떴다. 아버지와 내가 번갈아가며 조금 전 강가에서 어떤 비극이 일어났는지 이야기했다. 어머니가 눈물을 글썽였다. 아버지가 말했다.

"부인이 부른 노래, 내 가슴을 후벼 파는 듯했소. 왕검성이 무너지고, 나라를 잃어버린 그 날의 슬픔이 새삼 나를 덮치는 듯한 기분이었지. 부인이 부르는 노래가 내게는 남편을 잃고 부르는 노래가 아니라 나라를 잃고 나서 부르는 노래처럼 들렸소. 왕검성이 무너지지 않기를 바랐는데, 성은 무너지고 말았네. 모진 운명에 나라를 잃었으니, 나는 이제 어찌 살려나……. 내게는 노랫말이 그렇게 들렸소."

아버지는 퀭한 눈빛으로 허공을 바라보더니 갑자기 노래를 부르기 시작했다.

님더러 물을 건너지 말랬는데도
님은 기어이 물을 건너가시네
사나운 물결이 님을 휩쓸어 가니
아 나는 이제 어찌 살려나

내 귀에는 아직도 부인이 불렀던 노래의 곡조가 쟁쟁했다. 그런데 아버지가 부르는 노래는 부인이 불렀던 노래와 어딘가 달랐다. 아버지가 부르는 곡조는 더 처절하고 슬펐다. 비로소 나는 아버지가 자신의 심정을 담아 노래를 다시 지어 부르고 있음을 알았다. 나라를 잃은 통분에다 몇 달 동안 친히 지냈던 벗들을 눈앞에서 잃어버린 애통함까지 합하여 아버지는 자신의 노래를 부르고 있었다. 어머니의 두 눈에서 눈물이 주르르 흘러내렸다.

이윽고 노래가 끝나자 어머니는 벽에 걸려 있는 공후를 가지고 왔다. 아버지가 새 노래를 들려주면 으레 그랬듯이 어머니는 공후를 타면서 그 노래를 다시 부르기 시작했다.

님더러 물을 건너지 말랬는데도
님은 기어이 물을 건너가시네
사나운 물결이 님을 휩쓸어 가니
아 나는 이제 어찌 살려나

어머니가 부르는 노래는 아버지가 부른 노래와 비슷했지만, 조금은 그 느낌이 달랐다. 아버지가 부를 때 격하게 뿜어져 나오던 비통한 감정이 잔잔하게 가라앉아 찰랑이면서 그 슬픔이 더 깊어진 듯한 느낌이 들었다. 어머니는 어머니대로 자신의 슬픔을 담아, 노래를 다시 고쳐 부르고 있는 셈이었다.

노래가 끝나자 아버지가 물기어린 목소리로 말했다.

"공후를 타면서 불러서 그런 걸까? 당신이 부르니 노래가 더욱 심금을 울리는 것 같소. 우리 이 노래를 조선 유민들에게 널리 알립시다. 조선 유민들이 이 노래를 부르면서 나라 잃은 슬픔을 다시 한 번 되새기게 될 거요. 조선 유민이 조선을 잊지 않고 있는 한 언젠가는 조선을 다시 세울 날도 오지 않겠소? 또한 백수광부와 그 아내의 슬픈 사연도 알리려면 우린 이 노래를 널리널리 퍼뜨려야 하오."

슬픔 어린 아버지의 얼굴에 은은하게 빛 같은 것이 반짝거렸다. 어머니의 눈에 또 눈물이 고였다. 몇 년 만에 다시 아버지의 얼굴에 생기가 돌았다는 것을 어머니도 알아차린 것이다. 어머니는 눈물을 씻으며 다부지게 말했다.

"난 공후를 타면서 이웃 사람들에게 이 노래를 불러줄 거예요. 당신과 유하는 강을 건너는 사람들에게 노래를 불러주세요. 그러면 노래는 우리 마을에서 이웃 마을로 퍼져나가고, 강을 건너고 산을 넘어 조선 유민이 있는 곳이면 어디든, 한나라까지라도 퍼질 거예요. 그것이 우리가 할 일이에요. 노래를 남기고 강물에 몸을 던진 두 분의 넋을 위로하는 길이기도 하고요."

아버지가 어머니의 두 손을 덥석 잡았다. 왕검성에 있을 때처럼 정답게 두 손을 마주 잡은 부모님을 보면서 나는 비로소 내가 걸어야 할 길을 찾은 느낌이 들었다. 이곳 강 나루에 정착하면서 나는 아무런 꿈도 없이 그냥 하루하루를 살아왔다. 그건 내 부모님과 조선 유민들도 마찬가지였을 것이다. 그런데 이제 나는 내가 가야 할 길을 찾았다. 내가 다시 꾸어야 할 꿈을 찾은 것이다.

6.

열다섯 살 소년 시절에 꾸었던 꿈대로 나는 평생 노래를 부르고, 그 노래를 널리 알리는 일을 하며 살았다. 내 부모님과 함께.

심금을 울리는 노래는 무서운 속도로 퍼져나갔다. 마침내는 조선 유민들뿐 아니라 한나라 사람들까지도 그 노래를 부르게 되었다.

처음에는 그 노래가 남편을 잃은 부인이 지어 부른 슬픈 노래로만 알고 있던 한나라 관리들도 노랫말 뒤에 또 다른 의미가 숨어 있다는 것을 알아차렸다. 노랫말의 님이 조선 유민들에게는 잃어버린 나라 조선을 뜻한다는 사실을 알게 되자 한나라 관리들은 노래를 부르지 못하게 했다. 노래를 부르는 조선 사람들을 마구잡이로 잡아가둔 일도 있었다. 부모님과 나도 몇 번 관아에 끌려가 곤욕을 치렀다.

그러나 사람은 금지된 것을 더욱 소망하는 법이다. 금서는 더 읽고 싶고 금지된 노래는 한층 간절히 부르고 싶어진다. 금지하고 탄압하면 할수록 노래가 더 불리어지고, 들불처럼 퍼져나가자 한나라 관리들은 정책을 바꾸었다. 노래를 금지하는 것이 아니라, 노래에 담긴 백수광부와 그의 아내의 사연만을 널리 알리는 정책이었다. 노래에 담긴 또 다른 뜻을 입에 담는 것은 죄가 되었다. 당연히 한나라 사람들은 백수광부의 사연만 알게 되었고, 조선 유민들은 노래를 부르면서 눈빛으로 마음으로 또 다른 사연을 나누었다.

세월이 흘러갔다. 부모님이 돌아가시고, 내 아내도 세상을 떠났다. 왕검성이 함락되었을 때의 비통함을 직접 겪은 사람은 거의 다 세상을 떠났다. 그 노래를 부르면서 왕검성과 조선을 떠올리던 사람들은 모두 흙으로 돌아갔다.

대신 노래만은 한나라의 문서에 기록으로 남았다. 기록에는 백수광부와 그의 아내,

그리고 내 아버지 곽리자고와 어머니 여옥의 이름이 적혀 있다. 그러나 내 아버지와 어머니가 다시 지어 불렀던 그 노래에 담긴 조선 유민들의 절절한 마음은 기록에서 빠져 있다.

내가 지난날을 돌이켜보며 그 일을 소상히 기록하는 것은 부모님의 그 마음을 조선 유민들에게 전하고 싶어서이다. 이제 조선 유민들은 조선에 대한 절절한 그리움보다는 그때 나라가 그렇게 망했다더라, 하는 식의 안타까움만을 안고 살아간다. 이 기록이 조선 유민들에게 조선에 대한 절절한 그리움을 일깨워 주었으면 하는 것이 내 바람이다.

그러나 미래는 누구도 알 수 없다. 이 죽간이 한나라 관리의 눈을 피해 언제까지 살아남을 수 있을지, 그건 아무도 장담할 수 없다. 비록 노래에 담긴 또 다른 사연을 담은 이 죽간이 사라진다 해도 노래는 입에서 입으로 전해지며 언제까지나 살아남을 것이다.

그러니 또 모르지 않겠는가. 내 부모님의 사연을 담은 이 죽간이 사라진다 해도 언젠가는 노래만 듣고 노래에 담긴 또 다른 사연을 꿈꾸는 사람이 나타날는지도.

하여 나는 편안한 마음으로 내 마지막 노래인 이 죽간을 세상에 내어놓는다. 세상으로 나아가, 네 운명대로 네 삶을 살렴, 이렇게 속삭이면서.

스물일곱이었던
그녀

이상교

1. 처음은 그렇게 만나다.

어느 시상식 자리 뒤풀이 아니면 총회 뒷자리였을 것이다. 찻집 겸 호프집이었는데 우리는 입구에서 보아서 오른쪽 다섯 테이블 가량을 붙여 놓고 앉았다.

나는 입구 가까운 쪽 의자에 앉아 있었고 마흔 이쪽 저쪽이었을 강정규 선생님은 단정한 정장 차림으로 서너 자리 건너의 내 오른쪽에 앉아 계셨다. 숙인은 강정규 선생님과는 대각선으로, 떨어져 있긴 해도 나와는 거의 마주 보게 앉았다.

어두운 벽을 배경으로 숙인은 앉아 있었는데, 나로서는 숙인과의 첫 번 만나는 자리였다. 하얀 얼굴에 가늘지 않은 검은 뿔테 안경에 어깨까지 머리카락을 드리우고 있었다. 옷은 약간 어두운 빛깔의 정장 차림이었던 것으로 기억한다.

누구는 차, 누구는 맥주 또는 호프를 마시는 등, 열 명 안팎이 모인 꽤 편안한 자리였는데, 나는 어렵사리 낯도 익히기 전의 숙인에게 나이를 물었다.

"아마 스물일곱일 걸."

숙인 대신 강정규 선생님께서 당신과 열두 살 차이로 같은 뱀띠라고 말씀하셨다. 나는 그때 이미 한 아이의 엄마로 숙인이 나보다 퍽 어릴 것으로 생각했는데 네 살이 아래였다.

그러그러 세월은 흐르고 우리는 짐짓 친하게 지낼 것을 지레 약속하지 않으면서 자연스레 가까워졌다. 내 친정 큰집이 있는 가평에도 함께 다녀왔고 돌아가신 내 친정어머니의 칠순 잔치에 와 준 유일한 동료이자 후배였다.

좀 더 가깝게 지내게 된 것은 숙인의 결혼 무렵이었을 것이다. 나는 신부측 우인 대표로 청첩장에 이름이 들어가게 되었는데, 그 전에 담장에서 떨어져 다리를 크게 다쳐 목발을 짚지 않으면 안 되었다. 큰 키에 목발이라니! 게다가 혼례식을 치르게 된 장소는 서울이 아닌 정약용 생가 근처 남한강 기슭의 잔디밭이었다. 신부측 우인 대표가 목발 좀 짚었기로 불참할 수는 없었다. 신랑은 건장한 체격의 호남이었다. 숙인보다 여섯 살이 위였다. 부부는 서로 끔찍이 이끼며 사랑했는데, 특히 남편인 김원조 선생님이 숙인의 글쓰기에 보내는 애정과 찬사는 비교할 데가 없을 지경이었다. 그것이 무지몽매한, 외곬수 남편이 자기 사람인 아내에게 보내는 편견으로 무장된 찬사였다면 우스운 일일 것이나. 김원조 선생님의 숙인에 대한 자랑스러움은 빈 이야기가 아니었다.

말하지만 누구에게도 독서량에 뒤지지 않을 숙인인 것이다. 책을 많이 읽은 숙인을 보면서 '짧은 시간에 한꺼번에 몰아서 할 수 없는 일이 바로 좋은 책 읽기' 임을 깨닫게 된 이가 다른 사람이 아닌 바로 나다.

어느 때인가 교보 음악 씨디 코너에 함께 들른 적이 있었는데 음악에 대한 조예 또한 깊어서 새삼 놀라웠다. '지속적인 질 높은 책 읽기와 고전 음악을 귀에 젖도록 들어 인격을 고양시킬 것.' (속으로 놀란 눈을 뜨며 내가 내게 다짐해 놓은 일이다)

2. 나도 숙인이도 나무다.

나는 천성적으로 나부대고 나서는 편에 속한다. 겉모습을 보자면 성질이 느긋할 듯 보이는데 그렇지 못하다. 양은 냄비다. 양은 냄비라서 어디 한 곳 느긋하게 붙어 있지 못하고 잘도 돌아다녀 처음 숙인의 새 살림집에 열흘에 한번 꼴로 들러 참견을 늘어놓았다.

남편인 김원조 선생님이 담근 양파 물김치에 국수를 말아 주어 얻어먹었고, 매운 고춧가루를 풀고 청양고추를 섬뻑섬뻑 썰어 넣은 조깃국을 얻어먹은 것은 물론, 개울물가로 놀러가 라면을 함께 끓여 먹기도 했다.

숙인이 집을 다른 곳으로 옮기게 되었을 때 얘기다. 나는 이사하기 전날 이삿짐 싸는 것을 도와주러 가겠다고 했다. 이튿날 처음으로 숙인의 이사를 돌봐주려 오신 숙인의 친정어머님께 인사를 드리게 되었다. 어머님은 나를 보시자 말씀하셨다.

"뭐, 우리 숙인이와 별 다를 게 없네."

어머니는 이삿짐 거들어 주러 오기로 한 숙인의 선배인 내가 힘깨나 쓸만한 사람으로 지레 생각하셨던 것 같았다.

"호오, 그래도 어떤 일이든지 다 잘하는 걸요."

어머님이 내가 숙인과 별 다름 없음을 말씀해 주셔서 내심 기뻤다. 그다지 책도 많이 읽지 않은 나를, 글을 써 보아야 매양 비문에 오문 투성이인 나를 겉모습으로지만 숙인과 다를 것 없다고 말씀해 주시다니.

그날 나는 두꺼운 흰 면직물 스커트에 붉은 줄무늬가 그려져 있는 흰 블라우스를 입고 있었는데, 스커트 아래로 드러내진 종아리, 걷어 부친 블라우스 아래로 드러난 팔뚝이 여간 앙상하지 않았던 것이다. 건드리면 툭 쓰러질 판이었을 것이다.

양은 냄비 나는 늘 잔 근심이 많곤 했는데, 숙인은 말할 것도 없고 남들 거의 대부분 지극히 평온해 보였다. 근심거리란 근심거리는 모두 내게 몰려와 있는 듯 생각되었다.

그리하여 어느 날 나는 숙인에게 근심 같은 것이 있는지 물었다. (나는 남들이 다 아는 일을 모르는 경우가 잦다. 꼭 물어서 대답을 듣고서야 깨닫는 경우다.) 숙인은 먼저 하하, 웃기부터 했다.

"세상에 근심 없는 사람이 어디 있겠어?"

"그런데 사람들 보면 모두 아무런 걱정도 없어 보이는데?"

"그건 겉으로 표시를 안 할 뿐이라 그렇지."

"뭐, 숙인씨만 해도 뭐든 걱정하는 말을 한 번도 들은 적이 없는데."

"하하, 나도 걱정거리 많아, 말로 다 할 수 없을 만큼."

숙인의 설명을 듣고 나서부터 나는 마음에 근심 한 가지를 덜어냈다. 무언가 하면 나 말고 다른 사람들도 근심과 걱정이 있다는 것, 그리하여 못 견딜 만큼 힘들어하지는 않게 되었다.

사람들이 '내 발바닥에 점 있어.' 라고 짐짓 입을 열어 말하지 않는 것처럼 마음에 가득한 근심이나 걱정을 이루 말로 다 표현해내지는 않는다는 것. 나이는 네 살이 아래여도 '썩 훌륭하게 보이는 숙인' 또한 바람이 거칠게 불면 크게 흔들리고 가벼이 살랑이면 나뭇잎을 가볍게 팔랑이는, 다를 것 없이 같은 나무인 점!

3. 너는 거기, 나는 여기

숙인도 나도 이제는 나이가 좀 들었다라고 말할 수 있겠다. 나이 오십이 넘으면서 우리는 둘 다 말은 좀 하고 살기로 작정한 양(물론 나는 좀 더 일렀다) 한 달에 두어 번 꼴로 만나 주섬주섬 이야기를 나누게 되었다. 여전히 나는 떠드는 편, 숙인은 잠잠히 듣고 있거나 이따금 내 싱거운 너스레에 홍소를 터뜨린다.

한 달에 두어 번 만나 둘이 하는 일은 영화를 보는 일인데, 볼만한 영화를 선별하는 일은 숙인의 몫이다. 숙인과 함께 보는 영화는 대개 내 수준에 맞추어져 있어 고마운 한편 미안하기도 하다. 내가 본 영화 대부분이 숙인과 함께 본 것으로 영화를 본 뒤 먹었던 점심 또는 저녁 메뉴까지 함께 연관되어 기억되기 일쑤이다.

식사 뒤, 한가하게 차 한 잔을 함께 마시는 여유라니. 그다지 나누는 말이 없이 흘러가는 구름이나 올려다보다가 여울여울 구비치는 강물(강변역 씨지브이에서 영화 관람 경우)이나 내려다보다 이제 그만 각자의 소굴로 돌아가기로 작정하고 일어서곤 한다.

"우리 팔십 넘도록 살아 있자. 그때도 지금처럼 만나, 이미 늙은 나이여서 고개를 옆으로 벌벌 흔들면서 영화도 보고 밥도 같이 먹고 차도 마시자꾸나."

광화문 근처 시네큐브에서 영화를 보고 돌아 나오는 어스름 저녁, 타야 할 차를 기다리는 동안, 눈앞으로 지팡이를 짚어도 아무렇지도 않은, 하나는 키가 크고 하나는 덜 큰, 안경잡이 두 백발을 떠올리면서 오오, 기쁨 백 배!

그때면 이제껏 털어놓지 못한 비애 같은 것, 눈물 같은 것, 한숨 같은 것들을 서로 조금 더 소상히 털어놓을 수도 있겠다.

늘 좋은 글을 쓰는 나의 훌륭한 후배 숙인!

내 원래 말이 많아 쓸 말이 별로 없어 보이되, 위의 말은 결코 빈말이 아님을. 줄무늬건 꽃무늬건 무늬가 색색 그려져 있는 옷보다 단색의 은은한 블라우스 또는 남방이 더 잘 어울리는 숙인. 흰 이를 드러낸 웃음이 고요한 숙인.

숙인 얘기를 쓰기로 한 바이면서 의도 밖으로 나와 숙인과의 친교에 대해 더 많이 늘어놓은 듯해서 미안하고도 어색하며 쑥스럽다. 마무리를 짓자면 다른 모습이 아닌, 한결같은 지금의 모습으로 숙인은 거기, 나는 여기 지금처럼 그렇게 있고 싶다.

오늘 당장 오후 한 시에 함께 영화를 보기로 해 놓고 '오늘 여엉 영화 볼 기분이 아니야. 다음에 보는 게 좋겠어.' 약속을 깨기로 해도 기분 언짢을 일 없는 편안함이라니.

강숙인.
그래, 한 마디로 '기품'이라 이름 지을 수 있겠다.

낮고
소외된 곳을
향한 사랑

강숙인의 동화세계

황선열

1. 동화의 근원과 사랑의 변증법

강숙인의 동화는 크게 두 가지 지평을 형성하고 있다. 그 중의 하나는 창작동화이고, 다른 하나는 역사동화이다. 창작동화는 생활동화, 의인동화, 판타지에 이르기까지 다양한 양상을 보이고, 역사동화는 주로 고대사를 중심 소재로 하고 있다. 1979년 소년중앙문학상으로 등단한 강숙인은 등단 후 창작동화에 주력했는데, 최근에는 창작동화에서 역사동화로 그 지평을 확장하고 있다. 그 변화의 시기가 언제부터인지는 정확하게 구분할 수 없지만, 역사에 대한 관심을 가지면서 쓰기 시작한 《마지막 왕자》(푸른책들, 1999) 때부터라고 보는 것이 타당할 듯하다. 창작동화에서 역사동화로 전환하면서 강숙인의 동화 세계는 새로운 변화를 꾀하고 있다. 그 변화 양상은 두 가지 측면에 중요한 의미가 있다. 그 중의 하나는 창작동화에서 보여 준 작가의 상상력이 시대와 공간의 뛰어넘어 보다 넓은 영역으로 확장하게 되었다는 것이고, 다른 하나는 창작동화에서 보여 준 섬세한 서정성이 역사 속의 구체적 인물들로 재현되었다는 것이다. 따라서 강숙인의 역사동화는 동화의 영역을 새롭게 열어가는 하나의 분기점이 된다고 할 수 있다.

강숙인의 창작동화는 다양한 양상을 띠고 있다. 판타지동화로는 첫 장편인 《눈새》(계몽사, 1991)와 장편동화 《뢰제의 나라》(푸른책들,2003)이 있다. 생활동화로는 《날아라 독수리야》(푸른책들, 2001), 《아주 특별한 선물》(도깨비, 2001)이 있다. 이 세 권의 동화집에는 모두 서른 편의 단편이 실려 있는데, 이 중에서 의인동화가 12편이고, 나머지는 현실주의 동화이다. 이들 창작동화에서 알 수 있는 것은 판타지동화는 장편이 되어 있고, 생활동화는 단편으로 되어 있다는 것이다. 이는 가볍게 볼 수도 있지만, 작가의 관심이 어디에 치중되어 있는지를 살피기 위해서는 결코 간과해서는 안 되는 일이기도 하다. 판타지는 상상력을 바탕으로 하고, 생활동화는 묘사를 바탕으로 한다. 강숙인의 생활동화가 대부분 단편이고, 판타지동화가 장편이라는 사실은 일상생활을 소재로 한 동화에는 서사의 폭이 한정되어 있다는 것을 말하고, 판타지동화는 서사의 폭이 넓다는 것을 말한다. 이는 역사동화에서 상상력의 개입이 쉬운 고대사의 영역을 선택하는 것과 결코 무관하지 않을 것이다.

강숙인의 역사동화는 주로 고대사에 영역에 머물고 있는데, 작가의 말에 따르면, "고대로 갈수록 자료가 적지만 상상할 수 있는 여지가 많기 때문"이라고 한다. 지금까지 발표한 역사동화는 고조선의 건국신화를 다루고 있는 《하늘의 아들 왕검》(베틀북, 2002), 고구려의 3대 무휼 대왕(대무신왕)의 아들 호동왕자의 야망을 다룬 《아 호동왕자》(푸른책들, 2000), 신라 선덕여왕 시대의 지귀설화를 소재로 한 《지귀 선덕여왕을 꿈꾸다》(푸른책들, 2009), 태종 무열왕 시대를 배경으로 화랑 바도루의 이야기를 다룬 《화랑 바도루의 모험》(길벗어린이, 2001), 신라의 마지막 마의태자를 주인공으로 한 《마지막 왕자》(푸른책들, 1999), 마의태자의 아들 김준을 주인공으로 한 《초원의 별》(푸른책들, 2006)이 있다.

여섯 권의 역사동화를 놓고 볼 때, 강숙인의 역사동화는 고조선, 고구려, 신라, 고려 초기와 같은 주로 고대사의 영역을 다루고 있다는 사실을 확인할 수 있다. 작가가 밝히고 있듯이, 고대사 영역은 역사적 사료가 풍부하지 않기 때문에 작가의 상상력을 마음껏 펼칠 수 있다는 장점이 있다. 역사동화의 전환은 "무턱대고 역사를 좋아한다는 개인적인 취향에서 역사동화를 쓰게 되었든지", 아니면 새로운 작품의 모색을 위한 동기였든지 간에 아동문학의 소재주의를 극복하는 동기가 되었다고 할 수 있다.

작품의 변화 과정은 작품 소재의 변화 과정일 수는 있지만, 작품을 드러내는 작가 정신의 변화를 의미하는 것은 아니다. 강숙인의 동화 세계에 나타난 작가 정신은 낮고 소외된 것들에 대한 따뜻한 사랑이다. 강숙인의 동화에는 사람을 사랑하는 순애보와 같은 순수한 사랑도 있지만, 우리 사회의 그늘진 곳에 대한 대타적인 사랑도 있다. 생활동화에서 보여 준 사물, 자연, 사람에 대한 사랑은 역사동화에서 역사적 인물에 대한 사랑으로 이어지고 있다. 역사동화에서 다루고 있는 인물들은 역사 속에서 사라진 비운의 인물들이 많다. 그것은 작가의 개인적 체험에 바탕을 둔 작가 정신에 발로(發露)라고 할 수도 있으며, 역사를 보는 따뜻한 시선 때문이라고도 할 수 있다. 이는 강숙인의 동화 세계는 생활동화에서 역사동화로 변화했지만, 대상을 바라보는 시선은 변하지 않았다는 것을 의미한다.

2. 우리 시대 소외된 곳을 향한 사랑

창작동화 중에서 《눈새》는 우리 시대 소외된 곳을 향한 사랑을 잘 보여 준다. 판타지 동화 《눈새》의 주인공 '눈새'의 여정을 따라가 보자. '눈새'는 4차원의 세계인 눈나라 왕자이다. '눈새'는 3차원과 4차원의 경계가 흐려지는 시간에 지구로 온다. '눈새'는 그날부터 지구의 여러 사람들과 만난다. 처음 만나는 사람은 산골에 외롭게 살아가는 할머니이다. 그 할머니는 '눈새'를 만난 다음 날 죽는다. 그 할머니 곁을 떠나 길을 걷다가 우연히 사장님을 만난다. 사장님은 가족들끼리 재산다툼 때문에 힘들어 하다가 '눈새'를 만나면서 삶의 활력을 얻게 된다. 그러나 재산 때문에 가족끼리 다투던 사장님은 쓰러지고, 그 틈을 타서 사장님 가족들은 '눈새'를 어느 항구에 버린다. 그곳에서 '눈새'는 단칸방에 세 들어 사는 경호네 가족의 도움을 받는다. 어렵게 사는 경호네 가족과 헤어져 서울로 오는 길에 영후 형을 만난다. 영후 형도 가족들끼리 사이가 좋지 않다. 미국으로 가는 영후 형을 보내기 위해 공항까지 갔던 '눈새'는 그곳에서 길을 잃게 되고 결국 고아원으로 가게 된다. 어느날 고아원을 찾아온 현민이 아버지는 '눈새'를 양자로 삼으려 한다. 현민이 아버지는 '눈새'가 죽은 아들 현민이 역할을 해 주었으면 좋겠다고 하지만, '눈새'는 눈나라로 돌아가야 한다고 말한다. 그렇게 갈등을 겪던 '눈새'는 마침내 눈나라로 돌아가는 날이 되었을 때 방향을 잘못 알아서 결국 지구에 남게 된다.

이 동화에서 '눈새'가 지구에서 만나는 인물들을 유심히 살필 필요가 있다. 그 인물들은 외로운 할머니, 재산 다툼을 하는 사장님 가족, 단칸방에서 살아가는 가난한 경호네 가족, 가족들끼리 화합하지 못하는 영후 형 가족, 고아원의 아이들, 아들을 잃고 외롭게 살아가는 현민이 아버지이다. 이들은 모두 우리 시대의 소외된 사람들이거나 화합하지 못하는 이웃들이다. '눈새'는 이런 사람들을 만나고, 그 사람들에게 희망과 꿈을 안겨 준다.

눈나라에는 학교가 없다. 눈나라의 아이들은 숲이나 바닷가에서 뛰놀면서 그 속에서 무언가를 배우고 모르는 것이 있으면 어른들에게 묻거나 책을 보고 깨우친다. 눈나라에서는 멀리 갈 필요도 없고 굳이 가고 싶은 때는 빛보다 빠른 속도로 공간으로 옮겨 가면 되기 때문에 차가 없다. 눈나라의 바닷가를 맨발로 달리는 일, 돛단배를 타고 먼 바다로 나가는 일, 바알간 등불이 꽃처럼 피어나는 눈나라의 포근한 밤, 언제나 마음과 마음으로 이야기하고 사랑하며 살아가는 눈나라 사람들

그 누구도 미워하지 않고, 거짓을 말하지 않고, 누군가를 때리기보다는 차라리 맞으며, 꿈을 잊고 사는 사람들에게 꿈을 되새기게 해 주면서 살아야 할 것이다.

《눈새》에서 강숙인은 눈나라와 같은 세상을 꿈꾸고 있다. 눈나라에는 학교도 없고, 자연과 더불어 살면서 자연스럽게 학습을 익히는 것뿐이다. 또한, 눈나라에는 차도 없고, 공간의 이동도 자유로우며 마음과 마음으로 소통하고, 서로 사랑하며 살아가는 세상이다. '눈새'는 비록 약하지만, 다른 사람을 괴롭히지 않고, 때리기보다는 맞는 것으로 다른 사람들에게 약한 자를 사랑하는 법을 가르쳐 준다. '눈새'에서 작가는 삶의 진

정한 의미는 어떤 고난 속에서도 희망을 잃지 않는 것이라고 말한다. 이것은 '눈새'가 모든 사람들에게 바라는 희망이자 작가의 희망이기도 하다. 작가는 '눈새'를 통해서 낮고 소외된 곳에 살고 있는 사람들에게 희망을 주고, 사람들이 그 희망을 좇으면서 살아가기를 진정으로 원한다. 그런 세상이야말로 강숙인의 동화가 추구하는 세계인 것이다. 이 때문에 강숙인의 동화에는 늘 희망이 샘솟고 있다.

> 권선생님은 세상이 망할 거라고 했지만, 다함이는 이제 알고 있었다. 세상이 아무리 어지러워도, 변함 없이 밝게 빛나는 천랑성처럼 희망이 늘 있다는 것을.

《뢰제의 나라》는 선도(仙道)의 옥추보경(玉樞寶經)에 언급된 구천응원뢰성보화천존(九天應元雷聲普化天尊)을 소재로 쓴 판타지동화이다. 주인공 다함이는 다섯 살 때 아빠를 잃고, 아홉 살 때 엄마마저 잃고 마는 불우한 아이다. 그러나 다함이는 항상 희망을 안고 살아간다. 할머니와 할아버지와 함께 살아가는 다함이는 교통사고로 하늘나라 문턱까지 간다. 그 하늘나라에서 다함이는 천랑과 운백과 함께 네 계절을 관장하는 신을 몰아내고 하늘의 신인 뢰제를 제자리에 돌려놓는다. 이 모험을 통해서 다함이는 세상에는 항상 희망이 있다는 것을 깨닫게 된다.

갇힌 공간을 벗어나 자유를 꿈꾸는 작가의 희망은 동화집 《날아라 독수리야》에 실린 여덟 편의 단편에서도 잘 나타나 있다. 버들치와 독수리를 자연으로 돌려보내고, 솔나리가 그 자리에서 피어나기를 희망하는 것은 자연과 자유를 꿈꾸는 작가의 희망이라 할 수 있다. 하찮은 질경이도 그 존재 가치가 있고, 금 간 도자기도 유용하게 쓰인다는 것은 이 세상에 버려진 것은 아무 것도 없다는 대자연이 질서를 말하고 있는 것이다. 자연에 돌아가는 것, 버려진 것과 소외된 것들에 대한 경외와 사랑은 강숙인의 동화가 지향하는 세계관이라고 할 수 있다.

소외된 이웃들에 사랑은 동화집 《아주 특별한 선물》에 실린 단편에서도 잘 나타나 있다. 《아주 특별한 선물》에서 옷 수선 가게를 하는 예솔이네, 《엄마와 무궁화》에서 습기 찬 곳에서 살아가는 연지네, 《작은 트럭 이야기》에서 형편이 어려워 아빠와 떨어져 살아야 하는 석이네. 이들은 우리 사회에서 소외된 이웃들이다. 잘 사는 이웃의 이야기를 소재로 하더라도 그 시선은 늘 외롭고 소외된 이웃들을 향해 열려 있다. 강숙인의 동화가 지향하는 세계는 가난하고 소외된 사람들과 더불어 살아가는 건강하고 밝은 세상이다. 낮고 소외된 것들에 대한 사랑은 특별하다. 그것은 자신을 희생하면서 타인을 사랑하는 것이다. 진정한 사랑은 자신을 죽이면서도 다른 사람에게 희망을 주는 것이다. 그것은 '눈새'가 자신의 희생을 감수하면서 지구에 있는 사람들에게 희망을 주려는 것과 같은 것이다. 진정한 사랑은 자신을 희생하면서 남을 사랑할 수 있는데서 우러나는 것이다. 강숙인의 동화는 이러한 희생과 사랑을 지향하고 있다.

> 눈사람은 이제 아무것도 두렵지 않았어요. 은이에게 제 마음을 알릴 수만 있다면, 그래서 은이의 병이 하루빨리 나을 수만 있다면 지금 당장 녹아 사라진다 해도 아무것도 안타까울 게 없을 것 같았지요.

강숙인이 말하는 진정한 사랑의 의미는 자신의 몸이 녹아서 사라지더라도 다른 사람이 살아날 수 있다면, 그 사람을 위해 기꺼이 희생할 수 있는 순교자와 같은 사랑이다. 이처럼 강숙인의 동화에서 사랑은 순수하고, 근원을 지향하고, 인간의 본성에서 우러난 것이다. 강숙인의 동화에서 말하는 진정한 사랑은 상대방에 대한 구속이 아니라, 서로 자유로운 의지로 살아가는 것이다. 마주보고 살아가는 것이 아니라, 같은 방향을 향해 바라보는 것이다. 혼자 사는 것이 아니라, 더불어 살아가는 것이다. 별에게 기도를 드리듯이 자신을 낮추면서 살아가는 것이다. 서로 위로하고 격려하면서 상대방에게 자유를 주면서 같은 곳을 향해 묵묵히 걸어가는 것이 사랑의 본질이다.

이러한 사랑의 변증법을 잘 보여 주는 동화가 《나무와 산새의 사랑》이다. 산새는 나무에 머물기도 하고 떠나기도 한다. 그러나 나무는 그 산새를 자기 곁에 두고 싶어 한다. 마침내 이러한 나무의 소망이 이루어진다. 나무는 나무꾼에게 잘려서 새장이 되고, 새장이 된 나무는 마침내 산새를 가두어 두게 된다. 나무는 자유를 잃어버리게 되자 먹이도 먹지 않고 시무룩해 있는 산새를 불쌍하게 여기게 된다. 나무는 다시 산새가 멀리 날아갔으면 좋겠다고 생각하게 된다. 새장 주인 석이는 산새를 은실이에게 주려고 했지만, 은실이는 이미 떠나고 없다. 산새가 필요 없어지자 석이는 산새를 날려 보낸다. 새장이 된 나무는 버려지고 산새는 다시 멀리 날아간다. 자유로워진 산새는 새장이 되었던 나뭇가지를 주워서 둥지를 만든다. 둥지가 된 나무는 산새와 평생 떨어지지 않고 살게 된다. 강숙인의 동화에서 보여 주는 사랑의 변증법은 자신을 희생하면서 산새를 가두고 결국 그 산새의 둥지가 되는 나무와 산새의 관계라 할 수 있다. 강숙인이 말하는 진정한 사랑은 구속이 아니라, 자유이며 서로가 서로에게 필요한 존재로서 서로 의지하면서 사는 것이다. 동화 《나무와 산새의 사랑》은 이러한 사랑을 상징적으로 보여 준다.

동화(童話)는 아이들의 이야기이지만, 세상 사람들이 추구해야 할 원형의 세계를 보여 준다. 그 원형의 세계는 시기와 질투, 분쟁과 다툼이 없는 세계이고, 혼자만 잘 사는 세계가 아니라, 더불어 잘 사는 세계이다. 동심의 세계는 그런 세계를 향해 항상 열려 있다. 강숙인의 창작동화는 일그러지지 않은 본연의 세계, 그러한 원형의 세계를 추구하고 있다. 그 세계를 만들어가기 위해 필요한 것은 낮고 소외된 곳에서 살아가는 사람들에 대한 사랑이라는 것이다.

3. 역사 속에서 소외된 곳을 향한 사랑

창작동화에서 보여 준 소외된 곳에 대한 사랑은 역사를 보는 관점에서도 동일하게 나타난다. 역사는 기록을 바탕으로 그 사실을 해석하는 인문과학이다. 역사는 사관의 주관에 따라 기술했건, 객관의 잣대에 따라 기술했건 과거에 일어난 일들의 총체적 기록이다. 역사가 과거의 기록을 중시하기 때문에, 소설, 동화라는 장르 규정에 '역사'라는 말이 붙을 경우, 그것은 사실(史實)과 사실(事實)을 전제로 하지 않을 수 없다. 역사동화가 비록 작가의 상상력에 따라 과거의 삶을 재현한다 하더라도 역사의 기록 자체를 왜곡하거나 사실과 다르게 전달해서는 안된다. 역사소설이 역사 기록의 사실성을 바탕으로 하듯이, 역사동화도 역사 기록의 사실성에 충실해야 한다. 이는 문학이라는 장르에 역사라는 말이 붙을 경우, 마땅히 전제가 되어야 하는 진술이다. 역사동화는 역사의 기록에 충실하면서 당대 인물과 삶의 방식을 투영할 때는 작가의 상상력이 마음껏 펼쳐져야 한다. 역사동화는 역사의 기록이 아니라, 문학의 영역이기 때문이다. 따라서 역사동화는 작가의 상상력과 역사 기록 사이의 팽팽한 긴장 관계가 무엇보다 중요하다.

역사동화는 역사의 기록을 중심으로 아이들의 눈높이로 쓴 동화를 말한다. 강숙인은 역사의 사실성과 상상력 사이의 탄탄한 긴장 관계를 유지하면서 과거의 역사를 재현해내고 있다. 그것은 창작동화에서 역사동화로 발걸음을 옮기면서 한층 성숙한 동화작가의 역량을 발휘하고 있다는 사실에서 확인할 수 있다. 특히, 강숙인의 역사동화는 역사 속에서 소외된 인물을 역사동화의 주인공으로 끌어올림으로써 근대적 역사동화의 세계관을 반영하고 있다.

《마지막 왕자》는 신라의 마지막 왕자 마의태자 김일(金鎰)의 일대기를 그린 작품이다. 동생 선의 시선에 비친 큰형은 마지막 왕자가 아닌 나라를 부흥시킬 원대한 꿈을 가진 왕자로 비춰지고 있다. 이 작품은 강숙인의 첫 번째 역사동화인데, 신라 말의 시대정신과 부합하면서 개인의 고뇌를 반영하려는 작가의 의도를 잘 살리고 있다.

큰형은 신라를 저버리지 않았으므로 언제까지나 신라의 태자일 것이다. 신라를 위해, 그 사랑을 위해 큰형이 누릴 수 있는 세상의 모든 좋은 것들을 미련 없이 버렸으므로 큰형은 영원히 신라의 태자일 것이다.

마의태자는 망해가는 나라를 부흥시키기 위해 스스로 기파랑과 같은 화랑이 되려고 한 인물이었다. 그러나 마의태자는 한 시대의 운명을 극복하지 못하고 나라를 버리고 떠난다. 그는 신라를 저버리지 않고, 신라를 위해 세상의 부귀영화를 미련 없이 버린 인물이었다. 모든 것을 버림으로써 그는 영원히 살아있는 신라의 마지막 왕자의 길을 선택한 것이다. 큰 것을 버리면 영원히 남지만, 그것을 버리지 못하면 역사의 오명으로 남는 것이다. 이 작품에서 작가는 마의태자를 통해서 버리는 것, 즉 희생이야말로 진정한 사랑이라는 것을 보여 주고 있다.

《아 호동왕자》는 고구려의 3대왕 대무신왕의 차비 소생 호동과 낙랑공주 예희의 비극적 사랑을 다루고 있다. 호동과 낙랑공주는 고구려와 낙랑의 전쟁에 희생되는 인물이다. 낙랑공주 예희는 호동왕자가 진심으로 자신을 사랑하지 않는다는 사실 때문에 괴로워하고 그때문에 비극의 주인공이 된다.

> "그래, 호동왕자. 난 그대를 위해서라면 북도 찢을 수 있고, 내 나라도 배반할 수 있고, 내 목숨까지도 내어 줄 수 있어. 하지만 이건 순서가 틀렸어. 그대는 말을 잘못한 거야. 북을 찢지 않으면 데려가지 않겠다고 그렇게 흥정하듯 사람을 보내는 게 아니었어."

낙랑공주는 호동이 아버지로부터 받은 명령에 따라 마지못해 그렇게 결정한 사실을 모르고, 스스로 이렇게 결단을 내리고 호동에게 버림을 받았다고 자책한다. 낙랑공주는 호동과의 약속을 지키기 위해 북을 찢고 자신은 아버지의 손에 죽고 만다. 낙랑을 물리치는 데 공을 세운 호동이지만, 정작 자신은 태자로 책봉되지 못하고, 왕비의 간계로 왕비 소생인 우가 태자로 책봉되고 호동은 자결한다. 나중에 낙랑공주가 자신을 희생하면서까지 호동을 사랑했다는 사실을 알지만 이미 때는 늦었다. 두 사람의 사랑은 이루어지지 못하고, 결국 비극적 사랑의 주인공이 되고 마는 것이다. 낙랑공주 예희의 사랑은 나라도 배반하고 사랑하는 사람을 위해 희생할 수도 있는 순수한 사랑이었다면, 호동왕자의 사랑은 권력의 욕망에서 비롯된 사랑이었다. 강숙인은 이 역사동화를 통해서 진정한 사랑은 순수한 마음에 있으며, 사랑하는 사람을 위해 희생할 수 있는 것이라고 말하고 있는 것이다.

《화랑 바도루의 모험 1, 2》은 가상의 인물 화랑 바도루를 통해 화랑 정신과 화랑에 대해, 그리고 장수설화에 대해 이야기하는 역사동화이다. 주인공 바도루는 한비성 성주의 아들이다. 백제의 공격으로 아버지가 죽고 한비성이 함락되자 바도루는 아버지의 충실한 부하의 도움으로 그곳을 탈출해서 서라벌로 온다. 서라벌에서 바도루는 아버지와 친한 김충현 장군의 집에 살면서 부모를 잃은 슬픔을 극복하고, 마침내 화랑이 된다. 김충현의 아들 경천과 절친한 벗이 되고, 경천의 여동생 오례혜와 혼인을 약속하게 된다. 그러다 바도루는 밀사로 백제로 가게 되고 저잣거리에서 백제 소년 달해를 구해 주다 못된 패거리에게 보복당해 크게 다치지만, 달해와 그 누나 송화의 도움으로 살아난다. 몸이 회복되자 임무를 완수한 바도루는 신라로 간 어머니를 찾고 싶어 하는 달해를 데리고 신라로 돌아가다가 아선을 만나게 된다. 아선은 그동안 바도루에게 쌓였던 시기와 질투의 감정 때문에 백제 아이를 데려온 바도루를 백제의 첩자로 몰아세워 눈을 지지는 형벌을 내리고, 바도루는 절망하지만 다행히 상처가 나으면서 앞을 보게 된다. 바도루는 달해와 같이 백제로 돌아오고 그 사이에 신라는 황산벌 전투에서 이기고 사비성에 주둔하게 된다. 백제로 오는 길에 돌림병에 걸린 사람들을 구해준 바도루와 달해는 그로 인해 돌림병에 걸리고 바도루는 달해를 살리기 위해 사비성에 주둔하고 있는 벗 경천을 만나러 간다. 그러나 길이 엇갈려 바도루는 낙화암 절벽 끝에서 쓰러지고 뒤늦게 바도루의 소식을 듣게 된 경천은 수소문한 끝에 절벽 끝에 쓰러져 있는 바도루를 찾아낸다. 경천의 도움으로 달해와 함께 건강을 회복한 바도루는 자신을 죽음까지 몰고 간 아선에 대한 증오가 있을 터인데도 다시 아선을 만나고, 그 아선을 용서하는 미덕을 보인다.

> "너 같으면 그렇게 하겠지. 하지만 넌 어떤 경우에도 너 같이 살지는 않아. 그게 내 자존심이니까. 지난 일은 문제 삼지 않겠다. 난 이미 널 용서했어. 하지만 이제 두 번 다시 네게 당하지는 않아. 내가 정정당당하게 싸움을 건다면 그건 얼마든지 받아주겠다. 그 말을 하고 싶어서 널 보자고 한 거야."

강숙인의 역사동화에 나오는 주인공들은 근대 역사동화에서 보여 주는 비극적 세계관을 드러내는 인물들이 많다. 그러나 그 인물들은 비극적 운명을 극복하고 자신을 미워한 사람들까지도 용서하고 살아간다. 강숙인의 역사동화는 역사 속에 밀려난 비극적 인물들을 다루고 있지만, 그 비극의 주인공들은 운명을 극복하고 당당히 역사의 주체로 부각된다. 그것은 용서와 사랑이라는 인간 본성이 바탕에 놓여 있기 때문에 가능한 역사 인식이라 할 수 있다.

《초원의 별》도 이러한 역사 인식의 범주에서 이해할 수 있는 역사동화이다. 이 작품은 《마지막 왕자》의 후속 편이다. 이 역사동화는 역사 속에 사라진 마의태자의 아들 김준(金俊)이 여진 부락에 들어가서 금나라의 시조가 되었다는 금나라 건국 설화를 소재로 창작한 것이다.

새부(김준)는 양아버지 김시중의 도움으로 박평진 너르실 마을에 정착한다. 어릴 때부터 몸이 약했던 새부는 김시중의 극진한 간호로 몸을 회복하고, 건장한 청년으로 성장한다. 어느 날, 김시중은 그동안 사정을 말하고, 자신은 왕자마마를 보살핀 신하일 뿐이라고 밝힌다. 김시중은 새부에게 가죽 주머니에 든 이름, 김준(金俊)과 애신각라(愛新覺羅)라는 글귀를 확인시킨다. 새부는 김시중과 함께 고려 땅을 떠나 여진 부락으

로 간다. 가는 도중 많은 어려움을 겪는다. 여진부락의 나단부에 정착하면서 월리부와
의 전쟁을 막은 공로로 나단부의 추장이 된다. 새로운 추장이 된 새부는 부락의 이름을
고치자는 십장들의 의견을 받아들여 왕자의 여진말인 완옌의 한자어 표기 완안부(完顏
部)로 한다. 거란족이 세운 요나라의 수탈에 맞선 여진족들은 훗날 새부의 후손인 완안
부 추장 우야소를 연맹장으로 하여, 하나의 여진으로 통합한다. 우야소의 아우 아구다
(阿骨打)가 요나라와 전쟁을 선포하고, 아스허 남쪽 회령에서 나라를 세운다. 국호를
시조의 성을 따와 대금(大金)이라 칭한다. 그리고 황실의 별호를 애신각라로 한다.

> 가슴이 뜨거워졌다. 삶이 아름답고 눈물겨웠다. 살아 있다는 것이 기뻤다. 이제 어떤 일도 너끈히 받
> 아들일 수 있을 것 같았다. 삶의 기쁨이나 영광뿐 아니라 고통까지도 사랑할 수 있을 것 같았다. 자신
> 의 삶에 닥쳐오는 모든 일을 선선히 껴안으면서 이렇게 말할 수 있을 것 같았다.

새부가 완안부 추장이 되고 난 뒤 밤하늘의 별들을 보면서 다짐하는 장면이다. 새부
는 신산(辛酸)의 고통을 겪고 난 뒤에 비로소 사랑의 참된 의미를 깨닫는 것이다. 새부
는 고려에서 여진까지 오면서 삶의 고통까지도 사랑하게 된다. 새부가 월리부 추장과
협상하는 과정에서 독이 든 술잔을 마시면서까지 자신의 신념을 굽히지 않았던 것은 이
러한 사랑의 힘 때문일 것이다. 아린이 새부가 죽음을 앞두고도 자신에게 돌아올 것이
라고 확신할 수 있었던 것은 인간의 본성에 자리 잡고 있는 근원에 대한 사랑 때문이다.
  금나라의 건국과 신라의 멸망과정을 연결하면서 신라의 왕손이 새로운 나라를 건국
한다는 것은 우리 역사를 새롭게 보는 안목이라 할 수 있다. 새부는 범부에서 스스로
왕자의 자질을 기르고, 사랑하는 아린을 지키고, 십장들의 의견을 받들어 추장이 된다.
역사 속으로 사라진 마의태자를 새로운 역사의 주인공으로 끌어들이고 있는 것이다.
새부는 고려에서는 핍박받는 소외된 인물이었지만, 더 넓은 여진 땅에서는 별처럼 빛
나는 존재가 되어 새로운 나라를 건국하는 인물로 바뀌는 것이다. 역사 속에 사라진 비
극적 인물로부터 새로운 역사의 희망을 발견하는 것이다. 역사는 특정한 영웅이 만들
어 내는 것이 아니라, 역사 속에 살았던 인물들 중에서 자연스럽게 새로운 역사의 주인
공이 되는 것이다. 새부는 망한 왕조의 후손이라는 비극적 운명을 타고 났지만, 그 비
극적 운명을 극복하고 역사의 주체로 떠오르는 것이다. 그것은 자신을 사랑하고, 신념
을 사랑하는 사람만이 할 수 있는 일이다. 이와 같이 강숙인의 역사동화는 역사에서 소
외된 인물을 역사의 주체로 인식하고, 그 인물을 역사의 주인공으로 부각시킨다. 이 때
문에 강숙인의 역사동화는 끊임없이 생동하고 발전하는 희망의 메시지를 전해 준다.
  《하늘의 아들 단군》은 단군의 건국 정신을 새롭게 해석하고 있다. 그것은 인간에 대

한 사랑과 용서의 미덕이다. 해마루는 한 부족의 족장이 되기 위해 사람을 용서하는 법을 배운다. 친구 부루는 해마루의 정혼녀 비오리를 지키려다가 금미르에게 죽는다. 해마루는 부루를 죽인 금미르에게 복수의 칼을 갈지만, 흰머리산을 찾아 떠나는 먼 여정에서 그를 용서하는 너그러운 마음을 갖게 된다. 해마루는 금미르가 호랑이에게 습격당하는 장면을 목격하면서 위기에 빠진 금미르를 구하기 위해 호랑이에게 달려든다. 이 과정에서 해마루는 그 무의식 상황에서 용서란 것이 무엇인지를 깨닫게 된다. 사람을 용서할 줄 아는 것은 참으로 인간으로 사랑하는 것이다. 해마루는 금미르를 용서하면서 진정 인간을 사랑하는 것이 무엇인지를 알게 된다. 해마루가 왕검이 될 수 있었던 것은 그런 인간에 대한 사랑과 용서의 미덕이 있었기 때문이다. 단군은 하늘의 계시만으로 나라를 세우는 것이 아니라, 사람살이 속에서 일어나는 힘들고 어려운 과정을 겪고 난 뒤에 비로소 나라를 세우는 것이다. 강숙인이 단군 신화에서 말하고 있는 것은 단군이 꿈꾸었던 인간 본연의 용서와 사랑이다.

강숙인의 역사동화에는 역사 속에서 소외된 인물들을 그리고 있으면서도 그 인물들이 역사의 주체가 되고 있다. 신라의 마지막 왕자 마의태자. 그는 어떤 꿈을 갖고 있었으며, 그 꿈을 실현하기 위해 많은 고통을 겪었다. 그는 망해가는 왕조의 비극을 안고 태어난 운명이었다. 그것은 선택된 것이 아니라, 주어진 것이었다. 자신이 선택할 수 없었던 길이기에 더욱 받아들일 수 없었다. 그러나 그는 운명에 순응하면서 대망의 꿈을 그의 아들에게 물려주었다. 그 꿈이 여진 부락의 추장이 된 새부로 이어지고 있다. 역사는 머물러 있는 것이 아니라, 유동하면서 발전한다. 강숙인 역사동화는 영웅의 일대기에서 범부의 일대기로 옮겨오고 있으며, 더 나아가 역사를 생동하는 실체로 보고 있다. 강숙인의 역사동화에서 우리 역사는 작가의 상상력에 따라 끊임없이 생동하고 있다. 이는 강숙인이 가진 역사를 보는 새로운 안목 때문이다. 역사동화는 끊임없이 과거와 현재가 소통할 때, 역사동화의 새로운 지평이 열릴 것이다. 이것은 역사동화작가들이 가져야할 기본 덕목이다. 강숙인은 생동하는 우리 역사의 한 장면을 비극적 인물의 사람에 대한 사랑에서 발견하고 있다.

4. 강숙인 동화의 진정성

강숙인의 동화 세계는 낮고 소외된 사물, 자연, 사람들에 대한 사랑에서 출발하고 있다. 또한, 강숙인의 동화 세계가 다다르는 종착지도 사랑으로 끝난다. 그 사랑은 순수하고 순결하다. 죽음과도 바꿀 수 있을 만큼 뜨겁고, 사랑하는 사람을 위해 자신을 헌신할 만큼 순수하다. 강숙인의 동화는 종교인이나 가질 법한 청순한 사랑의 본질을 추구하고 있다. 강숙인은 우리 시대에 살아가고 있는 사람들 중에서도 낮고 소외된 사람들, 남들이 쓰고 나서 쉽게 버리는 물건들, 이런 하찮은 일상과 사물들에 끝없는 사랑을 보낸다.

동화가 동심처럼 맑은 서정의 세계를 추구한다고 한다면, 강숙인의 동화 세계는 사랑이라는 인간의 본성에 충실하면서 진정성이 우러난 서정의 세계를 보여 준다고 할 수 있다. 여담이지만, 강숙인 작가는 한쪽 다리가 불편하다. 남들이 보기에 힘겹게 느껴지겠지만, 작가 스스로는 결코 약한 모습을 보이지 않는다. 강숙인의 동화를 꼼꼼히 들여다보면 그 까닭을 금방 알 수 있다. 강숙인의 동화는 창작동화든지, 역사동화든지 대상에 대한 끝없는 사랑이 넘친다. 그 사랑의 힘은 병든 사람을 치유하고, 자신의 아픔도 스스로 이겨낸다. 자신의 아픔을 아픔이라 생각하지 않고 타인을 사랑하는 마음이 더 강할 때, 자신의 아픔은 더 이상 아픔이 아닌 것이다. 다른 사람이 자신보다 더 아플 것이라는 측은한 마음이 앞서는 것이다. 타인에 대한 배려, 대상을 겸허하게 바라보는 마음, 자신을 낮추는 행위, 이 모든 것은 이러한 대타적 사랑에서 나오는 것이다. 불교에서 말하는 자비(慈悲), 기독교에서 말하는 사랑, 유고에서 말하는 인(仁)은 모두 대타적 사랑의 정신에서 발현되는 것이다. 낙랑공주가 죽음까지도 두려워하지 않았던 것은 호동에 대한 사랑이 있었기 때문이었고, 마의태자가 나라를 버리고 떠날 수 있었던 것도 이 사랑의 힘이 있었기 때문이었다. 강숙인은 동화를 통해서 사람을 사랑하는 것이 무엇인지를 온 몸으로 보여 주고 있는 것이다.

강숙인의 동화 세계는 사물, 자연, 사람에 대한 사랑을 어떻게 실천할 것인지를 잘 보여 주고 있다. 그것은 세상에 대한 희망을 버리지 않는 것이다. 어떤 시련과 고통이 닥치더라도 사랑을 위해서는 자신을 헌신할 마음의 준비가 되어 있는 것이다. 강숙인의 동화세계는 사랑의 변증법 속에서 새롭게 거듭날 것이다.

어린이와 함께 선생이 걸어온 길

1953년 5월 1일 경상북도 대구시 인교동에서 비누공장을 경영하시는 정(正)자 규(奎)자
　　　　아버지와 순창 조(趙)씨 경(慶)자 남(南)자 어머니 사이에서 2남 3녀 둘째 딸로
　　　　출생함.

1961년 대구 수창초등학교 입학함.

1965년 아버지가 서울에서 사업을 하시게 되어 서울로 온 식구가 이사 옴.

1966년 서울 안암초등학교 졸업 후 서울 사대부중 입학함.

1972년 서울 사대부고 졸업 후 이화여대 제약학과 입학함.

　　　　8월 아버지의 사업 부도를 비롯해 전공이 적성에 맞지 않아 제약학과 6개월 만
　　　　에 중퇴함.

1978년 1월 동아연극상 장막희곡 부분 입선으로 등단함.

　　　　3월 서울예술전문대학 문예창작과 입학함.

1978~1980년 여석기 선생님 희곡 극작 워크숍에 다님.

1979년 정월 소년중앙문학상에 중편동화 〈동화 속의 거울〉이 당선되면서 동화작가로
　　　　등단함.

1980년 서울예술전문대학 졸업함.

1983년 장편동화 〈눈새〉로 계몽사 어린이문학상 수상함.

1985~1986년 MBC 드라마 워크숍 수료함.

1986~1990년 교육방송 드라마 원고 집필함.

1990년 결혼함.

1991년 첫 창작동화집 《동화 속의 거울》 출간함.

1992년 첫 장편동화 《눈새》 출간함.

1995년 장편동화 《우레와 꽃씨》 출간함.

1996년 아버지 돌아가심.

1997년 장편동화 《내가 좋아하는 아이》 출간함.

1999년 4월 첫 역사동화 《마지막 왕자》 출간함.

　　　　12월 장편동화 《눈새》 개작함. 《눈나라에서 온 왕자》 출간함.

2000년 1월 소설가인 언니 강석경과 중국으로 첫 해외여행을 떠남.

　　　　4월 역사동화 《아 호동왕자》 출간함.

2001년 4월 저학년 동화 《날아라 독수리야》 출간함.

　　　　6월 역사동화 《화랑 바도루의 모험(전2권)》 출간함.

10월 창작동화집 《일곱 가지 작은 사랑 이야기》 출간함.

2002년 2월 창작동화집 《아주 특별한 선물》 출간함.

4월 장편동화 《청아 청아 예쁜 청아》 출간함.

2003년 5월 창작동화집 《아주 특별한 선물》로 제6회 가톨릭문학상 수상함.

7월 장편 판타지동화 《뢰제의 나라》 출간함.

7월 저학년 동화 《꿈도깨비》 출간함.

11월 《하늘의 아들 왕검(전2권)》 출간함.

2005년 2월 청소년 소설 《화랑 바도루》 개정판 출간함.

5월 장편동화 《뢰제의 나라》로 제1회 윤석중문학상 수상함.

10월 프랑크푸르트 국제 도서전 감.

2006년 12월 청소년 역사소설 《초원의 별》 출간함.

2007년 10월 《하늘의 아들 왕검》을 《하늘의 아들 단군》으로 개제, 재출간함.

2008년 3월 볼로냐 국제 아동 도서전에 감.

10월 그림책 《호랑이처녀의 사랑》 출간함.

12월 저학년 동화 《어여쁜 여우누이》 출간함.

남편 세상을 떠남.

2009년 1월 청소년 역사소설 《지귀, 선덕여왕을 꿈꾸다》 출간함.

2010년 1월 장편 역사동화 《불가사리》 출간함.

11월 장편동화 《거울은 거짓말쟁이》 재출간함.

2011년 8월 《꿈도깨비》를 《꾸꾸를 조심해》로 개제, 재출간함.

11월 장편동화 《눈새》 재출간함.

2013년 1월 청소년 역사소설 《나는 김시습이다》 출간함.

3월 창작동화집 《눈사람이 흘린 눈물》 출간함.

2014년 1월 청소년 소설 《나에게 속삭여 봐》 출간함.

5월 어머니 돌아가심.

12월 《어린이와 청소년을 위한 삼국유사》 출간함.

2015년 3월 《어여쁜 여우누이》를 《천년여우》로 개제, 재출간함.

한국 아동문학가 100인

김재용

대표 작품
〈작은 북소리②〉 외 4편

인물론
동심의 크레파스로 하늘을 그리다

작품론
독실한 신앙심과 원초적 동심의 합일

어린이와 함께 선생이 걸어온 길

작은 북소리②

아버지따라 동네 한 바퀴

놀
토
아버지따라
동네 한 바퀴 돌면서
담배꽁초도 줍고
과자봉지도 줍고
줍다 보니까
담배꽁초가 예서제서 손짓한다
과자봉지도
'저요, 저요'
1학년 교실에서 동생들이
오른손을 번쩍 들 듯이 나를 부른다
집에 와서
두 팔 짝 벌리고
벌떡 누웠다.

둥둥둥둥
작은 북소리
아버지따라 동네 한 바퀴
작은 북소리.

마디호박을 보면서

호박꽃마다
암술과 수술이 자리했네
오붓하게

나비와 벌들이 날아들고
암술과 수술이 입맞춤으로
마디마다 아기 호박들
올망졸망 오붓하게

큰아버지 작은아버지
큰고모 작은고모
우리네 사촌 형제들
할아버지와 할머니 품에
옹골차게 오붓하게

마디마다 아기 호박들
올망졸망 탐스럽고
할아버지와 할머니 품에
팔남매 사촌 형제들
옹골차게 오붓하고.

더하기표 나눔 잔치①

더하기표처럼

치—칙—폭—포
치—칙—폭—포
화물기차 놀이하든
구불 구불
골
　목
　　언
　　　덕
　　　길
　　　　따
　　　　라

자원봉사 학생들
손에서
손으로
까만 연탄
한 장
또 한 장
꼬리물고 옮겨간다

독거
할머니 댁으로
다순 정이
더하기표(+)처럼
더해 간다

화물기차 놀이하듯
방긋 웃는 얼굴에

하얀 김
모락모락
다슨 정
더하기표
해 저문 줄 모른다.

더하기표 나눔 잔치②

아기천사와 쪽방 할머니

온기마저
사라진
쪽방

오들오들
해
저문데

자원봉사단
아기 천사들
쬐만 손길 하나같이

김치 한 폭, 쌀 한 봉지
너도 나도 한 맘으로
손 호호 불면서도
맘이 따스해서일까?

–할머니, 저희들에요.
쪽방 문을 열자마자

확, 온기가 번진다
아기 천사들 얼굴에도
쪽방 할머니 얼굴에도…….

안락의자 하나

내 눈 속에
안락의자 하나

누가
맨 먼저 내 안락의자를 찾지?

아마도
첫 번째 손님은 나 자신일거야

그 다음은
울 엄마일거야
울 아빠 무거운 짐 나눠지다가
지친 그 맘 그 몸일랑
몽땅
내 눈 속 안락의자에 내려 놓을거야

그 다음은
울 아빠가 분명해
일용직 사직
맨몸으로 버틴 몸 천근만근

그만
맨땅에라도 부리고 싶을거야

터벅터벅
그 발자국 소리만 듣고도
금방 알지
쪽방에서 책을 읽다가도
방문 박차고 뛰어 나갈거야

−아빠다, 올 아빠다

쌩긋 웃는

내 눈 속 푹신푹신한 안마의자는

−우리 아빠껏

−우～리, 아빠～껏.

동심의
크레파스로
하늘을 그리다

윤삼현

김재용 시인, 신사다.

중후한 외모에서 나오는 든든한 호흡은 곁에 있는 사람에게 살가운 나무 그늘이 되어 주고 구수한 입담을 풀어 준다. '뉴욕의 가을'의 리처드 기어나 여유로운 미소를 짓는 그레고리 펙을 그는 연상케 할 때가 있다. 훈남인 이 동심의 시인은 숙성한 향내를 주위에 흩뿌려 시선을 모은다. 아무래도 자기 안에 커다란 자석을 숨기고 있는 줄도 모른다. 처음 만난 누구도 이 자석에 끌려 곧 친밀감을 가지고 관계가 형성되곤 한다. 천성적으로 낯가림을 하지 않은 분이다. 그 점이 내가 가장 부러워하는 점이다. 성격은 후천적으로 노력하면 바뀔 만도 한데 낯가림을 하는 나는 여직 그대로다. 김시인의 개방적 자아감과 열린 사고방식은 천부적이다.

2000년 막 들어와 광주에서 호남 지역 생활 체육 배구대회가 열렸다. 그때 나는 학교 교직원 배구선수단으로 이 대회에 참여했다. 체육관에서 우연히 김 시인을 뵈었다. 당시 학교장 자격으로 선수단을 이끌고 이 대회에 참가하였던 김 시인은 백구두, 백바지, 감색 더블 콤비 양복을 착용하고 있었다. 체육관에 잠바나 운동복 차림이 어울릴 만한데 눈에 툭 튀는 패션 정장차림이었다. 그리고 보기 좋게 김재용 교장의 학교는 이 대회에서 우승을 거머쥐었다. 선수단이 학교장 헹가래를 치는데 하얀 백구두, 백바지가 마냥 빛났다. 못 말리는 신사였다. 세련된 외모 깔끔하고 멋스런 분위기는 김재용 시인의 또 다른 매력이다.

몇 해 전 목포 신안비치호텔에서 한국 아동문학인협회 가을 세미나가 열린 적이 있다. 목포광주가 동향권이어서 서로 협조할 일도 있을만한데 그는 목포의 대표격 아동문학가로서 지역 배당 몫을 거의 혼자서 감당해 냈다. 혀를 내두를 만한 장면이었다. 세미나 마지막 날 북항 횟집에서 점심을 들었다. 어디서 그렇게 시켰는지 상마다 세발낙지가 바구니로 한가득이었다. 맛좋고 귀하다는 세발낙지를 모두가 실컷 먹었다. 낙지를 먹다가 놓쳐버리거나, 상 밑으로 숨어버린 낙지와 숨바꼭질하느라 온갖 해프닝이 벌어져서 웃음꽃을 피웠다. 뿐만 아니라 떠날 때는 선물로 멋스런 일식 접시 세트까지 마련해 주었다. 이 모두가 김재용 시인의 작품이었다. 그의 다정다감한 배려 덕분이란 것을 우리는 기억하고 있다.

목포의 봄은 유달산 진달래, 개나리로부터 시작한다. 아니 그전에 남해의 계절을 머금은 해풍으로부터 이미 시작하곤 한다. 일등 바위, 이등 바위, 노적봉 같은 아기자기 기암괴석을 대하며 김재용 시인은 이미 어린 시절 예술적 자양분을 체화하고 있었다. 그는 유달산과 아름다운 다도해 푸른 파도를 닮아가며 미래의 문학의 끼와 에너지를 채워 넣었다. 수더분하고 중후한 편이었던 그는 엄격한 유교 집안에서 자랐다. 하지만 북교초등학교 4학년 때 북교동 교회에 다니게 된다. 집안에서도 전혀 예상치 못한 일이다.

6·25전쟁 전 북교초등학교를 다닐 무렵, 시대적으로 지극히 궁핍하기 짝이 없던 시절이었다. 보릿고개는 기억하기 싫을 정도로 힘들고 넘기 어려웠다. 먹을 것이 머릿속을 지배할 만큼 먹고 사는 것이 가장 큰 문제였다. 하굣길에 먹을 것이 있으면 좋겠다고 생각했다. 먹을 것이 있게 해달라고 간절히 기도했다. 그리고 집에 도착하면 먹을 것이 꼭꼭 있었다. 신기한 일이었다. 기도하지 않으면 먹을 게 없었다. 기도에 몰입하지 않으면 나의 바람은 언제나 이루어지지 않았다.〈간절히 기도하면 이루어지는구나.〉하나님은 어린 내게 놀라운 법칙을 깨닫게 해주셨다.

김재용 시인의 고백을 들어볼 때 그는 어린 날 이미 신앙인으로서 믿음의 씨앗을 영혼 안에 잉태했던 것으로 보인다. 그리고 초등학교 때 그의 미래를 위한 기도는 시작되고 있었다. 초등학교 교사의 꿈이었다. 대체로 초등학교 3, 4학년 무렵 교사의 꿈이 굳혀졌고 이 시기는 신앙인으로서 결곡한 씨앗을 동시에 품은 시기이기도 했다. 목포사범학교 병설중학교로의 진학은 미래의 꿈을 향한 신념 있는 선택이었다.

청운의 뜻을 품은 그는 병설중학교를 다니던 시절 유달산에서 미래의 자신을 그리고 있었다. 우뚝 솟은 유달산에 올라 다도해를 껴안으며 가슴 뛰는 미래의 꿈에 빠져보는 즐거움을 누렸다. 질풍노도와 같은 십 대가 그렇게 지나가고 있었다. 목포사범학교 진학으로 본격적인 교사의 꿈이 무르익기 시작했다.

사범 학교에는 이미 '벌판'이라는 동인회가 조직되어 활동하고 있었다. 김재용 시인은 기존 동인회에 가담하지 않는다. '해솔' 동인회를 새로 만들어 사범 학교의 문학동인회의 새바람을 일으키고자 했다. 김재용 시인의 새로운 문학에의 열망과 '새 술은 새 부대에'처럼 새로운 학교 환경을 맞아 새로운 문학 역사가 필요했던 것이다. 기존의 관습, 구태의연한 언어, 고루한 분위기, 낡은 틀을 깨고 새로운 출발의 뱃고동을 울리며 출항했다. 작지만 신선한 혁명이었다. 새로운 환경의 영향과 스스로 뽑아 올린 언어의 분출, 좋은 회원 영입으로 합성 작용을 일으키며 꽃을 피우기 시작했다 '해솔'은 이후 목포교육대학이 문학동인지로 발전하게 된다. 김재용 시인의 열정과 미래적 투시안의 결과물이었다.

1958년 사범 학교를 졸업 후 강진 군통초등학교 교사로 첫발을 내딛는다. 그리고 군에 입대하여 최전방 생활을 마친 뒤 1962년 복직한 그는 벽지학교에서 도지정 연구학교 주무를 맡아 패기만만하게 연구역량을 발휘한 끝에 연소 경력에도 불구하고 근정포장을 받았다. 탁월한 그의 능력은 교육계에 이름을 각인시킨 계기가 되었다. 1971년에 목포교육대학 부설초등학교로 옮겨 차원재 동화작가를 만나게 된다. 목포문인협회에 가입하여 김일로, 차재석, 김신철, 최일환, 박순범, 최재환 등과 의기투합함으로써 제2의 목포문학의 황금기를 열어갔다. 그의 가슴에 문학의 향기가 충일하게 채워지고 이상과 꿈을 향한 그의 행보에 힘이 실렸다. 1972년 나는 교육 대학에 입학하였는데 김재용 시인이 근무하던 교육대부설초등학교 실습을 한 달간 하게 되었다. 이때 김재용 연구주임으로 여러 가지 교육 기자재 사용법을 설명해 주었다. 당시 막 들여온 회전 등사기를 직접 작동하며 친절히 소개하시던 기억이 새롭다.

그 후 김 시인은 서울 국제신학교에 입학하여 신앙인으로서 믿음을 두터이 하였다. 이는 믿음, 교육, 문학 이 삼자가 삼위일체로 그의 인생의 지표가 되었으며 전 생애를 통하여 실현해 나갈 이상이요, 가치라는 것을 확인시켜 준다. 어느 것 하나 소홀할 수 없는 소중한 삶의 목표들이었다.

1974년부터 여러 문학지에 작품을 발표해 오던 그는 〈아동문예〉에 1977년 윤부현 시인으로부터 〈할메 생각 Ⅲ〉으로 1회 추천, 〈떡잎의 소리〉로 2회 추천, 1978년 〈종소리 1·2〉 천료 받아 정식 문단에 데뷔한다. 1981년 교감으로 영전하던 해, 그가 섬기던 교회의 장로로 장립되어 교육, 신앙의 큰 발자국을 남긴 해가 되었다. 1983년 새벗문학상에 연작동시 〈놀〉이 당선하여 쾌거를 이룬다. 1986년 '놀뫼동시화전'을 개최하여 동심문학의 향기를 널리 전하였고 그의 동심 사랑을 이웃에 알리는 계기를 마련했다. 1985년 박상재, 신형건 등과 함께 새벗문학회를 조직하여 회장으로 활동하며 새벗문학상을 시상하는 중추적 역할까지 맡아오고 있다.

천생배필이란 말 그대로 김 시인과 사모님은 서로가 그림자 되어 함께 하는 모습이 아름답다. 두 분은 늘 평화롭고 사랑이 충만하다. 특별한 경우를 제외하고 길 떠남은 함께 동반한 채다. 이럴 때 시인의 표정은 충일하고 평안함이 넘쳐났다.

하늘의 무지개를 바라보면

내 가슴 뛰노나니

나 어려서 그러하였고

어른이 된 지금도 그러하며

나 늙어서도 그러하리라

만일 그러지 아니 하다면

지금이라도 내 목숨 거두어 가소서

어린이는 어른의 아버지

내 천생에 주어진 하루하루가

그렇게 경건함으로 길이 이어지리라

워즈워드 동심 예찬시 〈무지개〉를 읊조릴 때 가끔 김재용 시인이 연상되곤 한다. 그는 늘 동심에 젖어 사는 천생의 아동문학가이다. 그는 하늘을 바라보며 기도하길 멈추지 않는다. 참으로 독실한 크리스천이다. 그는 어느덧 칠순을 넘겼지만 언제나 '무지개'처럼 동심으로 살아가길 꿈꾸고 있다. 기도하며 경건히 살아가길 염원 하고 있다.

1988년 완도 장학사 시절, 사모님이 큰 화상으로 두어 달 병원에 입원해 있을 때. 장학사 신분이던 김시인은 퇴근 후 매일 병원으로 다시 출근하며 지성으로 사모님을 간병하였다. 목포→강진→완도 간을 왕래하는 60일간의 고행담은 두고두고 남다른 부부의 정을 반증하는 일화로 전해진다. 그는 가정 화목이 최우선이다. '가화만사성'이 가훈인지 확인은 못해봤으나 그는 가정 화목이라야 모든 일이 잘 이루어진다고 믿고 있다. 화목을 철저히 신봉하는 이유는 사회 구조의 최소 단위인 가정이 바르게 서고 여물고 든든할 때 사회, 국가가 발전할 수 있다는 정서가 형성되어 있어서이다. 2남 2녀 오붓한 가정을 이끌어 온 그는 균형 감각을 잃지 않고 흐트러짐 없이 세상을 살아온 좋은 모델이다. 어려움 속에서도 가장의 역할을 다해온 삶의 여정을 반추해 볼 때 아무래도 그는 하늘의 복을 다 누리고 사시는 분 같아 부럽다.

그는 2002년 45년간의 오랜 교직을 마치고 퇴임한다. 퇴임 하던 해 한국일보사 제정 '한국교육자대상'을 수상한다. 〈아동문예〉에 10년간 연재해온 동시 평론을 모아《한국동시논평과 해설》이란 연구서도 함께 발간했다. 뜻 깊은 퇴임 기념물이 되었다. 2009년에는 동시집《아버지의 하늘》로 한국아동문학상을 수상한다. 오랜 아동문학 창작의 밭갈이와 그 수확물의 인정을 받은 기념비적 수상이었다.

매월 광주에서 이 지역 아동문학연수회를 열고 있다. 그는 목포에서 한달음에 달려와 자리를 메운다. 그리고 자문 위원으로서 역할을 다하고 있다. 체질화된 성실성과 완숙한 삶의 진정성이 깊이를 더하는 느낌이다.

두터운 신앙의 길, 아름다운 고통의 문학의 길, 그는 흔들림 없이 정진하고 있다. 그의 시에 잘 나타나는 하늘의 이미지는 구원으로 서의 천상의 세계이다. 그는 동심의 크레파스로 삶의 완성을 상징하는 존귀한 하늘을 아름답게 그려가고 있다. 신앙, 동심, 교육은 그의 식을 줄 모르는 뜨거운 에너지의 원천인 셈이다.

최두호 시인이 바라본 김재용 시인의 프로필과 캐릭터를 시로써 표현한 김재용의 〈항구의 등대처럼〉을 마무리 시로 소개한다.

사람의 재주는 타고난 것
하늘이 주신다고 하더니
교육자로 시인으로
사진작가로 장로로
복도 많고 재주도 많은 사람

한반도 남쪽 항구에 살면서도
서울에 사는 문인들보다
문단 중진으로 맡은 일도 많고
문단 중진으로 작품도 많이 쓰고
문단 중진으로 모르는 사람이 없는 사람

타고난 재주보다
하늘이 내린 은혜보다
기도와 땀방울로
오늘의 자기를 만들어 가는 사람

풋풋한 동시와 짜릿한 평론으로
짤깍 순간을 잡는 사진으로
믿음·소망·사랑으로
항구의 등대처럼
남쪽 항구를 지키는 사람
– 〈항구의 등대처럼〉 전문

독실한 신앙심과
원초적 동심의
합일

김재용의 시 세계

이성자

1. 들어가는 말

김재용 시인은 항상 친절하며 웃는 얼굴로 선후배 문인들을 반겨 준다. 그것뿐 아니라 화사하고 단정한 패션은 많은 문인들의 부러움을 사기도 한다. 생각해보면 그의 패션은 상대방을 대하는 세련된 예의이며, 친절은 주변 사람을 포용하는 너그러운 마음에서 우러나오는 것이라 본다. 바로 독실한 신앙심과 원초적 동심이 합하여 하나가 된 삶의 일부분이다. 이런 모습은 그가쓴 시 속에서도 고스란히 나타난다. 대부분의 시가 그의 인품처럼 짧으면서도 맑고 밝기 때문이다. 그래서인지 그는 40여년 동안 정신의 양식이 되고, 정서의 균형과 안정을 회복시키는 한 알의 비타민 같은 동시를 꾸준히 발표한다.

그는 시 쓰는 일에 만족하지 않고 논평에도 많은 관심을 보여 왔다. 월간 〈아동문예〉의 '이달의 동시 동시인'에 14년 한국 연작 동시의 어제와 오늘에 3년째 연재를 하며 〈월간 문학〉 동시 월평(2005·2009·2012년)을 한다. 그리고 각종 문학상 심사(공무원 문예대전·새벗문학상 등)에도 적극적으로 참여하고 있다.

이 글에서는 시인 김재용의 동시와 논평 등을 일괄하고 나서 문학 속에 나타난 그의 삶을 세 부분으로 나누어 살피고자 한다. 교육자로서의 삶과 그리스도인의 삶 그리고 문학인으로서의 삶이다. 기본 텍스트는 동시집 《종소리》, 《엄마의 병상일기》, 《우리 산금 강산》, 《아버지의 하늘》[2], 논평집 《한국동시의 논평과 해설》과 《한국 연작 동시의 어제와 오늘》을 취하고자 한다.

1　김재용, 《아버지의 하늘》, 세계문예, 2008.

2　2008년 한국아동문학상 수상 작품집

2. 훌륭한 교육자로서의 삶

가. 열정과 장인 정신이 투철한 교육자 시인

김재용은 1939년 목포 유달산 기슭에서 아버지 김길안과 어머니 신남임 사이에서 4남 5녀의 장남으로 태어났다. 그는 일제 말(1943~1945), 무안군 청계면 월송리 산골 마을에서 살았다. 1950년 6·25가 발발하면서 신안군 압해면 해룡리 외가로 피난을 가게 된다. 어린 시절 산골 마을과 섬마을의 자연 경관을 체험하며 뛰어놀았던 경험이 훗날 김재용 시인의 문학성을 기르는 기본 토양이 된다.

그는 1949년 전남에서 가장 먼저 개교했던 목포 북교초등학교 4학년이 되던 해, 훌륭한 교사가 되겠다는 꿈을 꾸게 된다. 목포사범병설중학교에 합격했으나 아버지의 병상으로 말미암아 입학금을 마련하지 못할 형편이었다. 다행스럽게도 오효근[3] 교장 선생님의 도움으로 입학을 하게 되어 교사의 꿈을 가꾸기 시작한다.

목포사범학교와 한국방송통신대학 초등교육과를 졸업한 그는 목수가 자기 연장을 가지고 일하듯 자신의 교수자료를 성실히 갖추어 학생지도에 임하게 된다(24살 때 근정포상 수상). 목포 동초등학교 교감으로 재직 중이던 1982년, 사진 동시집 《종소리》를 출판하게 된다. 동시집 출판과 함께 목포지역 대표 동인 '청호'에 입회하여 문학 활동을 펼친다(청호문학 회장 역임). 교육자로서 문학을 활발히 할 수 있는 계기가 자연스럽게 마련된 것이다.

어린이를 사랑하고 문학을 사랑한 흔적은 그가 발표한 연작시 〈놀〉을 통해서 알 수 있다.

놀에
빨려드는

아가의
고운 풍선.

풍선 따라
두둥실

---

3 1951년 이북에서 월남. 목포사범학교와 목포사범병설중학교 교장 역임.

고운

눈망울.

－〈놀 8〉 전문

　　시의 가장 큰 특성은 정서 표현에 있다. 그의 인식 바탕에는 해가 뜨거나 질 때마다 벌겋게 물드는 노을의 정서가 있다. 위 시에서는 놀에 빨려드는 풍선을 바라보는 어린이들의 눈망울이 곱다. 놀과 풍선과 양쪽 볼이 빨갛게 물든 어린이의 선한 눈망울이 하나로 겹친다. 바로 인간과 자연과 사물이 하나가 되는 순간이다. 이 순간을 포착한 시인의 정서야말로 독실한 신앙심으로 빚어진 원초적 동심의 합일이다.

　　교문을 나서는 아이들 틈에

　　저녁이 함께 몰려나간다.

　　저녁은 아이 따라 방으로 들어가며

　　미루나무 꼭대기에 달을 내걸었다.

　　달님은 미루나무 맨 끝에서

　　별을 세며 밤을 지샌다.

　　저녁은 이내 두 눈을 비비다

　　아이 곁에서 새우잠을 잔다.

－〈저녁〉 전문

　　그가 얼마나 어린이들을 사랑하는지 위의 시를 통해서 알 수 있다. '저녁은 이내 두 눈을 비비며' 어린이들 곁에서 잠든 다고 표현한 것은 자신이 어린이들 곁에서 영원히 머물고 싶다는 희망으로 받아들일 수 있다. 짧은 시 속에 그는 순리에 순종하는 훌륭한 교사로서의 열정과 장인 정신을 고스란히 담아내고 있다.

　　나. 따뜻하고 아름다운 사랑의 교육관

　　꽃과 나비

　　예나 지금이나

말미잘과 소라게
예나 지금이나

개미와 진디
예나 지금이나

사이좋게 살아요
의좋게 살아요.
  – 〈공생 생물〉 전문

김재용 시인은 시 속에서도 어린이들과 함께 공부하고 있다. 그것도 사이좋게, 의좋게 살라는 시인의 생각을 꽃과 나비, 말미잘과 소라게, 개미와 진디를 통해 재미있게 보여주고 있다. 따뜻한 교육자의 모습과 아름다운 동심을 엿볼 수 있는 부분이다. 결국, 자연과 인간이 함께 어울려 살아야한다는 시인의 따뜻하고 아름다운 교육관이 돋보인다.

제비가족
젤 먼저
방을 꾸민다

엄마 아빠
정성스레 방을 꾸민다

아가 위해
힘 모아 방을 꾸민다

처미 밑 둥근 둥지
털발제비 아가방

처마 밑
터널 둥지
귀제비 아가방.
  – 〈제비〉 전문

시는 무엇보다도 대상에 대한 창조적인 인식이며 그것을 미적으로 형상화한 언어예술이다. 그러므로 시를 쓰는 사람은 일상적이고 관습적인 시각에서 벗어나 독특하게 자기 마음의 눈으로 어떻게 사물을 보느냐가 중요하다. 위 시에서 시인은 엄마 아빠가 아가를 위해 정성스레 방을 꾸민다고 했다. 이는 시인 자신이 가르치는 어린이들이 세상에서 제일이라는 마음이 고스란히 녹아 있는 부분이다. 독특한 발견은 아니지만, 일상적인 생각을 따뜻하게 형상화한 내용이 시를 읽는 독자들로 하여금 고개를 끄덕이게 한다.

어린이들을 사랑하고, 어린이들을 위해 평생을 교단에 바친 김재용 시인, 퇴임 후에도 목포 '꿈꾸는 요셉초등학교' 부이사장으로 어린이들 곁에 있으며 그가 쓰는 동시 곳곳에는 아직도 어린이가 뛰어놀고 있다. 그는 문학을 통해 어린이들의 꿈과 지혜가 쑥쑥 자라나기를 기도하며, 교육자로서 영원히 어린이들과 함께하기를 희망하고 있다.

3. 그리스도의 삶

가. 대상에 대한 기독교적 인식과 거리

초등학교 4학년 때부터 기독교 신앙 생활을 하게 된 그는 평생을 그리스도 안에서 살아오고 있다. 1967년 목포 충무초등학교 근무 시절, 고하도 교회에서 평신도 석을 맞게 된다. 교육자의 역할과 목회자의 역할을 동시에 하게 된 것이다. 올바른 신앙을 실천하기 위해서 서울 국제신학교에서 3년 동안 신학을 공부하고, 목포 그리스도의 교회 수석 장로가 된다 〈기독교문학〉 제27호에 연작 동시 〈아리랑〉을 발표하고, 28호에는 연작 동시 〈나팔꽃〉을 발표한다. 한결같은 그리스도의 삶은 그에게 무려 46배판으로 1028페이지에 달하는 목포 그리스도의 교회 50년사를 집필하게 된다.

그의 시를 보면 대부분 시적 대상이 그리스도 안에 있으며 인식의 범위 또한 그리스도 안에 있는 것을 알 수 있다. 이것은 시인의 삶 자체가 그리스도 안에서 살아오고 있었기 때문에 만물의 참모습을 하나님의 눈으로 바라보는 인식태도에서 비롯된 것이라고 본다. 이러한 태도는 시적 형상화와 참신성 면에서 다소 아쉬움[4]이 있을 수 있으나 따뜻하고 진실하게 다가오는 동심은 매우 값진 것 이라 하겠다.

하늘을 마냥
품에 안고 사셨지요

---

4 2008년 한국아동문학상 심사 위원, 이준관 박정식의 심사평 중에서

하늘 같은

말씀을 꼭 안고 사셨지요

한 알의

밀알이 되어서

어릴 적

품에 안은 그 말씀이

어느새 뿌리 깊은 나무로

하늘 닿게 엄청 자랐지요

이젠

그 나무 숲에

산새처럼 우리가 깃들고

산새처럼 우리가 하늘을 날고 있어요.

― 〈한 알의 밀알〉 전문

같은 사물이라도 그것을 바라보는 사람의 시각은 모두 다를 수있으며, 그 사고의 깊이에도 차이가 생기게 마련이다. 위의 시를 보면 대상을 바라보는 인식의 거리가 그리스도 안에 머물러 있다는 것을 발견할 수 있다. 시 창작에서 시인의 바람직한 인식 태도란 무엇인가 생각해 보게 하는 부분이다. 눈에 보이는 형상을 통해서 눈에 안 보이는 의미까지 발견했을 때 독자는 기쁨을 느낄 수 있다.

한 알의 밀알이 되라는 그리스도의 말씀을 품에 안고 자란 어린이는 바로 아동문학 밭에 우뚝 선 시인 자신이다. 눈에 보이는 나무에 산새처럼 깃들고, 훨훨 날고자 하는 시인의 하늘 사랑과 믿음을 보여 주는 부분이다.

씨를 뿌리신다

아버지는 하늘에

나

너

하나님의 자녀들

아빠 닮고

엄마 닮아

쑥쑥

자랐어요

새벽 같이 뿌린 씨

오늘을 사는 하늘 군사들

아빠 닮고

엄마 닮아

빛처럼 살아요

소금처럼 살아요

– 〈새벽기도〉 전문

시인이 살아내고 싶은 삶의 모습을 위의 동시에 오롯이 담아놓았다. 그리스도 안에서 빛처럼 소금처럼 살고 싶은 마음은 결국 문학이라는 그릇 안에서 빛을 발하게 된다. 그의 삶 자체가 대상에 대한 인식과 거리를 온통 그리스도 안에 두었기 때문에 시의 소재나 주제도 결국 그리스도 안에 모이고 있음을 알 수 있다. 시인은 사물을 새롭고 넓고 깊이 있게 통찰할 수 있어야 한다는 것을 생각 한다면 아쉬움이 남는다.

　나. 부족한 거리 조정과 지나친 거리 조정

　시는 대상에 대한 심리적 거리가 너무 짧으면 시인의 감정이 직접적으로 노출되어 감정의 과잉 상태를 보여 주게 된다. 엘리엇은 시를 가리켜 '감정의 표출이 아니라 감정의 도피'라고 말한 것은 시인의 감정이 시라는 양식을 통해 여과되고 다듬어져 심리적 거리를 유지해 '미적 정서'로 형상화되어야 하는 것을 강조한 것이라고 할 수 있다. 또 하나의 경우는 지나친 거리조정이다. 부족한 거리 조정이 감정의 노출과 과잉 상태라면 지나친 거리 조정은 대상에 대한 심리적 거리가 너무 멀어서 감정의 지나친 억제와 결핍을 보여 준다. 이는 대상과 작가 사이의 이완 현상이라고 볼 수 있다.[5]

　그러므로 사물을 바라보는 바람직한 거리 조정이 원만했을 때 독자는 시를 읽는 즐

5　조태일 《알기쉬운 시 창작 강의》, 나남출판사, 1999.

거움을 맛볼 수 있을 것이다.

> 눈이 내리는
>
> 아버지의 하늘
>
> 오늘쯤은
>
> 쉬어가시라고
>
> 하얀 눈이 내린다
>
>
> 학생들도
>
> 겨울방학
>
> 하루쯤 쉬어도 좋겠어요
>
>
> 쉬엄쉬엄
>
> 쉬어가시라고
>
> 함박눈이 내려요
>
> 앞산도 벌렁 누워
>
> 곤히곤히
>
> 잠든 오늘 하루쯤은…….
>
> – 〈아버지의 하늘 8〉 전문

지치고 힘든 하루를 쉬도록 하늘에서 눈이 내리고 있다는 시인의 발상이 돋보이는 부분이다. 시적 대상이 되고 있는 '삶'을 바라보는 시인의 시각과 사고가 그리스도 안에서 희망을 꿈꾸고 있다. 새로울 것이 없는 지극히 일반적인 생각 같지만, 부족하지도 지나치지도 않은 거리 조정이 시를 읽는 즐거움을 안겨준다. 이처럼 흔한 소재를 시속에 끌어들여 새롭게 형상화하는 일은 시인만이 할 수 있는 일이다.

4. 문화인으로서의 삶

가. 이미지를 형상화한 동시

김재용 시인은 하나님이 주신 달란트는 은사였다고 술회한다. 그 힘은 교육자로, 그리스도인으로 그리고 동심을 향한 문학인의 삶으로 점점 빛을 발하게 된다. 그는 목포 사범시절 동인지 해솔을 창간(1958)하였고 초임지에서는 직전 동인(1959)을 결성하여 문학 활동을 펼친다. 어린이문예 지도를 통해 그의 활동은 전국적으로 그 명성 (1987년 계몽사 글짓기 지도교사상)을 얻게 되고, 결국 가르치는 문학에서 자신의 내면과 사물의 내면을 들여다보는 시인으로 거듭나게 된다.

그는 호흡이 짧은 단시를 즐겨 쓴다. 어린이들에게 암송이 쉽고, 지루하지 않게 하기 위해서라고 말한다. 결국 연작 동시[6]에 천착하게 되며, 시를 이루는 요소들은 애국심과 신앙심, 효심 등 다양한 주제 의식이 돋보인다. 그가 동시에서 이미지를 어떻게 빌리고 있는지 살펴본다.

> 양지바른
> 고향 들녘 모서리에서
> 내가 아버지 손잡듯이
> 내 손잡고 아장아장
> 우리 집에 이사 온
> 할미꽃 미소
>
> 시골 동무처럼
> 말이 없다
> 말없이
> 그냥
> 그냥
> 있기만 해도
>
> 내, 하굣길이 신바람 난다
> 아빠, 귀가 시간이 빨라진다.
> − 〈아버지의 하늘 8〉 전문

위 동시에서 할미꽃을 시골 동무처럼 이미지화한 시인의 발견이 돋보인다. 할미꽃의 자동화된 생각은 바로 허리가 굽은 할머니다. 그런데 시인의 눈에는 말이 없는 시골동무로 다가온 것이다. 시를 가장 주관적 문학이며 언어의 그림이라고 말하는 부분을 다시 한번 상기시키는 부분이다.

---

6 김관식, 〈김재용 시인의 작품 세계〉(목포문학 제31호) 2008. 12.19

홍도 주변 투명한 바다 물빛

바다 속이 마알간

환한 거울

저 물빛처럼

나와 너의 맘속도

환한 거울

동

심

의

바

다

– 〈동심의 바다, 홍도 3〉 전문

'그림은 말 없는 시이고 시는 말하는 그림' 이라고 한다. 그림은 회화성으로 하여 우리가 지닌 모든 감각 중에서 특히 시각을 자극하고, 시각에 호소하게 된다. 그래서 어떠한 감각을 통한 것보다도 구체적이며 선명한 이미지를 독자들에게 선물하게 된다. 위의 시에서도 창조주가 선물한 홍도의 바다 속이 거울로 다가오듯 시인의 마음도 독자에게는 환한 거울처럼 다가온다. 그 환한 바다는 결국 너와 나의 맘속도 동심이 살아 있는 환한 거울로 만드는 것이다. 소통이 단절된 사회에서 살아가야 할 어린이들에게 홍도는 바로 동심의 바다인 것이다.

겨우내내

잠도 자지 않는다

씨감자는……

뿌리가 뻗어나고

새순이 도톰하게 부풀어 올랐다

울퉁불퉁한

씨눈마다……

엄마 뱃살처럼

쭈글쭈글해졌다

뿌리가 뻗고

새순이 돋아나면서

씨감자는……

아른거린다

엄마 얼굴이……

– 〈씨감자〉 전문

　엄마 뱃살처럼 쭈글쭈글한 씨감자의 모습이 선명한 그림으로 다가오며 시인의 효심이 잘 나타난 부분이다. 씨감자의 씨눈마다 어머니의 한숨과 사랑이 묻어나는 듯 이미지가 잘 그려지고 있다. 자식에게 다 내어주고 쪼글쪼글해진 어머니의 얼굴이 떠오른다. 독특한 시적 발견이 아니더라도 일상 속에서 느낄 수 있는 감동을 노래할 줄 아는 시인, 김재용 시인의 노련한 창작 과정이 엿보이는 시이다.

　나. 다양한 비유의 활용

　비유는 시인의 상상력과 직관에서 나오는 불꽃이며 빛이다. 이 비유의 빛이 사물에 가 닿을 때 사물은 숨기고 있던 새로운 모습을 드러내며 독자들에게 인지의 충격과 경이감을 준다. 또한, 세계와 인생 속에 숨어 있던 진실을 우리로 하여금 발견하게 한다. 그래서 시를 발견의 문학이라고 할 수 있다.

엄마

주름살

엄마 걸어왔던

길

엄마

주름살

이제는

내가 걸어가야 할

길

－〈엄마 주름살〉 전문

　시인은 엄마의 이마에 그려진 주름살을 길에 비유하고 있다. 그 길은 엄마가 걸어왔
고 또 내가 걸어가야 할 길이라고 얘기한다. 비유는 시에 생명을 불어넣어 주는 장치
다. 그런데 그 장치가 어린이의 눈높이와 멀게 느껴질 때 진정한 비유가 될 수 없다. 시
인이 본 엄마의 주름살은 험난한 세상을 살아온 엄마의 길로 보일 것이며 그가 걸어갈
길로도 느껴질 것이다. 그러나 어린이의 눈에는 고도로 압축된 비유에서 어떤 발견과
경이감을 느낄 것인가. 비유가 살아있는 비유였을 때 독자들은 쉽게 감통한다. 그러나
동시의 1차 독자는 어린이이고 2차 독자는 동심을 사랑하는 어른도 즐겨 읽을 수 있다
는 점을 고려한다면 눈높이를 크게 걱정하지 않아도 될 것 같다.

나팔꽃은

아침을 깨우는 소리꾼

쬐만

나팔꽃이 아침 대문을 열면

꽃이란 꽃들이

이슬을 머금고

눈을 뜨고

외양간 송아지도

음매매－

엄마 품에서 눈을 뜨게 하는

나팔꽃은

아침을 깨우는 소리꾼.

－〈나팔꽃 3〉 전문

　나팔꽃을 소리꾼으로 비유한 것은 나팔 모양의 꽃에서 '뚜뚜뚜' 소리가 날 것이라는
관습적 인식에서 비롯된 것이다. 비유가 인습과 고정관념의 타성에서 벗어나며 새로

운 의미와 모습으로 창조되었을 때, 시가 지니는 리얼리티가 확보된다. 좀 더 구체적인 인식을 바탕으로 한 나팔꽃으로 비유되었으면 정서적 충격을 안겨 주었을 것이다. 개성적인 시각으로 사물은 포착하고 그것들의 동일성을 발견해 내는 일은 비유를 만드는 데 있어 가장 중요한 일이다.

5. 동심 찾기의 다른 표현

김재용 시인은 1993년부터 2004년까지 한국 동시 논평과 해설을 하게 된다. 그가 상재한 《한국 동시 논평과 해설》 머리글에서 매달 선정된 동시들을 읽으며 동시의 논평과 해설은 바로 동심 찾기의 다른 표현이라고 말한다. 무딘 가슴을 뭉클하게 하는 자기정화의 힘이 단순·명쾌한 동시 속에 녹은 비타민처럼 꼭 필요한 생활 철학으로 담겨 있기 때문이다.[7] 총 483페이지에 달하는 방대한 분량의 논평 속에는 한국 동시 문학의 다양한 이야기들이 실려 있다.

> 동시 논평은 실재하는 동시의 세계나 동시인의 역량에 대한 객관적인 분석을 전제로 하는 논리적인 글이 되어야 하는데 미흡한 점이 많습니다. 진정한 해설 또한 동시인의 시적 의미를 제대로 파악하여 독자에게 전하는 일이므로 동시 작품의 해설이 논평과 뒤섞이기 마련이고, 동시마다 그 고유한 의미 구조를 원작자의 의도에 충실하게 재창조하는 역할에 충실해야 한다. 그가 발표한 논평은 월간 〈아동문예〉다. 〈아동문예〉는 어린이와 가족이 함께 공유하는 잡지이기에 본격 문학 비평보다는 동시를 바르게 읽고 이해하도록 안내하는 쪽에 무게를 더 두었습니다.

위의 말처럼 그가 쓴 논평은 전문가가 다룬 문학적 논평이라기 보다는 바르게 이해하도록 안내하는 쪽이었다는 말이 설득력 있게 다가온다. 머리글에서 밝힌 것처럼 그는 동시의 편 편마다 풍겨오는 이미지를 통해 독자 나름대로 삶의 카타르시스적 기쁨을 누릴 수 있도록 안내하고 있기 때문이다.

> 세상이 각박하고 짜증투성이지만 그래도 동심의 마음 동산에는
> 빛이 있고, 꿈이 있고, 성장이 있고, 또 내일이 있기에 동시는
> 어두운 그림자나 밤보다는 햇살 고운 아침이나 소망스런 꿈동산을
> 가꾸는 정원사이기를 바란다.
> ─ 김재용 〈동시의 가정 구원의 손길〉 중에서

---

7 김재용, 《한국 동시 논평과 해설》(세계문예, 2002.8.20.) 머리글 중에서

귀여운 손자를 바라보며 쓴 고 최일환 시인의 동시 〈봄날〉을 평한 내용이다. 김재용 시인은 "봄 햇살을 주우러 다니는 아기"(봄날, 1연 3~4행)에게서 구원의 손길을 만난 것이다. '동시의 가정 구원의 손길'이라는 제목을 붙인 것으로도 그가 가정과 어린이를 사랑하는 시인임을 알 수 있다. 그의 짧은 평을 통해 독자는 아기가 처음으로 일어나는 기쁜 모습의 이미지와 생명을 움트게 하는 봄과 아기의 자연발생적 성장을 다시 한 번 피부로 느낄 수 있을 것이다.

그는 2004년부터 월간 〈아동문예〉에 "한국 연작 동시의 어제와 오늘"을 연재하고 있다. 한마디로 우리나라의 "연작 동시의 역사"를 정리하는 것이다. 이 원고는 200자 원고지로 무려 3,000매나 된다. 평생 아동문학을 사랑했던 그가 문학인들에게 주는 크나큰 선물이다.

6. 나오는 말

독실한 신앙심과 동심의 합일로 평생을 살아온 김재용은 그가 추구하던 교육자로서의 삶과 그리스도인의 삶, 더 나아가 문학인으로서의 삶을 충실히 살아온 시인이다. 그에게 영원히 변하지 않는 맑은 동심이 있었기에 훌륭한 교사로서의 길이 가능했고, 나눔과 사랑을 실천하는 그리스도의 삶도 더불어 빛날 수 있었다. 지칠줄 모르는 문학인의 삶 또한 그에게 주어진 가르침의 달란트 안에서 꽃피우고 열매 맺고 있다. 성인 문학에 천착하지 않고 오로지 동시 쓰기와 동시 평론과 해설에 40여 년을 바쳐온 그의 생을 보더라도 알 수 있는 일이다.

평소 웃음을 잃지 않는 그러면서도 깨끗하고 단정한 모습의 신사. 그는 누구에게 뭔가 나눠주고 싶어서, 칭찬하고 싶어서 늘 아쉬움이 많았던 시인이다. 천심과 순리와 진리를 사랑했던 시인. 그는 문학, 문학인들의 일이라면 어디라도 달려가서 고통을 함께 나누며 격려하는 든든한 시인이다.

한 작가를 평가하는 데는 몹시 어려움이 따른다. 부족한 부분은 앞으로 누군가 보충해주리라 기대한다.

어린이와 함께 선생이 걸어온 길

1939년 음력 3월 27일(호적 1940.4.7.) 전남 목포시 죽교동 101번지에서 아버지 김길
　　　안(독자)과 어머니 신남임(7공주) 사이에서 4남 5녀 중 장남으로 태어남.

1943년 제2차 세계 대전 말에 무안군 청계면 월송리 설등 산골 마을에 할머니를 따라
　　　피난살이를 함.

1949년 전남에서 가장 먼저 개교했던 목포북교초등학교 4학년 때 교사가 되겠다는 꿈
　　　을 갖고 공부에 매진함.

1950년 6·25전쟁 때 신안군 압해면 해룡리 외갓집에서 피난살이를 함.

1952년 교사가 되겠다는 꿈을 이루기 위하여 목포사범학교병실중학 입학함(아버지의
　　　질고로 입학금을 못 내고 오효근 교장선생님의 도움으로 입학).

1958년 목포사범학교 문학동인지 〈해솔〉 창간(후에 목포교대 문학동인지로 발전). 전
　　　남 강진 군동국교에서 교사 생활 시작, 강진 문학동인 '직전'에서 활동함.

1961년 5·18군사정변으로 군에 입대함(최전방 강원도 적근산에서 1년 복무).

1962년 제대 후 복직. 전남 완도군 금일동과 달도국교에서 도서벽지교육 지도를 맡음
　　　(24세 어린교사로 근정포장 수상).

1965년 복식 교육 우수 교사로 교육부 지정 목포충무국교 연구부장으로 영전함.

1967년 처 박정례와 결혼함. 최요한 목사로부터 안수 집사를 받음. 푸른기장증을 수상
　　　함.(평신도 사역 시작)

1968년 첫 딸 애화 태어남. 한국기독교대학과 서울국제신학대학 통신대 2학년을 수
　　　료함.

1969년 모교인 목포북교국교로 영전함(태생지 자택에서 800M 소재, 김대중 대통령
　　　모교).

1970년 둘째 딸 지미 태어남.

1971년 서울국제신학교 3학년 수료함.(1969.2, 교장 최인원 신학박사·철학박사) 목포
　　　교육대학부설초등학교로 영전함. 동화작가 차원재와 만났고 목포문인협회에
　　　가입하여 김일로, 차재석, 김신철, 최일환, 박순범, 최재환 등과 만남. 목표교
　　　대부설국교에서 학급문집 〈복식동무〉의 창간호부터 제4호까지(1971~1973) 발
　　　간함.

1972년 큰 아들 호신 태어남.

1973년 전국 순회 '목포 아동문학 밤'에 송명호, 박화목, 김영일과 교류를 시작함.

1974년 〈아동문학〉(주간 송명호) 통권 2호에 첫 동시 〈'나'와 '할아버지 이야기'〉 발표함.

만 34세에 초등학교 교감으로 승진함.(무안군 해제면) 둘째 아들 대기 태어남.

1977년 월간 〈아동문예〉 통권 16호에 동시 〈할메 생각Ⅲ〉이 윤부현 시인으로부터 추천됨. 월간 〈아동문예〉 18호에 동시 〈떡잎의 소리〉가 윤부현 시인으로부터 추천됨.

1978년 월간 〈아동문예〉 통권 25호에 윤부현 시인으로부터 동시 천료되고, 〈종소리①·②〉 추천사 '기도의 영원한 자세'가 게재됨.

1979년 전남아동문학가협회 가입함. 한국아동문학가협회와 한국문인협회에 입회하여 활동함.

1981년 무안군에서 목포임성초등학교 교감으로 영전함. 목포그리스도의 교회 장로 장립함. 광주·전남아동문학가협회 부회장, 한국크리스챤문학가협회 회원으로 활동함.

1982년 목포 동초등학교 교감으로 영전함. 첫 사진 동시집 《종소리》 출간함.
  1975년에 발족한 목포지역 대표 동인 '청호'에 입회함. 연작 동시 〈놀〉로 제4회 한국아동문예작가상 수상함.

1983년 제2회 새벗문학상에 연작 동시 〈놀〉 당선됨.

1984년 한국문인협회 목포지부장으로 4년간 역임함.

1985년 새벗문학회 초대 회장에 피선되어 10년간 연임함. 청호문학 출판의 간사가 됨.

1986년 모교인 목포북교초등학교 교감으로 영전함. 세종다방에서 놀뫼 동시화전 개최함.

1987년 계몽사 글짓기 지도교사상 수상함.

1988년 전남 완도 장학사로 영전함. 아내가 큰 화상으로 2달간 입원함(목포 성골룸반병원 퇴근 후 매일 병원 방문 간호).

1989년 전남 무안 장학사로 영전함, 어머니께서 뇌출혈로 광주기독병원 수술실에서 청호문학 편집 인쇄 후 소천하심.

1990년 연작 동시집 《엄마의 병상일기》 출판함. 어머니께 드리는 출판기념회를 엶. 전국 문인 기관장의 방문으로 성황을 이룸.(신안비치호텔) 《엄마의 병상일기》로 소청문학상 수상함.

1992년 한국그리스도의 교회 장로회 부총회장 겸 광주·전남지방회 회장을 역임함. 청호문학회 회장으로 〈청호문학〉 제17집~제20집 발행함.

1993년 광주·전남아동문학인회 부회장으로 6년간 연임함. 월간 〈아동문예〉 이달의 동시·동시인 월평 담당을 맡음.

1994년 전라남도 무안군 장학사에서 전라남도 교육청 장학사로 영전함.(전남 초등과학, 컴퓨터 담당)

1995년 제16회 전남문학상 수상함.

1996년 목포 연산초등학교 초대 교장으로 영전함. 문학의 해 문화공보부장관 표창을
　　　　받음(한국문인협회 목포지부 발전 공로). 제1회 '시로 찾아가 보는 목포 뱃길
　　　　100리 선상 시 낭송회' 개최함.

1997년 목포 신도심 목포청호초등학교 초대 교장으로 영전함.

1998년 한국아동문예작가회 회장 피선되어 4년간 연임함.

1999년 목포 신도심 교육부지정 목포하당초등학교 3대 교장으로 영전함. 여자배구부
　　　　를 육성함.(염혜선 외 5명의 국가대표를 배출해 냄.) 목포예술상(행남상) 수상
　　　　함. 광주·전남아동문학인회 지도 위원·자문 위원으로 위촉됨.

2000년 사진 기행 동시집《우리 산 금강산》출간 후 한국동시문학상 수상함.

2001년 한국아동문학인협회 부회장 및 목포세미나 대회장을 역임함. 제19회 새벗문학
　　　　상 심사 위원장을 9회 담당함.

2002년 새벗문학상 초대 회장에 이어 제6대 회장에 피선됨. 한국문인협회〈월간문학〉
　　　　월평 담당함.《한국 동시 논평과 해설》(세계문예) 출간함. 월간〈아동문예〉'이
　　　　달의 동시 동시인'을 10년간 연재함. '아동문학의 날 제정 선포' 감사패를 받음.
　　　　국제펜클럽 한국본주 광주·전남 회장에 피선됨. 한국교육자 대상 수상함.(한국
　　　　일보사) 목포하당초등학교에서 45년의 교직생활을 마치고 퇴임함.(홍조근정훈
　　　　장, 청소년홍익장, 한보이스카웃 봉사상 수상)

2004년 한국청소년문화대상 수상함.(유경환) 월간〈아동문예〉아동문학탐당에 '한국연
　　　　작 동시의 어제와 오늘'을 2월호부터 2006년까지 연재함.

2005년 한국기독교문인협회 아동분과 위원장을 역임함. 한국아동문학인협회 자문 위
　　　　원으로 위촉됨. 한국문인협회〈월간문학〉월평을 담당함.(2005·2009·2012)
　　　　한국동시문학회 이사를 역임함.

2006년《목포그리스도의 50년 교회사》집필(46배판 p.1028)해 출간함.〈아동문예〉'이
　　　　달의 동시 동시인'의 논평을 담당(1993~2006)하여 매달 발표함.

2007년 한국문인협회 이사에 선임됨. 한국예총 목포지부 자문 위원으로 위촉됨. 목포
　　　　꿈꾸는요셉초등학교 부이사장에 취임함. 장흥 계명성 시비 공원에 시비 '더 주
　　　　고 싶어' 제작함. 계간〈시와 동화〉문학회 순례에 '새벗과 새벗문학회 발자취'
　　　　대담을 나눔.

2008년 제4동시집《아버지의 하늘》(세계문예) 출간함. 한국장로회총연합회 20만 장로
　　　　공동회장에 취임함. 한국 그리스도의 교회 장로회 총회장, 한국 그리스도의 교
　　　　회 협의회 부총회장에 피선됨. 목포문학관 자문 위원으로 위촉됨. 제11회 '공무

원문예대전' 심사 위원 및 새벗문학상 심사를 총 15회 담당함.

2009년 연작 동시 30소재로 총 320편 발표함. 한국문인협회 〈월간문학〉 월평을 담당함. 전라남도문화상 문학 부문 제1426호 수상함. 《아버지의 하늘》로 한국아동문학상 수상함. 평론가 김관식이 '김재용 시인의 작품 세계 : 간결한 연작 동시와 맑은 동심의 자화상'이라는 주제로 글을 발표함. 〈아동문예〉 통권 373호에 '최두호 시인이 만나 본 김재용 시: 항구의 등대처럼'이라는 글 게재됨. 〈시와 동화〉 통권 49호에 한국아동문학가 100인 신작시 4편을 비롯하여 '작품론: 독실한 신앙심과 원초적 동심의 합일(이성자 박사)', '인물론: 동심의 크레파스로 하늘을 그리다.(윤삼현 시인)' 실림.

2010년 목포청호초등학교 교문 옆 '더 주고 싶어' 시비 제막식을 함.

2011년 제5동시집 《까막눈 아부지》(세계문예) 출간함. 월간 〈창조문예〉 아동문학 특집 동시 다섯 편과 '〈시적 여담〉: 동심 받아쓰기' 게재함. 월간 〈아동문예〉의 '이달의 동시 동시작가'에서 손광세 시인은 동시 〈고추씨 하나〉를 '경외감을 갖고 생명체를 바라보게 만드는 무게 있는 작품'으로 평가함.

2014년 〈열린 아동문학〉 봄호 통권 60호에 동시 〈책은 숲이다.〉, 〈짧고 길고〉 발표함. 〈아동문예〉 아동문예문학상 심사를 총 15회 맡음. 목포문학관 주최 하에 '찾아가는 문학 강좌'로 목포연산초등학교 6학년 대상 '문예교실' 운영함. 어려운 분들을 돕기 위해 요양보호사 1급 자격증을 취득함.

2015년 1908년부터 1990년대까지 대한민국을 대표하는 111명의 동시인의 작품을 엮은 22번째 《김재용 동시선집》(지식을 만드는 지식을 발간함. 〈아동문예〉 1, 2월호에 '삶과 문학 : 동심으로 사는 삶과 그 동시 그 자체다', '대담 : 아동문예와 내 삶은 동심의 본향 -김재용 동시 작가와 만나다' 발표됨. 목포크리스마스 트리 문화 축제 공동회장에 위촉됨.

2016년 평생 가장 큰 시험을 당해 1년 여 동안 작품을 전혀 쓰지 못함.

2017년 목포 양을산 아래 신축 44년만에 교회 옆 〈고하대로 707〉 대송에이스빌 101동 1203호 47평 아파트로 이사함. 목포그리스도의 교회에서 21일간 새벽, 저녁 기도에서 기도 후 4월 1달 동안 평론 2편, 동시 30편 받아쓰기 기적 체험함. 목포문학상 운영 위원장 위촉됨.

2018년 〈한국기독교문인협회〉 설악산 세미나 강사 〈내 기도의 삶과 동심의 시〉 발표함. 목포그리스도의 교회에서 21일간 다니엘 기도 새벽·저녁 기도에서 부르짖어 기도하여 성령으로 다시 거듭남.

한국 아동문학가 100인

이윤희

대표 작품
〈아기 양 이야기〉

인물론
작가 이윤희와 현대 작가의 정체성에 대하여

작품론
어린이에게 생각의 권리를 주는 문학

어린이와 함께 선생이 걸어온 길

아기 양
이야기

1.

옛날 옛적에, 아기 양 한 마리가 있었어요.

아기양은 걸핏하면 '매헤헤! 매헤헤!' 하고 소리 질렀지요.

그건 아기양네 나라의 말로 '싫어, 싫어 정말 싫어! 아, 싫다니까!'라는

뜻이에요.

그러고 나서 얼마지 않아, 아기 양은 또 소리 지르며 발을 탁탁 구르곤 했어요. 이번에는 '몰라, 몰라앙앙앙' 하면서 발을 구르며 우는 것이었지요.

2.

이제 눈치 챌 수 있겠어요?

아기 양의 별명이 무엇인지?

한 번 맞춰보세요.

3.

떼쟁이?

심술꾸러기?

울보?

놀부에요, 놀부!

4.

아기 양은 정말 놀부 닮았어요.

투덜이인 데다가, 욕심도 많았지요.

게다가 남이 잘되는 것을 보면 샘을 내며 배 아파하는 것까지 말이에요.

아, 왜 흥부전을 보면 흥부가 박을 타서 부자가 되니까, 무지무지 샘을 내면서 흥부를 따라 하잖아요. 제비 다리도 억지로 부러뜨려 치료해주는 척하고, 제비가 갖다 준 박 씨도 심고 말이에요. 아기 양이 꼭 그랬지요.

5.

아기 양이 세상에 나서 맨 처음 한일은 털이 짧다고 불평하는 것 이었어요.

원래 아기 양의 털은 지금처럼 길지 않았거든요. 그저 말이나 사슴처럼 짧고 뻣뻣하고, 그랬지요.

6.

"앙앙앙앙!"

아기 양은 자기 털이 맘에 들지 않는다고 다짜고짜 떼를 쓰며 울어댔어요. 하느님은 어이가 없었어요. 감히 하느님 앞에서 하느님의 솜씨가 맘에 들지 않는다며 울어대는 동물은 아무도 없었거든요.

귀찮기도 하고, 귀엽기도 했지요. 하느님은 허허 웃으며 아기 양을 손바닥에 올려놓으셨어요. 그리고는 한마디 하셨지요.

"네 소원대로 이루어지리라."

7.

아기 양은 콩콩 뛰며 또 시끄럽게 부산을 떨었어요.

"매애, 매애, 매해헤!"

하지만 이번에는 "우와, 신난다, 정말 신나!"

그런 뜻이었어요.

8.

그리하여 아기 양은

길고,

곱슬곱슬하고,

폭신하고,

따듯한 털을 갖게 되었지요.

아기 양은 무척 행복했어요.

아기 양은 비로소 불평을 그치고 조용해졌지요.

더구나 신나게 콧노래까지 불렀어요.

룰루랄라 룰루랄라

9.

겨울이 되었어요.

동물들은 동굴 안에 다닥다닥 모여 앉았어요.

휘이잉, 휘이잉. 밖에는 칼바람이 불었거든요.

그때 아기 양은 문득 생각했어요.

'아니 내, 길고, 곱슬곱슬하고, 폭신하고, 따듯한 털 때문에 애들이 안 추울 거 아냐?'

10.

함께 모여 앉아있으면 자기 스스로도 춥지 않아 좋은데도, 아기 양은 입을 삐죽였어요.

'흥! 난 저만치 뚝 떨어져 앉을 테야. 애들이 따듯하고 행복하게 웃는 걸 보느니 차라리 내가 추운 게 나아!' 남이 잘되는 것이 무턱대고 배가 아픈 아기 양은 얼른 입구 쪽으로 굴러갔어요.

"애, 너 왜 그래! 거긴 너무 추워!"

"무슨 짓이야? 이리 와!"

동물들이 불러댔지만 아기 양은 세차게 고개를 저었어요.

'피! 어쩔 수 없지! 차라리 나도 추운 것이 나아!'

말이 잘 안 나올 만큼 몸이 떨리고 온 몸에 소름이 돋았지만, 아기 양은 이를 물고 꽉꽉 참았어요.

11.

하느님은 가만히 손바닥을 펼쳤어요.

아기 양의 그런 심술이 다 보였지요.

또 한번 어이가 없었어요.

그러나 하느님은 빙그레 웃기만 하셨지요.

12.

세월이 흘러, 여름이 되었어요.

동물들은 다시 시원한 동굴로 모여들었어요.

하지만 이번에는 뚝뚝 떨어져 앉았지요.

찌는 듯한 여름날에는, 누군가가 가까이에 있기만 해도, 훨씬 더 더웠으니까요.

13.

아기 양도 동물들과 뚝 떨어져 동굴 안쪽에 앉아있었어요.

동굴 깊숙이에서 불어오는 시원한 바람이 상쾌했거든요.

'아, 시원해!'

눈을 반쯤 감고 시원한 바람을 즐기던 아기 양이 갑자기 고개를 번쩍 들었어요.

'아참! 쟤들도 시원하겠구나!'

14.

아기 양은 심술이 솟구쳤어요.

아기 양은 순식간에 사슴 옆으로 굴러 갔지요.

"아휴, 더워! 너 왜 그래? 저리가! 저리가라고!"

그러나 아기 양은 자석에 철석 달라붙은 쇠붙이처럼 사슴에게서 떨어지지 않았어요. 이리 도망가면 이리 쫓아오고, 저리 도망가면 저리 쫓아가고…… 마침내 불쌍한 사슴은 꽥꽥 비명을 질러댔지요.

15.

하느님은 사슴의 비명소리에 세상을 내려다보셨어요.

기가 막히고,

어이가 없고,

한마디로 황당했지요.

자꾸만 웃음이 나왔지만, 하느님은 꾹 참았어요.

그리고는 아기 양에게 물었지요.

길고,

곱슬곱슬하고,

폭신하고,

따듯한 털을 갖게 된 아기양아, 넌 왜 그러니?

길고,

곱슬곱슬하고,

폭신하고,

따듯한 털을 갖게 된 네가

친구들과 함께 모여 앉으면 겨울에 따듯하니 좋고,

떨어져 앉으면 여름엔 시원하니 좋을 텐데 넌 왜 그 반대로만 하는 거니?

16.

무슨 할 말이 있었겠어요?

아기 양은 아무 대답도 못했어요.

고개를 푹 숙인 채 눈만 디룩 디룩 굴릴 뿐.

17.

얼마나 시간이 흘렀을까요?

아기 양은 몸을 조금씩 꼼지락거리기 시작했어요.

처음엔 오른쪽 발등, 그다음엔 왼쪽 옆구리, 그다음엔 목뒤……

'아이구, 아이구 간지러!'

마침내 아기 양은 데굴데굴 굴렀어요.

18.

하느님은 아기 양을 손바닥에 올려놓으셨어요.

그리고는 아기 양을 찬찬히 살폈지요.

"으하하하, 으하하하!"

하느님은 마침내 참았던 웃음보를 터뜨렸어요.

글쎄 아기 양의 온 몸에 땀띠가 한 가득이지 뭐예요?

딴 동물들이 시원할까봐 자기 몸에 땀띠가 나는 것도 모르고 사슴에게 달라붙어 심술을 부리더니…….

19.

하느님은 아기 양의 털을 몽땅 깎아주었어요.

우선 땀띠를 치료해야 했으니까요.

하느님은 심술을 부리면 못쓴다고, 너와 나, 우리 모두가 손해라고 타이르고 싶었어요. 그렇지만 꾹 참았지요. 아기 양 스스로가 깨달아 주기를 바랐거든요. 하지만 아직 철이 덜 들어서일까요?

아기양은 여전히 심술뿐이에요. 더우면 들러붙어 앉고, 추우면 떨어져 앉고. 그래서 여름이면 아직도 매번 땀띠로 고생하지요.

20.

그리고는 '메매헤 매헤 매헤헤!' 하고 소리소리 지르면서 털을 깎여요.

아프지도 않은데 '살려줘! 으악 으아악!' 하고 온갖 엄살을 다 부려가면서 말이에요.

어휴, 누가 아기 양 좀 말려 주세요.

그렇게 굴면 서로 손해라고 타일러주세요.

21.

여보세요, 거기 누구 없어요?

작가 이윤희와
현대 작가의
정체성에 대하여

신형건

1

'현대의 작가는 어떤 정체성을 가져야 할까?' 나는 종종 이런 생각을 품곤 한다. 아마도 내 정체성을 확인하고자 하는 과정에서 좀처럼 갈피를 잡기 어려울 때가 많기 때문일 것이다. 개인적인 이력을 좀 풀어 놓자면 나는 밥벌이로 치과의사를 10여 년 동안 했고, 최근 10여 년 동안엔 아동청소년문학 전문 출판사 푸른책들 대표를 맡아왔으며, 최근엔 건국대 대학원 동화미디어창작학과 겸임교수로 아동청소년문학 창작 관련 강의를 맡고 있다. 물론 25년 전에 만 19세의 나이로 일찍이 문단에 등단하여 본격적으로 글을 쓰기 시작하여, 때때로 동시와 아동청소년문학에 관한 비평을 발표하고 있다. 어찌 보면 치과의사를 하던 때보다 출판사를 운영하는 현재가 나의 작가적 정체성에 더 가깝게 여겨질 수도 있겠다. 하지만 아이러니컬하게도 실제로 나의 개인적 사정은 그렇지 못하다 나는 치과의사를 하던 시절에 오히려 내가 쓰고자 하는 글을 많이 썼고, 작가로서의 자긍심과 성취감이 충만했었다. 설령 전업 작가라 할지라도 밥벌이와 작가적 삶이 일치할 수 없는 것은 당연한 일이다. 하지만 그 어긋남이 좀 덜하기를 바라며 일상적 삶과 작가적 삶을 동시에 살아내고 있는 것이리라.

2

여기 한 여성 작가가 있다. 30대 초반에 등단하여 10여 년간 치열하게 창작 활동을 했고 아동문학 비평지를 15년 가까이 발간하고 있으며, 10여 년째 대학에서 학생들을 가르치고 있다. 공교롭게도 우리 아동청소년문학이 본격적인 발흥기를 맞이한 1990년대 후반을 전후로 하여 그녀의 작가적 행보와 그 밖의 삶의 노정은 힘차게 굽이치고 있다. 이 작가의 정체성을 살펴보는 일은 어쩌면 최근 20여 년간의 우리 아동청소년문학의 생생한 지형도를 어느 정도 가늠해 볼 수 있는 일이 될 것이다. 또한 현대 작가가 지닌 정체 성의 일면을 살펴보는 일이 되기도 할 것이다. 그녀의 이름은 바로 '이윤희'이다.

3

1989년, 치과대학 졸업반이던 때에 나는 그녀를 대학로에 있는 '문학 아카데미'라는 사숙에서 처음 만났다. 정채봉 선생이 지도하던 '동화창작반'을 함께 다녔는데, 나는 동시로 데뷔한 지 5년이 지난 후에 동화로 영역을 넓힐까 궁리하던 참이었고, 이윤희는 그 전해에 동시로 먼저 등단을 했지만 전적으로 동화에 뜻을 두고 있었다. 그녀는 대학을 졸업하면서 바로 결혼하여 이미 초등학생 아들을 둔 주부였다. 그녀는 누구보다 동화 습작에 열성이었고, 그 후엔 또 다른 사숙에서 시, 소설, 희곡을 두루 공부하며 동화 창작의 밑거름을 부지런히 마련하고 있었다. 문학을 포기하는 것은 삶을 송두리째 포기하는 것이나 다름없다고 여기던 그녀의 각오는 대단했다. 그 결과, 그녀는 이듬해에 〈아동문예〉와 〈새벗〉을 통해 동화작가의 길로 접어들었다.

4

등단 이후, 그녀는 꾸준히 동화 창작을 했는데, 초기에 심혈을 기울인 작품은 '꼬마' 연작, '동물우화' 연작, '하느님' 연작이었다. 그중 동물우화 연작이 먼저 동화집 《코뿔소에게 안경을 씌워 주세요》(서광사, 1993)라는 책으로 나왔고 동화집 《오리너구리의 사과 편지》(두산동아, 1996)로 계속 이어졌는데, 각 동물의 생태를 모티프로 하여 뚜렷한 메시지를 담은 우화로 재기발랄한 상상력이 읽는 재미를 한껏 더하는 '현대판 이솝우화'였다. 그리고 '꼬마' 연작은 아직 어리지만 어른이 갖고 있는 직업을 가진 꼬마들을 등장시킨 아주 짤막한 이야기로 캐릭터 창조에 공들인 동화였다. 한편 '하느님' 연작은 천지창조와 관련된 유래담으로 아주 인간적인 하느님이 등장해 세상의 만물과 교감하는 철학적인 동화였다. 이 두 가지 연작은 일부가 선별되어 나중에 동화집 《꼬마 요술쟁이 꼬슬란》(푸른책들, 2000)으로 묶였다. 여기까지가 동화작가 이윤희의 동화 창작 1기라고 볼 수 있다.

5

1994년 여름, 북한의 김일성 주석이 사망하던 날, 이윤희는 동화 창작 2기를 여는 중대한 계약을 하게 된다. 그즈음 나는 창작과비평사, 산하와 더불어 국내 창작동화를 꾸준히 펴내던 현암사에 아웃소싱을 해 주고 있었는데, 때마침 동학을 제재로 한 아동청소년용 역사소설을 한 권 탈고한 이윤희를 소개했고 계약이 성사된 것이었다. 1990년 데뷔 당시 새벗문학상 수상작인 장편동화 《하얀저 눈언덕 너머》(새벗, 1993)에서 일찍이 우리 고대사에 대한 관심을 보였던 그녀는 '동학농민전쟁'이라는 근대사의 시발점이 된 중대 사건에 깊은 관심을 갖고 꾸준히 자료 조사를 하여 마침내 2,000매에 달하는 대작의 첫 권을 탈고한 것이었다. 그리고 이 작품은 마침내 《네가 하늘이다》(현암사, 1997~1998) 라는 제목으로 2년여에 걸쳐 4권으로 완결되었고 문단의 호평과 더불어 '어린이 문화대상' 을 수상하는 영예를 안게 되었다. 그 사이에 그녀는 판타지 창작에도 관심을 갖고 《컴퓨터 나라의 왕자》(두산동아, 1996)라는 작품을 발표하기도 했지만 역사에 대한 깊은 관심이 훨씬 승해서 《네가 하늘이다》의 후속작을 쓰려고 절치부심하게 되었다. 하지만 창작 이외의 또 다른 중대한 일이 동시에 두 가지나 운명적으로 그녀에게 다가오고 있었다.

6

1993년, 등단 초기에 문학적 열정을 추스르기 힘들었던 일군의 젊은 작가들이 '아침햇살' 이라는 동인을 결성했다. 바로 〈새벗〉 출신의 신인 작가들이었는데 나와 이윤희도 그 일원이었다. 주로 동시를 창작하고 토론하던 이 모임은 점점 아동문학 전반으로 관심의 영역을 넓히고 있었는데 그러던 중에 아동문학 담론을 담는 동인지를 만들자는 논의가 오갔고 어쩌다 보니 아예 문예지를 내자는 쪽으로 급물살을 탔다. 다분히 나의 넘치는 의욕이 일부 동인들을 한껏 자극한 결과였는데 그러다 보니 과부하가 걸린 동인은 서서히 와해되기 시작했고 나중엔 나와 이윤희만 남아 1995년 3월에 계간 〈아침햇살〉을 창간하게 되었다. 하지만 패기가 너무 만만한 탓이었을까, 창간호를 내자마자 난관에 부딪히게 되었는데, 바로 비평의 대상이 된 선배 작가가 느닷없이 거칠게 태클을 걸어 온 것이었다. 그런데 그만 그것이 나에겐 견디기 어려운 심정적인 타격으로 다가왔고, 내부에 미세한 균열을 일으켜 나는 도중하차를 선언하고 말았다. 결국 3호부터 이윤희가 전적으로 맡아 〈아침햇살〉을 발행하게 되었으니 그녀로선 그야말로 '마른하늘에 날벼락'이 떨어진 형국일 것이었다. 하지만 그녀는 슈퍼우먼처럼 혼자 동분서주하며 본격적인 아동문학 담론이 부족하던 우리 아동문학계에 신선한 바람을 불러일으키는 담론들을 〈아침햇살〉에 차곡차곡 담아내기 시작했다. 아동문학뿐 아니라 아동청소년을 위한 연극, 음악, 영상매체 등 아동청소년 문화 전반에 대한 담론까지 폭넓게 수용해 냈다. 그리하여 나중에 〈시와동화〉, 〈어린이문학〉, 〈열린어린이〉, 〈동화읽는가족〉, 〈창비어린이〉, 〈어린이책 이야기〉등 여러 아동청소년문학지의 창간을 자극히는 에너지로 작용했고, 우리 아동청소년문학의 담론은 서서히 활성화되기 시작했다. 그리고 벌써 만 14년째 이어오고 있는 〈아침햇살〉은 여전히 자신의 페이스대로 앞으로 힘차게 나아가고 있다.

7

일찍이 이윤희는 갓난아기인 아들을 둘러업고 다니며 중앙대학교 대학원 문예창작과에서 공부를 했다. 하지만 아이를 양육하고 남편을 내조해야 하는 주부로서는 쉬운 일이 아니었다고 했다. 그래서 미처 과정을 다 마치지 못한 채 중단했는데, 어느 날 깡그리 잃어버렸다고 생각했던 수료 상태를 이어갈 수 있는 기회가 주어졌고, 석사와 박사 과정을 거쳐 학위를 따게 되었다. 그러던 중에 여러 대학에서 강의할 기회가 생겼고 마침내 너무 늦은 나이여서 거의 불가능하리라 여겨졌던 재능대학 문예창작학과의 전임강사가 되었다. 그리고 우리나라 최초로 아동문학 관련 학과를 만들려는 의지로 고군분투한 결과 전적으로 아동문학을 공부하는 학과를 설립하진 못했지만 '아동문학보육과'라는 국내 최초의 아동문학 관련 학과를 개설하는 데 성공했다. 결국 이 학과도 '아동학과'로 다시 바뀌긴 했지만 여전히 아동문학을 비중 있게 가르치는 학과로 남아 있다. 현재, 박지숙, 이현미, 김영혜 등 재능대학에서 가르친 제자들 몇몇이 동화작가로 등단하여 스승과 함께 문단 활동을 동반하고 있다.

8

문학 창작을 왕성하게 할 시기에 문예지 발행인으로 대학교수로 활동하느라, 그리고 그 기반을 마련하려고 부단히 공부하느라(최근에 그녀는 아동학 박사 학위도 받았다) 이윤희는 많은 것을 포기해야만 했다. 한때 건강에도 이상 징후가 있어 마라톤, 인라인스케이팅, 싸이클 등 매우 역동적인 운동을 통해 극복하려는 강한 의지를 보였지만, 가는 세월을 막을 수는 없었다. 58년 개띠인 그녀는 이제 60대 초반의 나이에 접어들었다. 가슴 속에 젊은 날의 열정을 고스란히 간직하고 있지만, 창작을 하는 에너지는 벌써 상당히 소진되고 말았다. 1990년대 초에 재기발랄한 상상력으로 아주 새로운 현대 우화의 세계를 펼쳐 보이고 1990년대 중반에 아동청소년을 위한 본격적인 역사소설을 개척한 그녀는 우리 아동청소년문학에 풍요로움을 보탠 매우 중요한 작가임에 틀림없다. 그러나 우리 아동청소년문학이 급격히 양적으로 팽창하고, 질적으로 향상되고, 상업적으로 성공하며 그야말로 발흥기를 이루던 이 시기에 작가로서의 그녀는 옆으로 슬쩍 비껴나 있던 것으로 여겨지기도 한다. 이 시기에 새로 등장한 일군의 비평가들은 시야가 매우 협소하여 그녀의 주요 작품들을 자주 놓치기 때문이다. 하지만 문예지 발행인으로서 담론을 활성화하고 후학들을 양성하여 우리 아동청소년문학에 기여한 것뿐 아니라, 그녀가 스스로 창작해 낸 문학 세계도 다시금 주목의 대상이 되리라 믿는다. 최근에 '어린이'를 위한 철학동화집' 시리즈로 재출간된 《성급한 오리너구리 우화》(주니어파랑새, 2002)를 비롯한 18권의 동물우화와 합본호로 재출간된 《네가 하늘이다》(푸른책들, 2008)가 새로운 독자들로부터 좋은 호응을 얻고 있고, 문단에서도 자주 언급되고 있는 것이 바로 그 징후이다.

9

그러고 보니, 작가 이윤희와 나는 아동청소년문학을 창작하는 일뿐 아니라, 그와 관련된 일을 동시에 하고 있는 모습이 많이 닮아 있다. 누군가는 이런 모습을 보고 일인다역이라는 표현을 하곤 한다. 물론 또 다른 많은 이들도 오직 창작에만 집중하는 것이 아니라, 무언가 다른 일을 함께 하고 있는 것으로 안다. 이런 모습이 바로 현대 작가가 지닌 정체성의 일면일까. 그렇다면, 끝으로 현대를 살아가는 작가의 정체성에 대해 한 번 더 짚어 보자. 어느 시대의 작가라도 예외가 없겠지만 현대의 작가들은 참 각박한 현실 속에 끼여 살아간다. 어쩌면 우리가 지금 살아가고 있는 이 시대는 시간이라는 개념조차 증발하고 속도만 남은 시대인지도 모른다. 미친 듯이 질주하는 이 시대에 살며 수시로 분주한 일상에 갇히더라도 작가들은, 특히 아동청소년문학 작가들은 가장 건강한 시간을 살아야만 한다. 우리가 애써 되살려 낸 건강한 시간들은 온갖 화학 물질로 가득 찬 밀폐된 공간에 신선한 공기를 공급할 창을 내어줄 것이기 때문이다. 그 공간에 바로 지금 우리 아이들, 미래의 주역들이 가쁜 호흡을 하고 있다.

어린이에게
생각의 권리를
주는 문학

김지은

1. 내 책 안에서 당신의 모습을 발견하라

1993년 크리스마스 무렵 서울 시내의 한 서점에서 이윤희의 동화책《코뿔소에게 안경을 씌워주세요》(서광사, 1993)[1]를 처음 만났다. 철학 전문 서적을 펴내는 서광사는 '사랑과 지혜가 담긴 동화'라는 이름을 내걸고 철학적 의미가 있는 동화책도 함께 출간했는데 이 작품은 그 시리즈의 스물 한 번째 책이었다. 이 시리즈에서 소개한 신선하고 기발한 동화 때문에 거꾸로 서광사라는 철학 출판사를 알게 되었다는 사람이 있을 정도로 좋은 반응을 얻었던 의미 있는 작업이었다. 그 무렵 가톨릭 계열인 분도출판사에서 펴내던 레오 리오니 등의 그림책과 더불어 서광사의 동화책은 잔잔한 화제였다. 아예 한 권 한 권 새 책 출간을 기다리는 적극적인 독자층도 있었는데 필자도 그중 한 사람이다.

'사랑과 지혜가 담긴 동화' 시리즈가 선정한 동화는 상징과 은유가 풍부하고 삶에 대한 통찰을 함축한 이야기가 대부분이었다. 철학 전문 출판사다운 고집스런 안목이 돋보였다. 우리 아동문학은 대부분 어린이들을 둘러싼 현실에 주목하여 생활 서사를 발굴하고 있을때였다. 서광사는 자신들이 원하는 경향을 작품을 찾기 위해 아프리카를 비롯한 제3세계의 이야기까지 샅샅이 훑어 차곡차곡 시리즈를 늘려 나갔다. 그런데 여기에 이윤희의 작품이 들어온 것이다.

고백하건대 필자는 처음 서점에 서서《코뿔소에게 안경을 씌워주세요》를 읽고 나서 우리 작가의 작품이 아니라고 생각했다. 뭔가 우리 아동문학과 상당히 다른 경향의 작품이라는 점에서 그랬다.

두 가지가 충격이었다. 먼저 그때까지 필자는 동물을 주인공으로 한 우리 창작동화

1　이 작품은 뒷날 물구나무에서《쉿, 비밀이야》라는 제목으로 재출간되었다.

가운데 이만큼 정확한 생태 과학 지식을 토대로 창작한 이야기를 보지 못했다. 또 하나 산뜻한 이야기 구조와 생각의 여운을 남기는 결말에 놀랐다.

훗날 이윤희 작가를 직접 만나게 되었을 때 어느 석상에서 자신의 작품을 읽은 독자들이 '책 속에서 자기 자신을 발견하기를 바란다'고 말한 것을 들었다. 그는 많고 많은 동화의 소재 가운데 하필 이변 동물을 가지고 작품을 써온 것에 대해서 '각양각색의 동물이야말로 인간의 다양한 면모를 두루 가지고 있는 존재들'이기 때문이라고 창작 이유를 밝히기도 했다 필자는 이윤희 동화의 특정을 '어린이에게 생각의 권리를 돌려주는 문학'이라고 정의하고 싶다. 어린이의 친구인 이윤희 동화 속의 동물들은 어린이 자신의 모습이기도 하다. 그들은 작가가 바랐던 것처럼 다면체의 거울이 되어 독자의 마음을 비추는 데 성공한다.

2. 과학과 철학을 아동문학의 영역에 들여 놓다

작가 이윤희는 1988년 월간 문학 신인상에 동시가 당선되면서 작품 활동을 시작했고, 곧 이어 1990년 아동문예작품상에 단편동화가, 새벗문학상에 장편동화가 당선되면서 동화작가의 길을 걷게 된다. 1993년부터 15년에 걸쳐 30권에 이르는 동물 주인공의 철학동화 연작을 썼다. 작품들은 의성어와 의태어의 사용을 절제하여 질척거리지 않는 선명한 문장을 지니고 있었고 감정의 과잉을 배제하는 특징을 보였다. 철저하게 해당 동물의 시각에서 배치한 사건들은 인과적 고리가 매우 탄탄했다. 지나치게 다정하거나 호들갑스러운 동화를 너무 많이 본 탓일까. 사뭇 냉정해 보이는 작가의 태도도 인상적이었다. 작가는 독자들에게 오히려 원한다면 작품을 읽고 스스로 생각해 보라며 화두를 던졌다. 도도하게 질문의 세계로 독자를 밀어내는 기분이 들었다. 작품 전체에는 작가의 자신감이 흘렀는데 짐작컨대 그 원천은 치밀함이었다. 허튼 낱말 하나 던지지 않았고 두루뭉술한 사건은 끼어들 틈이 없었다. 이런 간명한 스타일 때문에 '우화'같다는 평도 들었다.

그렇다. 이윤희의 동화는 치밀하다. 창작의 준비 과정이 치밀하고 이야기의 전략이 치밀하다. 연작을 쓸 때는 주제의 배치나 개념의 연결을 큰 표에 설계하면서 작업하고 있는 것이 아닌가 싶을 만큼 작품 내재적 구성이 논리적이고 다른 연작들과의 연관성이 긴밀하다. 독자가 동화를 읽고 감동에 이를 수 있는 길은 여러 가지가 있겠지만 이윤희는 어느 작품에서도 감동을 선동하거나 재촉하지 않는다. 그의 철학동화 연작을 읽기 위해서는 호기심이 필요하다. 출발이 되는 호기심은 어린이들이 친근하게 여기는 여러 동물의 생태에 대한 것이다. '박쥐는 새일까 새가 아닐까, 오리너구리는 오리일까 너구리일까, 타조는 왜 하늘을 날지 못할까'와 같은 궁금증은 이야기 속에서 예상치 못한 방식으로 구조를 변경한다. 이야기를 통해 풀어 본 동물의 비밀은 그 비밀은 자연스럽게 인간 삶의 비밀과 연결된다. 자연의 섭리에 대한 질문에서 출발한 각 권의 이야기는 우리가 그 본질을 궁금해하는 철학적 개념으로 수렴된다.

작가 이윤희는 동물 이야기 연작을 통해서 과학과 철학의 주제를 아우를 수 있는 아동문학작품을 창작하고자 했다. 과학과 철학의 특성상 작가의 시선은 시종일관 객관적 거리를 유지한다. 발밑의 바윗돌을 따라 작은 보폭으로 걷다 보면 어느새 봉우리에 올라있는 것처럼 독자는 호기심을 붙잡고 질문의 길을 걸어야 한다. 폭발적인 카타르시스를 느낄수 있는 문학은 분명히 아니다. 그러나 작품의 말미에서 무릎을 치게 만드는 작가의 문학적 비약과 재치는 명쾌하고 기발하다.

이런 방식이 이전 아동문학 작품에서 흔하지 않았기 때문에 '이윤희 철학동화가 우화와 어떻게 다른가'라거나 '동물이 나오는 다른 동화를 읽는 것과 도대체 무슨 차이가 있는가'라는 반문을 불러오기도 했다. 이후 제목이 수정되었지만 한때 그의 동화 연작은 '우화'라는 이름을 붙여 출간되기도 했다. 하지만 엄밀히 말해 이윤희의 동화는 우화의 집합에 넣기 곤란하다. 그는 사실에 대한 호기심을 통해 추상에 대한 이해에 이르도록 이끈다. 그러나 결코 어떤 메시지를 강요하지 않는다. 그는 어떻게 해야 독자가 스스로 만든 질문의 의지를 훼손하지 않는 이야기를 만들 수 있을까를 고민 했다. 독자들이 책을 덮고 나서도 자율적인 추론을 이어갈 수 있도록 종종 열린 결말을 취했다. 그런 점에서 이 연작은 타율적 깨달음을 전제한 우화와 다르다.

3. 치밀함과 정확함은 작가의 기본

또 그는 부정확한 과학적 지식에 근거하여 동물의 삶을 왜곡하는 것에 대해서도 반기를 들었다. 작가가 작품 속에서 사용한 동물의 생태에 대한 언급은 최신 생물학에서 논의되는 전문적인 정보를 토대로 한 것이다. 한 예로 《펭귄 가족의 사랑》(물구나무, 2008)[2]에서 언급하는 아빠 펭귄의 알 품는기간이나 부화 무렵 남극의 온도는 남극 펭권의 생태와 정확히 일치한다. 작가는 모두 서른 종의 동물에 대한 정교한 정보를 찾아

2　이 작품은 기탄출판에서 《펭귄 기족의 스냅사진》이라는 이름으로 먼저 출간되었다가 물구나무에서 위의 제목으로 재출간 되었다.

15년이라는 긴 시간과 노력의 품을 팔았다. 소재로 사용된 동물은 기린에서 고슴도치, 바다거북까지 다양하다. 주위에서 쉽게 볼 수 있는 가축의 생태를 동화의 소재로 삼거나 의인화라는 문학적 장치를 오직 작가의 편의에 따라 이용하여 인간 중심적 관점으로 재구성된 동물 주인공을 내세웠던 여느 동물 이야기와 크게 다르다.

그는 한 인터뷰에서 자신의 철학 동화 연작에 나오는 동물들이 모두 한자리에 나오는 장편동화를 쓸 계획도 갖고 있다고 밝혔다. 만약 그런 작품이 창작된다면 연작 동화들의 캐릭터를 활용해서 2차적으로 또 다른 서사를 구성한 대서사 동화가 될 것이다. 그는 그 인터뷰에서 동물 이야기 연작을 쓰면서 생태 공부에 열을 올렸음을 실토했다. 동학 혁명을 다룬 역사물인《네가 하늘이다》3부작을 쓸 때는 '3년 동안 동학 관련 강의와 사료 발굴이 있는 곳이면 대부분 찾아갔고, 학자들의 지리산 종주에까지 동행했다"고 술회했다. 이《네가 하늘이다》가 발간된 1990년대 중반은 역사동화 붐이 아동문학을 풍미하던 시기였고 지금도 역사적 소재는 작가들이 탐내는 것 중 하나다. 그러나 자료 수집 범위가 방대하고 자료에 직접적인 접근이 어렵다는 점을 들어서 2차, 3차 문헌을 바탕 삼아 책상에서 글을 쓰는 작가가 많은 것이 현실이다. 심지어 역사적 소재에 대한 단상만 가지고 무모한 비사실적 가정을 작품의 얼개로 삼는 경우도 적지 않다. 현장에 가본다는 것은, 전문가의 견해를 듣는다는 것은 단지 중요한 일인 정도가 아니라 역사동화작가에게 있어 필수적인 것이다. 상상은 현실에 대한 정확한 이해를 바탕으로 펼칠 때 힘을 갖기 때문이다. 만약 역사동화를 쓰고자 하는 후배 작가가 있다면 위에서 언급한 이윤희 작가의 창작 과정은 하나의 전범이 될 것이다.

이윤희가 동화 창작자로서 선보인 이 같은 치밀함은 당시 우리 아동문학이 기다리던 것이었다. 어린이 독자를 알게 모르게 업신여기고 엄벙덤벙 창작에 뛰어드는 동화작가도 적지 않던 무렵이다. 이윤희의 동화는 허술한 창작의 흐름에 일침을 가했다.

4. 어린이가 던지는 역사적 질문은 다르다

우리가 역사적인 궁금함을 해결하기 위해서 특정한 사건에 질문을 던진다면, 거기에는 두 가지 해결법이 있다. 과학적 설명을 통해 사건을 객관적으로 보는 방법도 있고 주관적 상상이나 감정이 입을 통해 살피는 방법도 있다. 물론 역사적 사실을 연구할 때는 과학적으로 분명히 분석해야 하지만 그 의미를 현실 속에서 적용할 수 있는 형태로 재구성하려면 상상의 힘으로 묻고 추론하는 것도 중요하다.

이윤희의 작품 세계를 살펴보면 그는 지금까지 크게 두 영역의 동화에 도전했는데 한 가지는 위에서 언급했던 동물을 주인공으로 한 철학동화이며 또 하나는 사실적 고증에 공을 들인 역사동화다. 《네가 하늘이다》는 역사에 대한 과학적 설명과 상상을 통한 해석을 동시에 시도한 동화다. 열한 살 소년 정은강과 어린 농민군들의 눈으로 바라본 갑오년의 역사가 단행본 세 권이라는 방대한 분량에 꼼꼼히 담겨있다. 작가는 '보국안민', '광제창생' 같은 어려운 강령과 사건 경과를 쉬운 말로 풀어 격문 하나까지 정확히 설명해 준다. 한편 그의 주인공은 "도대체 양반과 종은 언제 적부터 있었던 것이요?", "누구는 전쟁이 재미있고 좋아서 하나?", "우리 백성헌티 함부로 총칼을 휘둘러대는 왜놈은 남의 나라 백성이라 손끝 하나 건드리면 안 되고, 우리는 앉아서 그놈들 행패를 당헐 수밖에 없다고라?"처럼 알토란 같은 역사적 상황의 핵심을 놓치지 않는다. 모든 질문은 어린이의 입에서 튀어나오는데 그렇다고 해서 작가의 선행하는 의지에 따라 생경하게 톡톡 튀어나오는 것이 아니다. 서사에 묻혀 자연스럽게 던지는 질문이다. 어른의 설교는 등장하지 않는다. 역사적 소재에 대해서도 생각할 권리는 독자에게 주겠다는 작가의 의지였다고 생각한다.

1990년대 중반 이후 꾸준히 이어지는 역사동화에 대한 독자들의 왕성한 관심은 동화를 통해서 역사를 좀 더 손쉽게 공부할 수 있으려나 하는 기대감에서 비롯된 점도 없지 않다. 그러나 이윤희의 작품은 역사를 공부하기 위한 작품이 아니다. 내가 역사의 주인공이 되어 역사를 상상하기 위한 작품이다. 이윤희의 역사동화를 읽는 독자라면 역시 자율성을 가지고 읽어야 한다. 내가 내 힘으로 상상하지 않으면 미래의 역사를 만들어나갈 내면의 힘을 얻을 수 없기 때문이다. 동물 이야기에서나 역사 이야기에서나 작가는 좀 더 강인하고 능동적인 독자를 기다리고 있는 것 같다.

5. 어린이의 시선을 존중하는 문학

작가 이윤희의 작품에는 철학의 가치론, 존재론, 인식론에 관한 깊이 있는 질문이 두루 담겨 있다. 서른 권의 연작이라는 거대한 구조 때문에 가능한 일이기도 하였지만 작가가 어린이들의 정신세계가 어른들 못지않은 정교하고 다양한 방향에 나아가 있다고 여겼기에 이런 다양한 주제를 섭렵하게 되었다고 본다. 그는 아동문학 교육에 관한 이론가이기도 한데, 유아를 대상으로 한 실천적 놀이 활동에서 동화를 활용해 본 현장 경험을 풍부하게 지니고 있다. 작가가 독자의 반응을 바로 바로 살필 수 있다는 것은 어떤 경로가 되었든 작가에게 썩 편안한 일만은 아니다. 이미 작품이 한번 작가의 손을 떠나면 그 다음부터는 평론가와 독자의 손에서 움직이는 것이라고 여기기 때문이다.

그러나 작가이면서 교육자의 위치에 있는 이윤희는 자신의 작품을 읽는 독자와 함께 호흡할 기회를 오히려 능동적으로 활용했다. 그의 몇몇 작품은 어린이들의 반응을 살피면서 수 차례 개작을 거듭하였다. 또 작가는 자신의 작품을 유아 교육 프로그램 개발의 소재로 활발하게 제공하였다. 동화와 철학, 동화와 과학의 다리를 놓는 일에 도전했던 작가는 최종적으로 수준 높은 동화가 창의적으로 소통되는 교육 현장을 만드는 일에 관심을 두고 있는 것처럼 보인다. 예비 교사들에게 아동문학 교육을 가르치던 그가 뒤늦게 아동학 연구에도 뛰어들어 후배들과 함께 박사 과정을 밟고 있는 것을 보면 그의 열정이 단지 관심의 수준에 머무르는 것이 아님을 확인할 수 있다.

작가가 이런 시도를 하는 것은 그가 어린이의 시선에 대해서 정확히 알고 싶다는 '자기 자신의 호기심'을 버리지 않고 있기 때문이라고 생각한다. 많은 동화작가들이 '어린이를 알고 싶다'고 말하지만 그들은 어린이를 짐작하여 글을 쓴다. 그러나 이윤희는 자기 작품의 주인공인 어린 동학군 은강이가 걸었던 지리산 길을 종주하던 심정으로 어린이의 시선을 직접 배우고자 뛰어들고 그 실천적 노력을 밑천으로 글을 쓴다. 그는 작품에서 일방적인 해석을 거부하는 열린 구조와 개방적인 결말을 선호한다. 한 편의 텍스트가 보는 관점에 따라 '모순과 반대'에 대해서 논하는 논리적인 수수께끼처럼 보이는가 하면 '자율과 선의지'를 다룬 윤리적 물음으로 보이기도 한다. 작가는 어린이가 읽고 받아들이는대로 작품이 해석되기를 원한다. 이것은 어린이의 시선에 대한 참된 존중의 마음이 없으면 불가능한 것이다. 어린이들은 같은 동화를 다른 연령대에 되풀이해서 읽을 가능성이 있다. 어려서는 신기한 동물 이야기로만 읽었던 작품이 사춘기가 찾아올 때면 자아 정체성에 대한 이야기로 보이고 성인이 되어가는 과정에서는 동양적인 인(仁)의 의미를 다룬 작품으로도 곱씹어 보게 된다면 이것이야말로 이윤희 철학동화가 지향하는 중층적 의미의 열린 텍스트라는 숨은 목표가 낳은 결과다.

그의 작품 활동을 지켜봐온 필자는 어느덧 작가 이윤희의 작업이 더 이상 문학의 영역에만 머무르지 않는 것 같아 그에 대한 아쉬움을 가지고 있다. 교육과 문학의 만남은 예민한 부분을 건드리게 된다. 이른바 '메시지'의 은폐와 관련한 문제다. 문학은 자신의 메시지를 더 엄밀하게 은폐하려고 하고 교육은 자신의 메시지를 드러내야만 한다. 따라서 문학의 순정한 양식을 유지하면서 교육을 함께 고민한다는 것은 대단히 어려운 산을 넘어야 하는, 어쩌면 결코 넘을 수 없는 산 위에 놓인 과제일 수도 있다. 그러나 그동안 지켜본 작가 이윤희의 도전은 결코 현실을 부인하거나 회피하는 선택이 아니었다. 어린이라는 존재에 대한 무한한 신뢰를 바탕으로 이루어지는 실천적인 작업이었음을 잘 알고 있다. 따라서 그가 지금껏 보여 준 치밀한 작업이 앞으로 또 어떤 다른 가치 있는 결과물을 생산할 것임을 의심하지 않는다. 마지막으로 그가 집필하고 싶다고 했던 '서른 편 연작의 모든 동물이 등장하는 장편동화'의 성대한 등장을 기대하면서 이윤희 작가의 지칠 줄 모르는 도전에 응원을 보낸다.

어린이와 함께 선생이 걸어온 길

1958년 12월 21일 서울 출생.
동화작가, 문학박사, 생활과학박사, 계간 〈아침햇살〉 발행인, 재능대 아동학과 교수.

학력
2003년 중앙대 대학원 문예창작학과 졸업함. 창작문학을 전공함.
2009년 인하대 대학원 소비자아동학과 졸업함. 아동복지 전공함.
1990년 '아동문예작품상' 단편동화 등단(1990)

약력
1990년 아동문예작품상에 단편동화, 새벗문학상에 장편동화가 당선되며 등단함.
1995년 '어린이문화대상(문학부문)' 수상함. 〈대산문화재단〉, 〈한국문화예술진흥원〉,
    〈경기문화재단〉 창작 지원을 받음. 중앙대, 재능대, 동국대 문예창작과 강사를
    역임함. 어린이문화전문지 계간 〈아침햇살〉을 발행하기 시작함. 재능대학 아동
    학과 교수로 임용됨.

논문
1999년 '분단재제 동화의 유형연구' 발표함.
2003년 '한국역사동화연구' 발표함.
2009년 '동화를 활용한 유아의 창의성 증진 연구' 발표함.

저서
1992년 단편동화집 《코뿔소에게 안경을 씌워주세요》(서광사) 출간함.
1993년 그림동화집 《최고울보상》(아이템풀) 출간함.
1995년 단편동화집 《꼬마 요술쟁이 꼬슬란》(푸른책들) 출간함.
1996년 단편동화집 《오리너구리와의 사과 편지》(두산동아), 그림동화집 《알록달록 공
    퉁퉁이》(삼성출판사) 출간함.
1997년 그림동화집 《돌이가 울었어요》(금성출판사) 출간함.
1998년 장편동화집 《네가 하늘이다(전4권)》(현암사), 《컴퓨터 나라의 왕자》(두산동아)
    출간함.
2002년 철학동화집 《성급한 오리리너구리 우화》(파랑새어린이), 《게으름뱅이 나무늘

보 우화》(파랑새어린이), 《뚜벅뚜벅 타조우화》(파랑새어린이), 《흉내쟁이 원숭
이 우화》(파랑새어린이), 《외톨이 두더지 우화》(파랑새어린이), 《엉뚱한 고래
우화》(파랑새어린이), 《잘난 척 기린 우화》(파랑새어린이), 《똘똘이 공작 우화》
(파랑새어린이) 출간함.

2003년 철학동화집 《투덜투덜 하마 우화》(파랑새어린이), 《먹고 굶고 곰 우화》(파랑새
어린이), 《억지대왕 코뿔소 우화》(파랑새어린이), 《별난 뿔 사슴 우화》(파랑새
어린이), 《우물쭈물 오소리 우화》(파랑새어린이), 《'반허락' 여우 우화》(파랑새
어린이), 《왕다운 왕 사자 우화》(파랑새어린이), 《해내고야만 박쥐 우화》(파랑
새어린이) 출간함.

2006년 그림동화집 《하느님의 실수》(글뿌리), 《심심해서, 심심해서 그랬어》(글뿌리)
출간함.

한국 아동문학가 100인

김용희

인물론
'시'를 경작하는 평론가

작품론
비평을 넘어 비평문학으로

어린이와 함께 선생이 걸어온 길
등단 무렵, 그 가슴 아린 추억들

'시'를
경작하는
평론가

진복희

따스한 시선

지루한 장마를 빠져나오기 무섭게 이젠 사뭇 불볕이다.

문이란 문은 죄다 열어 제치고, 부채를 꺼냈다가, 선풍기를 돌리다가. 냉수 한 사발을 단숨에 들이켜는데 왠지 뒤꼭지가 켕긴다. 돌아보니 창가에 앉은 나비난초가 바싹 마른 입술로 나를 흘겨보고 있다. 푸르게 나풀거리던 잎새들 몰골이 거의 기진맥진이다. 얼른 그의 발등에도 물 한 사발 부어 주고 앉았는데 문득 떠오르는 시 한 수!

> 앞마당 한 구석에서
> 닭이 알을 품고 있다.
>
> 꼼짝 않고 할딱이는
> 어미닭이 마음 켕겨
>
> 담 너머
> 수세미덩굴도
> 입술 바짝 마른다.
> – 〈무더위〉 전문

위의 시는 김용희의 동시조 단수 작품이다. 예사로 흘려버리기 쉬운 한여름의 정경을 깔끔하게 포착한 소묘 한 점, 짧지만 선명하게 그려지는 그림이 미소로운 동심을 자아내는데, 그 행간으로 그의 모습이 자연스레 겹쳐진다.

〈무더위〉 속의 어미닭과 수세미덩굴의 교감 위에 오롯이 얹혀 있는 시인의 따스한 시선이 닿아온다.

'매혹의 함정에 퐁당'

그를 떠올리면서 나는 잠시 숨을 고른다.

'평론가 김용희'와 '시인 김용희' 사이에서 좀 난감해졌기 때문이다. 말하기 쉽게, 등 단하면서 지금까지 평론으로 지면을 누벼 왔던 족적으로 치면 당연히 아동문학평론가로 불리어 마땅하겠지만, 이제 '시'를 꿈꾸는 그를 두고 시인이라 호칭해도 달리 새삼스럽다고 볼 일만도 아닌 것이다.

시인과 평론가, 시와 비시적인 둘의 관계가 언뜻 생각하면 가파른 대척점에 서 있는 듯하지만, 서로 유연하게 소통이 이루어진다면, 영역의 확장이라는 점에서 좀더 남다른 시적 성취를 거둘 수도 있을 터, 아무튼 남의 작품에 요리조리 '칼'을 들이대던 평론가가 뒤늦게 '시'를 경작하고 있으니 그에게 거는 기대가 은근히 클 수밖에.

그는 이런저런 지면을 통해 아동문학을 하게 된 저간의 속사정을 밝히고 있다. 두 번의 '오기의 발동' 사건을 언급하고 있는데, 첫 번째의 것은 1980년대의 배경이 깔려 있다.

시대와의 불화 때문에 쫓기다가 우연히 만나게 된 아동문학에서 뜻밖의 개안을 하게 된다. 지금도 사정은 크게 나아진 것이 없지만, 그 무렵 제 자리를 찾지 못한 아동문학의 위상의 실제를 접하면서 그 나름의 소명의식을 느낀다. 이때 발동한 문학적 오기로 그는 평론가가 되었다고 한다.

두 번째는 2000년대 들어 그가 조선일보에 짧은 동시를 뽑아 연재를 시작할 무렵, 말로만 듣던 동시조 〈쪽배〉 동인 월례회에 들렀다가 새롭게 눈을 뜨게 되면서 시작되었다. 1년여를 쪽배 동인들 틈에 엎저버로 끼어 있다가 어느 날 쪽배 좌장이신 송라 박경용 선생이 날린 호통을 고스란히 뒤집어쓰고 예의 그 오기가 다시 발동하면서 '시'에 본격적으로 발을 들여놓았다.

그는 그 두 번의 '오기'를 두고 '매혹의 함정에 퐁당 빠졌다'고 실토한 바 있다.

단단한 맷집

"작품도 못 쓰는 주제에 남의 작품 혹평만 하고 있을 거야?"

모르면 몰라도 송라 선생으로선 그의 속에 잠재된 시인으로서의 싹수를 진즉 알아채고 짐짓 불퉁 같은 한방을 냅다 날리신 게 아닐까. 그 호통을 길게, 달게 새긴 그는 이제 어엿한 쪽배 동인이 되어 다른 동인들과 함께 달마다 합평회에 내놓을 작품을 고민하는 처지가 되었다.

나는 그가 1년여를 버틸 때만 해도 업저버니까 그러려니 했다.

그런데 명실상부한 쪽배 식구가 된 뒤에도 뒤탈 없이 버텨 냈다. '엉덩이 한번 질기시네!' 나는 은근히 반신반의하며 그를 지켜보았다. 합평회에 내놓을 작품 한 편 이상은 기본이고, 작품을 내놓고 뭇매를 맞을 각오까지 돼 있지 않으면 안 되었는데, 과연 그가 버텨 낼 수 있을까. 그런데 그는 예상외로 맷집이 좋았다. 그 쉽지 않은 고비를 거뜬히 넘긴 걸 보면 그의 맷집은 예사 맷집은 아니었다. 작품 없이 빈손으로 나오는 일도 흔했지만, 내가 알기로 그는 한 번도 쪽배 출석을 거른 적이 없다. 어쨌든 쪽배에 아연 활기가 돌기 시작한 것도 그가 등장하기 시작한 무렵이었던 것 같다.

그동안 쪽배에는 심심찮게 옵서버들이 기웃거리다 갔는데, 그대로 진득하게 눌러앉은 사람은 손으로 꼽을 정도밖에 안 된다.

"오는 사람 막지 않고, 가는 사람 잡지 않는다."

"이왕에 나오려거든 작품 들고 와라."

이것은 쪽배 나름의 불문율이다. 처음 걸음인 옵서버들로선 이런 불문율이 어쩌면 황당하기도 했겠지만, 그들이 성큼 왔다가도 오래 머물지 못하고 슬그머니 사라지는 걸 보면 무엇보다 이 불문율 탓이 크지 않은가 싶다. 그래서 가끔씩 쪽배 나름의 '젊은 피' 수혈을 하려 해도 쉽지가 않은 형편이다.

번지수 '삼합'

김용희는 나와 대학 동문이다. 뿐만 아니라 아동문학에, 쪽배 동아리까지 같은 번지수에 몸을 담고 있으니 이래저래 그와 내가 끈끈하게 얽힌 인연은 남다른 데가 있다. 10년 선후배 사이다 보니 캠퍼스에서 만날 기회는 없었고, 2000년대 초 쪽배에 불쑥 나타나기 전까지, 나타나서 다짜고짜 나를 '누님'이라 부르기 전까지는 그를 까마득히 몰랐다. 그도 그럴 것이 나 또한 1960년대에 문단에 나와 주로 시조 시단에서 움직이고 있다가 뒤늦게 아동문학과 인연을 맺게 되었기 때문이다.

그때부터인가 내 이름은 '복희 누님!'

쪽배 식구는 현재 아홉. 도사공 한 분 빼고, 뒤늦게 뛰어든 동갑내기 시인까지 빼고 나면 여섯 사공들이 심심찮게 나를 누님이라 부르는 것이다. 그건 순전히 김용희 탓이다. 그때까지는 진 선생님, 샘님 하던 그들이 부지불식간에 그를 따라 나를 늉쳐 부르기 시작했으니, 하지만 호칭이 무슨 대수랴, 부르기 편하고 듣기 좋으면 그만인 것을.

그래서 나는 졸지에 머리가 희끗거리는 '징그런' 아우들 여섯을 거느리게 되었는데, 무슨 조화 속일까. 뒤바뀐 호칭 하나가 내 어느 쪽 심금을 건드린 것인지 아우들이 예전보다 훨씬 이뻐 보인다. 달려들어도 찡그려도 이쁘고, 부싯돌 부딪듯 내 손등을 마구 부벼대도 이쁘다. '누님'의 위력이 이쯤 될 줄은 나 자신도 미처 예상하지 못했다.

다감한 심성

가까이서 지켜보면 김용희는 참 미덕이 많은 사람이다. 앞만 보고 질주하는 사람들 틈에서 그는 드물게 곁을 줄 줄 아는 사람이다. 힘들거나 딱한 사람이 곁에 있으면 그냥 지나치지 못하고 가슴을 앓는다. 어떻게든 그들 곁에 다가가 마음을 보태고 손을 보탠다. 한발 물러서 배려할 줄도 안다.

그뿐이랴, 한번 가슴에 들어온 사람을 그는 절대 내치지 않는다. 아니 내치지를 못한다.

그의 그런 다감한 심성은 가끔씩 내미는 작품에서도 그대로 드러난다. 자연이건 사람이건 사물이건 그의 시선이 머무는 곳에서 태어난 작품들은 참 따뜻하다.

그런 사람이 요즘은 심한 어질머리를 앓는 눈치다.

어느 날 그가 고개를 맹렬하게 흔들며(그가 곧잘 짓는 독특한 버릇이자 요상한 매력) 울상을 지었다.

"아후, 죽겠어, 글을 쓸 시간이 없다니까!"

요즘 들어 자주 듣는 푸념으로 미루어 단지 엄살만은 아닌 모양이었다.

"그러다 일에 치여 죽겠네, 과감하게 일 좀 줄여 봐."

내 대꾸에 그는 또 말끝을 흐린다.

"그래야 되는데, 거절할 수가 없으니……."

교직 생활을 오래 했던 그는 자기만의 시간을 가져 보겠다고 앞당겨 명퇴를 단행하기도 했는데, 막상 돌아온 현실은 여의치가 않은 모양이다. 도대체 무슨 청이든 거절을 못하는 사람이다. 그의 여린 성정을 감안한다 하더라도 이제쯤은 청탁(淸獨)을 가려야 할 판인데 일이든 글이든 사방에서 물밀듯 들어오는 청탁(請託)을 가릴 새가 없는 그다.

"자기 글은 언제 쓸 건데? 그래 가지고야 머릿속이 빌 새가 언제 있겠어?"

내 입장에서는 누님이랍시고 이쯤에서 한마디 핀잔 아닌 핀잔을 보내며 혀를 차고 말지만, 그는 번번히 묵묵부답이다.

흰 돛단배처럼 '그대 그리고 나'

우린 한 달에 한 번, 너덧 시간의 합평회를 마치고 국밥집으로 몰려가 마른 목을 축이고, 고픈 배까지 채운 뒤 가끔씩 노래방 쪽으로 발길을 잡는다.

나는 그냥 끌려가는 형국이다. 통제 불능인 볼륨 탓인지 귀청 때리는 소음이 거의 고통 수준인 노래방을 나는 별로 좋아하지 않는다. 게다가 형편없는 내 노래 실력까지 생각하면 모골이 송연해지기까지 하니.

곁에서 따라오는 김종헌도 곤혹스러운 표정이다.

"노래방 소리만 나오면 젤 죽겠어요."

그도 나와 형편이 비슷한 처지다 보니 그러는 모양이다. 그래도 내가 그나마 어두운 노래방 소파에 엉덩이를 걸치고 버티는 것은 김용희의 '그대 그리고 나' 때문이다.

김용희는 신명이 많은 사람이다. 노래 멍석만 깔아놓으면 제일 신명난 사람이 그다.

"우리 진복희(이때만큼은 꼭 성을 빼놓지 않고 붙인다) 누님에게 바치는 한 곡!"

그가 마이크를 잡고 "푸른 파도를 가르는 흰 돛단배처럼" 하며 스윽 노래를 시작하면 일순 정적이 깔리면서 정말 흰 돛단배가 우리 앞으로 서늘하게 밀려오기 시작한다. 마치 저 진도의 앞바다, 회동과 모도 사이의 바다가 장엄하게 갈라지듯이! 그의 '그대 그리고 나'는 순간 침침하던 노래방을 금세 환하게 띄워 올리는 것이다.

노래에 흘려 넋을 잃고 앉아 있는 우리를 그가 자못 여유롭게 일별한 뒤, 한껏 미간을 찡그리며 "서로가 그리던 그대 그리고 나" 하면서 절절하게 여운을 끌게 되면 그때까지 숨을 죽이고 계시던 송라 선생도 벌떡 일어나 추임새를 넣고야 만다.

"야, 시 때려치우고 카수해라 카수!"

그는 아동 문단에서 자타가 공인하는 으뜸 가객이다. 아니 판을 벌인다면 문단을 통틀어도 뒤지지 않을 '카수'다.

'어쩜 그렇게 노래를 잘해!'

추종을 불허하는 그런 신명과 감성이 있어서 그는 문학을 하고, 또 시를 꿈꾸는 모양이다.

마지못해 내가 '고향초' 한 곡을 뽑은 날, 그가 내 귀에 대고 속삭였다.

"그렇게 길게 빼지 말고 누님이 시 쓰듯이 그렇게 가뿐가뿐 끊어서 불러봐."

나는 속으로 쿵쿵거리며 픽 웃고 말았다.

'이보시게, 그게 하루아침에 되는 일이야? 말이 쉽지, 아무나 되는 건 아니잖아.'

노래방에 가면 김용희는 무아의 경지에서 노닐고, 진복희는 헉헉지경에서 헤맨다. 그래도 나는 그의 그 '그대 그리고 나'를 들으러 곧잘 노래방으로 끌려간다.

정겨운 오솔길

그의 시를 빌어서 오늘의 내 주변을 살핀다.

아주 추운 겨울에는

578

말소리가 눈에 보여

수다를 떠는 대로
촐랑대며 춤추잖아

슬며시
사라지는 건
소리따라 가는 거야.

아주아주 추운 날엔
속삭여도 잘 보이지

따끈한 호빵같이
솔솔 피어나는 말꼬리

그렇지
추운 날 말을 하면
왜 정겨운지 알겠어.
— 〈입김〉 전문

평론가의 분석을 잠시 접고, 직관의 눈으로 그려낸 그의 입김을 따라가다 보면, 이렇게 눈으로 읽는, 귀로 보는 나직나직 정겨운 시의 오솔길을 만난다.

시의 '입김'과 교감하는 그의 의식의 지평이 날로 달로 더 깊어지고 넓어지시기를!

비평을
넘어
비평문학으로

김용희 평론집 《동심의 숲에서 길찾기》(1999)와 《디지털 시대의 아동문학》(2005) 깊이 읽기

이도환

1

아동문학계에서 비평에 대한 불만의 목소리는 의외로 크다. '비평의 부재'라는 말이 아주 오래전부터 들려왔으며, 오늘날에도 여전히 존재하고 있는 실정이다. 엄연히 평론가들이 존재하고 있으며, 여러 매체를 통해 평론이 발표되고 있고 또 평론집의 출간도 줄을 잇는 요즘이다. 그럼에도 불구하고 '비평의 부재'라는 말이 여전히 우리의 주변을 맴돌고 있는 이유는 무엇일까.

물론 비평에 대한 비판의 목소리나 우려의 목소리가 아동문학계 안에만 존재하는 것은 아니다. 오늘날 평론가를 바라보는 세상의 눈길은, 그것이 아동문학이든 혹은 일반적으로 이야기되는 문학이든 상관없이 부정적이라고 할 수 있다. 특히 이러한 모습은 2000년대에 들어서서 두드러지기 시작했다. 그렇기에 '문학의 위기'라는 말과 함께 '비평의 위기'라는 말도 나돌고 있는 게 현실이다. 과거에 평론가들이 누려왔던 권위가 상당 부분 사라져버렸기 때문이다.

근대 문학이 시작된 1900년대부터 1980년대에 이르기까지, 정치적 사회적 발언이 자유롭지 못했던 시절, 그리고 많은 정보가 차단되어 있어 일부 지식인들만이 정보를 접할 수 있었던 시절, 문학은 시대나 사회에 관한 발언을 비교적 자유롭고 정직하게 할 수 있는 몇 안 되는 통로 중 하나였다. 특히 사회적 발언을 보다 더 상징적으로 표현해낼 수 있는 '시'가 '소설'에 비해 더 자유롭고 활발하게 통로의 역할을 해냈으며, '시'보다 더 자유로웠던 것이 '비평'이었다. '시'나 '소설'이 사회의 모습을 그려낸다면, 문학평론은 문학작품에 대해 이야기하는 것이었기에 어느 정도 특수성이 인정되었던 것이다. 그렇기에 문학평론가의 글은 문학을 넘어서서 시대나 사회에 관한 이야기이기도 했으며 이에 따라 문학평론가는 지식인이 지녀야 하는 사회적 역할을 겸해야 하는 의무를 지니게 되었다.

하지만 1990년대 이후부터 상황은 급변하기 시작했다. 문학이 지니고 있던 사회적 특수성이 사라졌기 때문이다. 대중들은 더 이상 문학인들에게 지식인의 표상이라는 지

위를 주지 않는다. 일반적인 작가들에 비해 특수성이 더욱 높게 인정되었던 평론가들은 사정이 더 심하게 변화했다. 더 나아가 일반 독자들은 평론가의 글에 관심을 갖지도 않게 되었다. 작가가 만들어 낸 작품과 독자 사이에 놓여있던 평론가의 위치가 거추장스러운 존재로 변한 것이다. 신의 말을 듣고 그것을 대중들에게 전달해 주던, 신과 인간 사이의 존재하던 예언자 혹은 선지자가 사라진 것처럼, 문학작품을 대하는 독자들은 중간에 누군가 존재하여 교통 정리를 하려는 모습을 달가워하지 않게 되었다. 인터넷으로 대변되는 미디어의 다양한 진화는 독자들이 스스로 서평을 쓰고 이를 공유하는 방향으로 나아가고 있다. 게다가 정보의 제공 루트가 다양해져서 이를 독점하던 지식인의 범주는 엷어지고 말았다. 결국 전문가들의 문학비평에 대한 일반 독자들의 수요가 사라지고 있다는 뜻이다.

평론가들의 권위가 떨어진 또 하나의 이유는 외국에서 수입된 문학 이론에 대한 인기가 예전에 비해 현저하게 떨어졌다는 것에서도 찾을 수 있다. 이제까지 우리나라의 문학비평은 외국 이론의 수입에 의존했던 경향이 강했다. 외국에서 만들어진, 그리고 유행하던 이론을 수입하여 국내로 들여와 적당히 가공하여 내보내면 주목을 받을 수 있었기 때문이다. 외국문학 전공자들이 대거 문학비평계로 진출하여 큰 인기를 끌었던 이유도 이와 무관하지 않을 것이다. 그런데 이제는 세상이 변하고 말았다. 외국의 새로운 이론이라고 하더라도 이제는 더 이상 큰 관심을 끌지 못하고 있으며, 더군다나 외국의 문학 이론 자체도 일부 지식인들의 전유물이 아닌 대중들이 공유하는 시대가 온 것이다. 그렇기에 이를 무조건 높게 평가하고, 또 이를 받아들이려고 노력하는 모습은 찾아보기 힘들게 되고 말았다. 더 나아가 일반 독자들은 일방적으로 가르치려고 드는 오만한 평론가들의 복잡한 이론을 외면하기 시작했다. 교양을 쌓기 위해, 더 고급스러운 이론을 공부하기 위해 비평문을 읽는 독자가 사라지기 시작한 것이다.

일반 독자들이 사라지기 시작하자 평론가들은 더욱 극단적으로 대중들을 외면하고 전문화의 길로 접어들게 되었다. 학문연구의 전당이라고 일컬어지는 대학으로 들어가 연구와 강의에만 매달리게 되거나 더욱 어려운 용어와 복잡한 이론으로 무장하여 스스로 대중들과의 소통을 가로막고 고립되는 지경에 놓이게 되었다. 학문연구와 문학평론은 서로 다른 영역을 지니고 있기에 문제는 커질 수밖에 없었다. 문학평론이 대학의 담장을 넘어서지 못하고, 문학을 전문적으로 공부하는 이들 사이에서만 떠도는 그 무엇으로 축소되고 만 것이다.

정실비평, 논리적 일관성의 결여, 불필요한 전문용어의 남용이나 평론 문체의 현학성, 난삽한 논리, 불성실한 독서와 미숙한 해석, 특정한 주제나 소재만을 선호하는 편파성, 평론가의 개성과 독자적 문체 빈곤, 엘리트적 폐쇄성에 의한 대중에 대한 영향력 상실, 계몽주의적 태도로 작가와 독자에게 군림하려는 경향 등 오늘날 비평계에 가해지는 비판들은 모두 위에서 지적한 것들의 결과물이라고 해도 과언이 아니다.

그렇다면 이같은 '비평의 위기'는 피할 수 없는 시대의 흐름이란 뜻인가. 그것은 결코 아니다. 시대의 변화에 적절하게 대처하지 못한 것이 오늘의 결과를 초래했다고 보는 것이 옳다. 그렇다면 대처하는 게 올바른 방법인가. 이에 대한 해법에는 여러 가지가 있을 수 있으며, 이는 평론가 개인의 개성과 특징에 따라 다르게 나타날 것이다. 그 여러 가지 방법 중 하나로 김용희 비평의 특징과 개성에 주목하고 이를 살펴보는 것이 이 글이 목적이다.

2

김용희는 1982년에 문학평론가로 등단한 이후 2권의 평론집을 출간했다. 《동심의 숲에서 길 찾기》(1999)와 《디지털 시대의 아동문학》(2005)이 그것이다. '길'과 '길이 아닌 곳'이 명확하게 구분되지 않은 '숲'에서 '길'을 찾아가는 행위는, 김용희 비평의 특징을 그대로 드러내준다. 이는 어느 한 평론가 개인의 고민과 도전의 역사를 보여줌과 동시에 한국 아동문학비평의 고민과 역사의 기록이기도 하다.

앞에서 문학비평의 위기에 대해 논했지만, 본격 비평의 역사가 상대적으로 짧고 그 깊이도 상대적으로 낮은 아동문학으로 그 범주를 좁힐 경우, 문제는 더욱 극명하게 나타난다. 일반적인 문학의 이론을 그대로 가져와 마구잡이로 작품을 분석해버리는 재단비평(裁斷批評)이 난무하는가 하면, 문학에 대한 전문가적 시각을 지니지 못한 아마추어리즘으로 독서감상문을 남발하거나 문장기초가 되지 않은 상태로 비평문을 발표하기도 한다. 타인의 비평문을 그대로 복사하여 사용하는 경우도 발생하고 학문의 대상으로 문학을 연구한 결과물을 비평문이라고 우기기도 한다. 문학이 아니라 사회학이나 교육학의 관점으로 작품을 분석하거나 시장이 요구에 의해 책의 판매증가를 목적으로 비평문을 활용하기도 하고 특정 단체의 권력강화의 도구로 사용하기도 한다. 개인적 혹은 집단적 친소관계에 얽매여 정실비평이 난무하는가 하면 주례사비평이 이어지기도 한다.

그렇기에 아동문학계에서는 '비평의 위기'가 아니라 '비평의 부재'라는 말을 사용하고 있는 것이다. 이는 앞에 적시한 것들이 아직도 해결되지 않고 있다는 증거라고 할 수 있다. 김용희의 '길 찾기'는 바로 이곳에서 출발한다. 그리고 그가 찾은 첫 번째 길은, 비평문 자체를 문학의 일부로 존재할 수 있도록 노력하는 것이었다. 연구논문과 비평문은 서로 다른 영역에 속한다. 그럼에도 불구하고 이에 대한 변별성을 갖추지 못한 비평문을 우리는 매우 흔하게 만날 수 있다. 김용희는 비평문 자체를 문학의 범주 안에 존재할 수 있도록 노력해왔다.

시인을 비롯한 작가들은 자연과 인간의 모습을 유심히 살펴, 그 속에 존재하는 작은 실마리를 찾아내 자신만의 시각 혹은 세계관을 투영하여 작품화시킨다. 문학평론가의 작품 활동은, 앞서 이야기한 내용 중에 '자연과 인간'을 '문학작품'으로 치환하면 설명이 가능하다. 무심하게 바라볼 때에는 전혀 보이지 않던 것들이, 고정관념의 틀을 깨고 바라보면 새롭게 눈에 들어오게 된다. 이를 포착해 내는 게 바로 예술 작품이다. 감추어져 있던 것들을 드러내는 것이 바로 창작자의 능력이라고 할 수 있다. 물론 그 작품이 자연과 사람들이 사는 모습 그 자체는 아니다. 그러나 이를 바라보는 작가의 시선이 포함되었기에 의미 있는 작품으로 남게 된다. 자연과 사람들이 사는 모습 자체는 예술 작품이 되지 않지만 이를 카메라 앵글로 잡아내거나 그림으로 표현하거나 글로 묘사하면 예술 작품이 된다. 마찬가지로 예술 작품은 그 자체로 의미를 지니지는 못한다. 그 작품을 누군가 감상하는 순간 의미 있는 것으로 변화한다. 자연과 인간 세상이 그러한 것과 마찬가지다. 그렇기에 모든 예술 작품은 감상하는 사람이 완성시키게 된다. 자연과 세상이 바라보는 사람의 역량과 개성에 따라 다른 의미를 지니는 것과 마찬가지로 예술 작품도 이를 감상하는 사람의 역량과 개성에 따라 다른 의미를 지닐 수 있다. 결국 문학비평의 근본은 작품을 잘 읽고 감상하여 작품이 품고 있는 다양한 의미를 새롭게 발견해내는 행위와 같다. 그렇기에 문학비평문도 문학작품이 되는 것이다. 단순히 특정한 이론이 잣대를 들고 작품을 그 틀에 맞추어보는 노력은 예술 행위가 아니다. 특정한 이론을 미리 준비하여 그 특정한 시선으로 작품을 바라보는 것도 예술 행위가 아니다. 그렇기에 연구논문과 비평문은 그것이 예술 행위인지 아닌지로 가려진다. 아무런 고정관념도 없이 작품을 읽고, 그 작품 속에서 이론의 실마리를 찾아내는 행위가 바로 문학비평의 기본이라고 할 수 있다. 김용희의 비평은 이러한 기본에 충실하다.

김용희의 첫 번째 평론집 《동심의 숲에서 길 찾기》 제일 앞에 게재된 〈수난의 상상력과 꿈의 상징성–강소천론〉을 살펴보자. 이전까지 강소천은 '교육적 아동문학'이라는 틀에 묶여 있었다. 더 나아가 '반공주의'라는 평을 듣기도 했다. 그러나 이러한 평가는 모두 예술적 행위의 결과물이 아니다. 그렇기에 김용희는 강소천의 작품을 읽는 것에 주력한다. 그리고 작품 속에 감추어져 있는 미학과 이론을 찾아낸다.

> 강소천에게 있어서 꿈은 '내면에로의 전환'으로 기능하여 상상의 자유로움을 촉발시킴으로써 순수성에의 복귀를 유도하며, 진정한 의미로 세계로 나아가고자 한 창조적 충동이다. …… (중략) …… 강소천에게 꿈이란, 북에 두고 온 혈육에 대한 정신적 보상기능의 역할로부터 새로운 창조와 생성의 원리를 촉발시킨 방법이 되었다. 고향의 삶의 가장 순수한 원형을 간직하고 있는 진정한 의미의 세계이다.

> 강소천에게 있어서 그런 고향 상실은 현실적으로 고통과 외로움과 그리움 속에 방황하는 자신을 ……
>
> (중략) …… 벗어버리고 완전한 인간으로 복원되기를 꿈꾸게 했을 것이다. 《동심의 숲에서 길 찾기》
>
> 36면)

김용희의 분석은 이제까지 강소천을 언급해 왔던 과거의 비평과는 확연하게 구분된다. '교육적 아동문학'(이원수), '로만과 현실 긍정의 교육성'(이재철), '도덕에 대한 강한 집념'(하계덕), '효용의 문학'(남미영), '어린 옛날로 돌아가는 그리움의 세계'(김요섭) 등 표피적이며 일차원적이었던 이전의 비평에서 벗어난 모습을 보여 주기 때문이다. 강소천이 자주 사용하는 '꿈'에 대해서도 김용희는 "(강소천 문학에 있어 꿈은) 주제적 문제가 아니라 기법상의 문제"라는 점을 강조하며 이제까지의 강소천에 대한 평가가 잘못되어온 이유를 지적하고 있다.

예술가는 단순한 지식인과 다르다. 판사나 검사가 아니라 변호사에 가깝다. 자연과 세상을 바라보며 이를 쪼개고 분석하여 단죄하거나 포상하는 것은 예술가의 몫이 아니다. 격동의 세월을 살아온 우리의 역사적 특수성은 앞서 지적한 것처럼 문학평론가를 비롯한 예술가들 모두에게 지식인의 역할을 부여해주었다. 그러나 시대가 바뀌었고 평론가들을 포함한 예술가들은 과거에 누여왔던 권위를 상당 부분 잃어버리고 말았다. 우리가 살아가고 있는 시대가 특수성에서 벗어났기 때문이다. 그렇다면 이제 보편성을 획득하여야 한다. 그것만이 '문학의 위기', '비평의 위기', 더 나아가 '비평의 부재'라는 비판에서 벗어나는 길이다. 그리고 그 보편성의 획득은 예술로의 복귀를 통해 이루어질 수 있다. 그런 의미에서 김용희의 비평활동은 작금의 위기를 돌파해나가는 의미 있는 방법을 우리에게 제시해주고 있다고 하겠다. 작품 속에서 미학과 이론을 찾아내 이를 드러내주는 것, 다시 말해 비평의 기본에 충실한 모습을 보여 주고 있기 때문이다. "자료를 모으고 그것을 분석 종합하는 과정 자체가 이론이다. 자료 밖에 있는 이론이란 참고사항일 뿐이다"라는 김현의 말을 굳이 인용하지 않더라도, 진정한 문학 이론과 미학은 작품 속에서 찾아내는 것이지 작품 밖에서 주어지는 것은 아니기 때문이다.

김용희의 첫 번째 평론집 《동심의 숲에서 길 찾기》에 수록된 작가론과 작품론들, 〈현실 체험과 상상적 경험-권용철론〉, 〈순수에로의 끝없는 길 찾기-이효성론〉, 〈아픔의 인식과 그 극복의 아름다움-강준영의《촛불 하나 켜났죠》, 〈나날이 새로운 삶의 발견-신현득론〉, 〈진솔한 삶 인식과 지적 서정성-윤부현론〉, 〈푸르름의 세계의 이르는 꿈-노원호론〉은 모두 이러한 원칙에 입각한 모습을 보여 준다.

그가 찾은 두 번째 길은, 시대정신에 대한 인식이다. 작품을 정확하고 세심하게 읽어내는 것이 비평의 기본이라면, 시대정신에 대한 인식은 방향성을 의미한다.

글로벌시대로 일컬어지는 오늘날, 중심과 주변부는 사라지고 말았다. 중심과 주변으로 나뉘던 억압적 질서가 사라지고 모든 곳이 중심이 되는 시대로 변화했다. 이를 다른 말로 표현한다면 가치 있는 것과 가치 없는 것 사이에 존재하던 변별성이 사라진, 혼란스러운 상황이 되었다고도 할 수 있다. 중심이 사라진다는 자체가 방향성을 상실했다는 것을 의미할 수도 있기 때문이다. 김용희의 두 번째 평론집《디지털 시대의 아동문학》은 21세기의 아동문학이 지녀야 할 방향성, 다시 말해 시대정신에 관한 그의 생각을 담고 있다.《동심의 숲에서 길 찾기》가 비평이 갖추어야 할 기본적 사항을 강조한 것이었다면,《디지털 시대의 아동문학》은 앞으로 나아가야 할 방향에 대한 제언의 성격을 지니고 있다고 하겠다.

김용희는 이 책을 통해 새로운 변화 속에 혼란을 겪고 있는 이 시대의 문제를 몇 가지 예를 들어 설명하고, 이에 대한 해결방안을 제시하고 있다. 그가 거론한 문제는 다음과 같다. 우선 산업 사회에서 정보사회로 변화하면서 생기는 적응부재 현상을 지적한다. 소품종 대량생산에서 다품종 소량생산으로 변화한 경제체계가 끊임없는 변화를 강요하고 있다는 것이다. 또한 폭발적인 과학 기술의 발전으로 구축된 디지털환경에 적응하는 것이 어려워진 기성세대를 지적하며 이에 따라 교육의 대상이 어린이가 아니라 기성세대로 바뀌어가고 있다는 고정관념의 역전현상을 거론한다. 또한 정보화 사회가 안고 있는 여러 가지 부작용, 예를 들면 원만한 대인관계의 부재나 정보화에 적응하지 못해 발생하는 새로운 사회부적응계층의 생성, 기다림에 익숙하지 못한 조급증 문제도 언급하고 있으며 국경과 민족의 의미가 급속도로 축소되는 과정에서 생기는 새로운 세계 질서, 언어의 파괴 등이 그것이다. 일견 복잡한 듯 보이지만 이들 문제는 하나로 종합할 수 있는데, 그것은 바로 중심과 주변의 구분이 사라진 글로벌시대의 변화라고 할 수 있다.

김용희는 이러한 변화의 격량 속에서 자칫 길을 잃을 수 있음을 경계하며 아동문학이 나아가야 할 길을 구체적으로 제시하고 있다. 첫째로 제시하고 있는 방향은 통일지향이다. 이는 단순히 남북으로 갈라져 있는 민족의 통일만을 의미하는 게 아니다. 이념의 통일, 문화의 통일을 말한다. 그렇다고 산술적인 통일을 의미하는 것도 아니다. 구별은 있으나 차별이 없는 상태를 말하는 것이다. 좌우로 나뉜 이념을 산술적으로 하나로 묶거나 인정하고 배려하는 통일을 의미한다. 두 번째로 제시하고 있는 방향은 생명사랑과 생태론적 문학이다. 인간이 자연을 지배한다는 일방적 이데올로기가 아니라 인간도 자연이라는 큰 몸의 일부라고 생각하는 겸손한 자세를 뜻한다. 특히 아동문학이 본질적으로 지니고 있는 자연친화적 특징을 더욱 강조하면서 나아간다면 인간중심적 사고에서 벗어나고 있는 세계적인 흐름과 조류를 같이할 수 있다고 주장한다. 세 번째로 제시하고 있는 것은 상상력에 대한 강조다. 장르에 대한 벽이 사라지고 있는 최근의 추세를 예로 들면서 아동문학이 IT시대에 필요한 다양한 콘텐츠를 생산해 내는 역할을 수행해야 한다고 강조한다. 마지막으로 인간본성을 구현해 내는 아동문학이 되어야 한다고 역설한다.

그러나 김용희의 글에서 가장 중요한 대목은 상기한 것들이 아니다. 이러한 방향을 향해 제대로 걸어가기 위한 전제조건의 충족이 가장 중요한 것으로 부각되어 있기 때문이다. 그가 가장 중요한 것이라고 방점을 찍은 부분은 '표현론과 반영론'으로 갈라져 배타적인 반목을 이어오고 있는 문학계 내부의 장벽을 제거하자는 것이다.

> 표현론의 관점은 아동문학 창작 주체인 작가의 사상이나 감정의 표현, 즉 작가의 개성과 창조적 상상력을 중시하는 입장이다. 반영론의 관점은 사회 현실을 중시하여 아동문학도 사회 현실에서 빚어진 실상을 그대로 반영해야 한다는 입장이다. 표현론의 입장은 보편적인 가치와 정서에 치중하며 낭만주의적 성향을 띠는 반면, 반영론의 입장은 리얼리즘적 경향의 진보적 입장을 취하기 마련이다. 우리 아동문학은 한 세기 동안 M.H 에브럼스의 《문학의 등불과 거울》의 틀 속에 이토록 적합하게 적용되어 오늘날까지 변함없이 낭만주의적 성향과 리얼리즘적 경향의 이분화로 지속되어 온 것은 놀라운 일이다. 그보다 더 놀라운 사실은 이 두 관점이 우리 아동문학사에서 한 번도 화합과 조율없이 여껏 갈등과 반목의 간극을 오히려 심화시켜 왔다는 점이다. 그 배타적 반목은 문학적 획일주의를 낳을 소지를 안고 있으며, 아동문학 발전에 걸림돌이 되는 요인으로 작용할 것이 분명하다. 디지털 시대의 아이들에게는 이런 획일성이야말로 구태의연하고 권위주의적인 것으로 치부될 것은 뻔한 일이다. (《디지털 시대의 아동문화》 23면)

김용희가 이에 앞서 다소 지루하게 언급했던 21세기의 제반 문제들은 위에 인용한 글을 이끌어내기 위한 수단에 불과했던 것이다. 《동심의 숲에서 길 찾기》에서 그가 강조했던 것처럼, 문학에서 중요한 것은 작품 밖에 위치한 이념이나 이론이 아니라 작품 자체다. 그렇기에 김용희는 비평을 할 때에도 외부의 이론을 차용하여 작품을 분석하지 않고 작품을 분석하여 이론을 도출해냈다. 기본에 충실한 이런 모습은 시대정신을 감지해내는 것에도 활용된다. 작품을 통해 시대정신을 감지해내야지 작품 밖에 위치한 이론의 틀을 가지고 시대정신을 논해서는 안 된다는 것이다. 흔히 리얼리즘(반영론)과 모더니즘(표현론)으로 표현되기도 하는 이론적 토대는 고정불변하는 절대적인 이론이라 하기 힘들다. 어디까지나 모든 문학의 중심에는 이론이 아니라 작품이 있어야 하며 작품을 이해하기 위한 도구, 혹은 작품 이해를 돕는 조력자로 이론이 위치할 뿐이다. 그럼에도 불구하고 이론적 토대를 앞세우는 것은 시대착오적 발상이다.

흔히 현실주의(반영론)과 문학주의(표현론)로 나누기도 하는 이론적 토대는 서로의 갈등과 싸움으로 문학계를 왜곡시키기도 했지만 서로를 자극하며 경쟁하여 문학의 장을 풍성하게 만드는 긍정적 요인으로 작용하기도 했던 것이 사실이다. 그러나 21세기는 이전과는 다르다는 것이 김용희의 분석이다. 이제 현실주의(반영론)와 문학주의(표현론)는 새로운 시대의 혼란스러움, 이전과 확연하게 달라진 가치질서 속에서 인간의 본성을 지켜내는 동맹군이 되어야 한다고 강조하는 것이다.

> 디지털 시대 우리 아동문학은 새롭게 변모한 시대와 사회 구조에 따른 새로운 패러다임으로 대응해 나가야 한다. 디지털 시대는 한 세기를 지탱해왔던 표현론과 반영론의 두 입장이 배타적으로 반목하는 시대가 아니라 서로 교류하며 화합하는 시대임을 각성시킨다. 우리 아동문학이 한편으로 작가의 상상력을 자극하여 아름답고 따뜻한 세계로 지향해 나가고, 다른 한편으로 우리의 현실을 아프게 인지시키면서 새로운 가치관을 심어주는 문학임을 깨닫게 해주는 것이다. 따라서 디지털 시대의 아동문학은 아동만을 위한 특수문학으로 안위하고자 하는 것이 아니라 인류 보편적 문학으로 발돋움해 나가고자 한다. (《디지털 시대의 아동문학》 37면)

김용희가 앞서 제시한 방향은 모두 네 가지다. 통일지향의 문학, 생태론적 문학, 다양한 콘텐츠를 생산해내는 문학, 그리고 인간 본성을 지키는 문학이 그것이다. 그러나 이는 하나로 통일된다. 인간도 생물학의 연구 대상이라는 점을 받아들이는 겸손한 자기반성을 통한 자연친화적 문학이 그것이다. 인간과 자연이 하나의 몸으로 통일되면, 엄청난 폭발력을 지닌 상징성을 지니게 된다. 이를 위해 먼저 현실주의(반영론)와 문학주의(표현론)로 나뉘어 대립하고 있는 아동문학계의 조화로운 소통의 창구를 마련해야 한다는 김용희의 제언은 시대정신이 녹아있는 합당한 제언이라고 할 수 있다.

3

김용희 비평의 첫 번째 특징은 작품 외부에서 이론을 가지고 와 작품을 분석하는 것이 아니라 작품을 분석하여 이론을 만들어내는, 그리고 그러한 과정을 통해 작품의 미학을 드러내 비평문 자체를 문학의 일부로 존재할 수 있도록 하는 것에 있다. 두 번째 특징은 시대의 흐름을 읽어 아동문학의 방향성을 제시해내는 시대정신의 발견에 게으르지 않다는 것이다. 두 번째 특징 또한 첫 번째 특징과 마찬가지로 아동문학작품을 통해 시대의 흐름을 읽어내고 아동문학작품을 통해 시대정신을 발견한다는 데에 의미가 있다. 그리고 이러한 두 가지 특징은 모두 문학작품을 읽어내는, 기본에 충실한 자세에 근거하고 있다.

최근에 들어 그가 특별하게 관심을 기울이고 있는 분야는 생태학적 상상력과 아동문학의 접목이다. 그는 〈어린이로 돌아가자─생태학적 상상력 탐구에 붙여〉(《디지털 시대의 아동문학》, p.65)를 통해 그는 '21세기 들어 전지구적 화두'로 떠오르고 있는 것이 바로 '환경생태문제'라고 지적하며 '환경문학, 생태문학, 녹색문학, 생명문학, 생태환경문학' 등 여러 가지 용어로 사용되고 있는 환경생태 문학의 중요성에 대해 언급하고 있다. 특히 아동문학은 생래적으로 환경생태 문학과 그 궤를 같이 하고 있음을 지적하며 21세기 문학을 이끄는 동력을 아동문학이 지니고 있음을 환기시켜준다.

그는 아동문학과 환경생태 문학의 밀접한 관계에 대해 동시와 동화를 따로 구분하여 설명하고 있다. 동시문학에 있어서는 '동심 그 자체가 또 하나의 자연'이라고 말한다.

> 동심적 상상력은 동물과 나무와 돌멩이와 바람과 물 등이 사람과 같이 말을 한다는 물활론적 세계관에서 출발한다. …… (중략) …… 동시문학은 사상(事象)에 대한 순간의 포착 속에 동화적 상상력이 유기적으로 결합된 양식이며, 낭만적 요소와 사실적 요소, 그리고 이야기성과 의미성이 조화롭게 화합하는 자연친화적인 문학이다. 동심의 정서가 인간과 인간, 자연과 인간의 참다운 관계나 순수한 사랑의 교감을 끊임없이 체감시켜 주고자 하는 것도 그런 장르적 특성 때문이다. (《디지털 시대의 아동문학》 67면)

이러한 그의 인식은 우리에게 많은 것을 생각하게 해준다. 동시를 단순히 '아이들이 읽는 시'가 아니라 자연과 인간 사이의 자유로운 교감을 가능하게 해주는 특색을 지닌 장르로 새롭게 인식할 수 있는 계기를 마련해주는 것이기 때문이다. 동화 문학과 환경생태 문학 사이의 관계에 대해서도 그는 다음과 같이 설명한다.

> 생태학적 상상력에는 비판의식이 내재해 있을 수밖에 없다. …… (중략) …… 그런 비판의식을 보다 구체적이고 적극적으로 수용할 수 있는 양식이 아동문학에서는 동화이다. …… (중략) …… 동화가 자아와 세계의 갈등으로부터 비롯되어 궁극적으로 갈등을 극복하고 화합과 화해를 이끌어내는 서정성을 담고 있기 때문이다. …… (중략) …… 소설의 서사가 자아와 세계의 대결을 조장하는 것이라면 동화의 서사는 자아와 세계의 동일화나 화해를 모색하고자 한다. 따라서 동화는 선과 악의 이분법적 구도를 지니면서도 끝까지 대결과 대립으로 이끌어가는 양식이 아니라 그 극복의 아름다움을 보여 주는 문학인 것이다. (《디지털 시대의 아동문학》 71~72면)

특히 김용희는 '인간을 자연과 하나로 생각'하며 조화롭게 공생하는 것을 추구하는 동화의 세계야말로 환경생태적 세계관의 구현이라고 말한다. 그리고 바로 그 세계관이

'어린이의 꿈'이라고 결론 내린다. 결국 자연과 인간이 하나라는 인식은 아동문학이 추구하는 것과 궤를 같이한다는 것이다.

김용희의 이러한 인식은 아동문학의 지평을 더욱 넓히고 그 위상을 높일 수 있는 계기로 작용할 것으로 판단된다. 특히 환경생태 아동문학을 아동문학의 중심 담론으로 올려놓자는 제언은 매우 시의적절한 제언이라고 생각된다.

김용희가 아동문학 비평계에 입문한 것은 1982년이다. 당시 아동문학 비평계는 불모지와 다름없었다. 전문적인 평론가보다는 시인·작가들이 앞장서서 비평문을 발표하던 시절이었다. 결국 김용희는 스스로 길을 찾아서 걸어가야만 했다. 그리고 자신이 가야할 방향을 아동문학작품을 읽으며 감지해냈다. 아동문학작품이 그에게 길을 알려주었던 것이다. 특히 그는 평론가 활동을 겸하면서 동시조를 창작하는 쪽배 동인으로도 활동하고 있다. 모든 문학의 출발점이 시(詩)라는 것에 동의한다면, 김용희의 평론이 기본에 충실한 이유에 대한 설명이 따로 필요하지는 않을 것이다.

시인이 문학 이론을 섭렵하여 시를 쓰고, 소설가가 문학 이론을 공부하여 소설을 쓰는 것은 아니다. 문학 이론은 참고자료 정도의 위치에서 더 나아갈 수 없다. 작가들은 자연을 바라보고 인간들이 사는 모양을 살펴보면서 깨달음을 얻어 시를 쓰고 소설을 만든다. 마찬가지로 평론가도 이론을 공부하여 비평문을 쓰는 것이 아니다. 문학작품을 세심하게 읽어 그 작품이 자연의 어떤 모습, 인간들이 사는 어떤 모습을 보고 어떤 깨달음을 얻었는지를 감지해내야 한다. 김용희의 비평은 그런 기본에 충실하다. 그렇기에 '문학의 위기' 혹은 '비평의 위기'라 불리는 요즘, 더 나아가 '비평의 부재'라는 말을 듣고 있는 작금의 아동문학계에서, 그의 비평 활동은 문학비평을 넘어 비평문학을 향하고 있다.

등단 무렵,
그 가슴 아린
추억들

일상 속에 묻혀 무심히 잊고 지내던 어떤 일이 어떠한 계기로 불쑥 되살아나는 경우가 종종 있다. 그런 경우, 못내 그것에 대한 아쉬움과 안타까움이 북받쳐 오르며 자괴감에 빠져들게 한다. 아직도 아동문학에 무지했던 나의 등단 무렵의 추억들이 그런 자괴감으로 간간이 되살아날 때가 있다.

시인 박정만 선배에 대한 가슴 아린 추억이 그렇다. 1982년 〈중앙일보〉 신춘문예 평론 부문에 박덕규 동문이 당선되고, 내가 〈아동문학평론〉으로 평론 활동을 시작하던 그해 12월이었다. 경희문학회 회장을 맡으신 서정범 교수가 자택에 망년회 겸 당선 축하의 자리를 마련해 주었다. 거기서 나는 박정만 시인을 처음 만났다. 초면인 그가 줄곧 내 곁에 붙어 앉아 "넌 어떻게 그걸 하겠다는 생각을 다 했니?" 하며 말을 걸었다. 나는 그 말이 "넌 어떻게 그런 문학을 다 하게 되었니?"라는 뜻으로 들렸고, 내게 보인 그 관심이 교육 대학에서나 하는 아동문학을 경희대 국문과에서 선택하게 된 것에 대한 호기심 정도로만 알았다. 그 날 그가 진심으로 나를 격려해 주었다는 사실을 깨달은 것은 6년 뒤 그가 세상을 떠난 뒤였다. 그가 1972년 문공부 문예작품 공모에 동화도 당선되고, 시 쓰는 틈틈이 동화를 써서 동화집 《크고도 작은 새》(1984), 《별에 오른 애리》(1986) 등을 출간한 사실을 뒤늦게 알았기 때문이다. 어떤 모임에서 몇 번을 더 만났어도 그는 한 번도 그 일을 내색조차 하지 않았었다. 1988년 〈문학사상〉 신춘문예 평론 부문에 당선된 김종희 동문의 시상식날 뒤풀이 자리에 그는 병든 몸으로 밤늦게까지 내 곁에 앉아 있었으면서도 끝내 동화에 관한 이야기를 꺼내지 않았다. 그렇다면, 시인 박정만에게 동화는 진정 무엇이었을까? 신군부의 고문 후유증으로 영육이 피폐해졌을 때, 시를 쓰는 틈틈이 그 순수로 혼탁한 세상을 정화하고 싶었고, 영혼의 안식을 꿈꾸었던 것은 아닐까? 그에 대한 어떤 자책감으로, "남의 작품도 찾아 읽지 않는 놈이 무슨 아동문학평론가냐!" 하며 꾸짖는 듯한 초롱초롱한 그의 눈빛이 떠오르곤 한다. 더더구나 1980년대 초 정치사의 환멸로부터 아동문학평론을 시작했다는 내가 무지한 신군부에 의해 피폐해진 영육을 시로 발산하고 동화로 다스리고자 했을 그를 생각하면 아직도 그 어떤 부끄러움에 가슴이 아리다.

1983년 위궤양 수술 후유증으로 문단 생활 15년을 마감하고, 39세의 아까운 나이로 세상을 떠났던 강준영에 대한 문학적 편린도 그런 경우다. 나에게 그는 가장 짧은 만남으로 아주 오랜 아쉬움을 남긴 동화작가였다. 1982년 겨울, 어느 문학 단체의 아동문학상 시상식에 참석차 대구에서 방금 올라온 그를, 광화문 외진 골목 조그만 다방에서 최지훈 아동문학평론의 소개로 처음 만났다. 수수한 잠바 차림에 아무런 꾸밈이 없던 그가, 어느 누구에게도 관심 밖이었던 아동문학평론을 내가 자임했다는 기대감에서인지 초면인 내게 진지하게 한 말씀 했다. "오늘날 같은 분파된 아동 문단의 상황에서 평단의 분파적 이기주의나 평자 자신의 편협한 시각이 작가들의 문학적 열정을 허무하게 무너뜨릴 수 있다."는 짤막하면서도 의미 깊은 충고였다. 그리고 이듬해 가을, 아동문학에 무지했던 내가 그 충고의 의미뿐 아니라 그가 어느 수준의 동화작가인지 알아채기도 전에 불현듯 세상을 떠났다. 그가 떠난 뒤 바로 〈아동문학평론〉 겨울호에 그의 추모특집을 마련하면서 〈그리움의 나무〉, 〈날개〉, 〈진주조개 이야기〉, 〈전쟁과 촛불〉, 〈마루나무의 양심〉, 〈도깨비네 집〉 등 대표작 여섯 편을 실었다. 그때 나는 그 원고의 교정지로 그의 동화를 처음 읽었다. 추모 특집이 한 동화작가의 문학 세계를 추억하고 되돌아보는 소중한 자료가 되겠지만, 나에게 그 대표작 여섯 편은 무심히 잊고 있던 그의 충고를 되살려 주었다. 그 후 또 바쁜 일상 속에서 그를, 아니 그의 충고를 까맣게 잊고 지내던 십 년 뒤, 그를 아끼던 지우들에 의해 그의 대표작과 못다 발표한 몇몇 작품을 묶은 《촛불 하나 켜 놨죠》(서림문화사, 1992)가 발간되었다. 그 대표작 선집으로 그의 동화를 다시 읽는 순간 "평론한다는 놈이 그동안 뭘 하고 있었나. 이런 일은 내가 나서서 해야 할 일이 아닌가!" 하는 자괴감에 얼굴이 붉어졌다. 그것은 내가 아동문학평론에 막 손댈 무렵 평론가의 자세를 일깨워 주던 강준영이나 그의 작품 세계를, 나 스스로 까마득히 잊고 지내왔었다는 자책감 같은 것이었다.

사실동화작가가 확고한 자신의 동화 세계를 구축한다는 것은 그리 쉬운 일이 아니다. 그것은 동화가 단지 아이들의 삶을 다루고 아이들에게 읽히기 위해 창작되는 단순한 이야기 차원의 문제가 아니라 동화 본연의 미학을 담는 독특한 기법을 창출해내고, 아이들의 다양한 삶에서 시대에 필요한 인간상을 정립해야 하는 구현의 문제에 기인하는 일이기 때문이다. 강준영은 그리 길지 않은 문단 생활에서도 자기 나름의 독특한 기법을 구사하며 끊임없이 아이들과 교감하는 토속적 정서를 찾아 한국 창작동화 본연의 미학을 정립하고자 노력한 70년대의 대표적 작가였다. 그것은 70년대 동화작가의 선도자로 확고한 자리매김 해두는 두 권의 창작동화집, 《그리움 나무》와 《진주조개 이야기》 때문이다. 이 두 권의 창작동화집은 관념적 세계를 의미화하는 서사성, 비유와 상징, 그리고 이미지에 의존한 서정시적인 동화의 공간을 탁월하게 이룩해내고 있다. 《그

리움 나무》는 주로 고향과 유년이라는 삶의 근원에 인식의 뿌리를 두고 외로움, 그리
움, 진실, 사랑, 희망, 행복이라는 관념적 세계를 의미화하는 작업으로 일관해 있다. 이
관념을 의미화하는 과정에는 체험이 자기화되어 구현된다. 이때 그의 인식의 뿌리에
깊숙이 자리 잡고 있는 대표적인 상징물로 은행나무가 등장한다. 은행나무는 강준영의
기억 속에 남아 있는 고향과 유년의 강렬한 이미지이며 동화의 실마리를 풀어 가는 근
원적 상징이다. 《진주조개 이야기》에서는 인간의 삶은 타인과의 관계 논리라는 시각을
견지한 사회학적 상상력으로 확대되어, 그 시대와 사회 속에서 개인의 존재와 가치가
의미화된다. 그가 사회학적 상상력으로 소중하게 모색하는 것은 인내, 나눔, 정의, 자
유, 진실, 사랑, 생명의 존엄성 등의 가치관이다. 이때에도 개인의 존재와 가치를 의미
화하는 과정에 비유와 상징, 혹은 이미지가 동원된다. 그러나 이 두 창작동화집에는 관
념적 세계나 개인의 존재와 가치에 대한 인식 작용에 한결같이 '아픔'이라는 공통된 체
험이 내재되어 있다. 외로움과 그리움이라는 아픔, 진실이 왜곡되는 아픔, 개인의 존
재 가치가 억압당하는 아픔, 현실의 모순됨이라는 아픔 등이 동기가 되어 의미화 과정
에 관여한다. 곧 강준영의 창작동화는 이런 아픔들을 인식하고 극복해 나가는 과정의
이야기이다. 아픔을 아름답게 의미화하는 과정에서 그의 독특한 동화 기법은 상상력과
인식 세계를 더욱 넓고 깊게 이끌어갔다. 다시 말하면, 그것은 그가 자신만의 고유한
창작 기법을 창출하여 독창적인 동화 세계를 구축했다는 의미이다. 그의 고유 기법은
단순히 문체의 섬세함과 구성의 치밀함이라는 형식 차원에만 머문 것이 아니라 더 나
아가 개인의 관념적 사고로부터 사회학적 상상력에 이르기까지 의미화 과정을 통괄하
는 개연성을 유연하게 부여하고 있다. 이런 개연성은 개인적 아픔이나 시대적 아픔이
어느 세대에나 공유하는 상징적 기억으로 의미화되고, 아픔 그 자체만을 드러내지 않
고 극복의 아름다움으로 승화시키는 작용에 결부된다.

강준영의 동화적 상상력의 폭은 단순한 70년대의 언어적 감수성을 넘어서 시대적 현
상을 포괄하는 현장성과 역사적 생명성에까지 확대되어 있다. 거기에다 80년대 보여
준 토속적 서정의 탐구와 전래동화나 민담의 발굴과 재구로 우리 동화 문학의 원형 찾
기에 어느 정도 문학적 성과로도 기여하였다. 결국 강준영을 70년대 선도적인 작가로
꼽는 이유는 그가 단순히 70년대 활동해 온 작가라는 시기적 관점에 놓이기보다 이처
럼 일관된 추구의 과정을 통해 소설과 다른 동화의 미학을 발견해 내고, 동화를 독특한
고유 장르로 독립시키기 위한 다양한 기법과 한국적 소재 발굴에 주력해 왔다는 점에
놓는다. 이러한 그의 동화 세계를 한눈에 볼 수 있도록 정선된 작품들을 가려 뽑은 대
표작 선집 《촛불 하나 켜놨죠》는 아직도 내게 아쉬움과 자괴감으로 떠오르는 그의 충고
를 생생히 기억나게 하는 문학적 편린인 것이다.

서대문 로터리에서 독립문 쪽으로 돌아가는 길목에 있는 천풍인쇄소에 대한 아련한 기억도 또한 그러하다. 그 인쇄소는 1982년 내가 계간 〈아동문학평론〉을 통해 평론 활동을 시작하면서 신현득 시인을 도와 그 계간지의 편집일을 거들 때 교정쇄를 받으러 일 년에 몇 번씩 들렀던 곳이다. 당시의 인쇄소 일이란 약속한 제 날짜 제 시간을 잘 지켜주지 않기가 일쑤여서 맥을 놓고 기다리는 일이 많았다. 늘 일손이 달리고 발행일에 쫓기던 〈아동문학평론〉지의 처지도 그렇고, 바쁜 일과를 쪼개어 시간을 낸 나도 사정은 마찬가지여서 교정쇄의 독촉 외에 달리 방도가 없었다. 그런 사정을 익히 알고 계신 이재철 주간은 공장장에게 슬쩍 드리라며 내게 봉투 하나를 들려주곤 했다.

어느 토요일, 또 약속 날짜를 지키지 못한 교정쇄의 진척 정도를 알아보려고 쾨쾨한 인쇄소 반지하 식자실로 내려갔다가 뜻하지 않게 문선공이 식자판을 짜는 모습을 보게 되었다. 대낮인데도 어둑한 형광등 밑에서 문선일을 하는 그의 손놀림에 나는 그만 입을 딱 벌리고 말았다. 금속활자가 빼곡히 꽂혀 있는 커다란 판에서 원고만 쳐다보며 적소의 활자를 잽싸게 뽑아내는 그의 손놀림이 달인에 가까웠기 때문이다. 수많은 활자 속에서 어떻게 원고의 글자들을 빠르고 정확하게 찾아낼 수 있을까. 얼마나 많은 시간과 공을 들여야 저 판의 활자들을 다 외울 수 있을까. 나는 교정지 독촉을 잊은 채 그저 탄복하며 바라보고 섰을 뿐이었다. 그도 기계가 아닌 이상, 쫓기다시피 문선을 하다보면 자연 식자판에 글자를 잘못 키워 넣어 뒤집히는 활자가 나오고, 오자, 탈자가 생기는 것은 당연한 일이다. 초교 교정지를 받으면 우리는 쾨쾨한 인쇄소의 구석진 책상에 둘러앉아 교정을 보았다. 나는 먼저 내 글부터 찾아 야릇한 흥분과 감격에 겨워 읽어가면서 또박또박 오자를 찾아낼 때마다 의기양양하였다. 문선공의 작업 광경을 보지 못했을 때만 해도 오자, 탈자가 많으면 짜증이 났었는데, 그 달인의 손놀림을 보고 나서는 "이것이 바로 인간적 실수가 아니냐!" 하며 정겨워지기까지 했다. 교정지에 오케이를 놓고 홀가분하게 인쇄소를 나서면 곧바로 주변의 대폿집에서 한 잔 목을 축이며 우리는 그 날의 수고를 날려버렸다.

이제는 컴퓨터의 발달로 문선공 없는 출판이 이루어지고, 책을 내는 일도 무척 수월해졌다. 컴퓨터에 의한 인쇄술의 혁명은 기어코 활판 인쇄소 건물 주인을 바꾸어 놓고 말았다. 그 건물은 '천풍인쇄소'라는 간판과 문선공을 몰아내고, 대신 음식점과 카페를 들여 앉혔다. 어쩌다 볼일이 있어 서대문 로터리를 지날 때면 문득 그때의 기억이 아련히 떠오르곤 한다. 아, 그때 그 달인 문선공은 지금 어디서 무엇을 하며 살고 있을까. 활판 인쇄 시절의 이름 모를 문선공에 대한 그리움과 안타까움이 아직도 내 가슴에 오롯이 남아 있는 것은 무엇보다 어렵게 배웠을 그 아까운 문선 기술을 아무짝에도 쓸모없이 만들어 놓은 세월의 무정함 때문이다.

　　내가 1982년 봄 아동문학평론에 발을 들여 놓았으니 벌써 그 문학적 활동도 삼십 해가 넘었다. 그동안 새로운 문화와 수많은 신인이 등장했지만, 내 무지했던 등단 무렵의 안타까운 추억들은 변하지 않고 스멀스멀 되살아나 얼굴을 붉히어 놓곤 한다. 그럴 때마다 문득 나도 이제 제법 나이가 들었나 하는 서글픔에 잠기다가도, 그런 자괴감이 내가 여태껏 해온 아동문학에 관한 일들을 소중히 여기도록 다시금 일깨워 준다.

어린이와 함께 선생이 걸어온 길

1956년 음력 3월 4일 서울 신촌에서 아버지 상(相)자 훈(勳)자 어머님 임봉화(林鳳花)
　　　의 2남 2녀 중 장남으로 태어남. 아버지가 고향을 잊지 말라는 뜻으로 호적에
　　　경북 상주군 낙동면 화산리 679번지에서 태어난 것으로 올려놓음.

1975년 2월 경희고등학교를 졸업하고, 3월 경희대학교에 입학, 경희대 흥사단에 입단함.

1977년 4월 2학년을 마치고 육군에 입대함.

1979년 9월을 만기로 전역함.

1980년 7월 남북 분단으로 생사 불명이던 아버지 가족을 심양에서 찾고 1981년 서울에
　　　서 할머니와 극적 상봉함. 1942년 일본 동경도립 제2중학교에 입학한 아버지
　　　만 남기고 모든 가족이 만주로 이민을 간 후 이산가족이 되어 생사도 모르고 지
　　　내왔던 것임.

1982년 2월 경희대학교 국어국문학과를 졸업하고, 3월 동대학원 석사과정에 입학함.
　　　경희여자고등학교 국어교사로 첫발을 디딤. 계간 〈아동문학평론〉에 〈서민의
　　　지와 전통의식 : 신현득론〉(봄호)과 〈현실체험과 상상적 경험: 권용철론〉(가을
　　　호)이 천료되면서 〈아동문학평론〉 활동을 시작함.(심사 위원 권영민, 이재철
　　　교수)

1986년 2월 〈박목월 시 연구〉로 경희대학교 대학원 국어국문학과 석사 학위 취득.

1999년 1월 첫 아동문학 평론집《동심의 숲에서 길 찾기》(청동거울)를 출간함. 5월《동
　　　심의 숲에서 길 찾기》로 제9회 방정환문학상을 수상함.

2000년 2월 신현득 시인 시력 40년 문집《옥중아, 너는 커서 뭐 할래》(청동거울)를 엮
　　　음. 5월부터 〈조선일보〉에 박덕규 교수와 함께 해설을 곁들인 동시를 연재하
　　　고, 8월《너의 가슴에 별 하나 빠뜨렸네》(청동거울)를 출간함.

2001년 5월 박덕규 교수와 함께 동시 이야기집《아가똥 별똥》(청동거울), 8월 기획동
　　　화집《눈물 많은 아이가 꿈도 많지 1, 2》(세손교육)를 출간함. 경희사이버대학
　　　미디어문예창작과 출강함. 현대아동문학작가회 회장. 동시조 〈쪽배〉 동인에
　　　가담하여 동시조를 씀.

2002년 박덕규 교수와 함께 〈조선일보〉에 동시 해설을 연재하고, 7월《참동무 깨동
　　　시》(청동거울)를 출간함.

2003년 12월 합동시집《우리 가락 좋은 동시》(〈쪽배〉4호, 예림당)를 출간함.

2004년 3월부터 이듬해 2월까지 해설을 곁들인 동시를 〈소년한국일보〉에 연재함.

2005년 7월 동시 이야기집《씨는 땅에 심고 시는 가슴에 심고》(효리원), 8월 아동문학

평론집《디지털 시대의 아동문학》(청동거울), 9월 기획동화집《동화랑 과학이랑 어깨동무》(더북컴퍼니), 10월 합동시집《날마다 봄여름가을겨울 산울림이 울었다》(〈쪽배〉5호, 가꿈)를 출간함. 11월《디지털 시대의 아동문학》으로 제18회 경희문학상을 수상함.

2007년 11월 김종희 교수와 함께《한국 동화 문학의 흐름과 미학(배익천의 문학과 인간)》(청동거울)을 엮음.

2008년 합동시집《사로잡고 사로잡혀》(〈쪽배〉6호, 가꿈)를 출간함. 2월《한국 창작동화의 형성과정과 구성원리 연구》로 경희대학교 대학원 국어국문학과에서 문학박사 학위를 취득함. 경희여자고등학교 명예퇴직. 경희대학교, 단국대학교 대학원 문예창작과 출강함.

2010년 1월 경희대학교 부설 한국 아동문학연구센터 전임연구원, 경희대학교 국어국문학과 객원교수 발령. 동시 이야기집《짧은 동시 긴 생각 1》(효리원), 3월 합동시집《앞서거니 뒤서거니》(〈쪽배〉7호, 가꿈)를 출간함, 4월 명작 동시조집《분이네 살구나무》(리젬)를 엮음.

2011년 10월 동시조집《실눈을 살짝 뜨고》(리젬)를 출간함.

2012년 1월《실눈을 살짝 뜨고》로 제21회 한국문학상을 받음. 5월 합동시집《햇빛 잘잘 실눈 살짝》(〈쪽배〉8호, 가꿈)을 출간함. 7월《한국 아동문학 연구자료총서 9권》(국학자료원)을 공동으로 엮음. 7월〈제해만 동시 연구〉로 제1회 이재철아동문학평론상을 받음.

2013년 6월《강소천 동화선집》,《강준영 동화선집》(지식을만드는지식)을 엮음. 한국아동문학학회 회장.

2014년 12월 합동시집《아픔을 모른다는 듯 햇빛조차 화안했다》(〈쪽배〉 9호, 가꿈)를 출간함, 기획동화집《동화랑 과학이랑》(리젬)을 엮음.

2015년 4월《서덕출·윤복진 동시선집》,《이종기 동시선집》,《제해만 동시선집》(지식을만드는지식)을 엮음.《김용희 동시선집》(지식을만드는지식),《교과서 짧은 동시 긴 생각1》(효리원)을 출간함. 5월《박경용 평론집 무풍지대의 돌개바람》(아동문학평론), 김종희 교수와 함께《작가론총서 21 강소천》(새미)을 엮음.

2016년 10월 합동시집《졸였던 그 아픔 가지마다 벙글벙글》(〈쪽배〉 10호, 가꿈)을 출간함.

2017년 7월《우리나라 역사 동시》(리젬),《방정환 수필선집》(지식을만드는지식)을 엮음. 10월 제1회 한국동시조문학대상을 받음.

2018년 3월 이창건, 전병호 시인과 함께《참 좋다! 1학년~6학년 동시》를 공동으로 엮음. 12월 합동시집 《푸른 솔 그늘인가 솔 푸른 그늘인가》(소야주니어)를 출간함. 계간 〈아동문학평론〉 편집주간, 경희대학교 국어국문학과 객원교수, 〈한국 아동문학연구센터〉 부센터장 역임함.

한국 아동문학가 100인

박상규

대표 작품
〈아름다운 만남〉

인물론
겸손하고 성실한 동화작가

작품론
고향을 지키는 할아버지 작가 박상규

어린이와 함께 선생이 걸어온 길

아름다운
만남

만수 삼촌은 고등학교를 졸업하고 바로 취직을 했습니다.

만수 삼촌이 있는 곳은 집에서 멀리 떨어진 산업단지의 공장입니다.

만수 삼촌은 여러 사람들과 함께 공장에서 물건을 만드는 일을 합니다.

만수 삼촌은 토요일 오전 공장 일만 끝나면 점심도 먹지 않고 곧바로 버스정류장으로 달려갑니다.

집이 있는 충주로 가는 버스를 타기 위해서입니다.

충주로 가는 버스는 자주 없을뿐더러 항상 만원이어서 늦게 가면 자리를 잡을 수 없기 때문에 일찍 나가서 표를 사고 기다려야 합니다.

충주로 가는 버스는 정류장에서 출발하는 것이 아니라 다른 데서 이 곳으로 와 정류장에서 기다리는 손님을 태우고 갑니다. 버스는 여러 곳에 있는 동네 버스정류장에 들러 손님을 내려주고 또 다른 손님을 태우고 떠나는 그런 버스입니다.

만수 삼촌은 정류장에 있는 매점에서 빵과 우유를 사서 점심 대신 먹으면서 버스를 기다렸습니다. 꽤 오래 기다린 후에서야 충주로 가는 버스가 왔습니다.

버스가 멈추자 여러 사람들이 우르르 내렸습니다.

만수 삼촌은 마지막 손님이 내리자마자 재빠르게 버스에 올라가서 앉을 자리를 골랐습니다.

버스에는 빈자리가 많아 가장 편할 것 같은 자리를 골라 창가에 앉았습니다. 버스를 타는 사람이 많아 빈자리는 잠깐 사이에 찼습니다.

이제 만수 삼촌 옆자리만 남았습니다.

아가씨 한 사람이 버스에 올라 자리를 찾느라고 두리번거렸습니다.

만수 삼촌이 앉은 옆자리가 빈 것을 보고 다가왔습니다.

"여기 앉아도 될까?"

아가씨가 예쁜 소리로 물었습니다.

"네 앉으세요."

"고맙습니다."

아가씨는 갓 화장을 했는지 화장품 향기가 풍겨 만수 삼촌 코 속으로 살며시 파고들었습니다.

꽃향기보다 더 상큼한 그 아가씨의 냄새가 황홀했습니다.

그래서 만수 삼촌은 몸둘바를 몰랐습니다. 그리고 만수 삼촌은 자꾸 쑥스러워졌습니다.

만수 삼촌은 가슴이 두근두근 뛰었습니다.

아직 총각인 만수 삼촌은 여자들 앞에서는 아주 부끄러움을 많이 타는 편인데 모르는 예쁜 아가씨가 옆자리에 앉으니까 어떻게 해야 좋을지 몰랐습니다.

"어디까지 가세요?"

아가씨가 물었습니다.

"충주까지 갑니다."

"저도 충주까지 가는데……."

"집이 충주에 있어요?"

"네."

무슨 말을 더 이어가야 어색한 분위가 풀릴 것 같은데 다음에 할 말이 얼른 생각이 나지 않았습니다.

그래서 만수 삼촌은 말없이 창밖을 바라보기만 했습니다.

아가씨는 가방에서 엠피쓰리를 꺼내서 이어폰을 귀에 꽂고 음악을 듣기 시작했습니다.

버스가 출발하기 전에 벌써 버스는 서있는 손님으로 가득 차 만원이 되었습니다.

얼마 후에 버스가 출발했습니다.

창밖으로 보이는 경치가 아름다웠습니다.

달리는 버스 차창 밖으로 보이는 아름다운 경치가 계속 바뀌니까 아가씨가 옆에 앉아 어색하고 쑥스러웠던 기분도 사라지고 마음이 편안해 졌습니다. 옆에 앉은 아가씨도 계속 음악을 듣느라 정신이 없었습니다.

버스는 시골길을 얼마를 달려서 어느 버스 정류장에 섰습니다.

정류장에는 버스를 타려고 기다리고 있는 사람들이 많았습니다.

기다리는 사람들은 시장을 보고 가는 길인지 손에 보따리를 들고 있었습니다. 그런데 한 젊은 엄마가 작은 아기를 업고 조금 큰 아이를 걸리고 젖병 가방에 기저귀 가방에 또 다른 짐까지 들고 있었습니다.

한 눈에도 무척 힘들어 보였습니다.

만수 삼촌은 그 젊은 엄마가 퍽 안쓰러워 보였습니다.

버스에서 내리는 손님은 얼마 안 되고 버스를 타는 사람은 많았습니다. 버스를 타는 사람들은 서로 먼저 타려고 애를 쓰고 있었습니다.

젊은 엄마는 버스를 먼저 타고 싶어도 아기 하나를 업고 하나를

걸리고 짐을 양손에 들었기 때문에 탈 수가 없었습니다.

젊은 엄마는 버스를 먼저 타는 것을 포기한 듯 남들이 다 탈 때만 기다리고 있었습니다.

그런 젊은 아기 엄마는 무척 지치고 피곤해 보였습니다.

만수 삼촌은 그 젊은 엄마가 가여워 보였습니다.

만수 삼촌은 버스 창문을 열고

"아주머니, 짐 이리 주세요."

"네?"

"제가 자리 양보해 드릴 테니까 우선 짐을 이리 주세요."

"고맙습니다. 고맙습니다."

젊은 아기 엄마는 뜻밖에 천사를 만난 듯 아주 고마운 표정으로 손에 들고 있던 짐을

주웠습니다.

만수 삼촌은 팔을 창밖으로 내밀어 아기 젖병과 기저귀 가방과 또 다른 짐을 받아서

자리에 놓고 일어섰습니다.

젊은 아기 엄마는 손님들이 다 타고 나서 버스에 올랐습니다.

"아주머니 이리로 오세요."

만수 삼촌이 큰 소리로 말했습니다.

"네, 총각 고마워요."

젊은 아기 엄마는 버스 꽉 찬 사람들을 헤치며 힘들게 만수 삼촌이 비워둔 자리에 와

앉았습니다.

버스에 탄 사람들이 모두 만수 삼촌의 모습을 지켜보고 고마운 표정을 지었습니다.

젊은 아기 엄마가 아기를 업은 채 자리에 앉고 또 한 아이를 옆에 앉히고 짐을 놓기

는 자리가 너무 좁았습니다.

이것을 본 아가씨가 얼른 자리에서 일어났습니다.

"여기 아기도 앉히고 짐도 놓고 편하게 가세요."

"아이고 미안해서 어떡하나?"

"괜찮아요."

"아가씨 고마워요. 나중에 결혼해서 좋은 엄마 될 거요."

"말씀 고맙습니다."

"참 젊은 총각도 결혼하면 좋은 남편 좋은 아빠 될 거야."

"고맙습니다."

"두 사람 좋은 사이 아닌가?"

"네 아닙니다."

"그런데 두 사람 모두 좋아 보여 잘 어울리는 사이 같네."

"······."

만수 삼촌과 아가씨는 굳이 아니라고 이야기할 필요가 없는 것 같아 그냥 씩 웃고 말았습니다.

조금 전까지만 해도 같이 나란히 앉아 있던 만수 삼촌과 아가씨는 이제 버스 의자 옆에 나란히 서 있게 되었습니다.

아기 엄마는 자리를 양보해준 두 사람에게 사뭇 미안하고 감사하다는 말을 여러 번 했습니다.

아기 어머니는 아기 둘과 젖병 가방 기저귀 가방을 옆자리에 놓았습니다.

아기 어머니는 지쳤는지 축 늘어진 몸을 의자에 기대고 눈을 감았습니다.

아기 어머니는 곧바로 잠이 들었습니다.

아기 어머니는 잠든 얼굴에도 무척 피곤한 기색이 역력해 보였습니다.

만수 삼촌과 아가씨는 잠든 아기 어머니와 아기를 번갈아 보았습니다.

갓난아기가 칭얼거렸습니다.

그래도 곤하게 잠든 아기 어머니는 모르고 있었습니다.

엄마의 반응이 없자 칭얼거리던 아기는 그만 울음을 터뜨렸습니다.

아기가 큰소리로 우는 데도 아기 엄마는 모르고 잠에 빠져 있었습니다.

"아기 엄마를 깨워요."

만수 삼촌이 옆에 서 있는 아가씨를 보고 말했습니다.

"저렇게 고단하게 자는 엄마를 어떻게 깨워요."

"그래도 아기가 저렇게 우는데 엄마를 깨워서 달래야 하는 것 아닌가요?"

"아기가 배가 고픈가 봐요."

"그러니까 아기 엄마를 깨워서 우유를 주라고 해야죠?"

"아마 젖병 가방에 우유가 있을 거예요. 내가 먹여 볼게요."

아가씨는 젖병 가방을 열었습니다.

생각한 대로 우유를 담은 젖병이 있었습니다.

아가씨는 그 젖병을 꺼내서 우는 아기 입에 넣었습니다.

아기는 울음을 딱 그치고 기다린 듯 우유를 벌컥 벌컥 빨아 먹었습니다.

아기는 젖병 가득 담겨진 우유를 단숨에 다 빨아먹고 젖병 꼭지를 놓았습니다.

배가 불러진 아기는 만족한 얼굴이었습니다.

아기를 달래준 아가씨는 엄마가 된 것처럼 기분이 좋았습니다.

옆에서 지켜보던 만수 삼촌은 아가씨의 그런 모습이 아름다워 보였습니다.

아가씨의 얼굴이 갑자기 다정해 보였습니다.

착해 보이고 고마워 보였습니다.

버스가 얼마만큼 달렸을 때였습니다.

아기가 또 울었습니다.

이번에도 아기 엄마는 깊은 잠에 빠져 아기의 울음소리를 듣지 못했습니다.

"어떡하지요?"

"뭘요."

"아기 우유는 아까 다 먹었는데 이번엔 엄마를 깨워 달래게 해요."

"아기는 배가 고파 우는 것이 아닐 거예요."

"그럼 왜 울까요?"

"아마 기저귀 갈아 달라고 울 거요"

"아가씨가 그걸 어떻게 알아요?"

"여자가 그것도 몰라요?"

"그럼 아가씨 결혼 했어요?"

"아니요."

아가씨는 만수 삼촌의 말이 못마땅한 듯 좀 쌀쌀하게 말하며 아기의 기저귀를 풀었습니다.

아기의 기저귀는 똥과 오줌으로 범벅이 되어 있었습니다.

똥냄새가 확 풍겨 났습니다.

만수 삼촌은 자기도 모르게 얼굴을 찡그리고 손으로 코를 막았습니다.

"아기 똥오줌이 뭐가 그리 더럽다고 코를 막고 야단이요?"

"……."

"뭐해요. 기저귀 가방 열고 새 것 하나 꺼내줘요."

아가씨는 명령하듯 만수 삼촌에게 말 했습니다.

"네, 그럴게요."

만수 삼촌은 기저귀 가방을 열고 새 기저귀 하나를 꺼내 들었습니다.

아가씨는 아기 똥오줌이 묻은 기저귀를 표정하나 변하지 않고 차분하게 빼내고 아기 사타구니를 물티슈로 말끔히 닦았습니다.

"기저귀를 쫙 펴서 이리 줘요."

"아 예."

만수 삼촌은 명령에 복종하듯 아가씨가 시키는 대로 기저귀를 펴서 줬습니다.

아가씨는 마치 엄마처럼 능숙하게 기저귀를 갈고 아기 옷을 잘 입혔습니다.

아기는 개운한 듯 웃는 얼굴을 했습니다.

만수 삼촌은 또 한 번 아가씨가 새롭게 보였습니다.

감동을 먹은 듯 가슴이 저려 왔습니다.

아가씨 얼굴이 우러러 보였습니다.

버스는 마침내 종점인 충주에 도착했습니다.

그러나 아기 엄마는 아직 잠에서 깨어나지 않았습니다.

버스에 가득 탄 손님들이 우르르 내렸습니다.

그러나 만수 삼촌과 아가씨는 아기와 아기 엄마를 두고 먼저 내릴 수가 없었습니다.

"아기 어머니 충주에 다 왔어요."

"네, 충주에 다 왔다고요?"

"예? 충주에 도착했어요? 이제 내려야죠."

아기 엄마는 작은 아기를 다시 업고 젖병과 기저귀 가방과 또 다른 짐을 들었습니다.

큰 아기는 엄마의 손을 잡고 버스를 내렸습니다.

또다시 힘들게 집으로 가야하는 아기 엄마가 안쓰러워 보였습니다.

만수 삼촌과 아가씨는 약속도 안했는데 발걸음을 떼지 못하고 그 아기 엄마를 바라보고 있었습니다.

"우리 저 아기 엄마 도와 줘요."

"네 그래요."

아가씨가 하는 말에 만수 삼촌은 기다린 듯 대답했습니다.

"아주머니 그 짐 이리 주세요. 제가 들어다 드리겠습니다."

만수 삼촌이 아기 엄마가 들고 있는 젖병 가방과 기저귀 가방과 또 하나의 짐을 빼앗듯 가져와 들었습니다.

"고마워서 어쩌지?"

"가는 길에 그냥 들어 드리는 건데요 뭐."

"총각네 집은 어딘데?"

"저……."

만수 삼촌은 바른대로 대답하지 못하고 어물어물 했습니다.

"우리 집은 '봉계'라는 동넨데 좀 멀어요. 택시 타면 잠깐 가지만 걸어서는 한참 걸려요."

"아 그러세요. 우리들 집도 그 쪽입니다."

"우리들이라면 두 사람은 어떤 사이야?"

"그냥……."

"응 좋은 사이구나?"

"……."

"숨길 것 없어 딱 보니까 잘 어울리는 한 쌍의 원앙새 같네."

"……."

만수 삼촌은 아니라고 말해야 되는데 이상하게 그 말이 입 밖으로 나오다가 어딘가 걸려서 나오지 않았습니다.

아가씨도 마찬가지로 굳이 아니라고 얘기를 안했습니다.

"아주머니, 업은 아기 저를 주세요. 집까지 업어다 드릴게요."

"그렇게 예쁜 옷을 입었는데 아기 업으면 옷을 다 버릴 텐데 어떡하지?"

"괜찮아요. 옷은 어차피 집에 가면 빨아야 될 텐데요."

"아기가 꽤 무겁지요? 조금만 업고 가다가 날 줘요."

"걱정하지 마세요. 업고 가다가 무거우변 이 사람 주면 돼요."

아가씨는 이렇게 말하며 만수 삼촌을 보며 씩 웃었습니다.

만수 삼촌도 아가씨의 웃음을 받아 씩 웃었습니다.

"네 그렇게 하세요. 조금 가다가 제가 업고 가겠습니다."

그렇게 말하자 아기 엄마는 의미 심상하게 웃으며

"자기들 아기 갖고 싶은 거지?"

"……."

만수 삼촌과 아가씨는 대답은 안하고 서로 보며 씩 웃었습니다.

그런데 만수 삼촌은 아가씨가 꾸밈없이 웃는 그 소박한 웃음이 달밤에 핀 박꽃처럼 아름답게 가슴을 쳤습니다.

만수 삼촌은 가슴이 두근두근 뛰었습니다.

무엇인가 가슴 가득 다가오는 것이 느껴졌습니다.

아기 엄마는 등에 업힌 아기를 내려 아가씨에게 업혔습니다.

아기를 업은 아가씨의 모습은 무척 어색해 보였습니다.

"크크크."

만수 삼촌은 아기를 업은 아가씨의 모습이 우스워서 그만 소리 내며 웃고 말았습니다.

"왜 웃어요?"

"잘못했어요."

"왜 아기 업은 내 모습이 안 어울려요?"

"아니요, 아주 잘 어울려요. 마치 아기 엄마가 된 각시 같아요."

"누가 누구 각시 같단 말이요?"

"……."

아가씨는 눈을 흘기며 만수 삼촌 머리를 쥐어박았습니다.

그러나 만수 삼촌은 아가씨가 쥐어박은 손길이 아프지 않고 정다웠습니다.

분명 맞았으나 기분이 좋았습니다.

아니 행복했습니다.

마치 아가씨가 각시처럼 느껴졌습니다.

그리고 아가씨가 업은 아기가 자기 아기처럼 귀여워졌습니다.

만수 삼촌은 아가씨가 업고 있는 아기의 손을 만졌습니다.

작고 보드라운 아기손이 너무 귀여웠습니다.

"깍궁."

만수 삼촌은 아기 손을 흔들며 깍궁을 했습니다.

아기가 알아보고 방긋 웃었습니다.

아기가 천사 같았습니다.

너무 신기했습니다.

"자기야 아기가 웃었어."

"그래요 아기가 참 귀엽지요?"

"너무 귀여워요. 우리도 이렇게 귀여운 아기 갖을까요?"

"……."

"나도 아기 아빠가 되고 싶어요."

"……."

만수 삼촌은 자기도 모르고 자꾸만 이야기 하는데 아가씨의 대답은 없었습니다.

"자기야 왜 대답이 없어."

"아니 누가 자기의 자기야?"

"아, 잘못했어요. 내가 깜박 착각했나 봐요."

"조심하세요."

"네, 네. 앞으로 조심할게요."

만수 삼촌은 자기도 모르게 실수한 것이 아가씨에게 정말 미안해서 사과했습니다.

"두 사람 아직 약속한 사이가 아닌 모양이네."

"……."

옆에서 지켜보던 아기 엄마가 웃으며 말했습니다.

"두 사람 잘 어울릴 것 같아요. 아기 좋아하고 남 도울 줄 알고 착해 보이고 젊고 건강하고 두 사람 만나서 살면 행복할 것 같네요."

"……."

만수 삼촌과 아가씨는 대답을 못했습니다.

대답을 못한 것은 아니라고 말할 자신이 없어서였습니다.

세 사람은 아기와 함께 봉계 마을 향해 걸었습니다.

"우리 질러가는 길로 가요."

아기 엄마가 질러가자며 앞장서서 개울을 끼고 난 둑길로 걸어갔습니다.

만수 삼촌은 아기를 업고 가는 아가씨가 자꾸만 어색하고 힘들어 보였습니다. 아가씨의 힘든 것을 대신하고 싶었습니다.

"아가씨, 힘들죠? 아기 내가 안고 갈게요 이리 줘요."

"그렇게 해 줄래요. 힘 좋은 자기가 아기를 안고 갈래요?"

"그렇게 해요."

"어머, 조금 전에 내가 자기라고 말한 것 같은데…… 미안해요."

"아니요, 나도 아까 말실수 했는데요 뭐."

만수 삼촌과 아가씨는 말실수 한 것을 사과하며 쑥쓰러운 표정을 지었으나 자기란 말을 자기도 모르게 하고 들은 것이 왠지 즐거웠습니다.

만수 삼촌은 아기를 안고 아가씨는 젖병가방과 기저귀 가방을 들고 개울 둑길을 걸어갔습니다.

마치 정다운 신혼부부가 나들이 가는 모습처럼 정답고 잘 어울리는 모습이었습니다.

"두 사람 잘 어울리는 한 쌍의 부부 같네. 멋지고 아름다워요."

"아주머니도 별 말씀을 다 하시네요."

"아니야, 정말 남 같지 않아."

아기 엄마는 의미 있는 눈길로 두 사람을 보며 놀려댔습니다.

두 사람은 이상하게 아기엄마의 그런 놀림이 싫지 않았습니다.

아기네 집은 버스 터미널에서 꽤 멀리 있었으나 같았으나 만수 삼촌은 하나도 지루하지 않았습니다.

아마도 예쁜 아가씨와 같이 있기 때문인지 모릅니다.

드디어 아기네 집에 다 왔습니다.

"여기가 우리 집이야. 잠깐 들어와서 차 한 잔 마시고 가."

"네."

아기네 집은 개울가에 있는 오래 되고 낡은 기와집이었습니다.

만수 삼촌이고 아가씨는 아기 엄마를 따라 방으로 들어갔습니다.

"방이 엉망이야 아기 둘을 키우니까 치우고 정리를 해도 금방 이렇게 어수선하게 되고 말아. 두 사람 이해해줘."

"네 괜찮아요."

아기 엄마는 부엌으로 가서 커피를 타서 쟁반에 담아 주었습니다.

"커피가 입맛에 맞게 타졌는지 모르겠네."

"커피 맛이 아주 좋은데요."

"그래요 커피 맛이 아주 그윽하고 부드러운 것이 꼭 아주머니 인상과 똑같은 느낌이 들어요."

"공연히 그렇게 칭찬해 줄 필요는 없어."

"정말입니다."

정말 어둡고 어수선하고 아기 냄새가 풍기는 방에서 아기엄마가 타준 커피를 먹으면서 두 사람은 아주 깊은 아늑함과 편안함을 느꼈습니다.

흔들리지 않는 보통 사람들의 행복이 담긴 낮은 삶의 바탕이 여기에 숨겨져 있는 것이 부럽기까지 했습니다.

커피를 먹고 두 사람은 그 집을 나서 개울가 둑길을 나란히 걸었습니다.

"아기가 참 예쁜 것 같아요."

"아기들은 다 예뻐요. 그래서 아기가 있는 아빠 엄마는 아무리 어려워도 행복한가 봐요."

"오늘 아기를 안아보니까 나도 빨리 결혼해서 아기 아버지가 되고 싶어졌어요. 아가씨는 그런 마음 없었어요?"

"……."

"아기를 낳으면 착한 아버지가 될 것 같아요."

"아기 엄마가 될 사람 있어요?"

"아니요. 아가씨같이 아기를 좋아하는 사람 만나고 싶어요."

"지금 만나고 있잖아요."

"그러면 우리 좋은 아빠 좋은 엄마가 되기 위해 또 만날까요?"

"……."

아가씨는 대답 대신 말없이 웃었습니다.

만수 삼촌은 손을 내밀었습니다.

아가씨는 만수 삼촌의 손을 받아 잡았습니다.

손을 잡고 개울 물소리를 들으며 걷는 두 사람은 행복하기만 했습니다.

좋은 아빠 엄마가 돼서 둘이서 아기의 양손을 잡고 이렇게 졸졸 거리는 시내 물소리를 들으며 흙으로 된 개울 둑길을 걷는 앞날을 그려보았습니다.

두 사람은 이런 작은 행복한 꿈을 가슴에 담고 푸른 하늘을 아련히 바라보며 아주 만족한 미소를 머금고 마냥 걸었습니다.

좋은 아빠 좋은 엄마가 되는 것이 두 사람이 만나는 까닭이었습니다.

겸손하고
성실한
동화작가

이주영

박상규 동화작가는 문단에서 주목을 받는 사람은 아니다.

그러나 박상규의 동화를 읽고 감동받고 행복해하는 어린이는 많다.

박상규는 평론가의 평가보다 어린이 독자들의 사랑을 더 소중하게 여기며 동화를 쓸때는 오직 어린이만을 생각 한다.

박상규와 같이 오래 단체 활동을 한 사람들은 그의 참됨과 성실함과 꾸준함과 변함없는 인간성을 안다.

박상규는 언제나 겸손해서 남 앞에 잘 나서지 않는다. 자기의 주장을 옳다고 끝까지우기지 않는다.

박상규는 모나지 않는 성격으로 여러 사람과 두루 친분을 유지하며 말없이 나름대로열심히 작품 활동을 꾸준히 하는 작가다.

박상규는 두 번씩이나 신춘문예에 동화가 당선된 전통파 작가이며 실력이 탄탄한 작가다.

박상규는 오직 동화 쓰기만을 고집한다.

그래서 아동문학가란 말 대신 동화작가로 불리기를 희망한다.

어린이 문학도 자기의 장르를 지키며 집중적 작품을 쓸 때 더 좋은 작품을 낳을 수있고 다른 사람으로부터 인정을 받는다고 생각한다.

박상규는 혼자서 문학 공부를 하고 혼자 힘으로 등단했다.

박상규의 지나온 삶의 모습과 그가 써낸 동화의 모습이 많이 닮았다는 것을 쉽게 느끼게 된다.

박상규는 남한강이 흐르고 산으로 둘러싸인 농촌에서 자라며 자연의 아름다움 속에서 가난하게 살아왔다.

1937년에 태어나 일제 강점기에 초등학교에 들어가서 얼마 안 돼 1945년 8·15 해방을 맞았고 초등학교를 졸업 무렵 1950년 6·25 전쟁을 맞았다.

3·15 부정 선거, 4·19 혁명, 5·16, 쿠데타 등 민족의 수난사를 직접 경험하고 살아온사람이다.

초등학교 다니며 짚신 신고 지게 지고 산에 가서 땔 나무도 하고 물지게를 지고 남한 강 물을 길러 나르기도 하고 농사일도 하며 자라난 박상규는 별다른 꿈도 꾸지 못했다.

대부분 농촌 아이들은 농사를 짓고 사는 농부가 되는 것을 대물림의 미래를 숙명적으로 받아드릴 생각에 동화작가가 되는 꿈은 꾸지 못했다.

박상규가 농부 이외의 꿈을 꾸게 된 것은 고향을 떠나 삶의 터전을 충주로 옮기고부터 싹트게 되었다.

홀어머니는 아들을 농부로 만들기 싫어서 논밭을 팔아 충주에 있는 사범 학교에 입학 시켰다.

사범 학교는 공부는 잘하나 돈이 없어 대학 진학을 포기할 수밖에 없는 학생들이 모여 초등학교 교사가 되는 교육을 받는 학교였다.

가난한 박상규는 책 읽는 것 외의 다른 취미를 가질 수 없었다. 박상규는 책을 읽기 위해 학교 도서관을 관리하는 도서 반으로 들어가서 학생들에게 책을 빌려주고 반환한 책을 정리하는 일을 했다.

남보다 일찍 학교에 가서 도서관 문을 열고 열심히 일하는 박상규는 선생님으로부터 성실성과 책임감을 인정받아 마침내 학교 도서관 열쇠를 맡게 됐다.

학교 도서관의 많은 책은 박상규의 책처럼 마음대로 골라 볼 수 있게 되었다. 대학 진학 공부를 하지 않아도 되는 사범 학교에 다니는 박상규는 도서관에 있는 소설책을 마음대로 읽어도 부담이 없었다.

박상규는 날마다 도서관에 있는 소설책을 읽고 또 읽었다.

박상규는 소설을 읽으며 소설가가 되고 싶은 꿈을 꾸게 되었다.

그래서 소설책을 읽으며 잘된 문장이나 심리묘사나 감동적인 장면을 그린 글을 노트에 옮겨 적었다.

그리고 짧은 콩트를 쓰기 시작했다.

해마다 하는 충청북도 학생문예 공모에도 콩트를 응모하면 꼭 우수한 성적으로 입상해서 전교 조회 때 조회대에 올라 칭찬 받고 상을 받아 문학 지망생으로 전교생에게 알려졌다.

학교에서는 해마다 학생들의 글을 모아 책을 내는 교지의 편집일도 하고 학교 신문 제작 일도 맡으면서 콩트를 실으며 잘 쓴다는 인사를 수 없이 받곤 했다.

박상규는 자기 글을 시험해 보기 위해 〈학원〉이란 학생 잡지에 투고 하면 좋은 평과 함께 독자 문예란에 실리곤 했다.

그래서 박상규는 소설가가 될 수 있다는 자신감을 갖게 됐다.

소설가가 되고 싶은 꿈은 사범 학교를 졸업하고 초등학교 교사 발령을 받고서도 이어졌다.

교사가 되어 봉급을 타면 문예지 〈현대문학〉을 사서 탐독했고 민중서관에서 발행한 36권이나 되는 한국문학전집을 할부로 구입해서 밤낮으로 읽으며 습작을 게을리하지 않았다.

원고지는 초를 입힌 원지를 줄판에 400자를 쓸 수 있는 원고지를 직접 철필로 그려서 등사 롤러로 미는 프린트기로 만들어 썼다.

손수 만든 원고지를 두툼하게 묶어 책을 만들어서 잉크를 찍어 쓰는 펜으로 날마다 습작을 했다.

박상규는 그렇게 열심히 소설 공부를 하다가 어느 날 갑자기 회의를 느꼈다.

어린 학생을 가르치는 교사가 성인의 진한 사랑을 그리고 인생의 밑바닥 삶을 그려내는 소설이 세상에 나왔을 때 교육계나 학부모나 그 밖에 아는 사람들이 어떻게 볼까 하는 생각이 들었다.

소설보다 어린이도 읽고 어른도 읽을 수 있는 동화를 쓰는 것이 더 좋지 않을까 하는 생각을 하게 되었다.

아름다운 시골 풍경 천진난만한 아이들이 바로 동화인데 교사로 경험하기 힘든 갖가지 남녀 사랑이나 인생의 고뇌를 억지로 그리는 어려움에서 벗어나고 싶어졌다.

그래서 박상규는 소설 공부 대신 동화 쓰는 공부를 하기로 마음을 바꿨다.

그때만 해도 어린이 문학을 하는 사람도 많지 않았고 우리 어린이 문학 작품을 읽는 어린이도 별로 없었다.

그러나 박상규에게 문학은 바로 생활이고 존재의 의미로 홀로 읽는 일과 쓰는 일을 일상처럼 했다.

박상규가 쓰는 동화는 소설 공부를 오래한 탓에 다분히 소설적이다.

사실적이며 인물 및 심리 묘사 구성 진행 주제를 담는 기법이 소설과 아주 닮았다. 그래서 어린이 소설로 현장감과 박진감과 감동의 강도가 높은 작품이 많다.

박상규는 어린이가 읽는 작품에는 형식이 그렇게 중요하지 않다고 생각한다. 소설 같이 사실적으로 묘사를 잘하는 작가는 그렇게 쓰고 환상적으로 추리를 잘하는 작가는 그렇게 써서 어린이들의 가슴에 좋은 마음의 양식을 간직하게 해주면 된다고 생각한다.

작가 어린이가 더 쉽게 이해할 수 있도록 친절을 베풀고 배려를 해도 작품의 흠이 되는 것은 아니다.

어린이가 재미있게 읽고 진실을 전달 받아 정서적인 감성과 바른 인격을 형성하는데 늘 먹는 밥 같은 역할을 하는 동화라면 좋다고 생각이다.

박상규는 1966년 처음으로 〈충청일보〉 신춘문예 동화 부문에 응모해봤다.

응모자가 별로 없어서인지 무난히 당선됐다. 그때 상금은 3000원이었다.

충청일보가 지방신문이어서 그런지 아무도 신춘문예 당선을 알아주지 않았고 원고 청탁 하는 곳도 하나 없었다.

그래서 기왕이면 중앙 일간 신문 신춘문예에 도전해서 실력을 평가받고 싶어졌다.

1980년에 3년 동안 연속으로 신춘문예에 도전하기로 마음을 먹었다.

신문에 나는 응모 요령을 모조리 오려서 책상 앞에 붙여 놓고 그에 맞는 작품을 쓰기 시작했다. 첫해에 원고지 30매 분량 3편과 50매 분량 2편을 썼다.

30매 분량은 〈한국일보〉에 응보하고 50매 분량은 〈서울신문〉에 응모했다.

그 원고를 쓰고 고치고 원고지에 몇 번 옮겨 쓰느라고 일 년을 고스란히 다 바쳤으나 첫 번째 도전이라 당선의 꿈은 감히 꾸지 못하고 발표만 애타게 기다렸다.

그러던 중 〈서울신문〉에서 당선 소식을 전화로 전해왔다.

박상규는 세상에 나와서 그렇게 기쁜 소식은 처음 받아왔다.

3년 계획으로 시작한 일을 첫 해에 이룬 것이 너무 너무 기뻤다.

그래서 신춘문예 당선 소감을 "아! 좋다." 이렇게 시작했다.

이 당선 소감을 읽은 어느 분이 신춘문예에 당선되면 그렇게 좋으냐고 묻고 자기도 그런 기분을 한 번 맛보고 싶다고 편지를 보내왔다.

중앙 일간지에서 신춘문예 당선은 지방 일간지와는 완전히 달랐다.

원고 청탁이 여기저기서 왔고 독자의 축하전화가 매일 몇 통씩 오고 지방 방송국에서 작품을 송두리째 읽어 소개 해줬다.

라디오 방송으로 작품을 들은 아는 사람들이 참 잘 썼다. 눈물이 나더라 하며 격려를 아끼지 않았다.

박상규는 그래서 더욱 어린이 문학에 매료되어 열심히 쓰면서 확고한 어린이 문학에 대한 외길을 걷기 시작했다.

교사 생활을 하면서 승진의 유혹을 떨쳐버리기란 참으로 어려운 일이다. 승진을 하려면 여러 가지 점수를 따야한다. 그중의 하나가 연구논문을 쓰는 일이다.

교장선생님과 교감선생님이

"박선생님은 글을 잘 쓰니까 연구논문도 잘 쓸 수 있을 겁니다. 연구논문을 써서 점수를 따 놓으면 승진을 빨리 할 수 있습니다."

이렇게 승진하는 방법을 일러 주었으나 박상규의 생각은 달랐다.

동화는 오래 남을 작품이지만 연구논문은 일시적이란 생각이 들었다. 그리고 연구논문을 쓰는 시간이 아까웠다. 연구논문을 쓴다면 동화를 쓰는 시간과 생각을 뺏기는 일이라 생각하고 아예 승진하는 것을 포기했다. 승진해서 어린들과 함께하는 시간을 뺏기고 싶지 않아서였다.

그런 신념은 박상규는 교직생활 42년을 하는 동안 변함이 없었다.

그래서 결국 평교사로 퇴직을 했다.

그러나 박상규는 승진하지 않고 퇴직하는 날까지 담임 교사로 어린이 곁에 있다가 나온 것을 한 번도 후회하지 않았다.

어떤 사람은 박상규의 그런 자세가 진정 어린이를 위하는 동화작가의 참 모습이라고 격려해 주기도 했다.

박상규의 이런 태도는 어린이 문학을 하면서도 변함이 없었다.

문학을 하다 보면 여러 가지 상에 대한 유혹도 만만치 않다.

그러나 박상규는 오랜 문단 생활을 하면서도 그 어떤 문학상도 타 본적이 없다. 문학상을 타게 해달라고 부탁해본 적이 없다.

그럴듯한 이름의 문학상을 탄 사람들의 작품도 그렇고 그런 것이기에 문학상이 어린이 문학 문학 수준과 동일한 것이 아닌 것을 잘 알기 때문에 문학상을 탄 것을 큰 자랑 거리로 여기는 사람을 도리어 우습게 보는 사람이 바로 박상규다.

그렇다고 자기 자신이 퍽 글을 잘 쓴다고 생각하지 않는다.

인간적으로는 겸손하지만 자기 나름대로 쓴 작품에 대해서는 속으로 자부심을 갖고 있다.

그런 생각 그런 삶이 바로 박상규의 신앙이다.

박상규에게 있어 어린이 문학은 종교다.

그래서 박상규는 어린이 문학을 아주 소중히 여기고 있으면 일반 문학과 똑같은 수 준으로 평가 받아야 한다고 생각하고 있다.

그래서 문학이 예술이면 어린이 문학도 분명히 예술이라고 주장한다.

모든 예술은 아름다움을 간직하고 있기에 어린이 문학의 기본은 아름다움에 두어야 된다고 생각한다. 아름다움은 보기 좋은 것이 아니며 아름다움의 본질은 진실이라고 주장하고 있다.

예술가는 아름다움을 창작으로 표현하고 감상하는 사람은 예술가가 표현한 아름다움 을 만나는 것이기에 어린이 문학을 하는 사람도 아름다움을 작품에 담아 독자인 어린 이가 아름다움을 만나도록 해야 된다고 말한다.

어린이 문학을 하는 사람은 예술가다. 예술가는 예술가의 정신을 가져야한다. 예술 가는 자부심을 가져야 한다. 어린이 문학을 하는 사람이 예술가의 자부심을 가질 때 비 로소 어린이 문학은 진지해지는 것이다.

어린이 문학은 좀 더 진지해져야 어린이 문학 수준이 높아지고 여러 사람으로부터 인정을 받게 된다고 생각하고 있다.

박상규는 어린이 문학을 너무 쉽게 또 가볍게 생각하고 시작하는 사람이 많고 예술이 뭔지 문학이 뭔지 잘 이해하지도 않은 상태에서 작품을 써 보려고 덤비는 사람이 많은 것을 무척 걱정하고 있다.

예술은 인간의 정신세계를 다루는 고도의 정신적 작업이고 어린이 문학은 더 정성을 드려 섬세하게 작업을 해야 한다.

그런 점에서 어린이 문학을 하는 사람은 성인 문학을 하는 사람과 능력 면에서 차이가 있어서는 안 된다.

어린이 문학을 하는 사람이나 성인 문학을 하는 사람은 창작 능력이나 작가 정신에서 차이가 있는 것이 아니라 다만 읽히는 대상이 다를 뿐이다.

같은 옷감을 가지고 어른에 맞게 옷을 지으면 어른 옷이 되고 어린이에 맞는 옷을 만들면 어린이 옷이 된다.

같은 음식 재료를 가지고 어른이 먹는 음식을 만들면 어른 음식이 되고 어린이가 잘 먹도록 만들면 어린이 음식이 되듯 어린이 문학도 그렇게 이해하면 쉽고 그렇게 생각하면 어린이 문학을 하는 태도도 더 진지해 질 것이다.

어린이 문학을 하는 사람도 성인 문학을 할 수 있는 능력은 있지만 어린이를 사랑하는 마음이 남다르기 때문에 어린이 문학을 하고 있다는 생각을 가지고 열등감 대신 자부심을 가져야 된다.

요즘 어린이가 입는 옷을 옷감도 좋은 것으로 골라 쓰고 디자인도 세련되고 바느질도 정성을 다해서 만들고 있다. 그리고 옷값도 어른 옷 못지않게 비싸다.

어린이가 먹는 음식도 마찬가지다.

어른들 먹는 음식 보다 더 좋은 재료를 써서 더 맛있게 더 영양가 있게 더 보기 좋게 만들어 어린이들이 기쁘게 먹고 건강하도록 배려한다.

어린이 문학도 이렇게 해야 한다.

어린이 문학을 하는 사람은 먼저 자부심을 가져야 한다.

성인 문학을 하는 사람에 비해 결코 뒤지지 않는 자세로 문학을 해야 한다.

문학이 예술이라면 어린이 문학을 하는 사람은 예술가이다.

예술가라는 자부심으로 어린이를 위해 쓰는 작품은 예술을 창작한다는 자세로 좀 더 진지하게 좀 더 성의를 다해서 좀 더 매만 지고 좀 더 가치 있는 작품을 완성해서 세상에 내 놓아야 한다.

문학은 예술의 꽃이고 예술의 핵심이고 모든 예술의 밑바탕이 되는 쌀이라고 한다.

그러므로 어린이 문학도 어린이를 위한 예술의 가장 핵심이어야 한다. 어린이 문학은 어린이의 정신세계를 다루는 작업이기에 어떤 일보다도 정교해야합니다. 무엇보다도 순수해야합니다.

그러기에 어린이 문학을 하는 사람은 작품을 쓰기 전에 어린이에 대한 생각이 확고해야하고 자기 나름대로 어린이 문학관을 뚜렷하게 가지고 누구의 말에도 흔들림 없이 자기 나름대로의 작품을 창작해야 한다.

평론가들의 평가에 너무 흔들려서는 안 된다.

작가마다 아동관과 문학관은 달라야 한다. 그래서 작가는 개성이 강해야한다. 그래야만 다양한 작품이 나오고 개성 있는 작품이 나와 문학 세계가 풍성해지는 것이다.

현재 우리나라 어린이 문학 문단에서 가장 부족한 것이 바로 이런 것 들이다.

어린이 문학을 시작하기 전에 어린이를 바로 보고 작가 정신을 뚜렷이 가지고 소신껏 자기 뜻을 펼쳐야 되는데 이런 정신적 준비가 없는 상태에서 한번 해 보겠다는 무모한 자세로 무조건 뛰어 들고 또 인정을 해 주니까 어린이 문학이 잘될 수 없는 것이다.

작가 정신이 약한 사람은 평론가가 조그만 지적을 해도 불안하고 흔들려서 이리 갔다 저리 갔다 갈피를 못 잡고 있는 형편이다.

작가는 평론가를 보고 글을 쓰면 안 된다.

어린이 문학을 하는 사람은 어린이를 보고 글을 써야한다.

어린이 문학하는 사람은 다양한 독서와 현실을 직시하는 눈과 상상의 날개를 펼칠 수 있는 머리로 글을 써야한다.

박상규는 어린이 문학을 하면서 어떻게 쓰느냐 보다 무엇을 쓰느냐를 두고 더 고민하는 사람이다.

박상규가 쓰고 싶은 것은 사람의 진심, 옳고 그름의 판단, 마음을 아름답게 하는 정서, 참다운 생각과 삶, 좋은 인격, 역경을 이겨내는 인내, 아름다운 사랑과 동심, 우리가 겪은 민족의 수난사, 작은 감동과 꿈과 행복, 어린이들의 꾸밈없는 삶, 소중한 것을 아는 지혜 등등이다.

박상규는 쓰고 싶은 것들을 아직 반도 못썼다.

박상규는 작품을 쓰기 위해서는 건강해야 된다는 생각에 운동을 열심히 하고 있다. 박상규는 운동을 하면서 정신적 피로는 몸으로 풀어야한 다는 사실을 깨달았다.

박상규는 문학을 한다고 특별하게 살거나 행동하는 것은 바람직하지 않다고 생각한다. 보통 사람들이 사는 것과 똑같이 살면서 정신적으로 남몰래 문학 세계 속에서 사는 것에 만족하는 것이 박상규의 생각이고 생활이다.

고향을 지키는
할아버지 작가
박상규

김녹촌

　박상규는 어린이 문학 원로작가다. 그러나 청년이다. 1937년생이니 지금 80을 넘어서고 있는데 여전히 글쓰기를 멈추지 않고 끊임없이 쓰는 그 의욕에 넘치는 모습을 보고 청년이 아니라고 할 수 없다.

　그는 1966년 충청일보 신춘문예에 동화 당선으로 등단을 하고, 1980년에는 〈서울신문〉 신춘문예에서도 동화가 당선하였다. 당시에는 등단의 관문이었던 신춘문예를 지방과 서울 신문에서 당선하였고, 1981년 첫 동화집 《고향을 지키는 아이들》을 출판하면서 주목받는 동화작가로 떠올랐다. 그로부터 지금까지 꾸준히 작품을 써서 단행본만 20여 권 냈고 지금도 계속 써서 몇 권 분량 원고를 쌓아두고 있고, 또 앞으로 쓰고 싶은 것도 많으니 그 창작 의욕이 대단하다. 그가 쓴 동화집을 대략 훑어보면 만만하지 않은 역정을 느낄 수 있다. 그러나 이렇듯 누구 못지않은 정도의 문학 입문 과정을 거치며 주목받을 만한 동화집을 내면서 꾸준히 글을 쓰고 있다.

1981 《고향을 지키는 아이들》(창작과비평사)

1983 《바람을 헤치고 크는 아이》(인간사)

1984 《그리운 고향 언덕 금성출판사)

1985 《개구쟁이 훈장》(햇빛출판사)

1986 《얼룩진 일기장》(인간사)

1987 《초대받지 못한 아이들》(종로서적)

1989 《별이 몰려온 마을》(대원사)

1990 《참나무 선생님》(산하)

1991 《바보와 바보》(산하)

　　　《벙어리 엄마》(창작과비평사)

1992 《불당골의 뻥튀기 소년》(웅진)

1993 《사장이 된 풀빵 장수》(산하)

　　　《오해받은 매미》(삼성출판사)

1999 《묘청》(파랑새 어린이)

2000 《바보춤》(사계절)

　　 《바람을 헤치고 크는 아이(복간)》(한마당)

2003 《선생님도 웃긴 방귀대장》(대동바지)

　　 《작은 천사들의 노래》(온누리)

2007 《어떤 나쁜 놈》(산하)

　그가 쓴 동화집을 대략 훑어보면 만만하지 않은 역정을 느낄 수 있다. 그러나 이렇듯 누구 못지않은 정도의 문학 입문 과정을 거치며 주목받을만한 동화집을 내면서 꾸준히 글을 써오고 있다. 이렇게 쉬지 않고 꾸준하게 작품을 써서 발표하고, 《고향을 지키는 아이들》, 《불당골 뻥튀기 소년》, 《사장이 된 풀빵 장수》, 《참나무 선생님》, 《바보춤》 같은 작품은 주목을 받을 만한 작품들인데도 평론으로도 다뤄지지 않고, 논란의 대상으로 부각되지도 않았고, 그 흔한 문학상 한번 받은 적도 없다. 참으로 시골에 묻혀 살면서 자기만의 창작 세계 속에서 작품만 열심히 쓰는 조용한 작가라고 할 수 있다.

　그럼에도 그의 첫 작품인 《고향을 지키는 아이들》을 30년 가까이 꾸준하게 독자들이 찾아서 읽고, 《참나무 선생님》을 비롯한 몇 가지는 수십 쇄를 넘어서고 있디　ㅁ 박상규 동화는 폭발적인 인기를 끌지는 않지만 그렇다고 독자들이 꾸준히 찾는 작품에 속한다. 이처럼 그의 동화는 유행을 타지는 않지만 꾸준하게 어린이의 사랑을 받고 있다. 그는 어떤 평론이나 상으로 포장되는 것보다 이처럼 어린이들이 자신의 작품을 읽어주고 사랑해 주는 것을 가장 큰 상으로 생각하며 만족하고 있다. 그래서 지금도 동심을 잃지 않고, 동화를 쓰면서, 시골에서 조용하면서도 치열하게 살고 있다. 청년 못지않은 창작열에 불타는 노익장이다.

　그의 작품 성격은 크게 세 가지로 나눠볼 수 있다.

　첫째는 농촌을 지키는 흙의 아이들에 대한 믿음이다. 첫 번째 동화집 《고향을 지키는 아이들》처럼 제목만으로도 그 뜻을 읽을 수 있다. 1970년대를 전후한 도시산업화로 산업구조가 개편되면서 농촌을 떠나 도시로 도시로 몰려가는 시대에 맞서 농촌을 지키면서 살아가야 한다는 것은 시대에 뒤떨어지는 모습으로 보일 수 있었다. 그러나 지금 현실을 보면 그것은 우리 겨레는 물론 인류가 살아남을 수 있는 '오래된 미래'를 꿈꾸는 작품이라고 할 수 있다.

　둘째는 그 시대에서 이뤄져야 할 바른 사회에 대한 소망이다. 1990년에 발표한 《참나무 선생님》이 그 대표작이라고 할 수 있다. 참교육 실천을 내세우며 전교조를 결성하는 현직 교사들에 대한 정부의 비정상적인 가혹한 탄압으로 교육현장이 소용돌이 칠

때, 그 시대현실을 현장에서 본 사실과 그 속에 담긴 진실을 어린이들한테 올바르게 보여 주기 위해, 어린이들이 올바르게 보기를 바라는 마음이 담겨 있다.

셋째는 어린이 사회에서도 약자인 어린이들에 대한 사랑이다. 2000년에 발표한 《바보춤》이 그 대표라고 볼 수 있다. 《초대받지 못한 아이들》과, 《바보와 바보》, 《벙어리 엄마》 같은 동화들은 그의 소외받는 어린이 가운데서도 소외받는 아이들에 대한 애정과 관심과 소망이 얼마나 진실한지, 그의 그 아이들 때문에 아파하는 그의 여린 마음을 느낄 수 있다.

그가 슨 작품들은 《묘청》을 제외하고는 모두 이 세가지로 분류할 수 있다. 물론 대부분 작품이 이 세 가지 덕목 중 한 가지를 조금 더 담고 있는가에 따라 분류할 수 있는 것이고, 적거나 많거나 그의 작품에서는 '우리 사회가 지켜야 할 농촌에 대한 믿음과 지향해야 할 시대에 대한 소망과 함께 살아야 할 소외받는 약자에 대한 사랑'이 담겨 있다.

그의 동화는 겉모습이 화려하지 않다. 표현이나 문체가 요란하지 않다. 시골 농부마냥 투박하고 진솔하고 낮은 소리다. 그러나 그 낮은 소리 속에 어린이들이 참이 무엇인가 깨닫게 하고, 잘못된 것에 대한 것을 바로 잡고 정의 편에 서서 분노하고 맞서는 이야기를 담고 있다. 그래서 박상규 동화는 코미디나 개그 같은 반짝 웃기는 재미가 아니라 진실을 알아가는 재미를 깨닫게 한다. 아름다움을 느끼는 정서적 만족감을 충족시키는 감동이 오래 가는 흐뭇함을 느끼게 한다. 처음 읽을 때는 좀 거칠고 투박한 농부의 손을 맞잡는 느낌이 들 때도 있지만 천천히 되새기면서 되풀이 읽다보면 어느새 사람의 체온 같은 은근하게 따뜻한 정을 느끼며 행복감에 젖어들게 하는 것이 그의 작품이 안고 있는 매력이고 재미이다. 그의 동화가 갖고 있는 아름다움이다. 박상규는 아름다운 것을 겉모습에 두지 않는다. 아름다움의 본질은 진실이라고 생각하기 때문이다. 그래서 그는 동화 속에 진실을 담으려 애쓰고 있다.

그는 초등학교 교사로 42년간 근무하면서 퇴임하는 날까지 학급 담임을 하면서 어린이와 함께 생활하면서 그 어린이들 생활을 진솔하게 동화로 그려냈다. 그는 어린이들의 생활을 관찰하고 날마다 어린이들의 일기를 꼼꼼히 읽으면서 어린이들이 살아가는 삶과 그 속에서 느끼는 다양한 마음을 찾아 그것을 동화로 살려냈다. 이렇듯 자기가 만나는 어린이들의 일상생활 속에서 소재를 찾고 주제를 담아 현장감이 살아있는 동화를 써왔다. 그래서 불쌍한 어린이들에게는 위안을 주고 사람의 따뜻한 정에 눈물 흘리며 감동하는 인간애를 많이 그려 독자의 가슴을 촉촉이 적셔주는 정서적 감정을 풍부하게 해 준다.

이오덕은 이런 박상규 동화를 일찍 눈여겨보고 높게 평가했다. 박상규 첫 동화집인 《고향을 지키는 아이들》도 이오덕이 1970년대 하반기에 기획했던 창작과비평사 '창비

아동문고'에서 발행한 것이고, 그 책의 발문까지 직접 썼다. 그 뒤로 발표되는 인간사, 산하, 햇빛출판사, 종로서적출판사에서 나오는 동화들도 대부분 이오덕이 그 출판사 어린이책 출판 기획이나 자문을 맡아주고 었던 시기에 해당한다. 이렇게 이오덕이 박상규 작품을 꾸준히 눈여겨보고 아껴준 까닭은 무엇일까? 오래된 작품 평이지만 이오덕이 왜 박상규에게 왜 그렇게 꾸준히 관심을 가지고 높게 평가해 주었는지 아는 데 도움이 될 것 같아 인용문으로는 좀 길기는 하지만 전문을 소개하고 싶다.

  박상규 씨는 동화로서 어린이들의 삶의 문제를 풀어 보려고 한다. 그는 황량한 현실 속에 내던져진 어린이들을 외면하지 않고, 건성으로 적당히 보아 넘기지도 않는다. 어린이들을 멀리서 바라보고 동심이란 것을 상상의 세계에서 미화하는 글재주꾼들과는 차원을 달리하는 작가다. 이 땅의 어린이들과 함께 살면서 그들의 마음 속 깊이 안고 있는 문제가 무엇인가를 꿰뚫어 보고, 그리하여 그들과 함께 괴로워하고 혹은 기뻐하는 가운데 얻어지는 지혜로운 생각을 바탕으로 하여 재미있는 얘기를 엮는 것이다. 여기서 교육적으로 해결해야 할 어린이의 문제는 그대로 동화 창작으로 해결해야 할 문학의 문제로 이어지고 있는 것을 본다. 교육자인 이 작가의 대부분 직품에서 어린이들에게 참된 지혜와 올바른 인식의 세계를 열어 보이려고 하고 좋은 습관을 들이고 착하고 용감한 행동을 몸에 붙여주고 짚어 하는 것은 너무나 당연하다. 어린이에 대한 작가의 이러한 염원은 어린이를 진정으로 사랑하면서 그들이 슬기롭게 살기를! 원하는 모든 부모와 교사들이 가지고 있는 염원과 완전히 합치한다. 그것은 아동문학을 창조하는 작가들이 그들의 문학이 설 기본적인 바탕으로서 당연히 가져야 할 인간적인 태도인 것이다. 이 작가의 동화에서는 이러한 참된 교육적 의도가 결코 생경한 교훈으로 드러나 있는 것이 아니고 어디까지나 독자들이 재미있는 이야기를 읽는 가운데 감동으로 받아들이도록, 즉 훌륭한 문학으로 승화되어 있다.
  어린이 문학은 교훈(물론 좀 넓은 의미에서의 교훈)을 지녀야 하는 문학이다. 어린이들에게 진실을 보여 주지 못하는 동화, 지혜로운 삶을 느끼게 하지 못하는 소설, 어른들의 오락에 지나지 않는 동시를 어린이 문학이라고 할 수 없다. 이렇게 볼 때 박상규 씨야말로 그 수가 많지 못한 우리 어린이 문학의 고전적 작가들 뒤를 가장 정당하게 계승하는 작가라 할 것이다.
  현실과 어린이 문제를 문학의 핵심으로 심고 있는 이 작가의 거의 모든 작품에서 진하게 풍겨 나오는 것이 인간에 대한 따뜻한 애정이다. 이 인간적 애정은 그 어떤 관념에서 만들어진 것도 아니고 값싸게 우러난 동정은 물론 아니다. 그 자신이 생리적으로 지니고 있는 듯 한 이 감정은, 또한 그 옛날부터 항상 일하면서 가난하게 살아온 이 땅의 수없이 많은 사람들이 본질적으로 그들의 몸속에 지녀 온 그것이다. 박상규 동화의 주인공은 언제나 가난한 사람이거나 일하면서 살아가는 사람들이 아니면 소아마비로 불구가 된 아이이거나 눈먼 소년, 정신박약아, 부모 없는 아이 등, 고난과 고통을 받는 사람으로 되어 있다. 이러한 불행한 사람들의 삶 속에 파고 들어가 그들과 함께 슬픔과 기쁨을 나누고 암흑을 헤치면서 빛을 찾으려고 하는 작가의 몸부림을 거의 모든 작품에서 발견하게 된다.

그러나 이 작가의 작품에서 무엇보다도 크게 주목되는 것은 농촌과 농촌 문화를 지키려고 하는 뜨거운 의지다. 우리 문화의 뿌리가 농촌에 있다는 것은 누구나 잘 아는 사실이다. 그런데 최근 우리 사회의 급격한 산업 구조의 변동으로 말미암아 도시로부터 밀려든 물질문명은 농촌 사람들로 하여금 그들이 본래부터 가지고 있던 생각과 생활을 부끄러워하게 하고 열등시 하고 천시하도록 하였다. 돈과 권력만을 지상에서 가장 중요한 것으로 숭배하는 풍조가 모든 사람을 지배하려고 하는 세상, 우리 문화가 뿌리째 뽑혀 버릴 위기에 놓여 있는 이러한 현실을 그 누구보다도 뼈아프게 직시하고 있는 이 작가는, 사라져 가는 흙의 문화를 시멘트 바닥에서 되살리기 위해 기계의 부속품으로 길들여지고 있는 어린이들에게 인간의 얘기를 들려주려고 혼신의 힘을 기울이고 있다. 아름다운 농촌의 자연과 인정과 생활 습관(그것은 결코 지나치게 미화된 것도 아니고, 귀족적인 소비 생활을 즐기는 이들의 취향을 위한 것도 아닌 것)을 감동적인 얘기로 들려주고 그러한 아름다운 자연과 인정과 생활이, 불순하고 저질적인 도시로 밀어닥치는 물질적인 힘에 짓밟히고 침해당하고 허무하게 사라져 가는 현실에 분노하고 있다. 그리하여 순결한 정신의 소유자인 어린이들이 불순한 외래적인 것에 맞서서 저들의 귀한 것을 지켜가 주기를 애타게 갈망하고 있는 것이다. 많은 작품에서 도시적인 것과 농촌적인 것이 대립되어 있는데, 앞의 것이 외래적인 불순한 것으로 되고 물질적이고 비인간적인 것으로 나타나 있는데 반해, 뒤의 것은 우리들 자신이 가졌던 것으로 정신적이며 인간적인 것으로 나타나 잘 대비되어 있다. 농촌에서 우리가 본래부터 가지고 있던 순박함과 아름다움을 지키는 일은 도시 문명을 비판함이 없이 효과적으로 이뤄 갈 수 없는 사실을 이 작가는 잘 알고 있다.

오늘날 도시의 편리한 생활에 젖어 있으면서 농촌을 마음속에 그리고 있는 사람은 너무나 많다. 그러나 이런 사람들은 거의 모두 농촌의 현실을 구조적으로 파악할 줄 모르고, 농촌이 지니고 있는 역사적 사회적 문제들은 걸러 내어 버린다. 그들의 생활은 도시의 소비성과 오락성에 중독되어 있는 것이다. 농촌을 관광의 대상쯤으로 알고, 도시에 부속되어 있는 부분으로 보고 있는 이런 태도는, 퇴폐성과 부도덕성을 필수로 지닐 수밖에 없는 비인간적인 태도라 하겠다. 놀랍게도 문학 작가들조차 그 대부분이 농촌을 목가적인 낙원으로 상상하는 것이 아니면 도저히 인간이 가서 살 수 없는 곳으로 알고 있다. 특히 어린이 문학계에서는 이러한 천박한 물질문명의 찬양과 숭배가 농촌 어린이들에게 열등감을 주입시키는 무서운 결과로 나타난다. 정말 어린이 문학이 가져 오는 역기능의 해독이 크다는 것을 통감하게 한다. 제발 어린이들이 읽지 말아 주었으면, 이런 것을 문학이라고 생각하지 말아 주었으면 싶은 동화나 동시가 너무나 많이 범 람하고 있는 것이다. 이런 상황에서 동화와 소설로 농촌 어린이들에게 진실을 일깨워 주려고 하는 박상규 씨의 문학적 업적은 아무리 높이 평가해도 지나치지 않다고 확신 한다.

여기서 동화의 소재와 문장에 대해서도 잠시 언급하고 싶다. 박상규씨 동화의 소재 는 지극히 평범한 일상 속에서 가져온 것들이다. 그것은 언제 누구든지 보고 듣고 겪 는 일들이다. 우리의 주변에서 무시로 되풀이되고 있는 일들을 단순한 말씨로 얘기하 고 있는 듯하지만, 그것은 어느새 꽉 짜여진 재미있는 얘기로 되고, 마지막에는 감동적 인 결말에 이른다. 교육자인 그는 교단에서 관찰하고 경험한 것을 동화의 소재로 삼는 일이 많은데, 이 경우에도 교직자이면 누구나 나날이 겪고 있는 범상의 일들이 그의 붓 끝에서는 신선한 얘기로 창조되고 있다.

이 작가의 문장은 조금도 허식이 없고 말에 낭비가 없다 어디까지나 산문 문자의 본 길을 걷고 있으며, 오늘날 허식적인 문체를 즐겨 유행처럼 모방하는 많은 작가들 가운 데서는 찾아보기 힘든 존재라 할 수 있다. 문장이 소박하고 명료한 것은 작품을 쓰기 위 해 쓰는 것이 아니고 문학을 하기 외해 하는 것이 아닌, 참된 작가 정신에서 연유하는 것이다. 이러한 문장은 어린이의 삶에 대한 관심과 애정, 역사와 시화에 대한 믿음이 저절로 나타난 결과다. 농촌의 자연과 농촌 생활의 리얼한 표현, 교단 생활의 한 토막 을 눈물겹게, 혹은 흐뭇하게, 때로는 저절로 웃음이 나오도록 그려 보이고 있는 것도, 그가 손끝으로 작품을 만들어 내지 않고 실로 그런 삶을 몸으로 살고 있기 때문이다.

나 자신이 감동하여 읽은 것과 같이, 박상규 씨 동화와 소설이 앞으로 우리 어린이들 에게 깊이 애독될 것을 확신한다. 그리하여 이 작가의 작품을 읽게 되는 모든 어린이들 이 순결한 인간의 세계를 자각하여 그것을 지키고 가꾸는 지혜로운 삶을 폼에 붙이게 될 것을 바란다. 문학에 실망한 많은 어린이들이 진정한 문학의 세계를 여기서 맛보게 된다면, 그들의 정신이 가뭄 끝에 내린 비를 만난 산천의 초목같이 무럭무럭 성장할 것 이니 이 얼마나 다행한 일인가. 오랜만에 좋은 작품을 대하게 되어 반갑고 기쁜 마음으 로 이 글을 썼다. (《고향을 지키는 아이들》, 창작과비평사, 1981, pp.314~318)

이오덕이 처음 본 박상규의 문학에 대한 평가는 30년이 흐른 지금도 그대로 유지되 고 있다. 그만큼 박상규는 작가로서 초심을 굳건하게 지키는 작가라고 할 수 있다. 그리고 자신이 몸담고 살고 있는 지역 역사와 문화를 살리기 위한 노력에도 관심을 갖고 있다. 충주 지역 동시작가인 권태응에 대한 연구와 권태응 문학 잔치를 꾸준하게 해 오고 있고, 올해는 계간 〈어린이문학〉 봄호부터 권태응 전기를 연재하고 있다. '고향을 지키는 아이들'과 함께 '고향을 지키는 할아버지'로 살아가는 그는, 오늘도 고향에서 차분하게 독서 하면서 글 속에 참됨을 찾는 어린이들한테 사랑받는 것을 가장 소중하게 여기며 고향에 대한 사랑과 긍지를 길러주는 이야기를 쓰고 있다. 이처럼 오늘도 변함없이 글을 쓰고 있는 박상규의 작품이 오랫동안 어린이들의 사람을 받을 것이란 믿음을 주고 있다.

어린이와 함께 선생이 걸어온 길

1937년 충북 제천시 한수에서 나서 자람.

중학교 때부터 충주에서 학창시절 보내고 여태까지 살고 있음.

제천군 한수 초등학교를 졸업함.

1951년 충주 사범학교 병설 중학교를 졸업함.

1955년 충주 사범학교를 졸업함.

1958년 시골 초등학교에 교사로 발령 받음.

교사 생활하면서 한국방송통신대학 초등교육과 제3회 졸업함.

충주시 문화상을 수상함.

1966년 〈충청일보〉 신춘문예 동화 당선됨.

시골 초등학교에 교사로 발령 받음.

1980년 〈서울신문〉 신춘문예 동화 당선됨.

42년간 교사 생활 마치고 퇴직함.

1999년 한국 어린이문학 협의회 회장 역임함.

2002년 계간 〈어린이문학〉 잡지 발행함.

2003년 충주시 문화상을 수상함.

한국작가회의 회원, 충주작가회의고문, 충주예성신문논설위원, 한국문화예술 저작권협회 회원, 충주전통문화회고문, 충주문인협회 회장, 충주작가회의 회장, 청주 과학 대학 문예창작과 강사, 충주시 문화예술 자문 위원,중원역사인물 기록화 추진 위원 등으로 활동함.

초등학교 6학년 2학기 국어(읽기) 교과서에 동화 〈덕주골의 세 아이〉 수록됨.

쓴 책

1981년 초판 《고향을 지키는 아이들》(창비)

1983년 《바람을 헤치고 크는 아이》(인간사)

1984년 《그리운 고향 언덕》(금성출판사)

1985년 《개구쟁이 훈장》(햇빛출판사)

1986년 《얼룩진 일기장》(인간사)

1987년 《초대받지 못한 아이들》(종로서적)

1988년 《따뜻한 사람》(인간사)

《별이 몰려온 마을》(대원사)

1990년 《참나무 선생님》(도서출판 산하)

　　　개정판 《고향을 지키는 아이들 발행》(창비)

1991년 《바보와 바보》(도서출판 산하)

　　　《벙어리 엄마》(창비)

　　　개정판 《따뜻한 사람》(도서출판 산하)

1992년 《불당 골의 뻥튀기 소년》(웅진 출판사)

1993년 《사장이 된 풀빵장수》(도서출판 산하)

　　　《오해받은 매미》(삼성출판사)

1999년 《묘청》(파랑새 어린이)

2000년 《바보 춤》(사계절 출판사)

　　　개정판 《바람을 헤치고 크는 아이》(한마당 출판사)

2003년 《선생님도 웃긴 방귀대장 도서출판》(대통바지)

　　　《작은 천사들의 노래》(온누리 출판사)

2004년 재개정판 《고향을 지키는 아이들 발행》(창비)

2007년 《피라미들은 알까 모를까》(도서출판 산하)

2009년 《감자꽃 시인 권태응》(지식산업사)

2015년 《신통방통 신기한 암탉》(우리교육)

한국 아동문학가 100인

박상재

인물론
동화작가 박상재와 아동문학평론가 박상재

작품론
'집'의 생태동화적 의미―박상재론

어린이와 함께 선생이 걸어온 길

동화작가 박상재와 아동문학평론가 박상재

이정석

1. 인간 박상재

　동화작가 박상재는 1979년 〈경향신문〉, 〈서울신문〉 등에 창작동화를 처음 발표하였으니 2021년 올해로 등단 42년이 된 셈이다. 그런데 지난 2009년에 그의 등단 30주년 기념으로 문집 《동화의 숲 환상의 샘》(청동거울)이 간행되었다. 이 문집 제3장 '내가 만난 작가 박상재'에는 아동 문단의 원로 문인, 동료 아동문학가, 선배, 제자 등 박상재와 인연을 맺었던 61명의 글이 실려 있다. 이재철, 신현득, 엄기원, 조대현, 강정규, 배익천 등 쟁쟁한 분들의 글이 보였다. 필자는 언젠가 그를 유머 감각이 뛰어난 외유내강형 아동문학가라고 칭한 적이 있는데 이 문집에 실린 인간 박상재에 대한 대다수의 평가는 필자의 일면적인 판단을 크게 뛰어넘었다.

　그는 바위를 닮은 묵직한 인상답게 무슨 일에 쉽게 화내거나 조바심하는 법이 없다.…… (중략) …… 내가 아는 한 그는 한 번도 얼굴 붉히거나 안달하는 것을 보지 못했다. 아무리 자존심 상하거나 시간에 쫓길 때라도 그는 여유작작하게 씩 웃으며 "세상일 다 그런 거지 뭐. 천천히 합시다"하는 식으로 매사를 여유롭게 받아넘기고 만다. 그럴 때 그의 모습은 마치 세상에 초연한 도사 같은 모습이다.
　– 조대현 〈과묵하고 신중한 언행에 신뢰감 높아〉 일부

　배짱 두둑한 특유의 넉넉한 여유, 분위기를 화사하게 만드는 돌연한 유머 감각, 탁월한 경영 능력……. 한 번도 조급함이 없이 마치 물이 고여 저절로 흘러넘치듯이 문제를 해결해 주시는 모습……. 너무나 배포만만 여유로운 것이 오히려 흠일까.…… (중략) …… 특유의 여유와 유머 감각으로 잔뜩 경직되어 있던 회의 분위기를 녹여주곤 하셨다. 일을 대함에 있어 선생은 실마리가 무엇인지 곧잘 파악해 내시는 분 같았다. 무리수를 두지 않고 순리에 따라 굳이 과욕하지 않는 선생은 내가 닮고 싶은 하나의 인간형이기도 하다.
　– 장성유 〈마카카 님, 안녕하세요?〉 일부

　시간과 장소를 막론한 어떤 상황에서라도 즐김과 누림을 이끌어 낼 줄 아는 사람이 풍류객이라 생각

한다. 신분의 틀을 깨고 자유로운 삶을 누빈 조선 최고의 풍류객이 백호 임제 선생이고, 삼천리 방방

곡곡 발 가는 곳이라면 어디든지 누비고 다닌 김삿갓도 둘째가라면 서러울 풍류객이다. 그리고 여기,

또 한 사람, 무엇을 위한 자리든 어떤 사람들과 어떤 상황에 있든 사람들을 술 한 잔을 사이에 두고

걱정과 고민에서 자유롭게 해 주는 웃음소리를 가진 박상재 선생님. 세상을 즐겁게 누릴 수 있는 넉넉

한 마음을 가진 선생님. 선생님이야말로 이 시대의 풍류객이라 할 수 있다.

  - 양정화 〈이 시대의 풍류객이십니다!〉 일부

   동화작가 조대현은 그를 세상에 초연한 도사라고 하였고, 동화작가 장성유는 배포만

만 여유와 유머, 순리에 따라 과욕하지 않는, 자신이 닮고 싶은 인간형이라고 하였으

며, 동화작가 양정화는 백호 임제, 방랑시인 김삿갓과 같은, 이 시대의 풍류객이라고

하였다. 그에 대한 육십 여 분의 대부분 평가는 단순히 공치사로 들리지 않는다. 우연

히 그를 만나서 대화와 술자리를 가지면서 알아낸 인상기는 아니었기 때문이다. 그와

함께 장기간의 일상적인 사무 처리, 대학원 강의, 해외 문학모임의 진행 등 언행과 일

추진력을 직접 겪으면서 내린, 객관성이 높은 평가라고 할 수 있다. 정리하자면 박상재

는 21세기 한국 아동 문단의 풍류객이자 초연 도사로 불러줘야 정확하다는 것이다.

   박상재는 타고난 동화작가이다. 지금까지 박상재가 출판한 순수 창작동화집은 단편

동화집 21권, 유년 동화, 그림동화 등을 포함하여 50권에 가까운 엄청난 양이다. 올해

도 놀랍게도 5월 기준 동화집 《잃어버린 도깨비》(아침마중)와 동화집 《할머니의 생각

시계》(나한기획)를 벌써 상재하였다. 또 그는 아동문학평론가로서 활동도 눈부시다.

1997년 단국대 박사 학위 논문 〈한국창작동화에 나타난 환상성 연구〉는 한국 현대 동

화의 환상성 연구로 그 방향에서는 최고 값진 성과물로 치고 있다. 이 박사 학위 논문

은 1998년 단행본 《한국창작동화의 환상성 연구》(집문당)로 간행되었다. 2002년에는

《한국 동화 문학의 탐색과 조명》(집문당)으로 방정환문학상을 수상하였고, 2016년에는

한국 동화 문학 작가 작품론 《한국 동화 문학의 어제와 오늘》(청동거울)로 이재철아동

문학평론상을 수상하였다. 필자가 이 글을 쓰고 있는 중 접한 큰 소식 하나는 한국 아

동문학평론에 새로운 바람을 일으킬 네 번째 평론집 《한국 아동문학 원형 연구》(가제)

라는 단행본을 5월 중에 《도담소리》출판사에서 발행한다는 것이다. 〈동화시의 견인차

백석의 삶과 문학〉, 〈정지용 동시에 나타난 망향과 민족의식〉, 〈조흔파 얄개전을 통한

재조명되어야 할 통속성과 명랑성〉 등 17편의 평론이 실릴 예정이라고 한다.

   박상재 동화 문학에 대한 연구도 꽤 많이 이루어져 있다. 석사 학위 논문으로는 이도

환의 〈박상재 동화의 특성 연구〉(단국대 대학원, 2003), 김숙의 〈박상재 판타지동화

에 나타난 동심 구현과 현실 비판에 관한 연구〉(광주교대 교육대학원, 2017), 박정미

의 〈박상재 동화 연구〉(단국대 대학원, 2017) 등 3편이 있다. 평론으로는 최명표의 〈동화의 환상성을 드러내는 방식—박상재론〉(《한국현대아동문학작가작품론Ⅱ》, 청동거울, 2001), 이정석의 〈박상재 동화 문학의 특성〉(〈아동문학평론〉, 2013, 겨울호)이 있고, 또 앞에서 언급한 등단 30주년 기념문집 《동화의 숲 환상의 샘》 제2장 '환상의 샘'에 실린 김종헌의 〈현실과 환상 세계의 자유로운 경계 넘기〉, 김용희의 〈단란한 가족의 의미와 따뜻한 관계의 아름다움〉, 김현숙의 〈판타지동화 장르에 대한 연구와 창작의 상호작용〉 등 20편의 평론과 서평이 있다.

박상재의 동화 문학 영역과 아동문학평론 영역에서 지금까지 발표되었던 여러 논의와 연구를 중심으로 이 글을 전개하고자 한다.

2. 동화작가 박상재

박상재는 타고난 동화작가이다. 그는 20년 전인 1991년 한국간행물윤리위원회가 한국갤럽조사연구소에 의뢰하여 실시한 어린이 독서경향 및 독서환경 실태조사 보고서에서, 선호하는 동시/동화작가 2위(1위는 안데르센이며, 국내 아동문학가로서는 1위임)에 뽑혔다. 그의 동화 중 〈춤추는 고양이〉와 〈장수골 만세〉, 〈겨울행진곡〉은 EBS 라디오 방송의 이 주일의 명작 프로그램에 드라마로 방송되기도 한 것이나, 또한 《춤추는 고양이》, 《허수아비가 된 허수아버지》, 《원숭이 마카카》 등은 한국 출판문화금고에서 펴낸 어린이들에게 권하는 책에 선정되기도 하였다.

동화작가 박상재라고 하면 아직도 그의 대표작 장편동화 《원숭이 마카카》를 언급하는 사람들이 많다. 인간중심의 문명에 던지는 비판과 풍자에 대한 메시지가 강한 동화(김경우, 2009)로 지금도 많은 독자들에게 사랑받고 있기 때문이다. 필자에게 박상재 하면 1984년 〈한국일보〉 신춘문예 당선작인 대표 단편동화 〈춤추는 대나무〉가 떠오른다. 이 동화는 의인화 수법을 적용한 우의적 환상동화의 모범을 보여 주고 있으며, 주요 등장인물은 대나무 숲의 왕대나무, 갓대, 얼룩대, 검정대, 바람, 참새떼 등 대나무와 참새라는 단순한 인물들로 매우 무거운 주제를 이끌어가고 있다. 대나무는 쓸모없다는 부정적인 면을 부각시키는 참새들의 사실적인 험담이나 그것을 반박하는 왕대나무의 논리적 대응도 재미있다. 그리고 발단과 결말에서 중심 사건의 관찰자로서 액자 역할을 해주는 할아버지가 꽃을 피우고 끝내 죽고만 갓대와 얼룩대를 활용해 통소와 연을 만들 계획을 세움으로써 그들의 꿈을 실현시키면서 사건은 완결된다. 이 동화에 대하여 이도환은 1980년대 민주화 운동의 시대성을 바탕으로 한 작품으로 박상재의 시대정신이 함축되어 있는 작품으로, 박상재 동화가 한국 아동문학의 흐름 가운데 개성적 자리를 확보한 증거라고 높이 평가(앞의 논문, 2003)하였다.

"하지만 꽃을 피우는 일은 얼마나 아름다운 일인 줄 아니? 마음속에 언제나 아름다운 꿈을 담고 그 꿈을 좇으며 살아가는 대나무는 나이와 관계없이 꽃을 피울 수 있단다."

"하지만 죽는다는 것은 무서운 일이어요."

퉁명스러운 검정대의 이야기를 듣고 왕대나무가 다시 이런 말을 했습니다.

"아름다운 꿈과 커다란 희망을 품고 자라는 대나무들은 죽음이 결코 두렵지만은 않단다. 죽음은 결코 끝이 아닌 걸."

그때부터 대나무들 중에는 아름다운 꿈을 가지고 자라나는 젊은 나무들이 생기게 되었습니다. 그중에는 키도 작고 볼품이 없는 갓대와 검은색의 아롱진 무늬가 예쁜 얼룩대도 있었습니다.

– 동화 〈꿈꾸는 대나무〉 일부

동화 〈춤추는 대나무〉에서 눈여겨볼 대목이다. 꿈과 희망을 품고 사는 대나무에게는 '죽음이 결코 끝이 아니라'는 왕대나무의 깊은 충고는 젊은 대나무들에게 큰 울림이나 감동으로 작용한다. 광주 민주화 운동 등 1980년대의 암울한 시대를 배경으로 삼았음을 알 수 있다. 많은 젊은이들의 죽음이 한국 민주주의 밑거름이 되었듯이 솔개 같은 새가 되고 싶은 갓대, 휘파람새와 같이 노래 부르고 싶은 얼룩대는 꽃을 피우고 죽음을 맞은 후 결국 할아버지 손에 의해 연과 통소로 만들어진다는 것이다. 참으로 발단에서 결말까지 단단한 서사 구조를 가진 작품임을 알 수 있다.

박상재 동화 문학의 특성에 대하여 이도환은 환상성 추구라는 동화 문학의 미학적 본질 함유, 시대와 문명에 대한 날카로운 비판 정신 내포, 자연친화적 소재의 채용으로 문학적 감흥의 항상성 유지 등 세 가지(앞의 논문, 2003)를 들었고, 박정미는 권선징악의 주제와 인과응보의 인과율 강조 등 전래동화의 차용, 변신 모티브 등 환상적 요소의 활용, 에코토피아 지향 등 생태주의 사상 세 가지(앞의 논문, 2017)를 들었으며, 김숙은 물활론적 세계관을 통한 동심 구현, 자연친화적인 인물을 통한 생태주의 구현, 동심 구현을 통한 현대 문명의 비판의식, 환상성을 통한 현실사회 비판 등 네 가지(앞의 논문, 2017)를 들었다. 김태호는 소년소설 《겨울행진곡》에 대하여 우리나라 산업화, 도시화되던 시기에 고향을 등지고 서울로 이주했다가 가족 해체를 당한 한 가족 이야기로 박상재 작품 중 부정적인 현실에 대해 중점을 두고 창작된 독특한 작품(〈박상재 아동소설 '겨울행진곡' 연구〉, 《한국 아동문학연구》 34호, 2018)이라고 하였다.

이 글에서는 필자의 평론(2013)에서 논의한 박상재 동화 문학 특성을 포함하여 ①전래동화 등 배경 이야기 등장, ②현실과 환상 세계의 연결 통로 활용, ③해학과 풍자, 언어유희 등을 구사, ④현대 문명이나 인간사회에 대해 통렬한 비판, ⑤생태주의 지향 등 다섯 가지로 재정리하고자 한다.

①낯익은 민담, 고대소설, 전래동화 등 꽤 많은 배경 이야기들이 등장한다는 점이다. 김종헌은 〈현실과 환상세계의 자유로운 경계 넘기〉에서 '특히 환상성이 짙은 동화는 현실과 환상 세계의 넘나듦이 자연스러워야 한다. 박상재는 이러한 고민을 옛이야기의 틀을 빌려 해결하고자 하였다.'라고 분석하면서 동화집 《꿈꾸는 대나무》에 실린 동화 〈우리 임금님〉, 〈진달래꽃〉, 〈삵괭이 야요〉 등은 주요인물의 캐릭터와 구성이 옛이야기의 그것과 유사한 점이 많다고 하였다. 그리고 동화집 《어른들만 사는 나라》에 실린 〈향기 나는 종소리〉에는 오래된 절에 사는 불심 깊은 진돌이라는 개가 등장하는데 화재가 발생한 절의 향기 나는 종소리를 지키기 위해 진돌이가 개울가에서 달려가 몸에 물을 묻혀 종 주변에 뿌려 종을 지키게 된다. 이 작품의 배경에는 불 속에서 잠자던 주인을 구하고 대신 죽은 충직하고 의로운 개, 전북 임실에 내려오는 고사 〈오수의 개〉이야기가 깔려 있음을 알 수 있다.

장편동화 《세상에서 가장 멋진 고양이》에는 만화영화 〈톰과 제리〉, 민담 〈개와 고양이〉, 고전소설 〈흥부전〉, 〈별주부전〉 등 여러 가지 배경 이야기들이 등장한다. 이 동화의 각 사건과 긴밀하게 깔려서 작품 전체를 관통하고 있는 배경 이야기는 〈톰과 제리〉라는 만화영화이다. 주인공 옹이가 이 만화영화를 수시로 인용하고 활용하여 때로는 자신의 꿈으로 승화시키기도 하고, 때로는 생쥐를 혼내주는 방편으로 쓰기도 한다. 또 민담 〈개와 고양이〉가 이 동화의 배경 이야기로 쓰였다. 생쥐 형제 쪼쪼, 쭈쭈와 관련된 사건에서 금목걸이 이야기가 나오는데 쪼쪼를 살리기 위해 금목걸이를 선물로 가져온 것과 민담에서 대장 쥐를 살리기 위해 푸른 구슬을 훔쳐 온 것은 동일한 형태의 이야기라고 할 수 있다. 그리고 고대소설 〈흥부전〉 이야기가 등장한다. 제비들과 고양이 옹이가 대화하는 중에 제비들이 옹이에게 흥부와 놀부 이야기를 직접 들려주는 대목이 나온다. 아울러 고대소설 〈별주부전〉이 배경 이야기로 나온다. 토끼를 잡아먹기 위해 마당 한쪽 토끼장으로 접근하는 족제비들이 고양이 옹이에게 토끼의 간을 함께 먹자고 권하는 장면이 나온다. 이때 줄에 묶여 있던 옹이가 기지를 발휘하여 족제비를 쫓아낸다.

②환상성을 획득하기 위해 현실 세계와 환상 세계를 연결할 때 일정한 통로를 이용한다는 점이다. 《개미가 된 아이》, 《그림 속으로 들어간 아이》, 《세상에서 가장 멋진 고양이》 등이 이에 해당한다. 《개미가 된 아이》는 변신 모티프를 활용하여 연결하고, 《그림 속으로 들어간 아이》는 그림을 통해 현실 공간과 환상 공간을 왕래하고 있으며, 《세상에서 가장 멋진 고양이》는 이종동물 간 동일한 언어 능력 구사로 환상성을 획득하고 있음을 알 수 있다. 《개미가 된 아이》에서는 주인공이 홀로 외로움을 이기지 못해 악행을 저지르는데 병든 암탉 양말 씌워 술래잡기 놀이하기, 풍뎅이 다리 자르기, 잠자리 꽁지 자르고 솔잎 끼워 날리기, 날개 달린 개미 날개와 다리 떼고 던지기 등 네 가지 악

행을 한 댓가로 벌을 받아 환상 세계로 연결되고 있다. 즉 개미 학대행위를 하고나서 수면상태로 있다가 주인공의 몸이 작아지며 개미로 변신하는 형태로 현실 공간에서 환상 공간으로 이동한다는 것이다. 최명표가 〈동화의 환상성을 드러내는 방식〉 글에서 '변신은 현실적 삶의 고달픔으로부터의 초월의 계기를 제공해주며, 인간의 복잡한 심리적 욕망 체계를 효과적으로 드러내는데 유효한 모티프로 기능하고 있다. 박상재는 여느 작가들처럼 두루 산포되어 있는 변신설화를 작품 속에 곧잘 차용하고 있다.'고 하면서 변신 모티프를 환상 세계로 들어가는 주요 통로로 활용하고 있음을 지적하고 있다. 전래동화 〈소가 된 게으름뱅이〉에서 게으름뱅이 소년의 변신과 닮아있고, 중국 고사성어인 남가지몽에서 순우분의 낮잠, 개미굴과도 관련이 있다고 할 수 있다. 《그림 속으로 들어간 아이》에서 현실 공간과 환상 공간을 연결하는 통로는 어떤 노인이 그려준 그림이다. 수몰지구 고향을 그리워하는 아빠, 그 아빠를 찾는 유나 이 두 사람은 그림을 통해 그림 속 마을 즉 비현실적인 아빠 고향 마을로 들어간다. 아빠는 혼자 있다가 살아있는 것으로 다가온 그림 속으로 들어가고, 유나는 그림 앞에서 퉁소를 불다가 그림 속으로 들어간다.

③해학과 풍자, 언어유희 등을 구사함으로써 재미를 배가시키고 있다는 점이다. 유머를 통해 웃음과 즐거움을 주는 해학의 장면이나 웃음 속에 날카로운 비판과 반성을 유도하는 풍자의 장면들이 상당히 많이 나타나 있다. 원유순은 동화집 《아빠 곁에 있을래요》의 서평을 통해 작가 박상재가 유머러스하다고 하면서 작가 특유의 기질이 작품 곳곳에 숨겨져 있어서 읽은 재미가 있었다고 적고 있다. 그러면서 아이들 별명으로 '여유미'는 육체미, '정장한'은 영국신사, '국기봉'은 애국자 등등으로 웃음을 자아낸다고 하였다. 황혜순도 〈아이들이 표현하는 떠남과 남음의 모순 그리고 삶의 역설〉이라는 글에서 일반적인 건조한 교훈이 아니라 캐릭터의 개성이 별명 등으로 살아 있고 유머스러운 대화는 작품에서 웃음을 이끄는 주요 동력으로써 작용하기에 작품의 인물들은 현실에서 친구 같거나 현실에서 더 생각나는 존재로 만들고 있다고 하였다. 아울러 박상재 동화 문학의 재미 면에서 가장 강하게 드러난 특성은 언어유희라고 할 수 있다. 장편동화 《세상에서 가장 멋진 고양이》에서도 동음이의어를 이용해 말장난을 하면서 사건을 재미있게 전개하고 있는 장면이 있다. 꿈(睡眠)과 꿈(理想)의 동음이의어를 이용해 카나리아와 대화를 재미있게 하는 고양이 옹이, 만화영화 주인공 '제리'와 사탕 '젤리'의 비슷한 발음 때문에 생쥐의 도둑질했던 과거의 행적이 들통난 장면, 서울지역 '강남'과 제비가 날아가는 '강남'을 구분 못하는 옹이의 재미난 말 등 여러 곳에서 동음이의어를 통한 언어유희를 보여 주고 있다.

④현실인식 속에서 현대 문명이나 인간사회에 대해 통렬한 비판을 가하고 있다는 점

이다. 이도환은 〈박상재 동화의 특성 연구〉에서 박상재 동화는 낭만주의를 취하면서 동시에 리얼리즘과도 연결되어 있다고 하면서 몇몇 작품이나 작품집에 대하여 다음과 같이 정리하고 있다. 《원숭이 마카카》에서는 인간중심으로만 흐르는 오늘날의 문명에 대한 비판을, 〈꿈꾸는 대나무〉에서는 산업화로 인한 전통 질서의 붕괴에 대한 비판과 민주화의 열망을, 《개미가 된 아이》와 〈꿀벌 삼총사〉에서는 노동의 신성함과 다층 구조로 되어 있는 사회현실을 말하고 있으며, 〈춤추는 고양이〉에서는 현대사회의 상업적 획일주의를, 〈그림 속으로 들어간 아이〉에서는 고향을 잃어버린 도시인들을 이야기하고 있다. 《세상에서 가장 멋진 고양이》에서도 여러 장면에서 탐욕에 눈이 먼 인간 군상, 자녀교육에 대한 과잉 열기, 이기적인 사람들, 인간의 재미를 위한 동물학대, 부자들의 사치, 고급 아파트 선호 등 현대 문명이나 인간사회에 대해 날카로운 비판을 가하고 있다.

⑤자연애와 생명존중 사상이 깔린 생태주의를 지향한다는 점이다. 박정미는 그의 논문에서 생태의식이 담긴 의인화 동화에 주목하였다. 의인화 동화는 자연이나 사물을 인격화하여 아동들에게 인간이 속한 자연과 함께 하는 삶의 의미를 깨닫도록 해준다는 것이다. 대표적 생태동화집 《술 끊은 까마귀》는 여러 종류의 동식물이 등장한다. 천연기념물로 지정 보호되는 흑두루미와 산양을 비롯해서 효조로 잘 알려진 까마귀, 다른 새의 둥지에 알을 낳는 뻐꾸기, 몸에 작은 검댕이가 묻은 것처럼 보여 이름 붙여진 굴뚝새 등을 주인공으로 내세워 생태에 관해 이야기한다. 또 박정미는 인간을 위한 일이면 무엇이든 허용이 되는 인간중심적 사고는 생태계를 급속히 파괴시켰다는 것을 밝히고 있다. 〈날아다니는 소나무〉의 소나무, 〈무지개 연못〉의 지렁이, 〈산양 메슬이네〉의 산양, 〈너구리 구름〉의 너구리, 〈그 늑대는 어디로 갔을까〉의 늑대는 모두 의인화된 주인공으로 인간의 이기심 때문에 살아갈 터전을 잃고 마는 존재들이라는 것이다. 생태주의자들이 궁극적으로 지향하는 낙원은 인간과 자연의 공생, 공존 및 상호의존이 실현되는 세계 즉 에코토피아이며, 이것이 바로 작가 박상재가 꿈꾸는 낙원이라는 것이다. 그리고 박상재의 생태동화는 작품 속 인물을 통해 자연도 고통 받을 수 있다는 공감과 소통을 이야기하고 있는데, 생태학은 더 이상 자연환경을 인간의 욕망을 극대화하는 도구로서가 아니라 생태학적으로 소통하면서 인간도 자연의 일부라는 인식에서 출발해야 함을 지적하였다. 박상재의 생태동화는 인간 중심적 사고의 비판과 아울러 모든 생명의 소중함까지 분명하게 전하고 있다고 할 수 있다.

3. 아동문학평론가 박상재

박상재는 아동문학평론가로서의 활동도 눈부시다. 한국 현대아동문학사에서 그가 남긴 가장 큰 공적은 1997년에 발표한 단국대 박사 학위 논문 〈한국 창작동화에 나타난 환상성 연구〉이다. 단행본 《한국창작동화의 환상성 연구》(집문당, 1998)로 간행된 이 저서에 대하여 앞의 기념문집 《동화의 숲 환상의 샘》에서 엄기원은 한국 아동문학사에 길이 남을 좋은 이론서라고 평가하였고, 조대현은 '우리나라 아동문학계에도 이제까지 판타지에 대한 연구논문이 꽤 여러 편 나왔지만 실증적 연구를 통해서 판타지의 유형을 이렇듯 명쾌하게 분류해 놓은 논문을 보지 못했다. 아마 앞으로도 오랜 기간 동안 그의 이 분류는 후학들이 판타지를 연구하는 데 유의미한 선행자료로 길잡이 역할을 하게 될 것이다. 그것만으로도 그는 한국 아동문학 발전에 크게 기여한 셈이 된다.'고 평가하였다. 또 재미 동화작가 최효섭은 이 논문이 아동문학계에 기여한 큰 공적일 것이며, 앞으로의 작가들이 지향할 방향까지를 제시한 좋은 논문이었다고 하였다. 이준관도 한국 창작동화의 환상성 연구에는 독보적인 존재라고 자리매김하였다.

박상재의 박사논문에서 가장 돋보이는 것은 앞 조대현의 언급처럼 동화의 기본인 판타지 즉 환상을 일목요연하게 분류하였다는 점이다. 한국동화에 나타난 환상의 유형을 전승적 환상, 몽환적 환상, 매직적 환상, 심리적 환상, 시적 환상, 우의적 환상을 분류하였는데, 전승적 환상은 옛날이야기나 전래동화에 나타나는 공상성이 풍부한 환상, 몽환적 환상은 가장 초보적인 방법으로 등장인물이 작품 속에서 꾸는 꿈(dre l)을 도입하는 환상, 매직적 환상은 요술이나 마술, 마법과 같은 신비한 힘이 도입된 환상, 시적 환상은 단순 명쾌성을 중히 여기는 아동문학의 특성에도 부합되는 것으로 문체의 장식적 요소로 많이 사용되고, 심리적 환상은 등장인물의 의식 세계에서 발현되는 공상의 세계는 물론 의식의 흐름까지도 포함되는 개념이라고 하였다. 특히 우의적 환상은 동식물이나 무생물과 같은 비인격체에 인격을 부여하여 의인화하는 수법이라고 하면서 현실을 초탈하는 상상 활동이 활발하게 되고 의인 대상에 대하여 상징적 감정 이입이 행해지며, 전래동화 및 현대 창작동화에서도 가장 많이 동원되는 것으로 오늘날 타장르의 수사법에도 보편적으로 상용된다고 하였다.

또 그는 환상의 특징을 다섯 가지로 나누어 제시하였는데 환상을 이해하는데 매우 유용한 내용으로, 첫째 환상은 꿈과 유사한 특성을 지니고 있고, 둘째 환상은 역동적인 힘을 가지고 있고, 셋째 환상은 언어의 주술력에 의해 창조되며, 넷째 환상은 비현실 속의 현실이라는 특이한 풍토에서 자라며, 다섯째 환상은 시공을 초월하여 존재한다고 하였다. 그는 환상동화의 가치나 효용성에 대하여 다음과 같이 진술하였다.

우수한 환상동화는 무한한 꿈의 실현과 상상력의 자유를 확대시켜 현실에 긍정적 변화를 준다. 또한 신비하고 경이로운 세계에 대한 간접 체험을 통해 감동과 삶의 활력소를 제공해 주기도 한다. 독자들이 경험하지 못한 경이의 세계는 그들을 감동시키게 한다. 이 경이는 현실에서 경험하는 것보다 상상의 세계, 공상의 세계에서 훨씬 더 즐겁게 느낄 수 있다.

– 박상재 〈한국 창작동화에 나타난 환상성 연구〉(박사 학위논문, 1997, p.14)

이 인용 글을 통해 환상동화는 현실에 긍정적인 변화를 주고, 감동과 삶의 활력소를 제공하며, 독자들에게 경이의 세계로 감동을 준다고 강조하고 있다. 요즘 생활동화가 대부분인 동화문단의 현실에서 동화작가의 상상력 빈곤을 탓하기보다는 박상재 환상동화를 나침판 삼아 환상성 회복 운동이라도 벌여야 하지 않을까 한다.

4. 환상동화 지킴이 박상재

지금까지 본론에서 동화작가 박상재와 아동문학평론가 박상재로 나누어 살펴보았다. 즉 동화 문학의 영역에서는 전래동화 등 배경 이야기 등장, 현실과 환상 세계의 연결 통로 활용, 해학과 풍자 그리고 언어유희 등을 구사, 현대 문명이나 인간사회에 대해 통렬한 비판, 생태주의 지향 등 다섯 가지로 정리하였고, 아동문학평론 영역에서는 그의 박사논문에서 핵심을 차지하고 있는 환상성에 대하여 집중적으로 검토해 보았다.

이준관은 기념문집(2009) 제3장 '내가 만난 작가 박상재'에서 박상재를 만능 재주꾼, 재치 만담의 재담꾼이라고 하였다. 그러면서 박상재의 환상성 면모에 대해 강조하는 이준관의 다음 글을 필자의 결론 삼아 인용하면서 이 글의 끝을 맺고자 한다.

박상재는 환상성 연구뿐만 아니라 동화에서 환상성을 잘 살리고 있는 작가이다. 그는 동화의 본질을 지키는 몇 안 되는 동화작가 중의 하나이다. 동화의 본질이라면 무어라 해도 환상성이다. 그가 쓴 동화는 환상성이 있는 동화가 대부분이다. 그는 동화의 본질과 순수성을 지키는 환상동화의 지킴이다. 연젠가는 환상성을 잘 살린 그의 동화가 높은 평가를 받으리라 믿는다.

– 이준관 〈재주가 많은 동화작가〉 일부

'집'의
생태동화적 의미
―박상재론

최명표

I. 서론

근자에 이르러 생태계의 파괴를 걱정하는 사람들이 늘어나고 있다. 지상파 방송국에서는 환경 관련 다큐멘터리를 정기적으로 제작하여 송출하고, 신문도 환경 관련 기사들을 즐겨 다룬다. 여기에 상술까지 더하여 생태 관련 행사가 봇물을 이루고, 아이들을 대상으로 하는 캠프도 운영되고 있다. 대저 한국인이라면 누구나 환경주의자가 되어 생태계의 보존에 앞장설 정도로, 생태 관련 담론은 시대의 화두로 활성화되었다. 이러한 경향은 앞만 보고 달려왔던 과거의 개발 시대가 예정한 부산물일 터이다. 그 시대를 선도했던 사람들은 경제 논리에 매몰될 줄만 알았지, 사람들의 가치관이 훼손되거나 공동체가 궤멸되어 가는 광경을 살필 만한 안목을 갖지 못했다. 그들이 대부분 정치경제를 비롯한 사회과학 전공자들이었다는 사실은, 작금의 환경 문제를 초래할 수밖에 없었던 저간의 사정을 시사한다. 물론 예전의 모습들이 아직도 청산되지 못한 채 도처에서 벌어지고 있는 것도 사실이다. 하지만 그들도 한편으로는 생태 운운하고 있을 정도이니, 한국 생태계의 앞날은 가히 장밋빛이라고 해도 무방할지 모른다.

그렇다고 그들의 책임만 묻고 있거나 더 이상 미루어두기에는 생태계의 변화가 심상치 않다. 이런 징후들을 포착한 사람들은 각자 맡은 바 소임을 다하느라 열심이다. 문학이라고 해서 예외가 아니고, 아동 문단도 기민하게 대응하고 있다. 최근에 들어서 생태계를 다룬 작품들이 양산되는 현상은 바람직하다. 그러나 대부분의 작품들은 환경문학과 생태문학을 혼동하고 있다. 전자가 환경 문제의 고발에 초점을 맞추는 저널리즘적 발상에 기초하고 있다면, 후자는 훨씬 철학적이고 본질적이다. 그것은 피상적인 환경 논리로 지금의 형편을 다독거릴 게 아니라, 개발지상주의를 앞세워서 사회의 각 부문을 장악하던 경제 논리가 언제라도 기승을 부릴 수 있기에 긴장할 것을 재촉한다. 이에 본고는 박상재의 근작 동화집《술 끊은 까마귀》(아테나, 2008)를 대상으로, 요즘 동화단에 유행하고 있는 생태동화의 현단계를 점검해 보기로 한다. 작가가 이 동화집에 환경 문제가 아니라 생태 문제를 천착했다고 밝히고 있는 만큼, 그 형상화 정도를 살피는 작업은 동시대의 아동 문단에서 제출되고 있는 생태동화의 가능성을 점검하는 기회

일 터이다.

II. '집'의 생태학과 생태동화의 '집'

요즘 들어서 인기를 누리고 있는 생태학은 19세기 중반에 학문으로 자리잡기 시작했다. 독일의 생물학자였던 에른스트 헤켈은 자연의 경제와 관련된 지식들을 총칭하여 생태학이라고 불렀다. 그의 혜안은 과학기술의 놀라운 발달에 놀란 뜻있는 지식인들의 동조를 이끌어내어 생태학을 지배적 지위의 학문으로 성장시킨 밑거름이었다. 본래 생태학을 가리키는 'ecology'는 'oekologia'라는 그리스어로부터 파생된 말로, 어의상으로 '집(oeko)을 연구하는 학문'이다. 이 사실을 주목해 보면, 생물학자이자 철학자였던 헤켈은 문학적 감수성까지 갖추고 있었던 듯하다. 문학생태학을 본격적으로 논의하기 시작한 미국의 비평가들은 한 작품을 녹색의 나무로 파악하였다. 이런 시각은 미국의 신비평가들이 한 편의 시작품을 '잘 빚어진 항아리'에 견주던 버릇을 생각나게 한다. 또 이런 시각은 괴테가 회색 이론과 녹색나무의 영원성을 견주던 생각을 떠올리게 만든다. 아무튼 분명한 것은 생태문학론자들은 작품과 나무를 동일시한다는 점이다. 나무는 고래로 하늘과 땅을 이어주는 매개물이다. 사람들은 나무를 이용하여 하늘의 계시를 듣거나, 하늘에 하소연해 왔다. 그 나무는 '집'을 사위에서 포용하여 푸근한 안식처로 기능하도록 도와준다.

일찍이 가스통 바슐라르는 명저《공간의 시학》에 '집'을 위해서 별도의 장을 마련하였다. 그에 의하면 "집은 몽상을 지켜주고, 집은 몽상하는 이를 보호해 주고, 집은 우리들로 하여금 평화롭게 꿈꾸게 해준다"고 한다. 그는 계속하여 "집은 인간의 사상과 추억과 꿈을 한데 통합하는 가장 큰 힘의 하나"라고 강조한다. 이처럼 중요한 기능을 수행하는 집은 사람들이 세계에 기투되기 전에 내던져지는 곳이다. 사람들은 실존적 존재로 규정되기 이전에, 요람에서 '사상과 추억과 꿈을 한데 통합'하는 것이다. 그에게 집이 필요한 가장 중요한 이유이다. 따라서 생태학이 '집을 연구하는 학문'이라고 스스로의 신분을 밝힐 때, 그것은 본질상으로 문학적 조건을 승인하는 것이다. 이른바 생태동화를 표방하는 작품을 분석할 경우에는 이런 관점이 필히 전제되어야 한다. 동화는 근본적으로 미숙한 아이들을 잠재적 독자로 상정하여 창작되는 까닭에, 그들에게 '집'의 중요성을 강조하는 작가의 태도는 당연하다. 왜냐하면 예로부터 집은 물질적 공간이면서, 동시에 우주와의 교응을 꿈꾸는 몽상의 공간이었기 때문이다. 아이들은 '집'을 자궁이나 요람과 동일시하면서 '집'이 있던 곳을 고향으로 여긴다.

박상재의 동화집《술 끊은 까마귀》에는 8편의 작품이 수록되어 있다. 그는 '흑두루미, 까마귀, 뻐꾸기, 굴뚝새, 개똥지빠귀, 지렁이, 산양, 소나무' 등의 소재를 차용하여

"앞으로 자연에 더 많은 관심을 갖고 생태를 바르게 이해하는 데 도움"(〈머리말〉)이 되기를 바라는 충정에서 이 연작 동화를 썼다. 이 작품집에 수록된 8편의 작품들은 고향, 엄마를 다룬 듯하지만, 실상은 '집'이라는 하나의 주제로 귀납된다. 이 점은 작가가 의도하지 않은 것일 테지만, 이 사실만으로도 박상재는 생태문학의 본질을 꿰뚫고 있는 셈이다. 더욱이 그가 소재로 끌어들인 것들은 주위에 흔히 존재하는 것들이라서, 생태에 대한 관심을 불러일으키기에 적합한 요소를 갖고 있다. 사람들의 생태 보전에 대한 관심을 제고하기에는 아무래도 주변에서 일상적 풍경을 구성하는 것들이 제격일 테니 말이다.

먼저 살펴볼 동화 〈흑두루미의 후회〉는 "태어날 때부터 몸이 허약해서 엄마의 마음을 아프게 했던 흑두루"가 엄마와 재회하는 내용이다. 흑두루미는 바이칼호수 근처에서 겨울을 나기 위해 한반도로 이동하는 철새다. 지금은 천연기념물 22호로 지정되어 보호받을 정도로, 전세계에 드문 개체수를 유지하는 새다. 주인공 흑두루는 어릴 적에 나는 연습을 게을리 해 체력을 충분한 비축하지 못한 채 비행 대열에 합류하였다가 임진강 근처에 낙오한다. 흑두루는 이곳에서 흰 두루미들과 어울려 살아가다가, 그들이 캄차카반도로 이동하게 되자 홀로 남아서 흑두루미 대열을 기다린다. 그가 어미를 기다리는 것은 바이칼호로 돌아가기 위한 것이다. 박상재는 흑두루의 이동 생활을 따라가며 '집'의 귀소성을 강조한 셈이다. 어미는 흑두루의 귀향이 실행되기에 필수적인 조력자이다. 이 점에서 모자간의 상봉은 본연의 상태로 돌아가는 자연의 이법이 실현되는 찰나이고, 상태문학의 문법이 구현되는 구체적 장면이다.

표제작 〈술 끊은 까마귀〉는 '다른 까마귀들과 떨어져 늘 외톨이'로 지내는 까무의 이야기다. 까무는 숲속의 다른 짐승들에게 몹쓸짓을 다반사로 하면서 혈혈단신으로 살아간다. 그는 아내의 잔소리와 '꼬박꼬박 말대꾸를 하며 말썽만 부리던 아들'의 모습이 그리울 적마다 '혼자 사는 게 뭐가 외로워'라고 애써 자위하며 그리움과 외로움을 물린다. 그러던 어느 날 산중에 놀러 온 사람들의 술을 먹게 된 이후로 알코올중독자가 되어 숲의 동무들에게 주정을 부리게 된다. 급기야 그는 사람들이 제단에 올리는 술을 얻어먹는 일에 재미를 붙이고 공동묘지에 근처에 눌러앉는다. 그러다가 모자가 술로 죽은 아버지의 묘소에서 애도하는 광경을 목격한 뒤로 금주를 선언한다. 이 모습을 보고 크게 깨달은 까마귀는 "구슬픈 울음소리"로 아픔 어머니와 가족들을 그리워하게 된다. 까무의 행동은 방황을 끝내고 가족의 품으로 돌아갈 것을 예징하고 있으므로, 이 작품도 어김없이 '집'의 소중함을 일깨워 주고 있다.

박상재의 동화 〈날아다니는 소나무〉는 강원도 홍천강 가에서 살고 있던 소나무 부부가 횡액을 당하는 얘기다. 소나무는 조선 시대에 송강 정철이 심은 것으로, 무려 400년 이상을 살아온 고령수였다. 작가는 이 나무가 청와대에 옮겨졌다가 다시 제자리를 찾게 되기까지의 과정을 다루고 있다. 사건은 청와대에 식재되어 있던 향나무가 시들해지면서 벌어진다. 대통령은 나무를 살리라고 명령하고, 비서관은 그 나무를 살리는 대신에 근사한 소나무를 이식할 것을 건의한다. 그의 의견은 채택되고, 전국적으로 청와대에 적합한 소나무 현황을 파악하라는 명령이 사달된다. 그 와중에 홍천강 가에서 풍파를 견디며 행복하게 살아가던 소나무가 명단에 오르게 되는 것이다.

이윽고 튼튼하고 굵은 쇠밧줄이 기둥과 가지를 꽁꽁 묶었습니다.
"도대체 내가 무슨 큰 죄를 졌기에 이런 대접을 받아야 하나? 뿌리를 잘리우고 포승줄로 묶이고……. 난 이 곳에서 400년 동안 뿌리내리고 살았던 죄밖에 없는데……."
소나무는 너무도 어이가 없어서 눈물도 나오지 않았습니다.
얼마 후 하늘 위로 헬리콥터가 나타났습니다. 헬리콥터는 소나무의 머리 위에서 시끄러운 소리를 내며 빙빙 맴돌았습니다.
헬리콥터에서 내려온 굵은 쇠밧줄과 소나무를 묶은 밧줄이 연결되었습니다.
"자, 튼튼하게 묶여졌으니 출발합시다." (p.69)

소나무가 청와대로 이사 가는 장면이다. 소나무는 아무 잘못도 없이 강압적으로 '뿌리를 잘리우고 포승줄로 묶이고' 이식에 필요한 절차를 따른다. 그러나 그의 항변은 사람들에게 들릴 리 만무하다. 그는 '이 곳에서 400년 동안 뿌리내리고 살았던 죄'로, 나랏님의 정원수로 발탁된 것이다. 나중에 소나무는 대통령의 지시에 의해 원래의 자리로 돌아와서 부부간에 해후한다. 이 작품에서 작가가 문제를 제기하는 것도 결국 '집'이다. 작가는 애초에 뿌리를 내리고 살았던 곳을 타의에 의해 떠났던 소나무가 제자리로 돌아오기까지의 이력을 추적하고 있으나, 종국에는 '집'의 문제를 제기하고 있다. 집을 나서는 순간, 모든 생명은 원기를 잃어버리게 된다는 평범한 진리를 이 작품은 소나무 부부를 통해서 전달하고 있는 셈이다.

박상재의 〈무지개 연못〉은 지렁이의 꿈을 소재로 한 동화이다. 지렁이는 여러 동물들로부터 무지개연못의 소문을 듣고, 가고 싶어서 안달한다. 그의 바람은 야반을 틈탄 도로횡단으로 이어지지만, 그는 연못에 도달하기 전에 탈진하여 쓰러진다. 한 소년의 호의로 지렁이는 꿈에 그리던 무지개연못에 닿는다. 마침내 지렁이는 무지개를 보게 되는데, 그것은 연못에 핀 것이 아니라 "소년의 얼굴에서 피어나는 찬란한 무지개"였다. 물기가 사라진 지렁이가 연못에 이르러 생명을 다시 찾기 위해서는 소년의 도움이 필요하다. 아버지와 달리 아직 정령주의를 버리지 않은 소년은 지렁이를 도움으로써

'찬란한 무지개'를 얻는다. 이처럼 생명 사상은 상호 존중으로부터 비롯된다는 사실이야말로 생태문학의 기반을 이룬다. 박상재는 이것을 작품으로 증명하고 있는 셈이다.

〈굴뚝새의 죽음〉은 추위를 이기려고 굴뚝을 찾아 들어갔다가 죽음을 맞은 새의 이야기다. 아기 굴뚝새는 엄마가 솔개에게 잡혀간 뒤로, 엄마를 기다리다가 겨울을 맞는다. 주위 동물이나 식물들이 한사코 마을로 내려가기를 강권하나, 아기새는 엄마를 향한 그리움에 추위를 견디며 버틴다. 그러다가 굶기와 기다림을 더 이상 참을 수 없어서 마을로 내려가 굴뚝에서 추위를 녹이다가 변을 맞는다. 굴뚝새가 굴뚝에 살아서 붙여진 이름이라면, 그 새가 굴뚝에서 죽음을 맞은 것은 아이러니다. 굴뚝은 그에게 '집'이기 때문에, 굴뚝새가 굴뚝을 찾는 것은 본능적 행동이다. 굴뚝새가 죽음을 '집'에서 맞은 것은 자연의 섭리다. 이것은 작가가 다른 작품과 달리 죽음을 마련하게 된 근본적인 이유일 터이다.

〈까치놀〉은 숲에서 때까치, 할미새, 할미새사촌, 물레새들과 살던 티티새가 바다 여행을 떠났다가 집의 귀중함을 깨닫는 이야기다. 티티새는 "귀족이나 되는 양 다른 새들과는 어울리지 않으면서 거드름을 피우는" 할미새사촌들의 행동이 비위에 거슬렸다. 그 중에서도 항상 싸움을 일삼는 때까치가 싫었으나, 뻐꾸기 아줌마의 교훈을 경청한다. 그는 평소에 가보고 싶었던 바다로 떠났다가, 바다티티새를 만나 해후한다. 둘은 혈연상의 친밀감을 공유하면서 바다의 풍경을 완상한다.

'해질녘 수평선 위의 까치놀을 보고 있을 때부터 나는 이미 때까치를 그리워하고 있었어. 그 친구가 왜 이리 보고 싶지?'

티티새는 가장 미워하던 때까치가 제일 많이 생각날 줄은 몰랐습니다.

숲 속 티티새는 생각했습니다.

'내일 아침 날이 밝으면 숲 속으로 돌아가야지. 그리고 이제부터는 씩씩하게 나의 노래를 부르며 친구들과도 사이좋게 지내야지.'

그때 바다티티새의 노랫소리가 들려왔습니다. (p.140)

티티새는 바다를 바라보는 동안에 때까치를 그리워하는 자신에게 놀란다. 그것은 '집'으로 돌아가고 싶은 내밀한 원초적 욕망이 움직인 것이다. 집은 언제나 회귀성의 표지여서, 집을 나간 모든 생명들은 되돌아가기를 꿈꾼다. 아무리 까치놀이 아름답고, 바다티티새가 먹을 것을 구해주는 등의 호의를 베풀지라도, 그것들이 집의 평화를 넘어서지 못한다. 집은 태초부터 평화한 곳이다. 집은 생명이 피곤한 일상으로부터 돌아와 휴식을 취할 수 있는 침대이다. 비록 티티새가 때까치의 근황을 궁금하게 여길지라도,

그것은 또래 없는 외로움을 치유하는 수단에 그칠 뿐이다. 티티새에게 그리운 것은 집의 아늑한 수용성이다. 그것은 선험적인 감정이고, 누대에 걸쳐서 반복적으로 내면화된 습관이다. 모름지기 생태동화란 이처럼 본연의 질서를 궁구하는 작품이라야 한다.

〈산양 메슬이네〉는 고향을 떠나 비무장지대에 터를 닦은 산양의 가족을 다룬 동화이다. 산양 부부는 원래 금강산과 설악산에 살았었는데, 사람들의 위협으로부터 안전을 담보할 수 있는 곳을 찾아 이사한 것이다. 그들은 메슬이와 푸슬이를 낳아 가족을 이루며 단란하게 살아간다. 두 자녀가 성장하자, 부부는 먹이 사냥하는 법과 살아가면서 주의할 사항들을 교육시킨다. 부모로부터 이런저런 얘기를 듣던 중에 자녀들은 부모의 본적지에 대해 궁금증을 표한다. 자신들의 고향을 얘기하던 부부는 회한에 잠겼다가, 더 이상 고향으로 돌아갈 수 없는 이유를 세세하게 설명한다.

메슬이는 눈을 동그랗게 뜨고 물었습니다.
"사람들은 짐승들을 죽이는 일을 즐긴단다. 예전 사람들은 먹고 살기 위해서 짐승을 잡았는데, 요즘 사람들은 자신들의 몸을 위해 희귀한 짐승을 마구 잡거나 사냥이라는 취미 생활을 한다며 짐승들에게 총을 쏘아댄단다."
"세상에……. 사람들은 정말 잔인하군요."
메슬이는 예전에 아빠가 사람들이 늑대나 호랑이보다 더 무섭다고 말씀하신 까닭을 알 수 있었습니다. 그리고 아빠 엄마에게 다시는 고향 이야기를 꺼내지 말아야겠다고 생각했습니다.
푸슬이도 아빠의 고향에 가보고 싶었던 마음이 한순간에 사라졌습니다.(p.156)

산양 부부는 '예전 사람들은 먹고 살기 위해서 짐승을 잡았는데, 요즘 사람들은 자신들의 몸을 위해 희귀한 짐승을 마구 잡거나 사냥이라는 취미 생활'을 하는 비교담을 통해서 자식들의 안녕을 빈다. 어린 산양들은 '늑대나 호랑이보다 더 무섭다'는 사람들의 만행을 전해 들으면서 '다시는 고향 이야기를 꺼내지 말아야겠다'고 다짐한다. 그들의 결심은 산양과 사람의 화해가 도달할 수 없을 지경에 다다른 현실을 반영하고 있다. 산양의 거주지 변경은 전적으로 사람들의 위협으로 초래된 것이란 점에서, 그들의 불우한 처지는 근본적인 치유가 불가능하다. 이처럼 박상재의 생태동화는 '집'으로부터 쫓겨나거나 잃어버린 동물들의 상황을 통해서 생태계의 훼손이 야기할 가공할만한 사태들에 대한 인식상의 전환을 촉구한다. 그의 동화 〈아기 뻐꾸기의 의문〉도 '집'을 시비한 점에서 함께 수록된 작품들과 문제를 공유하기는 마찬가지다. 이 점에서 박상재의 생태동화들이 확보한 의의는 결코 가볍지 않다.

Ⅲ. 결론

이상에서 살핀 바와 같이, 생태동화는 환경 문제를 고발하는 작품들과 다르다. 그것들이 폭로 위주의 저널리즘적 성격을 내포한 한계를 띠고 있는데 비해, 생태동화는 그보다 더 본질적인 국면을 취급한다. 생태동화를 쓰는 작가들은 사람들의 그릇된 인식을 교정하기 위해 동화라는 장르상의 도움을 받고 있을 뿐이다. 말하자면 생태문학은 장르상의 차이를 불문하고, 근본적으로 유사한 접근방식을 취하고 있다. 이 점은 생태동화의 성공적 정착을 위해서 언제나 전제되어야 할 조건이다.

박상재의 《술 끊은 까마귀》는 생태동화의 본질에 입각한 작품집이다. 그는 '집'의 서사적 의미를 구현하려는 단일한 주제 의식을 앞세우고 있다. 그의 노력은 후세대에 대한 엄숙한 책임의식의 소산이고, 현세대의 부족한 생태의식을 제고하려는 준엄한 발언이다. 그가 종전에 보여 주었던 환상적 기법들이 생태동화에서 수면하에 잠복하게 된 것도, 이러한 현실적 차원을 의식한 배려로 보인다. 그렇다고 해도 생태동화에서 환상적 요소들이 외면받거나 감가상각될 소지가 있는 것은 아니다. 도리어 동화의 특질을 고려하면, 그런 요소들은 좀더 존중되고 과감하게 수용되어도 무방할 것이다.

어린이와 함께 선생이 걸어온 길

1956년 2월 3일(음력 55년 12월 22일) 전북 장수군 계북면 어전리 886번지에서 부친
　　　박용식씨와 안용선 여사 사이에 3남 1녀 중 장남으로 출생함.

1962년 계북(溪北)초등학교 입학함.

1966년 논개제전(장수군민의 날)백일장 초등학교 동시부 장원으로 선정됨.

1967년 초등학교 6학년 때(3월) 부친 작고, 대한민국 예술원(박종화 회장) 대한민국어
　　　린이문화상(은상) 수상함.

1968년 전북 장수 계북초등학교를 졸업, 전주북중학교 입학, 9월에 전주로 전 가족 이
　　　주함.

1971년 전주북중학교를 졸업, 전주고등학교 입학함.

1974년 전주고등학교를 졸업함.

1975년 전주교육대학 입학함.

1976년 전주교육대학 신문사 편집국장으로 취임함.

1977년 전주교육대학 졸업, 3월 전주형문전수학교 전임강사(국어, 상업영어), 5월 순
　　　창 쌍치 금국초등학교 교사로 임용됨.

1979년 전북신문, 〈서울신문〉, 〈경향신문〉에 창작동화 발표함.

1980년 9월 김제 심창초등학교 교사로 임용됨.

1981년 월간 〈아동문예〉 신인상에 동화 〈하늘로 가는 꽃마차〉 당선됨.(이준연 심사)

1983년 양태원씨와 송옥주 여사의 장녀 양은숙(梁銀淑)과 혼인, 아들 현우(賢祐) 출생,
　　　새벗문학상 장편동화 부문에 〈원숭이 마카카가〉 당선됨.(박홍근, 박경용 심사)

1984년 〈한국일보〉 신춘문예 동화 부문에 〈꿈꾸는 대나무〉 당선됨.(어효선, 이재철 심
　　　사), 서울연촌, 삼광, 이수, 서울사대부설초, 옥정, 구일, 영일초등학교 교사로
　　　근무함.

1985년 3월 서울교육대학 편입 후 졸업, 딸 지현(志鉉) 출생, 첫 창작동화집 《꿈꾸는
　　　대나무》(인간사) 상재함.

1986년 《춤추는 고양이》(현암사), 《장수골 만세》(지경사), 《논설문 설명문》(경원각) 상
　　　재함.

1987년 《태양을 향해 달리는 기차》(공저, 아동문예사) 상재함.

1988년 《물새가 된 조약돌》(교육문화사), 《허수아비가 된 허수아버지》(예림당) 상재함.

1989년 《원숭이 마카카》(새벗), 《글짓기 나라》(공저, 재능교육), 《호리병 속의 한국사》
　　　(공저, 대교출판), 《세종대왕》(문공사) 상재함.

1990년 《매맞는 나무》(윤성), 《아빠 곁에 있을래요》(서강출판사), 《겨울행진곡》(아동문
예사) 상재함.

1991년 《사과나무 하나가 지구를 흔들었다》(대교출판), 《도깨비감투》(고려원미디어) 상
재함. 한국간행물윤리위원회가 한국갤럽조사연구소에 의뢰하여 실시한 〈어린
이 독서경향 및 독서환경 실태조사 보고서〉에서 선호하는 동시·동화작가 2위에
뽑힘(1위 안데르센, 3위 이슬기, 4위 이원수, 5위 윤석중), 성균관대학교교육대
학원 석사 과정(국어교육 전공, 석사 학위 논문–한국 창작동화·아동소설 연구)
졸업(학업우수상 받음), 국립중앙 교육평가원 연구 위원, 초등학교 1종 도서 국
어와 집필 위원(특수학교용)을 역임함.

1992년 《개구쟁이 천방지우》(도서출판 동지), 《목마와 할아버지》(선화교육사), 《첫나
비》(선화교육사), 《어리석은 살쾡이》(선화교육사), 《엄마 찾은 뻐꾸기》(선화교
육사), 《혼자 자다 생긴 일》(선화교육사), 《허생전》(대교출판), 《독서감상문쓰
기》(한국교과서연구회), 《각시방의 꼬마손님》(공저, 대교출판) 상재함.

1993년 《통일을 기다리는 느티나무》(오늘, 한국아동문학상 수상), 《동경 126도 11분 북
위 34도 13분에 사는 아이들》(능인), 《말하기 연습실–동화구연 웅변–》(교육문
화사), 《우리 옛시조 100수》(재능교육), 《닌자 도깨비》(공저, 대교출판) 상재함.
새벗문학상 운영 위원 및 심사 위원을 맡음.(~ 2012)

1994년 《개미가 된 아이》(예림당), 《보물섬 아이들의 자전거 여행》(공동체), 《녹두장군
전봉준》(대교출판), 《토끼전》(대교출판), 《논설문 나도 잘 쓸 수 있다》(예림당),
《글쓰기 이렇게 시작하세요》(동아출판사), 《글짓기 완성》(도서출판 곰), 《최무
선》(아이템플), 《문익점》(아이템플), 《이성계》(계림문고), 《느티나무 이야기》 외
5권(공저, 능력개발) 상재함.
《아동문학연구》 신인상 심사 위원, 서울대학교 국어교육연구소 연구 위원(독서
체계연구)을 역임함.

1995년 초등학교 교과용 도서(국어과) 심의 위원을 맡음. 한겨레아동문학대회 참가
함.(중국 옌볜)

1996년 《꿀벌 삼총사》(예림당),《종달새들의 합창》(삼성출판사), 《세상에서 제일 무서운
것》(한국안데르센), 《이사 온 울산바위》(한국안데르센), 《초등학교 시조교실》,
《이젠 나도 어린이 작가》(상·하권)(중앙교육문화사) 상재함.

1997년 《찌그덩 이발사》(공저, 대교출판), 《눈높이 학습동화》(전6권, 공저, 대교출판),
《김옥균》(삼성당), 《서유기》(삼성당) 상재함.

1998년 2월 단국대학교 대학원 국어국문학과(현대문학 전공) 문학박사 학위 취득(논

문-한국 창작동화에 나타나는 환상성 연구). 《소공녀》(삼성당), 《몽테크리스트 백작》(삼성당) 상재함. 단국대학교 및 동대학원 강사, 서울국제 아동문학관 부설 아동문학평론사 편집장(~2004년) 한국 아동문학학회 부회장, 〈한국 창작동화의 환상성 연구〉(집문당, 문체부 우수학술 도서로 선정), 7차 교육 과정 초등학교 국어과 교과서 심의위원, 서울대학교 국어교육연구소 자문 위원 역임함.

1999년 《춤추는 오리》(여명출판사), 《아동문학 창작론》(공저, 학연사) 상재함. 제5차 아시아아동문학대회 참가함.(대만 타이페이)

2000년 《그림속으로 들어간 아이》(예림당) 상재함. 〈아동문학평론〉 신인상 동화 부문 심사 위원으로 위촉됨.

2001년 부총리 겸 교육인적자원부장관 표창(교과서개발 유공), 초등학교 국어 교과서에 동화 〈소쩍새를 사랑한 떡갈나무〉(4-2, 읽기), 〈연할아버지〉(6-2, 읽기) 수록됨.

2002년 제6차 아시아아동문학대회 참가 주제 발표(중국 대련), 《한국 동화 문학의 탐색과 조명》(집문당, 방정환문학상 수상), 《동화 창작의 이론과 실제》(집문당), 《물새가 된 조약돌》(아테네) 상재함.

2004년 한국 아동문학인협회 동화분과회장, 명지대학교 대학원 강사, 제8차 아시아아동문학대회(일본 나고야) 주제 발표(우수논문상 수상), 한국교원대학교 겸임교수로 임용됨.(~2007)

2005년 《원숭이 마카카》(대교출판) 재출간함. 그림동화 《별나라 별이》(한국헤밍웨이), 《얼룩이는 천방지축》(한국비전북), 《너와집 할아버지의 쟁기질》, 《털보영감과 호롱불》, 《진돌이가 지켜낸 종소리》, 《새가 된 닥나무》, 《아버지가 그리운 도자기》(삼성비엔씨), 《물새가 된 조약돌》(프로벨) 상재함.

2006년 제2차 세계아동문학대회 집행위원장으로 위촉됨.(서울 임페리얼팰리스호텔)

2008년 《어른들만 사는 나라》(은하수미디어, 한정동아동문학상 수상), 《금오신화》(대교출판), 《맥베스》(흰돌), 《우리 몸-외계인이 나타났다》(꼬마배꼽) 상재함. 서울교대부설 평생교육원 강사, MBC창작동화상 심사 위원으로 위촉됨. 《아문센》(효리원), 《술끊은 까마귀》(아테네, 한국문화예술위원회 우수문학도서 선정) 상재함. 제9차 아시아아동문학대회 참가함.(대만 대동대학교)

2009년 동화집 《도깨비가 된 장승》(청개구리) 상재함. 동화의 길 30년 기념문집 《동화의 숲 환상의 샘》 간행함.

2010년 서울특별시교육청 장학 위원. 서울교육연수원 및 부산교육연수원에서 문학교육 강의함. 서울화일초 교감, 강월초 교감(2013), 수명초 교감(2016)으로 근무함. 《구불구불 강이야기》(와이즈아이) 상재함. 한인현 글짓기지도상 수상함.

2011년 한국글짓기지도회 회장, 마해송문학상 심사 위원, 제1회 창작동요 발표회(서울 덕수초), 제2회 발표회(2013. 12. 서울강월초), 제3회 발표회(2015. 11. 강월초), 제4회 발표회(2016. 11. 서울수명초), 제5회 발표회 (2017. 7. 경희대 중앙도서관)

2012년 《도깨비가 된 장승》으로 제7회 박경종아동문학상 수상함. 《천방지축 오찰방》(가문비어린이) 상재함.

2013년 《아바타 나영일》(가문비어린이), 《세상에서 가장 멋진 고양이》(청개구리), 《박상재 동화선집》(지식을만드는지식) 상재함. 창원아동문학상 본심 심사 위원 (2013~2015), MBC창작동화상 본심 심사 위원으로 위촉됨. 아들 현우 최고은 (최태복, 이경남의 차녀)과 혼인함.

2014년 《달려라 아침해》(봄봄) 상재함. 제30회 눈솔상(색동회) 및 제2회 대한민국인성 교육대상(교육부) 수상함. 손녀 예서 출생함.

2015년 한국 아동문학학회 회장, 국토사랑글짓기 대회(국립국토연구원) 심사 위원장, 〈소년한국일보〉 글짓기 연말본심 심사 위원장으로 위촉됨. 서울시교육청 교장 연수과정 공로상 수상함. 《달려라 아침해》 세종나눔도서 선정됨.

2016년 《한국 동화 문학의 어제와 오늘》(청동거울)로 이재철아동문학평론상 수상함. 《아름다운 철도원과 고양이역장》 2016 구로의 책으로 선정됨. 《달려라 아침해》 2016 서울국제도서전 독서골든벨 지정도서 선정됨. 행정자치부장관상(봉사활동 공로), 한국교육신문 주최 교단수기 심사 위원장, 《살구꽃 필무렵》(나한기획) 상재함. 아시아아동문학대회(대만 타이뚱시) 참가함.

2017년 서울당중초등학교 교장, 서울교육대학교 외래교수, 국제펜 한국 본부 이사, 남강교육상, 대한민국 파워리더대상, 장편동화 《진도아리랑》(장수하늘소), 그림동화 《눈사람 먹구리》(나한기획) 상재함. 대한민국인성동요대상 수상, 국제펜 한국 본부 주최 제3회 한글작가대회 논문 발표(경주 화백컨벤션센터), 제2회 용인태교동요제 본선 심사 위원, PEN문학상 수상(진도아리랑), 한국교육신문 주최 교단수기 심사 위원장, 손녀 예나 출생함.

2018년 서울당중초등학교 교장 정년 퇴임, 황조근정훈장 받음, MBC창작동화상, 창원 아동문학상 본심심사 위원, 《따라쟁이 앵무새》(장수하늘소), 《햄버거나라 여행》(나한기획), 《쟁이들만 사는 나라》(장수하늘소), 아시아아동문학대회(중국 쟝사시) 참가, 서울오류초등학교 학교운영 위원장(~2021), 제3회 용인태교동요제 본선 심사 위원, 한국교육신문 주최 교단수기 심사 위원장으로 위촉됨.

2019년 한국 아동문학인협회 수석부회장, 단국대학교 대학원 문예창작과 외래교수, 서울문화재단 작가지원 본심 위원, MBC창작동화상 본심 위원, 국립생태원 생태동화공모 심사 위원, 《꿀벌 릴리와 천하무적 차돌특공대》(머스트비), 《어린이가 처음 만나는 북한 전래동화》(함께자람) 상재함. 〈경상일보〉 신춘문예 본심 위원, 딸 지현 천민욱(천석철, 김갑숙의 아들)과 혼인함. 덴마크, 독일, 오스트리아로 문학 기행 떠남.

2020년 단국대학교 대학원 문예창작과 외래교수, 《구둘느티나무의 비밀》(가문비어린이), 《동박새가 된 할머니》(나한기획) 상재함. 외손 예준 출생함.

2021년 장편동화 《잃어버린 도깨비》(아침마중), 그림동화 《할머니의 생각 시계》(나한기획), 평론집 《한국대표아동문학가 작가·작품론》 상재함.

한국 아동문학가 100인

엄기원

인물론

엄기원의 삶과 문학

작품론

상상력으로 그려낸 동심

어린이와 함께 선생이 걸어온 길

엄기원의
삶과
문학

김완기

1. 출생과 성장

　남천(南川) 엄기원은 부친 엄동섭, 모친 함영주의 3남 2녀 중 장남으로 1937년 1월 10일 (음력 36. 11. 25.) 강원도 정선군 임계면 송계리에서 태어났다. 태어나자마자 고향인 강릉군 구정면 제비리 843번지 초가집에서 할아버지, 할머니의 총애를 받으면서 자라났다.

　할아버지, 할머니는 위로 딸 셋을 낳은 뒤에 늦게 본 장남이 첫아들을 보았다고 손자 이름을 基(터 기) 元(으뜸 원)이라고 '집안의 으뜸'이란 뜻을 담았다고 했다.

　엄기원은 초등학교 3학년 때 해방(1945. 8. 15. 광복)을 만났지만 비교적 행복한 가정에서 성장했다고 할 수 있다.

　일찍이 일본에서 중학교를 다닌 그의 부친은 왜정 말기에 강릉·양양·고성 등 관동 지역 택시 영업소장을 지냈고 광복 후에는 고향에 돌아와 구정면사무소에 입사 부면장과 면장을 역임했다.

　엄기원은 어렸을 때 몸이 몹시 약했다고 한다. 바람이 세고 눈이 많이 내리는 강릉 지방이라 할머니는 늘 어린 손자에게

　"기원아, 바람이 세게 불면 큰 나무를 안고 서 있거라."

하고 당부했단다.

　비록 몸은 약했지만 학교는 즐겁게 잘 다녔다. 집에서 구정초등학교까지 4km(10리)를 결석 한 번 하지 않고 다녔으니까.

　몸이 약하고 키가 작은 엄기원은 체육보다 책 읽기, 노래 부르기, 그림 그리기, 글씨 쓰기를 좋아했다. 이것이 훗날 그가 아동문학을 하게 되는 첫 싹이 아닌가 싶다.

　1949년 초등학교를 졸업하면서 담임 선생님 권유로 강릉사범 병설중학교에 진학하게 된다. 그 후 중학교 2학년 때 6·25 전쟁을 맞이하면서 엄기원의 집은 적잖은 시련을 겪게 된다. 인민군의 점령하에 약 3개월 동안 몹시 시달린 것이다. 엄기원의 부친이 부면장이었고, 삼촌은 구정면 제비리의 대한청년단장이었으니 좌익 세력들은 아예 엄기원의 집 사랑채에 인민위원회 본부를 차려놓고 가족을 감시하면서 피란 떠난 남정네들

의 동정을 살피니까 엄기원의 할머니와 어머니는 피가 마를 지경이었다.

9·28 수복 때는 국군 선발대가 제비리를 지나면서 농가의 소들을 끌고 가 묵는 곳에서 잡아먹었다. 엄기원의 집에도 소 두 마리를 그때 모두 잃어버리고 말았다. 전시에는 무법천지임을 실감했다고 한다.

이렇듯 엄기원의 유년 시절과 소년, 청소년 시절은 조국 광복과 6·25전쟁을 함께 치르면서 일종의 과도기 교육을 받은 셈이다.

1955년 강릉사범학교를 졸업한 엄기원이 초등학교 2급 정교사 자격증을 받아 고향 마을 학교(강릉군 구정면 제비리 제비초등학교) 교사가 되었다. 사범 학교는 교사 양성 학교지만 6·25전쟁으로 학교도 불타버렸으니 졸업생들이 피아노·오르간을 만져보지도 못한 채 일선 학교에 배치되었던 것이다.

엄기원은 중학교와 사범 학교 시절 혼자 독학으로 바이올린과 통소를 익히면서 문학보다는 음악에 취미를 키우고 있었다.

학교생활에서 그는 준법정신이 강한 모범생이면서도 지극히 융통성이 없는 학생이었다. 사범 학교 1학년 여름방학 때 논리(論理) 교사가 방학 숙제로 교과서를 배운 데까지 30번 써 오라고 했다. 참으로 무의미하고 무리한 숙제인데 엄기원은 공책 5권에다 곧이곧대로 30번을 써 냈단다. 그런데 반 63명 중 단 한 명 엄기원 혼자만이 숙   를 양심껏 했다는 것이다. 이 일로 그는 반 친구들의 놀림감이 되었단다.

2. 아동문학 '조약돌' 동인회 활동

엄기원이 교직에 나와 최초로 큰 보람을 느낀 것은 1957년이었다. 강릉사범학교가 주최한 영동(嶺東)지역 초등학생 실기대회에 '제비'라는 전교생 150명밖에 안 되는 산골 학교 대표가 참가하여 글짓기 저학년부와 고학년부에서 1등을 차지한 쾌거였다.

농번기가 되면 전교생의 50% 이상이 집안의 농사일을 돕느라고 결석을 하는 열악한 환경의 학교이다. 미술 시간이면 크레용, 그림물감, 도화지가 없어 그림 공부를 못 하는 학교에서 글짓기 대회에 나가 1등을 두 사람이나 차지했으니 놀라운 일이다.

그 당시 엄기원은 학교의 폐기 문서 이면지에 원고지를 등사하여 학생들에게 나누어 주고 글짓기 지도를 했으며, 한편으로 잘 쓴 글을 서울의 일간 신문과 아동 잡지, 교육 잡지 등에 무수히 투고하여 아이들 글이 실리게 하였다.

그 무렵(1950년대 말) 강릉에 있는 초등학교 문예지도 교사 몇 명이 뜻을 모아 동인회를 구성하였다. 모두가 아동문학에 뜻을 둔 젊은 교사들인데 그 중심인물은 엄기원과 김원기였다. 이 두 사람은 초등·중학교·사범 학교 동기 동창으로 김원기는 모교인 구정초, 엄기원은 고향마을 학교인 제비초 교사로 있으면서 동료, 후배 몇 사람을 규합하여 동인 활동을 시작하였다. 이름은 '조약돌' 동인회로 지었다. 돌 중에 가장 귀엽고 모나지 않고 때 묻지 않은 돌이기 때문에 아동문학과 궁합이 맞는 이름이다.

조약돌 아동문학 동인들은 점차 활동 무대를 넓혀 '전국 아동문학 교단동인회'와 교류하면서 작품 회람판을 만들어 우편으로(릴레이식) 띄우는 운동을 주도했다. 즉 첫 사람이 동시를 다음 사람에게 우편으로 보낸다. 받은 사람은 읽은 작품의 평을 달고 자신의 작품을 붙여 세 번째 사람에게 보내고, 또 그런 식으로 네 번째 사람에게……. 다음 또 그 다음……. 이렇게 전국을 돌아 3년 만에 제자리에 돌아왔을 때는 엄청나게 두꺼운 소포 뭉치가 되었다. 참으로 동화 같은 이야기다.

마침내 문학 공부에 빠져 있던 조약돌 동인 중에 김원기(金元起)가 1962년 〈한국일보〉 신춘문예에 동시 〈아기와 바람〉이 당선되면서 강원도 강릉 지역의 아동문학 문단에 기폭제가 되었다.

연이어 엄기원이 1963년 같은 신문(〈한국일보〉) 신춘문예 동시 〈골목길〉의 당선으로 적잖은 화젯거리가 되었다. 또 몇 해 뒤엔 조약돌 동인인 엄성기(嚴成基)가 〈월간문학〉에 동시 〈별 열매〉로 신인상을 받아 등단하였다.

1950년대 전까지 강릉 지방의 아동문학은 거의 휴면 상태로 있다가 1960년대 초부터 동시와 동화로 등단하는 작가가 우후죽순처럼 번져나갔다. 조약돌 아동문학 동인회의 영향을 받은 게 사실이다.

엄기원의 〈한국일보〉 신춘문예 당선 동시는 〈골목길〉이란 작품이다. 어두컴컴한 골목길의 정경을 회화적이면서도 동화적으로 재미있게 쓴 시이다. 전체적 배경과 분위기가 쓸쓸하게 느껴지는 것은 시대적 상황과 무관하지 않은 듯하다. 즉 5·16 혁명 직후의 사회상이 침울하기 그지없는데 묵호(墨湖)라는 무연탄 집산지의 검은 흙이 범벅된 지역 환경 또한 어둡고 쓸쓸한 맛이 작품 속에 배어 있다 하겠다.

문학작품 세계와 시대적 배경은 밀접한 관계를 가지고 있음을 입증한다고 해도 과언이 아니다.

3. 교직생활과 문단 활동

1963년 〈한국일보〉 신춘문예로 등단한 엄기원은 아동문학과 어린이 문화 운동에 활발한 활동을 전개하였다.

실제로 그의 교직생활은 고향 강릉에서 12년, 서울에서 13년 등 25년 동안인데 가는 학교마다 학교문집, 학급문집, 학교신문 발간에 힘을 기울였다. 그리하여 강원도 강릉의 제비·묵호·사천 3개교의 학교문집은 교련(敎聯) 혹은 어린이 일간신문이 주최하는 학교 교지 콘테스트에서 최우수상, 우수상을 받았고, 사천초에서 담임했던 6학년 '조남

옥'이란 제자는 문화방송(MBC) 창사기념 글짓기 대회에서 동시부 최고상으로 대통령 상을 받기도 했다.

아동문학가면서 초등학교 교사인 엄기원은 문교부에서 발행한 초등학교 〈국민교육 헌장 독본〉 집필에 참여하였고, 1970년부터 2000년까지 30년간 문교부·교육부 초등 국어 집필 위원 및 편찬 심의 위원으로 활동하였다.

한편 소파 방정환 선생이 1923년 5월에 조직한 우리나라 최초 어린이 문화 운동 단체 '색동회'에 가입하여 실행위원·총무·이사·부회장 등을 역임하였다. 그러는 동안 색동회 창립 동인이셨던 윤극영, 조재호, 정인섭 선생 등을 모시고 해마다 5월이면 소파 방정환, 마해송, 최영주, 진장섭 등 선구자 묘소를 참배하였다.

엄기원이 교직에 있으면서 문학의 힘으로 봉사활동을 해 가장 큰 보람을 느끼는 일은 1973년부터 10년 동안 문교부와 조선일보, 〈동아일보〉가 공동으로 펼친 '전국 교가 없는 학교 교가 지어주기 운동' 참여라고 술회했다.

청소(충남 보령), 진월남(전남 광양), 한서(강원 홍천), 남부(서울), 원림(경북 안동), 송정(경남 진양), 동원(강원 춘천), 옥련(인천), 대모(서울), 제비(강원 강릉) 등 전국의 50여 학교 교가를 작사해 준 일이다. 이 공로로 〈동아일보〉와 소년조선일보의 감사패를 받기도 했다.

엄기원은 1981년 8월 서울 추계초등학교에서 교직생활을 마무리하고 1982년 4월, 서울 마포구 염리동의 조그만 옥탑방에서 '한국아동문학연구소' 문을 열었다.

그리고 첫 행사로 그해 여름 '제1회 전국 할아버지 할머니 동화구연대회'를 개최하여 매스컴으로부터 큰 호응을 얻었다. 노인을 위한 이야기대회는 우리나라에서 처음이기 때문이다. 이 대회는 8회까지 이어졌는데, 가정으로부터 점점 소외되어 가는 노인들이 재미있는 이야기 재주를 발굴하여 손자 손녀에게 들려줌은 물론, 사회봉사에도 참여할 수 있는 기회를 만들기 위함이었다.

엄기원이 교직에 있던 1975년 동아일보사 발행 월간 〈新東亞〉 8월호에 논픽션 '살아가는 재미' 220장을 발표하였다.

아동문학연구소를 개설한 엄기원은 1984년 3월에 〈아동문학연구〉를 창간하는 한편 이때부터 대학에 출강하기 시작하였다. 1984년 1학기부터 신구대학 유아교육과에서 아동문학 강의를 기점으로 하여, 1990년 말까지 한국교원대(초등교육과), 서일대학(문예창작과), 명지대, 명지전문대(문예창작과) 강사·겸임교수로 활동했다.

1980년대 이후부터 엄기원의 문단 활동은 매우 활발하였다.

1967년, 한국문인협회에 가입한 그는 이사, 〈월간문학〉 신인상 심사 위원, 아동문학

분과 회장, 부이사장 등을 역임했고 1995년에는 한국문학상을 수상하기도 했다.

아동문학 단체로서 1959년 가장 먼저 창립된 한국 아동문학회에서는 이사, 사무차장, 사무국장, 부회장, 지도 위원장 등을 역임하면서 김영일, 장수철, 홍은순, 박화목, 석용원, 김신철, 유성윤, 송명호(모두 작고함)등과 인간적 교분을 쌓았다.

4. 염소 고집과 아동문학연구회

1982년 4월 5일(식목일), 처음 간판을 내 건 '한국 아동문학연구소'가 2000년을 맞이하면서 '한국 아동문학연구회'로 이름을 한 자 바꾸었다. 그 후 기관지 〈아동문학연구〉도 〈아동문학세상〉으로 제호를 바꾸었다.

엄기원은 이 단체를 만들면서부터 자신의 호주머니를 털어 지금껏 이끌어 오고 있다. 처음 시작할 때는 윤석중, 김동리, 황금찬, 김영일 등 문단 원로 몇 분을 고문으로 모시고 회원도 없이 시작한 모임이지만 1년, 2년 시간이 흐르면서 엄기원과 친한 문우들이 회원으로 모이기 시작했다. 처음부터 아동문학연구소는 순수 아동문학가 단체라기보다 아동문학가와 일반 문인도 회원으로 받아들였지만, 비문인이면서 어린이 문화예술에 종사하는 사람과 아동문학에 관심이 있는 일반인을 회원으로 영입했다.

이 단체가 1990년대에는 회원이 1,300여 명에 이르렀던 것이다. 그러면서 엄기원은 1989년부터 아동문학세미나를 시작했다. 여름 방학 때인 7월 하순이나 8월 초를 이용하여 전국의 회원 100~200명이 1박 2일의 일정으로 아동문학 연수는 물론, 회원의 친교 화합의 장을 만들어 오고 있다.

2009년 여름(7월 25일~26일)엔 제21회 아동문학세미나를 전남 담양에서 120여 명이 모여 성대히 치렀다. 이 자리는 회가 특별히 초청한 중국 연변조선족아동문학학회 김현순 회장 일행 6명도 동참한 뜻 깊은 잔치이기도 하다.

한국 아동문학연구회가 현재 벌이고 있는 연례 사업으로 대표적인 것 몇 가지를 들 수 있다.

① 계간 〈아동문학세상〉 발행 – 1,000여 권을 지속적으로 전 회원과 국내 주요 대학 도서관에 배포

② 1990년부터 개최하고 있는 '전국 아버지 동화구연대회' – 아버지 동화 구연가 배출 – 사회봉사 활동

③ 2002년(창립 20주년부터 시상하고 있는 아동문학창작상·어린이문화예술상 운영

④ 2005년 자매결연한 중국 연변 조선족 아동문학연구회(회장·김만석), 조선족아동문학학회(회장·김현순)와 공동 제정한 한·중 옹달샘 아동문학상 시상

이상과 같은 사업 외에도 위탁사업으로 한정동아동문학상 운영 및 시상을 들 수 있다.

　하지만 이렇듯 적지 않은 노력과 자금을 필요로 하는 일을 엄기원은 외부의 지원이나 협찬 없이 해결해 가고 있으니 참으로 놀랍다. 아동문학연구회를 이끌어 오면서 엄기원은 필시 자그만 집 한 채는 날렸으리라 믿는다.

　필자는 10년 전부터 이 단체의 수석부회장직을 맡아 봉사해 오고 있기 때문에 누구보다도 연구회의 살림살이를 낱낱이 알고 있기 때문이다.

　엄기원은 염소처럼 착하고 온순한 사람이다. 그러면서 염소처럼 고집이 센 사람이다. 그렇기 때문에 아동문학연구회가 30년이 넘게 명맥을 이어 오면서, 밖으로는 요란을 떨지 않고 조용히 온갖 연례행사를 그때그때마다 대과 없이 치르고 있는 게 자랑스럽다.

　엄기원은 크고 작은 행사를 치르면서도 걱정하거나, 조급해 하거나, 남을 못 미더워 하거나, 침울해 하지 않는다. 이럴 때마다 그가 쓴 동시 〈염소〉가 생각난다.

구름 동동 / 하늘이 / 물에 잠기면 //

떨리는 / 음성으로 / 노랠 부르고 //

아이들이 / 놀러오면 / 웃겨주려고 /

수염 달고 / 할아버지 흉내 낸다. //

애써 기른 뿔 / 받아보고 싶어도 /

강물과 / 산과 / 하늘과 해 /

모든 게 평화롭기만 해 //

결국 / 뿔은 뒤로 구부려 /

하나의 장식물로 / 만들고 말았다. //

5. 대나무 같은 성품과 삶

　서력(書歷) 반세기가 넘는 엄기원의 문학적 전성기는 1980~1999년 20년간이라고 할 수 있다. 그의 나이로 치면 40대 중반에서 60대 중반까지로 볼 수 있다. 1981년 8월에 적은 월급으로나마 안정된 생활을 해오던 교직을 그만두고부터 약 20년 동안 엄기원은 2남 2녀를 키우고 가르치는 가장 힘든 기간으로 생각된다.

　그 시절 그는 창작집과 어린이 교육, 교양도서, 번역물 등 닥치는 대로 집필했다.

　염소 닮은 고집에 대나무 같은 곧은 선비 정신을 가진 엄기원은 예나 지금이나 없으면 없는 대로 살았지, 남의 돈 한 푼 꾸어 달라고 손 내밀 비위와 배짱을 가지지 못한 사람이다. 어찌 보면 이 시대에 살아가기 힘든 위인인지 모른다.

　그렇기 때문에 엄기원은 친분이 있는 출판사에서 원고 청탁이 오면 집필료의 많고 적음을 따지지 않고 글을 써 주었다. 그나마도 다행인 것은 우리나라의 80년대, 90년

대가 정치적 변혁은 컸어도 경제적으로는 꾸준히 성장하고 있는 터라, 출판업계에는 아동물을 많이 만들었던 것이다.

엄기원의 연도별 아동문학 창작집 출판 상황을 살펴보면 다음과 같다.

동요·동시집

《나뭇잎 하나》(1996), 《아기와 염소》(1971), 《아기 크는 집》(1974), 《어린이 만세》(1976), 《꽃이 피는 까닭》(1980), 《동시집을 펼치면》(1986), 《산을 오르는 마음》(1987), 《들길을 걷다보면》(1990, 동요집), 《참 잘했지》(1991), 《너희는 금빛 날개를 달고》(1994), 《모두가 즐거워요》(1995, 동요집), 《대장과 졸병》(1997, 동시선집), 《365일 동시 여행》(2000, 동시선집), 《저학년을 위한 좋은 동시 101》(2001), 《고학년을 위한 좋은 동시 123》(2005), 《개구쟁이 편지 쓰는 날》(2001), 《미술관에 간 동시》(2003, 동시화집), 《배꼽 밑에 점 하나》(2007), 《어린이공화국이 있다면》(2008, 한·영 동시집), 《가을에게 띄우는 편지》(2009), 《삼월의 기차 여행》(2011), 《삼월의 기차 여행》(2012, 영문판), 《팔랑개비》(2013, 아르코문학상 창작지원금 받음), 《엄기원 동시선집》(2015), 《오솔길이 좋아》(2016), 《다짐만 하다가》(2017)

창작동화·소년소설

《달을 보고 짖는 개》(1980), 《이상한 청진기》(1982, 문화부 우수 도서), 《수탉》(1983, 문화부 우수 도서), 《호랑이의 연설》(1984), 《별나라에 다녀온 아이》(1987), 《이야기하는 교실》(1987), 《전국동물단합대회》(1988), 《싸움은 이겼어도》(1990), 《엄마 행복이 뭐야》(1991), 《단종과 엄흥도》(1991), 《평양에서 온 친구들》(1991), 《앞장 선 꼴찌》(1993), 《숙제 없는 학교》(1993), 《별난 결혼식》(1997), 《불독장군 이야기》(1998), 《꽃님이 좀 바꿔주세요》(2001), 《내 친구 명섭이》(2002), 《우린 냥이 삼총사》(2014)

이밖에도 그는 아동문학·교양·전래동화·전기물·번역물 등 아동 도서 80여 권을 이 시기에 집필했다. 참으로 놀라운 필력이다.

엄기원은 2006년 1월에 칠순을 맞이하면서 《행복은 내 곁에 있었네》라는 남천 회고 문집을 출간하였다 그 책 양장본 표지에는 그가 노년기에 베레모를 쓰고 디지털 호른(일명 : 전자 색소폰)을 연주하는 모습의 사진이 실려 있다. 그리고 첫 장을 열면 턱을 괸 그의 밝은 얼굴 컬러 사진과 함께 '南川의 시시한 글과 엄기원의 쓰잘데 없는 이야기'란 글귀가 적혀 있다. '시시한 글과 쓰잘데 없는 이야기'는 겸양의 뉘앙스를 느끼게 하는 문구이다.

엄기원의 인간미와 대쪽 같은 생활 자세는 이 책 머리말 첫 부분에서 더욱 진하게 느껴지고 있다.

지금까지 살아오면서 아무 것도 이룬 것이 없는데, 늘 바쁘게 허둥대며 여기까지 왔다. 여기가 어느 지점인가? 살펴보니 2006년 1월 10일, 일흔 번째 맞는 내 생일이다.
그리고 아동문학가랍시고 글을 써온 지 44년.
내 삶의 이 지점에서 조그만 책 한 권을 만들어 누구에게 선물하고 싶다.
가장 가까운 내 가족과 형제들, 음으로 양으로 은혜를 입고 신세진 분들께 이 책을 나누어 드리면서 내 자식들이 준 돈으로 국밥 한 그릇 대접하고 싶다.

엄기원은 두 개의 호를 가지고 있다. 난정 어효선 선생님이 지어주신 '南川'과 본인이 즐겨 쓰는 '대나무'가 그것이다.
어렸을 때는 몸이 너무 약해 바람이 불면 날아갈까 봐 걱정했다고 하는 그가 노년에 와서는 특별한 지병 없이 비교적 건강하게 살아가고 있음은 참으로 큰 축복이다.
사람을 만나면 반갑게, 편안하게 해 주는 남천 엄기원!
대중식당에서 설렁탕, 갈비탕 한 그릇에 행복해 하는 그의 성품과 식성 때문에 많은 사람들이 엄기원을 좋아하는지 모른다.

상상력으로
그려낸
동심

김완기

　1959년 강릉의 '조약돌' 동인으로 문학 활동을 시작해 시력(詩歷) 50년을 넘긴 엄기원 시는 '아름다운 언어로 빚는 시가 아닌 아름다운 생각으로 만들어진 시'라고 요약하는 게 가장 정확하리만큼 생각과 느낌이 담긴 수많은 작품을 발표해 왔다.

　1966년 첫 동시집 《나뭇잎 하나》로부터 선집을 뺀 순수 창작동시집 13권에 수록된 동시, 동요를 살펴보면 사물의 존재 가치와 일상의 포근한 삶이 맑은 샘물처럼 가슴 짜릿하게 울림을 주는 정감 가득한 시편들이다. 누구나 읽으면 공감하게 되고, 읽고 나면 재미있어 즐거워지는 시, 쉽고 수수하지만 오래 간직하고 싶은 시, 이는 오랜 세월 동시는 순박한 동심이어야 한다는 고집스런 시작정신(詩作精神)임을 엿볼 수 있다.

　2009년 5월 '문학의 집·서울'이 주최한 수요문학광장 초청 강연자로 발표한 끝말에서 '……아동문학의 길을 걸어오면서 나는 참 행복하다는 생각을 하게 된다. 늘 어린이 세상을 생각하며 글을 쓰다 보니, 내 글이 어른이 읽으면 유치하고 보잘것없겠지만 어린이 독자에게 공해가 되지 않고 조금이나마 유익하게 읽힌다면 그것으로 족하다.'라고 겸손하게 밝혔듯이 그의 작품은 늘 구수하고 정직하고 소박하기만 하다.

1. 향긋한 풀 향기 같은 서정 짙은 시

　어린 시절 들꽃이 흐드러지게 피고 지는 농촌 논둑길을 거닐며 자란 탓인지 자연의 아름다움을 닮고 싶은 생각들이 시의 뿌리를 이루고 있다. 잘 다듬어진 아스팔트 길이 아닌 향긋한 풀 향기가 걸음을 멈추게 하는 그런 꼬불꼬불 오솔길처럼 풋풋하고 깨끗한 자연의 모습들이 가슴에 와 닿는 서정 짙은 작품이 시의 텃밭을 이룬다.

산새 밖에 모르는 / 저 산 숲속에 /

빨갛게 빨갛게 / 익은 산딸기. //

비쭝 비쭝 / 고운 새소리, /

고걸 듣고 그렇게 / 고와진 딸기. //

샘물 밖에 모르는 / 저 산 숲속에 /

옹기종기 탐스레 / 익은 산딸기. //

조르르 맑은 샘물소리. /

고걸 듣고 그렇게 / 예뻐진 딸기.

　– 〈산딸기〉 전문 (1971)

제2동시집 《아기와 염소》에 수록된 초기 작품으로 초등학교 3학년 국어교과서에 실렸었다.

　시는 긴 설명이 생략된 감각적인 표현임을 이 작품에서 알게 된다. 또한 예리한 시인의 눈이 고운 시를 낳는다는 걸 암시하고 있다. 현란한 수식보다 담백한 표현이 동시라는 그릇에 더 어울린다는 걸 보여 주기도 한다.

　산딸기는 산새와 샘물 소리밖에 모른다고 했다. 산에 사는 새는 숲속을 돌며 고운 소리를 낸다. 산속 친구들과 정답게 주고받는 새소리, 그 소리를 듣고 자라 고와진 산딸기. 산골짜기 샘물은 언제나 맑고 깨끗해 그 소리를 듣고 자라 예뻐진 산딸기.

　이 시를 가만히 들여다보면 시어, 묘사, 비유, 상상, 절제 등의 시적 골격이 자연스레 잘 갖춰지면서 주는 느낌도 산뜻하다. 마치 새소리, 샘물 소리를 들으며 익어가는 산딸기 같은 그런 서정을 깔고 있기에 눈길이 더 오래 머물게 된다.

호수는 / 강물보다 얌전해 좋다. //

눈이 아름다운 사람에겐 / 그림을 그리게 하고, //

마음이 고운 사람에겐 / 시를 지으라 한다. //

저 멀리 / 산 밑으로 / 갈대숲을 기르면서 //

바람을 가만가만 / 지나가게 하고. //

빨간 저녁 해를 / 물에 띄우는 //

호수는 / 강물보다 점잖아 좋다.

　– 〈호숫가에서〉 전문 (1986)

시는 산문과 달리 내면의 의미성이나 함축미가 있어야 하고 동시는 시적 감각이 어린이 마음처럼 풋풋해야 하는데 〈호숫가에서〉는 이런 동시다움을 담고 있다.

　호숫가에서의 감동적인 체험을 담은 많은 작가의 작품이 있긴 하지만, 이 시는 사고의 틀과 소재를 의미화하는 방식이 남다르고 신선한 묘사가 특이하다.

　호수는 강물보다 얌전해 좋고 점잖아 좋다고 했다. 그저 제멋대로 소리치며 달려가기에만 바쁜 강물을 비유하면서 '눈–아름다움–그림 그리게 하고', '마음 고운 사람–시를 짓게 하고'라고 포근하게 안아주는 호수만의 여유를 보여 준다.

푸른 호숫가엔 갈대숲이 있어 바람이 가만가만 지나가게 하고 저녁 해를 띄우는 점잖은 모습에서 호수의 넉넉함을 드러내고 있다. 상황 묘사가 퍽 정갈하고 감성적인 시다.

2. 생명을 소중히 여기는 따뜻한 온기

엄기원 시인의 어릴 적 별명이 '염소'였다고 한다. 순하고 착해서 동네 친구들이 붙여 주었다는데 지금도 그때 그 모습이다. 그래서인지 '염소'를 소재로 한 작품이 여럿이고 '병아리', '꽃사슴', '개구리' 를 비롯해 '풀꽃', '버들강아지', '수박'과 같은 동식물과 곤충과 채소를 그려낸 작품이 많다. 비록 보잘것없고 하찮은 작은 생명체 하나라도 소중히 여기는 따뜻한 온기, 이들과 체온을 나누면서 다정다감하게, 꼼꼼하게, 내일의 새싹들을 가꾸고 배려하는 작품 가운데 하나를 골라본다.

울밑에 심심풀이로 / 꽃씨 / 몇 알 뿌려놓고, //

까맣게 잊고 있었는데 / 어느새 싹이 트고 / 줄기가 자라

봉숭아꽃, 분꽃이 / 고맙다고 웃는다. //

그때 / 꽃씨 뿌리길 참 잘했지. //

날마다 메우는 나의 일기 / 쓰면서 쓰면서 /

"에이 일기는 뭐 하러 쓴담?" / 투덜댔는데 //

먼 훗날 / 그 일기 읽어보니 / 온갖 기억 되살아난다. //

그때 일기 쓰길 참 잘했지.

– 〈참 잘했지〉 전문 (1991)

씨앗은 생명체의 근원이다. 꽃을 가꾸는 원예사는 꽃씨가 행여 미리 싹이 날까 봐 따스한 방구석에 놓지 않고 선선하고 공기 잘 통하는 곳에 고이 간직했다가 흙에 뿌린다. 이렇듯 까만 꽃씨가 자라 잎을 틔워 꽃을 피운다. 작은 씨앗이 자라 열매를 맺고 때론 아름드리나무로 자라기도 한다. 작은 생명체를 키워가는 꽃씨 심기를 날마다 조금씩 메워가는 일기장 작은 글씨의 정성스런 일기에 연계해 표현했다.

작지만 정성껏 심은 꽃씨가 훗날 저렇게 토실토실 영근 것들을 만들어내듯 하루의 이야기를 꼬박꼬박 기록한 일기가 나중에 소중한 기억으로 남는 기쁨을 은유적으로 담고 있다.

엄기원 시인은 학창 시절부터 지금까지 빠짐없이 일기를 쓴다고 한다. 가끔 몇십 년 전, 가슴 뭉클한 일들을 되찾아 회상한다고 한다. 마치 꽃씨를 뿌리는 마음으로 먼 훗

날을 생각하며 일기를 쓴다고 하는데 정말 '참 잘하는' 본받을 일이라 여겨진다.

　　걸음마를 배우는 아기가 / 염소 앞에 갔습니다. //

　　풀을 뜯던 염소가 / 아기를 보았습니다. / 염소는 아기가

　　귀여운 모양입니다. // 염소는 / 턱밑의 긴 수염을 /

　　흔들어 보였습니다. // 아기는 까르르 웃었습니다. //

　　이번엔 / 도라지 같은 / 뿔을 자랑했습니다. //

　　아기는 두 손으로 / 뿔을 잡아당겨보고 /

　　또 까르르 웃었습니다. // 염소는 아기처럼 착했습니다. /

　　아기는 염소처럼 착했습니다.

　　– 〈아기와 염소〉 전문 (1971)

동심이 담뿍 묻어나는 작품이다.

아기와 염소를 매체로 해 구체적으로 드러낸 정겨운 모습이 마치 한 편의 예쁜 동화를 읽는 느낌이다.

아기와 염소는 동등한 존재로 화자가 된다. 사람과 동물과 식물과 곤충 따위의 보잘 것없는 생명체에도 존재의 의미, 살아가는 기쁨이 있음을 의인화 기법으로 건져내 보여 주고 있다.

순한 염소와 걸음마하는 아기는 '착하다'는 공통분모를 부각시킴으로 작품의 선명도를 튼실하게 만든다. 이게 바로 투명한 주제 의식이다. 시의 형상화 과정에서 선명한 이미지가 시의 생동감을 좌우하기 때문이다.

염소는 아기가 좋아 수염을 흔들고 뿔을 자랑한다. 여기에 호응해 아기는 뿔을 잡아당기며 까르르 웃는다. 같은 또래 같은 동무이기에 아무런 간격이나 거리감 없이 마음을 주고받는 귀여운 장면이다. 살아 움직이는 모든 것들은 동등하게 귀한 생명을 지니고 있다는 생각이 이런 시를 낳게 되었다고 본다.

3. 상상으로 그려낸 상큼한 동심 세계

간혹 마음에 드는 시를 만나면 한참동안 시선을 떼지 못하고 '야! 재미있다. 정말 그랬으면 좋겠다.' 이렇게 고개를 끄덕이며 공감하고 수용하는 건, 글 속에 아름다운 상상이 그려져 있을 때 더욱 그렇게 된다. 엄기원 시는 겉모습보다 읽으면 읽을수록 속맛이 우러난다. 그건 상상력으로 건져 올린, 아직 못 보던 세상이 있기에 내면의 맛을 내는 게 아닌가 싶다. 때로는 우리의 삶을 빗대어 그 깊이를 더해 주기도 하고 일상의 한

모퉁이를 해맑은 눈으로 바라보는 낯선 세계가 친근하게 다가오기도 한다.

시장 나들이 하는 / 엄마의 장바구니. //

엄마의 장바구니 속엔 / 생각이 가득 담겨 갑니다. //

장바구니 속엔 / 작은 지갑도 따라 갑니다. //

시장 좁은 골목길을 도는 사이 / 시골 할머니 산나물이

한 줌 담기고 / 단골 아낙네 콩나물도 한 줌 담기고 /

뚱뚱이 아줌마의 비릿한 / 꽁치도 서너 마리 담기고……. //

어느새 장바구니는 / 배가 부릅니다. // 시장에서 돌아온

장바구니는 / 우리 집 식탁 위에 / 인정 담긴 이야기를 /

한가득 쏟아 놓습니다.

 – 〈엄마의 장바구니〉 전문 (2000)

물건을 사고파는 좁은 시장 골목의 향내가 잔잔히 풍겨 온다. 소박한 꿈을 먹고 사는 사람들의 삶의 모습을 생기 있게 스케치했다. 살아가는 환희가 배어 있는 작품이다.

이 시는 현행 초등학교 국어 교과서(6학년 1학기)에 수록되어 어린이들이 읽고 감상하고 있다. 흔히 사물이나 현상을 심상(心像)으로 그려내면 하나의 상상이 될 수도 있고, 이런 상상이 새로움을 낳게 되고 때론 사실적인 지각을 초월하는 비과학적인 세계를 펼치기도 한다.

이 시의 끝 부분에서 우리 집 식탁 위에 인정 담긴 이야기를 가득 쏟아 놓는 엄마의 장바구니는 시장 골목의 애환과 환희를 담고 있다.

단골 아낙네의 콩나물, 시골 할머니의 산나물, 비린내 나는 꽁치……. 이 곳에서 장바구니는 배가 부르고 인정 가득한 얘기를 담아 온다는 착상이 이채롭다. 이처럼 사물을 보는 눈이 새로우면 시적 감동이 큰 법이다.

〈햇볕도 어두워서 / 못 오나 봐?〉 // 언제 봐도 햇볕은

담장 벽까지만 와 / 놀다 가버린다. // 구멍가게에 / 놓인 곶감은 /

주인 할머니를 닮아 / 하얗게 늙었다. // 저쪽 집 / 뒷문 앞엔 /

사나운 개가 앉아 / 우리가 지나가면 막 짖어댄다. //

〈누가 / 저를 욕한 것처럼……〉 // 해 지는 시간이면

누구의 아버진지? / 생선마리 꿰들고 / 바삐 바삐 /

저쪽 골목길로 사라진다.

- 〈골목길〉 전문 (1963)

1963년 〈한국일보〉 신춘문예 당선 동시이다.

지금은 자잘한 일상을 담은 폭넓고 다양한 작품을 내놓지만 초기 작품은 이처럼 자연 현상을 소재로 한 작품이 주류를 이루고 있음을 알 수 있다.

1963년 신춘문예 당선 후, 3년째 되던 강원 강릉 사천초등학교 교사 시절에 펴낸 첫 동시집 《나뭇잎 하나》를 펼쳐보면 더욱 명료해진다.

'버들피리' '꽃다지' '이슬' '빗방울' '소나무' '바다' '안개' '강언덕에서' '산길' '파도소리' '눈 내린 아침' 등 그 대부분이 어린 시절 함께 살아온 자연이었다. 종종 '내 문학의 뿌리는 자연과 동심'이라 했듯이 이 시는 초기 작품 성향이 그대로 묻어난다.

담장 벽까지만 놀다가는 햇볕 그곳에 개가 짖고 생선 꿰들고 바삐 사라지는 골목길 풍경이 생생하고 산뜻하게 담겨져 있어 한번쯤 이런 골목길에 앉아 시 속의 정경을 떠올리고 싶어진다.

허수아비네는 / 조금도 / 살림이 나아지지 않아 //

논 가운데 서서 / 새를 쫓는 허수아비 / 헐벗은 옷차림 좀 봐 //

할아버지 적에도 / 아버지 적에도 / 지금도 / 허수아비네는 /

훤한 새 옷 한 벌 / 사 입지 못 해 // 우리 아빠 양복 많은데 /

한 벌 주고 싶다.

- 〈가난한 집〉 전문(2003)

후반기 작품 중 하나로 발상의 신선함과 생각의 원숙함이 배어 있다.

사물을 응시할 적에 우선 무엇을 어떻게 형상화할 것인가를 고민하게 되는데 아직 세상에 보여 주지 않은 숨은 모습을 찾는 게 바로 시의 새것 찾기이다.

참새를 쫓는 허수아비를 그려낸 여러 작자의 작품을 많이 보았다. 그러나 〈가난한 집〉 발상은 생소하고 새로움 그대로다.

초여름부터 늦가을까지 논 한복판에 헐벗은 옷차림 허수아비가 언제 봐도 살림이 나아지지 않는다고 했다. 세월이 가도 늘 허름한 옷차림이어서 아빠 양복 한 벌 주고 싶다는 화자의 소망이 흥미롭다.

읽으면 웃음이 나고 한 번 더 읽어보게 된다. 바라보는 시선이 순수해 시상을 함께 공유하고 싶기 때문이다. 작자와 독자의 공감대 형성은 발상과 표현이 답습에서 벗어나 참신할 적에 가능한 것이다.

4. 간결하고 담백한 동요 300여 편

우리 동시의 초기 작품들을 보면 대부분 동요였다. 엄기원 시에서도 담백하게 속삭이듯 감정의 물결을 그려낸 간결한 동요가 300여 편이나 된다. 리듬과 운율도 중요하지만 풍기는 맛과 멋의 묘미가 그의 동요를 빛나게 한다.

'대한민국동요대상' 수상 기념으로 1992년에 펴낸 노랫말 동요곡집《모두가 즐거워요》에 작곡된 200편 가까운 동요가 수록되어 있는데 여기서 몇 편 골라본다.

소나기 내린 뒤의

파란 들판에

동그란 구름다리

오색 무지개

아름다운 눈으로

세상을 보면

모두가 즐거워요

기쁨이어요.

강둑에 풀을 뜯는

염소 오누이

강물에 잠겨있는

산마을 풍경

맑고 밝은 눈으로

세상을 보면

모두가 노래여요

웃음이어요.

– 〈모두가 즐거워요〉 노랫말 전문 (1980)

전형적인 7·5조 형식의 동요이다. 우리 동요 역사에서 가장 많이 사랑 받은 노랫말 운율은 대부분 7·5조였다.

이 노랫말은 이미지가 밝고 경쾌하고 신선한 느낌을 주기에 여러 동요 작곡가들이 곡을 붙여 어린이가 즐겨 부르는 동요곡이 되었다.

이 시가 발표되자 김동진, 김정실, 김정철, 민병임, 박병민, 박병춘, 손민환, 송미경, 안보영, 이문주, 이성복, 이수인, 정윤환, 조대원, 한상균 등이 작곡해 널리 보급되었다. 작곡가는 좋은 노랫말 동요를 만나면 놓치지 않고 오선지에 옮긴다고 한다.

우선 리듬과 운율이 잘 짜여지기도 했지만 이 동요가 돋보이는 건 그려져 있는 정경이다. 누구나 이런 체험에 빠져 보았거나 빠져 들고픈 노랫말이기에 함께 부르고 싶은 충동을 준다.

무지개는 소나기 내린 뒤의 깨끗한 하늘에만 잠깐 아름답게 보여 주다가 금방 숨어 버린다. 세상에서 가장 멋진 황홀한 순간이다. 이런 세상을 보면 모두가 즐거움이고 기쁨이다. 대칭으로 짜여진 다음 연에서도 맥을 같이 하고 있다. 염소 오누이가 풀을 뜯고 산마을 풍경이 잠긴 강물! 얼마나 평화로운 모습인가. 이런 세상을 보면 모두가 노래가 되고 웃음이 된다. 부르며 생각하고, 생각하며 부르는 동요라야 가슴에 녹아드는 걸 잘 보여 주는 작품이다.

한 주일에 하루쯤
쉬고 싶을 때
하루를 쉬면서
기도합니다.

남과 나를 생각하는
마음 가질 때
착하게 자라나는
사람이 되어요.

몸에 묻은 더러움
목욕하듯이
마음에 찌든 때를
벗기는 시간

하느님은 보이잖는
어디쯤에서
기도하는 나를 보고
웃으실 거예요.
– 〈기도할 때〉 노랫말 전문 (1986)

흔히 넉 줄짜리의 곡을 두 도막 형식의 곡이라고 하는데, 이 노랫말은 4단으로 구성되어 가슴에 와 닿는 강한 감동의 이미지를 풍기고 있다.

동요는 가곡과 달리 리듬감이 생명이고 어린이 정서에 맞아야 한다. 〈기도할 때〉를 살펴보면 1, 2행은 계속되는 가락이고 3, 4행은 끝나는 느낌으로 반복되어 부르기도 좋고 느낌도 크다. 이 동요에 담은 내용이 그저 평범한 기도의 한 구절인 듯하지만 예쁜 마음이 재미있게 그려져 있음을 볼 수 있다. 남과 나를 생각하는 마음가짐에서 착한 사람이 된다는 것, 더러움 목욕하듯 찌든 때를 벗기는 시간, 긴 설명이나 가르침보다 짧은 이 몇 행의 동요가 더 큰 짜릿함으로 다가온다.

엄기원 동요는 이처럼 간결하게 소박하게 표현하면서 쉽게 이해하고 받아들이고 싶은 메시지를 담고 있는 특성을 지닌다.

5. 따스한 삶, 살아가는 기쁨이 담뿍

엄기원 시를 차근차근 음미해 보면, 은연중에 '재미'와 '즐거움'을 느끼게 한다. 언젠가 독자 대상의 문학특강에서 '나의 시는 간결하고 쉬워야 하고 내용과 의미도 단순해야 한다는 것이 고집스런 생각'이라고 실토하면서 되도록 '참 재미있다', '참 즐겁다'가 표출되도록 힘쓴다고 했다. 이는 삶의 기쁨과 행복한 모습을 담고 싶어 하는 작가 정신의 단면을 보여 주는 대목이라고 본다.

"엄마, 문 열어!"
아기가 대문을 쾅 차면
엄마는 얼른 문을 열어 주신다.

"엄마, 배고파!"
아기가 소리치면
엄마는 얼른 밥을 차려 주신다.

아기는 대장
엄마는 졸병.

히히히히
아기는 대장이라서 좋은데
호호호호

엄마는 졸병이라도 좋대.

− 〈대장과 졸병〉 전문(1994)

작자의 주관과 독자의 객관이 조화를 이루는 일상의 자잘한 기쁨, 도도록해지는 행복을 담은 작품도 많다. 이 시도 그 중 하나다. 얼핏 보기에 엄마와 아기의 평범한 생활공간 한 장면처럼 보일지 모르지만 이 한 편의 시에 살아가는 행복이 오롯이 풍긴다. 만약 엄마는 엄하고 앙칼진 대장, 아기는 따라가는 졸병이라 했다면 얼마나 관념적이고 싱거울까.

때 묻은 관념을 털어버리고 상식에서 벗어나는 생각의 변화가 시적 감동을 주고 있음을 시사하는 작품이다. '문 열어!', '배고파!' 소리치면 얼른 응하는 엄마는 졸병이고 아기는 대장. '엄마는 졸병이라도 좋대' 이 한 구절에 이 세상 엄마 마음이 다 담겨 있다.

어릴 적엔 엄마 아빠가 나를 떠받쳐주는 든든한 힘이었지만, 자랄수록 내가 엄마 아빠의 떠받치는 힘이 되는 게 자식을 키우는 부모의 기쁨이고 행복인 것이다. 작품에 전개되는 엉뚱한 착상이 시의 긴장감을 더해주고 웃음을 낳게 한다.

조그만 몸에
노오란 털옷을 입은 게
참 귀엽다.

병아리 엄마는
아기들 옷을
잘도 지어 입혔네.

파란 풀밭에 나가 놀 때
엄마 눈에 잘 띄라고
노란 옷을 지어 입혔나 봐.

길에 나서도
옷이 촌스러울까 봐

그 귀여운 것들을
멀리서

꼬꼬꼬

달음질시켜 본다.

– 〈병아리〉 전문(1976)

마당가에 파릇하게 얼굴을 내민 새싹을 향해 달음박질하는 병아리를 뒤쫓아 가고픈 그런 느낌이 와 닿는 산뜻한 시다.

암탉은 엄마이고 병아리는 아기다. 엄마가 아기를 풀밭에 내보낼 때 노란 옷을 지어 입히는 따뜻한 모정을 연상하면서 몇 번이고 되새김해 읽고 싶어진다. 지어 입힌 노란 옷, 아기를 바라보는 엄마의 심정. 달음박질은 다리를 가진 모든 생명체의 기본적인 생존 바탕이다. 험한 세상을 힘껏 헤쳐가라는 엄마의 선한 눈빛을 보게 된다. 숙명 같은 엄마의 사랑과 알뜰함, 오붓한 정감이 가득 고여 따스함을 더해주는 시다.

엄기원은 이처럼 시를 생성하는 안목이 남다르다. 쉽게 수용하도록 하는 진솔함이 숨어 있다. '병아리'는 난해하지 않게 말랑말랑하도록 싱그러운 의미를 담고 있어 더 친근해진다.

작품 세계를 끝맺으면서

엄기원 시인은 50년이 넘도록 많은 시와 동화(본 란에서는 동화 문학에 대한 고찰은 언급하지 않음. 창작동화집《달을 보고 짖는 개》외 16권을 발표하였다.

80년대 초반부터 아동문학연구회를 중심으로 한 어린이사랑 운동을 펼치는 등 문화 운동을 병행하면서도 쉼 없이 바위틈에 샘물이 솟듯 새 작품을 내놓고 있다.

엄기원 시는 꾸밈이나 수식이 별로 없이 수수하고 자연스러워 좋다. 특별한 시적 기교가 없이도 그 표현이 진솔해 기쁨으로 다가오는 게 특징 중 하나다.

일찍이 자연과 동심으로 뿌리를 내리며 가꾸어 온 시의 텃밭, 그곳에서 느낌과 감흥과 공감의 가지를 뻗어 꽃을 피우고 열매를 맺고 있는 모습들을 살펴보았다. 아주 평범한 것을 의미화하는 시인의 맑은 시심이 순박한 염소처럼 살아가는 그의 삶을 통해 잘 익은 과일처럼 이웃에게 향기와 맛을 건네주리라 믿는다.

어린이와 함께 선생이 걸어온 길

1937년 아버지 엄동섭(嚴東燮)님과 어머니 함영주(咸泳湊)님의 장남으로 1937년 1월
　　　10일 (음력 1936년 11월 25일) 강원도 정선군 임계면 송계리에서 태어남. 아호
　　　는 남천(南川, 어효선 선생님이 지어 줌)과 대나무. 태어나자마자 본가인 강릉
　　　군 구정면 제비리 843번지(본적), 할아버지 할머니 슬하에서 자라남.

1949년 7월 구정면 구정초등학교를 졸업, 강릉사범 병설중학교에 진학함.

1952년 3월 병설중학교를 졸업함.

1955년 강릉사범학교 본과를 졸업함. 초등학교 2급 정교사 자격을 받고 고향마을 제비
　　　초등학교 교사로 부임함.

　　　이후 강릉의 묵호·사천·강릉초등학교에서 12년간 교사 생활을 함.

1961년 5월~1962년 5월 만 1년 동안 군복무를 함.(육군 제5사단 35연대)

1963년 〈한국일보〉 신춘문예에 동시 당선됨.

　　　아동문학 교단문학회 간사 일을 봄.

1964년 4월 권오갑(權五甲)과 혼인함(1994년 3월 간암으로 별세).

　　　슬하에 2남 2녀를 둠.

1966년 첫 동시집 《나뭇잎 하나》 출간함.

1967년 한국문인협회 가입. 한국글짓기지도회 강원도 지회장에 피선됨.

1968년 9월~1981년 8월까지 13년간 서울의 추계초등학교에서 교사 생활을 함.

1969년 색동회, 한국 아동문학회 가입함.

1971년 한국동요동인회(현 동요작사작곡가협회) 가입함.

　　　제2동시집 《아기와 염소》 출간함.

1973년 문교부, 동아일보, 조선일보 교가 지어주기 운동에 참여함.

1974년 제3동시집 《아기 크는 집》 출간, 한정동아동문학상을 수상함.

1975년 명지대 문학부 국문학과를 졸업함.

1976년 한국국어교육학회 가입. 국제PEN한국본부 회원이 됨.

　　　제4동시집 《어린이만세》 출간함.

1977년 한국수출입은행 행가 작사(작곡·이흥렬). 수상집 《원색교실》 출간함.

1979년 동아방송 제정 《세계어린이노래》(작사·작곡 이수인),

　　　이론서 《웅변과 이야기동화》 출간함.

1980년 제5동시집 《꽃이 피는 까닭》, 첫 동화집 《달을 보고 짖는 개》 출간함.

1981년 문교부 초등 도덕·국어 교과서 집필 위원,

소년조선일보문예상 심사 위원으로 위촉됨.(~1986)

동국대 교육대학원에서 국어교육 전공함(교육학 석사).

1982년 한국문예교육연구회 부회장을 역임함.(회장 어효선)

한국 아동문학연구소 개설함.(대표)

동화집《이상한 청진기》출간함.

수필집《초가집과 돌담》출간함.

1983년 동화집《수탉》출간함.

1984년 계간〈아동문학연구〉창간함.

동화집《호랑이의 연설》출간함.

교양서《우리 예절 우리 풍속》출간함.

1985년 제1회 논솔상 수상함(색동회 제정).

이론서《무지개 작문교실》출간함.

1986년 한국문인협회 아동문학분과회장 피선됨.

한국글짓기지도회 부회장 피선됨.

제6동시집《동시집을 펼치면》출간함.

교양서《어린이 목민심서》출간함.

1987년 동화집《별나라에 다녀온 아이》,《이야기하는 교실》출간함.

제7동시집《산을 오르는 마음》출간함.

제6회 한국 PEN문학상을 수상함.

서울 어린이대공원 소파(방정환) 동상 좌대비문 지음.

1988년 소년동아일보문예상 심사 위원을 맡음(~1998).

문화체육부 우수 도서 선정 심사 위원을 맡음(~1993).

동화집《전국동물단합대회》출간함.

1989년 아동문학세미나 시작함(2009, 제21회).

1990년 한국음악저작권협회 평의원 선임됨.

제8동시집《들길을 걷다보면》출간함.

동화집《싸움은 이겼어도》출간함.

1991년 한국동요동인회 회장 피선됨.

제9동시집《참 잘했지》출간함.

동화집《엄마, 행복이 뭐야》출간함.

소년역사소설《단종과 엄흥도》출간함.

소년소설《평양에서 온 친구들》출간함.

1992년 제5회 대한민국동요대상(노랫말) 수상함.

1993년 동화집《앞장 선 꼴찌》출간함.

　　　　동화집《숙제 없는 학교》출간함.

　　　　이론서《글쓰기 어떻게 지도할 것인가》출간함.

1994년 제10동시집《너희는 금빛 날개를 달고》출간함.

　　　　제31회 한국문학상 수상함(한국문인협회).

　　　　대한민국독서대상 심사 위원을 맡음.(독서새물결추진 위원회)

　　　　서울 정도 600년 기념 '자랑스런 서울시민상' 수상함.

1995년 노랫말 동요곡집《모두가 즐거워요》출간함.

　　　　한국문인협회 이사를 역임함.

　　　　12월 정화순과 재혼함.

1995~1997년 KBS 라디오 소리글짓기 대회 심사 위원장을 맡음.

1997년 회갑기념 동시 선집《대장과 졸병》출간함.

　　　　동화집《별난 결혼식》출간함.

　　　　수필집《좋아져서 슬픈 것》출간함.

1998년 그림동화집《불독장군 이야기》출간함.

　　　　제8회 방정환문학상을 수상함.

　　　　한국동요작사작곡가협회 사무총장을 역임함(~2004).

1999년 제8회 아동문화대상을 수상함.

2000년 동시 선집《365일 동시 여행》출간함.

　　　　동시 선집《동시가 좋아요》출간함.

2001년 제15회 예총 대한민국예술문화대상을 수상함.

　　　　한국문인협회 부이사장 당선됨(~2004).

　　　　동화집《꽃님이 좀 바꿔 주세요》출간함.

　　　　제12동시집《개구쟁이 편지 쓰는 날》출간함.

2002년 한국문인협회〈한국문단 이면사〉간행위원회장, 민족통일중앙위원회 자문 위
　　　　원을 역임함.

　　　　제3회 지구문학상을 수상함.

　　　　동화집《내 친구 명섭이》출간함.

2003년 아동교양서《신나는 글쓰기》출간함.

　　　　동시화집《미술관에 간 동시》출간함.

　　　　제4회 김영일아동문학상을 수상함.

한국음악저작권협회 이사를 역임함(~2006).

2004년 새싹회 이사·현정회 이사로 위촉됨.

제4회 천둥아동문학상을 수상함.

제14회 박홍근아동문학상을 수상함.

2005년 엄기원 육필시비 세워짐.(충남 보령 개화공원)

아동교양서《어린이 사자소학》출간함.

중국 연변 조선족아동문학연구회와 자매결연을 맺음.

2006년 서울 문인클럽 이사로 위촉됨.

남천회고문집《행복은 내 곁에 있었네》출간함.

제13동시집《배꼽 밑에 점 하나》출간함.

2007년 한국민족문학상 대상을 수상함.

구연동화집《좁쌀 한 톨로 장가 든 총각》출간함.

한국음악저작권협회 평의원 선임됨(~2010).

2008년 한·영 동시집《어린이공화국이 있다면》(조병은 영역) 출간함.

대한민국 향토문학상을 수상함.

통일문예제전 심사 위원장을 맡음(민족통일협의회).

2009년 대한민국동요대상 심사 위원장을 맡음(서울 YMCA).

시집《가을에게 띄우는 편지》출간함.

2011년 한국음악저작권협회 이사를 역임함(~2014).

제14동시집《삼월의 기차여행》출간함.

민족통일중앙협의회 자문 위원으로 위촉됨.

2012년 이론서《아동문학 이론과 창작》출간함.

동시집《삼월의 기차여행》영문판이 출간됨(조병은 번역).

2013년 제15동시집《팔랑개비》출간함(아르코문학상 창작지원금 받음).

대구 도동시비공원에 엄기원 시비 세워짐.

2014년 손글씨 편지 모음집《정겨운 편지 손글씨 향내》출간함.

그림동화집《우린 냥이 삼총사》출간함.

한국음악저작권협회 부회장 역임함(~2017).

2015년《엄기원 동시선집》(지식을만드는지식) 출간함.

한국문인협회 고문으로 위촉됨.

2016년 제1회 계간문예문학상을 수상함.

제16동시집《오솔길이 좋아》출간함.

　　　　산문집《아름다운 인연》출간함.

2017년 국제PEN한국본부 심의위원장 선임됨.

　　　　제17동시집《다짐만 하다가》출간됨.

2018년 국제PEN 제4회 세계 한글작가대회 조직 위원으로 위촉됨.

한국 아동문학가 100인

공재동

대표 작품
〈상처〉 외 1편

인물론
슬픈 날 밤에 뜨는 별–공재동 시인
《꽃씨를 심어 놓고》를 읽으며

작품론
슬픔의 미학, 그 서정의 아름다움

어린이와 함께 선생이 걸어온 길

상처

모터보트
한 대가 칼날처럼

물살을 가르며
지나간다.

길고 깊은
바다의
상처.

바람이
얼른
소독을 하고

햇살이
찢긴 자리를
꿰매는 동안

바다도
몹시
아픈가 보다.

물거품을
튀기며
몸을 뒤챈다.

조각달

봄밤
딱따구리가
달을 쪼고 있더니

어느새
지쳐 잠 들었나.

쪼다 남은
달 한쪽이
외롭게 떠있다.

반만 남은
새벽달이
하얗게 떠있다.

슬픈 날 밤에
뜨는 별
–공재동 시인

이상문

형(兄)

나는 공재동 시인을 공형이라 부른다. 공형은 문단 선배다. 교직에서도 나보다 훨씬 상급자였다. 그렇지만 선배님이라 부른다거나 상급자의 직함을 불러 존대하는 건 영 내키지 않는다. 선배님이나 교장선생님, 원장님으로 대하자면 엄전해지지 않을 수 없다. 나에 비한다면 공형은 엄청 이른 나이에 등단하였고 교직에서도 승진이 빨라 '가까이 하기엔 너무 먼 당신'이 될 수밖에 없다. 말하자면 문단이나 교단의 모임에서 서열대로 앉을 때 떨어져 앉은 거리가 너무 멀어 대화는커녕 얼굴조차 대할 수 없게 된다는 것이다. 공형과 내가 가까이 할 수 있는 것은 오직 나이와 취향이 엇비슷한 점일 것이다. 나는 그런 사람이 어울릴 때 가장 적합한 호칭이 '형'이라고 생각한다. 형이라면 아우가 있을 텐데 그렇다면 누가 형이고 누가 아우란 말인가 그 점에 대해선 국어사전이 명쾌하게 밝혀놓았다. '나이가 비슷한 친구 사이에 서로 높여 이르는 말'이 형이다. 그래, 문단 선배이면서도 한때 직속상관이었던 그를 감히 친구 삼고자 형으로 부르는 것이다.

두 시인

공형과 함께 잘 어울리는 사람은 박지현 시인이다. 박지현 시인은 시도 잘 쓰지만 풀피리를 잘 불어 풀피리시인으로 널리 알려져 있는데 나는 애초에 이 두 사람이 왜 그렇게 가까이 지내는지 알 수 없었다. 두 사람은 같은 연배라 하기 어려울 만큼 나이 차가 난다. 그들은 이웃동리에 산다고 우기지만 실은 버스를 타고 한참 가야 할 만큼은 떨어져 살고 있다. 성격도 그렇게 딱이랄 만큼 아귀가 맞는 것도 아니다. 풀피리시인은 속에 있는 것은 다 털어내 보여야 직성이 풀리지만 공형은 자기 속을 잘 드러내지 않는 편이다. 직업도 영 아니라고 할 만큼 다르다. 풀피리시인은 한때 회사에 근무한 적은 있지만 지금 텃밭이나 가꾸며 한가롭게 지내는 편인데 공형은 오랜 동안 공직생활하면서 이래저래 바쁘게 산다. 그런데도 바늘 가는 데 실이라고 할 만큼 교분이 두텁다.

나는 어느 날 이 두 사람 사이를 비집고 앉아 술을 마시게 되었는데 그때서야 두 사람이 친해진 까닭을 알게 되었다. 풀피리시인은 그 날 역시 있었던 일을 시시콜콜 다

헤집어 내놓았다. 그 '시시콜콜'은 교직에 있는 우리와 꽤나 차이가 난다. 그는 부산토박이로 오랜 동안 뿌리를 내리고 있었고 우리는 맨몸으로 고향을 뛰쳐나와 〈굳세어라 금순아〉처럼 부산에 정착하려고 안간힘을 써온 터다. 그가 털어 내놓는 해묵은 부산 얘기며, 목가적인 전원생활 얘기가 조금은 흥미롭기는 하지만 늘상 피부에 와 닿는 것은 아니다. 그런데도 공형은 이야기를 끝까지 들어준다. 분위기가 진지하여 나도 그냥 듣는 편이나 나는 좀 주의가 산만하다. 머리를 긁적이거나 물수건으로 쓸데없이 얼굴을 문질러대거나 식탁 위 물건들을 집적거리기 일쑤다. 그런데 공형은 자세를 조금도 흐트러뜨리지 않고 그의 얘기를 빠짐없이 들어주는 것이다. 공형은 얘기를 꺼내놓으면 매우 논리적이다. 고사어나 삽화를 곁들이거나 시대적 배경까지 덧댄다. 그러면 풀피리시인은 가만히 듣고만 있는 나와는 달리 매우 적극적인 청자가 되어 이야기를 부추긴다. "카, 그럼 그때가 좋았지, 그때 향파 선생님 살아계실 때 말야……." 때로는 이야기를 꺾어 엉뚱한 방향으로 돌려놓기도 하지만 공형은 풀피리시인에게 이야기를 들려주어야 할 책무라도 지고 있는 사람인 양 이야기를 이어간다.

공형은 개인적인 이야기나 가족 간에 있었던 사사로운 일들을 잘 드러내지 않는 편이나 풀피리시인에게만은 예외인 듯하다. (그래 공형에 대해 내가 모르는 것이 있으면 공형에게 직접 묻지 않고 풀피리시인에게 에둘러 물어볼 때가 많다.) 그런가 하면, 풀피리시인이 풀피리를 불면 정말 자기가 열자의 탕문 편에 나오는 지음(知音) 이야기 중에 백아의 거문고 연주를 듣는 종자기인 양 그 가락을 달디 달게 음미한다. 그냥 듣고만 있는 것이 아니라 곡이 끝나면 "오늘따라 멋지게 부는데." 하며 빙긋이 웃는다. 게다가 시까지 지어 칭송한다.

동시인 박지현은 봄풀 같은 사람인가
풀잎 하나 입에 물면 고운 노래 절로 흘러
애잔한 풀빛노래로 남의 애를 끊어놓네.
– 〈풀잎 피리〉 공재동 삼장시초집 《휘파람》에서

화초에 물주기

공형은 교감을 거치지 않고 전문직에서 곧바로 교장으로 승진하였다. 교장은 교직에 몸담은 사람이라면 누구나 부러워하는 자리다. 그런데 공형은 정작 교장이 되고나서 영 표정이나 태도가 무덤덤이다. 풀이 죽었다 할까 무슨 횡액이라도 당해 의기소침해진 사람같이도 보이는 것이다. 교장 승진을 축하하기 위해 풀피리시인과 함께 학교를 방문했더니 뜻밖에도 그는 우리를 교장실로 안내하지 않고 학교 앞 횟집으로 갔다.

그러고 나서 그의 표정이 그랬다. 교장으로 승진하였으니 여러 가지 주변 환경이 달라졌을 테고 부임한 학교 분위기도 새로운 게 많을 텐데도 학교 이야기는 일절 하지 않았다. 우리가 물으면 간단하게 답만 하는 정도였다. 그리고 며칠이 지난 뒤 어느 날 전화가 왔다.

"이 선생님, 오늘같이 비오는 날 이 시간에 무얼 하고 있습니까?"

느닷없이 내놓는 얘기가 예사롭지 않아 속으로 뜨끔했다. 그리고 '뭔 일이 생긴 겐가?' 은근히 걱정이 되는 것이다.

"공형, 오늘 같은 날 파전에 막걸리가 딱인데요."

나는 그와 자리를 같이 하지 않을 수 없었다. 그런데 공형은 또 저번 학교 앞 횟집에서와 같은 분위기를 하고 있는 것이다.

"이 선생님, 나는 학교에 가서 교장실에 있는 화분에 물주는 것이 전부예요. 아이들 가르치는 건 선생님들이 하는 거지요."

전문직에서 익혀온 교육이론이나 평소에 가지고 있었던 학교 경영에 대한 자신의 소신을 학교현장에 접목시킬 궁리하고 있다는 얘길까? 도대체 부임하자마자 새 학기 짧은 기간에 그것이 가능한 일인가? 아니라면 완전 자유방임형인 학교 경영체제에 안주하겠다는 말일까? 잠시 혼란에 빠져 나도 모르게 말을 얼버무렸다.

"그럼요, 공형, 교장선생님이 화분에 물주면 선생님들은 아이들 더 잘 가르칠 게요. 아무 걱정 말고 화분에 물이나 열심히 주세요."

그러고는 학교 이야기는 일절 하지 않았다. 다만 화분에 물 주듯 그가 좋아하는 맥주만 들이켰다.

왜 또 왔노

공형은 교장직을 두 해로 마감하고 다시 전문직으로 돌아갔다. 나는 고향인 포항으로 파견근무를 나가서 공형과 자주 만날 수 없었다. 그러나, 어쩌다 문학행사 때는 만나기도 했는데 그해 가을, 승합차를 세내 아동문학협회 세미나에 함께 참석했었다. 그때 공형이 얼굴을 잔뜩 찡그리고 있길래 웬일이냐고 물었더니 코 수술을 하고 며칠 안 됐다는 것이다. (배익천의 성화에 못이겨 나선 것 같음) 그날 세미나는 늦어졌고 분위기도 좀 어수선해졌다. 잘 시간이었다. 나는 저쪽 모퉁이에 공형이 눕는 것을 어렴풋 건너다 보고 자리에 누워 새우잠을 청했다. 잠이 오는 둥 마는 둥 해 몸을 뒤척이고 있는데 어디선가 매우 거친 목소리가 들렸다. 누구를 호되게 야단치는 소리였다.

"도대체 수술했다는 사람이 술을 마시면 어쩐다는 거야. 노래는 다 뭐야. 재미 좋았겠다. 도대체 뭐하는 짓이야 수술하고 술 마시고."

677

동화작가 배익천 형의 목소리였다. 그러지 않아도 목소리가 큰 배 형이 그렇게 화내는 목소리는 그때 처음 들었었다. 목소리는 거칠고 사나와 마치 가형이 동생을 닦달하는 듯하지만 가만히 듣고 있으면 진심으로 공형을 염려하는 마음이 짙게 묻어있다. 나이로 치면 배형이 한 두 살 아래지만 그렇게 큰 소리를 치면서도 상대를 걱정해주는 모습이 차라리 감동적이었다. 그런데 그 소리를 분명 들었을 텐데 공형은 뭐라고 대꾸하는 기척이 없었다. (나중에 안 일이지만 그날 배익천은 공재동이 걱정돼 새벽 내 찾아 헤매다녔다고 했다.)

늑목 밑에 버려진 농구공 측백나무 울타리 너머로
선생님의 손풍금소리 지금도 들리네
지붕도 없는 추녀 끝에는 녹슨 종이 눈을 감고 있는데
다들 어디서 그 소리 듣느뇨 추억 찾아 옛날로 가면
몽당연필 같은 지난 세월이 나를 부르네
몽당연필 같은 지난 세월이 나를 부르네

이것은 나훈아가 부른 〈분교〉라는 노래 가사의 일부인데 공형이 이 노래를 즐겨 부른다. 이 노래는 가사가 자못 시적이지만 공형이 부르면 노래가 아니라 시다. 지긋이 눈을 감고 시를 읊듯 부르는 노래를 듣다보면 노래가 시고 시가 노래인 걸 절로 깨닫는다. 아마 늦은 밤에 불려갔어도 필시 이 노래는 불렀으리라 싶다. 그런데 그날 그 야심한 밤중에 도대체 누가 잠자리에 든 공형을 불러내 노래방까지 데려갔는지 참으로 궁금하다. 그리고 과연 거기서 술을 마셨는지, 마셨다면 얼마나 마셨는지. 알 수 없는 일이다. 본인에게 직접 물어보고 싶지만(물어도 시원한 답변은 듣기 어렵겠지만) 그냥 묻어두었다.

그 이듬해 배익천 형이 모친상을 당하였다. 빈소가 대구 파티마 병원이었는데 부산 문인들이 상당수 조문을 갔었다. 거기에는 공형과 나 그리고 풀피리시인도 물론 함께 있었다. 공형은 갈 때부터 뭔가 초조한 기색을 보이더니 서둘러 부산으로 내려갔다. 교육청에서 온 전화를 받고는 챙겨야할 급한 일이 있다는 거였다. 그런데 밤 11쯤 우리가 부산으로 돌아가는 차중이었는데 전화가 왔다. 공형이었다.

"지금 어딘가요? 조문객은 아직 많이 있나요?"

나는 조문 끝에 궁금해서 묻는 것이려니 여겼는데 뜻밖에도 대구로 가는 중이라 했다. 우리들이 조문을 끝내고 돌아가는 중이니 그만 부산행 차를 갈아타고 돌아오라 했다. 그러나 그는 듣지 않았다. 낮에 조문을 소홀히 해서 헌작이라도 다시 해야겠다며 전화를 끊는 것이다. 나는 빙긋 웃으며 배형의 얼굴을 떠올렸다.

"낮에 왔다 갔으면 됐지 늦은 밤에 왜 또 다시 왔노?"

이번에도 목소리는 컸을지 몰라도 화는 내지 않았으리라는 짐작이 갔다. 우리는 두 사람이 다시 만나 나눌 대화를 상상하며 미소를 지었다.

삶과 시

즐거운 날 밤에는
한 개도 없더니
한 개도 없더니

마음 슬픈 밤에는
하늘가득
별이다

수 만 개일까?
수십만 갤까?

울고 싶은 밤에는
가슴에도
별이다

온 세상이
별이다.
― 〈별〉 공재동 동시집 《새가 되거라 새가 되거라》

공형의 시에는 별이 많다. 그 별은 '슬픔', '외로움', '눈물'과 함께 한다. 그런데 그 슬픔과 외로움이나 눈물이 어둠에 떨어지지 않고 하늘에서 아름다운 빛을 발산한다는 데 의미가 있다. 그는 그 자신이 한과 슬픔은 인류에게 지워진 영원한 짐이라고 규정하며 이를 시의 그릇에 담아내려고 노력해왔다. 그것이 어찌 쉬운 일일까? 특히 눈물처럼 투명한 그것들을 동시란 그릇에 담아내기란 더더욱 어려운 일이다. 그러나 그는 어두운 밤하늘에 반짝이고 있는 별에서 그 해법을 찾아냈다. 거기 슬픔 속에서도 의기를 잃지 않고 꿋꿋하게 살아가기를 바라는 소망을 담아냈다.

공형은 형식이나 수식을 싫어한다. 그의 시에 수식어가 많지 않듯 말도 좀체 꾸며하는 법이 없다. 어쩌다 약속시간에 늦었으면 '찻길이 막혔다'거나 '시간을 깜박 잊었다.'라고 짧게 얘기하지 구구하게 설명하거나 변명을 않는다. 무슨 부탁을 들었을 때도 '알았다'라고 짧게 답한다. 그렇지만 그 부탁이 들어주어야 할 일이라면 깔축없이 성사시킨다. 그리고 공치사를 하는 법이 없다.

나는 공형이 슬프거나 외로운 사람은 아닌 줄 알고 있었다. 그런데 어떤 평론가가 그의 시를 읽고는 그는 외롭고도 슬픈 사람이라는 것이다. 그리고 보니 그가 하는 말이나 행동에서 외롭고 슬픈 같은 것을 느낄 수 있다. 비오는 날 느닷없이 "오늘 같이 비오는 날 이 시간에 무얼 하고 있습니까?" 묻는 사람이야 말로 외로운 사람이 아니고 뭐겠는가. 학교에서 남들은 교실에서 아이들과 재잘재잘 떠들고 있는데 혼자 쪼그리고 앉아 화분에 물주는 사람, 그도 외로운 사람이다. 오밤중에 불려나가 아픈 코를 감싸고 술을 마시고, 노래까지 부른 사람, 남들은 집으로 돌아가는데 밤늦게 혼자 낮에 못한 인사를 하겠다고 상가로 달려가는 사람, 그 사람이야말로 외롭다 못해 가련한 사람임이 분명하다.

나는 그의 시편들을 읽으면서 그가 슬픔을 별처럼 아름다운 시로 옭아내는 솜씨에 탄복하지 않을 수 없다. 세상의 아름다움 중에 비장미(悲壯美)를 뛰어넘는 게 어디 있을까? 공재동에게는 삶이 시요, 시가 곧 삶이다. 공형의 시나 인생이나, 이뤄지는 모든 것이 밤하늘의 별처럼 영원히 반짝일 것임을 확신한다.

《꽃씨를 심어 놓고》를 읽으며

서경식

　공재동 시인은 언제 보아도 그 어린이 같은 표정을 그대로 간직하고 있다. 이제 예순이 되고 교육관료로서도 꽤 많은 시간을 보냈는데도 전혀 변함없는 얼굴로 우리 곁에 있다. 참 고맙고 놀라운 일이다.

　공재동 시인이 우리 가까이에서 아이들을 위한 좋은 노래를 선물한 지 벌써 30년이 넘었다. 동시집도 벌써 8권이나 내었다. 지금의 이 시선집은 이제까지 공재동 시인이 내어놓은 8권의 시집 가운데에서 가려 뽑은 주옥 같은 동시들을 부로 나누어 실었다.

　1부는 '산딸기 있는 곳은', 2부는 '바람이 길을 묻나봐요', 3부는 '해바라기 꽃씨', 4부는 '보물찾기'로 되어 있다. 참 좋은 동시들이다. 어린이가 읽어서 좋은 시일 뿐만 아니라 오히려 어른들에게도 울림이 큰 시들이 여기저기 보석처럼 빛나며 우리가 다가서기를 기다리고 있다. 몇 편을 골라 함께 읽어 보기로 하자.

동생더러 함께 가자 / 조르고 졸랐지만 / 자는 체 눈을 감고 / 숨도

크게 안 쉰다. // 대문 밖 나설 때는 / 동생이 얄미웠고 / 담 모퉁이

돌아갈 땐 / 아빠가 미워져서 / 골목길 / 어두운 길을 / 나 몰라라 달았다

　– 〈심부름〉 전문

　이 시의 첫연 첫 행을 읽으면 공재동 시인이 시선집의 머리말에 쓴 말이 떠오른다. 동시는 언어 학습의 유일한 교재라는 것을 새삼 강조하여 말한 것과 하나의 시를 완전히 빚어낼 때까지 얼마나 정성스럽게 보살피는지를 알 수 있다. 다섯 번이고 여섯 번이고 끊임없이 시어를 갈고 가는 자신의 버릇을 다른 사람의 입을 빌려 슬그머니 내놓고 있다.

　'동생더러 함께 가자 / 조르고 졸랐지만'에서 보이는 것처럼 '동생더러'가 가지고 있는 말의 느낌이 '조르고 졸랐지만'에서 자꾸 덮쳐오는 또 다른 느낌이 이 시를 읽는 사람으로 하여금 시의 맛을 깊이 있게 들이마시게 해 주는 역할을 한다. 심부름 가는 나의 섭섭함이 조르고 조르는 모양에서 출발해서 대문 밖을 나서서 담 모퉁이를 돌아서 마침내 그런 걸 모두 뿌리치게 해 주는 나 몰라라 내닫는 모습으로 향하는 내 눈 앞의

선한 그림에서 충분히 읽혀진다.

그렇다. 나는 왜 몰랐을꼬. 우리 학교 도서관에도 떡하니 동시집 코너 하나 장만해서 우리 아이들이 동시집을 즐겨 찾고 좋은 시들이 차곡차곡 쌓여 있는 시들 중에서 하나를 뽑아 읽거나 욀 수 있는 시간이 기회를 주는 걸 왜 깜빡 잊고 있었을까?

숙제 못한 아이가 / 골마루에 쫓겨 나와 / 벌을 서고 있다. // 아이
를 꾀어 낸 // 어제의 바람도 와서 / 함께 벌을 서고 있다 / 아무도 몰래 /
아이 옆에 서서 / 바람도 함께 / 벌을 서고 있다
　 － 〈벌〉 전문

숙제를 못한 아이가 골마루에서 벌을 서고 있는 모습을 보고, 그 외톨이를 그냥 보고 넘기지 않는 뜨거운 사람의 마음이 작동한다. 그래서 기어코 어제 숙제보다 더 재미난 놀이를 하자고 꾀었던 바람이, 못난 욕심의 바람이 옆에 와서 한사코 함께 벌을 서자고 함께 벌을 서고 있다는 상상력이 놀랍다.

이 시를, 이 시집이 단숨에 읽어질 수밖에 없는 것을 말해 주고 있다. 공재동이라는 사람됨이 고스란히 쏟아져 있는 시다.

새처럼 자유롭던 시간들이 / 고 작은 싱차 속에 갇혀 있다. // 땡 땡 땡 땡…… / 얼마나 갑갑했으면 /
열두 시는 열두 번씩이나 / 벽을 치며 저 아우성일까. // 시계를 볼 때마다 / 말간 유리문을 활짝 열고
/ 시간들이 자유롭게 놓아 주고 싶다 / 새처럼 댈라 / 날려 주고 싶다
　 － 〈시계〉 전문

언제 우리는 새처럼 자유롭던 시간을 쓴 적이 있는가. 아, 우리 어릴 적에. 시골 마당에서 숨바꼭질하고, 깡통차기나 하고 소를 몰고 산으로 가서 소를 매어 놓고 뱃가에서 물고기잡이 하던 그때 먼 그때로 나아가야만 되지.

그러나 지금의 아이들은 어떠한가. '고 작은 상자 속에 갇혀 있'는 우리 아이들이 아닌가 너무 안쓰러워 어찌 해 주어야 하는가? 갇혀 있는 게 시간이 아니라 어쩌면 아이들, 지금 우리 앞에 놓인 아이들이 아닐까? 하필이면 한 시나 두 시가 아닌 열두 시일까 한 겹이나 두 겹이 모자라 열두 겹이나 쌓여져 있거나 두껍게 울타리쳐진 그런 처지를 상상한 건 아닐까. 말간 유리문, 우리가 즐겨 닦던 학교의 유리창이 생각난다.

그렇다. 우리 아이들의 저 어려움을 걷어 줄 수 있는 방법은 없는가. 새처럼 멀리 날아갈 수 있도록 시간의 노예로서가 아니라 자신의 주인으로 살아갈 수 있는 아이가 될

수 있도록 해방의 노래가 될 수 없는가. 그래서 공재동 시가 더욱 좋다. 이런 사랑의 노래가 깊숙이 널리 여기 저기 놓여 있기 때문이다.

어두운 길까지만 / 바래다 주겠다고 / 말려도 말려도 함께 나서시더니 / 동구 밖 한길까지 따라오셨다. / 제발 그만 가시라고 / 차 세우고 등 떠밀어도 / 조금만 더 조금만 더 / 달님은 어느새 / 도심 가는 길 위에 둥그러니 떠서 / 차들로 꽉 막혀 기다리는 나를 / 근심 어린 얼굴로 내려다보신다. // 그래 두고 봐 / 저러시다 결국은 / 우리 집 앞까지 가시고 말지 / 아무도 못 말리는 / 고집불통 / 저 달님
   – 〈달님〉 전문

시 속에서 말하는 이와 달님과의 관계는 외할머니 같다. '함께 나서시더니'에서 또는 '동구 밖 한길까지 기어코 따라 오시는' 데서 결국은 고집불통으로 바뀌는 데까지 이 시가 우리에게 주는 특별한 재미는 시골 어둔 밤길을 밝혀 주던 달님이 할머니가 좋아하지 않으시는 발길이 뜸한 도심까지에 이르고 마침내 우리가 일상 겪어야 하는 꽉 막혀 어쩔 줄 몰라하는 근심어린 도심의 풍경 속에서 할머니의 마음같이 안타까움을 둘러싸이고 마침내 내 예상이 한 치도 어긋남이 없이 맞아떨어지는 불행으로 결국 고집불통으로 막다른 골목에 계신다.
   그러나 그 고집불통은 사랑통이며 아무도 말리지 못하는 사랑의 깊은 못이 된다. 외할머니와 달님을 연결시키는 은근한 눈빛이 어둔 밤길을 밝혀 주는 달님의 사랑을 닮아 오늘도 우리 곁을 지키고 내일도 내 앞길을 열어 줄 것이라는 생각을 하게 된다.
   시골 어둔 길, 동구 밖 한길, 도심 가는 길, 우리 집 앞까지를 나와 함께 여행하는 달님의 근심어린 눈빛이 내 마음으로 달님으로 다가서는 그런 정다움을 달님을 통해 우리에게로 오고 있다. 참 좋다.

누구의 / 예쁜 / 손장난일까 / 가지마다 / 파란 / 구슬이 달려 / 방울방울 / 이슬에 / 젖어 있다. // 누구의 / 고운 / 눈망울일까 / 마디마디 / 촘촘 / 포도가 맺혀 / 도란도란 / 세상을 / 내다보고 있다.
   – 〈포도〉 전문

이 시는 특별하게 한 행이 한 어절이나 두 어절로 되어 있다. 마치 포도 한 알 한 알이 포도송이에 붙어 있듯이 그렇게 맺혀져 있다. 그래서 더욱 시가 맛깔스럽다.
   첫째 행의 '누구의 손장날일까'와 넷째 연의 누구의 '고운 눈망울일까'가 이 시를 이끄는 물음이다. 이 두 물음이 빚어낸 것이 포도라는 시를 만들어 내었다. 이슬에 젖어 있는 포도, 세상을 내다보고 있는 저 포도들. 세상을 내다보며 세상을 향해 출발점에 서

서 무슨 이야기들을 재미있게 혹은 근심스럽게 나누고 있을까. 이슬에 젖어 있으니 아침일 터이고, 아침이라면 미래에 대한 긍정적인 생각을 가지고 미래에 대한 저마다의 설계로 가슴 부풀어 있는 건 아닌지? 아니면 도란도란 속에서 형제애를 이야기하며 결코 서로를 아끼며 어깨를 걷고 함께 나아가자고 약속을 하는 건 아닌지.

여하튼 이 포도를 읽으면서 우리 말이 가진 특별한 맛을 여러 번 거듭 읽으면서 느끼게 하는 별난 힘을 싣고 있는 것을 충분히 느낄 수 있다. 포도 내 곁에 있는 포도 한 알, 한 알.

여름의 합창이 / 모두 끝났다. // 매미도 베짱이도 / 무대를 떠나고 // 반주를 맡았던 구름이 / 소나기와 천둥을 / 거두어 사라진 뒤 // 하늘은 깊숙하게 / 생각을 드리운다. // 긴 여운이 가슴에 가라앉아 / 산이 한동안 / 넋을 잃었다가 // 뒤늦게야 마알간 / 환상에서 깨어난다. // 앵콜, / 앵콜, // 단풍잎 갈채가 쏟아지고 / 금빛 아우성이 / 지구를 덮는다.
– 〈단풍잎 갈채〉 전문

매미와 베짱이들의 무대이던 여름의 합창이 끝나고 그 무대 장치를 책임졌던 구름과 소나기와 천둥도 거두어졌다. 얼마나 아름다운 여름 풍경의 그림인가 이렇게 큰 그림을 통시에 담을 수 있다니 놀랍기만 하다. 그런 커다란 무대 다음으로 조용하게 다가서는 생각의 가을 하늘이 드리운다는 시인의 시선이 가슴을 철렁하게 만든다. 그런 감동을 커다란 산의 가슴으로 느낀다. 단풍잎으로 갈채로 만들고 드디어 그것은 지구의 금빛 아우성으로 마무리 한다. 작은 거인과 같은 공재동 시인의 면모를 그대로 쏟아 놓았다는 생각을 하지 않을 수 없다. 이 가을 우리에게 줄 수 있는 가장 강력한 선물로 내게로 오고 어른들 모두에게로 갈 것이다. 이런 시는 아이들에게보다는 오히려 어른들에게 더 읽히기에 좋은 시가 아닐까? 이제 막 사춘기 전기에 들어서는 초등학교 고학년이나 중학생이 된 소년 소녀들에게 읽히기에 참 좋은 시다. 자연이 주는 큼직한 사랑을, 큼직한 발걸음을 우리는 여기서 지금 분변하게 느낄 수 있지 않을까?

별들이 새벽길 / 쓸고 갔습니다. // 별들이 흘린 / 땀방울 / 몇 개가 / 이슬이 되어 / 아침 햇살에 / 반짝이고 있습니다. // 이슬은 / 새벽길을 쓸면서 / 별들이 남기고 단 하나의 / 작고 아름다운 / 흔적입니다.
– 〈새벽길〉 전문

이슬을 '별들이 흘린 땀방울'이라고 표현하다니 '단 하나의 작고 아름다운 흔적'이라고 부르다니……. 그냥 그 감동을 안고 여운만을 맛보고 한참 동안 멍하니 있기만 했다.

아름다운 것은 사라져 / 눈물이 됩니다. // 이슬이 그렇고 / 노을이 그렇고 / 새들의 노래가 그렇습니다. // 달이 그렇고 / 별이 그렇고 / 우리들의 꿈이 그렇습니다. // 사라져선 샘물처럼 눈 속에 고여 / 끝없이 솟아나는 / 눈물이 됩니다. // 아름다운 것은 모두 / 눈물이 되어 / 고운 마음속에 살아 있습니다.
　– 〈아름다운 것은〉 전문

공재동 시인은 참 아름다운 사람이다. 이슬 같은 사람이고, 그 이슬은 눈물로 만들어졌다. 아마 이 시인이 슬픔을 안으로 넣어 내공을 만들어 깊이 간직하고 있을 것이다. 그래서 아름다운 것은 더욱 아름답게 빛나는지 모른다. 마음 속에 살아 움직이는 눈물, 그게 우리 마음속에 별이 되어 반짝이며 슬픔에 잠긴 사람과 함께할 수 있는 힘이 될 터이다.

꽃씨를 심어 놓고 / 싹이 트길 기다리는 동안 / 우리들 마음은 / 꿈으로 가득 찬다. // 새싹이 자라 / 꽃이 피길 기다리는 동안 / 우리들 가슴은 / 설렘으로 가득찬다. // 세상은 하늘과 걸린 / 무지개처럼 / 그렇게 아름다운 것일까. // 꽃이 지고 씨앗이 여물 때쯤 / 우리는 비로소 / 눈물이 얼룩진 / 기다림을 안다.
　– 〈꽃씨를 심어 놓고〉 전문

기다림은 꿈이고, 기다림은 설렘이며, 기다림은 눈물의 얼룩이다. 우리 아이들은 저마다 꽃씨를 심어 놓고 기다린다. 꽃씨는 꿈이고, 무지개이며, 열매이다. 씨앗이 여물 때쯤이며 그 기다림이 얼룩진 눈물이, 내가 흘린 땀과 눈물로 젖은 것임을 비로소 알게 된다. 깨달음이 마침내 내게로 와서 내 것이 되고, 내가 씨앗으로부터 큼직한 열매로 바뀐 사실을 만날 수 있게 된다.

돌틈 사이에서 덤불 속에서 / 우리가 찾아 낸 건 / 꼬깃꼬깃 접고 접은 / 작고 네모난 종이 한 장 // 얼마나 가슴 설레었던가요. 빨간 도장 하나 선명한 / 작 고 하얀 종이 한 장 // 공책 한 권 받아 들고 / 집으로 돌아올 때는 / 마음은 두둥실 날아오르고 / 노을도 발갛게 타올랐지요. // 선생님. / 언젠가는 우리가 소풍날처럼 / 작고 예쁜 보물이 되어 / 이 세상 어딘가에 / 숨어 있을 테니까요 // 그 땐 선생님이 / 우릴 찾아와보셔요.
　– 〈보물찾기〉 전문

우리 아이들은 한 사람 한 사람이 진정한 보물이다. 그런 보물이 실현되어 우리가 필요로 하는 곳마다에 숨어서 우리 사회를 건강하게 해 줄 것이라는 굳센 믿음이 이 시에 밑바탕에 짙게 깔려 있다. 그런 사랑 가득한 선생님과 아이들이 소풍을 가서 보물찾기를 하는 모습은 정겹고 푸근하기만 하다.

미래에 대한 푸른 꿈을 가득 넣은 탱탱한 풍선 같은 기분이 우리에게로 와서 안긴다. '꼬깃꼬깃 접고 접은 / 작고 네모난 종이 한 장'이 바로 보물찾기를 하는 보물이며 동시에 그 보물이 찾는 아이들 자신이라는 두 겹의 의미가 우리를 초대한다. '마음이 두둥실 날아오르'는 까닭도, '노을이 빨강게 타'오르는 까닭도 바로 이런 우리 미래에 대한 긍정적인 믿음에서 비롯되는 것을 아닐까 어디서 무엇이 되어 다시 만나랴. '이 세상 어딘가에 / 숨어 있을' 내 작은 보물들은 어디서 무엇을 하며 지낼꼬.

슬픔의 미학, 그 서정의 아름다움

김용희

1. 두 가지 의문에 담긴 시적 의미

공재동의 동시를 읽으면, 두 가지의 의문으로부터 자유롭지 못하게 된다. 그 하나는 시인이 살아온 일상의 생활 공간과 그가 추구해온 시적 사유가 너무도 다르다는 점에서이다.

공재동이 살아온 그 일상적인 삶의 공간은 푸른 바다가 맞닿아 있는 항구도시 부산이다. 1949년 경남 함안에서 태어난 그는 중학 시절까지 그 산골에서 살았지만, 마산에서 고등학교를 마치고 부산교육대학에 진학하면서 줄곧 부산을 삶의 터전으로 삼아왔다. 하지만 그의 동시에서 바다를 배경으로 한 작품은 찾아보기 힘들다. 굳이 찾는다면 방안에서 소라에 귀대고 바다의 숨결을 들어보는 〈소라껍질〉 정도일 뿐이다.

그가 1974년 〈새교실〉과 〈교육자료〉를 통해 〈새싹〉, 〈아지랑이〉, 〈봄〉 등이 천료되고, 다시 1977년 〈아동문학평론〉에 동시 〈소나기〉, 〈가을에〉로 천료하여 문단에 나올 무렵부터 이제까지 농경적 상상력에 입각한 산골의 자연이 그의 동시 세계의 지배적인 배경이 되었고, 식물적 이미지가 시적 근간을 이루었다.

그가 1979년 〈중앙일보〉 신춘문예에 시조 〈삼장시초〉가 당선되어 시적 세계를 확장한 이후에도 그렇다. 첫 시조집 《휘파람》(빛남, 1991)에 담긴 세계도 산골의 자연이며 거기서 생성된 한과 눈물이 주된 정조이다. 그것은 공재동의 시적 사유가 어린 시절의 체험과 정서에 뿌리 깊게 고착되어 있다는 것이고, 또 자기 삶의 근원에 집요하게 유착되어 있다는 사실을 말해주는 것일 터이다.

또 하나의 의문은 한 작품에 끈질기게 몰입하는 결벽성에 가까운 그의 시 정신이다. 한 번 발표된 작품이라도 시인이 다듬고 고치기를 반복하는 것은 그의 고유 권한이다. 하지만 선집이 아닌 경우, 어떤 특별한 계기를 제외하고는 한번 동시집으로 묶여져 나온 작품을 다시 고쳐 발표하는 예는 많지 않다. 일단 동시집으로 묶여져 나온 그 작품은 온전히 독자의 몫으로 돌려지기 마련에서이다.

그러나 공재동은 새로 동시집을 간행할 때마다 이미 발표된 작품들을 새롭게 다듬고 고치기를 반복하며 재수록해 왔다. 행갈이의 변형에서부터 작품 일부를 고치거나 제목을 바꾸는 일에 이르기까지 그는 이미 발표된 작품들을 끊임없이 퇴고하여 새로 간행되는 동시집에 재수록하는 집요성을 보여 준다.

공재동의 동시를 읽으며 우러나온 이러한 두 가지 의문은 등단 이후 시작 생활 25년 동안 상재한 동시집 다섯 권의 시적 과정 속에 그대로 반영되어 있어 그의 시적 변모를 다시금 주목하게 된다.

그는 탁월한 시적 서정성과 현실성을 총체적으로 그린 첫 동시집《꽃밭에는 꽃구름 꽃비가 내리고》(새로출판사, 1979)를 간행하고 나서 제13회 세종아동문학상을 수상하며 주목받는 시인으로 출발하지만, 그 이후의 시적 모색은 첫 동시집의 세계를 다듬고 고치며 새로 추가하여 심화시켜 나갈 뿐이다. 제2동시집《새가 되거라 새가 되거라》(남경출판사, 1981)는 그가 추구해온 서정의 세계를 정제해서 보여 주고 제3동시집《별을 찾습니다》(인간사, 1984)는 첫 동시집에서 다른 면으로 제기된 아이들 삶의 현실 문제를 구체적으로 담아내고 있다. 제4동시집《단풍잎 갈채》(대교문화, 1988)에는 다시 자연의 서정만을 취하여 삶의 근원적 향수를 되살려내고, 제5동시집《바람이 길을 묻나봐요》(하얀돌, 1995)는 그동안의 일관된 시적 작업을 정갈하게 정리하여 그의 시적 변모를 한눈에 살필 수 있게 한다.

이처럼 공재동의 동시 세계는 발표 순서대로 추스려 묶은 첫 동시집을 근간으로 하여 정갈한 서정과 아이들의 삶의 문제를 시인의 의지에 따라 새롭게 취택하여 심화시켜 나갔다. 그것은 공재동이 다양한 시적 모색을 통해 사유의 폭을 넓히기보다 서정의 깊이로 지향했음을 의미하는 일례일 터이다. 곧 공재동은 내면을 향한 정신의 깊이를 추구한 시인이라는 사실을 알게 한다.

이처럼 공재동의 동시 세계는 자기 삶의 근원으로 지향되고, 그 근원의 향수로부터 시적 상상력이 발동되었던 것이다. 그는 한 번 발표된 동시들을 다듬고 고치기를 집요하게 반복하며 하나의 세계에 깊숙이 빠져들수록 삶의 근원으로 다가갈 수 있었고, 또 삶의 근원으로 다가갈수록 애틋한 서정으로 심화될 수 있었던 것이다.

또 한편으로 자기 삶의 근원으로 지향할 때 비로소 현실의 아이들과 동등한 입장에 서게 되고 그들에게 직면한 삶의 문제에 자연스럽게 귀기울일 수 있었을 터이다. 따라서 그가 오래도록 삶의 터전으로 살아온 부산의 다양한 배경들은 그의 동시 속에 안착할 겨를이 없었던 셈이다.

공재동의 시적 사유가 면의 깊이로 애틋하게 몰입해 갔다는 사실은 어린 시절의 삶이 그렇게 행복한 것은 아니었음을 암시해 주는 일이기도 하다. 그의 동시 전반에 깊숙이 스미어 있는 뜻 모를 슬픈 정조는 아이들이 삶의 현실과 교직되면서 보다 더 심화되었을 법하다. 그가 동시를 쓰며 아이들의 삶에 귀기울이는 일이 그 자신 어린 시절 삶의 보상이라 할만큼 공재동은 자신의 삶의 근원적 향수로부터 정갈한 서정의 그늘을 찾아 안착함으로써 삶의 위안을 얻을 수 있었다.

결국 공재동의 동시 세계는 첫 동시집에서 모색된 시적 사유를 다듬고 고치고 심화시켜 서정의 깊이로 몰입해 갔고, 또 한편으로 아이들의 삶의 현실에 귀기울여 그들에게 얽매인 현실의 끈을 풀어 꿈을 놓아주는 일로 구상화되었던 것이다. 이때 공재동의 동시 세계는 서정성과 현실성이 끊임없이 갈등과 화해, 극복과 긴장 관계로 고양되며 전개되어 갔던 것이다. 그런 과정 속에서 공재동은 깊이의 시학이 추구되고, 시적 서정성과 현실성을 함께 포용하는 관용의 미학을 형성할 수 있었다.

하지만 시적 감수성이나 삶을 고뇌하던 그 기반은 언제나 어린 시절 그가 태어나 자라며 밟고 디딘 땅이었다. 그 땅은 향수의 근원으로 향하는 길이 되고, 시적 사유의 씨앗을 묻는 흙이 되었던 것이다.

2. 작고 고운 생명, 그 근원적 향수

첫 동시집의 〈꽃밭에는 꽃구름 꽃비가 내리고〉의 표제에서 볼 수 있듯이, 공재동의 시적 사유의 출발은 바로 땅이며 꽃밭이다. 그 꽃밭은 그가 표상하는 동심의 근원지이며, 산골에서 태어나 어린 시절을 보낸 그가 삶의 근원으로 통하는 길이기도 하다. 그곳은 생명성을 중시하는 농경적인 관점에서 보자면, 인간의 유연한 관심과 노력 여하에 따라 달라지는 인위적인 텃밭이다. 따라서 그 꽃밭은 공재동에게 새로운 삶의 기대와 가치와 열정을 심고, 또 새로운 세대에 희망을 거는 최초의 시적 사유의 공간이 되었다.

바로 공재동은 그 꽃밭에서 작은 생명체인 새싹을 가슴 벅차게 만난다. 그 작고 고운 생명의 약동으로부터 그의 시적 사유가 시작되었던 것이다.

새싹의 작은 손이 / 땅을 연다. // 새싹의 작은 손이 / 하늘을 연다. //

태양은 새가 되어 / 들판 가득히 / 지저귀고 // 새싹의 작은 손이 / 연두빛 / 문을 연다.

– 〈새싹〉 전문

이 〈새싹〉은 1973년 3월 10일에 쓴 최초의 동시이다. 그리고 꼭 일 년이 지난 1974년 3월 10일에 두 편의 〈새싹〉을 더 썼는데, 따라서 첫 동시집에는 같은 제목의 동시 〈새싹〉이 세 편 수록되어 있다. 하지만 그 세 편의 동시에는 모두 3월 10일에 썼다는 날짜가 못 박혀 있다.

그렇다면, 그에게 양력 3월 10일은 어떤 특별한 날인가? 아마도 그 날은 이십사 절기의 하나인 경칩을 전후한 시기일 듯하다. 경칩은 땅 속에 들어가 있던 동물이 동변을 마치고 깨어나 꿈틀거리기 시작한다는 뜻이듯, 3월 10일이라면 대지에 새봄의 신선한 기운이 감돌며 느낄 수 있는 날일 것이다.

　세상을 처음 경험하는 새싹은 분명 봄의 전령이다. 겨우내 죽은 땅을 헤집고 돋아나는 그 새싹의 작은 약동은 우리에게 새삼 생명감각을 싱싱하게 일깨워 준다. 그래서 새싹이 쏘옥 땅을 밀고 나오는 것은 하늘을 여는 일로 비견된다. 이 어린 초록 생명의 새로운 세상 경험을 축복이라도 하듯 태양은 세상을 화사하게 비추고 새들도 노래한다. 그러한 꽃밭은 '꽃구름 / 꽃비가 내리고 // 꽃밭에는 / 꽃바람 / 꽃비늘이 날리고 // 꽃밭에는 / 꽃그림자 / 꽃내음이 고이는'(〈꽃밭〉) 축복의 공간이 된다.

　처음 동시의 문을 연 공재동이 그 첫 제재로 새싹을 인식해 내었다는 실은 자기 삶의 새로운 시작을 의미하는 일이기도 하다.

봄비 그친 텃밭은 / 일학년 교실 // 햇볕이 사알짝 / 스쳐만 가도 // 저요 /

저요 / 저요 // 왁자하게 손내미는 / 새싹 / 새싹들

– 〈새싹〉 전문

1974년 3월 10일에 발표된 이 〈새싹〉은 '봄비 그친 텃밭'을 '일학년 교실'의 풍경으로 연상해낸 동시이다. 햇볕이 닿으면 새 생명, 새 기운으로 더욱 신선한 초록빛을 발하는 어린 새싹들의 모습은 교실에서 어떠한 질문에도 서로 다투어 손을 드는 천진한 아이들의 생동감 넘치는 광경과 비견될 만하다.

　그 광경에서 우리는 분명 생명의 촉기를 체감한다. '햇볕이 사알짝 / 스쳐만 가도 // 저요 / 저요 / 저요 // 왁자하게 손 내미는' 그런 어린 생명체의 모습은 갓 입학한 아이들의 본능적인 호기심과 신선하게 연결되어 생명 감각을 새롭게 일깨워 주고 있는 것이다.

　교육 대학을 마치고 교단에 선 그가, 새싹들이 처음 세상의 '연두빛 문을 여는' 꽃밭을 교실로 비유할 수 있었던 것은 체험적 진실이다. 아이들과 새싹을 서로 연계시킬 수 있었던 것은 그들 모두 소중하게 자란다는 이미지로 떠올려지기 때문일 것이다.

　이렇듯 공재동의 새싹에 대한 인식은 키우는 것이 아니라 스스로 자란다는 데 놓인다. 아이들이 '저요 / 저요 / 저요' 하고 스스로 손을 드는 광경처럼 새싹의 움틈도 땅의 문을 열고 스스로 나오는 것이다. 새싹이 움트는 그곳이 비록 인간이 만들어 놓은 꽃밭이나 텃밭이라는 인위적인 공간이라 하더라도 공재동은 그들 스스로 자라는 생명력을 노래하고 싶었던 것이다.

　따라서 그는 자란다는 인식을 보다 더 심화하기 위해 자연의 공간으로 시적 상상력을 지향하게 된다. 곧 그의 시적 사유는 꽃밭이나 텃밭이란 인위적이고 닫힌 공간에서

들판이라는 자연적이고 열린 공간으로 확대된다. 공재동의 시적 상상력이 이렇게 새싹에서 풀꽃으로 지향함으로써 그의 시적 공간도 따라서 확장된다.

> 풀잎이 봄내 / 기도로 피운다. // 풀잎에 글썽이는 이슬과 / 풀잎에
>
> 반짝이는 햇살과 / 풀잎에 서걱이는 바람이 / 떨며 흐느끼며 / 새로이
>
> 태어난다. // 들녘 끝 어디서나 / 문득문득 / 이름도 없이 다가서는 / 낯익
>
> 은 모습들 // 풀잎이 봄내 / 눈물로 가꾼다.
>
> – 〈풀꽃〉 전문

들판의 풀들은 텃밭의 새싹과는 아주 다른 자연환경 속에서 자라나야 한다. 그들은 스스로 주어진 환경에 적응하여 어려운 여건을 극복하며 살아남아야 하는 존재자이기 때문이다. 그들이 살아남아 피워낸 한 송이 풀꽃에는 그래서 삶의 몸짓이 배어 있게 마련이다.

아무도 돌보아주는 이 없는 풀잎에 이슬이 맺히면 그 이슬에 햇살이 내려와 반짝이고 바람이 떨며 흐느끼면 풀잎은 봄내 손 모은 기도로, 혹은 눈물로 꽃을 피워내야 한다. 한 송이 풀꽃이 아름다운 것은 숱한 어려움을 겪으며 스스로 이겨내었다는 데 있을 터이다. 그 질긴 생명력이야말로 공재동이 인식한 '자란다'는 시적 의미이며 새싹이 땅과 하늘을 연 보람인 것이다.

한 송이의 작고 고운 풀꽃을 피워내는 데에 필수적인 요소는 물이다. 그 물은 공재동의 동시에 매우 중요한 의미를 지니게 된다. 이슬과 햇살과 바람이 풀잎에 일어 풀잎을 '떨며 흐느끼며 새로이 태어나'게 하는 것이 바로 '눈물'인 까닭이다. 풀꽃은 그 눈물의 힘으로 아름다운 꽃을 피울 수 있었던 것이다. 이때 이슬과 눈물의 심상은 물이며, 농경적 상상력에 뿌리를 두고 있다. 첫 동시집 《꽃밭에는 꽃구름 꽃비가 내리고》에 세 편의 〈새싹〉과 함께 네 편의 〈이슬〉이 수록되어 있을 만큼 공재동의 시 의식에서 이슬, 눈물 등 지배적인 심상이 물이며, 그 물을 필요로 하는 새싹, 풀꽃 등의 식물적 이미지가 그의 시적 근간을 이룬다. 그리고 새봄에 세상을 처음 여는 것이 새싹이고 이른 아침에 맺힌 것이 이슬이라는 그 근원적인 인식에도 맞닿아 있는 심상이다.

> 이른 아침 // 아이 하나 나와 / 풀잎에서 / 구슬을 딴다. / 아무리 따도 /
>
> 두 손만 젖고 // 아무리 따도 / 빈 손만 남고 // 이슬은 깨어져 / 눈속에 숨는다.
>
> – 〈이슬〉 전문

이른 아침 풀잎에 맺힌 이슬은 또한 신선함과 순결함의 상징물이다. 아무도 일어나

지 않은 이른 아침에 맺히는 그 맑은 물을 '아무리 따도 / 두 손만 젖고 // 아무리 따도 / 빈 손만 남는' 욕망이 소거된 심상인 까닭이다.

이른 아침 이슬 따던 아이의 깨어진 욕망이 눈속에 숨어 그 아이의 눈에서 또 다른 이슬을 영롱히 떨구게 된다는 이 〈이슬〉은 바로 눈물과 동의어가 된다. 그 눈물은 천진한 아이가 자라며 세상을 인식하는 데 필연적인 요소이기도 하다. 이렇듯 이슬은 따도 따도 '빈 손만 남는' 순수 욕망의 신성한 생명체인 것이다. 그 생명체는 마치,

잘가라는 / 풀잎의 / 인사처럼 // 더러는 / 글썽이는 / 눈물처럼 / 밤새 / 풀잎에서 / 속삭이다 돌아간 // 별들의 / 작별처럼
　－〈이슬〉 전문

그 너른 들판 어디에도 이른 아침이면 어김없이 풀잎에 맺혀 있다. 따라서 그 이슬이 밤새 별들이 놀다간 자리의 흔적이고, 풀잎이 별에게 남긴 아쉬운 작별의 자취인 것처럼 반가운 인사와 아쉬운 작별의 연상작용으로 생성된 이미지가 눈물이다.

그렇다면, 공재동에게 눈물의 진정한 의미는 무엇일까? 아마도 이 세상에서 가장 순수하고 순결한 것, 인간이 표현할 수 있는 감정 중에 가장 근원적인 것이 눈물일 터이다. 따라서 공재동이 삶의 근원으로 인식하는 시적 사유 속에 새싹과 별이 존재하고, 이슬과 눈물이 놓여 있게 되었던 셈이다.

이 세상에 첫 눈 뜨는 새싹과 아무도 손닿지 않는 순결한 별, 이른 아침에 풀꽃에 맺힌 이슬과 인간에게 가장 순수한 눈물이 바로 공재동이 인식하는 근원적인 것이 아니었을까? 그 근원적인 이미지들은 모두 작은 생명체이며 그리움과 작별을 의미화한다. 또한 그것들은 서로 상관성을 맺고 긴밀하게 연계되어 공재동이 삶의 근원적 향수를 불러내는 중심 제재가 되고 있다.

즐거운 날 밤에는 / 한 개도 없더니 / 한 개도 없더니 // 마음 슬픈 밤에는 / 하늘 가득 / 별이다. / 수만 개일까. / 수십 만 갤까. / 울고 싶은 밤에는 / 가슴에도 / 별이다. // 온 세상이 별이다.
　－〈별(2)〉 전문

별은 이처럼 근원적 향수를 불러오는 상징물의 하나이다. 밤에는 하늘에서 반짝이고 새벽에는 풀잎에 내려 이슬이 되는 그 별은 하늘에 피는 꽃이며 지상에서 볼 수 있는 작고 고운 생명체이다.

하지만 '즐거운 날 밤에는 / 한 개도 없'던 그 별이 '마음 슬픈 밤에는 / 하늘 가득',

'울고 싶은 밤에는 / 가슴에도 별'로 수놓는다는 것은 인간의 가장 근원적인 감정인 눈물을 의미화한 것이다. 눈물 맺힌 눈으로 보는 밤의 세상은 온통 별빛이기 때문이다.

따라서 별은 풀잎에 내리면 이슬이 되어 즐거운 날에는 한 개도 볼 수 없지만, 슬픈 날 우리의 가슴속에 내리면 눈물이 되어 온 세상이 별천지가 되는 것이다. 세상의 아름다운 것들은 모두 '사라져선 샘물처럼 눈 속에 고여 / 끝없이 솟아나는 / 눈물이 되'어 우리의 '고운 마음 속에 살아 있'(〈아름다운 것은〉)기 때문에 아름다울 수밖에 없는 것이다.

이렇듯 공재동의 첫 동시집을 지배하는 중심 제재는 식물적 이미지이고, 그 근원적인 요소는 물이다. 새싹과 별, 이슬과 눈물을 동심의 중심에 세운 것은 모두 작고 고운 생명체이면서, 어린 시절이 몸에 밴 농경적 상상력의 소산이라 할 수 있다. 그러면서도 그 작고 고운 순수 생명체를 통해 꽃밭과 들판, 축복과 슬픔, 만남과 작별의 이미지를 함께 읽게 하며 근원적 향수를 고양하는 것이다. 바로 공재동의 동시 세계는 이러한 근원적 심상들을 통해 내면을 향한 정신의 깊이로 몰입해 갈 수 있었던 것이다.

3. 아이들의 삶의 현실과 슬픔

공재동의 동시 세계에 깊이 드리워진 서정은 뜻 모르게 슬프면서도 아름답다. 왜 이토록 공재동은 슬픔을 시의 미학으로 삼았을까? 그의 동시에 스며 있는 뜻 모를 슬픔은 삶의 근원으로 향하는 그 어린 시절과 깊은 관련을 맺고 있을 듯하다. 어린 시절 성장기에 있을 법한 마음의 상처라든가 가난, 혹은 아버지에 대한 아픈 기억이나 눈물 많은 어머니에 대한 회억 등이 그 슬픔의 동인이 되었을 수 있다. 하지만 그의 슬픔이 표면으로 구체화되었던 것은 아이들에 대한 현실 인식을 통해서이다. 그것은 첫 동시집《꽃밭에는 꽃구름 꽃비가 내리고》의 다른 한 켠에서 목격되는 그의 또 다른 시 의식이기도 하다.

그가 아이들을 위한 시를 쓰면서 한 켠에 늘 염두에 두었던 것은 아이들이 처한 삶의 현실이었다. 곧 〈바람이 된 아이들〉, 〈물구나무〉, 〈판자촌〉, 〈의사 선생님〉 등에 나타난 가난이나 아이들에게 얽매인 삶의 속박이다. 그래서 공재동은 꿈을 꾸며 자라나야 할 아이들에서 속절없이 얽매인 이런 현실을 벗겨주고 자유롭게 비상하기를 갈망한다.

제1동시집에서 정선된 동시들만을 골라 뽑고 다듬어 재수록한 제2동시집에서《새가 되거라 새가 되거라》에는 10여 편의 신작이 수록되어 있는데, 그 중 이러한 그의 시 의식이 잘 반영되어 있는 동시가 〈시계〉이다.

새처럼 자유롭던 / 시간들이 / 고 작은 상자 속에 / 갇혀 있다. //

땡, 땡, 땡…… / 얼마나 갑갑했으면 / 12시는 12번씩이나 벽을 치며 /

저 아우성일까. / 시계를 볼 때 마다 / 말간 유리문을 / 활짝 열고 //

시간들을 자유롭게 / 놓아주고 싶다. // 새처럼 / 멀리 / 날려 주고 싶다.

　– 〈시계〉 전문

이 동시는 아이들의 삶의 현실을 유리문에 갇힌 시간으로 비유하고 있다. 아이들은 자연과 가장 친근한 존재자이다. '새처럼 자유롭던 시간들'을 '작은 상자 속에 가둬 놓아 12시는 12번씩이나 벽을 치며 / 저 아우성' 하는 광경을 방안에 가둬 둔 아이들의 모습으로 환치시킨 것이다.

따라서 이 〈시계〉는 '시계를 볼 때마다 / 말간 유리문을 / 활짝 열고 // 시간들을 자유롭게 / 놓아주고 싶'듯 그들에게 아무런 구속 없이 생각하고 자유롭게 뛰놀도록 해주고 싶어하는 시인의 욕망이 담겨 있다. 그 욕망은 다시 다듬어지고 고쳐져 그의 동시집에 세 번씩 반복되어 나타난다.

곧 이 동시는 제2동시집에 처음 나온 이후 제3동시집과 제5동시집에 다른 모습으로 손질해 재수록되었던 것이다. 제3동시집《별을 찾습니다》에는 연의 '고 작은 상자 속에'가 '1, 2, 3, 4 ……. 번호를 붙인 채 / 숨죽이며 상자 속에'로 보다 구체화되어 있다. 그리고 아이들이 읽기에 편한 구어체 문장과 서정적 자아인 '나'를 삽입하여 주체를 분명하게 밝혀 두고 있다. 그것은 시적 서정성에서 현실성을 강화한 시적 모색으로 보인다.

그렇게 강화된 아이들의 삶의 현실 문제가 제3동시집에서 현장감 있게 추구되고, 화자의 슬픔이 보다 더 분명하게 직접성으로 드러내며 아이들의 행동에도 동참한다. 그만큼 〈시계〉는 다듬고 고치지를 반복해온 공재동의 집요한 시정신을 보여 주는 동시 중 그 하나이다.

우리가 간 곳은 / 지난 해도 왔던 그 숲이었습니다. / 먼저 간 반들이 들어차서 / 앉기도 마땅찮은 비좁은 숲에서 / 우리는 점심을 먹었습니다. // 선생님은 선생님끼리 / 우리는 우리끼리 / 즐겁게 점심을 먹었습니다 // 점심을 먹고 쥬스를 마시고 / 빵을 먹고 사탕을 빨고…… / 그러다가 되돌아 학교로 옵니다. // 우리는 한눈 팔지 않았습니다. / 우리는 뛰지도 않았습니다. / 우리는 쓰레기를 버리지도 않았고 더구나 노래를 부르지 않았습니다. / 즐거웠냐고 물으시는 엄마에게 / 그랬다고 크게 대답했습니다. / 숙제가 없다니 / 그게 어디에요.

　– 〈소풍날〉 일부

이 〈소풍날〉은 아무런 꿈도 목적도 없이 소풍을 다녀온 아이들의 담담한 현실의 모습을 진술하고 있는 동시이다. 소풍 전날은 으레 설레임으로 잠을 설치게 마련이다. 어떤 고정된 틀에 매인 일상적인 학교 생활을 벗어나 자연 속에서 하루를 보낸다는 것 자체가 마음 설레는 일이기 때문이다.

하지만 이 동시에는 제도화된 학교의 일 년 행사 중 하나를 치른다는 느낌을 지울 없는 '지난 해에도 왔던' 그 소풍의 전경이 어떠한 즐거움 없이 아주 담담하게 그려져 있다.

그저 아이들은 선생님의 지시대로 '한눈 팔지 않았'고, '뛰지도 않았'고, '쓰레기를 버리지도 않'는 모범적인 행동으로 소풍을 다녀올 뿐이다. 하지만 소풍이 '즐거웠냐고 물으시는 엄마에게'는 '그랬다고 크게 대답'을 한다. 그날 하루 '숙제가 없다'는 아주 큰 이유에서이다.

언제부턴가 우리 아이들은 골목 놀이터를 주차장으로 빼앗기고 학교 갔다 돌아오면 학원 가방을 챙겨들고 학원을 가야 하는, 부모가 짜놓은 바쁜 일과표에 따라 움직인다. 고달픈 하루의 일과를 마치고 집으로 돌아오는 아이들이 또다시 시달려야 하는 것이 그 지긋지긋한 숙제일 터이다.

《별을 찾습니다》에도 학교에서 정해준 별자리 숙제를 해결하기 위해 친구들이 모여서 백과사전을 뒤지며 숙제를 한다는 이야기이다. 정작 그를 슬프게 하는 것은 아파트의 작은 방에서 은하수 카시오페아 자리를 찾아야 하는 현실적으로 불가능한 숙제를, 오직 백과사전을 베껴서 해결할 수밖에 없는 그들의 현실이다.

그 외에도 지각할까 늘 불안해하며 학교에 가야하는 〈우리는 오후 반〉이나, 등록금 걱정에 잠 못 드는 아버지의 머리맡에 무겁게 내리는 〈겨울비〉, 교통질서를 지키지 않는 어른들을 힐책하는 〈신호등 앞에서〉 등의 동시들을 통해서 학교 현실이나 우리 어른들의 이중성을 가차없이 비판한다. 거기에는 분명 우리의 교육 현장과 사회 현실의 모순이 그대로 맞물려 있다.

그가 교육 대학을 졸업하고 초등학교에 몸담으면서 동시를 썼던 그때는 1970~1980년대란 파행적 정치사의 현장에 놓인 시기였다. 삶에 대한 회의와 질문을 본격적으로 개진하고 정치 세력에 의해 주도되고 왜곡되었던 삶의 실상을 질타하며 현실과 뚜렷하게 맞서야 했던 시기이다.

이때 공재동에게 동시는 모순된 사회 구조 속에 놓인 아이들의 삶의 현실에 대한 통찰이자 그런 현실에 대한 각성이라는 측면과 깊이 관련된다. 그래서 그는 동시집마다 '시험성적 잘못 받아 꾸중들은 어린이에게'나 '공부에 지친 어린이들에게' 자신의 동시가 '조그만 위안'이 되기를 갈망해 왔다.

그는 우리의 모순된 사회 제도 속에서 아이들이 하루 종일 어른이 짜놓은 틀 속에 갇혀 가슴에 담고 키울 그들만의 꿈을 잃고 살아간다고 인식했기 때문이다.

공재동은 '날고 싶어도 날개가 없는 것'보다 '날개가 있어도 날지 못하는 것'을 더 슬퍼했다. 그것은 꿈이 있어도 그 꿈을 실현할 수 없는 우리 아이들이 처해진 현실에 대한 슬픔이다.

바로 공재동은 동시를 통해 어른들의 꾸중에 익숙해지고 숙제에 시달리는 아이들에게 날개를 달아주고 싶었던 것이다. 그렇다면, 공재동이 아이들에게 달아주고 싶었던 그 날개란 무엇인가? 그것은 그들 스스로 현실을 깨닫는 삶 인식에 놓여 있다. 어른이 지워준 숙제 같은 구속이 아니라 자연과 친숙하게 지내며 그들 스스로 생각하고 깨닫는 삶 인식이다.

짝지와 / 싸우고 / 울며 울며 돌아와 // 아무도 없는 / 빈 방에서 //

식은 밥을 / 먹는다 // 그 눈물 / 아귀아귀 / 볼우물에 고인다.

– 〈식은 밥〉 전문

〈식은 밥〉은 아이들에 대한 삶 인식을 대변해주는 동시이다. 우리는 간혹 언짢은 일로 다시는 안 볼 듯이 짝지와 싸운 적이 있을 것이다. 힘에 부쳐 이길 수 없을 땐 분해서 눈물부터 터져 나온다. 울면서 돌아온 집에는 자신을 편들어 줄 사람이 아무도 없어서 더욱 서러워진다. 분은 삭지 않았지만 힘을 쓴 탓에 배가 고파 훌쩍거리며 혼자 먹는 식은 밥이 웬일인지 입아귀에서 넘어가질 않는다. 자꾸만 목에 걸린다. 짝지와 싸운 일도 따라서 목에 걸린다. 그때 은근히 마음이 아려오며 씹던 밥이 불현듯 또 다른 슬픔이 되어 볼우물에 고인다는 것이다.

공재동은 이렇듯 아픔을 깨달으며 성장하는 아이의 모습을 이 동시에 담았던 것이다. 아이들 자신의 삶을 스스로 반성하고 성찰할 수 하게 하는 그 날개를 달아주고자 한 것이 공재동이 인지한 아이들에 한 삶 인식인 것이다. 이 〈식은 밥〉은 그의 어린 시절이 투사되고 직조되어 나타난 삶 체험일 듯하다.

제3동시집 《별을 찾습니다》에는 이처럼 아이들의 현실 문제를 심도 있게 부각시키고 있지만, 그것은 단지 현실을 고발하고자 한 것은 아니다. 그가 시대에 맞서는 문학적 응전으로써 새로운 세계를 아이들과 함께 꿈꾸어 왔다기보다 아이들 스스로 생각하고 각성하며, 그들만의 꿈을 키우는 하나의 방법으로 현실의 문제를 제기한 것일 뿐이다. 그만큼 공재동에게 아이들이 처한 삶의 문제는 또 다른 슬픔의 깊이로 심화될 수밖에 없었다.

4. 슬픔의 극복을 위하여

제4동시집 《단풍잎 갈채》와 제5동시집 《바람이 길을 묻나 봐요》에 오면, 공재동은 다시 서정성을 심도 있게 천착한다. 그것은 아이들의 현실에 놓인 삶을 그 자신의 삶의 근원적인 문제 안에 포용하는 방법이기도 한 것이다. 이렇듯 서정성과 현실성을 모두 수용할 수 있는 포용력은 어디에서 오는 것일까? 공재동의 동시 세계는 과거와 현실이 함께 투시되고 교직되면서 서정의 깊은 그늘을 드리울 수 있었던 것이다.

따라서 그 서정성과 현실성이라는 그 두 의식의 뿌리는 모두 슬픔에 맞닿아 있다. 아이들의 현실에서 보인 슬픔도 자신의 어린 시절이 드리워진 슬픔과 병치되어 나타난 현상인 셈이다. 그것은 '진달래 우거진 / 언덕 위에 서면 // 아스라히 먼 / 하늘 가으로 / 눈물 같은 어린 날이 / 곱게 어리고 // 꽃물처럼 / 번지는 / 고향 생각에 // 가슴 가득 / 피어 오는 / 분홍빛 꽃불 // 진달래 / 진달래 / 마음만 탄다.'라고 한 〈진달래〉를 통해 이해할 수 있는 일이다. 여기서 그 '눈물 같은 어린 날'이라는 자신의 삶 체험이 바로 그의 근원적인 서정의 그늘이 되었을 뿐 아니라 아이들에게 날개를 달아주려는 시적 사유로 승화되었던 것이다.

그가 그동안에 이루어 놓은 시적 작업을 잘 정돈하여 시적 면모를 한눈에 살피게 하는 제5동시집 《바람이 길을 묻나 봐요》는 그 '눈물 같은 어린 날'의 극복 과정을 잘 보여 주고 있다. 공재동의 동시 세계에 드리워진 그 슬픈 서정의 아름다움은 분명 슬픔을 극복해나가는 시 의식에 놓인다.

하지만 우리의 현실에서 그 슬픔을 극복해나가는 길은 그렇게 순탄치만은 않다. 아직도 아이들의 삶의 현실은 걱정스럽기만 한 때문이다.

꽃들이 살래살래 고개를 흔듭니다. // 바람이 / 길을 묻나 봅니다 //

나뭇잎이 잘랑 잘랑 / 손을 휘젓습니다. // 나뭇잎도 / 모르나 봅니다. //

해가 지고 / 어둠은 몰려오는데 // 바람이 길을 잃어 / 걱정인가 봅니다.

– 〈바람이 길을 묻나 봐요〉 전문

바람은 어디든지 다 도달하며 봄 닿는 물체마다 흔들어 놓는 존재자이다. 《바람이 길을 묻나 봐요》에서 공재동은 바람의 흔듦 현상을 길을 묻는 길손의 모습으로 제시하고 있다. 하지만 꽃도 나뭇잎도 바람이 가야 할 길을 몰라 고개를 흔들고 손을 젓고 있을 뿐이다. '해는 지고 / 어둠은 몰려오는데' 갈 길을 몰라 헤매는 바람이 걱정스럽다는 공재동의 시 의식은 아직도 갈 길을 찾지 못하는 고독한 방랑자의 모습으로 비쳐지고 있다. 어쩌면 아이들에게 날개를 달아주는 일이 끝이 보이지 않고 아득하다는 시인의 심정을 고스란히 담고 있는 동시인 듯해 보인다.

그러나 이러한 공재동의 방랑의 시적 사유도 다시 시작하는 일로 새롭게 모색하게 된다. 그 새로운 시작은 분명 슬픔을 아름답게 극복하는 힘이 되어준다. 그렇게 힘이 되어주는 것은 다름 아닌 '꽃씨'이다. 〈꽃씨를 심어 놓고〉, 〈꽃씨〉, 〈채송화 꽃씨〉, 〈민들레꽃씨〉, 〈씨앗은 작아도〉 등 유독 제5동시집에는 꽃씨를 제재로 한 동시가 식물성을 제재로 한 작품들과 함께 눈에 띄게 많이 등장한다. 그것은 공재동이 추구하는 시적 모색이 바로 꽃씨에 놓여있다는 사실을 말해주는 것이다. 씨앗은 시작의 의미가 내포되어있어서 늘 새로움의 경험을 가능케 하는 출발의 뜻이 담겨 있다. 그래서 새싹에서 비롯된 그의 시 의식이 꽃씨로 다시 환원되는 것은 결코 우연한 일이 아니다.

공재동의 시적 사유가 농경적 상상력과 식물적 이미지에 그 뿌리를 두고 있기 때문에 가능한 일이다. 그가 공부에 지친 어린이나 시험 성적 잘못 받아 꾸중들은 어린이에게 조그만 위안이 되고자 했던 그 구체적인 심상이 결국 꽃씨였던 것이다. 공재동 동시 세계의 탁월한 서정이 슬픔을 배태하고 그 슬픔을 극복하는 과정에 놓여 있다면, 꽃씨는 그 과정을 이루는 처음이며 마지막인 것이다. 그래서 공재동 동시에 담긴 슬픔의 미학은 그만한 깊이와 함께 아름다움을 지니고 있는 것이다.

꽃씨를 심어 놓고 / 싹이 트길 기다리는 동안 / 우리들 마음은 / 황홀한 꿈으로 가득 찬다. //

새싹이 자라 / 꽃이 피길 기다리는 동안 / 우리들 가슴은 / 따스한 설레임으로 가득찬다. //

세상은 / 하늘에 걸린 무지개처럼 / 그렇게 아름다운 것일까 //

꽃이 지고 / 까만 씨앗이 여물어 갈 때쯤 / 우리는 비로소 / 눈물로 얼룩진 기다림을 안다.

– 〈꽃씨를 심어 놓고〉 전문

이 〈꽃씨를 심어 놓고〉는 우리에게 "황홀한 꿈"과 "눈물로 얼룩진 기다림"을 함께 인지시키며 슬픔을 깨닫고 극복하는 조용한 숨결을 느끼게 해준다. 꽃씨를 심는 일은 꽃을 피우는 희망을 심는 일이다.

그래서 "꽃씨를 심어 놓고 / 싹이 트길 기다리는 동안"은 황홀한 꿈과 설레임으로 가득 찰 수밖에 없다. 그러면서도 공재동은 이제 다시 "꽃이 지고 / 씨앗이 여물어 갈 때쯤 / 우리는 비로소 / 눈물로 얼룩진 기다림을 안다"고 한다. 삶의 아름다움이 기쁨과 함께 슬픔을 느끼고 깨닫는 데 있다는 사실이다. 꽃씨를 심어 놓고 "황홀한 꿈"과 "눈물로 얼룩진 기다림을" 함께 느낀다는 것은 그 얼마나 아름다운 삶 인식인가? 씨앗이 여물어 갈 때 이는 기다림과 그리움은 다시 꽃씨를 심으며 설레는 꿈으로 피어날 수 있는 까닭이다.

꽃씨는 이미 공재동의 추구해온 작고 고운 생명체 중 하나이다. 그러나 꽃씨가 작고 고운 생명체이면서도 새싹, 이슬, 눈물과 다른 것은 그 속에 무한한 가능성과 꿈이 잉태되어 있다는 점이다. 그런 면에서 꽃씨는 생명의 근원이며 무한한 가능성의 세계이다. 공재동이 삶의 근원으로 지향하며 서정의 깊이를 드러내고, 또 새롭게 피어나는 꿈과 가능성을 지닐 수 있었던 것도 이 꽃씨를 통해서이다. 따라서 공재동은 '어른들은 꽃밭에 / 꽃씨를 뿌리지만 // 꽃으로 피는 건 / 우리들의 마음이다' '어른들은 꽃밭에 / 물을 주지만 // 꽃으로 피는 건 / 우리들의 꿈이다.'(〈우리들의 꿈〉)라고 노래한다. 꽃씨는 인간의 유한한 존재성과도 비교되는 생명체이다. 꽃씨는 그 존재의 유한성을 넘어서 무한한 생명성을 응축하고 있는 근원이다.

공재동의 이 같은 시 의식은 농경적 상상력에서 촉발되었다. 씨를 뿌리고 수확이 끝나면, 다시 씨를 뿌리고 수확을 기다리는 그 농경적 상상력은 순환한다는 점에서 늘 진행형이다. 꽃씨를 뿌리고 그것이 자라 꽃을 피우고 다시 꽃씨를 남기듯, 꽃씨를 뿌리고 싹이 트길 기다리는 동안 피어나는 '황홀한 꿈'과 '따스한 설레임'이 다시 기다림의 눈물을 알게 하는 이런 순환의 시 의식이 바로 공재동이 추구해온 시적 세계였던 것이다. 그리고 이 순환적 시 의식은 제1동시집 《꽃밭에는 꽃구름 꽃비가 내리고》의 꽃밭과도 맞물려 있다. 우리의 삶이 언제나 희망과 슬픔, 웃음과 눈물, 기쁨과 아픔, 헤어짐과 기다림으로 반복되고 있는 것도, 또한 그의 동시가 정착하지 못하고 끊임없이 다듬고 고쳐지는 일도 이런 순환 의식의 한 과정일 뿐이다. 그런 과정 속에서 공재동은 깊이의 시학을 추구할 수 있었고 시적 서정과 현실 문제를 함께 포용하는 관용의 미학을 형성할 수 있었던 것이다.

결국 공재동의 농경적 상상력은 그가 태어나 자라며 몸에 익은 숙명이었다. 그 상상력 속에는 언제나 새롭게 돋아나는 새싹이 있고, 그 새싹에 맺힌 이슬이 있고, 또 밤하늘엔 반짝이는 작은 별이 위치해 있다.

하지만 공재동의 그 상상력은 농업과는 거리가 먼 것이며 도시 문명의 단순한 대타 개념에서도 벗어나 있다. 그의 상상력은 삶의 현실이 자연의 순환 질서에 근거되어 끊임없이 생성과 소멸의 반복 과정 속에 놓인 삶의 인식 과정일 뿐이다. 그래서 공재동의 동시는 부단히 다듬고 고쳐지는 진행형의 시가 되고 있는 것이다.

아직도 항구도시 부산에 살면서 바다와 관련된 동시가 없는 공재동의 동시 세계에서 어린 의 삶 체험이 담긴 잠재된 상상력의 힘이 얼마나 큰지를 실감할 수 있는 일이다. 그만큼 삶의 근원으로 지향하는 공재동의 동시 세계에 드리워진 서정의 그늘은 깊고도 아름답다.

어린이와 함께 선생이 걸어온 길

1949년 6월 19일 경남 함안군 대산면 평림리에서 태어남.

마산고등학교, 부산교육대학, 동아대학교육대학원(교육학 석사).

1977년 〈아동문학평론〉 동시 천료됨.

1979년 세종아동문학상을 수상함.

〈중앙일보〉 신춘문예 시조 당선됨.

동시집 《꽃밭에는 꽃구름 꽃비가 내리고》 출간함.

1981년 《새가 되거라 새가 되거라》 출간함.

1982년 소년소설집 《소년 유격대》 출간함.

1984년 《별을 찾습니다》 출간함.

1988년 《단풍잎 갈채》 출간함.

1989년 시평집 《동심의 시를 찾아서》 출간함.

1990년 이주홍 아동문학상을 수상함.

1991년 시조집 《휘파람》 출간함.

1995년 《바람이 길을 묻나봐요》 출간함.

1998년 평론집 《아동문학 무엇이 문제인가》 출간함.

2001년 부산문학상을 수상함.

2003년 최계락문학상을 수상함.

《별이 보고싶은 날은》 출간함.

2006년 《보물찾기》 출간함.

방정환아동문학상을 수상함.

2008년 《꽃씨를 심어놓고》 출간함.

2015년 부산시 문화상(문학 부문) 수상함.

《공재동 동시선집》 출간함.

2016년 독서노트 《어른이 읽으면 아이들이 자란다》 출간함.

부산동천초등학교장, 부산동부교육청 초등과장, 부산북부교육청 학무국장, 부산교육연수원장, 부산신곡초등학교장으로 근무함.

한국 아동문학가 100인

이성자

대표 작품

〈그래, 바로 그거야〉

인물론

우리를 늘 놀라게 하는 사람

작품론

이성자 동시, 동화에 나타난 할머니상

어린이와 함께 선생이 걸어온 길

그래,
바로
그거야

오늘도 고모네 집 앞으로 왔어. 오른손 검지 끝으로 초인종을 누르려다 얼른 내려놓았지. 고양이를 안고 있는 손이 떨렸거든. 솔직히 자신이 없는 거야. 용기를 내라는 듯 고양이가 머리로 내 손등을 비벼댔어. 나는 공기를 한껏 들이마셨다가 '훅' 뱉어 냈어. 오늘은 어떤 일이 있어도 고모를 만나리라 결심했지.

초인종을 눌렀어.

잠시 후, 고모가 문을 열고 내다봤어.

"저, 저……. 책 한 권 빌리러 왔어요."

엉겁결에 튀어나온 말이었지.

딱, 일 년 만에 보는 얼굴인데도 고모는 들어오라는 말이 없었어.

집안의 물건들, 하물며 거실의 공기까지도 나가라며 내 어깨를 밀어내는 것 같았어. 하지만 물러서지 않았어. 고양이를 껴안은 채 현관으로 들어섰지.

선발을 벗고 거실로 올라갔어.

"안 돼! 고모부 오시면 말하고 빌려가."

고모 목소리가 유난히 차가웠어.

하지만 나는 귀먹은 아이처럼 굴었어. 천천히 서재 앞으로 다가가서 문을 열었어. 동재와 함께 날마다 책을 읽고, 둘만의 비밀을 털어놓던 곳이야. 나는 동화책 '어린왕자'를 꺼내들고 나왔어. 고모가 달려들어 책을 빼앗을까봐 가슴이 쿵쾅거렸지.

"고모, 얼른 읽고 갖다놓을게요."

얼음처럼 차가운 고모를 향해 꾸벅 인사했어. 현관문을 열고 나오는데, 얼굴이 불에 덴 것처럼 뜨거웠지. 덜걱 뒷덜미를 잡힐 것 같아 엘리베이터 꼭지를 누르지 않고 계단을 타고 쏜살같이 내려왔어.

"휴~"

아파트를 빠져나와서야 겨우 안도의 숨을 쉬었어.

그러니까 일 년 전 일이었지.

학원 앞에서 신호를 무시하고 달려가던 나를 잡으려다가, 고모 아들 동재가 교통사고를 당했어. 다친 곳은 없었는데, 피 한 방울도 흘리지 않았는데, 동재는 일주일 만에 하늘나라로 떠나버렸어.

"다, 너 때문이야. 우리 동재 살려내!"

고모는 울면서 바락바락 소리 질렀어. 조카인 나를 무척 사랑해주던 고모였는데 무섭게 변해버린 거야. 차마 얼굴을 보일 수 없어서, 숨은 채 동재가 떠나는 모습을 지켜봐야만 했어.

"하루라도 빨리 잊어야 해요!"

고모부는 동재가 입던 옷, 장난감 등을 모두 불에 태웠어. 사진도 남김없이 태웠어. 몸부림치며 말리는 고모의 애원도 소용없었지.

잠시 지난 일을 떠올리던 나는 동화책을 가슴에 안고 천천히 놀이터 쪽으로 향했어. 동재와 함께 타던 그네에 앉았어.

동재는 책읽기를 무척 좋아했지. 내가 자전거를 태워주면 무섭다고 했는데, 드디어 동재가 자전거 타는 법을 배웠어. 나중에는 나보다 더 자전거를 잘 타는 거야. 우리는 깜깜한 밤에도 자전거를 타고 놀이터 주변을 빙빙 돌아다니곤 했지.

집으로 돌아온 후, 나는 빌려 온 동화책을 읽기 위해 소파에 앉았어. 고양이도 훌쩍 내 무릎 위로 뛰어올랐어.

동화책을 펼쳤지.

그런데 글씨는 보이지 않고 동재 얼굴만 커다랗게 다가오는 거야. 두 눈을 끔벅거려 보고, 비벼봤지만 희뿌연 안개뿐이었어. 안개 사이로 동재 얼굴이 자꾸만 아른거렸지. 안개는 끝내 내 몸을 휘감고 돌았어.

'왜 이렇게 졸리는 거지?'

나는 소파에 머리를 기대고 앉았어.

고양이가 내 무릎에서 폴짝 뛰어내리는 게 보였지. 동화책이 방바닥으로 툭 떨어지는 것도, 책갈피에서 종이 같은 게 휘리릭 탁자 밑으로 날리는 것도 보였어. 고양이 두 눈이 반짝 빛나는 것까지도 다 볼 수 있었지.

"와! 막대사탕이다."

신기하게도 고양이가 말을 하는 거야.

평소에도 고양이는 내가 막대사탕을 들고 있으면 빼앗으려고 어리광을 부리며 훌쩍훌쩍 뛰어오르고, 주변을 빙빙 돌고, 야아옹 야아옹 난리였거든. 동재가 막대사탕을 들고 있을 때도 마찬가지였어.

"인마, 저리 비켜!"

귀에 익은 목소리가 들렸어.

"야아옹!"

고양이가 등을 구부리더니 털을 곤두세웠어. 누구를 공격할 것 같은 자세였어. 나는 고양이를 말리려고 손을 뻗었어. 허우적거리기만 할뿐 꼼짝할 수가 없었어.

"고양아, 우리 집에 날 좀 데려다줘."

이번에는 울먹거리며 사정하는 목소리가 들려왔어.

귀를 기우리던 나는 목소리 주인을 단번에 기억할 수 있었지.

"동재, 동재야!"

커다랗게 소리 지르며 벌떡 일어났어. 두리번거렸지만 아무런 흔적도 없었어.

'분명 동재 목소리였는데…….'

글쎄, 고양이만 탁자 밑에 앉아있었어. 여전히 등을 둥그렇게 말고 나를 빤히 쳐다보고 있는 거야.

"고양아, 이리 와!"

내가 손을 까불며 불렀지만 꿈쩍도 안했어.

"인마, 왜 그러는 거야. 혹시 불만 있어?"

"야옹, 야아옹!"

"빨리 안 나와!"

"야옹, 야아옹, 야아옹!"

"너, 진짜 죽어볼래?"

허리를 납작 구부린 채, 나는 탁자 밑으로 고개를 처박았어. 고양이 뒷덜미를 덥석 잡았지. 고양이가 자꾸 뒷걸음질 쳤어. 두 눈을 반짝이며 앞발로 딱 버티는 거야. 도저히 탁자 밑을 빠져나올 것 같지 않았단다.

"이놈 봐라. 정말 죽고 싶다 이거지?"

나는 화가 잔뜩 나서 탁자 한쪽을 불끈 들어 비스듬히 옮겨놓았어.

그런데 고양이 발밑에 낯익은 사진 한 장이 놓여 있는 거야. 사진을 집어 들었어.

"동재잖아. 동재!"

나도 모르게 소리를 질렀어.

가슴이 쿵쾅거리고, 손이 벌벌 떨렸어. 일 년 내내 가슴을 짓누르고 있던 교통사고 현장이 떠올랐어. 고모부가 동재 물건들을 불길에 획획 던지던 모습이 생생했어. 타고 남은 재가 검은 잠자리 떼처럼 하늘로 올라가던 모습도 눈앞에 아른거렸지.

나는 들고 있던 사진을 물끄러미 바라봤어.

"살려내, 우리 동재 살려내란 말이야!"

울부짖던 고모 목소리가 들리는 것 같았어. 나는 안절부절못하며 거실을 왔다 갔다 했어. 진심으로 고모를 위로할 방법을 찾고 싶었단다.

반짝, 아주 좋은 생각이 머리를 스쳐갔어.

"그래, 바로 그거야!"

나는 사진을 들고 현관문을 열었어.

고양이도 날름 내 품안으로 뛰어올랐지. 엘리베이터를 타고 내려갔어. 아파트 입구를 빠져나왔지. 큰길을 건너면 바로 희망문구사가 있거든. 나는 한달음에 신호등 있는 곳까지 달려왔어. 헉헉, 숨이 목까지 차올랐어.

"민우야, 신호등 바뀌면 건너!"

어디선가 날아온 동재 목소리가 내 발목을 잡았어.

"알았어. 걱정하지 마!"

나는 동재가 뭘 걱정하는지 잘 알고 있었으니까.

"동재야, 조금만 기다려. 아주 멋진 모습으로 너네 아빠 엄마 만나게 해줄게."

드디어 희망문구사에 도착했어. 눈앞에 내가 찾는 액자가 보였어. 하얀 색깔까지 내 맘에 쏙 들었지. 동재 사진을 액자 속에 끼워 넣었어. 순간, 동재가 살아 온 것처럼 내 가슴이 쿵쾅거렸단다.

"동재야, 이제 됐어!"

노란 티셔츠를 입은 동재가 하얀 액자 속에서 웃고 있었어. 손에 들고 있는 빨간 막대사탕이 유난히 맛있어보였지.

"야옹, 야아옹"

고양이가 앞발로 액자 모서리를 만졌어.

"인마 막대사탕 빨고 싶어서 그러지? 안 돼. 동재 거야!"

막대사탕 냄새가 나면 자다가도 눈을 번쩍 뜨는 고양이거든. 나는 고양이의 머리를 쓰다듬으며 희망문구사를 나왔어. 고모 집을 향해 달렸지. 무단횡단 하지 않고 건널목에서도 신호를 잘 지켰단다.

드디어 고모 집 앞에 도착했어.

큰 숨을 한 번 쉰 다음 '꾹' 초인종을 눌렀어. 지난번처럼 고모가 문을 열어줬지.

"책, 이리 주고 가거라."

차가운 얼굴로 고모가 손을 내밀었어. 내 품에 안겨 있던 고양이가 폴짝 뛰어내리더니, 쪼르르 고모네 거실로 들어가는 거야.

"고양이 데리고 빨리 가라니까."

두 눈을 치켜뜨며 고모가 소리쳤어.

"여기 동재 사진 갖고 왔는데……."

더듬거리며 들고 있던 액자를 고모 앞으로 내밀었어.

"뭐, 동재 사진이라고?"

두 눈을 동그랗게 뜬 채 고모가 액자를 받아들었어. 고모 얼굴이 실룩거리더니 금세 하얗게 변하는 거야. 나는 고모가 쓰러질까봐 안절부절못했지.

"우리 아들, 어디 갔다 왔어. 어디 갔다가 이제 온 거야?"

고모는 손바닥으로 액자 속 동재 얼굴을 어루만지고, 얼굴로 비벼대고, 가슴에 꼭 껴안았어. 정말 동재가 살아 돌아온 것처럼 말이야. 고모의 어깨가 들썩거렸어. 눈물이 액자 위로 떨어졌지.

서재에 있던 고모부가 나오더니 고모와 나를 번갈아 바라보았어. 액자를 발견한 고모부의 두 눈이 동그래졌어.

"여보, 동화책 속에 넣어둔 사진이 왜 여기 있는 거요?"

고모부가 놀란 얼굴로 물었어.

"당신이 우리 동재 사진을 다 태우지 않았군요."

무척 고마워하는 눈치였지.

"책 속에 있으면 우리 동재가 외롭지 않을 것 같아서, 당신 몰래 한 장 넣어두었는데……."

두 눈이 빨개진 채 고모부가 혼잣말을 했어.

가슴에 액자를 안은 채 고모는 거실을 둘러보기 시작했어. 아마도 걸어둘만한 곳을 찾고 있는 것 같았지. 다행스럽게도 텔레비전 바로 위에 작은 못이 하나 있었어. 고모는 액자를 조심스럽게 걸어두었단다.

고모 얼굴에 점점 핏기가 돌기 시작했어. 고모부가 다가와 고모 어깨를 감싸주었지.

나는 무릎을 꿇고 앉았어.

"오늘이 동재 생일이라서 꼭 와보고 싶었어요. 고모, 이제 용서해 주시면 안돼요?"

마음을 단단히 먹었는데도 비죽비죽 눈물이 나왔어.

고모가 손바닥으로 내 눈물을 닦아주었어. 나는 고모 품안으로 기어들었지. 고모가 나를 와락 껴안아주었어.

"고모!"

"그래, 그래. 우리 민우, 우리 민우!"

옛날처럼 고모 가슴은 아주 따뜻했어.

오랫동안 내 가슴을 누르고 있던 커다란 돌덩이가 데구루루 한 쪽으로 굴러가는 느낌이었단다.

"야아옹."

앞발을 살포시 모으고 있던 고양이가 훌쩍 액자 속 막대사탕을 향해 뛰어올랐어. 어림없었지. 그러나 쉽게 포기할 고양이가 아니란다. 이번에는 꼬리를 꼿꼿하게 세우더니 텔레비전 위로 사뿐사뿐 기어오르는 거야.

"인마, 빨리 안 내려와!"

나는 목소리가 새어나오지 않게 입술말로 소리쳤어. 주먹까지 불끈 쥐어보였지. 야아옹, 아쉬운 듯 콧수염을 벌름거리더니, 훌쩍 내 품안으로 뛰어내렸어.

액자 속 동재가 환하게 웃고 있었어. 손에는 맛있게 보이는 빨간 막대 사탕이 들려있었단다.

우리를
늘 놀라게
하는 사람

전원범

1. 행복한 삶의 선택

이 세상은 한 번 밖에 초대되지 않는 곳이다. 마음에 없는 일만 하다가, 또는 허송하다가 죽어간다면 얼마나 서글픈 일인가. 그래서 세네카는 행복이란 '하고 싶은 일을 하면서 사는 것'이라고 했던가. 사람은 능력에 따라 자기 일을 찾아서 할 때 빛나는 것이요, 가장 행복한 것이다.

또한 삶에는 재미가 있어야 한다. 행복은 누가 가져다주는 것이 아니요, 스스로 만들어가는 것이며 느끼는 것이다. 그러므로 살아가는 데에는 생활에 필요한 사회적·경제적 능력이 갖춰져야 함은 물론이지만 꿈의 세계 곧 의미·보람 또 다른 세계에의 비전이 있어야 한다. 인생에 꿈이 있고 목표가 있다면 희망과 성취와 보람이 따르고, 그로 인하여 인격이 갖춰지게 된다. 그리하여 마치 꽃에 향기가 있듯 사람에게서도 향기가 나는 법이다.

이성자 박사야말로 스스로 하고 싶은 일을 해가면서 하나씩 보람의 탑을 쌓아가고 있는 분이다. 그래서 진정으로 행복한 사람이라 하겠다. 본래 초등학교 교사를 하다가 결혼을 하게 되었고, 자녀를 낳아 기르던, 흔히 볼 수 있는 평범한 주부였다. 그가 뒤늦게 마흔셋에야 문학에 뜻을 두게 되고 다시 광주대학교 문예창작과를 나오면서 삶의 길이 크게 달라졌다.

문학에 입문한 지 19년, 그동안 석사 박사 학위 과정을 거쳐 문학박사 학위를 받았고, 광주대학교 문예창작과에서 후배를 가르치는 일을 하게 되었다. 또한 문학 쪽에서는 중앙지의 신춘문예에 당선한 뒤 초인적인 창작 활동을 해오면서 동시집 3권, 동화집 11권(그림책 포함)을 출판하였고, 금년에 수상한 방정환문학상 등 많은 상을 받기도 했다. 이러한 그의 끊임없는 창작열에 놀라울 뿐이다. 부군 정무웅 교장 선생님의 말에 의하면 항상 새벽에 일어나 글을 쓴다고 한다.

자기가 선택한 일, 그 일이 좋아 최선을 다하면서 성실한 삶을 살아오고 있는 이박사의 면모는 이러한 성과를 보고서도 짐작할 수가 있다. 성실이 능력을 보충한다는 속담도 있다. 또한, 작은 일에 충실한 사람은 큰일에도 충실하다는 누가복음의 말처럼 참으로 이박사의 빈틈없는 노력의 성과에 대해서 찬탄을 금할 수 없다.

2. 참된 인연의 끈

　내가 이 박사를 처음 만난 것은 1990년 광주 YMCA 문예창작 반 강의를 할 때였다. 조촐한 자리였지만 이 자리가 저혈압으로 죽음의 문턱에까지 갔던 그에게는 어떤 필연 같은 선택의 길이었고, 그것이 마침내 삶의 끈이 되었으며 나로서도 잊을 수 없는 만남이 되었다. 길가의 돌멩이도 연분이 있어야 발길로 차게 된다 했는데, 나와 이 박사의 만남은 문학을 통한 사제 간으로서 아주 소중한 인연이 이뤄진 것이다. 흔히 손쉽게 만났다가 쉽게 헤어지는 일이 대부분인데, 우리의 인연은 그렇게 손쉽게 스쳐 지나는 것이 아니었다. 단순히 주어진 만남이 아니며, 이용편의의 외면적, 가짜의 만남이 아니었다. 이 박사의 선택적 능동적 만남이었고, 상호간의 인격적 참된 만남이었다. 나는 배우는 사람에게 배울 의욕을 고양시키려고 애를 썼으며, 이 박사는 이 박사대로 적극적 만남이 되도록 최선의 노력을 다했다고 생각된다.

　교육이라는 것은 배우는 사람에게 자기의 개성을 깨닫게 하는 일이다. 그리하여 그것을 활용할 수 있는 길을 가르치며, 장점을 키우고 단점을 알게 하는 것이라 한다면 아마 이성자 박사는 그때에 스스로의 길을 깨닫게 되지 않았을까하고 생각해본다. 어떻든 그러한 인연의 끈이 오늘날 장족의 발전을 가져왔고 괄목상대해야 할 이 박사를 만들지 않았나하고 생각한다. 나로서도 가슴 뿌듯한 일이요, 자랑스러운 일이 아닐 수 없다.

　그는 처음 수필 쪽에 관심을 갖고 있었으나, 나는 그의 심성이나 적성이 아동문학 쪽에 훨씬 가깝다는 것을 느꼈다. 습작 과정에서 몇 편의 동시를 선보였는데, 눈높이에 맞는 동심과 독특한 자기 시 세계가 잘 형상화되어 있었다. 내 말대로 동시에 정진하여 〈아동문학평론〉 신인상에 동시가 당선되고, 곧바로 〈동아일보〉 신춘문예에 동시가 당선되는 영광을 안았다. 당선 소감에서 '한국의 아동문학사에 빛나는 별이 되겠다.'고 그는 다짐했다 〈창비〉에서 동시집 《너도 알 거야》가 출판되어 마침내 광주문학상을 받게 된다.

　그러나 그는 샘솟는 상상력을 동시만으로는 다 풀어내기가 힘들었든지, 동화에 관심을 보이기 시작하면서, 동화 창작은 물론 박사 학위 공부를 하겠다고 내게 자문을 구했다. 늦은 나이에 서울까지 다니며 공부하겠다는 각오가 기특하기도 했지만 내심 건강을 잃을까봐 걱정이 되었다. 그러나 그녀는 힘든 시간을 잘 견뎌주었다. 눈높이아동문학상에 동화가 당선되고, 박사 과정을 마치자마자 모교인 광주대학교에서 후배들을 가르치게 되었다.

그는 인연을 소중히 하는 사람이다. 그의 이런 마음은 태어날 때 부모에게서 물려받은 심성일 것이다. 하지만 그는 시어머니에게서 인연의 소중함을 배웠다고 늘 말하곤 한다. 그의 말에 의하면 시어머니는 사랑과 배려를 몸소 실천한 부처님 같은 삶을 사신 어른이라고 했다. 그가 서울을 오가며 공부할 때, 엘리베이터까지 따라 나와 한 숟갈이라도 먹고 가라며 비빔밥을 떠주던 분이었다고 한다. 그의 남편 역시 고등학교 교장 선생님으로서 그가 문학 활동을 할 수 있도록 최대한의 배려를 아끼지 않았다. 그녀의 1남 2녀 자녀들 역시 어머니의 삶처럼 성실한 사회생활을 하고 있다.

3. 끊임없는 창작 활동

그의 제자 사랑하는 마음은 유별나다. 광주대학교 문예창작과에서 지도자의 길을 걸으면서 작가들을 배출하고 있는데, 제자들이 신춘문예 및 대한민국의 내로라하는 문학상을 여러 명 받은 걸로 안다. 제자들과 더불어 며칠씩 합숙훈련을 한다는 그녀의 말을 듣고, 지도교수였던 나로서 내 모습을 보는 것 같아 가슴이 뿌듯했다.

그는 스승과 주변 인연들을 매우 아낄 줄 아는 고운 심성의 소유자이다. 17년이란 오랜 세월을 스승과 제자의 인연으로 지내오지만 그는 변함이 없다. 함께 문학 공부를 하는 동인들과도 마찬가지다. 변하지 않는다는 것은 아름다운 심성의 뿌리가 튼튼하기 때문이라 본다. 그를 사랑하는 사람들에게도 그는 항상 변함없는 사랑을 나누곤 한다.

이 박사는 참으로 훌륭한 스승이다. 함석헌 선생의 말씀이 훌륭한 스승은 첫째 잘 가르쳐야 하고, 둘째 모범을 보여야 하며, 끝으로 감동을 줄 수 있어야 한다고 했다. 문학의 가르침은 이 세 가지가 갖춰지지 않으면 의미가 없다. 그는 가르치는 일을 즐겨한다. 어디라도 그를 필요로 하는 곳이면 즐겁게 달려간다. "아파서 누워 있다가도 누구를 가르치려고 하면 힘이 솟아요, 특히 어린이들을 만나러 가는 길은 날개를 달고 날아가는 느낌이라"고 말한다. 가르치고 글 쓰는 일이 타고난 그의 일이라고 생각된다. 그래서인지 그의 강의를 칭찬하는 사람들이 많다. 삶속에서 우러나오는 그 만의 특별한 문학 강의가 듣는 사람의 마음에 닿았기 때문이리라.

작품으로 인정받고 싶어 하는 겸손한 작가 이성자. 그는 끊임없이 책을 읽는다. 일주일에 다섯 권 이상을 읽는다고 했다. 그것뿐이 아니다. 그는 사람들과 만나는 자리에서도 어김없이 탁자 밑에 메모장을 꺼내 놓는다. 메모하는 일이 일상의 습관이 되어버린 것이다. 이토록 집념이 강한 그의 창작의욕은 더욱 무르익어간다. 아마도 그러한 그의 행보는 앞으로도 계속될 것이라 생각된다. 동시와 동화를 변함없이 창작해내는 힘 그것은 바로 독서에서 비롯된 것이요, 항상 준비하는 부지런함에서 오는 것이라고 생각된다.

아무리 재능이 있고 발상이 뛰어나다 해도 준비하지 않고 노력하지 않으면 짧은 기간에 많은 성과를 거둘 수 없다. 끊임없는 독서, 항상 메모하는 습관, 늘 사물을 보는 눈을 새롭게 밝혀보지 않는다면 창작의 샘물은 마르고 만다. 호수의 백조가 수면에 평화롭게 떠 있는 것 같지만 사실은 물속의 물갈퀴를 끊임없이 움직이는 것처럼 말이다. 이성자는 시멘트가 굳지 않도록 계속해서 돌리고 있는 레미콘 같은 사람이라 해야 할 것 같다.

4. 동시와 동화, 그리고 함께 가는 길

근면이 성공의 어머니라는 말이 있는데 바로 이 박사를 두고 한 말 같다. 2009년 드디어 그녀는 제19회 동화부문 "방정환문학상"을 받았다. 동시를 형상화시키고 동화를 탄탄하게 그려내고 있는 그, "한국의 아동문학사에 큰 별로 빛나리라"던 그의 등단 각오가 현실로 한 발 한 발 다가오고 있는 것 같은 느낌이다.

잡아함경에 보면 말(馬)의 등급을 나누는 요령이 나온다. ①채찍의 그림자만 보고도 움직이는 말, ②채찍이 스치기만 해도 움직이는 말, ③채찍을 맞고서야 움직이는 말, ④채찍을 심하게 맞고야 움직이는 말 등으로 나누고 있다. 현명한 말은 채찍의 그림자만 보고도 미리서 알아차린다면, 우둔한 말은 심하게 채찍을 맞고서야 주인의 뜻을 안다고 했다. 말의 기민성을 그렇게 나타내었는데 사람도 마찬가지이다. 세상을 사는 방법, 대처하는 태도가 사람마다 같을 수 없다. 이에 따라서 현명한 사람과 그렇지 못한 사람을 나눌 수가 있다면 이성자 박사의 기민성은 바로 알아서 모든 일을 지혜롭게 처리하는 일에 있을 것이다.

부처님같이 웃는 얼굴, 항상 긍정적인 힘을 주는 편안한 자세, 속내를 드러내도 좋을 것 같은 푸근함, 따뜻한 관심과 애정, 목표를 설정하고 항상 최선을 다하는 생활태도, 주변 사람을 끌어당기는 자석 같은 힘, 여리게 보이지만 속에 불씨를 품고 있는 사람, 그래서 우리를 늘 놀라게 하는 사람. 이것들이 모두 아동문학가 이성자에게서 볼 수 있는 모습들이다.

하찮고 소외된 것들에 더욱 관심을 보이는 동시인 이성자, 가족사랑, 배려, 소통을 즐겨 주제로 다루는 동화작가 이성자. 그는 어린이가 좋아서, 문학이 좋아서 지금도 새벽잠을 설친다. 자신이 찾아 나서지 않아도 최선을 다하면 결과가 다가오더라는 믿음으로 사는 문학박사 이성자. 그가 늘 건강한 모습으로 독자들을 위해 더 좋은 작품을 창작해내기를 바란다.

이성자 동시, 동화에 나타난 할머니상

이정석

1. 들머리

이성자(1949~)는 동시인이면서 동화작가이다. 1992년 그녀가 마흔 네 살 되던 해에 〈아동문학평론〉 동시 부문 신인상 당선으로 문단에 처음 얼굴을 내밀었다. 그러다 10년 쯤 뒤, 쉰 세 살에 〈어린이문화〉 동화 부문 신인상에 또 당선되었다. 늦깎이 문학가라고 해도 보통 늦은 게 아니다. 그녀는 현재까지 동시집 3권, 동화집 7권을 펴냈는데, 2009년 전반기에 동화집 2권을 연속적으로 출간하고, 또 지난 5월 말 방정환문학상 동화 부문에서 수상한 것으로 보아 최근 들어 동화 창작에 무게 중심을 두고 있는 듯하다.

1998년에 발간한, 그녀의 최초 작품집인 동시집《너도 알 거야》에 실린 첫 작품으로 〈화분 하나〉가 있다. 당시 아동문학가로서 첫 출발하는 그녀의 각오가 들어있다.

화단 구석에 버려진 / 화분 하나 // 오랫동안 / 꿈 하나 키우며 / 살았을 거야 //

밤마다 / 작은 별을 바라보며 / 기다렸을 거야 // 고운 나무 한 그루 / 가꿀 꿈을 꾸면서.

– 〈화분 하나〉 전문(제1동시집)

이 작품 속에는 비교적 늦은 나이에 문학 활동을 시작한 이성자 시인 자신을 겸손하게 '화단 구석에 버려진 / 화분 하나'로 표현하면서 '오랫동안 / 꿈 하나 키우며' 살아왔음을 고백하고, 빈 낚싯줄만 강에 드리우고 세월을 기다리다가 주나라 문공에 발탁되어 은나라를 멸망시킨 태공망 강상처럼 문학의 '고운 나무 한 그루'를 가꿀 것을 다짐하고 있다. 등단 이후 17년 동안 폭풍우 몰아치듯 집중력을 발휘하며 살아온 그녀의 문학 활동을 미리 암시한 작품이라고 할 수 있다.

이성자 동시의 특징에 대하여 제1동시집《너도 알거야》의 추천사를 쓴 조태일 시인은 하찮아 보이는 작은 것들에게도 한량없이 쏟는 모성적 사랑 등이 작품마다 소박하면서도 명쾌하게 잘 드러나고, 동화적인 내용을 완벽하게 담아 낸 작품들이 많다 하였고, 제3동시집《입 안이 근질근질》해설을 쓴 전원범 시인은 생활 속의 가족애와 아름다운 삶의 모습이 진하게 배어 있고, 동시마다 작은 이야기가 소박하게 담겨 있다고 하면서 특히 할아버지 할머니에 대한 따뜻한 마음을 나타낸 시가 압도적으로 많다고 정리하였다. 또 동화작가인 박상재는 〈가족애와 이웃 사랑을 통한 세상 밝히기〉라는 글에서 자연친화적인 천석고황을 보이고 있으며, 담론이 담긴 작품이 많다고 하면서 그녀의 작품은 따뜻한 시선으로 짜낸 동심의 피륙이라고 갈무리하였다.

조태일, 전원범, 박상재 3인이 공통적으로 지적하고 있는 것이 이성자 동시의 서사성이다. 동화적이든, 작은 이야기든, 담론적이든 이성자의 동시 속에는 여러 이야기들이 연과 행으로 압축되어 숨겨지고, 시상 전개가 되어 있다는 것이다. 동시를 읽다 보면 그녀는 운문적 재능보다는 산문적인 재능이 더 뛰어나다는 생각이 저절로 든다. 그리고 이성자의 동시에는 가족에 관한 관심과 사랑이 진하게 배인 작품들이 많다는 것도 사실이다. 특히 할머니에 대한 사랑, 할머니의 죽음과 그리움, 할머니의 삶에 대한 관심 등 3권의 동시집에는 다양한 할머니의 모습이 그려져 있다.

이성자 동화에 대한 특징은 박상재와 윤삼현 두 아동문학평론가의 글을 통해 몇 가지 드러났는데, 박상재의 경우 〈가족애와 이웃 사랑을 통한 세상 밝히기〉라는 평론의 제목에 드러났듯이 그녀의 동화는 가족애와 이웃사랑으로 요약하면서 가족을 근간으로 한 생활 주변의 이야기가 많고, 파격적인 인물 설정 구도가 보이며, 사투리 구사, 공동체 의식을 고양하고 있다고 하였다. 윤삼현의 경우 〈모성성과 포용의 상상〉이라는 글에서 화해와 통합을 정조하는 소박하면서 물큰한 언어가 그려낸 애틋한 수채화를 보는 느낌을 주면서, 따뜻한 가족애나 사랑 가득한 공동체 구현을 지향점으로 삼고 있다고 하였다.

제1동화집에는 8편의 단편동화, 제4동화집에는 7편의 단편동화, 제5동화집에는 6편의 단편동화가 실려 있다. 제2동화집 《형이라고 부를 자신 있니?》와 제3동화집 《두레실 할아버지의 소원》과 제6동화집 《최고는 내 안에 있어》는 모두 장편동화이다. 이성자는 이 6권의 동화집 서문을 통해 독자들에게 주요 착안점 내지 작품 이해의 열쇠를 여러 가지 제공하고 있는데 "가족을 작은 공동체라고 한답니다. 가족끼리는 모든 것을 사랑의 힘으로 도울 수 있고 용서할 수 있습니다. 언제 어디서나 아낌없이 줄 수 있는, 서로 감싸고 이해하는 끝없는 사랑의 나눔 말입니다."(제1동화집). "개인주의가 판치는 요즘 같은 세상에 백로처럼 깨끗하고 따뜻한 마음으로 어울려 사는 공동체의 삶을 바라보면서 우리는 미래의 희망을 찾을 수 있지요."(제2동화집). "요즈음 자기만 생각하는 이기적인 사람이 많다고 걱정을 하지요. 그러나 꼭 그렇지만은 않아요. 서로 도우며 어울려 살아가는 사람들이 주변에 참 많으니까요."(제3동화집). "다른 친구들을 인정하는 것은 배려하는 마음이 있어야 가능해요. 바로 상대방의 주체성을 인정하는 일이니까요."(제5동화집). "너도 잘 알고 있지? 다문화를 받아들이는 것은 세상의 다양성을 인정하는 일이라는 걸."(제6동화집)에서 '가족', '공동체', '사랑', '이해', '배려', '협력', '다문화'와 같이 그녀의 동화 속에서는 진정한 인간의 삶의 가치가 무엇인지를 제시하고 있다.

박상재, 윤삼현 2인이 언급한 것처럼 이성자의 동화는 가족과 이웃 사랑 그리고 공동체적 삶의 유지로 특정지을 수 있다. 덧붙여 그녀의 동화에 대한 특징을 나열하면 다음과 같다.

첫째 대부분 생활동화가 차지하고 있다는 점이다. 못생긴 옹기 화분이 콩나물 꽃을 피워 자기 역할을 제대로 한다는 단편동화 〈콩나물 꽃이 피었어〉(제4동화집), 태양이 서술자가 되어 아이들과 함께 작은 풀꽃의 진짜 이름인 봄맞이꽃을 불러주며 기뻐한다는 단편동화 〈내 이름도 불러 주세요〉(제5동화집) 2편 정도가 환상성을 내포한 동화라고 할 수 있다.

둘째 등장인물 중에 할머니가 사건 전개 상 중요한 역할을 많이 하고 있다는 점이다. 장편동화 3권 전체, 제1동화집 3편, 제4동화집 3편, 제5동화집 2편에 할머니가 등장하여 동화의 흐름을 바꾼다든지, 중요한 역할을 하고 있다. 특히 단편동화 〈할머니의 의자〉, 〈참 좋을 거다〉 2편과 장편동화 《두레실 할아버지의 소원》은 할머니의 삶과 죽음, 할아버지와 할머니의 재혼 등을 직접적인 주제로 삼은 경우이다.

셋째 이성자의 동화는 그녀의 동시와 밀접한 관계를 맺고 있는 점이다. 제2동화집에 등장하는 중매쟁이로 적극 나서는 '상동 할머니'가 동시 작품 속에 제재로 등장하고, 모두에 인용한 동시 〈화분 하나〉와 단편동화 〈콩나물 꽃이 피었어〉 속의 '못생긴 담갈색 옹기 화분'과 동일하며 단편동화 〈참 좋을 거다〉와 같은 제목의 동시 작품이 있다.

넷째 동화 속의 배경이 사건 전개의 중심 역할을 하고 있다는 점이다. 대표적으로 단편 〈벚나무와 자전거〉의 발단에서 '마을이 온통 꽃구름 속에 싸여 있습니다. 그 중에서도 우리 집이 제일 환합니다. 집 앞에 늘어선 세 그루의 벚나무가 온통 하얗게 꽃을 피웠기 때문이지요.'로 시작하면서 '벚나무'가 동화의 분위기를 살려 주는 배경 역할을 하고 있다. 이 '벚나무'가 동화의 전개 부분에서부터는 사건의 중심부를 이루고 있어서 '벚나무'의 역할이 교묘히 이중적으로 처리되어 있다. 또한 제2동화집에서의 키 작은 식물 '질경이'와 '백로', 제4동화집의 '갈대'의 역할도 이중적임을 알 수 있다.

이성자의 동시와 동화를 분석해 보면 전통적 효사상이 상실된 현대에서 독특하고 개성적으로 적응하면서 살아가고 있는 할머니 모습을 공통적으로 발견할 수 있다.

할아버지와 함께 집안의 큰 어른으로 권위를 지키면서 며느리들에게 집안 대대로 내려오는 가풍을 전하고 접빈객 봉제사의 감독권과 대가족의 살림권을 가지는 전통적 할머니의 모습은 이제 찾아 볼 수 없는 것이다. 핵가족 중심의 가정인 탓에 아무리 집안 어른이라 할지라도 뚜렷한 할머니의 역할이 없을 뿐만 아니라 고령으로 거동이 불편한 할머니, 병석에 누운 할머니, 홀로 된 할머니 등 노동 능력을 상실한 할머니는 자식들에게 더욱 거추장스런 존재가 되고 말았다. 그래서인지 할머니라는 존재가 가정이나 사회의 중심에 멀리 떨어진 주변인으로 전락하고 만 불행한 시대가 되었다.

그러나 이성자의 동시나 동화에서는 할머니나 할아버지가 결코 주변인으로 등장하지 않는다. 자기 목소리가 분명하고, 가정의 어른으로서 역할을 적극적으로 수행하는 주체적 인간으로 자리매김 하고 있다. 이 소고에서는 이와 같은 이성자의 동시와 동화에서 중심적 인물로서 할머니에 대하여 주목하고 여러 방향에서 고찰하고자 한다.

2. 이성자 동시에 나타난 할머니의 모습

이성자의 동시집 3권에서 단순 소재로서의 할머니가 아닌 제재, 주제로서의 할머니와 관련된 작품이 의외로 많이 실려 있다. 제1동시집 55편 동시 중에서 두 편, 제2동시집 52편 동시 중에 아홉 편, 제3동시집 53편 동시 중에 여덟 편으로 19편(전체 14% 정도)의 작품이 할머니와 직접적으로 관련되어 있다.

특이하게도 이성자의 동시에는 말과 글에 관한 작품 7편이 들어 있다. 그중에 특히 여느 동시인의 작품에서는 거의 찾아보기 어려운, 사전을 제재로 삼아 작품을 쓴 경우가 무려 4편이나 된다.

책장을 정리하다가 / 오래된 국어사전을 본다 // 책벌레 한 마리 / 갈피에서 눈부신 듯 기어 나온다 // 어라! / 냉이, 달래, 씀바귀…… / 사전 속 낱말들 보이지 않네? // 내 손등을 타고 / 어름어름 기어 가는 책벌레 한 마리 // 봄나물 먹고 / 봄빛에 흠뻑 취했나 보다.

– 〈봄날에〉 전문(제2동시집)

이 작품은 봄날과 관련된 국어사전의 단어들을 찾아보면서 봄기운에 취한 시인의 흥취를 그린 동시로 이성자 시인의 재미있는 동심적 상상력이 돋보인다.

이성자의 동시에 나타난 할머니의 모습은 지혜가 풍부하고, 긍정적인 달관자의 모습을 보여 주고, 당당하게 현실을 이겨내며 살아간다. 이런 할머니의 이미지는 동시 독자인 어린이들의 태도에 큰 영향을 미칠 것이므로 이런 대부분의 작품들이 교훈적인 성격을 가지고 있다고 할 수 있다.

첫째, 할머니의 빛나는 지혜로운 모습을 보여 주고 있다. 예나 지금이나 할머니의 속 깊은 생각이나 행동은 자녀들에게 커다란 지혜로 다가선다. 효친 사상이 사라지고, 노인 문제를 소홀하게 취급하는 시대라고 해도 할머니의 모습은 단순하게 손자들을 돌보는 수준에 머물러 있지 않다. 할머니는 여러 방면에서 지혜로써 후손을 가르치고 모범을 보여 주고 있다.

"왜 한 구멍에 콩을 세 알씩 심어요?" / 흙을 다독거리는 할머니께 물었다 / "한 알은 날짐승 주고 / 또 한 알은 들짐승 먹이고 / 남은 한 알은 너 주려고 그런단다." // 할머니는 / 콩밭 군데군데 수수도 심으셨지 / "수수는 왜 심어요?" / 할머니는 빙그레 웃기만 하셨다 // 참새는 / 콩밭을 한 바퀴 돌고는 / ―콩은 너무 커 / 콩밭을 두 바퀴 돌고 나서는 / ―수수 알갱이는 먹기 좋은데 // 가을이 되어서야 알았지 / 주둥이가 작은 참새까지도 생각하신 / 할머니의 마음.
　　　　　　― 〈너도 알 거야〉 전문(제1동시집)

　　제1동시집의 표제 동시인 〈너도 알 거야〉는 농사짓는 할머니의 야생 짐승과 함께 어울려 사는 배려의 마음을 알려주는 작품이다. 자연은 인간만이 소유할 수 있는 것이 아니라는 것이다. 씨를 뿌리고, 곡식을 가꾸는 일은 인간의 배고픔만을 해결하기 위한 것이 아니며, 자연은 인간의 이기심, 개인주의만을 허용하지 않는다는 것이다. 자연 속에서 들짐승이나 날짐승들과 공존 공생하는 깊은 지혜를 가지고 있는 분이 바로 할머니인 것이다.
　　할머니가 가지고 있는 지혜는 말로써 일부러 가르치지 않는다. 무언의 행동으로 보여 주면 되는 것이다. '할머니는 빙그레 웃기만 하셨다'는 2연의 할머니가 보여 주시는 웃음과 미소 속에는 여유와 넉넉함이 배어들어 있다.
　　둘째, 할머니의 죽음을 긍정적으로 접근하고 있다. 내 가족이나 이웃의 죽음은 언제나 슬프고 가슴이 쓰라고 아프다. 그러나 이성자의 작품 속에서는 죽음을 무섭고 회피해야 하는 것으로 해석하지 않고 일상생활과 다르지 않다고 보여 주고 있다.

우리 할머니가 / 산 속 마을 / 작은 무덤 집으로 이사간다 // 산에 사는 짐승들 / 풀꽃들은 참 좋을 거다 / 할머니랑 함께 살 수 있어서 / 날마다 할머니가 들려주는 / 옛날이야기 들을 수 있어서 // 재미난 이야기 먹으며 / 무럭무럭 자라고 / 할머니의 자장가 들으며 / 토실토실 살찌고 // 정말로 좋을 거다 / 오늘부터 / 우리 할머니의 / 손자, 손녀가 될 수 있어서.
　　　　　　― 〈참 좋을 거다〉 전문(제2동시집)

　　〈참 좋을 거다〉는 저승이라는 또 다른 세계에서 적극적인 역할을 하는 할머니의 긍정성이 그려져 있다고 할 수 있다. 작품의 초점은 할머니 무덤 주위에서 사는 풀꽃과 짐승에 맞춰져 있다. 이 작품에서 '이사'라는 시어가 주는 의미는 크다. 슬픔, 눈물, 이

별, 소멸, 단절 등의 부정적인 죽음의 의미보다는 변환, 평범, 이동, 변경, 연속 등의 긍정적인 죽음의 의미가 내포되어 있다. 그러므로 〈참 좋을 거다〉는 죽음을 슬프고 단절된 생의 마감으로 해석하는 것에 뛰어넘어 새로운 삶의 영위, 다른 공간의 이동으로 인간 존재의 영속성을 표현하고 있다. 할머니가 살아 계실 때는 손자들과 함께 생활하였으며, 돌아가신 뒤에는 풀꽃과 짐승들과 함께 생활하고 있다고 할 수 있다. 그러나 할머니의 사후 공간은 시인이 만들어 놓은 추상적인 공간이 아니라 풀꽃이나 짐승들과 함께 살아가는 현실적 공간이라는 점을 놓쳐서는 안 되는 것이다. 한편으로 공존이 불가능한 기묘한 공간 구성이지만 한편으로 보면 저승과 현실의 공간이 공존하는 동심의 공간이라고 할 수 있다.

시적 화자는 떠나버린 할머니를 원망하거나 원통해 하지 않고 있다. 오히려 '정말 좋을 거다'라고 한 것처럼 할머니와 함께 사는 풀꽃, 짐승들에게 부러움을 표시하고 있다. 불교적인 색채가 진한 작품이라고 할 수 있다.

셋째, 할머니의 삶은 가난하고 고단하지만 달관자적인 모습을 보이고 있다. 이성자의 작품 속에는 외롭고 쓸쓸한 할머니의 소극적인 모습이 전혀 들어있지 않다. 긍정적인 자세와 여유 있는 태도가 눈부실 정도이다.

진곡마을에 사는 / 남동할머니는 / 날마다 / 시래깃국을 / 끓인다 // 시래기에 / 된장, 고추장 풀어 넣고 / 마늘 다져 넣고 / 들깨가루도 조금 넣고 / 조물조물 주무른 다음 / 쌀뜨물 넉넉하게 붓고 / 지글지글 오래도록 끓였다는 / 시래깃국 // 평생 소고기국은 / 두어 번밖에 먹지 못했다는 / 일흔세 살, 남동할머니 // 뜨끈뜨끈한 시래깃국 먹으며 / 환하게 웃는 얼굴이 / 꼭 목화송이 닮았다.
 – 〈시래깃국〉 전문(제3동시집)

심심할 때마다 / 나는 할머니께 묻는다 // -할머니, / 세상에서 누가 제일 좋아? / -금쪽같은 내 손자지 // -나 말고 또 누구? / 한참을 생각하던 우리 할머니 / -세종대왕님! // 지갑 속에 넣어 둔 / 만원 한 장 꺼내 보이며 // -봐라, / 이렇게 날마다 모시고 다니지 / 환하게 웃는 우리 할머니.
 – 〈할머니의 세종대왕님〉 전문(제2동시집)

〈시래깃국〉은 한평생을 가난하게만 살아온 한 할머니의 삶을 노래하고 있는 작품이다. 이 작품 속에 등장하는 '남동할머니'는 가정의 안락함이나 물질적 풍요와는 거리가 멀다. '평생 소고기국은 / 두어 번밖에 먹지 못했다'는 작품의 배경에는 가정적인 불행으로 인한 체념 그리고 가난이 짙게 깔려 있고 73년의 세월이 '남동할머니'의 머리를 누르고 있는 것이다. 이쯤 살면 누구나 궁색하고 비굴해지고 굴절될 수밖에 없는 헝클어진 삶의 모습이다. 그러나 '남동할머니'는 '뜨끈한 시래깃국 먹으며 / 환하게 웃'고 있는 것이다.

〈할머니의 세종대왕님〉에서도 〈시래깃국〉의 '남동할머니'의 웃음 못지않은 할머니의 환한 웃음을 볼 수 있다 〈할머니의 세종대왕님〉의 할머니 웃음은 현실적 만족감에서 오는 웃음, 약간의 여유와 유머가 담긴 웃음이다. 현대 노인들의 지갑 속의 물질 숭배 역시 젊은이들과 진배없다는 비아냥거림도 있지만 사는 것은 젊은이나 늙은이나 매 한 가지이니 어찌하랴. 이 작품은 할머니의 현금에 관한 번뜩이는 위트에 초점을 맞춘 것이지만 할머니의 만족스럽고 넉넉한 웃음이 참 보기가 좋다.

여기에서 우리는 김상용의 〈남으로 창을 내겠소〉 마지막 연 '왜 사냐건 / 웃지요' 속에 담긴 인생의 달관자의 웃음을 〈시래깃국〉의 작품 속에서도 발견할 수 있다. 한 걸음 나아가 '남동할머니'의 웃음과 〈남으로 창을 내겠소〉의 달관자의 웃음은 상당히 차이가 있음을 찾아낼 수 있다. 〈남으로 창을 내겠소〉의 달관자의 웃음은 여유자적하고 넉넉한 삶 속에 얻을 수 있는 선비의 웃음이라고 한다면 '남동할머니'의 웃음은 산전수전을 다 겪고, 만고풍상에 찌들어든 가난 속에서 갈고 다듬어야 얻을 수 있는 수행자의 웃음이라고 할 수 있다. 끝 행 '목화송이 닮은' 웃음이란 무엇이겠는가. 목화가 단순한 완상용이 아닌 생활과 밀착된 서민적인 꽃임을 감안한다면 '남동할머니'의 웃음은 삶의 경지를 뛰어넘는 달관이라고 할 수 있다.

3. 이성자 동화에 나타난 할머니의 모습

할머니의 이미지는 보통 맹목적인 사랑, 인자, 용서, 너그러움, 포용 등으로 정리할 수 있다. 하지만 이런 할머니에 대한 이미지는 현대사회에서 어디까지나 경제적으로 윤택한 평범한 가정에서 적용될 뿐이다. 효경사상 상실로 인한 사회의 무관심, 경제능력 상실로 인한 자녀의 학대, 급격한 사회 환경 변화에 대한 부적응, 가난으로 인한 직접적인 농사 참여, 배우자 죽음으로 인해 고독한 생활 영위, 이혼한 자녀의 피붙이에 대한 양육 뒷감당 등 가정과 사회에서 당하는 할아버지나 할머니들의 현실적 고통은 엄청나다. 어른에 대한 봉양의 의무도 가정과 개인에서 사회로 책임이 바뀌고, 당연히 그 이미지도 고독, 소외, 부조화 등 부정적으로 바뀌었다고 할 수 있다.

현재 상업적으로 재미와 감각적인 면을 강하게 추구하는 아동문학의 동시와 동화에서는 할아버지나 할머니에 대해 큰 관심을 두고 있지 않다. 다만 몇몇 동시인이나 동화 작가들이 고군분투하면서 현대 가정과 사회에서 필요한 새로운 할아버지나 할머니의 역할에 대하여 적극적으로 고민하고 있는 실정이다. 그 중 이성자의 동화가 별나게 도드라져 보인다. 그녀는 여러 편의 장·단편동화를 통해 단순히 손자들에게 다정다감하고,

아들과 며느리의 꾸중과 회초리를 막아주는 방패의 역할을 하는 존재에서 벗어나 스스로 재혼 등 인생에 대해 고민하고, 힘든 생활 전선에서 현명하고 조화롭게 살아가는 방법을 제공하며, 마을 공동체에 주도적으로 살아가는 활기찬 모습을 보여 주고 있다.

첫째, 앞의 동시에서와 마찬가지로 어려움을 겪는 사람들에게 지혜로운 할머니상을 보여 주고 있다. 생활의 지혜는 연륜으로 생기는 것은 아니며, 또한 권위로써 전달되는 것은 아니다. 사실은 할머니나 할아버지가 가정에서 일어난 여러 문제들에 대하여 가장 지혜롭게 생각하고 현명하게 대처하는 분들이다. 이성자는 그런 것을 보여 주고 있는 것이다.

정훈이가 회장 할머니를 바라보며 고개를 끄덕거립니다.

"참, 질경이 어린잎은 나물로도 무쳐 먹고 씨앗은 차전자라는 약재로 쓴단다. 볼품없어 보이지만 여러 가지로 쓸모가 있지."

"할머니는 참 아시는 게 많은가 봐요?"

"그럼, 나이를 먹었으니 당연히 아는 것도 많아야지. 그런데 너도 나처럼 질경이를 좋아하는 모양이지? 다른 풀은 뽑아내면서 질경이는 그대로 놔두는 걸 보니까. 나는 속상하거나 슬플 때 질경이를 본단다. 질경이를 보고 있으면 어떤 힘이 느껴지거든⋯⋯."

정훈이는 회장 할머니가 선생님처럼 차근차근 말씀하는 게 참 신기하게 느껴집니다. 일부러 질경이 이야기를 들려주는 것 같았지만, 회장 할머니의 이야기를 듣고 있으니 정훈이의 우울했던 마음이 다시 밝아집니다.

– 장편 《형이라고 부를 자신 있니?》 p.117

할아버지는 잠시 깊은 생각에 젖어 듭니다.

"그러니까 고향을 두레실로 생각하며 살자, 그 말이오?"

"그래요. 그곳에서 채소도 가꾸고, 닭도 키우고⋯⋯."

할머니가 대답합니다. 곰곰이 생각하고 있던 할아버지 얼굴이 밝아집니다.

"좋소. 버들마을로 이사 갑시다."

할아버지의 힘찬 대답에 할머니 얼굴이 발갛게 달아오릅니다.

– 장편 《두레실 할아버지의 소원》 p.110

장편동화 《형이라고 부를 자신 있니?》는 이성자의 뛰어난 장편동화 중 한 편으로 성장판 손상으로 키가 크지 않는 주인공 정훈이와 이웃에 사는 태석이가 갖가지 갈등과 어려움을 이겨내면서, 정훈이 아빠와 태석이 엄마와 재혼에 둘이 적극적으로 나서서 성공 시킨다는 동화이다. 그 과정에서 여러분의 할머니들이 등장해 한 편으로 주인공을 위로하고, 한편으로 주인공의 일을 방해하는데, 위의 인용된 글에서 양로원 회장 할머니는 정훈이와의 대화를 통해 할머니가 가지고 있는 지혜의 일부를 보여 주면서 정훈이의 내면적 아픔을 위로해 주고 있다.

장편동화 《두레실 할아버지의 소원》은 북한 두레실이 고향인 외로운 할아버지의 가출과 향수병을, 택배 일을 하고 있는 고아 출신 이달우가 주선한 버들마을 할머니와 재혼을 통해 치유해 간다는, 무거운 노인 결혼 문제를 재미있게 접근한 동화이다. 인용된 글에서도 버들마을 할머니의 현명한 지혜가 돋보인다. 버들마을 할머니가 무조건 북한 두레실 마을만을 고집하는 할아버지에게 현명한 대안을 제시하여 마음을 바꾸게 만들고 있다.

둘째, 아량과 이해심이 깊은 할머니상을 보여 주고 있다. 물질만을 추구하는 현대에서 할머니가 베풀 수 있는 것은 그리 많지 않다. 하지만 이성자의 동화에서는 작은 정성을 보여 주기 위해 "우리 집 간장이랑 된장도 퍼 가고. 저번에 담갔던 배추김치도 한 통 가져가."라고 말하는 《형이라고 부를 자신 있니?》의 인심 후한 정훈이 할머니 같은 분들이 많이 등장하고 있다. 따뜻한 인심이나 아량은 결코 물질로 계산할 수 없는 것이다.

아파트를 한 바퀴 돌고 나오던 두부 장수 아주머니가 할머니를 보고, 또 보더니 곁으로 바짝 다가섰어. 두부 장수 아주머니의 두 눈이 점점 커지는 거야.

"혹시, 저 모르겠어요. 뒷집에 살던, 두부공장 집 둘째 딸!"

안타깝게도 할머니는 두 눈을 멀뚱멀뚱 뜨고 바라보기만 했어.

"이제야 생각이 또렷이 나네요. 이 쉼터 주인은 바로 저 어른이세요. 우리들의 휴식을 위해 공터를 시에 기증했거든요. 당신들은 자기 땅에 와서 쉬는 사람을 왜 쫓아내려고 그래요?"

딱 버티고 선 두부 장수 아주머니가 아파트 사람들을 향해 큰 소리로 말했어. 아파트 사람들의 두 눈이 동그래졌어.

– 단편 〈종소리 꽃〉(제2동화집, p.29)

단편 〈종소리 꽃〉은 가출한 치매 걸린 할머니가 무상으로 기증한 아파트 놀이터에 언젠가 나타날 것을 믿는, 거지 차림의 그의 아들과 아파트 주민들 사이에 일어나는 갈등과 해프닝을 인정 많은 두부장수 아주머니의 밝은 눈으로 반전시키는 동화이다. 치매 걸린 어머니를 찾기 위해 아파트 놀이터에서 무한정 기다리는 그 아들의 끈질김도 대단하지만 매일 뜨뜻한 두부를 무상으로 주는 두부장수 아주머니의 인심이나 주민들의 휴식을 위해 공터를 시에 기증한 할머니의 아량과 배품은 이 동화가 독자에게 주는 아름다운 인간의 향기가 아닌가 한다.

셋째, 항상 공동체 중심의 역할을 다하는 할머니상을 보여 주고 있다. 노인들이 가정과 사회에서 주변적 인물로 전락한 것은 우리나라가 산업사회로 탈바꿈한 이후이다. 그러나 이성자의 동화에서는 할머니가 집안에서나 동네에서 공동체의 일원으로 당당하게 중심자로 활동하고 있다.

"고약한 노인네. 다른 가게도 많은데 왜 하필이면 빵 가게를 비우래? 두고 보라지, 그 게을러터진 막내아들이 참아 내고 빵집을 잘 하는지."

이미 모든 걸 다 일고 있는 할머니들은 한숨을 쉬며 도민이 아빠를 걱정했어요. 그때 집주인인 경만이 할머니가 다가왔습니다. 수군덕거리던 할머니들이 모두 입을 다물어 버렸지요. 요즈음 등나무 아래에 모여서 노는 할머니들이 경만이 할머니를 보며 쌀쌀맞게 대합니다. 경만이 할머니는 혼자 왕따를 당하는 것 같아 내심 외롭기도 했어요.

– 단편 〈빵굼터〉(제3동화집 p.64)

단편 〈빵굼터〉는 경만이 할머니가 세놓은 가게에서 부지런하게 빵을 구워 파는 도민이 아빠의 사업이 잘되자 내쫓기 위해 술책을 쓰지만 동네 할머니들의 도움을 받아 결국 그대로 사업을 진행하게 된다는 동화인데, 이 동화에서 눈에 띄는 것은 동네 할머니들의 도민이 아빠 빵굼터에 대한 적극적인 방어와 노력이다. 이 동화의 강점은 근면하고 성실한 사람에 대한 배려, 사회 정의의 자각, 할머니들의 긍정적인 삶의 태도 등 마을 공동체에서 할머니들이 벌이는 적극적 활동이 세대 간의 격차를 해소하고, 함께 어울려 살아야 하는 건전한 미래 사회의 모습을 보여 주고 있다는 점이다.

넷째 지극한 가족 사랑의 할머니상을 보여 주고 있다. 가족 사랑이야 전통적으로 내려오는, 변치 않는 인간 본능이라고 할 수 있다. 이성자 동화에서도 예외는 아니다. 그러나 구태의연한 모습이 아니다.

내 동생은 가무잡잡한 얼굴에 곱슬머리인 여자아이였다. 동그란 두 눈이 무척 예뻤다.

"우리 아가씨가 아주 매력적인걸!"

아빠는 동생을 안고 좋아서 어쩔 줄 몰라 했다.(중략)

할머니께서 나를 바라보셨다.

"그려. 그려. 내 강아지. 할미보다 더 크게 훌쩍 자란 것 좀 봐!"

얼마 전에 봤는데도 할머니께선 나를 이리저리 어루만지셨다 뒷짐을 진 할아버지께서는 코를 큼큼거리며 말씀하셨다.

"그놈, 잘생긴 덩치가 꼭 중학생 같구먼. 담양에 인물 났어!"

할아버지께서는 칭찬을 하시며 나를 안아 주셨다 아빠가 필리핀 여자와 결혼했기 때문에 할아버지지의 반대가 아주 심했다고 한다. 그런데 내가 태어나자 할아버지 할머니의 마음이 금세 풀렸다고 했다.

 – 장편《최고는 내 안에 있어》pp.90~91

장편《최고는 내 안에 있어》는 다문화 가정에서 태어난 까무잡잡한 주인공 승현이가 인종 편견이 강한 같은 반 혁재와 태권도 등 사사건건 갈등을 일으키지만, 혁재가 오히려 필리핀으로 이민을 가게 됨에 따라 화해와 우정을 나눈다는 작품이다. 다문화 가정의 문제라는 작품 성격상 할머니가 주도적인 모습으로 등장하고 있지 않지만, 승현이 아빠의 필리핀 이주 여성과의 결혼 허용, 검은 피부의 승현이 남매에 대한 사랑 등, 할머니가 할아버지와 함께 새로운 가족을 긍정적으로 수용하는 모습을 보여 주는 것은 다문화 가정이 기하급수적으로 늘어가는 현실을 감안할 때 매우 바람직한 모습이라고 할 수 있다.

3. 마무리

이성자의 동시·동화에 나타난 할머니의 모습은 매사 적극적이고 긍정적이다. 이런 긍정적인 할머니상 정립은 아동문학가 이성자의 성장 환경에 기인한 탓이긴 하다. 특히 동시·동화를 통한 적극적인 할머니상 탐색은 전통적 가정 붕괴, 개인주의 팽배, 효 기능 상실 등으로 말미암아 피폐해져 버린 할머니들의 밀폐된 삶의 공간에 산소 공급을 하는 젖줄이거나 활로 개척이 될 수 있을 것이다.

막내할아버지가 사업에 실패를 하는 바람에 부도가 나고 말았지요. 가족회의 결과 막내 할아버지 식구들이 모두 우리 아파트로 들어와 살게 되었습니다. 물론 우리 식구들이 처음부터 다 찬성한 것은 아닙니다. (중략)

막내할머니는 우리 엄마보다도 나이가 열 살이나 적습니다. 막내할아버지도 아빠보다 나이가 적기는 마찬가지고요. 막내할아버지네 식구들이 우리 집에 온 후부터 하루도 조용한 날이 없습니다. (중략)

아빠가 금방 들어올 것 같아 증조할머니랑 할머니랑 막내할머니랑 모두 안절부절못했지요. 나와 용환이는 현관 문 앞에 서서 아빠가 오는지 망을 보고 있었습니다. 증조할머니가 두 손으로 가슴을 치며 울었어요.

"내가 어서 죽어야제. 이런 꼴 저런 꼴 안 보고 어서 죽어야제."

울고 있는 증조할머니가 참 불쌍했습니다. 아빠가 준 용돈도, 엄마가 준 용돈도 쓰지 않고 모았다가 막내할아버지만 주었던 증조할머니거든요.

– 단편 〈내 친구 용환이 삼촌〉(제3동화집 pp.12~16)

단편 〈내 친구 용환이삼촌〉에서 보여 주는 가족 구성은 오래전에 소멸된 대가족 형태이다. 증조할머니를 정점으로 할머니, 작은할아버지, 작은할머니 등 무려 9명이 등장한다. 이성자가 꿈꾸는 것은 물론 대가족 제도가 아니겠지만 매우 상징적인 동화임이 분명하다. 노인 재혼, 다문화 가정에 대한 배려, 생활 공동체에서 노인들의 중심적 활동 도모 등 그녀가 동화 속에서 그려내고 있는 할아버지, 할머니의 삶이 실제로 조화롭게 나타나기를 기원해 본다.

어린이와 함께 선생이 걸어온 길

1949년 전남 영광군 홍농면 월암리 226번지에서 아버지 이대복과 어머니 표귀순 사이
　　　에서 4남 1녀 중 장녀로 태어남.

1962년 전북 정읍 동초등학교 졸업함.(49회)

1965년 전북 정읍여자중학교 졸업함.(14회)

1969년 전남 법성상업고등학교 졸업함.(19회)
　　　광주교육대학교부설 초등교원양성소 수료함.

1970년 초등학교교사로 발령받음.(영광홍농서, 동명) 5년 2개월 근무하다가 결혼 후
　　　사직함.

1974년 정무웅과 결혼함.(자녀, 1남 2녀)

1988년 문학과 운명적인 만남. 광주시 종합예술제 산문 부문 금상 수상함. 장남 정명준
　　　(당시, 광주서초등학교 학생회장)의 담임인 이문국 선생님의 적극적인 추천에
　　　의해 참석하게 됨.

1991년 YMCA 문예창작반 수료함.(지도교수 전원범) '금초문학동인' 결성으로 적극적
　　　인 문학 활동 시작함.

1992년 광주·전남아동문학인협회 제1회 '어머니가 쓴 동시 동화 공모전'에서 〈목련꽃〉
　　　으로 동시 부문 최고상 수상함. 문학에 대한 자신감을 얻음. 〈아동문학평론〉에
　　　서 〈시계와 밤과 아이〉 외 3편으로 동시 부문 당선됨.(심사: 어효선, 석용원)
　　　시상식장에서 문학인으로 살아가겠다는 결심을 함.

1994년 광주대학교 문예창작과 입학함. 제13회 계몽사 아동문학상에서 〈빈 가지마다〉
　　　외 12편으로 동시 부문에 당선됨.(심사: 문삼석, 오순택).

1996년 〈동아일보〉 신춘문예에서 동시 〈오동잎을 따서〉로 당선됨.(심사: 노원호)

1998년 광주전남 아동문학상 수상함.(제3회) 광주대학교 문예창작과 졸업함. 고 조태
　　　일 예술대학장님의 권유로 대학원 진학과 박사 과정을 결심함(지도자로서의 가
　　　능성을 심어주심). 광주문학상 수상함.(제11회) 동시집 《너도 알 거야》(창비) 출
　　　판함.

1999년 수필 〈작은아버지〉로 〈전주일보〉 신춘문예 수필 부문에 당선됨. 광주대학교 예
　　　술대학원 문예창작과 입학함.

2000년 제32회 한정동아동문학상 수상함.(심사 위원장: 박경종).

2001년 광주대학교 예술대학원 문예창작과 졸업함.(석사논문 〈신현득·전원범 동시의
　　　은유 형태 연구〉)

동화 〈엄마의 거울〉로 제3회 어린이문화 신인상 동화 부문 당선됨.(심사: 이영호, 유경환). 서울 명지대학교 일반대학원 문예창작과 박사 과정 입학함. 동화 〈벚나무와 자전거〉 외 3편으로 제9회 눈높이아동문학상 동화 부문에 당선됨.(심사: 남미영, 김학선, 김용희)

2002년 동화 〈엄마의 거울〉로 어린이문화진흥회 어린이문화 문학 부문 신인대상 수상함. 한국문화예술진흥회 창작지원금 받음. 광주대학교 문예창작과 출강함.(~2013, 겸임교수)

2004년 명지대학교 일반대학원 박사 과정 졸업함.(박사논문 〈한국현대판타지동화 연구-마해송·김요섭·김은숙 동화를 중심으로〉) 광주교육대학교 출강함.(~2016, 외래교수) 명지대학교 및 명지문화예술대학원 출강함.

2006년 KCU 한국사이버대학교 출강함.

2007년 동시집 《키다리가 되었다가 난쟁이가 되었다가》로 제5회 우리나라좋은동시문학상 수상함.(심사: 엄기원, 노원호, 이준관, 이상교) 〈목련꽃〉 외 7편으로 제24회 한국불교아동문학상 수상함.

2009년 동화집 《뭐가 다른데?》로 제19회 방정환문학상 수상함.(심사: 최지훈, 배익천, 김용희, 박상재, 이재철).

2010년 한국아동문학가 100인에 선정됨. 〈시와동화〉 제52호 게재됨.

2011년 광주교육대학교 대학원 출강함.(~2018, 동화창작론특강) 초등학교 6학년 1학기 《국어 읽기》에 동시 〈송두리째 다 내놓았어〉 전문 수록됨.

2012년 《딱 한 가지 소원》으로 제8회 국제펜클럽 광주문학상 수상함.(심사: 김영관, 김종, 서용좌)

2013년 초등학교 1–2학년 《국어활동 3–가》에 동화 〈넌 멋쟁이야〉 전문 수록됨. 조선일보에 '가슴으로 읽는 동시'란에 동시 〈손가락 체온계〉가 소개됨.(이준관) 동시집 《손가락 체온계》 올해의 좋은 동시집 선정(오늘의동시문학, 서평 이화주) 및 새싹회 '화제의 책'으로 선정됨(새싹문학 126, 정두리) 《손가락 체온계》가 한국동시문학회 올해의 좋은동시집에 선정됨.(선정 위원: 김완기, 한명순, 권영상) 한국근현대동화작가 100선에 선정됨.(지식을만드는지식과 한국아동문학 연구센터가 공동기획) 서울시주최 시민공모전에서 동시 〈이팝나무꽃〉이 당선됨.(2014년 1월 보라매역 승강장에 게시)

2014년 중학교(특수) 《국어 나》에 동시 〈혼자 밥 먹는 날〉 전문 수록됨. 동시집 《손가락 체온계》로 제13회 오늘의동시문학상 수상함.(심사: 김진광, 엄기원, 이화주)

2015년 동시 〈좀의 변신〉이 2015년의 좋은 동시로 선정됨.(선정위원: 진복희, 서재환,

정은미) 동시 〈피뿌리풀꽃〉 외 1편으로 제10회 우송문학상 수상(심사: 전원범)
이후 《우송문학》에 우수작품으로 발표됨.
2016년 《엉덩이에 뿔 났다》로 제25회 한국아동문학상 수상함.(심사 : 노원호, 이준섭)
동화집 《펭귄 날다!》가 세종도서문학나눔 우수 도서로, 동시집 《엉덩이에 뿔
났다》가 세종 우수 도서 문학나눔 교양 부문에 선정됨.

현재 작품집 총목록

1998년 동시집 《너도 알 거야》(창비)

2002년 단편동화집 《내 친구 용환이 삼촌》(대교출판)

2004년 장편동화집 《형이라고 부를 자신 있니?》(대교출판)

2006년 동시집 《커다리가 되었다가 난쟁이가 되었다가》(문원)

　　　　 그림동화 《함께 놀고 싶어요》(한국훼밍웨이)

2007년 그림동화 《넌, 멋쟁이야》(한국비전북)

　　　　 장편동화집 《두레실 할아버지의 소원》(해피북스)

　　　　 단편동화집 《쉿! 특급 비밀이에요》((주)은하수미디어)

2008년 장편동화집 《물의 여행-5학년 과학동화》(효리원)

2009년 동시집 《입 안이 근질근질》(청개구리)

　　　　 단편동화집 《뭐가 다른데?》(문원)

　　　　 장편동화집 《최고는 내 안에 있어》(은하수미디어)

　　　　 장편동화집 《아빠도 시간이 필요해》(와이즈아이)

2010년 장편동화집 《못 말리는 까미, 황마훔》(중앙출판사)

2011년 장편동화집 《딱 한 가지 소원》(채우리)

　　　　 장편동화집 《마법을 걸고 싶은 날》(형설아이)

　　　　 그림동화 《황금가면을 찾아서》(한국톨스토이 기획)

　　　　 장편동화 《행복한 우울바이러스》(글고운)

2013년 그림동화 《등나무 그늘 방석》(톨스토이)

　　　　 그림동화 《꿈틀꿈틀 지렁이 때문에》(한국톨스토이)

　　　　 그림동화 《지혜로운 소녀 카테리나》(한국톨스토이)

　　　　 단편 동화선집 《이성자 동화선집-한국근현대동화작가100인선》(지식을만드는
　　　　　 지식)

　　　　 동시집 《손가락 체온계》(청개구리)

2014년 그림동화 《넌, 멋쟁이야》(청개구리)

2015년 동시집《엉덩이에 뿔 났다》(청개구리)

　　　　　장편동화《펭귄 날다!》(중앙출판사, 책내음)

2016년 동시집《피었다 활짝 피었다》(국민서관)

2018년 그림동화《벵기뚱 언덕》(청개구리, 기획)

한국 아동문학가 100인

박방희

대표 작품
〈열쇠〉 외 1편

인물론
크레믈린[宮]의 앳된 말. 그 웅숭깊은 동심

작품론
시적 감동과 창조적 정신

어린이와 함께 선생이 걸어온 길

열쇠

잘 생긴 자물쇠가 하나 있었다
그걸 열기 위해 열쇠들이 팔을 걷고 나섰다
어떤 열쇠는 너무 커 구멍에 아예 들어가지도 않았다
또 어떤 열쇠는 들어가기는 들어갔으나 돌려지지가 않았다
또 어떤 열쇠는 돌려지기까지는 했으나 찰칵, 소리가 나지 않았다
그리고 또 어떤 열쇠는 찰칵, 소리까지는 났으나
자물쇠의 고리를 벗겨 놓지는 못했다
모든 열쇠들이 다시 나서서 시도해 보았다
결과는 마찬가지였다
어느 것도 열쇠로서는 소용이 없었다

그런데도 구멍에서 빠져나온 열쇠들은
저마다의 시도를 자랑하며, 소용없는 성과를 늘어놓기에 바빴다
"나는 근처까지 갔었다."
"나는 직접 문 앞까지 갔다."
"나는 문고리까지 잡았다."
"나는 당겨보기까지 했다."

그러나 어느 것 하나도 자물쇠를 열지는 못하였다

시계수리

　어떤 사람의 시계가 고장이 나 멈추어 섰다 그 사람은 시계를 고쳐보기 위해 뚜껑을 열었다 시계는 굉장히 많은 부속품들을 내장하고 있었다 그것들은 시계가 잘 가는 데에 방해만 될 것 같았다 그는 시계의 숨통을 터주기 위해 부속품 중의 반을 빼내었다 그래도 시계는 가지 않았다 이번에는 빼놓은 부속품 중 맞춤한 것으로 생각되는 부속을 하나 골라 집어넣었다 시계는 가지 않았다 다시 부속 하나를 집어넣었다 그래도 안 갔다 '조그마한 것이 웬 고집이람?'그는 작은 부속 하나를 더 넣었다 역시 움직이지 않았다 그리하여 하나씩 집어넣다가 마침내 손을 털며 마지막 부속까지 집어넣었다 그래도 시계는 움직이지 않았다 참 기가 찰 노릇 이었다 속에서 빼낸 것을 전부 다 도로 집어넣었는데, 무엇을 더 넣어야 된단 말인가?

　결국 그는 시계에다 돈을 더 집어넣었다
　수리 점에서 돈은 질서라는 이름으로 조립되었다
　그제야 시계는 똑딱거리며 가기 시작했다

크레믈린[宮]의 앳된 말, 그 웅숭깊은 동심

문인수

  박방희, 나는 그를 잘 안다. 우선 고향이 같다. 경상북도 성주군이 피차 태어나 자란 곳이다. 별고을 성주(星州), 가야산 아래 낙동강 가에 있다. 박방희는 요즘, 아니 몇 해 전부터 그곳, 성주의 가야산 골짜기에 들어가 집필 중이다. 시를 쓰고, 소설을 쓰고, 수 필을 쓰고, 동화를 쓰고, 지금은 주로 동시를 쓰고 있는 듯 싶다. 동시로써 현재 한창 문단의 각광을 받고 있는 중이기 때문이다. 그와 내가 뿌리를 둔 성주, 그 옛날 성주는 넓은 세상과는 한참 멀리 떨어져 있었다. 잔뜩 흐리거나 비오는 날이면 그 애잔한 기적 소리가 마음을 감으며 끌며 꼬리 길게 넘어오던 왜관까지는 삼십 리, 대도시 김천까지 는 육십 리, 대구까지는 백 리 길이 넘는다. 그 먼 곳들이 지금은 사통팔달의 교통, 잘 닦인 도로 덕분에 왕복 걸리는 시간이 20분~40분, 그저 지척간이다.

  성주, 이미 오래 전부터 참외 주산지로 유명하다. 그가 살던 마을과 내가 살던 마을 은 걸어서 약 반 시간도 안 되는 거리? 어쨌든 행정구역이나 지리적으로 연접, 그 경계 를 맞대고 있다. 그의 월항면(月恒面)과 나의 초전면(草田面)은 글자 그대로 얼굴(面)을 서로 문대고 있는 것. 좀 유치한 말장난으로 두 지명을 섞어보면 '달풀'이거나 '달밭'이 되지 않는가. 그와 나의 유·소년기는 한 줄기 '흰내 (白川)'에 멱을 감았을 것이며, 가야 산이나 방울음산의 푸른 원경을 내 것인 양 무턱 대고 바라보았을 것이다. 아무튼, 그 가 자란 자연부락 이름은 장산동(리) 중의 철산마을, 내가 자란 그곳은 대장동(리) 중의 대마마을. 연보에는 적지 않았지만 필요할 경우 그는 그의 성명자 앞에다 이 '장산(長 山)'을 얹어 '호'로 삼고 있는 것으로 알고 있다.

  그런데, 독자들은 이 글머리에 나오는 이런 저런 지명으로 인해 그와 나의 고향이 무 슨 악산으로 점철된 캄캄한 산골짜기 벽촌쯤으로 여겨질지 모르겠으나, 그렇지는 않 다. 야산들이 낮게, 낮게 꿈틀거리며 '십만리들' 같은 상당히 너른 농토를 펼쳐놓은 곳 이다. 지금은 참외농사 비닐하우스로 온통 은빛 바다를 이루고 있다. 경계가 없는 들녘 이다. 월항–초전, 예나 지금이나 같은 생활권이다. 농촌 인구가 8할이 넘던 시절에 그 와 나의 아버지는 같은 장(대마장)을 보는 근동의 사람이었을 것이며, 서로 반갑게 수 인사를 나누는 사이였을 것이다.

거기에다 박방희와 나는 성주중학교 전학년 동기동창이다. 그리고 성주농업고등학교 1년 반을 함께 다녔다.(후회막급이지만, 나는 이 학교 2학년 2학기 때 대구고등학교로 전학을 해버렸다.) 그러니까 그와 나는 중학교에 들어가서 처음 만난 것이다. 흙먼지 이는 시오리 자갈길 통학로, 황토 신작로를 타박타박 걷거나 더러는 자전거를 타고 다녔다. 그와 나는 그렇게 소년시절의 한 때를 같은 길을 썼다. 학교와 집(마을)의 중간엔 '대티(우리는, 사람들은 댓띠 고개라 불렀다.)'가 있었고, 이 야트막한 고개를 넘으면 작은 저수지가 나오고, 저수지 들머리에서 '월항과 초전'은 길이 갈라졌다. 나는 신작로를 따라 계속 '대마마을'로 가고, 그는 좁고 꼬불꼬불한 농로를 따라 '철산마을'로 갔다.

그러나 그 중·고등학교 재학 기간 통학로에서건 학교에서건 그와 내가 특별히 함께 '놀아난 기억'이 거의 한 장면도 없다. 나는 그때도 글 쓴답시고 티를 내고 다녔다. 그러나 문예반이든 시화전이든 백일장이든 국어선생님 앞이든, 글 쓰는 짓거리가 비치는 그 어떤 자리에도 박방희는 없었다. 낄낄거리며 삼삼오오 통학로를 휩쓸던 그 어떤 무리에도 그는 없었다. 그런데, 어느 날 갑자기 그가 나타났다. 3학년 국어 시간이었을 것이다. 정공섭 선생이었다. 좋은 시 한 편을 소개하겠다며 그 시를 칠판에 적고, 또 그걸 낭송해 주었다. 참, 말이 없었던 선생님이 큰 칭찬을 했다. 어른이 쓴 시 같았다. 외기러긴가, 왜가리인가를 그린, 혹은 거기 기댄 그리움이나 외로움을 묘사한 내용이었는데 놀라웠다. 박방희의 작품이었다. 그 시는, 개교 이래 처음으로 만든다는 교지 〈별〉의 첫 페이지에 실렸다.

그러나 그뿐, 그 후에도 그는 여전히 아무 자리에도 나타나지 않았다. 그의 덩치는 어릴 때도 '우량'했다. 그때, 그리고 보니, 그는 그저, 그렇게, 늘, 다만 묵묵하게 제자리를 지키고 앉은 과묵한 아이였던 것으로 기억된다. 그리고, 그렇게, 혼자, 묵묵하게 신작로를 걸어 통학에만 '매진'하고 있었다. 그후, 성주농업고등학교로 진학했을 때, 그와 나는 난생 처음 한 분의 시인을 만났다.(그러나 박방희와 함께 만난 적은 없다.) 약관에 시인이 된 영어 과목의 권오택 선생이었다. 선생은 그때 그 학교가 초임지였다. 박방희나 나로 하여금 처음으로 문학을 향해 제대로(?) 눈을 뜨게 한 분이 아니었나 싶다. 그렇다면 그와 나는 같은 선생의 '문하'라 할 수도 있겠다.

박방희와 그의 가족은 모두 천주교 신앙인이다. 나도, 내 가정도 그렇다. 그런데 나 혼자만 달랑, 십 년이 넘도록 '냉담' 당하고 있는 중이다. 그 또한 그렇게 열심인 신도는 아닌 줄 안다. 그의 집안엔, 그가 나고 자란 장산리 일대에는 가톨릭 신부님이 많이 났다. 그것도 박도식(선종), 박춘식(환속), 박문식 신부는 한 부모 슬하의 형제지간이다. 거기에다 안동교구 교구장을 지낸 박석희(선종) 주교가 그곳에서 나오기도 했다. 박방희가 천주교 신앙인이 된 것도 이렇듯 바로 이웃한 친척들의 영향이 컸으리라 짐작된다. 특히 박석희 주교는 내 큰 누님의 친시동생이기도 한데, 누님을 통한 이 주교님의 은근한 그늘로 나 또한 성당엘 나가게 된 것 같다. 박석희 주교와 박방희 시인은 촌수가 그리 머잖은 형제사이, 그러니 박방희와 나는 바로 먼 사돈뻘인 것이다.

그래, 그랑 나랑 종교적인 인연으로도 다시 만났다. 당시 '대구 가톨릭문우회'를 창립하면서였다. 성주농고에서 난생 처음 유일하게 만난 시인, 권오택 선생(당시 대구 대륜중학교 교사)이 회장이었고, 내가 총무를 맡았었다. 하긴, 가톨릭문우회가 발족되기 전부터 박방희랑 나랑은 이미 자주 만나는 터수가 되어 있었다. 중학교를 졸업하고 어른이 될 때까지 박방희나 나는 서로의 존재를 까마득하게 잊고 있었다. 전국을 떠돌며 청춘을 허비하던 내가 대구에 정착, 1975년 결혼하면서 몇몇 중학교 동기생들을 만나게 되었다. 대구 동성로에 업소를 차린 어느 친구의 사무실에서였을 것이다. 첫 동기회 자리였다. 희게, 두둑하게 생긴 한 친구가 가운데 버티고 앉아 있었다. 내가 들어서자 그가 번쩍 손을 들며 반겼다. 나는 다가가 대뜸 악수를 청했다. "야아, 이거 배경주 아이가." 했더니, "배경주 좋아하네, 나 '방희'다" 했다. 중학교를 졸업한 지 거의 이십년 만에, 그와 나는 그렇게 다시 만났다.

박방희는 그때 대구의 명동, 동성로 바닥에서 '잘 나가는 사장(여성 패션 대리점, 그는 늘 매장에 없었고, 그냥 무슨 '배후'같기만 했다.)'이었다. 그 후 한 십년 간 그와 나는 동기회원들 중에서도 따로 자주 어울렸다. 그러면서도 우리는 문학 따위 이야기는 전혀 하지 않았다. 나중에, 가톨릭문우회를 들락거리면서, 권오택 선생을 다시 만나면서, 그것도 아주 가끔, 시 이야기를 했다. 함께 찍은 사진자료(?)들을 보면 그저 각자 네댓 살짜리 제 새끼들을 데리고 팔공산 자락 식당 같은 데서 어느 여름날 더위를 식히며 앉아 놀기만 했다. 박방희, 그는 여전히 별 말이 없었다. 어떤 경우에도 그 속내를 다 드러내 보이지 않았다. 그러한 그의 내공이 그의 우량한 육신을 지어올리고, 세상을 이겨내는 저력을 이루는 게 아닌가 싶기도 했다. 그 자신은 눈치 채지 못했겠지만 당시, 중학교 동기들 사이에서 그에게 붙인 별명이 있었는데, 다름 아닌 성채라는 뜻을 가진 '크레믈린'이었다.

그러고 보니 허허, 박방희와 나는 '지연·학연·혈연'이, 거기에다 종교문제까지 다 얽혀 있는 셈 아닌가. 우리네 사회에선 참 굉장히 밀접한 '친분관계'랄 수도 있다. 그렇지만 나는 문학인(시인, 소설가, 수필가, 아동문학가, 시조 시인) 박방희에 관해서는 결과적으로 아는 것이 거의 아무것도 없다. '한국문단의 멀티플레이어'라고 방금 지어낸 이 말도 이 글을 쓰기 위해 뒤져본 그에 관한 자료(연보) 덕분이다. 뿐만 아니라 사실은 자연인 박방희에 관해서도 위에 적은 기본적인 인적사항 '몇 줄' 말고는 잘 아는 척할 처지가 못 된다는 것이 이 시간 나의 '자각'이다.

박방희는 1946년 경북 성주에서 태어나 영남대학교를 다녔고 경북대학교 대학원을 졸업했다. 갑년(甲年)을 넘긴 나이에 한번쯤 삶의 질곡을 경험하지 않은 사람은 없겠지만, 아마도 그처럼 극적인 삶의 궤적을 지닌 사람도 드물 것이다. 그는 대학 졸업 후 연좌제로 인해 오랫동안 준비해온 공무원 임용이 좌절되자 낭인생활(*정작, 여기에 더 많은 이야기가 내장돼 있을 수 있다)을 하다가, 1980년 5월 이후 반독재 민주화운동에 참여해 재야문화운동단체인 '우리문화연구회'의 대표를 지낸다.

1987년 6월 항쟁 당시에는 민주쟁취국민운동 대구·경북본부 공동대표(상임)로 민주화운동의 최일선에 섰을 뿐 아니라 대구·경북지역의 대표적인 재야인사로 활동했는데, 그가 관계되지 않은 운동 조직이 없을 정도였다고 한다. 그것은 그가 보안사 민간인 사찰대상 1,311명 명단에 포함되어 있는 것만 보아도 알 수 있다. 그의 활발한 사회참여는 1995년 김대중 씨의 권유로 현실정치에까지 이어졌으나 실험의 단계에서 그쳤는데, 그는 이를 10년간의 외도로 표현하고 있다.

한편 그는 1980년대 중반 무크지 〈실천문학〉 등에 시를 발표하면서 문단에 나온 이래 2001년 〈스포츠투데이〉 신춘문예에 추리소설 〈서 있는 여자〉 당선, 2001년 〈아동문학평론〉에 동화 〈천사원에서 생긴 일〉 당선, 2001년 〈아동문예〉에 동시 〈논두렁 태우기〉 외 당선, 2006년 〈수필시대〉에 수필 〈매실이야기〉 당선, 2007년 푸른문학상 동시 부문 수상, 2007년 새벗문학상 동화 부문 수상 등 작가로서도 대단히 화려한 이력을 지니고 있다.

이처럼 박방희에게 사회변혁운동의 참여와 문학은 그의 삶을 관통해 온 두 개의 물줄기이다. 어느 하나 결코 만만하게 보이지 않는 그 둘 사이를 넘나들며 그가 쌓아올린 그동안의 성과를 생각하고, 그러한 결실을 얻기까지 그가 뚫고 지나왔을 거칠고 암울한 세월을 떠올리면, 순간 가슴이 먹먹해진다. 그만큼 그는 현실 참여로, 작가로 그 누구보다 치열한 삶을 살아왔고 그 점에 있어서는 마땅히 칭찬할 만하다. 그럼에도 그와 같은 행보가 안타깝게 여겨지는 것은 혹, 그가 작가로서 한 길에만 충실했다면 어땠을까 하는 아쉬움 때문이다.

사실 문학은 어떤 식으로든 선 자리를 반영한다는 점에서 사회 현실과 무관하지 않다. 따라서 그가 반독재 민주화운동이나 이런 저런 사회운동이 아닌 문학에 좀 더 역량을 집중했더라면 작가로서의 그의 입지는 지금보다 한층 높아졌을 것이다. 더욱이 그의 경우는 문단에 데뷔한 지가 벌써 20년이 지났고 시, 동시, 소설, 동화, 수필에 이르기까지 고루 높은 평가를 받았으면서도, 지금까지 펴낸 작품집이 시집 《불빛하나》(문학세계사, 1987)와 《세상은 잘도 간다》(물레, 1990), 동시집(공저) 《마트에 사는 귀신》(푸른책들, 2007)이 전부임을 감안하면 더욱 그런 생각이 든다.

이 글은 남보다 뛰어난 재능을 지녔으면서도 오래도록 현실의 인간으로 살아온 탓에 비교적 세간에는 널리 알려지지 않은 박방희의 문학을 소개하는 데 목적이 있다. 〈아동문학평론〉 2008년 가을호 pp.102~104, 아동문학평론가 황수대의 박방희론, 〈고정된 시각과 틀을 뛰어넘는 童心의 美學〉 중에서 상식이 아니게, 예의(?) 글을 너무 장황하게 인용했다. 그러나 그동안의, 내가 잘 모르는 그의 진면목, '인간 박방희, 문학인 박방희'를 효과적으로 정확하게 전달하기 위해서는 이런 '변칙'도 이해되리라 믿는다.

중학교를 졸업하고 어른이 돼서야 비로소 고향친구 사이로 다시 만난 박방희는 누구하고나 잘 어울렸다. 사람을 가리지 않았다. 나의 경우 이런저런 사정이나 여건들이 그를 자주 만나게 했지만, 그렇다고 해서 그는 누구하고도 특정·특별하게 절친한 관계를 따로 만들려 하지 않으려는 것 같았다. 그는 늘 묵직하게 무언가를 지키며 제 자리에 있었다. 말이 없었다. 그가 인구에 내어 주는 '곁'이라는 것은 언제나, 어디에서나, 누구에게나 일정한 거리와 너비가 있는 것 같았다. 세계의 중심에다가 확고히 저를 두는 자존감, 그런 중량감이 그에겐 있었다. 그것이 박방희의 풍모였다. 그것은 어떤 이기적 오만이 아니라 타인의 그것도 마땅히 그 자리에 그렇게 놓아 존중하는 것. 그것이 바로 그의 기본 태도요, 체질인 것 같았다. 그리하여 그는 어울려 노는 그 누구도 깔보지 않았으며, 반면 그 누구에게도 주눅드는 모습은 더더욱 보이지 않았다.

그 어떤 권위나 기득권도 받아들이지 않는, '사람은 누구나 똑같다, 평등하다는 박방희의 생각과 그 기운은 그의 작품에서도 여실히, 유감없이 나타나고 있다.

내 뿌리는

아담을 지나

하느님께 닿아 있다
– 〈根〉 전문

이 시에서도 보듯 이 박방희는 하느님과 나 사이에 '아담'이라는 대리인의 그 어떤 '인격적' 개입이나 특권도 인정하지 않고 있다. 아담이나 자신이나, 또 모든 이가 똑같이 하느님과 '직거래'되어야 할 막중한 존재라는 주의, 주장이 이 시의 메시지인 것이다.

그대가
똥을 누는 한 나는

자신 있다

그대를 누르거나

그대와 맞서거나

심지어 그대를

사랑하는 일도

브레즈네프도

카터도

리즈도

피카소도

그대도

나처럼 똥을 누는

인간인 한.

– 〈인간에게〉 전문

인간이라면 어느 놈도 "자신있다"라는 이 호전(?)적 발언은 그러나 우리들의 모든 '급장, 그 일그러진 영웅'들에게 주는 경고성 발언일 뿐 나는 박방희가 그 누구를 "누르거나", 그 누구와 "맞서거나" 하는 등의 적대적 갈등을 빚는 모습을 본 적이 없다. 다만 그는 지금도 웃는 얼굴이지만 말이 없다. 그것이 그의 태생적 표정이요, 카리스마인 걸 어쩌랴. 동기회 같은 자리 말고, 문학, 또는 문단 현장에서 나는 현재도 박방희를 가까이 볼 기회가 거의 없다. 따라서 지금까지 문학과 관련해서는 아무 것도, 짓도 함께 해 본 예가 없다. 도대체, 본격적인 '동업자' 같질 않았다. 이 글이 간신히, 바로, 그와의 문학판, 혹은 문학적 첫 '거래'인 셈이다.

언제나 제자리, 그는 결코 자신을 높이거나 낮추거나 까발리지 않았다. 말하자면, 빙산처럼 한 번도 자신의 전부를 드러내거나 보여 준 적이 없다는 것이다. 다만 "이 세상 누군가를 / 끊임없이 사랑했다 / 아는 사람은 물론 / 모르는 사람도 사랑했고 / 죽은 女子들과 함께 / 아직 세상에 태어나지 않은 / 少女들도 사랑하여 / 하늘에 대고 씀白하곤 하였다 / 그때마다 저녁놀 붉게 피어 / 내 사랑처럼 천천히 저물었다"고 시로써 고백하는 것을 보면 만만찮은 사랑의 이력이 짐작되고 다람쥐가 "나무의 겨드랑이를 간질"여 "까르르~ / 웃다가 떨어진" 도토리만을 줍는, 웅숭 깊은 동심으로 화해와 조화, 상생의 동시를 쓰는 것으로 보아 여전히 동심을 잃지 않은 어른이라는 점은 알 수 있다. 말이 나온 김에 부언한다면, 그의 동시는 '아동용'만으로 끝맺는 것이 아니라 앳된 말의 행간에다 어른들도 눈치 채야 할, 유념해야 할 묵직한 '성인용' 메시지를 '장치'해 둔다는 것이다. '의미 내장형 동시', 그렇듯 그의 동시 또한 밖으로 다 말하지 않는 것이다. 이런 그의 면모를 잘 짚어내는 "가장 적실한 표지"가 문예지 〈서시〉 2009년 여름호에 발표된 바 있다.

　　수고 19미터 가슴높이 둘레 4.5 미터
　　수령 6백 년인 단산 갈참나무의 장수비결은
　　아주 조금씩 자라는 것이다
　　누가 그러는 것이 아니라
　　스스로의 모습으로 증명하는 것인데
　　자신이 자신을 설명하는 가장 적실한 표지이다
　　한 줄기 위에 그토록 많은 세월을 이고
　　오래도록 한 자리에 서 있음은 숲과 같다
　　아침저녁 놀을 마시며
　　한꺼번에 자라거나 빨리 자라고자 했다면
　　지금쯤은 고사목이 되어 풍장 중이거나
　　자취마저 사라진 폐목이 되었을지도 모른다
　　조금씩 먹고 조금씩 자람으로써
　　성장을 계속하고
　　성장하는 동안 늙지 않았으니
　　단산 갈참나무는 아직도 청년의 숨을 쉰다
　　우리가 그 몸속으로 난 길을 찾아
　　한 걸음이라도 걸어들 수 있다면
　　신성한 생명의 비의를 훔칠 수 있겠지만
　　나무는 제 안으로 들어오는 모든 길을 감춰두고 있다
　　– 〈갈참나무〉 전문

　박방희, 그렇게 "제 안으로 들어오는 모든 길을 감추고" "아직도 청년의 숨을" 쉬면서 또 어느 날 말없이 저 난 곳, 성주 가야산 아래로 들어가 있다. '곰덩치'처럼 어슬렁, 스스로, 스스로의 생래적인 고독 속으로 걸어 들어간 것 같다. 본인이 부인하거나 말거나 그런 것 같다. 그래, 나는 그가 계속 한 무더기 듬직한 욕망으로 고독하기를 바란다.

오해 마시라. 고독이란 스스로 선택한 가장 자유로운 시간이라고 한다. 고독이란 가장 안락하고, 평화롭고, 유익(명상과 독서, 신체단련, 그리고 낮잠)하고, 행복한 시간이라고 한다. 그리하여 고독이란 자신만의 천국이라고 한다. 진정한 고독이란 그러나 언제나 마음만 먹으면 세상(사람들)과의 소통이 가능하다고 한다. 그렇듯 제대로 된 고독이란 필요할 경우 세상을 불러 모을 수 있는 힘이요, 중심이라고 한다. 진정으로 고독하지 못한 자의 '독거'는 선택이 아니라 타의에 의한 소외요, 따라서 세상과의 불통이요, 그리하여 고통이요, 지옥이라고 한다.

박방희! 나는 그의 그 제자리라는 것이 지금처럼 빼어난 동시를 쓰는 아동문학가일 뿐만 아니라, 줄기차게 써내는 정력가, 힘세고 고독한 소설가였으면 더 근사하겠다 싶다. 예의 그 '낭인생활'과 '외도의 세월'을, 또 "누군가를 끊임없이 사랑해 온' 삶을 몇 권의 장편으로써 공개하길 바란다. 짐작컨대, 정작, 박방희 인생의 8할이 그 세월 속에 고스란히 입 다물고 있지 않을까 싶다. 그리고 저 가야산과 낙동강의 역사 그 대하서사와 '맞짱뜨기'를 바래본다.

크레믈린, 아니 "침묵하는 웅변이요, '꿍심'인 장산바우!" 바위 속의 그 울력을, 그 달덩이만한 알을, 그 꿈을 또 한바탕 깨우는 '사건!' 그런 거 뭐, 한 건 더 터트릴 수는 없나. 그러시길 바란다. 아니, 능히 그러시리라고 믿는다.

시적 감동과
창조적 정신

황수대

1. 부단한 자기 갱신과 실험의식

　　모든 예술이 그러하듯이 문학은 저마다의 개성으로 승부하는 세계이다. 따라서 좋은 작품을 쓰기 위해서는 부단한 자기 갱신과 실험의식 즉, 창조적인 정신이 필수적이다. 이는 지난 100년의 우리 시사(詩史)를 장식하고 있는 시인들의 면면에서 쉽게 확인할 수 있다. 그런 까닭에 자신만의 개성을 지닌 시인을 만나면 우선 반갑고 흐뭇하다. 게다가 현실에 안주하지 않고 끊임없이 자신의 시 세계를 확장하기 위해 노력 하는 시인을 만나면 더더욱 그렇다.

　　최근 우리 동시 문단에서 많은 사람들이 시인 박방희의 행보를 주목하는 것도 다 그런 이유에서이다. 어느 문예지를 펼쳐들어도 그 이름을 쉽게 발견할 수 있을 만큼 왕성한 작품 활동을 펼치고 있는 박방희의 동시는 매번 새로운 느낌으로 다가온다. 나날이 정밀해지는 시안(詩眼)과 섬세한 언어감각, 기존의 동시와는 다른 형식과 기법 등 그는 동시대의 다른 시인과 차별되는 자신만의 독특한 시 세계를 창조함으로써 우리 동시의 내적 깊이를 심화시키고 있다.

　　1946년 경북 성주에서 태어난 박방희는 1985년 무크지 〈일꾼의 땅〉과 〈민의〉, 1987년 〈실천문학〉 등에 시를 발표하며 작품 활동을 시작했다. 이후, 그는 2001년 〈아동문학평론〉에 동화, 〈아동문예〉에 동시가 당선되면서 아동문학가로도 활동하며 제5회 푸른문학상, 제25회 새벗문학상, 제3회 불교아동문학작가상, 제20회 방정환문학상을 수상했다. 또한 2010년 문화예술위원회 창작기금 수혜자로 선정되는 등 현재 우리 아동문학을 대표하는 시인 가운데 한사람이다.

　　그동안 박방희는 시집 《불빛하나》(문학 세계사, 1987), 《세상은 잘도 간다》(물레, 1990)와 동시집 《참새의 한자 공부》(푸른책들, 2009), 《쩌렁쩌렁 청개구리》(만인사, 2010), 《머릿속에 사는 생쥐》(문학동네, 2010)를 펴냈다. 다섯 권의 시집 가운데 동시집이 세 권을 차지할 만큼 최근에는 동시 창작에 더욱 열중하고 있다. 기본적으로 그의 동시는 어린이의 눈과 마음으로 바라본 세상에서 새롭게 발견하고, 경험하고, 깨달은 내용이 주를 이루고 있다. 여기에 그의 탁월한 언어감각이 더해져 더욱 풍부한 시적 감동을 선사하고 있다.

그만큼 박방희의 동시는 내용과 형식이 잘 어우러진 아름다움을 지니고 있다. 이 글에서는 그와 같은 박방희 시의 특정과 의의에 대해 살펴보려고 한다. 글의 전개는 우선 그가 지금까지 펴낸 세 권의 동시집에 공통적으로 드러나는 몇 가지 요소들을 통해 시적 특징을 알아볼 것이다. 그런 다음 우리 동시 문단에서 그의 동시가 갖는 의의가 무엇인지 이야기해 보려고 한다.

2. 유쾌한 말놀이 동시의 세계

말놀이는 말 그대로 '말을 주고받으며 즐기는 놀이'를 뜻한다. 이러한 말놀이의 유형으로는 새말 짓기, 끝말잇기, 소리 내기 힘든 말 외우기 따위가 있다. 말놀이 동시는 이와 같이 말이 갖는 어떤 성질을 이용해 언어의 유희적 측면을 부각시킨 작품을 가리킨다. 따라서 말놀이 동시는 기본적으로 의미보다는 재미를 우선시하는 속성을 지니고 있다. 하지만 지나치게 언어유희에만 초점을 맞추다 보면 그저 말장난으로 전락하여 자칫 시의 본질인 자연과 인생에 대한 감흥·사상 등을 음률적으로 표현한 글과는 멀어지게 된다.

실제로 말놀이 동시를 표방하고 있는 작품 가운데 시(詩)로 나아가지 못하고 말장난 수준에 머물러 있는 경우가 많다. 박방희의 동시에도 말놀이 기법을 활용해 창작된 작품들이 세 권의 동시집 전반에 고르게 수록되어 있다. 그런데 이들 작품은 기존의 말놀이 동시들과는 다른 표현 기법을 사용하고 있어 색다른 재미와 감동을 준다.

산 속에서

쏙 빠져나오는

대가리

몸뚱이

뚱이

뚱이

뚱이

뚱이

뚱이

뚱이

뚱이

참 길다

– 〈기차〉 부분(《참새의 한자 공부》)

퐁

퐁

퐁

퐁

퐁

징검다리도 없이

내를 건넌다.

– 〈물수제비뜨기〉 전문(《쩌렁쩌렁 청개구리》)

〈기차〉는 터널을 빠져나오는 기차의 모습을 형상화하고 있다. 말놀이 동시의 경우는 '눈(目)과 눈(雪)'처럼 말의 음성적 자질 즉, 동음어를 활용해 창작하는 것이 가장 일반적인 경향이다. 하지만 이 작품은 '기차'라는 사물의 형태로부터 말놀이 동시의 시상을 촉발시키고 있다. 특히 3연에서 보는 것처럼 화자는 시어 "퐁이"를 한 행에 하나씩 총 일곱 행에 걸쳐 늘어놓음으로써, 기차의 외형을 시각적으로 표현하고 있을 뿐만 아니라 경쾌한 리듬감을 획득 하고 있다. 그 점은 〈물수제비뜨기〉도 마찬가지이다. 이 작품은 1연의 "퐁 / 퐁 / 퐁 / 퐁 / 퐁"에서 보듯이, 물수제비뜨기의 장면을 시각 또는 청각을 통해 구체적으로 형상화함으로써 또 다른 말놀이 동시의 재미를 만들어내고 있다.

뿔자가 뿔났다.

교과서나 숙제장 속에서

가로 세로를 재지 않고

컴컴한 장롱 밑이나

싱크대 아래를 들락거리며

굴러든 동전이나

머리핀 따위를 찾아야 하니

뿔자가 뿔났다.

찾는 것은 밀어 넣고

먼지 나부랭이나 뭉쳐오고

머리카락이나 꺼내오며

번번이 허탕질이다.

　– 〈뽈자가 뿔났다〉 전문(《참새의 한자 공부》)

반면에 이 작품들은 동음이의어를 활용한 전형적인 말놀이 동시의 형태를 띠고 있다 〈뽈자가 뿔났다〉는 1행의 “뽈자가 뿔났다”에서 알 수 있듯이, 앞의 “뽈”은 ‘물건의 대가리나 겉쪽에 오똑 솟은 부분’을 가리키는 말이고 뒤의 “뿔”은 ‘성이 나다’를 속되게 이르는 말이다. 이처럼 이 동시는 소리는 같지만 뜻이 다른 두 낱말을 끌어와 ‘길이를 재는 도구’라는 본래의 쓰임새와는 다른 용도로 활용되고 있는 “뽈자”의 처지를 노래하고 있다. 특히 “컴컴한 장롱 밑이나 / 싱크대 아래를 들락거리며 / 굴러든 동전이나 / 머리핀 따위를 찾아야 하니”와 같이, 이 동시는 누구나 한번쯤 경험해 보았음 직한 익숙한 풍경을 해학적으로 그려냄으로써 그만큼 재미를 배가하고 있다.

이와 같이 박방희의 말놀이 동시는 유사한 음성적 자질 또는 사물의 형태를 십분 활용해 유쾌한 말놀이 공간을 창조해 내는 것이 특징이다. 그러면서도 “썩고 냄새나는 물에 / 등 굽은 붕어며 / 눈 없는 피리 / 차마 못 먹어 // 가리가리 / 왜가리 / 산 넘고 들 건너 / 맑은 물 찾아가리. / 왜가리.”(〈왜가리〉《참새의 한자 공부》)처럼, 그의 동시는 단순히 말장난에 그치는 것이 아니라 그 안에 자연과 삶에 대한 애정 및 통찰을 포개어 놓는다. 그때문에 기존의 말놀이 동시와는 또 다른 층위에서의 재미와 감동을 선사해 준다.

3. 자연과 생명에 대한 날카로운 투시력

박방희 동시에는 자연과 생명에 대한 끝없는 애정과 사물의 표피를 꿰뚫는 날카로운 투시력, 순간순간 번뜩이는 재치와 감각적인 이미지가 돋보이는 작품들이 유난히 많다. 이것은 그의 감수성이 그만큼 예민할 뿐 아니라 오랜 삶의 경험에서 우러나는 깊고 폭넓은 사유와 무관하지 않음을 말해준다. “길바닥에 떨어진 / 하찮은 흙덩이도 / 씨앗을 품으면 / 앉음새가 달라진다. / 땅이 되어 앉는다.”(〈흙〉,《참새의 한자 공부》)처럼, 그의 동시 가운데는 아이들로서는 쉽게 받아들이기 어렵겠다고 생각되는 작품도 더러 눈에 띈다. 하지만 대부분의 동시들은 자연과 더불어 살아가는 생명체에 대한 친밀감에서 길어 올린 상상력을 바탕으로 수준 높은 미학을 구축하고 있어, 그 정서적 감응을 오래도록 지속하게 만드는 힘을 지니고 있다.

씨앗 하나 숨어들어

꽃을 피우니

구석은 구석이 아니고

중심이 되어 환해졌어요.

잠잠하던 그곳에

새 세상 하나가 생겨났어요.

－〈중심이 된 구석〉 부분(《참새의 한자 공부》)

마을로 이어진

토끼 고라니 오소리 너구리 노루 멧돼지

발자국들

고픈 배를 안고

탁발에 나선

걸음마다

반짝반짝

햇살이

눈물처럼 어린다.

－〈탁발〉 부분(《참새의 한자 공부》)

앞의 동시 〈중심이 된 구석〉은 6연 23행으로 이루어진 작품이다. "씨앗 하나가 찾아왔어요"로 시작되는 이 동시는 화자가 자신의 집 담벼락 한쪽에 "파릇한 싹을 / 혀처럼 내밀고"있는 어떤 꽃을 발견하는 것에서 시상을 전개하고 있다 1연부터 4연까지는 하나의 씨앗이 담벼락 한쪽 구석에 자리를 잡게 된 과정을 회상하는 장면을 담고 있다. 5연은 그 씨앗이 자라 꽃을 피우면서 "갑자기 구석이 밝아지고 / 벌들이 왔다갔다 / 분주해"진 모습을, 마지막 6연은 그로 인해 "구석은 구석이 아니고 / 중심이 되어 환해"지고 "새 세상 하나가 생겨났"다는 새로운 발견에 대한 화자의 놀라움을 이야기하고 있다. 그리고 뒤의 동시 〈탁발〉은 한 겨울 폭설로 산짐승들이 먹이를 구하러 마을로 내려오는 광경을 묘사한 작품이다. 화자는 "마을로 이어진 / 토끼 고라니 오소리 너구리 노루 멧돼지 / 발자국들"을 보고, 그 짐승들을 스님들이 경문을 외면서 집집이 다니며 동냥하는 일인 '탁발'에 비유하고 있는데 그 수법이 참으로 대범하고 참신하다. 게다가 이 동시는 "반짝반짝 / 햇살이 / 눈물처럼 어린다"에서 보듯이, 어려움에 처한 산짐승들에 대한 화자의 안타까운 마음이 잘 나타나 있어 생명의 고귀함을 각성시키고 있다.

비행기가 하늘에

쟁기질을 하며 길게 날아갔다.

무슨 씨 뿌렸을까?

구름이 도톰하게 이랑을 덮었다.

─ 〈하늘농사〉 전문(《참새의 한자 공부》)

네 소리

들으려고

온몸을 귀로 열고

네게만

말하려고

온몸 입으로 벌려

보아라!

온몸이 귀, 온몸이 입

나팔꽃이 피었다.

─ 〈나팔꽃〉 전문(《쩌렁쩌렁 청개구리》)

철새들이 날아간다.

줄지어 날아간다.

줄에는 힘이 있다.

꿈틀거리는 힘이 있다.

가없는 하늘─

줄이 철새들을 끌고 간다.

─ 〈줄〉 전문(《머릿속에 사는 생쥐》)

　　그런가하면 이들 동시는 시인의 눈에 포착된 시적 대상에 대한 감각적인 인상을 순간의 번뜩이는 재치와 상상력을 통해 생생하게 그려내고 있다 〈하늘농사〉는 하늘을 '밭'에, 날아가는 비행기를 '쟁기질'에, 비행기가 지나간 다음 생성된 구름을 '이랑'에 비유 하고 있다. 비록 4행에 불과한 짧은 작품이지만, 서로 대립되는 공간을 자유롭게 넘나드는 사유의 진폭과 역동적인 상상력이 매우 인상적이다. 그리고 〈나팔꽃〉은 나팔꽃의 생김새에 착안해 동화적 상상력을 전개하고 있다. "네 소리 / 들으려고 / 온몸을 귀로 열고 "네게만 / 말하려고 / 온몸 입으로 벌"린다는 진술은 화자와 시적 대상 간의 교감 능력이 얼마나 뛰어난지를 보여 준다. 게다가 〈줄〉의 경우에는 그동안 우리 동시에서는 좀체 느낄 수 없던 역동적인 힘까지 느낄 수 있다. "가없는 하늘-'을 날아가는 철새들의 모습에서 화자는 '줄'을 연상하고 그 '줄'은 이내 "꿈틀거리는 힘"으로 변주된다. 그리고 마침내는 "줄이 철새들을 끌고 간다"는 고도의 상징으로 귀결된다.

이처럼 자연과 그 안에서 벌어지는 사건 및 현상들의 관조를 통해 창작되어진 박방희의 동시들은 대체로 활달한 상상력과 감각적인 이미지가 명징하게 드러나는 것이 특징이다. 특히 이들 작품들은 '중심과 구석'(〈중심이 된 구석〉), '산과 마을 혹은 산짐승과 인간'(〈탁발〉), '하늘과 땅'(〈하늘농사〉), '식물과 인간'(〈나팔꽃〉)의 경계는 물론 현실과 상상의 세계를 자유롭게 넘나든다. 그런데 사실 이러한 경지는 쉽게 얻어질 수 있는 것이 아니다. 이는 자신을 둘러싸고 있는 자연과 생명에 대한 깊은 관심과 애정, 정밀한 관찰과 묘사가 뒷받침되지 않으면 안 된다. 박방희 동시의 매력은 바로 이와 같은 여러 요소들 간의 유기적인 결합에서 비롯된다.

4. 가족과 이웃, 순환적 사랑의 공동체

가족과 이웃은 사회공동체의 근간을 이루는 최소 단위이다. 따라서 사회공동체의 건강성은 곧 가족과 이웃 간의 원만하고 평화로운 관계와 밀접한 관련이 있다. 하지만 오늘날 갈수록 치열해지는 경쟁 속에서 개인의 삶은 점차 파편화되고, 그로 인해 가족 및 사회공동체는 화합보다는 분열의 양상으로 치닫고 있는 것이 우리의 현실이다.

그런데 박방희의 동시에는 자애와 연민의 정으로 개인의 삶을 지켜주고, 치열한 경쟁과 차별 속에서 고통 받는 이웃의 삶을 위무(慰撫)하는 작품들이 많이 등장한다. 각박한 사회일수록 자신에 대한 존중감과 타인에 대한 배려는 삶을 지탱하는 원동력임을 생각할 때, 그의 동시는 현대사회가 결여하고 있는 가족의 소중함 및 타인에 대한 이해와 포용의 가치를 선명하게 각인시켜 준다.

전방에는

눈 내리고

얼음이 얼었다는 뉴스.

할머니는

군대 간 막내삼촌 방에

군불을 땠다.

삼촌이 쓰던

빈 방은

겨우내 따뜻했다.
    – 〈군불〉(《참새의 한자 공부》)

다림질하는

어머니 등에

피어난 땀꽃송이

송이송이

고운 무늬

옷 밖으로 배어난다.

살포시

눈감고 맡아보는

어머니 땀꽃 향기!
    – 〈땀꽃〉(《쩌렁쩌렁 청개구리》)

이들 동시는 구체적인 형상을 통해 따스한 가족애를 그려내고 있다 〈군불〉은 "전방에는 / 눈 내리고 / 얼음이 얼었다는 뉴스"를 접한 할머니가 군대에 간 삼촌의 빈방에 군불을 때는 모습이 어린 화자의 입을 빌어 진술하고 있다. 별다른 꾸밈이나 기법이 동원되지 않았음에도 자식을 향한 진한 모성이 강하게 느껴진다. 특히 마지막 연에서의 "삼촌이 쓰던 / 빈방은 / 겨우내 따뜻했다"는 전언은 그 어떤 말보다도 강렬하게 다가온다. 반면에 〈땀꽃〉은 어머니에 대한 어린 화자의 사랑을 노래하고 있다. '내리사랑은 있어도 치사랑은 없다'는 말이 무색하리만큼 이 작품은 각 세대 간의 끈끈한 순환적 사랑의 모습을 보여 준다. "다림질하는 / 어머니 등에 / 피어난 땀꽃송이"나 "살포시 / 눈감고 맡아보는 / 어머니 땀꽃 향기!"와 같은 표현에서 묻어나는 화자의 심성은 가족 간의 사랑이 얼마나 돈독한지를 잘 말해준다.

지하도 노숙 아저씨가
하룻밤 잘 집을 지었다.
종이상자를 뜯어 지은
네모반듯한 집

관처럼 보이는
종이집 속에 드니
배달되기를 기다리는
택배 화물 같다.

집 속에 누워서도
아저씨는 집을 짓겠지.
백 번도 더 지은 집
또 한 번 짓겠지.

고치 속 누에처럼
따듯한 집 한 칸 짓다가
진짜 집이 그리워
울기도 하겠지
— 〈종이상자로 지은 집〉 전문(《참새의 한자 공부》)

이웃집 송아지가
처마 밑 담벼락에 걸린
시래기를 먹어치웠다

지게작대기로
등때기를 때리려는데
할아버지가 말리셨다
"저도 얼마나 입이 궁금했겠냐!"
— 〈시래기〉(《머릿속에 사는 생쥐》)

앞의 두 동시가 정감어린 시선으로 가족애를 노래하고 있다면, 이들 동시는 외롭고

748

고통스런 이웃에 대한 연민과 화해를 통한 공동체적 삶의 복원을 추구하고 있다. 〈종이 상자로 지은 집〉은 지하도 노숙자의 애환을 담아낸 작품이다. 화자는 노숙자가 밤이슬과 추위를 피하기 위해 "종이상자를 뜯어 지은 / 네모반듯한 집"을 각각 "관"과 "택배 화물"에 비유한다. 여기서 "관"은 죽음을, 그리고 "택배 화물"은 집으로 돌아가고 싶은 욕망을 가리킨다. 가족의 품으로 돌아가고 싶지만 여타의 사정으로 노숙하며 위태롭게 하루하루를 연명해 가는 노숙자의 삶을 바라보는 화자의 안타까운 시선이 잘 드러나 있다 〈시래기〉는 인간애를 뛰어넘어 보다 넓은 생명공동체의 나눔 의식을 지향하고 있는 작품이다. 이 동시에서 화자는 자신의 집 처마 밑에 걸린 시래기를 이웃집 송아지가 먹어 치우자 지게작대기를 치켜들고 등때기를 때리려고 한다. 그런데 할아버지가 "저도 얼마나 입이 궁금했겠냐!"라며 화자의 행동을 제지하고 나선다. 이처럼 이 작품은 자신이 가진 것을 남과 함께 나누는 것이야말로 진정한 사랑이며, 사회를 보다 아름답게 만드는 첩경임을 넌지시 일러주고 있다. 고도로 발전된 자본주의적 삶에 길들여진 결과 이기적이고 탐욕스런 소유적 실존양식이 팽배해 있는 현대인의 모습과 대비되는 넉넉한 마음 씀씀이가 고스란히 다가오는 작품이다.

5. 동시의 내적 깊이의 탐색과 지평의 확대

시의 본질은 암시와 집약에 있다. 따라서 시에서의 언어는 의미의 전달보다는 비유적인 깊이를 지향하는 특정을 지닌다. 이것은 시가 어떤 사건을 순차적으로 나열하는 것이 아니라, 어느 한 순간 지각되어진 인상을 짧은 언어를 이용하여 미학적으로 구현하는 것임을 가리킨다. 하지만 동시의 경우는 이와 같은 양식적 고려가 곧잘 무시된다. 이는 '아이들에게 들려주는 시'라는 동시의 장르적 특성을 많은 시인들이 계몽적 헌사쯤으로 잘못 이해하고 있기 때문이다.

그 결과 비록 시의 형식을 취하고는 있지만 어떤 감동도 주지 못하는 작품들이 의외로 많다. 이런 현실에 비추어 볼 때 이미 앞서 살펴본 바와 같이 섬세한 언어감각, 사물의 표피를 꿰뚫는 날카로운 투시력, 번뜩이는 재치와 역동적인 상상력, 넉넉한 품성을 무기 삼아, 공존과 화합의 세계를 지향하고 있는 박방희의 동시는 우리 동시의 내적 깊이와 지평 확대에 크게 일조하고 있다.

"초가집 처마 아래 다소곳한 집이 한 채 / 지푸라기와 진흙으로 다져지은 집 모양은 / 보름날 울담 너머로 던져 넣은 복조리. // 속에서 방긋방긋 피어나는 샛노란 꽃 / 네 마리 다섯 마리 제비새끼 입 꽃들은 / 어미가 올 때쯤이면 다투어 피어나네."(〈제비 둥지〉 전문) 이 작품은 동시조로서 그와 같은 박방희의 시적 특성을 잘 보여 주고 있는 대표적인 예이다. 시조라는 정형화된 틀 안에 동심을 담아내고 있는데, 제비 둥지를

"복조리"에 제비새끼들의 입을 "샛노란 꽃"과 같은 비유들이 매우 참신하게 다가온다.

비록 이 글에서는 본격적으로 다루지 못했지만 두 번째 동시집인 《쩌렁쩌렁 청개구리》에는 〈제비 둥지〉 외에도 꽤 수준 높은 동시조들이 여러 편 수록되어 있다. 또한 지금까지의 논의가 세 권의 동시집에 국한된 까닭에 아쉽게도 여기서는 미처 소개하지는 못했지만 최근 잡지에 발표된 박방희의 우화동시들도 마찬가지이다. 이들 작품 역시 읽는 재미와 더불어 철학적인 사유까지 가능하게 할 만큼 그의 동시는 다양한 스펙트럼을 지니고 있어 늘 새로운 모습으로 다가온다.

그때문에 폭과 깊이, 내용과 외연을 넓혀가는 박방희의 작업은 많은 독자들로 하여금 주목의 대상이 되고 있다. 물론 오랫동안 성인 시를 창작해 온 탓에 간혹 아이들에게는 어렵게 느껴질 만한 작품도 더러 발견되지만, 기본적으로 그의 동시는 이전 동시들에 비해 한 단계 높은 차원에서 창조되고 있는 것만은 분명하다. 또한 자신의 시 세계에 안주하지 않고 끊임없는 도전과 실험을 통해 부단히 자기 갱신을 하고 있어 그만큼 큰 기대를 갖게 만든다. 따라서 지금과 같은 긴장감을 유지하면서 창조적 정신을 발휘한다면 더욱 감동적이고 의미 있는 작품들을 생산해낼 수 있을 것으로 생각된다.

어린이와 함께 선생이 걸어온 길

1. 어린시절

1946년 4월 7일 경북 성주 장산리에서 부 박태빈 모 도재연의 늦은 장남으로 태어나, 온 집안의 경사가 되었다. 나자마자 부귀하게 되라고 벌거숭이를 광주리에 담아 시렁에 얹어 '과리'라는 아명으로 불려졌다. 만 여섯 살, 또래보다 한 살 이르게 동무들과 함께 지방초등학교에 입학, 비가 오나 눈이 오나 걸어 6년을 통학, 기초체력이 형성되었다. 1951년 전란 중 가교사와 나무그늘에서 공부하던 생각이 난다. 4학년 때부터 공부에 재미를 붙여 줄곧 우등생으로 촉망을 받았다.

1957년 읍내에 있는 성주중학교에 입학, 다시 십리를 걸어 다녔다. 중학 2학년, 국어시간에 시를 써낸 것이 개교 이래 처음 만든다는 교지 〈별〉 첫 페이지에 실려 단번에 주목을 받았다. 그즈음 만난 한 하급생 미소년에 대한 애틋한 그리움을 담은 〈동경〉이라는 시였는데, 동성에 대한 처음이자 마지막 사랑을 그때 경험했다.

1960년 대구 유학을 원했으나 농부 되기를 원하시던 아버지의 뜻대로 성주농업고등에 진학, 다니기 싫은 학교를 3년간 다녔다. 학교가 읍내에서 좀 떨어진 산야에 있어 산길과 들길로 통학하며 자연을 깊이 사랑하게 되었다. 10대에 이미 자연이라는 종교에 귀의한 셈이다. 4·19 학생혁명 소식을 친구 집이자 이웃집인 술도가 라디오로 들었다. 이듬해 1961년 5·16 군사 쿠데타 소식도 그렇게 듣고 하늘에서 날개처럼 반짝거리며 내려오던 농어촌 고리채 정리 사업 삐라를 보며, 국가와 사회라는 것에 대한 의식을 갖게 되었다.

2. 청년기를 자연 속에서 보내면서 왕국을 건설하다.

성주농고 1학년, 한글날 백일장에서 장원으로 전교생 앞에서 상을 받았다. 하지만 농업학교라는 자괴감 속에서 산과 들로 쏘다니며 놀거나, 수업시간에 펄벅의《대지》를 읽고 투르게네프의《첫사랑》을 읽으며 농땡이를 많이 부렸다. 그때부터 음유시인으로 살아갈 꿈을 꾸었다. 좋아하는 과목은 수(秀), 싫어하는 과목은 양(良), 가(可)를 받은 학교생활도 재미없었지만 가정생활도 재미없었다. 학교 다녀오면 소 먹이고 꼴 뜯는 일 외에도 농사일을 도와야만 했다. 음유시인을 꿈꾸는 소년에겐 형벌이나 다름없었다. 더구나 아버지는 절대적 권위를 행사하던 폭군이었다. 어머니마저 고스란히 받아들이는 광기어린 폭력 앞에 어린 나는 감히 맞설 수가 없었다. 고1때부터 모반을 꿈꾸고 아버지와 대결하기 시작하면서 나는 소년에서 청년으로 자라났다. 내가 선택한 아버지와의 대결은 우회적인 방법이었다. 아버지가 함부로 못 대하는 마을 사람들을 하나하나 이겨나가는 것이었다. 나는 나를 강하게 하기 위해 불철주야 노력했다. 백 근짜리 역기를 들고, 샌드백을 치고, 한겨울에도 냇가에 가서 냉수마찰을 했다. 밤에는 산길을 헤매거나 공동묘지를 지나며 담력을 키웠다. 눈물겨운 노력 끝에 차츰 주변을 평정해 나갔다. 먼저 마을 청년들을 제압했다. 우리 동네는 2백호나 되는 큰 마을이었다. 농땡이들도 많고 못된 형들도 많았지만 힘으로 제압하거나 덩치나 담력으로 제압했다. 그때쯤 해서 내게 목숨 걸고 충성하는 아이들이 따라 다녔다. 마침내 나는 같은 생활권인 5개동 십수 개 마을에 내 왕국을 건설했다. 점잖은 언행과 풍모가 나의 카리스마였다. 마을마다 한둘씩 있게 마련인 주먹이나, 내로라하는 인사들도 내 위세 앞에 군소리 없이 물러섰다. 이후 결혼하여 고향을 떠 날 때까지 왕국을 누비고 다니면서 행복한 젊은 날을 보냈다.

3. 고시 공부와 낭인생활 – 나의 70년대

아버지를 이기기 위한 싸움에서 완승한 나는 졸업 1년 뒤인 65년, 영남대학 영문학과에 들어가 공부를 하는 둥 마는 둥하다가 67년 휴학, 사병으로 입대하여 복무했다. 군생활 중, 4년간 열애하던 동성동본의 처녀와 헤어지게 되어 그 충격으로 국군통합병원에 입원했다가 의병 전역, 귀향하게 된다. 그즈음 나는 몇 개의 일간지를 통독하면서 세상을 알게 되었는데, 어느 새 꿈도 음유시인에서 인간과 사회를 해부하는 위대한 작가로 바뀌었다. 이제 무언가 해야만 했다. 아버지가 바라던 대로 농사를 지을 생각은 조금도 없었다. 우물 안 개구리가 세상으로 나가기 위한 첫 시도가 공무원 시험에 응시하는 것이었다. 5급 국가공무원 시험에 합격했다. 서울체신청으로 발령이 나 잠시 근무하면서 보다 큰 도전을 감행했다. 고등고시였다. 촌놈이 출세할 가장 확실한 지름길이었다. 그 당시 고시에 응시하자면 대학 졸업자라야 했다. 나는 휴학 중이었으므로 사법행정요원예비시험부터 응시하여 합격했다. 고향 산사로 들어가 고시공부를 시작하는 한편, 만일의 경우를 대비해 검찰직 시험에 응시, 백 수십 대 일의 경쟁을 뚫고 합격했다. 이제 안심하고 공부할 수 있게 된 것이다. 그런데 신원조회를 나온 관할지서의 경찰과 마을 이장으로부터 청천벽력 같은 소리를 들었다. 연좌제 때문에 검찰직이나 고위직 임용은 불가능하다는 얘기였다. 얼굴도 모르는 큰집 형님 둘이 좌익 활동을 하다가 6·25 때 행방불명이 되어, 신원조회에 걸린다는 것이었다. 기가 막혔지만 운명으로 받아들일 수밖에 없었다. 그래도 희망을 가졌다. 개인의 기본권을 심각하게 유린하는 연좌제 폐지 주장이 나오던 때였다. 나는 장기전에 대비했다. 우선 일흔을 바라보는 아버지에 대한 처음이자 마지막 효도로 이상적으로 생각해오던 독신주의를 꺾고 결혼했다. 그 며칠 뒤, 10월 유신이 선포되었다. 이는 당시 고시 준비하던 사람들에게는 엄청난 사고였다. 헌법의 이상이 잘 구현된 제3공화국 헌법이 휴지가 되고 해괴한 논리로 포장된 유신헌법을 공부해야 했던 것이다. 선비라면 도저히 받아들일 수 없는 변절이요 훼절이었다. 나는 수없는 갈등 속에 책을 덮었다. 유신이 끝나기를 기다리기로 했다. 그때부터 수양산에 숨어든 백이숙제를 생각하며 낭인생활을 시작했다.

4. 동지들을 만나 민주화 투쟁에 참여하다 – 나의 80년대

머잖아 끝날 것 같은 유신체제는 갈수록 견고해져 갔다. 그 절정이던 78년, 무위도식의 나날을 더 이상 버티지 못하고 나는 세상으로 나왔다. 아무것도 할 수 없는 처지였지만, 한 가정의 가장이고 커가는 아이들의 아버지로서 생활인으로 나서게 되었다. 대구 동성로에 작은 매장을 연 아내를 도우며 예수가 죽은 나이, 서른세 살에 상인이 되어 비로소 사회에 편입된 것이다. 그 일 년 후인 79년, 그토록 기다리던 유신의 종말이 갑작스레 다가왔지만 춘래불사춘, 80년 5월 광주 민주화 운동과 학살로 시작된 전두환 정권의 압제가 이어졌다. 83년 대구 영남대 교수로 온 문학평론가 염무웅 선생을 만나면서 지금까지의 내 삶에 중요한 전환이 왔다. 선생을 통해, 체제를 거부하며 외롭게 투쟁하던 의로운 싸움에 함께 할 동지들을 만난 것이다. 한동안 지하에서 숨죽이고 있던 저항세력들이 조금씩 고개를 들고 일어나기 시작할 무렵이었다. 84년, 문익환 목사가 의장이던 민주통일국민회의 대구경북지부가 발족되면서 참여하고, 85년 2월 정보당국의 눈을 피해 준비해오던 지역 최초의 공개 운동 단체인 우리문화연구회에도 참여하였다. 대구경북을 아우르는 우리문화연구회는 회원이 5백 명에 이르는 조직으로 당국을 긴장시켜 곳곳에서 탄압이 일어났다. 86년, 당국의 사찰과 감시로 하나 둘 탈퇴하는 와해 국면에서 조직의 대표를 맡은 나는 87년 6월항쟁 등 민주화운동에 주도적으로 참여, 지역의 반독재민주화 투쟁에서 중요한 역할을 수행했다. 한편 염무웅 선생의 주선으로 85년부터 무크지 〈일꾼의 땅〉, 〈민의〉, 〈실천문학〉 등에 시를 발표하며 이후 결성된 민족문학작가회의 회원으로 활동하는 한편 대구의 젊은 시인들로 구성된 '오늘의 시' 동인으로도 참가하였고 첫 시집인 《불빛 하나》를 출간했다. 그 무렵, 대구 두류운동장에서 열린 영호남화합시민대회에서 호남을 대표한 김대중 선생과 5만 군중 앞에서 지역 대표로 행한 연설은 잊을 수 없다. 87년부터 민주쟁취국민운동대구경북본부 공동의장으로 활동하던 나는 한겨레신문 창간발기인으로 참여하고, 영남대 민주동문회 부회장(수석), 천주교정의구현전국연합 운영 위원, 88년 지역감정해소국민운동협의회 중앙위원 등으로 활약하며 나라와 사회의 민주화를 위해 헌신했다. 한편 창작에도 매진하여, 두 번째 시집 《세상은 잘도 간다》를 출간하고 여러 권의 시집 원고와 수백 편의 우화와 소설 원고를 썼다.

5. 1995년, 제도권 정치에 발을 들여 놓다 – 나의 50대

1997년 마지막 도전이 될 대선을 앞두고 영국에서 귀국한 김대중 선생은 95년, 새정치국민회의라는 새로운 정당을 만들어 총재로 취임한다. 그는 불모지와 다름없는 대구경북 지역의 득표를 위해, 지금까지 평민당이나 민주당 당료 출신들이 아닌 새로운 인물을 영입하고자 하였다. 깨끗한 이미지에 대중적인 명망도 갖춘 새 인물을 찾다가 나한테 사람을 보냈다. 정치는 안 한다는 원칙을 말하고 거절하였으나 거듭된 요청에 김대중 총재를 만나 정권교체, 지역감정 해소, 민주주의 완성이라는 명분에 설득되어 대구경북 지역 조직의 전권을 위임받고 입당하였다. 96년 총선에서 대구 경북 전 지역에 후보자를 내며 선전, 제일야당이 된 새정치국민회의 당무위원 겸 대구지부장으로 일하며 97년 대통령선거에서 정권교체의 바탕을 닦았다. 그러나 확실한 정권교체를 위해서는 젊은 정대철 의원이 대통령 후보가 되어야 한다는 소신에서 정대철, 김상현, 김근태로 뭉친 비주류를 지지한 탓에 주류의 미움을 사 축출되기에 이르러, 당내 민주화와 3김시대 청산을 주장하며 스스로 당을 떠났다. 대선 후 야당이 된 한나라당 대구시지부의 대변인이 되어 국가와 사회의 모든 이슈에 대해 말할 수 있는 권리와 자유를 누렸다. 정부 여당에 대한 비판뿐 아니라 지역에서 상당한 인기를 누리는 전두환 전 대통령의 대구 방문을 비판하는 성명으로 지역정가를 발칵 뒤집기도 하고, 이회창 총재에 대한 비판 논평으로 어려움을 겪기도 했지만 할 말을 다했다. 2001년 〈스포츠투데이〉 신춘문예 추리소설 부문에 〈서 있는 여자〉가 당선되어 추리작가의 가능성을 점검하였고 〈아동문학평론〉 신인상에 동화, 아동문예문학상에 동시가 당선되어 아동문학계에도 발을 들여놓게 되었다.

6. 후반의 생, 원점으로 돌아와 새롭게 시작하다 – 나의 60대

2004년, 제도권 정치 참여 10년. 17대 총선을 앞둔 쉰아홉의 나이, 이 나이에 문학에도 정치에도 내가 이루어 놓은 것은 없었다. 계속 정계에 남아 있느냐, 문학으로 귀환하느냐, 선택의 기로에 섰다. 나는 문학으로 돌아왔다. 문학은 나의 최후의 보루였지만 더 이상 미룰 수도 없는 과제였다. 음유시인도 좋고 위대한 작가도 좋았다. 내 인생 마지막 승부를 문학에 걸기로 하고 나는 주변을 정리했다. 자유로운 영혼으로 글쓰기 위해 지금까지 쌓아온 사회적 관계며 인간관계까지 많은 것들을 버렸다. 어느 정도 준비가 끝난 2005년, 예순의 나이. 새로운 시작을 해야 할 절체절명의 시기에 그동안 써온, 문학의 전 장르에 걸 친 수십 권의 노트와 자료를 들고 출가하는 심정으로 집을 떠났다. 인생을 전반과 후반으로 나눌 때 오십 세 이후를 후반의 생이라고 한다. 나는 다른 이보다 10년이나 늦게 후반의 생을 시작한 셈이다. 늦었다고 생각할 때가 가장 이르다고 하지 않았는가. 나는 내 삶의 완성을 위해, 후반의 멋진 반전을 위해 승려가 아니라 작가로, 절이 아니라 말의 사원으로 출가를 감행한 셈이다. 2006년 새해, 갑년(甲年) 아침. 회갑을 앞두고 제주도에서 마지막 가족모임이 있었다. 그때 촛불 딱 한 개를 켠 축하 케이크를 가운데 두고, 지금은 교수가 된 아들 녀석이 말했다 "아버지 이제 한 살이십니다. 축하합니다!"

그로부터 5년, 그러니까 나는 이제 다섯 살 난 어린이인 셈인데, 그에 맞게 동심을 바탕으로 하는 어린이 문학 쪽에 열성을 쏟아 이런저런 상도 받고 얼마간의 성과도 냈다. 2007년 제5회 푸른문학상, 2008년 제15회 새벗문학상, 제3회 불교아동문학작가상을 받았고, 2009년 가을, 첫 동시집인 《참새의 한자 공부》를 푸른책들에서 냈다. 이 동시집은 간행물윤리위원회에서 청소년권장도서로 선정되고, 이어 어린이도서연구회에서도 권장도서로 뽑혔다. 그러는 동안 문예지 게재 우수 작품상과 한국문화예술위원회 창작기금도 몇 차례 받았다. 2010년 봄엔 두 번째 동시집 《쩌렁쩌렁 청개구리》를 만인사에서 내면서 제20회 방정환문학상을 받고 세 번째 동시집 《머릿속에 사는 생쥐》가 문학동네에서 출간되는 기쁨을 맞았다. 2012년 1월 《참 좋은 풍경》이 청개구리에서 출판되어 제11회 우리나라좋은동시문학상을 받고, 2013년 《날아오른 발자국》이 청개구리에서 나와 제23회 한국아동문학상을 받았다. 2014년 1월 《우리 집은 왕국》을 푸른사상에서 출간, 그해 우수문학도서로 선정되었다. 이어 《바다를 끌고 온 정어리》가 해와나무에서 출간되었고, 2015년 《하느님은 힘이 세다》가 청개구리에서 발간되었다. 그리고 같은 해 《박방희 동시선집》이 지식을만드는지식에서 나왔고 2016년 우화 동시집 《가장 좋은 일은 누가 하나요?》가 청개구리에서 출간되었다. 한편 2007년 〈수필시대〉 신인상 당선, 2009년 《유심》에 시조 추천 등으로 타 장르로 영역을 넓혔는데 그 첫 결실로 2012년 첫 시조집 《너무 큰 의자》가 초록숲에서 출간되어 주목을 받았다. 이후 시와 시조에서 작품집 출간이 이어졌는데, 2015년, 25년 만에 세 번째 시집 《정신이 밝다》가 학이사에서 출판되고 2016년에는 네 권의 창작집이 쏟아져 나왔다. 그해 봄 네 번째 시집 《복사꽃과 잠자다》가 지혜에서, 여름에는 공모에 당선된 시조집 《붉은 장미》가 시산맥에서, 또 현대시조 100인선 《꽃에 집중하다》가 고요아침에서 출판되어 가을에 나온 우화동시집과 더불어 서가를 풍요롭게 하였다. 2017년 2월 시조부문의 첫 수상인 한국시조 시인협회상(신인상)을 받고 첫 동시조집인 《우리 속에 울이 있다》가 푸른책들에서, 네 번째 시조집 《시옷 씨 이야기》가 고요아침에서, 그리고 첫 산문집인 《측간의 철학 시간》이 학이사에서 출판되었다. 이러한 성과는 하루아침에 이루어진 것이 아니다. 오랫동안 시인이라는 의식을 놓지 않고 끊임없이 글쓰기에 매달려온 결과물이라 생각한다. 그렇다면 나는 이제 첫 단추를 꿴 것에 불과하다. 앞으로 글로 풀어야 할 수많은 과제들이 나를 기다리고 있다. 30년은 족히 쓸 수 있는 소재와 자료를 가지고 있으니 나는 얼마나 행복한 부자인가. 끝까지 신인 의식을 잃지 않고 뜨겁게 살며 나의 삶과 문학을 완성해 나갈 것이다.

2017년 한국시조 시인협회상(신인상) 수상함.

    철학 단상집《측간의 철학 시간》(학이사) 출판함.

    대구문화재단에서 청소년 시집《우리는 모두 무엇을 하고 싶다》(그루)가 당선됨.

    동시집《나는 왕이다》(학이사)로 대구출판산업지원센터 우수출판콘텐츠 당선됨.

    시조집《시옷 씨 이야기》(고요아침) 출판함.

    금복문화상(문학 부문) 수상함.

2018년 대구 문인협회장, 대구문학관 운영 위원장, 한국시조 시인협회 이사를 역임함.

    동시조집《우리 속에 울이 있다》(푸른책들) 출판함.

    계간〈동시 먹는 달팽이〉창간, 편집 위원 겸 운영 위원장을 역임함.

    동시조집《나무가 의자로 앉아 있다》(도토리숲) 출판함.

    12월 순수 동시집으로는 열 번째 동시집을 청개구리 시 읽는 어린이의 100권째 시리즈로 출간함.

한국 아동문학가 100인

이영

인물론
아직도 배가 고픈 어린이 친구

작품론
작품 소재로서의 작가적 체험

어린이와 함께 선생이 걸어온 길

아직도
배가 고픈
어린이 친구

이상배

〈타고난 글쟁이〉

'객지 벗 10년'이라는 말이 있다.

객지에서 만나 서로 흉금을 털어놓고 허물없이 지내는 친구. 이영 작가와 나는 그런 사이다. 그는 나의 큰형이나 다름없다. 그런데도 우리는 동년배 친구처럼 서로 반말하고 지낸다.

이제 객지 벗 10년이 아니라, 30년이 넘었다. 그런 만큼 그의 문학의 삶에서, 나의 문학의 삶에서 가장 추억이 많은 사람이 되었다.

가끔 난 억울할 때가 있다. 내가 그의 친구인 만큼, 사람들이 나를 그의 나이만큼 재 보는 것이다. 얼굴이나 몸은 내가 아직 팽팽해도 마음이나 노는 가닥은 그가 더 젊다.

그는 정말 놀 줄 아는 남자다. 한때는 아나운서 시험을 봤다가 낙방했고, 성우와 가수 지망생이기도 했다. 만담과 개그를 혼합한 유머도 질펀하고, 늘 어디서나 노는 마당을 흥나게 한다. 그는 그처럼 끼 있는 남자다. 그래서 우리가 지난 30여 년 동안 즐겁게 재미나게 놀면서 지내왔다. 이것 하나만도 좋은 친구 아닌가.

그는 어린 시절이 불우했다고 나에게 늘 말했다. 째지게 가난하고, 아버지와 동생이 장애인이라서 열등감을 갖고 성장했다. 그의 자전적 동화 〈찌그덩 아버지〉에 그의 어린 시절이 잘 나타나 있다.

그때마다 나는 이런 말로 그를 위로했다.

"당신은 공부 잘하는 수재였다."

빈말이 아니다. 그 시대에 공주사범학교에 진학할 수 있는 실력은 수재 아니면 천재나 다름없다. 개천에서 용이 난 것이다. 실제 그는 공부를 잘하는 우등생이었다.

사범 학교를 졸업한 그는 당연히 선생이 되었다. 그러나 선생으로 그의 꿈을 이루기에는 성이 차지 않았다. 무언가 활동적인 일을 하고 싶었고, 지긋지긋한 가난을 벗어나기 위해 돈도 벌고 싶었다. 그는 망설이지 않고 사표를 냈고 교구회사 영업사원으로 취직을 했다. 영업사원으로 일하면서 전망이 있는 사업이라고 생각 되었다. 그래서 교구 공장을 운영했다.

'이젠 그 지긋지긋한 가난을 대물림 시키지 말자!'

일확천금의 꿈을 품고서…….

모든 일은 그렇다. 한때 잘 되고 한때는 안 되고. 성공이라는 낱말을 현미경으로 들여다보면 실패라는 낱말이 수도 없이 모여 있다. 그도 그랬다. 교구 공장은 파산했다. 그토록 갈망했던 일확천금은 뜬구름에 불과했다. 그 세월 동안 인생의 쓴 맛, 단 맛, 탁한 맛을 다 보았다고 했다.

그 자리에서 그가 생각할 수 있는 것은 속담 하나였다.

'송충이는 솔잎을 먹어야 한다.'

결국 그는 다시 학교로 돌아왔다. 1980년으로 그의 나이 38세였다.

그의 부임지는 청평 호수 아래에 있는 분교였다. 작은 배를 타고 강을 건너 있었다. 그곳에서 그는 새로운 삶을 시작했다. 아이들 곁으로 돌아온 것도 인생의 새로운 시작이었지만 또 다른 즐거움을 찾았다. 그때부터 그는 책 읽는 재미에 푹 빠지게 된다. 소설을 읽기 시작했다. 닥치는 대로 엄청 읽어 댔다. 결국 그것의 산물이었을까? 그는 아동문예 신인상에 동화 〈징검다리〉가 당선되었다.

그때 우리는 처음 만났다.

무더운 8월이었다. 문단에 데뷔한 그를 축하해 주러 배를 타고 분교로 찾아갔다. 박종현 아동문예 주간, 타계한 고성주 동극작가, 오순택 시인과 함께였다. 그날 우리들은 산 계곡으로 올라가 닭을 잡고, 수박을 물에 띄우고, 소주잔을 기울이며 많은 이야기를 나누었다.

그리고 그해 11월 23일. 우리는 다시 만났다. 당시는 동물원이었던 창경원에서 만나 산책을 했다. 겨울을 재촉하는 비바람에 낙엽이 흩날리는 날이었다.

음식점에서 육개장을 먹으며 내가 말했다.

"우리 동인 해보지 않겠어요?"

그때 그는 동인이 뭐냐고 물었다. 나는 동인 활동에 대해서 설명하고, 어떤 사람과 동인 활동을 할 것인가도 말했다. 그나 나나 시골 농부의 아들이라서 동인 이름으로 '써레' 얘기가 나왔다. 모를 내기 전에 바닥을 고르는 농기구 써레. 평생 농부처럼, 무언가 새롭게 고르고 씨를 뿌리자는 의미로 통인 이름을 '써레'로 하였다.

그리고 아홉 명의 이름이 나왔다. 이창건, 조명제, 김관식, 송남선, 양점열, 손기원, 김영훈 등이었는데, 모두 그해 전후로 문단에 나온 시인, 작가들이었다.

'써레' 동인은 그렇게 출발했다. 2000년까지 활발하게 동인 활동을 하였다. 팔도 각지에서 서로 편지 주고받고, 만나고, 동인지 내고 하면서.

'써레'라는 동인 매개체를 통하여 그와 나는 더 붙어 다니며 친해졌고, 그는 어느 자리에서나 인생의 선배로서 맏형 노릇을 해 주었다. 그러나 문학에서만큼은 늘 몸을 낮추고 배우고자 했다. 그는 한국단편소설전집을 원고지에 옮겨 쓰며 문장 공부를 했다고 했다.

동화작가로 이름을 얻은 그는 먹고 먹어도 '배가 고픈' 것 같았다. 곧 풀어 내고 싶은 것이 많은 거였다. 출판사에서 편집 일을 한 나는 그에게 많은 정보를 전해 주었다. 그는 이어 소년중앙문학상에 중편이, 새벗문학상에 장편이 당선되었다.

이제 됐다 싶어 내가 제재를 했다.

"당선은 이제 그만 하라고."

그는 한 세월이 지난 뒤, 그때의 나의 말이 섭섭했는데, 지나고 나서 값진 충고가 되었다고 고백한 적도 있었다.

등단하고 짧은 시간에 그는 첫 동화집 《징검다리》를 출간하였다. 그 책 끝에 '이영 실명 동화'라는 이름으로 아래와 같은 글을 붙였는데, 그대로 옮겨 적는다.

〈돌제비 선수〉

그는 산이 깊은 곳, 푸른 골짝에 산다.

그곳에 작은 학교가 있고, 마당 같은 운동장 가에 수수밭, 고구마밭, 배나무밭이 있다.

밭가에 맞닿은 곳은 강을 이루는 큰 물줄기이다.

그는 그곳을 사랑한다.

파란 지붕의 학교와 얼굴이 가무잡잡한 아이들을 사랑한다.

강은 그의 친구이다.

"나는 바다보다 강을 더 사랑한다."

왜냐하면 강은 양 기슭을 함께 볼 수 있기 때문이다.

텅 빈 교실, 텅 빈 운동장을 서성이고, 하늘 가득한 별을 보고, 밭길을 걸으며 수숫대 서걱대는 소리를 듣는다. 모두가 하나씩의 이야기를 지닌 것 같다.

그는 아침마다 호숫가를 달린다.

붉은 안개 빛이 걷히고, 물 위로 뭉글뭉글 엉키었던 물안개가 풀풀 풀어져 피어오를 때, 그는 공깃돌 같은 작은 돌을 주워 든다.

휘익—.

손끝을 떠난 돌이 물 위를 제비처럼 차 오르며 날아간다.

그는 돌제비 날리기를 좋아한다.

팔뚝과 손가락에 힘을 기르는 돌제비 날리기.

밤마다 촉수 낮은 백열등을 밝히고 팔 힘을 기른다. 읽고 쓰고, 지우고 고치고, 문예

고시를 준비하듯 원고지와 씨름한다.

주머니 속에서 반들반들 손때가 묻은 돌. 그건 하나의 이야기이다. 숙성된 돌을 아침마다 돌제비로 날린다.

그는 앞으로 많은 돌제비를 날릴 것이다. 그래서 돌제비 선수가 될 것이다.

아이들이 좋아하고, 어른도 좋아하고, 같이 동화 쓰는 나도 좋아하는 돌제비 선수가 될 것이다.

〈아직도 글이 배고프다〉

30여 년이 지난 지금, 내 생각이 맞았다. 그는 아이들이 좋아하는 작가이다. 그는 늘 아이들이 재미있어 하는 글을 쓰고 싶다고 했다. 사실 아이들이 재미없어 하는 글을 쓰는 작가가 얼마나 많은가.

그는 어린이가 가장 좋아하는 작가의 한 사람으로 전성기를 누렸다. 그는 그것이 보람이었고 글을 쓰는 힘이었다. 어린이들이 보낸 편지를 읽고 즐거워하고, 하나하나 답장을 써 보내는 정성을 보였다.

혹자로부터 상업적이라고 빈축을 사기도 했지만, 그는 개의치 않았다. 아이들이 재미있어 하는 작품이라고 결코 쉽게 쓴 것이 아니었기 때문이다.

그는 동화를 통하여 어린이와 만나는 그 자체를 자신의 삶이고 낙이라고 했다. 그것은 학교에서 매일같이 만나는 어린이의 실제와는 또 다른 즐거움이었다고 했다.

그래서인지 학교를 떠난 지 오래인데도 그는 아직도 그 현장에 있다. 일주일에 두 차례 글쓰기 봉사를 하며 어린이들과 만나서 장난치고, 그의 말을 빌리면 시간 가는 줄 모르고 시시덕거린다.

그가 어린이들과 오래도록 동무할 수 있는 것은 '타고난 글쟁이'(본인은 '행복한 글쟁이'라고 함)이기 때문일 것이다.

지금까지 보아 온 그는 다른 것에 한눈팔지 않고 오직 동화 창작에 혼신을 다하고 있다. 또 한 가지 '쓴소리쟁이'라고도 한다. 그렇기 때문에 '소심하다'는 둥, '모난 사람'이라는 둥, 비난을 받기도 한다.

쓴소리쟁이는 승진도 더디거나 누락되기 마련이다. 학교에서도 교감이나 교장이니 하는 것 오래 전에 버리고, 그만둔 그날까지 평교사로 오로지 아이들만 생각한 별난 사람이다.

요즘 그는 걸음걸이가 조금 흐트러지려고 한다. 젊은 날 넓은 어깨가 당당했던 그. 옆에 있으면 우리 큰형이 옆에 있는 듯 든든했던 그. 이제 그 뒷모습을 보면서 세월의 흐름을 읽는다. 형도 나이 먹었구나.

그러나 그의 마음은 결코 주름살이 들지 않았다. 보헤미안 기질이 농후해서 일주일에 이삼 일은 훌쩍 어딘가로 떠난다. 질박하고 사람 냄새 물씬한 시골 장터 농촌 등으로 여행을 떠난다. 그 모습에서 그 옛날 청년다움을 읽는다.

예수님께서 이런 복음의 말씀을 하셨다.

"너희가 생각을 바꾸어 어린이와 같이 되지 않으면, 결코 하늘나라에 들어가지 못할 것이다."

동화를 쓰고 있지만 머리로만 어린이를 생각하는, 실제 어린이와는 친구하지 않는 나 같은 사람도 있다.

이영 작가는 다르다. 그는 진정한 어린이의 친구이다. 어제도 그랬고, 지금도 그렇고, 그의 말대로 죽는 날까지 어린이와 친한 친구일 것이다. 그만큼 그는 동화를 사랑하고, 어린이를 사랑한다.

그래서 이 말을 해 주고 싶다.

"사실은, 형을 좋아도 하지만 존경해!"

그리고 그가 다섯 번도 더 읽었다는 《호밀밭의 파수꾼》 같은 작품을 꼭 쓸 것이라고 믿는다. 왜냐하면 그는 아직도 글에 '배고프기' 때문이다.

작품
소재로서의
작가적 체험

이경애

1. 머리말

이영(본명 이영호)은 1943년 일본 오사카에서 태어나, 해방이 된 이듬해 귀국하여 충남 조치원 금강유역에서 어린 시절을 보냈다.

1982년 단편동화 〈징검다리〉로 아동문예 신인상을 받고 문단에 들어섰으며, 1983년 중편동화 〈소년과 얼금뱅이〉로 소년중앙문학상을 받았다. 1984년 MBC 라디오드라마 '사랑의 계절'과 1985년 KBS 라디오드라마 '파랑크레용'의 극본을 썼다. 1986년 장편동화 〈물빛눈동자〉로 새벗문학상을 받으며 본격적인 작품 활동을 시작했다.

이후, 위인전, 철학동화집, 전래동화집, 학습동화집, 논리동화집 등을 집필하고, 교직 생활의 경험을 바탕으로 한 '열세살 시리즈'와 '선생님 시리즈' 외에 '키모 시리즈' 등 80여 권이 넘는 책을 발간했다.

이영은 상업적 이득을 우선으로 하는 출판사의 요구대로 많은 작품을 양산했다. 다작을 하는 교단작가라는 일부 부정적인 시각도 있었지만, 그의 작품들은 어린이들이 즐겨 읽는 '재미있는 동화'로 자리매김되어, 1995년 대교출판사가 주관한 '전국 어린이가 뽑은 올해의 인기작가상'을 받기도 했다.

박상재는, "동화의 세계에는 무한한 꿈과 자유를 실현시켜주는 판타지 외에도 기성의 고정관념을 깨뜨리는 난센스의 세계가 있고, 인간의 진솔한 삶을 그린 리얼리티의 세계가 있다. 어린이들은 이러한 다양한 작품 세계를 통하여 자신들이 겪어보지 못한 미지의 세계를 간접적으로 체험하며 흥미를 느끼게 된다"고 했다.

이영은 인간이 겪고 있는 삶의 모습, 특히 어둡고 결핍된 삶의 세계를 사실적으로 그려냈고, 명랑소설로 분류되는 '열세살 시리즈'와 '선생님 시리즈'에서는 박상재의 글에서처럼 기성세대의 고정관념을 통쾌하게 깨뜨리고 난센스의 세계로 이끌어 가는 경쾌함을 담아냈다.

이 글에서는 이영 작품의 소재가 되는 그의 성장 배경과 더불어 《찌그덩 아버지》(아동문예, 1998) 와 《열세살의 자서전》(예림당, 1990), 그리고 단편동화 〈불꽃〉(아동문예 8월호, 2000)을 통해 작가가 조명하고자 했던 '아버지'와 '가족애'에 대하여 생각해보기로 한다.

2. 작품 소재로서의 아버지와 아들

장편소년소설 《찌그덩 이버지》는 이영의 어린 시절이 거의 사실적으로 그려진 작품이다.

강정규는 소년소설을 다른 말로 '소년소녀소설' 또는 '아동소설'이라 칭하고, "아동을 주된 독자 대상으로 성인(작가)이 쓴 것"이라 정의했다. 그는 또한 "동화를 편의상 환상동화와 생활동화로 구분할 때, 아동소설은 생활동화 쪽에 가깝고 일반(성인)소설과 생활 동화의 중간쯤에 위치한다고 볼 수 있다"고 언급하기도 했다.

아동소설, 즉 소년소녀소설은 현실에서 일어날 수 있는 일을 리얼하게 그려냄으로써, 같은 연령대의 독자에게 동류의식을 느끼게하여 감동을 주는 형식을 갖추고 있다.

좋은 소설이란 써야 할 이야기를 제대로 쓴 것으로, 작가는 그 이야기를 통해서 하고 싶은 말을 쓴다. 나만이 가장 자신 있게 할 수 있다고 생각되는 것, 자신의 개성을 가장 유감없이 드러낼 수 있다고 생각하는 그 무엇을 찾아 써야 한다. 유년의 기억, 소년 시절의 이야기가 우리의 과거 중에서 가장 빛나는 보석이다.

많은 작가들이 어린 시절의 체험을 재생시키는 일로 소설 쓰기의 바탕을 삼고 있는 것은 정서적으로 가장 예민한 시절에 겪은 일들로 쉽게 잊혀지지 않을뿐더러, 강한 연상 작용을 불러일으키기 때문이다.

따라서 이영의 소년소설 《찌끄덩 아버지》는 이와 같은 조건에 충실히 부합되는 대표적인 작품으로 꼽을 수 있다. 또한 이 작품을 기점으로 그는 문학성 있는 글을 쓰는 작가로 되돌아가게 되었다.

1) 아들로 형상화된 작가

《찌그덩 아버지 》의 배경은 한국동란이 끝난 직후의 어느 시골이다. 나, 김용호는 13세, 초등학교 6학년이다. 아버지는 어릴 때 삼눈을 앓아 한쪽 눈이 찌그러진 무허가 이발사이다. 이 집 저 집 다니며 이발을 해주고 푼돈이나 양식을 받아온다.

어깨 너머로 배운 것이긴 하지만 아버지는 글재주가 있었다. 낫놓고 기억자도 모르는 사람들이 대부분인 시절에 야학 선생님을 할 정도였다. 동네 사람들의 편지를 대신 써주는 일도 아버지 몫이었다. 게다가 예의범절이 바르고 뚜렷해서 사람들을 훈계 할 때도 있었다. 또한 말솜씨도 있었다.

힘센 아이들은 눈 하나를 찌그러뜨리고 가위질하는 시늉으로 용호를 괴롭히지만, 용호는 아이들의 그런 괴롭힘을 참을 수밖에 없다. 그나마 아버지의 됨됨이를 좋아하는 면장 고씨의 배려가 용호네 가족에겐 큰 힘이 된다. 고면장의 국회의원 출마로 아버지는 선거 유세장을 돌며 열변으로 좌중을 사로잡는다. 비록 고면장이 빌려준 것이긴 하지만 안경을 쓰고 양복을 입은 아버지는 더 이상 '찌그덩 이발사'가 아니었다.

가난에서의 탈출을 기대했던 부푼 희망은 고면장의 낙선으로 물거품이 된다. 아버지는 다시 이발사가 되지만 용호의 마음은 자랑스러움으로 뿌듯하다. 아이들이 고면장의 낙선에 빗대어 '낙동강 오리알'이라 놀리자, 용호는 처음으로 아이들에게 대들어보지만 결국 얻어맞기만 했을 뿐이다. 아버지는 '석류의 겉모양은 보잘 것 없지만 속에 박혀 있는 씨들은 그렇게 예쁠 수가 없다'며 겉모습만 보고 이러쿵저러쿵하는 사람은 바보라고 말해준다.

아버지는 용호를 놀림감에서 벗어나게 해 주고 싶어서, 그리고 보다 실질적인 생계를 위해서 고기잡이에 나선다. 용호에게는 그런 아버지가 훌륭하게만 보인다. 하지만 아이들은 이번엔 '찌그덩 어부님'이라 놀려대고, 용호는 죽을 작정으로 덤벼든다. 이튿날 아버지는 다시 고면장의 안경을 쓰고 양복차림으로 학교로 찾아온다. 그러고는 용호를 괴롭히는 아이들에게 '지금까지도 좋은 친구였으니 앞으로도 사이좋게 지내 달라'며 부탁하는 한편, 담임선생님께는 그 아이들에 대한 칭찬을 아끼지 않는다. 아버지의 태도가 불만스럽기만 했던 용호는 뒤늦게나마 그것이 아버지 나름의 승리였다고 믿게 된다.

"아, 눈물겹도록 거룩하고 위대한 아버지, 나의 찌그덩 아버지!"

용호는 목이 잠긴다.

작품 속 용호의 아버지는 작가 이영의 아버지이다. 작가의 아버지는 삼눈을 앓아 찌그러진 눈 때문에 열등의식에서 벗어나지 못했고, 이영 또한 그러한 아버지 때문에 놀림을 받으며 가난 속에서 불우한 성장기를 거쳤다. 피난지의 허술한 감성초등학교(작품 속 학교와 동일)가 무너져 이영의 유일한 친구였던 봉구가 죽은 것과, 다리 밑 학교에서 공부한 것도 모두 실화에 바탕을 두고 있다. 이영은 《찌그덩 아버지》에서, 봉구 어머니가 슬픔에 못 이겨 '물에 빠져 죽은 것'과 '국회의원 선거' 두 가지 사건만 픽션이라고 한다.

이영은 《찌그덩 아버지》에서 '아들의 편지'로 서문을 대신한다.

"인생은 뛰어놀다 가는 놀이터가 아니다. 땀 흘려 일하는 광장이다"

인생에 있어서 가장 고귀하고 값진 액체는 피와 땀과 눈물이라는 아버지의 말씀을 가슴에 담고 살아 온 작가 이영은, 어느 날 갑자기 땀 흘릴 곳을 잃고 와르르 무너져버린 아버지의 모습에 가슴 아파한다. 어머니가 마음의 고향이라면 아버지는 마음의 등불이라며 "등불 같은 나의 아버지!"를 되뇌고 있다.

2) 아버지로 형상화된 작가

《찌그덩 아버지》에서 나, 김용호가 어린 시절의 작가라면 《열세살의 자서전》에서 주인공 백진주의 아버지는 젊은 시절의 작가이다.

"1978년 3월 2일, 바로 내가 태어난 날입니다."로 시작되는 이 장편 소년소녀소설은 13세 소녀 진주가 구술하는 형식으로 전개되고 있다. 태어날 때부터 '울보'라고 밝힌 주인공은 13년의 세월이 평탄치 않았음을 보여 주고 있다.

아빠인 백치영 씨는 조그만 교구공장을 경영하는 사장이었다. 학교에서 사용하는 책걸상이나 실험대 등을 제작해서 납품하는 공장이었다.

원래 아빠는 시골 초등학교 선생님이었는데, 꿈이 다른 분이었단다. 대대로 이어져 내려오는 집안의 가난을 떨쳐버려야 한다는 각오가 대단한 분이었다. 그래서 시골에 있는 얼마 안 되는 땅을 팔아 사업에 뛰어들었던 것이다. 일확천금(한꺼번에 많은 돈을 벌음)을 노리면서 말이다.

이영은 1961년 공주사범을 졸업한 후 교편을 잡았으나, 생활고에서 벗어나기 위해 1969년에 사직하고 1970년부터 1980년까지 교구공장을 운영했다.

아빠에게 선생님이란 직업은 맞지 않았다고 한다. 커다란 몸집에 우락부락한 얼굴, 굵으면서도 무뚝뚝한 말소리, 또 하나 불같이 우르르하는 성격이 선생님으로서는 걸맞지 않았다고 한다.

백진주의 아버지 백치영은 이영의 실제 모습과 성격을 그대로 옮겨놓은 동일인물이다.
백치영은 곰처럼 우직하고 바위같이 무뚝뚝하지만 딸에 대한 사랑만큼은 각별하다. 그러나 아기 백진주가 밤낮없이 울어대는 바람에 밤잠을 설치는 날이 계속되자 당장 한강에 갖다 버리라고 고함을 지르기도 한다. 우직한 아버지와 동화구연을 잘해 주던 다정다감한 어머니, 그리고 귀여운 남동생과의 행복도 한 순간, 진주네는 교구공장의 화재로 모든 것을 잃게 된다.

산동네로 이사한 후, 아버지는 술 마시기로 소일하고 어머니는 인형공장에 다닌다. 진주는 동생을 보살피기 위해 학교에 데리고 다니게 되는데, 어느 날 동생이 슬그머니 사라지고 교실에서 도난 사건이 일어난다. 동생은 훔친 돈으로 장난감 권총을 사갖고 논다. 이 일로 인해 어머니가 그동안 참고 견디었던 울음을 토해내자 아버지는 비로소 정신을 차린다.

막노동을 하던 진주의 아버지는 '송충이는 솔잎을 먹어야 한다.'며 교사 채용 시험을 다시 치르고 어머니는 신춘문예에 소설이 당선된다. 13세인 지금 진주는 시골 학교 선생님이 된 아버지와 소설가 어머니가 꾸리는 가정에서 행복하다.

실제로 이영은 1978년 자신이 운영하던 교구공장을 화재로 잃었다. 그는 교직원 재임용고시를 치르고 서울 변두리 천마산에 인접해 있는 학교에 복직하였다.

3) 아버지와 아들 간의 운명적 연결고리

단편동화 〈불꽃〉은 소재 선택 면에서 위의 두 작품과는 유형이 다르다. 위 작품이 아들과 아버지로서의 자전적 요소가 짙게 투사되어 있다면 〈불꽃〉은 3인칭 전지적 시점으로 시대와 장소 배경에서 공통점을 찾을 수 있다.

칠월 칠석 날, 봉구는 할아버지를 따라 험한 천마산을 오른다. 스스로를 유복자로 알고 있던 봉구는 이 날 자신에게도 아버지가 있음을 알게 된다. 산막(귀틀집)에서 아버지를 기다리며, 화전민 이야기와 함께 아버지가 숨어 지낼 수밖에 없는 이유를 할아버지로부터 듣게 된다. 봉구는 아버지를 만날 생각에 가슴이 두근거린다. 봉구의 아버지는 화전민을 강제로 하산시키려는 경찰을 본의 아니게 해치게 되었고, 지금 공소시효가 끝나기를 기다리며 숨어 다니는 중이다.

자정 무렵, 할아버지는 귀틀집 앞에 미리 준비해두었던 장작더미에 불을 붙인다. 타오르는 불꽃을 보고 몸집이 큰 사내가 어둠 속에서 나타난다. 할아버지는 마주나가 반기며 한참 이야기를 나눈 뒤 자수를 권유하지만 아들은 돌아선다. 봉구는 아버지를 부르며 할아버지를 앞질러 달려 나간다. 봉구 아버지는 그제야 자신에게 아들이 있음을 알게 되고 자수를 결심한다.

'아버지와의 만남'이 주된 모티브가 되고 있는 '불꽃'의 경우, '죽은 줄로만 알고 있던 아버지의 생존 사실'은 사건적 주요 소재가 된다. 이러한 소재는 부차적 소재라 할 수 있는 가파른 천마산, 산막, 장작더미, 타오르는 불꽃, 화전민 생활, 산림경찰의 살해, 칠월 칠석이 더해지면서, 서사 구조 속에서 인물들의 크고 작은 갈등과 이해를 돕는 역할을 한다. 특히 어둠을 사그라뜨리는 '불꽃'의 이미지에는 이 작품의 주제 의식과 할아버지와 봉구, 봉구 아버지의 만남과 자유를 향한 내적 소망, 혈육의 뜨거움을 상징하고 있다는 점에서, 이를 제목화한 것은 작품의 완성도를 높이는 역할이 되고 있다.

이영은 이 작품으로 한국동화문학상을 받았다.

경찰을 해치고 숨어사는 아들을 둔 아버지, 자신의 아들이 있는 줄도 모르고 아버지와 아내를 그리며 긴 세월을 쫓기 듯 살아온 봉구 아버지. 13년 간 아버지 없는 설움을 받으며 외롭게 자란 봉구. 이러한 3대가 감내해야 하는 통한이 작품 전반에 깔려 있고, 짧은 문장과 절제된 표현은 읽는 이로 하여금 점진적인 감정의 극대화를 경험하게 한다.

이 작품은 혈육에 대한 깊은 사랑을 절박함 속에서 깨닫게 해 아픔과 감동을 동시에 주기도 하지만, 주 독자가 아동이라는 사실 때문에 작품 속 봉구 아버지의 '인'이 걸림돌이 될 수도 있을 거라는 생각도 든다.

자식이 있음을 왜 일찍 말해주지 않았냐는 아들의 물음에 아버지는 '애비가 죄인인 것을 어린것이 알면 좋을 게 뭐 있나'라고 답한다. 아들의 도피생활을 끝내주고 싶은 마음이 간절하면서도 손자가 받게 될 상처까지 염려해야 하는 할아버지이다. 그러나 자식이 있다는 사실 하나만으로도 봉구 아버지가 자수를 결심하는 모습을 보면, 할아버지는 봉구의 존재를 첫 만남에서 부터 알려야 하지 않았을까 하는 생각도 들었다. 또한 아버지의 부재로 인한 봉구의 아픔이 얼마나 컸는지를 할아버지가 이해했다면, 비록 실형을 받아야할 아버지라도 그 존재가 없는 것 보다는 낫다는 것도 깨달아야 했다.

이것은 아버지로서의 할아버지의 생각과 아들로서의 봉구 아버지의 생각, 아버지로서의 봉구 아버지의 생각과, 아들로서의 봉구의 생각에 차이가 있음을 나타낸다. 이를테면, 아버지와 아버지의 아버지, 아들과 아들의 아들 사이에 놓인 일종의 '아름다운 괴리' 라 할 수 있겠다.

〈불꽃〉은 이영의 자전적 소년소설 《찌그덩 아버지》와 《열세살의 자서전》에서 보듯 부모와 자식 간의 이야기라는 것 외에는 연관성이 없어 보이지만, 소재에 있어서 또 다른 공통점을 갖고 있다 〈불꽃〉의 주인공이 '봉구'이고 《찌그덩 아버지》에서 화재로 무너지는 학교에 깔려 죽은 용호 친구의 이름도 '봉구'이다. 소아마비로 절름발이였던 봉구는 불편한 다리 때문에 얼른 빠져나오지 못해 화를 당한 실존 인물이다. 《열세살의 자서전》에서 백진주네가 이사한 곳이 천마산 산동네이고 〈불꽃〉의 봉구가 아버지를 만나기 위해 오른 곳도 천마산이다. 모두 작가 이영과 직접적인 관계를 맺고 있다. 또한 용호, 봉구, 진주는 모두 13세이며 현실적으로 결핍의 아픔을 겪고 있는 아이들이다.

이처럼 이영의 글에 등장하는 어린이는 주로 서민층이며, 불우하거나 외면당하지만 자신의 환경을 원망하거나 포기하지 않고 극복, 재기한다. 그렇다고 그의 작품이 모두 해피엔딩으로 끝나는 것은 아니다. 그는 처음을 보고 마지막을 짐작할 수 있는 이야기보다는, 다소 어두우나 글의 흐름에 따라 자연스러운 결말을 선호하며, 어른도 함께 읽을 수 있는 내용의 글을 추구한다. 그것은 곧 어린이가 올바른 마음으로 자라기 위해서는 올바른 아버지 상이 먼저 정립되어야 한다는 주장으로 이어진다.

이영은 감성적인 소년기를 가난과 열등의식으로 보내며 마음의 상처를 크게 받았다.

지금도 그때의 가슴앓이에서 완전히 벗어나지 못했기에 어린이의 건강한 삶에 대해 각별한 관심을 갖고 있다.

그는 그것을 '아이 해방'이라 표현하고, 2000년대에 접어들며 '키모 시리즈'를 펴낸다. 《아빠 몸속을 청소한 키모》(예림당, 2001) 에 이어 출간된 《엄마 마음속에 들어간 키모》(예림당, 2009)는 2009년도 문공부 우수 도서로 선정되고, 작가는 그 해 이 작품으로 제19회 한국아동문학상을 받았다.

3. 맺는 말

아버지란 울 장소가 없어서 슬픈 존재라고 한다.

소년소설에 나타난 한국의 아버지들은 시대의 변천사와 밀착되어 있다. 시대의 아픔을 몸소 겪고 죽음까지도 시대와 그 양상을 같이 한다.

6·25 한국전쟁에서 5·18 광주민주항쟁에 이르기까지 많은 아버지들의 고난과 죽음을 다룬 박신식의 《아버지의 눈물》에서의 '아버지'와, 시계 하나 사 줄 수 없이 가난하고 무능하지만 가늠할 수 없이 높은 산과 깊은 바다를 연상시키는 강정규의 《다섯시 반에 멈춘 시계》의 '아버지'를 떠올려본다.

이영의 또 다른 단편동화에서도 '아버지'는 슬퍼도 슬픔을 드러내지 못하고 속으로 눈물을 삼키는 모습으로 그려지고 있다. 〈소년과 얼금뱅이〉에서의 의붓아버지, 〈참기름 들기름〉에서 소녀가 기다리는 출감을 앞둔 아버지, 그리고 자식의 심장을 주고받은 〈안개꽃〉에서의 두 아버지는 두 손을 마주잡은 채 울지도 웃지도 못하고 있다.

아버지란 혼돈 속에서도 무능하면 무능한대로 묵묵히 자신의 자리를 지키는 존재이다. 이영도 '무능하지만 존경받는 분'으로 아버지를 기억하고 있다. 그리고 내심 자랑스러워한다. 그러나 그것은 이영이 아버지가 된 후의 일이다.

아버지가 되기는 쉬워도 아버지답기는 어렵다고 한다. 그가 말하는 아버지 상(像)은 자상하며 대범한 사람이라고 한다.

이영이 써 온 많은 작품 중에 목적동화를 제외한 나머지는 작가의 체험에서 소재를 가져 온 것이 대부분이다. 글의 소재가 곧 그의 삶이며 현재를 살고 있는 작가의 모습이 곧 그의 글이다. 모든 장르의 예술 창작에 작가의 숨결이 담기지 않은 것은 없다. 그러나 자서전을 제외하고 이영만큼 사실적으로 작품 속에 자신을 함축해 놓은 작가는 드물다고 본다.

형제의 우애와 슬픔의 미학을 다룬 〈방아깨비〉, 어깨를 부딪치며 살던 고향 사람들의 이야기인 〈고향 수채화〉, 친구와의 진한 우정을 그린 〈땡삐 땡삐〉, 찔레꽃 향기에 담긴 순수한 첫사랑의 추억 〈소녀와 병사〉, 가족애 를 다룬《방랑소년 차오름》등의 작품에 그의 투박한 성격과 질박한 삶이 그대로 담겨 있다. 작가는 이렇듯 향토 성과 문학성 짙은 이야기들을 자신의 누리집에 '손바닥 동화'와 '대문짝 동화'로 이름을 지어 꾸준히 올렸고, 게시되는 작품마다 어린이들의 큰 호응을 받았다. 포항의 어느 초등학교 5학년 학생의 '열세살 시리즈 4탄'을 독촉하는 편지는 재미있는 일화로 남아있다. 이영은 그가 받은 상 가운데 어린이가 뽑아준 인기작가상을 가장 영광스럽게 생각한다. 상업성에 물들고 '1회용 재미성의 작가'라는 편견은 옳지 않다고 본다.

그의 작품은 '아주 재미있어서' 어린이들로 하여금 밝은 마음을 갖게 하거나, '지나치게 어둡고 무거워서' 읽는 이들이 숙연해지게 한다. 그래서 독자의 마음을 양극에 놓이게 한다. 그것은 이영의 성장과정과 깊은 관계가 있음을 뜻한다. 작가는 어린 시절을 불우한 환경에서 열등의식과 절망감으로 보냈지만, 한편으로는 그것을 극복하려는 의지가 남달리 강했기에 뚜렷이 다른 양상의 작품성향을 만들어낸 것이다.

이영은 자신의 체험을 최대로 활용하여 긍정적인 결과를 끌어내는 데 탁월한 능력을 지닌 작가로서, 앞으로 시대의 흐름에 따라 판타지동화의 발전에도 크게 기여 할 것으로 기대된다.

어린이와 함께 선생이 걸어온 길

본명 이영호

1943년 일본 오사카에서 태어남 해방과 함께 귀국함. 감성초등학교, 금호중학교를 졸업함.

1961년 공주 사범학교를 졸업함.

1982년 아동문예신인상에 단편동화 〈징검다리〉 당선됨.

1983년 소년중앙문학상에 중편동화 〈소년과 얼금뱅이〉 당선됨.

　　　단편동화집 《징검다리》 펴냄.

1984년 새벗문학상에 장편동화 〈물빛 눈동자〉 당선됨.

　　　MBC 라디오드라마 '사랑의 계절' 당선됨.

1985년 KBS 라디오드라마 '파란 크레용' 당선됨.

1986년 장편동화 《파랑새 탐험대》 펴냄.

1987년 《한국의 명장전》 펴냄, 단편동화집 《꼬마 4번 타자》 펴냄.

1988년 장편동화 《꿈꾸는 멍키호테》 펴냄, 《철학동화집》 펴냄,

　　　위인전 《카네기》, 《베이브루스》, 《밀레》, 《김홍도》, 《한석봉》 펴냄.

1989년 장편동화 《물빛 눈동자》 펴냄, 전래동화집 《호랑이 뱃속구경》 펴냄.

1990년 장편동화 《열세 살의 자서전》, 《떠돌이의 노래》 펴냄.

1991년 학습동화 《하늘 천 따지》 펴냄, 단편동화집 《꼴찌 만세》 펴냄.

　　　장편동화 《열세 살은 사랑이 필요해요》 펴냄.

1992년 《의적 홍길동》, 《백두산 전래동화집》 펴냄.

　　　장편동화 《열세 살의 작은 악마》 펴냄.

1993년 장편동화 《방랑소년 차오름》 펴냄, 단편동화집 《어머 실수 아 실수》 펴냄.

1994년 《논리 만세》, 《논리 만만세》 펴냄,

　　　단편동화집 《울지 마세요 하느님》 펴냄.

　　　장편동화 《장비야 덩크슛 쏘아라》 펴냄.

1995년 장편공상동화 《복제인간 컴돌이》 펴냄, 단편동화집 《선생님의 일기》 펴냄.

　　　장편동화 《골치폭탄 덜렁이 선생님》 펴냄.

　　　어린이가 뽑은 '95올해의 인기작가상' 받음.

1996년 《학습동화집》 펴냄, 전래동화집 《오성과 한음》 펴냄.

　　　장편동화 《엄마는 집시》 펴냄.

1997년 장편동화 《덜렁이 선생님은 미워할 수 없어》, 《IQ 동화집》 펴냄.

1998년 장편동화《최시녀네 이야기》펴냄,《EQ 동화집》펴냄.

1999년《재미있는 우리 고전》펴냄, 전래동화집《이방의 아들》펴냄.

2000년 장편동화《난 울지 않을래》펴냄, 제 23회 한국동화문학상 받음.

2001년 장편동화《소녀와 병사》,《아름다운 승리》,《장끼전》펴냄.

2003년 단편동화집《손바닥 동화》펴냄.

  장편동화《찌그덩 아버지》및《제인 에어》펴냄.

2004년 장편동화《찐주와 뚜식이》,《우리 선생님 짱》펴냄.

2005년《이야기 채근담》펴냄,《철학동화집》펴냄.

2006년 장편동화《강강술래》, 장편동화《친구를 찾아서》펴냄.

2007년 전래동화《요술 부채》,《어린이 삼국지》펴냄.

2008년 장편동화《주먹 내려, 왕수야!》,《왕따면 어때》펴냄.

2009년 장편동화《엄마 마음속에 들어간 키모》펴냄. 제 19회 한국아동문학상 받음.

2010년《이야기 명심보감》펴냄.

2011년 장편동화《달려라 이슬아》펴냄.

2012년 릴레이동화집《웰컴 왕따》펴냄.

2013년 장편동화《깔깔바이러스네 집》펴냄.

2015년 장편동화《별나는 유별나》펴냄.

2016년 중편동화집《어느 소년병 이야기》펴냄,

  5월 27일 제 36회 이주홍문학상을 수상함.

2017년《천자문 이야기》펴냄.

한국 아동문학가 100인

박상률

대표 작품

〈너는 깊다〉

작품론

박상률 문학의 시학: 시로 쓴 소설, 소설로 쓴 시

어린이와 함께 선생이 걸어온 길

나를 견디게 한 문학, 내가 배신하지 않을 문학

너는
깊다

저녁 시간 동안 소란스럽기 짝이 없던 분위기는 이내 곧 간 데 없고 교실은 동굴처럼 깊은 침묵 속으로 빠져들었다. 어쩌다 누가 잔기침이라도 하면 동굴 속의 울림같이 커서 몹시 거슬린다. 모두들 책상에 코를 박고 있다. 코를 박지 않고 얼굴을 빳빳이 들고 있다 하더라도 하나의 이미지로밖에 떠오르지 않을 표정을 지닌 아이들. 구부린 등짝들 위로 형광등 불빛이 맥없이 쏟아진다. 불빛마저 조용하다.

나는 눈앞에 그려진 풍경을 무심히 바라보았다 모두들 모이판에 머리를 박고 모이를 쪼아대는 닭 같다. 한 알이라도 더 집어삼키려는 닭. 아무 생각 없이때 되면 모이 먹고, 때 되면 알을 까는 닭. 아, 그러나 요즘은 알을 까는 닭도 많지 않다지. 그렇다면, 때 되면 닭고기 가공장으로 실려 가는 비육계들이라고나 할까. 저들 모두 다 비육계 같다. 모두들 차디찬 형광등 불빛 아래에서 잠을 쫓으며 저마다의 살을 찌워야 하는 비육계 같은 아이들. 그러다 대학 입학 시험날이 되면 시험장으로 실려가 제가끔 계측기에 올라 자기 점수를 받아야 하는.

국어 문제집을 펼쳤다가 덮고 수학 시험지를 꺼냈다가 다시 가방 속에 쑤셔 넣어버렸다. 여느 때와 마찬가지로 도무지 공부를 할 기분이 나지 않았다. 연습장을 펼쳤다. 그림이나 그려야겠다고 생각한 것이다. 그러나 되는 대로 한 컷을 그린 뒤 이내 곧 연습장마저 덮어버렸다. 그림 그리는 일도 시들해서였다. 내가 그리는 그림은 주로 인물의 특정을 잡아 주요 이미지를 표현하는 것인데 요즘은 모델로 할 만한 대상이 딱히 없다. 아니다. 새로운 대상이 생기기는 했다. 새로 온 원어민 영어 교사. 그녀가 요즘 내 연습장 그림의 주요 등장 인물이다. 그러나 아주 가까이서 좀 더 자세히 얼굴을 들여다보거나 이야기를 나눠본 적이 없어 그녀의 속내까지 그림으로 표현하기는 어렵다. 사실은 그래서 시들해졌는지도 모른다. 아직 손에 다 잡히지 않은 그녀. 뭔가 더 명쾌한 이미지로 정리되지 않은 그녀.

연습장을 탁 덮었더니 표지의 그림이 내 시선을 붙들었다. 머리를 곱게 땋아 내린 여자 어린아이가 언니뻘 되는 소녀의 목에 두 팔을 걸고 매달린 자세로 그 소녀의 볼에 입을 맞추고 있는 그림이다. 그림을 들여다보고 있자니 가슴이 팔딱거리고 입안이 말랐다. 이런 그림을 처음 본 것도 아니다. 어떤 연습장 표지 그림은 이보다 더 노골적이거나 환상적인 것이 많다. 어찌 보면 예쁜 동화 주인공 같은 모습일 수도 있다. 그런데 지금 내게는 바로 내 마음을 나타내는 그림으로 여겨진다. 나는 어린 여자 아이이고 소녀는 그녀이다. 내가 매달리는 그녀. 내게도, 매달리고 싶은 그녀가 있는 것이다.

볼에 입맞춤을 받아주는 소녀의 여유. 그녀도 저런 여유로운 자세로 날 대할 수 있을까? 아무튼 나는 그녀의 기분이나 의사와는 아무런 상관없이 막무가내로 그녀에게 매달린다. 지금 이 시간에도 그녀가 궁금하다. 그녀는 이러는 나를 모를 것이다. 야간 자습 당번 선생님 말고는 다들 퇴근하고 없을 시간이다. 그녀 역시 퇴근하였을 것이다. 이 시간까지 어학실에 남아 있을 까닭이 없다. 그런데도 자꾸만 어학실에 앉아 있을 것 같은 그녀가 떠오른다.

부스럭거리며 책장을 넘기는 아이들, 사각사각 연필로 뭔가를 끼적이는 아이들, 그런 아이들 속에 섞여 있는 나는 분명 이단아다. 나는 이방인이다. 그럼에도 나는 이 교실을 떠나지 못한다. 내가 이 교실에 어울릴 만한 풍경은 아니다. 나라는 존재는 고3 교실 분위기엔 어울리지 않는 낯선 풍경이다. 그럼에도 나는 이 교실을 스스로 버리지 못한다. 그녀를 처음 만난 곳이 바로 이 교실이기 때문이다. 이 교실은 그녀와 내가 만난 곳이기에 의미가 있다. 다른 아이들이 어떤 모습으로 앉아 있든 다른 아이들에게 어떤 추억이 서려 있든 그런 건 나와 상관없다. 이 교실은 다른 아이들이 있든 없든 오로지 그녀가 있어 내게 의미 있는 장소가 되었을 뿐이다. 물론 다른 아이들도 이 교실에서 그녀를 처음 만났다. 그러나 다른 아이들한테 그녀가 어떤 느낌을 주었든 그건 나와 상관 없다. 오로지 내가 받은 느낌, 그게 중요할 뿐이다.

3학년에 올라온 지 얼마 안 된 날이었다. 긴 생머리의 그녀가 출석부와 영어교재를 가슴에 살포시 안고서 교실 문을 들어섰다. 미리 돈 소문이 있어 원어민 영어 교사로 오는 이가 젊은 여선생인 줄 알고는 있었지만 그녀는 교사라기보다는 전형적인 여대생 모습이었다. 그녀가 모습을 드러내는 순간 많은 아이들이 탄성을 냈다. 그러나 나는 탄성을 내지 못했다. 그녀를 보자마자 나도 모르게 숨이 탁 막혀버렸기 때문이다. 그녀는 나로 하여금 숨이 막히게 했다. 그녀는 나로 하여금 숨이 막히게 했다. 숨이 막혔다. 여자인 내가 여자를 보고서……. 전혀 예상치 못한 일이었다.

그녀는 혀에 버터를 바른 듯이 매끈하고 기름기 나는 유창한 아메리카 본토 발음으로 내 숨을 막히게 한 것이 아니다. 그녀가 처음 교실에 들어서는 모습을 보는 순간 내 숨이 절로 막힌 것이다. 사실 그녀는 예쁘기보다는 멋졌다. 얼굴은 조선인이지만 아메리카 말을 하며 아메리카 식의 몸짓을 한다. 이국적이지만 이국적이지 않은 외모. 여자이지만 예쁘기만 한 여자도 아닌 그녀. 생긴 그대로가 어색하지 않은 중성적인 그녀. 그녀는 그대로 충분히 멋졌다. 원어민 영어 교사라는, 다소 낯선 존재로 다가선 그녀.

그녀를 바라보면 바라볼수록 이제 그녀만을 그려야 한다는 생각에 사로잡혔다. 무엇보다도 하나의 이미지로 규정해버릴 수 없는 그녀의 다양한 모습을 내 연습장에 담고 싶었다. 아니다. 내가 그녀를 보지마자 왜 숨이 막혔는지를 그림으로 그려 표현하고 싶었다. 말로는 도무지 할 수 없는 그것. 그것을 바로 그림으로 그려보고 싶었다. 그런데 그게 뭔지 잘 잡히지 않는다. 그래서 그녀를 접해보아야 한다. 좀 더 가까이서.

이런 지방 소도시 학교에 원어민 영어 교사가 오다니! 아이들은 그것만으로 우선 흥분이었다. 그런데 원어민 영어 교사가 오면 갑자기 영어를 잘하게 되나? 나는 속으로 콧방귀를 뀌었다. 원어민 영어교사가 없어서 영어를 못한 것이라면 국어는 왜 못하는데? 국어는 태어나서 자라는 동안 쭉 써왔고 그야말로 토종 조선인 교사한테서 초등학교 때부터 십 년 넘게 교육 받지 않았는가? 영어영어 해쌓는데, 애초에 원어민 교사가 가르친 국어나 잘하면서 설쳐대면 이해가 간다. 그러나 대부분의 학생들이 국어 못하기는 영어 못하는 거와 매일반이었다. 나야 국어고 영어고 공부라는 것엔 도무지 소질이 없어 이러쿵저러쿵 깊이 따질 생각은 없다. 공부를 하든 다른 것을 하든 그건 그야말로 취향의 문제이지 그게 일생을 결정지을 일은 아닐 거라는 생각에 난 공부에 그다지 신경을 쓰지 않는다.

그런 나에게 그녀가 걸려 든 것이다. 그것도 멀고 먼 아메리카 땅에서 날아와서 말이다. 그녀 부모의 고향은 대대로 조선인이 살아온 대한민국이지만 그녀의 고향은 양인들이 인디언을 몰아내고 터를 잡은 태평양 건너 아메리카 땅이다. 그런 그녀가 남들은 가지 못 해 안달이 난 땅에서 나고 자라 거기서 대학까지 나온 그녀가, 왜 태평양을 건너왔을까? 결론은 쉽게 났다. 나를 만나기 위해서다! 이런 걸 운명이라고 하나보다.

그녀가 학교에 있는 까닭에 학교 가는 게 즐거운 일이 되어버렸다. 나는 이제 교실과 복도는 물론 화장실에서까지 그녀의 냄새를 맡는다. 물론 그녀는 학생용 화장실을 사용하지 않고 교직원용 화장실을 사용할 것이다. 그럼에도 나는 내가 가는 화장실에서조차도 그녀의 냄새를 맡는다. 그녀가 있어 아침마다 엄마가 깨워야 겨우 일어나던 내가 이제는 엄마가 깨우기도 전에 일어나 서둘러 학교에 가야 하는 모범생 같은 고3이 되고 말았다. 학교가 온통 그녀로 가득 차 있어 그렇다.

여느 여선생님들과는 다른, 아니 내가 이 나이 먹도록 살면서 만난 여느 여자들과도 다른 독특함이 그녀에겐 있었다. 독특함. 그게 뭔지 구체적으로 잡히지는 않는다. 그림으로 그려낼 수 있을지 어쩔지도 모르겠다. 그러나 뭔가 있기는 있다. 나를 숨 막히게 한 그 무엇. 그 무엇이 그녀에겐 있다.

이 세상의 관계나 현상은 다 설명할 수 없다. 또 설명할 필요도 없다. 느낌이 좋으면 되고, 말로 할 수는 없지만 서로 교감이 이루어지면 된다. 삶이란 것, 어차피 설명할 수 없는 것 아닌가? 그렇다면 좋은 느낌을 어떻게 말로 집어내서 설명한단 말인가? 그런데 나는 그걸 그림으로 그리려 한다. 어디서 들은 이야기인데, 어느 사진작가 지망생은 빗방울 소리를 사진으로 찍고 싶어 했단다. 빗방울 소리를 사진으로 찍다니! 눈으로 보는 게 아니라 귀로 듣는 소리를 사진으로 찍다니! 그렇다면 나는 겉으로 드러나지 않는 그녀의 속 모습을, 아니 그녀의 숨소리를 그리고 싶다.

나는 안다. 나도 그녀처럼 여자라는 것을. 그리고 나는 그녀와 달리 학생 신분이라는 것을. 그러나 그런 게 무슨 소용인가? 이 세상을 살면서 엄마에게서도 못 느껴 보던, 아니 또래의 다른 어느 친구에게서도 못 느껴 보던 그 무엇, 그 무엇을 가진 사람이 나타났는데 나보고 어떻게 하란 말인가? 대상이 여자이든 남자이든 나이가 들었든 안 들었든 그게 다 무슨 상관이란 말인가?

물론 그녀는 나의 이런 마음을 모른다. 알 리가 없다. 수많은 학생 가운데 하나일 뿐인 나를 어떻게 알 것인가? 그러나 나는 조만간에 그녀한테 수많은 학생 가운데 하나가 아닌 존재가 될 것이다. 반드시 그렇게 될 것이다.

그녀는 청초했다. 그녀는 당당했다. 어떻게 청초함과 당당함이 한 몸에 같이 들어 있는지 모르겠다. 가느다란 듯하면서도 굳세어 보이는 허리, 애잔한 듯하면서도 고집스런 눈매. 그녀는 한 몸에 상반된 매력을 함께 지니고 있었다. 그건 바로 유혹이다. 나는 그녀의 묘한 유혹이 좋다. 심지어는 어눌한 조선말까지도 내겐 유혹이다! 그래서 그녀를 그리고 싶은 것이다. 어눌한 조선말까지 그리고 싶은 것이다. 어느 여자가 있어 그녀 같은 매력을 풍길 것인가? 어느 남자가 있어 그녀 같은 매력을 풍길 것인가? 그녀는 한 몸에 여자와 남자가 함께 들어 있는 존재였다. 아, 그건 치명적인 유혹이다. 나는 내게 놀랐다. 여태껏 나도 모르는 감수성을 가진 나. 그런 내가 놀랍다. 나는 시방 그녀의 유혹에 기꺼이 나를 맡겨 버리고 싶을 뿐이다.

처음에 그녀는 조선말을 이제 막 배운 것 같았다. 그러나 이내 곧 조선말을 곧잘 했다. 오히려 어눌한 말투는 매력으로까지 여겨질 정도였다. 그러나 그녀가 조선말을 할 줄 알아서 더 유혹적인 것이 아니다. 그녀가 아메리카 말을 유창하게 한다고 해서 유혹적이지 않듯이 말이다. 그녀는 그녀의 생김 그대로가 다 유혹적이다.

이러저러 하며 그녀를 관찰하며 노린 지 석 달. 마침내 다른 아이들 의식하지 않고 말을 걸 기회가 왔다. 내가 노리고 노리던 그녀. 마침내 나의 사정권 안에 들어 온 것이다. 미리 수업 시간에 가끔씩 그녀의 눈길을 잡아끌 만한 짓을 해서 나를 인식 시켜 놓긴 했다. 한참 설명을 하는데 눈길을 창밑으로 향한 채 멍하니 있는다든지, 오래도록 그녀의 몸매를 훑어본다든지 하면서 그녀로 하여금 나를 인식하도록 한 것이다. 무엇보다도 나는 수업 시간 내내 연습장에 그녀를 그려댔다. 그녀도 내가 수업에 집중하지 않고 그림을 그리는 것을 보았다. 그러나 아무런 제지도 하지 않았다.

수업이 끝나 교실을 나가는 그녀를 뒤따랐다. 아이들 눈길이 미치지 않는 지점에 이르자 다짜고짜 물었다.

"선생님, 시간 좀 내주실 수 있어요?"

앞서가다 말고 뒤로 돌아선 그녀가 긴 머리를 뒤로 쓸어 넘기며 웃었다.

"난 언제든지 좋아요."

"이따 야간 자습 시간에 되나요?"

"아, 오늘은 저녁에 약속이 있는데……. 중요한 일이면 저녁 약속을 바꿔도 돼요."

그녀는 학생인 나에게 말을 놓지 않았다. 순간, 그러한 말투가 그녀를 대하는 게 어렵게 만드는 것 같았지만 그것조차도 그녀의 매력으로 느껴졌다.

"아니, 괜찮아요. 별일 아니에요."

나는 처음에 당당했던 태도와 달리 갑자기 꼬리를 내렸다. 사실 그녀의 약속을 바꿔 가면서까지 할 얘기는 없었다. 단지 그림을 그리고 싶었을 뿐이다. 그녀의 속 깊은 데서부터 올라오는 그녀의 숨소리를 그리고 싶었던 것이다. 그러기 위해 난 그녀를 좀 더 가까이서 만나야했다.

나는 금세 후회했다. 별일 아니라니……. 그녀와 단 둘이 마주치기를 얼마 벼르고 별렀던가. 그런데 기껏 내 입에서 튀어나온 말이란 게, 별일 아니라니……. 나의 복잡한 기분과 상관없이 그녀는 생긋 한 번 웃어 준 뒤 머리 냄새만 남겨 놓고 가던 길을 계속 갔다. 그녀의 거리낌 없는 뒷모습에 한동안 넋을 잃었다. 내 보기에, 그녀는 나를 의식하고 더욱 경쾌하게 걸어가는 것 같았다.

바보……. 나는 내 자신에 대해 무척 실망했다. 이제 얼마나 더 기다려야 그녀에게 다가갈 수 있단 말인가. 큰 맘 내고 따라와 그녀와 단둘이 맞닥뜨렸는데 기껏 '시간 좀 내주실 수 있어요?'라니. 할 말이 있다고 당당히 했어야지. 아니 잠깐 볼 일이 있다고 했어야지. 아니 선생님의 숨소리를 그리고 싶어요라고 했어야지. 그러면 그녀는 그 자리에서라도 내 말을 들어주었을 것 아닌가. 그랬으면 나는 그녀와 가까이서 마주 한 그 간격만큼 또 그 시간만큼 그녀와 더 가까워질 것 아닌가.

야간 자습 시간은 그야말로 맥이 빠진 시간이었다. 엎드렸다 일어났다 해도 시간이 까먹어지지 않았다. 이런 나를 옆 짝은 이상히 여기지도 않았다. 어차피 나라는 존재는 이 교실 안에서 대학 같은 건 관심도 없는 쪽으로 분류되어 있으니까. 내 보기에 저나 나나 피장파장인데 다들 위장하고 있다. 지금은 대학이라는 괴물에 복종이라도 하는 시늉을 해야 정상적인 인간이라는 듯이.

그녀가 분명히 학교에 있지 않을 오늘만큼은 저녁 시간에 학교에 눌러 붙어 있기가 좀 억울했다. 차라리 집에 가서 발 씻고 자거나, 엄마 가게일이나 도와주는 게 더 마땅한 일이다. 그러나 그럴 수는 없다. 엄마는 내가 당연히 공부를 열심히 해서 대학에 진학하는 줄 알고 있다. 그러니 공부를 하지 않더라도 학생은 학교에 있어야 한다. 그런 이유를 떠나서도 이제 나는 학교에 잠시라도 더 머물러 있고 싶다. 그녀가 약속 때문에 학교 밖으로 나간 게 확실하더라도 학교엔 여전히 그녀의 냄새가 남아 있으니까.

그녀는 오늘 저녁 약속을 누구랑 했을까? 갑자기 그녀의 행적으로 생각의 물길이 이어지기 시작했다. 만나는 사람이 여자일까? 남자일까? 차라리 남자라면 괜찮겠는데 여자면 어떡하지? 나의 일방적인 결정이긴 하지만, 그녀에게 여자는 나뿐만이어야 한다! 그런데 그녀가 자꾸만 여자를 만날 것만 같은 생각이 들었다. 아닐 거야, 선생님들하고 가벼운 저녁 식사 정도의 모임일 거야. 약속을 바꿀 수도 있다고 했잖아. 약속을 바꿀 수 있는 정도면 그다지 심각한 자리에 나가는 건 아닐 거야. 나는 애써 나의 기분을 맞추었다.

이런 저런 생각에 머리가 터질 것만 같았다. 어느 순간엔 내가 왜 그녀한테 붙들려야 하는지 몰라 짜증이 나기도 했다. 그러나 짜증은 잠깐이었다. 이내 곧 그녀의 긴 머리에서 나던 향기가 나를 몽롱하게 해버렸다. 내가 지금껏 맡아보지 못했던 샴푸 냄새였다. 어쩌면 이미 나도 써본 샴푸 냄새인지도 모른다. 다만 그녀의 체취와 어울려 독특한 냄새로 바뀌었는지 모른다.

나는 한참 동안 그녀의 냄새에 몰두했다. 아이들은, 공부를 잘하는 아이든 못하는 아이든 저마다 책상에 코를 박고 있었다. 그들은 지금 무슨 냄새를 맡고 있을까? 나처럼 그녀의 냄새를 기억하며 향기에 취한 이는 없을 것이다. 기껏해야 야식으로 먹을 컵라면 냄새나 상상하고 있을 것이다.

저녁 간식을 먹는 시간이 되었다. 아이들은 저마다 집에서 싸온 간식을 꺼내기도 하고 학교 매점으로 달려가기도 했다. 나는 이 시간을 틈타 집에 갈 채비를 했다. 오늘 저녁 끝까지 학교에 있어보아야 다시 그녀를 만날 일이 없다. 그녀는 이미 학교를 벗어났다. 물론 다른 저녁때에도 그녀가 방과 후 학교에 있을 일은 없었다. 그녀는 여느 정규직 선생님과 달리 야간 자습 당번을 서는 일이 없으니까. 하지만 그녀의 부재를 직접 확인한 일이 없어 막연히 그녀가 학교에서 같이 하는 것으로 여겨졌다. 그러나 오늘은 아니다. 그녀는 오늘 저녁 확실히 부재다. 그렇다면 내가 그녀의 냄새나 붙들고 늦은 시간까지 학교에 남아 있을 이유가 없다. 적당히 담임선생님을 따돌리고 집에나 가자. 담임선생님을 따돌릴 것도 없다. 대학 진학에 가망이 없어 보이는 나 같은 존재는 집에 간다 하면 두말없이 보내준다. 사정하거나 떼쓰거나 거짓말을 할 필요가 없다. 나 같은 부류는 언제나 이유불문하고 무사통과니까.

가방을 챙겨 교실을 나섰다. 아이들도 나를 눈여겨보지 않았다. 그냥 집에 가나 보다 했다. 어차피 남의 인생에 무슨 관심이 있겠는가. 저마다 다 자신의 일만이 심각해서 컵라면 한 젓가락에서도 인생의 쓴맛을 느끼며 먹는 형편이라 남의 인생까지 참견할 여유가 없는 것이다.

시장통에 있는 엄마의 채소 가게로 갈까하다 그만두었다. 아직 학교에 있어야 할 딸래미가 갑자기 나타나면 엄마의 건강지수에 좋지 않은 영향을 끼칠 테니까. 엄마는 내가 무슨 생각을 하는지도 모르고 억척으로 일만 한다. 순진한 것 같기도 하고 바보스러운 것 같기도 하다.

집으로 가는 길은 그녀 때문에 멀었다. 그녀의 행방이 갑자기 나를 불안하게 했기 때문이다. 혹시라도 나를 제쳐놓고 다른 여자를 만나면 어쩌나싶어서였다. 여자의 적은 여자라 하지 않던가. 나 아닌 다른 여자를 만나는 그녀. 상상도 하기 싫다. 그러나 그러면 그럴수록 그 쪽으로 생각이 퍼져가고 집으로 가는 길은 더욱 멀었다.

집에 왔다. 오늘도 나를 반겨주는 이는 없다. 동생들은 텔레비전을 보며 낄낄거리느라 내가 들어오는지도 모른다. 엄마는 자정이 다 되어야 들어 올 것이다. 아빠는? 아빠는 내게 없다. 이미 오래 전에 우리의 울타리에서 사라졌다. 아빠는 막내 동생이 채 돌이 되기도 전에 돌아오지 못하는 곳으로 떠나버렸다. 교통사고는 예고가 없어 떠날 준비를 할 새도 없다. 아빠는 새벽에 도매시장에서 야채를 받아오다 교통사고를 당해 우리 울타리 밖으로 튕겨 나가버린 것이다. 그 이후 아빠는 가끔씩 내 연습장의 그림으로 밖에 존재하지 않는다.

초등학교 고학년이었던 나는 그때부터 사는 일에 아무런 재미를 느끼지 못했다. 모든 게 어이없다고만 느껴졌기 때문이다. 중학교에 들어간 나는 겉돌기 시작했다. 아빠 없이 자식을 키우는 엄마의 바람을 모르는 바 아니지만 나도 어쩔 수 없었다. 내 맘이 내 맘대로 되지 않는데 난들 어쩔 것인가.

그나마 중학교는 같은 반의 반장이던 남자애를 보는 재미로 학교를 다녔다. 순정 만화의 주인공 같은 외모를 했던 아이였다. 그 아이는 웬만한 여자애들보다 더 선이 고왔다. 게다가 공부도 잘하고 운동도 잘했다. 그런 만큼 여자아이들의 우상이 되기에 충분했다. 여자 아이들은 그 애에게 저마다 나름대로 사랑의 표시를 했다 나도 물론 빠지지 않았다. 아빠가 세상을 떠난 이후 처음으로 무언가에 몰두 해보았다. 밤새 연습장에 그 애의 다양한 모습을 그려보았다.

그게 사랑이었을까? 사랑이었는지 모른다. 그 애를 생각만 해도 가슴이 뛰었고, 그 애의 표정을 기억해내며 그림을 그리는 동안은 무척이나 행복했기 때문이다. 그러나 나는 끝내 그림 한 장도 전해 주지 않았다. 나보다 더 어여삐 생긴 사내아이를 사랑하는 내가 어이없었기 때문이다. 그저 학교에 가서 그 애를 바라보는 것만으로 행복했고, 저녁에 그 애의 모습을 떠올려 그림을 그리는 것만으로 만족했다.

어느 점심시간이었다. 서둘러 점심을 먹은 아이들이 운동장에 나가 노느라 교실엔 아이들이 몇 남아 있지 않았다. 나는 내 자리에 앉아 여느 때와 마찬가지로 하릴없이 연습장에 연필 가는 대로 아무렇게나 그림을 그리고 있었다. 그 아이가 내 곁으로 다가왔다.

"무슨 그림이야?"

나는 얼른 연습장을 덮으며 두 손으로 연습장을 눌렀다. 아무렇게나 그린 그림이지만 사실은 그 아이의 이미지도 그려져 있는 것이라 그랬다. 그러나 순식간에 그 아이가 내 손에서 연습장을 빼내 열어젖혔다. 나는 가슴이 콩닥콩닥 뛰었다. 그러나 나는 연습장을 그 애한테서 다시 빼앗는다든지, 소리를 지른다든지 하지 않았다. 그 아이의 행동을 물끄러미 바라보는 것만도 벅차 다른 말이나 행동을 할 수 없었다. 어차피 언젠가는 이런 날이 있을 거라는 생각을 막연하게나마 했기 때문인지도 모른다. 그 아이는 연습장 속지를 한 장 한 장 찬찬히 넘기고 나더니 나를 물끄러미 바라보더니 혼잣말처럼 한마디 했다.

"그림의 눈들이 하나 같이 깊은데……."

나는 그 말이 무슨 말인지 알 듯했다. 연습장엔 쪽마다 여러 인물들의 이미지가 휘갈기듯이 그려져 있었다. 이미지는 아무래도 눈매에 집중된다. 그 아이가 그걸 보고 하는 얘기였다. 인물의 이미지 그림을 그리기 시작한 건 아빠가 세상을 떠난 뒤부터였다. 아빠가 떠오를 때마다 무의식적으로 아빠의 여러 표정을 그리는 버릇에서 생겨났던 것이다. 아빠의 사랑을 놓쳐버린 어린 소녀가 아빠를 곁에 붙들어 놓을 수 있는 유일한 방법이 그것이었기 때문이다. 아빠의 눈매는 그릴수록 깊어만 갔다. 마침내는 아빠 이미지 아닌 다른 이미지를 그리더라도 눈매는 닮아 있었다. 그 애는 그걸 지적한 것이다. 자신을 그렸다고는 미처 생각하지 못했다.

그 애는 한참 동안 나와 그림을 번갈아본 뒤 연습장을 내 책상에 내려놓았다.

그 아이로 해서 두어 해 남짓 참 행복했다. 한 학년에 두 학급밖에 없는 조그마한 학교라 용케도 그 애와 나는 계속 같은 반이었다. 그 애는 학년이 올라가도 계속 반장을 맡았다. 돌아가면서 다른 애가 받을 수도 있는데 왜 그랬는지 모른다. 여자 아이들은 물론 사내아이들까지 그 애를 좋아해서 계속 반장 자리를 맡겼던 것 같다.

그러나 중3 때 그 아이가 서울로 전학을 가 버리는 바람에 나의 학교생활은, 아니 가정생활까지도 죄다 활기를 잃고 말았다. 사실 따지자면 내가 그 아이 때문에 활기를 띠고 말고 할 것이 없다. 나는 먼저 그 애에게 말을 건네 본 적조차 없고, 그 애한테서 개인적으로 말을 들은 것도 딱 한 번뿐이었으니까. 하지만 사람은 말을 하지 않아도 두 사람 사이에만 흐르는 미세한 전파를 통해 할 말을 다하는지도 모른다. 그 애는 내 연습장 그림을 보고 한 마디 함으로써 자신이 내게 할 말을 다한 것이다. 나는 그림을 통해 내가 그 애에게 할 말을 이미 다 했고……. 물론 그림은 알아보는 이만이 알아보고, 말도 알아듣는 이만이 알아듣는다.

그 아이는 서울로 전학 간 뒤 아무런 소식을 보내오지 않았다. 다만 소도시에 흘러다니는 소문만 뒷소식으로 남았다. 시장통에서 일수놀이를 하던 그의 홀어머니가 어느 날 갑자기 식솔을 이끌고 야반도주했다는, 그렇고 그런 말들이었다. 나는 그 애의 엄마를 본 적이 없다. 그래서 일수놀이니 야반도주니 하는 말을 남긴 그 애의 엄마를 떠올릴 수 없었다. 그러니 그런 엄마와 그 애의 이미지를 연결시킬 수도 없었다. 그게 다행인지 어쩐지는 모르겠다. 다만 사실이 그랬다는 것이다. 얼마 후 소문은 잦아들었고, 그 아이의 얼굴도 내 속에서 지워져 갔다. 세월은 그토록 힘이 셌다.

그 이후 내 인생 속에는, 아니 내 연습장 그림 속에는 그림을 그리는 나 아닌 다른 사람은 끼어들지 않았다. 심지어는 아빠도 끼어들지 않았다. 완고했다. 어느 누구도 그릴 것을 허락하지 않는 나의 연습장. 어쩌면 끼어들 틈이 없었는지 모른다. 그 아이는 서울로 가면서 내 삶의 활기까지 다 가져가버렸다. 그러나 그건 그 아이 책임이 아니다. 그런데도 마음이 스산한 건 어쩔 수 없었다. 그 아이의 얼굴이 가물가물해질 때까지는. 그때부터 내 연습장엔 내 모습인지 아닌지도 모를 복잡한 이미지를 가진 표정들이 그려지기 시작했다. 그렇게 중학생활이 끝나고 고등학생이 되었다.

지금은 고3. 대한민국에서 고3은 아주 특별한 존재이다. 산삼 인삼 해삼보다 더 조심히 다루어야 하는 게 고삼이란다. 그러나 나 같은 부류는 조심히 다루고 말고 할 것이 없다. 입시에 목을 다는 고3이 문제지 나 같은 '적당파'가 뭐가 문제겠는가 그런데도 엄마는 '고 3이 얼른 끝나야 자유로울 텐데…….' 하면서 나를 걱정한다. 그러나 나는 그런 걱정에도 아무런 감동을 느끼지 못한다. 나는 진정한 의미의 고3이 아니니까.

나라고 대학에 왜 욕심이 없겠는가? 다만 다른 아이들처럼 아득 바득해서까지 대학 갈 생각이 없을 뿐이다. 가능하다면 만화나 시각 디자인 같은 걸 배우는 학과로 가면 좋겠지만 그게 어디 내 뜻대로 될 일인가. 특별히 실기를 준비하는 것도 아니고, 그렇다고 내신 성적이 좋을 리 없고 수학능력시험을 잘 치를 재주도 없으니 그야말로 팔자 풀리는 대로 살아야 할 판이다.

하긴 뭐 이 좁아터진 소도시에서 공부를 잘해봐야 얼마나 잘 하겠는가? 전교 1등을 한다 해도 특별시의 국립대학은커녕 광역시에 있는 국립대학에 진학하기에도 벅차다. 그러니 공부를 잘하나 못하나 오십보백보이니 나는 아예 대학 욕심을 내지 않고 흘러

가는 대로 내 자신을 맡기고 있는 것이다.

내가 대학 입학 시험을 앞둔 고3으로서 하는 일이라곤, 아니 고3 시간을 때우기 위해 몸부림치는 것이라곤 시도 때도 없이 연습장에 습관적으로 그려대는 그림뿐이다. 그것도 남이 아니라 어쩌면 나의 복잡한 속내를 이상한 이미지로 잡아내어 그려대는 것이다. 엄마가 알면 무척 서운하겠지만 사실이 그러하다.

그러다가 그녀가 출몰한 뒤로부터 내 연습장은 온통 그녀의 모습으로만 꽉 채워졌다. 그녀는 천의 얼굴을 가진 사람이다. 앞에서 보는 이미지 다르고, 왼쪽에서 보는 이미지 다르고, 오른쪽에서 보는 이미지 다르다. 그러니 내 연습장 그림의 주인공으로는 딱이다. 그럼에도 아직 뭔가가 덜 채워졌다. 무엇보다도 그녀의 숨소리까지 그려지지는 않는 것이다.

나는 씻을 생각도 없이 연습장을 꺼내 그녀의 이미지가 떠오르는 대로 그림을 몇 장 그렸다. 그러고도 뭔가 채워지지 않는 게 있어 교복을 사복으로 갈아입고 집을 나섰다. 딱히 어디를 가겠다고 작정하고 나선 것은 아니다. 그저 밤길을 걷고 싶을 뿐이었다. 어느 순간 내 걸음은 교사들 사택이 있는 골목 쪽으로 가고 있었다. 여느 때 같으면 일부러 이쪽을 갈 일이 있어도 돌아가는 곳이었다. 혹시라도 아는 선생님을 만나게 되면 민망할까 봐 그러는 것이었다. 그런 내가 오늘은 어쩐 일로 이쪽으로 걸어왔는지.

속으론 그녀를 만나면 좋겠다는 생각을 했다. 그런 한편으론 만나지 않았으면 좋겠다는 생각을 했다. 한참을 사택 입구에 서 있었지만 그녀는 나타나지 않았다. 벌써 약속이 끝나고 집으로 들어갔는지 모른다. 그러나 어느 집에 사는지는 몰라 불 켜진 층을 보고도 그녀의 거처는 확인할 수 없었다. 결국 오늘은 아무 일도 일어나지 않았다. 다행이라 생각했다.

한 주가 지나고 보름이 지났다. 내 마음과 상관없이 그녀는 아무 일 없다는 듯한 표정이다. 그런데 그녀를 두고 요 며칠 사이 학교에 이상한 소문이 돌았다. 원어민 교사인 그녀가 동성애자라는 것이었다. 심지어는 원래 남자인데 여자로 성전환했다는 소문까지 나돌았다. 사택 골목길에서 어떤 여자랑 포옹하는 장면을 보았다느니, 인터넷 어느 사이트에 가면 어떤 여자랑 다정히 팔짱을 끼고 있는 그녀 사진을 볼 수 있다느니 하는 소문이 그럴싸하게 났다. 나는 팍 웃음이 나왔다. 그녀가 동성애자이든 성전환자이든 그게 무슨 문제가 있단 말인가? 현재의 그녀 모습, 나는 그 모습에 붙들려 있을 뿐이다. 단지 그녀의 숨소리까지 그릴 기회를 얻지 못한 것만이 안달 날 뿐이다 그리고 그녀 곁에 다른 여자만 없기를……

자신에 대해 어떤 소문이 도는 걸 아는지 모르는지 그녀는 여전히 청초하고 당당한 모습으로 수업을 진행했다. 나는 여느 수업 때와 똑같이 그녀를 그리기 시작했다. 오늘 그녀는 내 쪽을 다른 때보다 많이 바라보아주었다.

영어 수업 시간이 끝났다. 바로 점심시간으로 이어졌다. 아이들은 급식을 먹기 위해 부산을 떨었다. 그러나 나는 지금 밥이 문제가 아니다. 그녀를 조심히 뒤따르고 말고 할 여유도 없다. 더 이상 기다릴 수가 없다! 정면에서 막 바로 부딪쳐야 할 만큼 급박했다. 그래서 부리나케 연습장을 챙겨들고 교실을 뛰쳐나갔다. 그녀는 벌써 복도 끝의 계단을 내려가고 있었다. 내가 뒤쫓아 가고 있는 것을 알아차린 그녀가 걸음을 멈춰 섰다.

그녀가 부드럽게 싱긋 웃었다.

"저번엔 약속이 있어서 미안했어요. 내가 도와 줄 일이라도 있나요?"

나는 고개를 끄덕였다.

"뭐지요?"

그녀는 여전히 말을 놓지 않고 정중히 대했다.

나는 불쑥 연습장을 내밀었다.

"이 그림에 숨소리를 넣어주세요."

그녀가 연습장을 받아 들었다. 그녀가 가느다란 숨소리를 내며 한 장 한 장 넘길 때마다 내 숨소리가 더 커지는 걸 느꼈다. 커지다 못 해 숨이 막힐 지경이었다.

연습장을 다 넘겨 본 그녀가 내 손을 잡아끌었다. 나는 그녀가 이끄는 대로 따라 갔다. 아래층 복도 구석에 있는 어학실이었다. 그녀가 오기 전까지는 어학실이라는 명패만 달려 있었지 드나드는 사람도 없이 버려져 있다시피 한 공간이었다.

어학실에 들어가자 그녀한테서 더욱 향긋한 냄새가 났다. 무슨 향기인지는 모르겠지만 그녀에게 딱 어울리는 냄새였다. 뭔가 할 말이 있을 것 같았는데 막상 그녀와 밀폐된 곳에 단 둘이 있게 되자 머릿속이 멍했다. 점점 그녀의 냄새에 취해 가는 것만 같았다.

그녀가 연습장 그림을 다시 펼쳐보며 웃었다.

"수업 시간에 늘 그리던데, 여기 모델이 나인가요?"

나는 말없이 고개를 끄덕였다.

"멋져요! 정말 멋져요!"

그녀가 약간 호들갑스럽다 할 정도로 감탄사를 연발하더니 나를 덥석 안았다. 나는 엉겁결에 그녀의 품에 안기게 되었다. 보기보다 그녀는 키가 훨씬 더 컸다. 엉겁결에 그녀의 단단한 두 젖퉁이 사이에 얼굴이 묻혔다. 그녀의 젖가슴 깊은 곳에서 딸기 향내 가 났다.

아까는 막연히 향긋한 냄새라고 느꼈던 바로 그 냄새. 딸기 향내를 맡는 순간 이제 그녀의 냄새까지 그릴 수 있을 것 같다는 생각이 떠올랐다.

잠시 나를 내려다보는 듯하던 그녀는 내 얼굴을 두 손으로 감싸더니 자신의 입술을 내 입술 위에 포개었다. 나는 흠칫했다. 늘 갈망하던 일이었지만 실제 상황은 처음이었다. 그러나 피하고 싶지 않았다. 그녀는 너무나 자연스러웠다. 그녀의 숨소리가 나에게 가장 가까운 거리에서 전해졌다. 나는 점점 정신이 아득해져갔다. 그녀의 숨소리가 커져갈수록 그녀 안에서 나는 부드러운 딸기처럼 자연스레 으깨어지고 있었다. 딸기 향내가 이제 온 실내에 가득 차는 듯했다. 이 향내 속에서 그녀의 숨소리를 영원히 놓치지 않고 싶다. 나는 그녀의 숨소리 따라 점점 그녀 안으로 깊이 빠져 들어갔다. 그녀 안에서 나는 돌아간 아빠를 느꼈고, 나만 믿는 엄마를 느꼈고, 말 한 마디로 할 밀을 다한 중학교 때 반장 아이를 느꼈다. 그리고 마침내 나를 느꼈다. 내가 무엇인지조차 미처 모르던 나. 이제야 비로소 나를 느낀 것이다. 그녀 안에서 나는 깊어진 것이다.

정신을 차리고 보니 한낮을 바로 지난 햇살이 어학실 창문으로 쏟아져 들어왔다. 그녀는 벽 쪽을 마주하고 콧노래를 부르며 차를 탔다. 그녀의 등을 보고 있노라니 그녀가 미끈한 고래처럼 느껴졌다. 나는 고래의 등을 타고 깊고 깊은 바다를 헤엄치다 막 돌아온 것만 같았다 내가 그토록 노리던 그녀가 바로 내 앞에 있다. 하나의 이미지로 잡히지 않던 그녀 하나의 이미지로 규정할 수 없던 그녀. 그녀가 미끈한 고래가 되어 내 앞에 있다. 어학실 문 앞으로 지나가는 아이들이 흘깃흘깃 안을 들여다보기도 했다. 그러나 나는 다른 이이들의 눈을 전혀 의식하지 않게 되었다. 그녀 역시 바깥을 전혀 의식하지 않았다.

"숨소리를 넣어달라고 했나요? 그런데 사람은 남의 숨소리가 아니라 자신의 숨소리를 의식하며 살 때 가장 사람답지요."

마치 나를 꿰뚫어 보고 있는 것 같았다. 아니, 자신에 대해 떠도는 소문을 다 알고 있으면서도 애써 모르는 체 하는 것 같았다.

"나는 첫 수업시간 때 이미 다 알았어요. 나를 의식하는구나라고 말이에요. 이제 타인을 의식하지 말고 자신을 깊이 들여다보세요. 자신의 숨소리가 어디까지 미치는가를 들여다보고 그걸 그림으로 그려보세요. 그림 속에서 남의 숨소리가 아니라 오로지 자신의 숨소리가 느껴지도록 말이에요. 그럴수록 사람은 깊어지는 거예요."

그녀가 차 한 잔과 빵 한 조각을 내밀었다. 나는 그녀와 무릎이 닿을 정도로 가까이 앉아 점심으로 그녀가 준비한 것들을 먹었다. 간소하지만 내겐 뜻밖의 성찬이었다. 그녀와 둘이서 점심을 먹다니! 그녀가 연습장을 돌려주며 아무런 말도 하지 않았다. 그러나 나는 그녀가 무슨 말을 하려는 것인지 알 수 있었다. 이미 우리는 말없이 말을 통하는 사이가 된 것이다. 두 연인은 동시에 서로 똑같이 사랑할 수 없다고 하지만 우리 사이는 아니라고 느꼈다. 우리는 한쪽이 사랑하는 만큼 다른 쪽도 사랑하는 것이다. 내가 그녀를 처음 보는 순간 망설일 새 없이 바로 그녀를 택했듯이, 그녀는 지금 이 순간만큼은 나를 택했다. 어쩌면 그건 선택의 문제가 아니다. 운명이라고밖에 할 수 없는 일이니까 운명은 선택의 영역 밖에 있다. 그렇다면 운명 아닌 사랑이 어디 있으랴. 아 마침내 사랑에 이르렀구나. 하긴 내 나이 이미 이팔 청춘을 지났는데 사랑으로 나아가지 않고 어찌 살 수 있을 것인가. 그 옛날 이몽룡과 성춘향은 나보다 더 어린 이팔 십육 세 나이에 이미 업고 놀고, 벗고 놀고, 그것도 부족해 말 놀이까지 하며 놀지 않았던가. 그에 비하면 나의 사랑은 참으로 더디 온 것이다.

종이 울렸다. 고래 등을 타고 깊은 바다를 항해하는 일을 잠깐 멈추어야 한다. 오후 수업이 시작된 것이다.

나는 교실로 돌아오자마자 연습장 표지에 매직펜으로 '너는 깊다'라고 굵고 진하게 썼다. 소녀의 목에 매달린 어린아이 그림 바로 위에.

박상륭 문학의 시학: 시로 쓴 소설, 소설로 쓴 시

박경장

시와 소설은 문학에서 각기 운문과 산문이라는 두 갈래 글쓰기를 대표하는 양식이다. 무엇이 문학 글쓰기 양식을 두 갈래로 갈라놓았을까, 라는 물음은 시와 소설의 차이를 묻는 것만큼이나 따분하고 도식적으로 들릴 것이다. 하지만 문학 장르에도 경계가 무시되고 해체되며 자유로이 넘나드는 것이 오히려 자연스럽게 여겨지기까지 하는 지금, 되돌아가 갈래의 지점을 새삼 살펴보는 것은 오늘날 문학글쓰기 작법 또는 그 '속'을 들여다볼 수 있는 실마리를 제공해 줄지도 모를 일이다. 내심 작가 박상륭 문학의 '속'을 들여다볼 수 있는 열쇠구멍 하나 제공할 수 있을 것이라는 믿음 때문이다.

박상륭은 진정한 의미에서 우리 문단에 '청소년문학'이라는 분야를 개척했으며 지금도 그 중심에 있는 작가다. 청소년문학 외에도 그는 아동문학에서 성인 문학까지, 동화에서 희곡까지 운문과 산문을 자유롭게 넘나들며 여러 갈래 글을 써온 '글쟁이'다. 그만큼 작가 박상륭은 문학의 여러 갈래 글쓰기를 통해 운문과 산문의 속성을 자신의 문장과 글 속에 자유롭게 담아내고 표출할 수 있는 작가다. 특히 그의 소설문학은 '시적 서정'을 소설의 세계로 승화시키고 있다는 점이 두드러지는데, 이는 일찍이 이효석 문학이 보여 주었던 아름다운 산문 세계이기도 하다. 필자는 박상륭 문학, 특히 산문문학 갈래인 소설의 특정이 시적인 소설에 있다고 생각한다. 운문의 속성을 산문의 틀 안으로 최대한 들여와 '시 같은 소설'을 창조했다고 보는 것이다. 이것이 여타 다른 청소년문학 소설들과 그의 소설을 구별 짓게 하는 가장 큰 특정이며, 곧 박상륭 문학의 '시학'이라고 생각한다. 이런 이유로 박상륭 문학의 시학, 그 속을 살펴보기 위해 운문과 산문이라는 문학글쓰기의 두 갈래의 경계를 비록 도식적이나마 살펴보고, 박상륭의 대표소설 에서 어떻게 이 두 경계를 자유롭게 넘나들며 시 같은 소설을 창작했는지 살펴보기로 한다.

우선 동서양은 각기 산문을 '흩어지는(散), 앞으로 내달리는(prose, strait forth)' 글쓰기 양식으로 규정짓고 있다. 소설 관점에서 보면 산문형식이란 이야기가 '기승전결'

같은 선형(線形)구조를 갖고 있어 이야기를 구성하는 제 요소들이 어떤 방향성을 갖고 '앞으로 내달리는' 글쓰기 양식이라는 말이다. 수필 관점에서 보면 산문형식이란 특별한 방향 없이 자유로이 '흩어지는' 글쓰기 양식이라는 말이 되겠다. 반면에 운문을 동서양은 각기 '운(韻)이 있는, 돌아오는(verse, turned)' 글쓰기 양식으로 규정짓고 있다. 그러니까 운문을 대표하는 시는 같은 또는 비슷한 소리나 리듬이 반복돼 돌아오는 글쓰기 양식이라는 말이다. 물론 소리와 더불어 선택된 시어들도 의미상으로 서로 결합하고 대립하면서 중심 주제를 여러 방면에서 환기시키는 글 양식이다. 구조상으로도 산문이 흩어지려 한다면 운문은 모이려한다. 산문소설이 이야기 속 사건과 인물의 행동에 대한 설득력 있는 인과관계를 제시한다면, 이야기나 행동보다는 발화 자체가 중심인 시는 이미지나 비유, 상징 등의 시적 장치를 통해 직접적인 의미 전달보다는 독자의 정서를 간접적으로 환기시키려 한다.

소설에서 방향성을 갖고 내달리게 하는 것을 '플롯'이라고 한다. 플롯은 이야기와 사건을 구성하고 발전시켜나가는 소설의 내적 구성 원리이다. 플롯은 건물 설계도와 유사한 소설 설계도라고도 말할 수 있는데, 이 설계도에 따라 작가는 이야기를 구성하는 인물과 사건을 발전시켜나간다. 발전시킨다는 것은 어떤 방향성을 가지고 이야기와 사건이 결말을 향해 선형적인 운동성을 지닌다는 말이다. 플롯은 이야기나 서사가 운동성을 갖도록 인과관계를 부여하는 소설의 내적 구성 원리이다. 반면에 시는 정해진 한 방향으로 발전시켜 나가는 선형적 운동보다는 중심을 향해 원 주위를 빙빙 도는 듯한 환형(環形)적인 운동성을 지닌다고 할 수 있다. 시가 행과 연이라는 고유의 기본 틀을 갖는 것은 시가 지니고 있는 고유한 리듬과 운율 때문이다. 시는 처음부터 음악과 자연스럽게 연계를 맺고 있다. 시의 운율은 말이 내는 소리와 의미의 단위인 호흡이 어우러져 만들어내는 일종의 음악이다. 음악은 기본적으로 일정한 유형을 지닌 리듬의 반복과 변주로 이루어진다. 그러니까 음악이란 기본적으로 앞으로 나아가면서도 다시 돌아와 반복하는 환형운동으로 이루어진다고 말할 수 있다. 사람의 눈은 새로운 것에 더 잘 반응하지만 귀는 친숙하고 익숙한 것에 더 잘 반응하는 까닭이다.

운율 외에 고도로 농축된 언어선택과 사용방식에서도 시는 소설과 차이를 보인다. 소설에서 설계도 같은 플롯을 진행시키고 짜나가는 주요 동인은 '갈등'이다. 소설은 기본적으로 선형적 운동방향성을 갖고서 갈등을 발전시켜 나간다. 그러니까 플롯을 구성하는 제 요소들, 인물, 배경, 사건 등등은 모두 갈등을 일으키고 발전시켜 나가기 위한 소설 장치라고 할 수 있다. 흔히 문체라고 하는 어휘의 선택과 표현 방식은 갈등을 묘사하거나 생성 발전시키는 데 발휘되는 작가의 개성이다. 하지만 소설에서 문체는 어디까지나 소설 플롯을 짜나가고 발전시키는 목적에 알맞게 선택되어야 한다. 갈등에 의한 플롯의 발전에 기여하지 못하고 따로 노는 '문체를 위한 문체'라면 그 소설은 내용과 상관없이 이미 좋은 소설이 못 된다. 시에서 선택된 언어와 표현은 서로 역동적으로 밀고 끌어당기면서 어떤 중심을 향해 환형운동을 한다. 직설적으로 중심 생각을 드러내기 보다는 오히려 비유나 심상 등을 통해 독자의 마음에 감각적 정서를 불러일으키려 한다. 그래서 시어는 소설에서보다 훨씬 함축적이고 비유적이며 이미지 울림이 큰 어휘를 선호하게 된다. 박상률 산문문학의 특정은 바로 소설이라는 이야기 형식의 글틀을 기본적으로 유지하면서 시라는 운문문학의 특성을 최대한 들여와 소설 속에 시적인 서정세계를 구축하는 데 있다.

‖

《봄바람》은 훈필이라는 열세 살 사춘기 소년의 관점에서 그것도 현재시점으로 "나는 누구인가." "나는 왜 어떻게 내 또래들과 다른가."라는 물음을 던지며 주변 사람과 사물, 세계와 갈등하며 이해해가는 과정을 그린 이른바 청소년 성장소설이다. 성장소설이라 하더라도 《봄바람》은 기존의 우리 문단에서 볼 수 있는 성인의 관점에서 유년이나 청소년 등 성장기 시절을 돌아보며 회고담 형식으로 쓴 성인 소설이 아니다. 청소년기의 이성과 감성으로 느끼고 판단하며 청소년기의 몸으로 경험하고 이해한 세계를 청소년의 입을 통해 청소년의 귀에 대고 이야기하는 청소년 소설이다. 《봄바람》 이후 십여 년 동안 청소년을 주독자로 상정한 청소년 성장소설이 봇물처럼 터져 나왔다. 그 결과로 우리문단에도 주제와 형식면에서 일정한 공통점을 지닌 청소년 성장소설이라는 하나의 소설 갈래가 생겨나게 됐다.

이렇게 박상률은 우리 문단에 본격적으로 청소년 성장소설이라는 하나의 소설 갈래를 연 장본인이다. 하지만 그의 소설 세계에는 내용과 형식면에서 이후 다른 청소년 성장소설에게서는 좀처럼 찾아보기 힘든 것이 있다. 바로 '시 같은 소설 세계'의 구축이다 운문의 속성 즉 시적인 기교와 서정을 소설 세계로 들여와 독특한 시적 소설 세계를 이루고 있는 것이다. 청소년 성장소설 갈래에서 그의 첫 작품이자 대표작이라 할 수 있는 《봄바람》에서 그는 이미 자신만의 시적 서정이 넘치는 소설 세계를 구축해놓고 있다. 이런 시 같은 소설 세계는 정도의 차이는 있으나 그의 다른 소설에서도 강하게 느껴지는 박상률 소설문학의 특징이다. 이는 소설을 하나의 문학작품이게 하는 힘 또는 내적 구성 원리로서 박상률문학의 시학이라 하겠다.

《봄바람》에서 시적 서정 세계를 구축하기 위해 작가가 등장시킨 인물이 동냥치 '꽃치'다. 훈필의 내적 성장에 관한 이야기가 이 소설의 주 플롯을 이룬다면 꽃치에 관한 이야기는 부 플롯(sub-plot)에 해당한다. 하지만 꽃치에 관한 곁줄기 이야기가 없었다면 이 소설은 여타 청소년 성장소설과 별반 달라지지 않았을 것이다. 훈필은 자신의 내적인 성장을 꽃치에 대해서 자신이 가졌던 생각과 이해의 변화를 통해 확인한다. 이 확인 과정에서 훈필을 통해 진술되는 꽃치에 관한 이야기와 묘사는 이 소설 전반에 걸쳐 시적인 서정세계를 구축하는 역할을 한다. 훈필을 통해 관찰되는 꽃치는 성격을 지닌 생동감 넘치는 소설적 인물이라기보다는, 오히려 상징이나 이미지 같은 시적 기능으로서 역할이 두드러진다. 망태기에 계절에 따라 바뀌는 꽃을 꽂고 고개를 넘어오는 꽃치의 몸은 한 폭의 그림으로, 넘어오는 꽃치의 노래는 한 대목의 소리로, 넘어오는 꽃치의 세월은 한 편의 시로 소설 전반에 걸쳐 서정적인 분위기를 창조한다. 훈필이가 외부에서 겪는 갈등이 주 플롯을 이루며 서사(narrative)를 앞으로 끌고 간다면, 꽃치를 매개로 외부 갈등을 내면으로 끌고 와 그 의미에 대해 성찰하는 부 플롯은 시적 깨달음으로 서정세계를 구축한다. 이렇게 산문 서사와 운문 서정을 씨줄 날줄처럼 솔기 없이 자연스럽게 엮은 것이 《봄바람》이다. 이는 여타 다른 청소년 성장소설과 구별 짓게 하는 이 소설의 힘이며, 박상률 문학의 시학이다.

성장을 위해 훈필이가 겪어야할 필연적인 갈등의 시작은 '갇힘에 대한 인식'에서 온다. 훈필은 어느 날 갑자기 자신이 갇혀있다는 생각을 하게 되는데, 자신이 낳고 자란 진도라는 섬이 답답하게 느껴지기 시작하는 것이다. 봄바람에 묻어온 뭍에 대한 소식에 훈필의 마음은 살랑인다. 훈필에겐 뭍은 세상으로 나있는 출세의 관문으로, 갇힌 섬에서는 꿈꿀 수 없는 무한한 가능성과 화려함과 모험으로, 그리고 무엇보다 갇힘에서 벗어난 자유로움의 상징으로 비친다. 뭍에 가보지 못 한 훈필은 뭍의 자유에 대한 동경을 동냥치 꽃치를 통해 간접적으로 표현한다. "그를 두고 누가 뭐라 하든, 남들이 무슨 생각을 하든 꽃치는 오면 가고, 기면 온다. 오고 가는 절기처럼 자연스럽게 오고갈 뿐이다(《봄바람》 124면)." 훈필에게 꽃치는 봄바람처럼 계절 따라 오고 가는 바람 같은 자유의 상징이다. 섬과 뭍 사이를 자유로이 오고가며 뭍의 냄새를 싣고 오는 봄바람 같은 시적인 이미지다. 그러므로 훈필은 뭍으로 대변되는 추상적인 자유의 의미를 봄바람같이 절로 오고가는 꽃치로 대상화하여 느끼기 시작하는 것이다.

다음으로 훈필이가 갇혀있다고 느끼는 물리적 공간은 학교다. 학교는 담임선생님으로 대표되는 말의 세계를 대변한다. 훈육과 교육이라는 명목으로 담임선생님으로부터 쏟아지는 말은 훈필의 정신을 가두는 또 다른 교실이다. 생각의 둘레를 말로 두른 정신의 벽인 것이다. 이런 말의 갇힘으로부터 해방의 가능성을 훈필은 꽃치의 침묵에서 발견한다. "가루는 칠수록 고와지고 말은 할수록 거칠어지기 때문에 일부러 말을 하지 않는 걸까?(95면)" 훈필이는 한 번의 떠남과 돌아옴의 경험을 통해 말수가 적어지고 자기 또래의 아이들보다 웃자람을 느끼게 된다. 말은 세계의 겉모습만 드러낼 뿐이다. 짧은 경험이지만 훈필이가 동경해왔던 뭍으로의 가출을 통해 뭍의 세상은 그가 생각한 것처럼 그렇게 단순하지 않음을 깨닫는다. 세상은 학교와 담임선생님으로 대표되는 '말'로써 설명될 수 있는 것보다 훨씬 복잡했다. 훈필이는 단지 말이 지시하는 외연적 의미보다는 말 뒤에, 속에 담겨진 내연적이고 함의적인 의미의 중요성을 알아가기 시작한다. "이제 나는 '선창'이라든가 '항구 '라든가 '물새'라는 말들이 말 이상의 깊은 뜻을 지니고 있다는 걸 알게 되었다(175면)." 이는 단지 사물의 이름을 지시하는 말의 사전적(denotative) 의미보다는 어떤 추상적인 생각을 암시하거나 모종의 감정을 일으키게 하는 말의 함의적(connotative)의미를 깨닫는 것이다. 말이 지닌 함의를 최대한 이용하려는 문학 갈래는 소설이라기보다는 시다. 이 소설 속에서 훈필이가 내면의 성장을 통해 깨우친 삶의 진리를 구체적으로 드러낸 산문적 진술은 없다. 다만 그의 성장은 주로 꽃치에 대한 시구 같은 묘사를 통해 간접적으로 암시될 뿐이다. 이런 면에서 봄바람의 표면구조(surface structure)로서 서사(narrative)가 선형적인 산문구조의 씨실이라면, 심층구조(deep structure)로서 꽃치에 대한 시적 묘사는 반복적으로 가로지르며 서사에 숨겨진 의미를 짜는 운문구조의 날실이라 할 수 있을 것이다.

사춘기 소년 훈필이의 내적인 성장이라는 《봄바람》의 주 서사는 꽃치의 말과 노래와 삶에 대한 시적인 이해가 최고조에 이르렀을 때 그 정점에 이른다. "그의 노래는 그의 말이다. 그의 노래는 그의 삶이다(146면)." 그 정점에서 훈필이는 비로소 실존적 고독을 느낀다. "사람이 그립다. 나는 비로소 외로움이라는 말을 나에게도 쓸 수 있게 되었다(145면)." 실존적 고독이라는 자아의 개체성에 대한 눈뜸도 훈필이에겐 외로움이라는 '말'을 통해 온다. 그 말에 대한 눈뜸은 주변 사람과 세상의 겉모습만을 지시하는 말이 아니라, 지시적 기능을 넘어서 의미의 함의와 정서적 환기라는 말의 시적인 기능에 대한 눈뜸이다. "나는 그가 말을 했다는 사실 그 자체보다도 그의 말에서 뜻밖에도 꽃냄새가 맡아지는 것이 더 놀라웠다.(208면)"는 기막힌 표현에 이르러서는 갈등과 실패를 통해 삶의 진실에 다다르는 소설 속 인물로서 훈필이가 느껴지기보다는, 포착하기 힘든 삶의 참 모습을 시적인 표현 속에 추상화시키거나 암시하는 시인으로서 훈필의 모습이 느껴진다. 그만큼 그는 다른 또래보다도 웃자랐다는 방증이다.

　이처럼 이 소설은 훈필의 길등과 도전 실패와 좌절이라는 성장소설서사가 한 축을 이루고, 훈필의 꽃치에 관한 관찰과 묘사라는, 시적 서정과 이미지 창조가 또 한축을 이룬다. 소설과 시로서 대표되는 산문과 운문의 특성을 한 작품 속에 이렇듯 잘 버무려 빚어낸《봄바람》은 이후 박상률 산문문학의 전범이 된다.

Ⅲ

　박상률의 또 다른 청소년 성장소설《밥이 끓는 시간》에서는 시적인 것이 아니라 시를 통째로 소설 속으로 들여온다. 다만 본문 서사의 한 부분으로서가 아니라 각 장 본문 앞에 제사(題詞)형식으로 도입한다. 작가나 작중 인물의 입이나 의식을 빌려서 쓴 시가 아니라 기성 시인의 시편 중에서 한 두 연을 발췌한 것이다. 문제는 스물두 장으로 나뉜 장마다 제사형식으로 인용한 스물두 개의 시편들이 본문 서사와 어떤 유기적 관계를 맺고 있느냐이다. 흔히 제사는 소설(또는 시)본문 내용을 함축적으로 암시한다거나, 비유나 상징으로 기능하면서 본문 내용에 어떤 시적인 서정과 이미지의 울림을 더해주어 전체 소설의 의미를 훨씬 풍요롭고 깊게 하는 매개역할을 한다. 구조적 측면에서 본다면 흩어지려고, 앞으로 내달리려고 하는 산문을 어떤 운문적 중심으로 모이도록 하는 기능을 한다. 이는 문학서사에서 장르와 작품 상호간 대화(intertextuality)를 통해 무한히 확장하려는 텍스트(text)의 속성을 최대한 활용하려는 한 방편이기도 하다. 단 역동적이고 창조적인 독자의 참여와 대회가 개입되어야만 텍스트는 무한히 확장될 수 있다.

　《밥이 끓는 시간》은 엄마의 때 이른 죽음과 아빠의 실질적인 부재 속에 열세네 살 소녀 가장이 되어야 했던 순지의 청소년 성장소설이다. 청소년 성장소설이라고 하지만 흔히 청소년기에 겪는 '나는 누구인가'라는 자아 정체성에 대한 고민과 방황에 관한 소설이 아니다. 자신도 어찌할 수 없는 외부 환경으로 인해 청소년기를 훌쩍 뛰어넘어 곧장 성인세계로의 진입을 통해 삶의 진실에 눈뜨게 되는 성장소설이다. "어른들이 만들어 내는 그림자 속으로 서서히 빨려 들어"가 " 음지 식물이나 습지 벌레처럼 밝은 걸 어색해하고 어둠에 더 익숙해져 버"려 "햇볕보다는 햇볕이 만들어내는 그림자에 더 익숙해져 버(《밥이 끓는 시간》 34면)"린 사춘기 소녀의 가슴 아린 이야기다. 당당하지 못한 어른들이 뒷모습만 남기고 떠나버린 가족을 지켜야만 한 소녀가장의 이야기다. 생리도 하지 못할 만큼 자신의 사춘기 몸과 마음을 돌볼 수 없었던 가녀린. 하지만 서둘러 성인이 되어야 했던 가슴 아픈 성장소설이다. 이는 국민소득 이만 불 시대에도 엄연히 존재하는 우리 사회의 슬픈 한 단면인 것이다.

순지 가정의 불행은 엄마가 뺑소니 자동차 사고를 당하고 나서부터 하나둘씩 줄줄이 이어진다. 첫 장 〈이 풍진 세상〉은 사고 후 실어증을 앓고 있는 엄마와 회사가 부도난 뒤 술로 하루하루를 보내는 아빠 사이에서 언제 가족이 깨질지 모르는 불안을 순지를 통해 그려내고 있다. 비록 아빠가 술만 먹으면 엄마를 때리지만 순지는 그런 아빠를 비난하지는 않는다. 술에 취해 '이 풍진 세상'을 부르며 인력시장에서 돌아오는 아빠의 어깨에 매달려 흔들리는 연장 가방에 눈이 가고, 반응을 잃어버린 막대기 같은 아내에 대해 "뭐라고 말 좀 해" 보라고 절규하는 아빠 목소리에 귀 기울이며, 손을 뻗어 아빠에게 맞아 뜯겨져 나간 엄마의 윗도리 단추와 벗겨진 브래지어를 제자리에 맞춰주고 앞섶을 여며준다. 수돗물 소리가 주인집 방문 틈에서 새어 나오는 텔레비전 소리와 겹쳐져 나는 소리조차 순지 귀에는 '이 풍진 세상'으로 들린다. 순지는 자신과 가족에게 불어 닥친 불행을 누구 탓으로 돌리기보다는 '이 풍진 세상' 탓으로 돌리는 것 같다. 이런 첫 장 도입부의 분위기를 작가는 조운의 시 〈무꽃〉에서 발췌한 제사를 통해 더욱 넓고 깊게 확장시킨다. "무꽃에 번득이는 / 흰나비 한 자웅이 / 쫓거니 쫓기거니 한없이 / 올라간다(11면)." 원문에서 발췌해 제사형식으로 새로운 문맥(context)에 놓인 시는 새로운 의미를 띠게 된다(intertextuality). 시편 자체로 보면 나비 한 쌍의 아름다운 사랑 장면이 연상되지만, 소설 본문 내용과 관련지어 보면 사랑하는 나비자웅의 날갯짓 뒤에는 어딘지 모르게 숨은 바람이라도 몰아칠 것 같은 불안감이 느껴진다. 이런 상반된 느낌은 한편으론 사랑하는 나비자웅처럼 한때 행복했던 순지 엄마 아빠를 연상케 하면서도, 또 다른 면에서는 한 순간의 사고로 부부와 가족이 깨질 수 있다는 나비부부 사랑의 덧없음을 연상케 한다.

두 번째 장 〈침묵으로 그린 풍경〉의 제사는 신경림의 〈갈대〉에서 발췌한 시편이다. "언제부턴가 갈대는 속으로 / 조용히 울고 있었다. / 그런 어느 밤이었을 것이다. 갈대는 / 그의 온몸이 흔들리고 있는 것을 알았다(20면)." 이 시편에서 묘사된 갈대가 환기시키는 인물은 순지다. 속으로 조용히 울고 있는 갈대처럼 눈물 없이 울음 우는 순지. 자기연민에 빠져서는 어린 동생들을 돌보며 살림을 꾸려나갈 수 없는 소녀가장 순지. 그런 어느 날 순지는 "위태롭지 않은 것은 모두 일상적인 것이리라. 일상적이지 않고 비정상적인 것은 대부분이 위태로움을 같이 지니고 있다. 나는 자신도 모르게 일상이 지닌 속뜻을 알게 되었다(238면)."며 일상의 소중함, 일상도 가꾸어야 행복해질 수 있다는 삶의 진실에 이르게 된다. 이런 깨달음은 청소년기를 훌쩍 뛰어넘어 가장으로서 얻게 되는 소녀의 슬픈 깨달음이다. 그야말로 몸뚱이 하나로 주어진 현실을 정면으로 돌진해 헤쳐나간 자만이 얻을 수 있는 "온몸이 흔들리"는 실존에 대한 자각이다.

그러나 이 시편에서 묘사된 갈대 이미지에서 환기 되는 순지의 모습은 〈침묵으로 그린 풍경〉장에서 비쳐지는 순지의 모습은 아니다. 적어도 신산고초를 겪고 난 후인 소설의 후반부이거나 마지막 부분에서 보이는 순지 모습에 더 가깝다. 그렇다면 왜 이 시편을 이 장의 제사로 선택했을까? 이 물음의 답은 쉽지 않다. 다른 작가의 시를 소설의 제사 형식으로 차용하고 산문의 서사를 운문의 이미지나 상징으로 비유하거나 암시하며 두 텍스트 간의 역동적인 대화와 교류를 의도하지만, 그 구체적인 효과와 의미에 대한 설명 부분에서는 작가는 슬그머니 발을 뺀다. 두 텍스트 간의 상호교류와 대화(intertextuality)는 철저히 '독자' 몫이라는 것이다. 이런 예는 대부분의 다른 장의 본문 서사와 제사 시편들 사이에서도 공통적으로 드러난다. 어떤 장의 제사 시편은 본문과 연관성이 조금 더 확연히 드러나는 것 같지만 다른 장의 시편에서는 그 관계를 찾아내기가 쉽지 않다. 이 소설에 시적 서정을 창조하고 이야기의 의미를 덧대는 일은 독자의 몫으로 남겨진다.

위 두 성장소설에서 보이는 것처럼 작가 박상률의 산문소설 이야기 속에는 시적인 이미지의 울림이 느껴진다. 《봄바람》에서는 작중 인물인 꽃치에 대한 훈필의 관찰과 묘사에서, 《밥이 끓는 시간》에서는 각 장에 차용한 제사 시편과 소설 본문 이야 사이의 상호대화에서 시적인 이미지의 울림이 느껴진다. 그 울림은 소설 서사에 시적인 서정을 부여하고, 표면적으로 진술되는 이야기에 담기 힘든 속말을 시적인 비유나 상징 속에 담아두는 기능을 한다. 그 울림은 깊고 넓게 이야기 곳곳에 스며들어 흩어지려는 산문의 구조를 안으로 모이게 하고, 앞으로 내달리려는 산문의 플롯을 시적인 이미지로 붙잡는다. 비슷하면서도 다른 모양으로 되풀이되는 이미지로, 비유로, 상징으로 진술되는 이야기의 속말을 담고, 의미를 덧대며, 흩어지려는 산문 구조를 보다 탄탄한 시적인 구조로 모이도록 하는 것이 박상률 산문소설문학의 특징이요 박상률 문학의 시학인 것이다.

Ⅳ

청소년 성장소설 외에 박상률이 자신의 문학 세계에서 중요하게 다루고 있는 문제는 '광주항쟁'에 관한 기억이다. 그 기억은 20대 초반 대학생으로 작가 자신이 광주현장에서 몸으로 직접 체험한 것이다. 그는 졸업 후 오월의 그 도시를 도망치듯 떠나왔다고 했다. 하지만 떠났다고 오월 광주라는 등짐까지 내려놓을 수는 없었던가 보다. 그 짐을 내려놓기까지는 20여 년이란 긴 세월이 필요했다. 그것도 그냥 내려놓을 수는 없었다. 시와 소설이라는 문학예술의 형태를 갖추고서야 작가는 마침내 그 무거운 등짐을 내려놓을 수 있었다. 그런 예술의 형태로 작가는 이명처럼 귓가를 맴도는 오월 혼령의 혀 잘린 웅얼거림에 마침내 입을 달아줄 수 있었다. 터져 나오는 공수를 받아 적듯 썼다는 장의 〈하늘 산 땅골 이야기〉도 이 십여 년 만에 가방에서 꺼낼 수 있었다. 친구 영정에 바치듯 때 늦은 조시(弔詩) 같은 소설 《너는 스무 살 아니 만 열아홉 살》로, 마침내 기 념탑을 세우듯 예술혼을 다 쏟아낸 탄탄한 구조의 소설모음집 《나를 위한 연구》로 오 월 그 도시에 갇힌 작가의 기억을 풀어 놓을 수 있었다. 이는 그의 기억 속에 갇혀 흙속 으로 돌아가지 못한 원혼을 작가 자신의 예술로 씻겨 보내는 일종의 위무(慰撫)인 셈이 다. 동시에 갇힌 과거 기억으로부터 스스로를 놓아주는 작가 자신과의 화해인 것이다.

오월 광주에 관한 기억은 애초부터 말이나 이야기로 쉽게 옮겨 질 수 있는 것이 아 니었다. 광주청문회로 사건의 진상이 밝혀지고 폭도로 몰린 피해자의 명예가 회복됐어 도 여전히 가해자는 없었다. 진정한 명예회복은 보상이 아니라 진실과 용서에 의한 화 해다. 하지만 진실을 듣고 용서하려 해도 가해자가 없었다. 있는 건 도무지 앞뒤가 맞 지 않는 떠도는 말뿐이었다. 작가가 목격한 오월 그 도시의 기억은 인과관계를 상실해 이야기가 되지 못하고 떠도는 말이거나 결과뿐인 사건이었다. 차마 입에 담아둘 수 없 는 폭력과 살인 그리고 어이없는 죽음. 작가에게 광주에 관한 기억은 애초부터 인과관 계를 갖춘 이야기형식으로 꺼내질 성격이 아니었다. 군홧발에 짓밟힌 '딸기와 딸기빛' 이미지로(《하늘 산 땅골 이야기》) '아기 업은 소녀' 그림으로 (〈아기 업은 소녀〉) '왼쪽 팔'을 잃어버린 아저씨와 '오른 쪽 가슴'을 잃어버린 아가씨의 이미지로 (〈나를 위한 연 구〉), 최루탄 쏟아지는 거리에서 부둥켜안고 가슴 속 콩콩 북소리를 듣고 있는 "키 큰 사내와 키 작은 사내" 이미지로 (〈그와 또 그〉) 각기 문학적 변형을 거쳐 꺼내질 수밖에 없었다. 《나를 위한 연구》는 비록 산문소설집이라는 이야기 형식을 갖추고 있지만 도드 라지는 건 이미지들이다. 한 폭 그림 같은 (〈아기 업은 소녀〉), 한 편 시 같은(〈나를 위 한 연구〉), 한 컷 현장 르포 사진 같은(〈그와 또 그〉) 강렬한 이미지들이다. 이 이미지 들은 다 읽고 책을 덮을 때 이야기보다 강하게 남는 인상으로 더욱 확연해진다. 어쩌면 산문형식 이야기는 이 강렬하게 변형된 시적 이미지를 기억에서 꺼내 끼우기 위한 액 자틀 같은 것이었는지도 모르겠다. 《너는 스무 살 아니 만 열아홉 살》도 이야기라는 산 문소설 틀을 갖추고 있지만, 가장 중요한 첫 장(〈빛과 어둠 사이, 기다림〉)과 마지막 장 (〈기다림, 빛과 어둠 사이〉)은 시로 처리되고 있다. 소설 속 화자이기도 한 나는 너(영 균)를 잘 아는 친구이거나, 영균이 자라온 과정과 그의 가족사를 잘 알고 특히 영균이 가 광주항쟁에서 졸지에 죽고 난 이후 영균의 어머니 월산 댁의 행적을 소상히 관찰한 영균의 가까운 이웃일 수도 있다. 이 소설은 이미 가버려 여기에 없는 너, 하지만 보내지 않아 아직도 너를 기다리는 어머니 사이에 빛과 어둠으로 존재하는 너, 영균에게 친구이거나 또는 이웃이 낭송하는 한 편의 조시(弔詩) 같다.

V

박상률은 운문문학인 시를 발표하며 작품 활동을 시작했다. 그가 낸 첫 시집이 그의 고향 민요 제목과 같은 《진도아리랑》이다. '진도아리랑은' "아리 아리랑 스리 스리랑 아라리가 났네 에헤 에 헤 아리랑 응~ 응~ 응~ 아라리가 났네"라는 선창을 받아, 구전되는 능청스런 비유와 상징으로 가득한 시적인 가삿말에다 자신들의 고단한 삶을 이야기 형식으로 푸는 즉흥서사를 후창형식으로 받는 민요다. 소릿가락과 시적인 가삿말 그리고 춤과 매기고 받는 연극적 요소가 한데 어우러진 복합예술이 '진도아리랑'이다. 그의 시집 〈진도아리랑〉에도 고향 사람들의 삶을 담은 이야기시가 있고, 고향 바다와 들판 산과 개울의 경(景)을 애증의 눈으로 묘사한 서정시가 있으며, 그 정과 경을 실어 내는 가락이 있다. 작가 박상률이 유년을 보낸 기억을 고스란히 담고 있는 보배섬 진도(珍島)는 소리와 글씨, 그림과 이야기가 전설이나 신화로, 놀이나 예술로 그리고 생활로 살아 내려오는 문화의 보고이다. 소설가 이청준 선생의 문우들이 작가의 고향인 장흥을 방문하고 돌아오는 길에 "청준이 자네 소설 쓴다고 하고선 순전히 자네 어머니하고 고향 팔아먹고 있구만" 했다는 일화가 있다. 박상률도 예외는 아니다. 청소년 성장 소설에서는 작가가 보낸 청소년 시절의 진도기억이 있고, 광주에 대한 소설에서는 청년시절의 광주기억이 있다. 그 기억이 시나 소설이라는 문학양식 틀을 갖추어야 할 때에도 그의 예술세계에는 이야기와 시가, 소리와 말이 문학이라는 장르나 운문 산문 글쓰기 갈래로 분화되기 이전의 '진도아리랑' 같은 원초적 예술세계가 있는 것 같다. 이야기를 해도 중요한 부분은 시적인 이미지나 비유 또는 상징으로 말한다거나 아니면 아예 시로 풀어낸다. 그런 시에는 예외 없이 운율을 입힌 가락이 얹힌다. 그렇게 창조된 산문문학에는 시적인 서정이 느껴진다. 이것이 박상률 문학의 시학이다.

중국 문예비평가 오전루에 따르면 시는 "일상 언어가 종지될 때 시작되는 것"이라고 한다. 자극받은 시인의 情과 志가 차분히 일상 언어로 서술될 수 없을 때 시인은 "소리 높여 가슴 속의 포부를 노래 불러 격정적인 영탄을 이룬 시"를 쓴다고 한다. 작가 박상률은 이야기가 종지될 때 또는 좀처럼 이야기로 담겨지지 않을 때, 이야기를 시에 담는다. 때론 이야기를 시 속에 숨겨놓는다. 갇힌 이야기를 시로 연다.

박상률의 《개밥상과 시인 아저씨》는 병들어 시골에 내려와 개와 함께 사는 가난한 시인에 관한 동화다. 이야기의 화자는 시인아저씨와 함께 사는 개, 흰돌이다. 눈 오는 날이면 시인 아저씨는 시를 쓰고 흰돌이는 눈 위에 발자국 그림을 그린다는 대목에선 한 폭의 시화(詩畵)가 연상된다. 상복을 입고 죽은 시인의 상주노릇을 하며 이제 시인아저씨는 '시'가 되어버렸다고 말하는 흰돌이는 똥개가 아니라 시견(詩犬)이다. 어디에도 갇혀있지 않은 마음이 동심이요 그것의 표현이 동화일 것이다. 박상률 작가가 동화에 대해서 말 할 때마다 자주 인용하는 중국의 옛사람 이지(李贄)의 말이 있다. '아이는 사람의 처음이요, 동심은 마음의 처음'이다. 박상률은 문학의 처음인 '이야기꾼'이다. 그리고 말의 처음인 시인'이다. 아동문학이든 청소년문학이든 성인 문학이든 산문이든 운문이든 작가 박상률은 천성이 '이야기시인'이다.

나를 견디게 한 문학,
내가 배신하지 않을 문학

책보는 끄를 새도 없이

툇마루에 던져 놓고

소득 증대 그런 말

알기도 전에

동네 앞산 돌이란 돌은

전부 뒤집었지

지네야 나와라 구렁이야 나와라

지네발보다 더 부지런히

뱀의 혓바닥보다 더 독하게

동금산 허리를 들쑤셨지

공부는 뒷전 월사금은 앞전

대처에서 오신 선생님

우리들 머리통 쥐어박을 때

구렁이만 한 마리 잡으면

그까짓 월사금이야……

우리는

자신 있었다.

– '어린날 1'

　첫 시집 '진도아리랑'에 소박하게 그려 넣은 내 어린 시절 풍경 한 자락이다. 그때는 그랬다. 학교에 갔다 오면 책보는 끄를 새도 없었다. 부지깽이도 거들어야 하는 농사 철엔 제 숟가락 쳐들고 밥 먹을 정도만 되면 누구든 논으로 밭으로 불려나가 한 사람의 몫을 해야 했기 때문이다. 물론 농사철 아닌 때도 책보는 끄를 새가 없었다. 그때는 또 또래들과 산에 몰려가 대나무를 쪼개 만든 집게로 지네를 잡거나 구렁이를 잡아서 가 용에 보탤 수 있게 해야 했기 때문이다.

　어린 시절을 떠올리면 쉴 새 없이 일만 한 기억이 가장 먼저다. 우리 또래이면서 시골에서 자란 사람이라면 누구나 비슷한 처지였을 것이다.

내 어렸을 때 사내 아이인 경우 열 살 무렵이 되면 다른 무엇보다 자기 지게가 생긴다. 나도 내 좁다란 등짝에 짝 달라붙게 맞추어진 지게가 생기자 바로 재 너머 밭에서 보릿단을 두세 뭇씩 지고 져 나르기 시작했다. 지게질 할 무렵에 같이 배워야 하는 건 낫질이었다. 나는 낫질을 배우면서 손가락 두 개를 베이었는데 지금도 흉이 크게 남아 있고 손톱이 보기 싫게 나온다. 왼손의 새끼손가락은 국민학교 3학년 가을에 둠벙 배미 논에서 벼 베다가, 그 옆 손가락은 4학년 봄 농번기 방학 때 창팟들 너 마지기 논에서 보리를 베다가 그만 같이 베이고 말았다. 지금 보면 적어도 다섯 바늘에서 열 바늘 정도씩 꿰매야 하는 중상(?)인데도 그때는 마땅한 약도 없어 그저 논바닥의 움푹 패인 발자국에 오줌을 싸서 그 오줌물에 피나는 손가락을 담갔다가 어머니 옷고름으로 친친 동여매놓고 만 게 치료의 전부였다. 그런 통과의례(?)를 거치고 난 뒤부터 나도 비로소 밥값을 하는 사람 대접을 받게 되었다. 지게질과 낫질, 이건 소 풀 뜯기는 일 정도와는 차원이 전혀 다른 이른바 '노동'이었다. 소 풀 뜯기는 일은 이미 학교 들어가기 전부터 하는 아이들이 많을 정도로 힘든 일이 아니기 때문이었다.

요즘 아이들 같으면 컴퓨터의 부드러운 자판이나 피아노의 하얀 건반을 두드릴 손이다. 또 인라인스케이트 같은 거를 타서 일부러 땀이나 뺄 몸이다. 그러나 나를 비롯한 우리 또래는 너무 일찍 밥값을 해야 하는 일꾼이 되는 손을 가져야 했고 몸을 만들어야 했다. 이렇게 해서 쟁기질까지 배우면 상일꾼이 되는데 나는 고등학교를 도회로 가는 바람에 쟁기질은 배우다 그만두고 말았다.

마을에서 우리 또래는 위 아래 어느 나이대보다 머릿수가 많았다. 그래서 지네를 잡으러 가든 구렁이를 잡으러 가든 까치집을 털러 가든 닭서리 수박 서리를 하든 소 풀 뜯기러 가든 개떼 몰려다니듯 우르르 떼를 지어 몰려 다녔다. 그렇게 노는 일에만 몰려 다닌 게 아니라 서로 품앗이 하는 일에도 곧잘 몰려다녔다. 특히 모내기 철 같은 때 우리 또래들은 어린 나이에 어울리지 않게 또래 집을 돌아가며 모춤 내는 일 같은 걸 맡아 놓고 해서 어른들의 품을 덜어주곤 했다. 그런 우리들을 어른들은 무척 기특하게 여겼다. 그러나 하룻밤 새에 뉘 집 닭이 몽땅 사라져버리기라도 하면 금세 우리들을 바라보는 눈빛은 달라지고 만다. 우리 또래의 소행이 아니더라도 어른들은 '개떼 같은 고놈들 짓일 것이다.'라며 미리 못박아 버리는 것이다. 어쨌든 우리 또래는 안 받아도 될 눈총을 받고 쓰지 않아도 될 누명을 쓰기 일쑤였다. 물론 그런 눈총을 받거나 누명을 쓰는 건 오로지 또래 머릿수가 많은 까닭이다. 머릿수가 많다 보니 부잡한 일이 벌어질 때마다 이리저리 얽히지 않을 수 없게 된 것이다.

우리 또래는 곧잘 '58년 개띠'라고 불린다.(사실, 우리가 태어난 해는 단기로 4291년이었다. 5·16쿠데타가 일어나기 전이라 단기를 쓸 때였으니까!) 다른 어떤 나이대도 우리 나이처럼 태어난 해와 띠가 같이 묶여 불리지 않는다. 오로지 서기 1958년도 출생자만 태어난 해와 띠가 같이 묶여 불린다.

그럼 이처럼 태어난 해와 띠가 하나의 상정처럼 불리게 된 까닭은 무엇일까? 그건 뭐니뭐니 해도 머릿수가 많아서일 것이고, 이어 늘 시대의 한복판을 뚫고나오며 자란 세대이기 때문일 것이다.

실제로 통계청 인구 자료에 1958년생이 유독 많이 올라 있는지 어쩐지는 모르겠다. 그러나 당장 국민학교 때를 떠올려 보면 우리 65학번의 수가 가장 많아서 위로 한 학년은 물론 두 학년 정도까지도 우리 학년한테 기를 못 폈던 걸로 기억된다. 그럼 어째서 58년생은 그렇게 수가 많을까? (아니면, 수가 많은 걸로 여겨질까?)

58년 개띠를 맏이나 둘째로 두게 된 아버지들은 대개 1930년을 앞뒤로 해서 태어났다. 그때 태어났다는 것은 6·25가 일어난 해에 마침 징집 연령이 되었다는 것을 뜻한다. 하필 전쟁이 터진 1950년에 스무살 안팎이 된 것이다. 그 세대들은 6·25가 난 뒤 몇 달 간격으로 차례차례 전선으로 불려갔다. 그들의 복무 기간은 길었다. 휴전이 된 뒤에도 곧장 돌아오지 못하고 짧게는 4년에서 길게는 6~7년에 걸쳐 군대 생활을 했다. 어쩌다 휴가 나왔을 때 서둘러 결혼한 사람들도 있었지만, 대부분은 제대한 뒤에 결혼을 했다. 그러다 보니 마을에선 56년에서 57년에 걸쳐 잔치가 많이 벌어졌다. 그런 시대적 상황 속에서 58년 개띠들은 자연스레(?) 많이 태어났다! 그것도 맏이 아니면 둘째로.

앞에서 시대의 한복판을 뚫고 나오며 자란 세대라는 말을 했는데, 국민학교 65학번인 우리들은 각급 학교를 다니는 일부터 순조롭지 않았다. 중학교 올라 갈 때는 중학교라곤 둘밖에 없는 시골 읍까지 갑작스레 은행알을 돌려 자신이 다닐 학교를 뽑게 하더니, 고등학교 올라갈 때는 시골 출신은 아예 서울의 고등학교로 진학하지 못하도록 새로운 입시 제도를 통해 막고 말았다. 하필 독재자 대통령의 아들이 우리랑 동갑이어서 입시 제도가 때맞춰 바뀌기도 한 모양이었다.

우리는 국민학교 때는 국민교육헌장을 달달 외워야 했고, 중학교 때는 새로 공포한 유신헌법의 내용을 외워야 하는 건 물론 학생과 교직원 전원이 참여하는 민방위 훈련을 수업 제쳐가며 받아야 했고, 고등학교 때는 요대에 각반까지 두른 교련복 차림에 플라스틱 총을 들고 군사 교육을 받아야 했다. 대학 때도 군사 교육은 이어졌는데(그것도 1주일에 네 시간씩이나! 그리고 고등학교 때와는 달리 실제 총까지 들고서.) 1학년 때는 머리까지 짧게 깎고 아예 훈련소에 들어가서 실탄이 들어있는 진짜 총을 쏘며 열흘씩 군사 훈련을 받아야 했다. 그러고 보니 58년 개띠들은 지적으로나 육체적으로나 한

창 예민하고 성장하는 시기인 중학교 이후부터 대학 때까지 유신 시대의 한복판을 그대로 살아낸 셈이다.

나는 어려서부터 늘 글 쓰는 사람을 꿈꾸었지만 대학은 상과대학으로 진학했다. 아마도 시골 촌놈에다 장남이라서 취직을 좋은 데로 해 동생들 하나라도 책임져야 한다는 것 때문이었으리라. 처음엔 전공을 살려 괜찮은 직장을 가거나 평생 써먹을 경제 관련 자격증이나 하나 따서 살아 볼까 하는 생각을 했으나 내가 다닌 전남대학교의 분위기는 그토록 한가한 생각을 하도록 내버려두지 않았다. 그래서 나처럼 평범한 상대생에게도 판매금지서적 목록과 불온(?) 유인물이 전해지기 시작했다. 나는 특히 녹두서점 같은 데서 나온 도서 목록을 참고하여 학교에서 가르치지 않는, 학점 없는 과목을 공부해 나갔다. 대학 졸업한 지 20년이 넘는 지금도 그때 참고했던 도서 목록 하나를 가지고 있다. 누런 시험지에다 등사를 해서 묶은 것인데 요즘도 가끔 꺼내 보며, 그야말로 '불온했던' 시대의 대학생활을 떠올린다.

상과대학에 적을 두고 있는 형편과는 달리 나는 뭔가 은밀한 반란을 꿈꾸는 문학청년이었다. 그런 까닭에 1학년 1학기가 중간쯤 지나갈 무렵부터는 〈창작과 비평〉 과월호를 읽으며 문학과 현실의 관계를 조금씩 들여다보기 시작했다. 더불어 경제학원론이나 경영학원론보다 더 구체적으로 삶의 바탕을 드러내 보이는 책들을 읽기 시작했다.

바로 그때 리영희를 알았고, 송기숙과 이문구와 김수영을 알았고, 함석헌을 다시 보았다. 여기서 함석헌을 '다시 보았다'라고 말한 건 다른 분들의 이름은 대학 들어가서 처음 들었지만 함석헌은 고향집 서가에 그가 쓴 《뜻으로 본 한국 역사》가 꽂혀 있어 어려서부터 이름만큼은 익히 알고 있었기 때문이다. 《뜻으로 본 한국 역사》는 중학교 때 읽었는데 학교에서 배운 것과는 다른 시각이 들어 있어 놀랍기도 하고 뜻이기도 했었다. 그러나 함석헌이 '씨올의 소리' 등을 통해 소위 '재야' 활동을 하는 분이라는 건 대학 들어가서야 알았다. 그래서 굳이 '다시 보았다'라고 한 것이다. 이러한 인연이 있어 나중에 함석헌 읽기 모임을 만들어 다양한 성향의 회원들과 함께 함석헌의 저작물을 3년여에 걸쳐 한 줄 한 줄 다 읽어내기도 했다.

고등학교 과목 재탕인 1학년 때만 겨우 학기를 채웠을 뿐 그 다음 학년 때부터는 제대로 수업을 채우지 않아도 되는 대학생활이었다. 당시 학교 사정을 볼작시면 2학년 때는 이른바 교육지표 사건으로 휴교, 3학년 때는 박정희 대통령의 죽음으로 휴교, 4학년 때는 5·18로 휴교였다. 그래서 우리 학번은 대학 4년을 남들 보기에는 이른바 '먹고 대학생' 내지는 '나이롱 대학생'으로 마치고 말았다.

혹자는 내가 상과대학을 다닌 걸 떠올리며 어떻게 문학을 전공으로 하지 않고도 글 쓰는 사람이 되었느냐고 의아해 한다. 그러나 내 처지에서 보면 글 쓰는 사람이 되는

데 있어 상과대학을 다녔든 문과대학을 다녔든 어차피 전공을 따질 필요는 없는 일이었다. 어느 학과가 되었든 강의실에서 수업이 제대로 이루어지지 않았는데 전공이 무슨 소용인가!

어쩌면 글을 쓰고 사는 데에 있어서는 문학 관련 학과보다는 문학과는 거리가 좀 있어 보이는 학과를 다니는 게 더 나을 수도 있다. 이건 내가 문예창작과 선생 노릇을 하다 보니 더욱 굳어진 생각이기도 하다. 사람의 일이란 게 가끔은 엉뚱하기도 해서 나는 나의 출신 성분과 어울리지 않게 팔자에 없는(팔자에 있나?) 문예창작과 선생 노릇을 오랫동안 하였다. 문예창작과 수업이란 건 아무래도 글을 쓰는 요령과 작품 분석 하는 것 위주로 진행되게 마련이다. 그러다 보니 세상을 폭넓게 보는 안목이나 삶에 대해 깊은 성찰을 갖추기보다는 우선 글 쓰는 재주를 익히기 바쁘다. 그래서 나는 문예창작과 학생들이 그저 글이나 이리저리 잘 꿰맞추는 기술자가 되지 않도록 다양한 수업 방식과 과제물을 통해 신경을 썼다. 사실 문학은 학교에서 배우는 게 아니고 스스로 엮어나가는 삶과 자기 단련을 통해 익혀가는 것이지만 말이다.

대학을 다니는 동안 시대의 소용돌이 속에 있어 그때 학교에서 벌인 시위에는 거의 빠지지 않고 참여하긴 했다. 그러나 남 앞에 나서는 적극적인 현실 참여자는 결코 아니었다. 그 시대 대학생이라면 누구나 하는 정도의 차원이었다. 이건 아마도 내 성격이 남 앞에 나서기를 좋아하지 않는 탓도 컸으리라. 그런데도 대학생활을 마칠 때인 4학년 때 일어난 5·18은 내 인생의 물길을 바꾸고 말았다. 5·18이 없었다면 마음에 있든 없든 그럭저럭 무난하게 은행원이나 되어 하얀 와이셔츠에 넥타이 단정하게 매고 기껏해야 일처리가 깐깐하다는 소리나 들으며 살았을지 모른다. 아니면 평생 우려먹을 자격증이나 따서 밥벌이 걱정 않고 살고 있던가.

나에게 5·18은 그 자체의 의미도 의미지만 개인의 삶 역시 시대의 흐름과 무관할 수 없다는 걸 여실히 느끼게 된 엄청난 큰 사건이었다.

나는 여느 친구들과 마찬가지로 열흘 동안 도청과 금남로를 누비며 삶과 죽음의 경계를 보고, 겪었다. 그리고 그 다음해에 학교에서 억지로 쥐어주는 대학 졸업장을 들고 광주를 도망치듯 빠져 나왔다. 도저히 그 도시의 햇빛과 바람을 견뎌낼 자신이 없어서였다. 몸은 그 도시를 빠져나왔지만 나는 80년대 내내 광주(光州)의 빛 광(光)자만 봐도 가슴이 방망이질 하고 손이 떨리고 잠을 못 이루는 사람이 되고 말았다.

그러던 어느 해 봄, 서울대 앞 한 서점에서(나중에 국회의원과 국무총리를 지낸 이아무개 씨가 경영하던) 우연히 오월 동인 시집을 만났다. 낯익은 풍경들이 거기에 활자로 살아나 있었다. 눈물이 쏟아졌다. 남이 보는지 어쩌는지 의식할 새도 없이 손등으로 눈물을 훔쳐가며 책장을 한 장 한 장 넘겼다. 시집을 사가지고 가서 저녁 내내 골방에 처박혀 몇 번이고 뒤적였다. 슬픔에 더해, 그때까지 애써 묻어두었던 욕구가 일렁거렸다. 내가 한 시대를 살다 가면서 가장 잘할 수 있는 게 뭘까 생각해 보았다. 망설일 것 없이 금세 결론이 났다. 그렇게 시작(始作)되었다. 나의 시작(詩作)은.

문학을 함으로써 나는 시대에서 얻은 울화병을 어느 정도 가라 앉혔다고 생각했다. 그러나 그게 아니었다. 그렇게들 호들갑스럽게 떠들어쌓던 '모래시계'를 보지 못하고 '꽃잎'을 보지 못하고 '박하사탕'을 보지 못한 사람이 나 아닌가!

나는 문학을 통해 거창한 것을 꿈꾸지 않는다. 일단은 나 자신을 위해서 문학을 한다. 한없이 괴롭고 외로울 때 문학은 나를 견디게 했고 세상과 소통하게 했다. 문학은 지금까지 나를 배신하지 않았다. 나 역시 앞으로 죽는 날까지 문학을 배신하지 않을 것이다. 그래서 나는 늘 마루장 밑에 웅크리고 있는 개처럼 고독해진다. 내가 하는 작업은 남이 결코 대신해 줄 수 없고 오로지 내 스스로 해야 하기 때문이다. 그러면서도 어울려 살기를 꿈꾼다. 그런 면에서 한데 어울려 잘 쏘다니는 '개떼'의 한 마리가 되기를 주저하지 않는다. 아 그러나 나는 보통 똥개이기는 거부한다. 진도 출신이므로 당연히 명견 진돗개이다.

1958년 전남 진도에서 태어나 진도 의신초등학교, 진도초등학교, 진도서중학교, 광주 동신고등학교를 다닌 뒤 전남대학교 상과 대학을 졸업했음.

1990년 한길문학에 시 〈진도아리랑〉, 동양문학에 희곡 〈문〉을 발표하며 작품 활동을 시작함.

1996년 문학의 해 기념 불교문학상 희곡 부문 수상함.

1995년부터 명지대, 경기대, 숭의여대, 동덕여대, 한남대, 중앙대 등에서 문예창작을 지도하였음.

2001~2006년 계간 〈문학과경계〉 편집 위원으로 위촉됨.

2010년 월간 〈학교도서관저널〉 기획 위원으로 일함.

2006~2011년 계간 〈청소년문학〉 편집주간으로 일함.

2015~2017년 월간 〈어린이와 문학〉 운영 위원장으로 위촉됨.

2018년 '아름다운 작가상' 수상함.

기타 한국문화예술위원회 〈사이버문학광장 글틴〉 기획 위원으로 일함.

국제아동 도서협의회(IBBY) 한국 운영 위원으로 일함.

중고등학교 국어 및 문학 검인정교과서 집필 위원으로 위촉됨.

주요 저서 목록

시집 《진도아리랑》, 《배고픈 웃음》, 《하늘산 땅골 이야기》, 《꽃동냥치》, 《국가공인미남》

소설 《봄바람》, 《나는 아름답다》, 《밥이 끓는 시간》, 《너는 스무 살, 아니 만 열아홉 살》, 《나를 위한 연구》, 《방자 왈왈》, 《불량청춘 목록》, 《개님전》, 《세상에 단 한 권뿐인 시집》, 《저 입술이 낯익다》, 《통행금지》

희곡집 《풍경소리》

동화 《바람으로 남은 엄마》, 《까치학교》, 《구멍 속 나라》, 《어른들만 사는 나라》, 《벌거숭이 나라》, 《미리 쓰는 방학 일기》, 《개밥상과 시인 아저씨》, 《내 고추는 천연기념물》, 《도깨비가 된 친구들》, 《도마이발소의 생선들》, 《개조심》, 《자전거》

그림동화 《애국가를 부르는 진돗개》, 《아빠의 봄날》, 《엿서리 특공대》

교양서 《아이들이 읽어야 할 경제 이야기》, 《경제는 나의 힘》, 《백두산 천지가 생겨난 이야기》, 《돌이 어쩌구 개구리 저쩌구》, 《요술 엽전》, 《백발백중 명중이, 무관을 꿈꾸다》

인물 이야기 《나비 박사 석주명》, 《인권변호사 조영래》, 《풍금 치는 큰 스님 용성》, 《조선의 의학을 우뚝 세운 허준》

산문집 《동화는 문학이다》, 《청소년문학의 자리》, 《어른도 읽는 청소년 책》, 《청소년을 위한 독서 에세이》, 《나와 청소년문학 20년》

옮긴책 《나르니아1~7》, 《켈트족》, 《삼국지1~10》, 《샘 깊은 오늘 고전 4,5》 등

한국 아동문학가 100인

최명표

인물론
'오직 글쓰기만이 너를 자유케 하리라!'의
올곧은 지사적 평론가

작품론
아동문학의 옛길과 새 길 사이에서 최명표 읽기

어린이와 함께 선생이 걸어온 길
공부처럼 맛난 것은 없다

'오직 글쓰기만이
너를 자유케 하리라!'의
올곧은 지사적 평론가

이준관

최명표는 학구적이고 늘 진지하다. 말수도 그리 많지 않다. 더러 말문을 열면 그것은 문학에 관한 담론이다. 긴장을 풀고 이런저런 정담을 나누는 술자리에서도 최명표는 늘 구석자리에 심각한 표정으로 말없이 앉아 있다. 허튼 농담을 주고받고 있어도 오직 오불관언이다. 그러나 문학이 화제에 오르면 그제야 얼굴에 생기를 띠고 말문이 열리면서 비평가답게 전문 용어를 사용하면서 박학다식을 뽐낸다. 그때가 가장 최명표답다. 어색하게 술잔을 기울이거나 주변의 잡담과 실없는 농담에 억지 춘향이격으로 웃는 최명표는 영 어울리지 않는다. 문학 세미나장에 앉아 주제를 발표하거나 토론자로 참석하여 진지하게 문학의 이야기를 하는 최명표가 가장 최명표답다.

최명표가 원래부터 문학평론 지망생은 아니었다. 그가 처음엔 시인 지망생이라는 것을 아는 사람은 나 말고 몇 명 안 될 것이다. 그러니까 최명표와 내가 처음 만난 것도 시가 인연이었다. 그와 처음 만난 것은 1980년 중반 그 무렵이었을 것이다. 내가 살던 곳은 정읍시 죽림동이라는 조그만 동네였다. 그 동네에 최명표의 형님이 살고 있었다. 그 형님을 통해서 나를 알았는지 어쨌는지 잘 모르겠는데 어느 날 최명표가 내 집을 찾아왔다. 첫 인상은 지금의 최명표와 별반 다르지 않았다. 깡마른 체구에 광대뼈가 튀어나오고 눈빛이 형형하게 빛나는, 그리고 진지하면서도 심각한 표정의 얼굴, 꽉 다문 입술에서 뭐랄까 1980년대 신념에 투절한 민중시인을 떠올리게 하는 강인한 인상이었다.

최명표는 가져온 시들을 꺼내 내게 보여 주었다. 나는 지금도 그 시의 제목을 생생하게 기억하고 있다. 바로 〈동진강〉 연작시였다. 동진강은 동학혁명의 진원지가 되었던 만석보가 있었던 강이다. 말하자면 동진강은 동학혁명의 민중들의 꿈과 소망과 한이 서린 강이다. 그런 동진강을 통해 민초들의 애환을 최명표는 연작으로 그리고 싶었던 것이다. 그의 〈동진강〉 연작시는 내 안목으로 보건대 상당한 수준의 작품이었다. 그래서 내가 "섬진강에 김용택이 있듯이 동진강엔 최명표가 있을 법하네"하면서 호평을 했다. 그리고 열심히 시에 전념할 것을 당부했다. 당시 20대의 최명표는 젊은이다운 열정과 호기로 자신의 문학적 포부를 내게 이야기를 했다. 나는 그가 김용택처럼 민중시인이 될 것으로 생각을 했다.

그런데 이런 내 예상은 보기 좋게 빗나갔다. 그는 민중시인이 아니라 아동문학평론을 들고 나온 것이다. 그것도 내 동시 작품을 텍스트 삼아 아동문학평론을 써서 등단하겠다고 나선 것이다. 〈아동문예〉 주간이신 박종현 선생이 내게 전화를 해서 '최명표라는 신인이 내 작품으로 평론을 써서 등단하겠다'고 한다는 말을 들었을 때 나는 깜짝 놀랐다. 민중시인이 되었어야 할 최명표가 아동문학평론이라니! 얼른 생각의 퍼즐이 맞추어지지 않았다. 그러나 처음 만났을 때 진지한 표정 뒤에 언뜻언뜻 보이던 수줍음과 순박함과 천진함이 떠올랐다. '맞아, 최명표는 아동문학평론이 어울려!' 나는 최명표가 아동문학평론에 맞는다는 것을 그 후에 〈아동문예〉에 발표된 당선 평론을 읽고 인정을 하게 되었다.

등단 이후 최명표는 마치 봇물이 터지듯 수많은 평론을 쏟아냈다. 그는 수많은 동시인들을 대상으로 시인론, 작품론을 연일 써냈다. 아마 동시인 중에 그의 평론의 대상이 안 된 시인은 드물 것이다. 최명표 덕분에 많은 동시인들의 작품이 제대로 평가를 받게 되었다. 그것 하나만으로도 평론가로서의 그의 업적을 인정해야 한다. 최명표만큼 문학에 대하여 진지하고 성실한 사람도 드물 터이다. 그가 쓴 논문과 평론은 방대하다. 그는 아동문학평론집《균형감각의 비평》,《아동문학의 옛길과 새길 사이에서》, 연구서《전북지역 시문학연구》,《전북지역아동문학연구》, 편저《김해강시전집》,《이익상 단편소설전집》, 그리고 현역 아동문학가와 일반 시인, 소설가를 대상으로 한 시인론, 작가론 등 많은 분량의 저서와 평론을 썼다. 이런 방대한 분량의 글을 쓸 수 있었던 것은 문학에 대한 그의 열정과 성실함 때문이다. 최명표에게 집으로 전화를 걸면 그는 어김없이 집에서 전화를 받는다. 요즘은 집으로 전화를 하면 통화가 안 된다. 어디 외출중이거나 누구와 만나고 있기 때문에 휴대전화로 해야 통화가 가능하다. 문학이 아닌 다른 일에 모두 정신없이 바쁘기 때문이다. 그러나 최명표는 다르다. 직장에서 퇴근하면 바로 집에 와서 책을 읽거나 글을 쓰고 있다. 그래서 집으로 전화를 하면 바로 통화가 된다.

언젠가 어느 문학 단체 세미나에서였다. 밤에 노래판과 술판의 여흥이 한창인데 그는 그 자리에 가지 않고 방에 남아 있었다. 나도 그런 자리엔 잘 맞지 않아 방에 남아 있었다. 덩그러니 비어 있는 큰 방에서 최명표와 나와 또 한 사람이 남게 되었는데 이때 최명표가 문학 이야기를 꺼내 자연스럽게 진지한 문학 토론장이 되었다. 토론이라기보다는 최명표의 문학 주제 발표를 듣는 시간이 되었다. 1920년대 카프였던 이익상의 소설 작품 이야기에서 아동문학에 이르기까지 최명표의 박학다식의 문학 이야기를 들었던 소중한 시간이었다. 자칫 쓸쓸했을 뻔했던 자리가 진지한 문학판의 자리가 된 것은 최명표 덕분이었다. 그렇다. 최명표는 술판이나 노래판에 어울리는 사람이 아니다. 오직 문학판에만 어울리는 사람이다. 최명표에게 지방에 있는 문학 모임에 나가라고 권해도 그는 한사코 나가지 않는다. 그에게는 술 마시고 떠들고 흥청거리는 자리가 생리에 맞지 않는 것이다. 게다가 그렇게 시간을 허비하는 것이 아까운 것이다. 조용히 책상에 앉아 책을 읽고 자료를 정리하고 글을 쓰는 일, 그것 말고 그에게 따로 즐거운 일은 없다.

최명표는 워낙 과묵해서 말수가 많지 않은 터라 처음엔 사귀기가 여간 어려운 게 아니다. 문학 모임에도 잘 나오지 않고 나와도 구석 자리에 앉았다가 어느새 슬그머니 집으로 가 버린다. 그러나 한번 깊이 사귀면 신의가 있고 정이 있는 마음이 참 따뜻한 사람이다. 내가 가장 좋아하는 사람은 한결같이 변함없고 진실한 사람이다. 이해관계에 따라 한 번 맺은 신의도 헌신짝 버리듯 하는 사람을 나는 믿지 않는다. 자신에게 손해가 나더라도 끝까지 신의를 지키고 진실한 사람을 나는 좋아한다. 최명표는 그런 한결같음과 신의와 진실함을 갖추고 있다. 그는 한마디로 무엇을 믿고 맡겨도 안심할 만한 사람이다. 최명표가 한번이나 허투루 허언을 하거나 약속을 어긴 것을 본 일이 없다. 글쓰기에 흥건히 취해 있다가 내 전화를 받는 느리면서도 정이 함뿍 배인 "형님, 요즘 어떻게 지내세요?"하는 최명표의 목소리를 들으면 마치 내 고향 황토흙처럼 마음이 포근하고 든든해진다. 그리고 보면 최명표는 형제나 진배없이 인연이 깊다. 나와 같은 정읍 태생으로서 고향 후배인데다가 대학도 후배요, 아동문학도 후배다. 그러기에 어줍잖은 나를 그는 형님이라고 스스럼없이 부른다. 나는 든든한 후배이자 믿음직한 아우를 두어 마음이 뿌듯하다.

최명표는 전북 정읍에서 태어났다. 초등학교 시절 학교 도서관에 보관된 책을 몽땅 다 읽고 고전읽기부에 들어가 밤늦게까지 책을 읽으며 문학에 대한 동경과 꿈을 쌓았다. 호남고등학교에 진학, 거기에서 평생 문학의 스승 강인한 시인을 만나 문학적 감수성을 키우게 된다. 그는 《현대시》 강인한 시인 특집에서 〈안으로 열하고 겉으로 서늘하옵기〉라는 강인한론을 써서 스승에 대한 존경과 애정을 간곡하게 표현하였다. 최명표는 전주교대에 들어가 학교 방송국장으로 활동한다. 방송국에서 날마다 방송을 들으며 젊음의 열정을 음악으로 채운다. 당시는 10·26과 5·18로 군인들이 학교를 지키던 암울한 시기여서 그는 당시 젊은이들이 그러하듯 시대의 아픔과 고통을 온몸으로 받아들이며 고민했다. 그런 갈증을 그는 음악으로 채우고 강의도 거의 듣지 않는다. 졸업 후 선생이 적성에 맞지 않아 행정고시를 준비하다가 먼저 합격한 친구가 슬퍼하는 것을 보고 공부하던 책을 버린다. 그 후 대학원에 들어가 문학박사 학위를 취득하고 그는 스스로 집필 계획을 세운다. 그리고 집필 계획에 따라 누구의 간섭도 받지 않고 오직 '책읽기, 글쓰기'로 일관한다. 그의 글쓰기의 모토는 '오직 글쓰기만이 너를 자유케 하리라!' 이다. 최명표가 평론의 길에 들어선 것은 대학원 석사 과정에서 소설가 우한용 교수를 만난 것이 중요한 계기였다. 소설론 강의 리포트로 제출한 〈인물의 형상화와 형상화한 인물〉이 우 교수의 눈에 띄어 비평을 써 보라는 권유를 받게 되었다. 아동문학 비평도 써 보라는 권유를 받아 날을 새워가며 써서 우 교수에게 보여드렸다. 우한용 교수의 이런 길들이기, 글쓰기 훈련이 지금의 평론가 최명표를 만든 밑거름이 되었다.

최명표의 인생에 가장 큰 영향을 준 책은 고3 때 읽은 《중용》이다. '중'은 치우침이 없는 것이고 '용'은 변치 않는 것이라고 했다. 중용은 하늘의 길이고, 사람의 길이기에 중용의 이치는 변하지 않는다는 믿음을 최명표는 지니고 있다. 이런 중용의 도는 그의 평론에도 그대로 적용된다. 그의 평론의 원칙은 중용의 도에 따라 당해 작품의 특성에 맞는 다양한 방법(예컨대, 현상학적 비평, 주제비평, 구조주의 비평 등)을 아동문학비평에 원용한다는 점이다. 그리고 실증적 기초 자료를 중시한다는 점이다. 그래서 그는 부지런히 발품을 팔아 기초 자료를 모으고 정리하고 분석하는 일에 온힘을 기울인다. 그는 발품을 팔지 않은 자료는 자료가 아니라 증권사 객장의 찌라시에 불과하다는 믿음을 갖고 있다. 이런 실증주의가 그의 비평에 신뢰를 더해 주고 있다.

최명표의 인물론에 대하여 쓰려고 하니 그와 문학적, 인간적으로 맺어진 인연이 20년이 훌쩍 넘었구나 하는 감회가 새로웠다. 그는 20대 초반의 패기만만한 문학청년에서 이제는 고등학생 자녀를 둔 장년의 가장이 되고 중견평론가가 되어 한 가정과 문단의 중추적인 자리에 서게 되었다. 하지만 최명표는 20여 년간 크게 달라진 게 없다. 그는 한결같다. 삶도 문학도 인간도 한결같이 변함이 없다. 모든 세상사와 세간의 시비와 멀찍이 거리를 두고 '오직 글쓰기만이 너를 자유케 하리라!'는 신념 하나로 살아가고 있다. 앞으로도 그런 올곧은 지사적 태도와 자세를 한결같이 견지했으면 좋겠다.

아동문학의
옛길과 새 길 사이에서
최명표 읽기

김종헌

1. 벼르고 벼른 말들

해방 이후 초등학교 교과서의 고정적 제재인 문종 중심의 나열식 교과서가 국어의 정확한 사용 기능의 신장이나, 바람직한 모국어관을 형성하는 데 기여했는지 본격적으로 검토되어야 한다. 그런 우려의 원인을 교육적 측면에서 살펴보면, 국어 교육 과정과 교과서 편수/개발 담당자들의 잦은 교체, 교과서 개발 절차의 답습, 국어 중심 교육 과정관의 팽배, 교사들의 문학교육에 대한 무관심/무지 등이 복합적으로 지적될 수 있을 것이다. …… (중략) …… 문학교육은 일차적으로 문학작품을 텍스트로 삼아서 문학적 문법체계를 가르치는 것이지, 국어사용 기능을 가르치는 것이 아니다.

최명표의 평론은 '어린이'와 '동시교육'에서 출발한다. 이것은 아동문학에서 아동의 범위를 밝힘으로써 아동문학의 개념을 구체화하려는 의도이다. 또한 이는 동시교육을 문학에 근거한 문학교육의 장으로 끌어내리려는 욕망이기도 하다. 그래서 그의 비평은 문학 창작의 주체와 함께 수용자인 교사와 교육현장을 함께 그 대상으로 하는 특징을 지니고 있다. 이러한 그의 비평은 일제강점기부터 시작된 '어린이'와 '동심'의 범위를 근대적 관점의 민족과 결부시키거나 혹은 계몽과 연결되는 것을 차단하기 위함으로 보인다. 그래서 그는 '어린이'의 개념을 확대하여 해석하고 있다. 그는 "어린이와 아동기에 대한 개념들은 사회적 이데올로기의 한 부분"이라는 노들먼의 말을 빌려와 '어린이'는 범주 설정자의 의도에 따라 부단히 변주될 수 있는 개념임을 강조하고 있다. 따라서 그는 근대와 함께 출발한 어린이의 개념이 정치적 성격을 지니고 있으며, 최근까지도 그 범위가 좁혀져 있고 개념이 편향되어 있다고 본다. 이는 '어린이'를 이데올로기 속에 묻어 둔 그대로 이해한다는 지적이다. 이러한 그의 지적은 매우 적절하다. 아동(어린이) 문학이 어린이를 위한 특수문학임이 분명하다면 '어린이'의 개념은 작품에 지대한 영향을 끼치기 때문이다. 즉 창작 주체가 아동의 개념을 오인하고 있다면 그것은 심각하지 않을 수 없다. 작가는 이데올로기의 호출에 응답함으로써 잘못된 어린이의 개념에 동일화되어 작품의 수준과 범위를 제한하기 때문이다. 그는 어린이를 어른의 시각에 가

두는 것에 대해 강한 거부의 의사표시를 하고 있다. 따라서 그의 비평은 이러한 잘못된 아동 문단을 향한 작은 외침인지도 모르겠다.

한편, 어느새 그의 눈은 주체적 독자를 길러내지 못하는 문학교육에 가 있다. 그는 문학은 '국어 교육'에서 벗어나야 한다는 입장을 견지하고 있다. 이런 교육현장에 대한 불만 때문인지 그의 평론은 자기표현에 많은 비중을 두고 있다. 때문에 그의 문체와 어조는 단호하다. 무엇이 그를 이렇게 강한 어조로 아동문학을 비평하게 하는가. 이 문제에 답을 찾는 것이 곧 그의 비평의 본질을 파악하는 것이라 생각한다.

논의를 구체화하기 위해서 이제 그가 아동문학을 바라보는 관점을 축소시킬 필요가 있다. 먼저 그는 방정환 이후 다양한 형태로 묶어 둔 어린이의 개념을 풀어헤침으로써 그 의미를 오히려 더 풍부하게 만들고 있다. 이것은 일제 강점기의 '민족'을 대표하는 개념과 유사하게 사용된 어린이와 애국계몽기에서 해방 직후까지 강조한 '계몽적 어린이', 또 무산대중과 빈민소년에 초점을 맞춘 '전위적 어린이'에 대한 빗장을 풀고 사회 구성원의 한 사람으로 그 개념을 확대시키고자 하는 의도로 볼 수 있다. 이로써 아동문학을 새로운 장으로 끌어내려 하고 있다. 또 다른 축은 문학의 입장에서 아동문학은 교육의 대상으로서의 문학이 아니라 감상의 대상으로서의 문학을 내세우고 있다. 어쩌면 이 둘은 하나일 수 있다. 즉 어린이들에게 "문화의 주체로 활동할 수 있는 기회를 제공"한다면 어린이도 문학도 둘 다 살아날 수 있다는 논리이다. 이러한 그의 평론은 어린이에게서 '순수함'을 빼고 보자는 것이 아니라 '보호된' 어린이를 풀어주자는 것이다. 이렇게 되어야 진정 어린이를 위하는 '어린이 문학'이 되는 것은 자명한 사실이다. 따라서 그의 비평은 수용자의 입장에서 동시의 내용을 짚어 보고 이를 바탕으로 창작의 범위와 수준, 나아가서 문학성에 대한 언급을 하고 있다.

최명표는 "아동문학의 옛길과 새 길 사이에서" 벼르고 벼른 말들을 다짐이라도 하듯이 《아동문학의 옛길과 새길 사이에서》를 발간하였다. 이 평론집에서 그는 동시가 "철저히 도구적 기능에 머물"고 있는 문학교육의 현실을 가장 먼저 개탄하고 있다. 다음으로 그는 정지용에서 신예시인에 이르기까지, 다소 거칠기는 하지만 세대를 뛰어 넘어 시인과 동시인을 구별하지 않고 비평을 고스란히 한 그릇에 담아 두고 있다. 여기에도 다분히 작가의 의도가 숨어 있다. 그는 "일반문학과 아동문학이 상호 침투조차 허용될 수 없을 만치 확고하게 굳어져" 버린 문단을 허물고 싶은 것이다. 이는 "동시의 시다움"을 위한 바람과 "대상"을 외면하려는 아동 문단에 던지는 강한 눈초리로 봐야 할 것이다. 그래서 동시를 보는 그의 눈이 더 예리하게 느껴진다.

2. 순수함과 보호, 그 빗장 풀기

1) 어린이의 성과 결손의 사회

1990년 이후 우리 사회는 급격한 정보화의 영향으로 다양한 문제의식과 논쟁거리가 드러났다. 우선 생태적인 문제를 비롯하여 호주제의 폐지로 인한 다양한 가족 형태가 등장한 것이 그것이다. 또 세계화의 영향으로 외국인 노동자의 증가, 외국계 한국인의 가족 구성, 출산율 저하로 인한 급속한 고령화의 양상 등, 사회 문화적 변화가 두드러졌다. 이러한 사회 환경의 변화와 함께 아동문학(동시, 동화)은 억압받았던 것들을 '들추기'의 방법으로 접근하고 있다. 각종 사회의 부조리와 함께 아동의 내적 갈등을 정면으로 다루고 있다. 즉 생태학적 상상력을 바탕으로 문학의 구조와 미적 형식을 만들어냈다. 이런 가운데 어린이의 성을 둘러싼 정체성 문제도 예외일 수는 없다. 이성간의 사랑의 정서를 떠올리는 것조차 금기시되던 지난 시절과는 달라졌다. 최명표는 이러한 성 담론을 아동문학의 자연스러운 시적 대상으로 파악하기를 주저하지 않고 있다. 이를 위해서 그는 '동심'을 풀어두기를 제안하고 있는 것이다. 근대와 계몽에 갇힌 어린이는 이런 성 담론에서 자유롭지 못하기 때문에.

> 사랑은 굳이 학교에서 가르치지 않아도 스스로 학습하게 되는 본능인 것이다. 그러나 학교에서는 성교육을 강제하고 있는 것이 사실이다. 그렇다고 동시인들이 제도교육의 하수가 될 수는 없지 않은가. 다만 사랑의 감정을 갖게 될 때 적절한 대상에 의탁하여 자신의 시적 재능을 보여 주면 되는 것이다 그것도 필요에 의해 기획하지 말고, '퉤! 퉤! 퉤!' 침 뱉으며 직관에 따르면서 말이다. (p.85)

이제 시에서 성은 더 이상 생소한 소재가 아니다. 그러나 아동문학에서는 아직도 왠지 꺼려지는 게 사실이다. 문제는 성 문제를 아동문학에서 어떻게 다룰 것인가 하는 것이다. 이에 대한 최명표의 답은 분명하다. "필요에 의해 기획하지 말"아야 한다는 것이다. 그저 시인의 직관에 의해서 성의 문제를 고민하는 아이들의 삶을 담아야 한다는 것이다. 그리고 이성간의 사랑과 갈등 문제뿐만 아니라 성적 정체성을 고민하는 어린이들에 대해서도 '차이'가 인정되어야 한다는 논리이다. 그는 이것이 인정되지 않는 사회 풍토에 대해서 "그것은 트랜스젠더를 부지런히 타자화하고 다수의 영역을 지켜서 기득권을 전승하려는 영토수호 의지의 외연화에 다름 아니다"라고 비판하고 있다. 이러한 그의 진술은 앞에서 말한 '보호된' 어린이를 풀어 두자는 것과 상통한다. 이것은 문학이 성의 개방을 촉진하자는 것이 아니라 왜곡된 성에 대한 인식을 해체하여 다시 세우고자 하는 그의 의지이다. 그래서 그는 전병호의 동시 〈난 여자일까〉를 주목하고 있다. 성적 정체성을 고민하는 어린이를 시적 소재로 한 이 동시에서 최명표는 "일인에 대한 만인의 폭력"을 읽고 있다. 성적 소수자들이 사회적으로 불이익을 당하면서도 맞서지 못하는 현실에서 어린이들은 더 말할 필요가 없다는 것이다. 그러나 이러한 작품을 보는 그의 시각에 걱정이 가득하다. 그것은 이러한 사회적 담론을 주제로 하는 작품이 당위를 앞세워 계몽으로 이어질 것에 대한 우려이다. 그는 "이러한 움직임은 때 아닌 계몽담론을 생산하여 사회적 논의를 증폭시키지만, 그와 동시에 차이를 인정하지 않는 동시대의 자화상을 보여 준다."(p.86)라고 언급하고 있다. 이 말은 동시의 소재·주제를 통해서 사회문화에 빠르게 대응하여야 한다는 요구이다. 반면에 그것이 계몽적인 측면으로 흘러 작품성을 떨어뜨리는 것에 대한 우려이다. 이와 더불어 시대적 상황과 변화에 대한 특징을 파악함으로써 동시의 흐름을 분명하게 짚어내어야 한다는 비평의 자세이기도 하다. 또 다른 차원에서 그가 주목하는 것은 다양한 가족의 형태이다. 외국인과 이룬 다문화가정 뿐만 아니라 내국인끼리 이룬 가정의 다양한 형태도 주목하고 있다. 역시 전병호의 작품 〈나의 꿈〉을 거론하면서 결손 가정의 어린이들을 포용하는 아동문학을 주문하고 있다. 즉 그는 '어린이'의 개념을 다시 짚어봄으로써, 또 문학교육의 현장을 살펴봄으로써 억압받는 것에 대한 관심과 "기획하지 않은 자연스러운 사랑을 형상화"할 것을 아동 문단에 요구하고 있다.

2) 동시와 시의 구분, '없음'

그(정지용)가 남겨 준 동시를 두고 성인 시로 나아가기 위한 수단적 파생물이나 통과의례적 과정물로 볼 수도 있다. 그런 연구 자세는 개인사적 연치의 흐름을 안하여 말하는 것일 수도 있고, 혹은 동시와 성인 시라는 갈래상의 터울을 유념한 나눔일 수도 있으며, 시라면 곧잘 성인 시만을 연상하거나 그것을 한 차원 높게 보는 그릇된 안목이 낳는 예정된 태도일 수 있다. 그러나 이러한 자세는 정지용 시의 올바른 이해를 위해서는 그다지 도움이 되지 않는다. 문제는 그가 동시를 성인 시와 동열에 놓고 바라보았다는 사실이다.

최명표가 정지용의 작품 세계를 분석하는 것은 다분히 의도적이다. 그것은 시와 동시를 차별적으로 대하는 문단에 던지는 불만의 목소리이다. 동시의 장르적 특정을 시대의 압력을 피하려는 차선책으로 인식한 것에 대한 비판은 그의 비평의 또 하나의 맥이라 할 수 있다. 이를 위해서 그는 정지용과 김상옥을 끌어 들인 것이다. 정지용의《정지용 시집》(시문학사, 1935)과 김상옥의《김상옥 시전집》(창비, 2005)을 통해서 동시가 문학사적으로 중요한 자리를 차지하고 있음을 논증하고 있다. 정지용의 동시에 나타난 고아 의식과 상실의 이미지는 현재까지도 반복적으로 활용되는 시적 소재임을 그

논거로 들고 있다. 또 김상옥의 동시관을 근거로 제시하여 시와 동시의 이분법적 구분이 잘못된 것임을 논증하고 있다. 나아가 "지금도 연구자들은 시에 비해 시조와 동시에 관심을 덜 기울이고 있으며, 특히 동시에 관한 언급을 자제하는 것이 연구자의 품격을 손상하지 않는 양 알고 있는"(p.116) 문학 연구자의 태도까지 지적하고 있다. 그러나 이러한 비판을 하면서도 그 무게 중심은 아동 문단의 내부에 두고 있어 주목할 만하다. 즉 '시와 동시의 장르상의 교섭을 거북하게 생각하고 있는" 창작의 주제인 동시인들에게 더 강한 비판의 눈길을 주고 있다.

> 동시인들의 협량한 장르관은 도리어 동시의 소외현상을 부추기는 데 기여할 뿐만 아니라, 동시의 세속적 위상을 저하시키는 요인으로 작용하고 있다. 왜냐하면 동시란 고유한 장르적 자질에 따라 분류된 것이 아니라, 전적으로 대상성에 기인한 편의적 분류에 지나지 않은 까닭이다. 결국 동시에 대한 하대는 문학사적으로 풍부한 시적 자산에 대한 소홀로 이어지고 시와 동시를 겸행한 시인에 대한 온전한 이해를 방해할 위험을 내포하고 있다. (p.116)

여기서 우리는 그가 동시에 대한 폄하의 원인을 동시문단 내에서 찾고 있다는 데 주목할 필요가 있다. 이것은 그동안 동시에 대한 소홀을 일반문단에서 인정하지 않은 것으로 파악한 것과 차별적인 태도이다. 이러한 그의 진술은 동시의 창작 태도에 대한 따끔한 지적이며 생각해 볼 거리가 있는 부분이다. 이처럼 그는 한 시인의 시적 특징을 구체적으로 분석함으로써 동시의 방향과 그 수준을 언급하고 있다.

3. 옛길과 새 길 사이에 선 작가의 표정

한편 그는 작품에 나타난 시어의 기능과 이미지를 살펴서 그 내적 의미와 작가의 세계 인식 태도를 읽고 있다. 우리말 속에 깊이 배어 있는 소리결을 찾아 시의 음성적 질서를 찾아냄으로써 동시의 매력을 전달해 주고 있다. 즉 문삼석의 〈빗방울은 즐겁다〉를 통해서 압운적 효과와 함께 어휘의 반복이 주는 묘미를 찾아내고 있다. 어휘의 소리를 통한 리듬과 외적 모양의 연결을 통해 동시의 의미가 더 깊게 우러나도록 풀어내고 있다. 이처럼 하나의 시어에서 소리를 따라 운을 찾아내고 그 의미를 짚어내는 것은 동시에서 가락이 갖는 중요성을 역설적으로 드러낸 것이라 하겠다. 아울러 모국어에 대한 그의 애착도 짐작해 볼 수 있다. 이로써 그는 외국어와 모국어의 변별적 자질을 갖춘 시인을 기대하고 있는 것이다. 반면에 그는 시의 행과 연의 지도에 대한 문제도 언급하고 있다. 구조화된 언어를 읽어내는 능력은 작가의 의도에 따른 행과 연의 의미를 통해서 장변을 이어가기도 하고 끊어가기도 할 때 그 묘미가 드러난다는 것이다. 따라서 그는 독자들이 이것을 제대로 파악할 수 있는 능력을 갖추기를 바라고 있다. 아동문학이 지난 세월동안 문화로써의 자리를 잡으려는 노력에 의해 학문적인 연구의 대상으로 떠오르고 있다. 그러나 각 시대별 그 시대의 문제의식을 토대로 구체적인 작품에 대한 가치평가를 매기는 비평과 연구가 혼란스럽게 발표되는 현실이다. 문제는 문학연구와 비평을 명확하게 구분하자는 것이 아니다. 다만 수많은 아동잡지가 출간되는 요즘, 아동문학평론은 독자와의 거리를 좁혀주는 해설적 측면에 치우쳐 있으며, 한편으로는 동어반복의 평이 난무하고 있다는 것이다. 동심의 새로운 접근도 논쟁거리가 되는 것은 분명하지만 여전히 순진함에 매몰되어 있어 문제가 된다. 그래서 최근에 비평이 사라지고 있다는 목소리가 커지고 있다. 이러한 상황에서 최명표의 비평은 텍스트를 읽는 방법이 다양하며 문학 이론을 바탕으로 작품을 구체적으로 평가하는 특징을 지니고 있다. 즉 시와 동시의 해체, 개념화된 어린이(아동)에 대한 빗장 풀기, 시어의 소리결과 의미, 동시(문학)의 감상 중심 교육 등 여러 방면에서 작품을 분석하며 문제를 지적하고 있다. 어쩌면 그는 비평과 문학연구의 자르기 구분을 부정하고 있는지도 모른다. 이는 현단계 아동문학의 미흡한 점들을 이론적 근거를 중심으로 작품을 구체적으로 분석하는 그의 비평 태도를 통해서 그것을 짐작할 수 있다.

한편으로는 최명표는 아동과 동시에 대한 개념을 확대하여 '풀어' 놓음으로써 창작의 소재와 범위를 풍부하게 제시하는 방향키의 역할을 하고 있다. 그러나 그의 비평에 나타난 옥에 티는 지나치게 많이 사용하고 있는 한자어이다. 모국어의 소리결과 시어(어휘)의 의미를 잘 지적한 그가 정작 그의 평론에서는 한자어를 많이 사용하고 있어 아이러니로 읽히고 있다. 그러나 그의 진술은 동시의 창작 주체인 시인도, 또 수용자인 독자도 함께 곱씹어 볼 필요가 있다. 그의 논지를 따라가면 작품의 옥석을 가릴 수 있으며 문학적 가치와 방향을 가늠할 수 있다. 결론적으로 그는 아동문학에서 아동의 범위를 밝힘으로써 아동문학의 개념을 구체화하려는 시도를 하였으며 동시교육을 문학에 근거한 문학교육으로 끌어내려는 강한 욕망을 드러냈다. 이것은 창작과 문학교육을 통해 수준 높은 작가와 독자를 동시에 기대하는 그의 문학에 대한 애정으로 볼 수 있다.

공부처럼
맛난 것은
없다

1960년 9월 4일 정읍에서 태어나다. 지금도 어떤 일이 닥쳐도 구사일생으로 살아남을 것이라는 얼토당토않은 믿음의 밑바탕이 된 생일이다. 은사 강인한 시인의 표현대로 "이 나라의 시린 어금니 같은 곳" 정읍은 '백제녀-정극인-장순하-강인한-이가림-박정만-이준관-하재봉-박형준-박성우' 등으로 이어지는 정읍시파의 본고장이자, 19세기 동북아시아 질서를 충격한 갑오동학농민혁명이 일어난 반역의 땅이며 4·19민주혁명의 도화선이 된 '정읍환표사건'로 유명한 정의의 고장이다. 이 곳이 고향이란 사실은 지금도 자랑스럽고 몸 안에 반골의식이 흐르는 줄 체감하며 살다.

생전에 하나라도 학교를 더 마쳐야 된다는 할머니의 성화로 한 해 앞서 입학하다. 판자에 기름칠 된 일본식 교실이 고스란히 남아 있는 정읍동국민학교를 다니면서 책 읽기와 고독을 배우다. 집에 책이 없던 때 담임교사를 잘 만난 덕분에 밤중까지 남아서 학교 도서관의 책을 몽땅 읽어치우다. 광주서중이나 전주북중을 들어갈 목표로 공부하던 중, 평준화 조치가 단행되어 선배들에 이어 뺑뺑이를 돌리게 되자 처음으로 절망하다. 그 분노로 책 대신에, 정읍농림고등학교 운동장에 가서 밤중까지 공차기를 거르지 않다. 밤늦게 집으로 돌아가는 길에서 하늘의 별과 수다를 떨다. 지금도 이 버릇은 남아서 팍팍할 적마다 하늘을 우러르거나, 절대 자유의 하늘색을 가장 좋아하다.

중학교 2학년 때 전주고등학교에 갈 수 없다는 궁핍에 다시 절망해 있던 중, 특수반(그 시절의 우수반)에서 빠지기 위해 건성으로 시험지를 제출하여 담임으로부터 크게 꾸짖음을 당하다. 이때부터 "선생은 모름지기 아이를 무조건 안아주어야 한다"는 수상한 신념을 갖게 되다. 플라타너스 그늘 아래의 벤치를 찜해 두고 날마다 앉아서 신세한탄하며 사춘기를 보내다. 중3《국어》교과서에 실린 황순원의 〈소나기〉를 읽다가 울면서 시커먼 글자로 사랑을 배우다. 문학은 사랑이라고 몸에 새기다.

동일 재단에서 운영하는 고등학교에 가게 된 실망감에 1학년을 허송하다. 무료히 플라타너스 밑을 오가는 동안에 시인 강인한 선생님을 만나게 되어 공부를 다시 시작하기로 맘먹다. 수업 시간 내 군소리 한 번 없이 판서를 반듯하게 쓰는 모습에 감화를 받아 지금도 어영부영하는 인생을 혐오하다. 2학년 때 특수반에서 열심히 공부하던 중에, 한문 교사의 형편없는 시 해석을 지적하다가 매를 맞고 자진하여 탈반하다. 3학년이 되자 대학을 갈 욕심으로 특수반에 다시 들어가 잠자코 공부하다가, 이번에는 당국의 조치로 특수반이 해체당하면서 문교부의 변덕에 분노하다. 공부하는 틈틈이 《채근담》과 사서를 읽으며 누르스름한 고적이 지닌 여운에 평화를 느끼다. 이때 만난 《중용》이 현재까지 삶의 가르침으로 남다. 서울로 대학을 갈 수 없는 형편에 또 절망하여 예비고사 성적 발표 후에 가출하다. 군사독재 아래서 대학 시절의 반을 땡땡이로 때우며, 대학이 존재하는 이유와 아무 것도 할 수 없다는 사실에 절망하다. 그로 인해 대학 시절은 아련한 추억도 없이 공백으로 남다.

대학원 석사 과정에 적을 두고 죽어라고 공부하다. 서울대학교로 자리를 옮긴 우공 우한용 선생님과의 만남은 교육에서의 만남이 지닌 의미를 온몸으로 깨닫는 계기가 되다. 소설론 과제에 최고점을 주며 평론을 써오라는 선생님의 분부에 일언의 불평도 없이 써다 바치며 평론의 길로 나아가다. 나중에 아동문학평론도 겸장하라는 말씀에 무턱대고 써서 월간 〈아동문예〉와 계간 〈아동문학평론〉의 추천으로 아동문학평론가라는 이름을 얻다. 그간에 발표 한 아동문학 평론들을 모아서 《균형감각의 비평》을 펴내어 우공 선생님에게 헌정하다.

박사 과정을 서울로 갈 수 없는 사정을 팔자 타령으로 돌리고, 같은 대학원에 적을 두다. 과정을 조기 수료하는 동안에 "교수는 아무나 할 수 있어도, 선생은 아무나 할 수 없다"는 괴이한 신념을 갖게 되다. 학문상 독립공화국을 수립할 수 있는 자격증을 받고 난 뒤, 비로소 공부처럼 맛나고 변치 않는 것이 세상에 없는 줄 알다. 그로부터 세상 사람들과의 만남을 줄이고 서재에 박혀 살기로 작정하고, 죽림에 은거하며 학공을 이룬 선조에게서 '竹溪'라는 호를 차용하다.

그동안 아동문학과 관련하여 평론집 《아동문학의 옛길과 새길 사이에서》, 연구서 《전북지역아동문학연구》와 《한국근대소년소설작가론》 등을 내다. 지금은 평론 외에 한국 아동문학사와 소년운동사를 새로 쓰는 중이다.

한국 아동문학가 100인

김완기

인물론

맑고 다감하고 정갈하다

작품론

내면에서 풍기는 상큼한 향기

어린이와 함께 선생이 걸어온 길

맑고
다감하고
정갈하다

강휘생

1. 놀아도 '오죽헌 뜰'에서 놀아라

김완기 시인은 정갈하다. 언제 보아도 차림새와 속맘과 언행이 맑고 다감하다.

1970년대 초, 한국 아동문학회 사무국장 시절에 평회원인 나를 처음 만나 40년 가까이 친동생처럼 친근하게 아껴준다. 소속된 문학회 일로 함께 한 시간도 많았고 두어 차례 해외여행과 이런저런 만남이 있을 적에 살아온 얘기를 들려주곤 한다. 기억을 더듬어 몇 가지 옮겨 본다.

"놀아도 오죽헌 뜰에 가 놀아라."

촌모인 어머니는 이렇게 말하며 사려 깊은 사람으로 성장하기를 바랐다. 율곡이 태어나 자란 강릉 오죽헌 건너편 소나무골이 고향 마을이다. 바위소나무 아래 샘물가에 앉아 동방의 큰 학자 율곡의 그림자를 밟으며 올곧게 크라고 당부하는 것이다. 그건 아마도 아버지처럼 불행이 있어서는 안 된다는 간절함 때문이었다. 보통학교와 서당에서 신학문과 한문을 익히고 강릉우체국에서 잠시 일하다 해방과 더불어 대한청년단에 집착하다 병환으로 가사를 탕진하고 6·25 때 우익으로 몰려 갖은 고초를 겪다가 다시 병석에 누운 아버지였다.

사임당과 율곡의 유품이 그대로 보존된 오죽헌은 학문하는 선비의 모습이 간직된 곳이다. 그곳의 정기를 받았으면 하는 작은 소망으로 틈만 나면 그곳으로 보낸다. 어머니는 텃밭에서 가꾼 무, 배추, 감자를 이고 먼 읍내로 갔고 밭농사와 길쌈과 온갖 잡일로 세 남매를 키우며 남편을 간호했다. 때로 별이 빛나는 밤이면 무릎에 앉히고 '춘향전', '심청전', '홍길동전' 같은 전해오는 얘기를 들려주며 반듯하게 자라기를 소원했다. 그러던 어느 추운 겨울날에 청천벽력의 시련이 닥치고 말았다. 어머니는 걸어서 종일 걸리는 먼 대관령 산기슭 소금강 산골에 아버지 약재를 구하러 갔다가 폭설을 맞는다. 키보다 더 높이 쌓인 눈에 오두막집에 갇혔다가 그만 맹장염으로 세상을 떠나신 것이다. 이때가 사범 졸업반에 막 진급하려는 1955년 섣달 그믐날 열여덟 나이였다.

방황과 좌절이 한으로 몰아쳤지만 정신을 똑바로 차렸다고 한다. 초등학교 때부터 지켜온 으뜸자리를 포기해서는 안 된다며 설움을 새기면서 어머님 말씀을 되새겼다. 이

런 꿋꿋함이 있어 200여 졸업생 전체 수석으로 모교인 오죽헌 옆 경포초등학교에 햇병
아리 교사로 부임한다. 사범 재학 때 문예부장과 문예지 〈보리밭〉 편집 경험을 살려 문
예지도와 교지 발간에 정성을 쏟다가 본격적인 문학 활동은 1961년 봄 군에서 제대하
고 발령받은 울진군 매화초등학교에서였다. 매화촌 하숙방에서 쓴 동시·동화가 강원일
보, 새한신문, 교육자료, 새교실, 민국일보 등에 발표되었고 어린이와 함께 흙벽돌을
손수 찍어 세운 '흙벽돌 도서실'과 잔디 씨앗을 모아 판 돈으로 구입한 도서는 농촌 어
린이에게 책을 읽혀야겠다는 문학을 지망하는 젊은 교사의 꿈이 서려 있었던 것이다.

2. 재능과 뚝심

강릉 김씨 옥가파 38대 장손으로 엄격한 조부님께서 장손은 뭐든지 으뜸의 본을 보
이라는 말씀에 "일등이란 호칭 때문에 항시 부담과 긴장이 일상을 억누르곤 했다."라고
가끔 털어놓은 적이 있다. 6·25사변 몇 개월 뒤 중학입시는 혼란 중 국가 공동의 학력
고사로 치르게 되었는데 교내 최고득점자였고 사범 학교에 들어가서도 쉽지 않는 으뜸
자리를 유지했다. 공부벌레, 책벌레 별명으로 시골집 작은방은 동네 친구들이 찾아오는
공부방으로 재능을 나눠 가지려고 모여들었다. 이런 모범생이 참외 서리, 고구마 서리,
닭 서리 같은 장난에도 앞장서기도 했고, 어른들께 들키면 '소나무골집' 아이도 끼었다
며 용서를 받던 그 낭만과 순진함이 지워지지 않는 소중한 체험으로 남는다고 한다.

총각 선생의 패기는 도전이었다. 매화초등학교에서 다시 강릉초등학교로 전근한 다
음해인 1963년에 대한교육연합회 전국교육연구대회에서 분과별 최우수자에게 장관상
과 푸른기장증을 수여하는 것이다. 이때 학교 도서관분과 연구발표 대회에 전국 1등을
하였고, 그 이후 국어과와 학교 도서관 분야에 네 차례나 푸른기장증을 받음으로서 한
번도 획득하기 어려운 걸 다섯 차례나 받은 전국 최다의 교육연구대회 최우수 발표의
열정을 보여 준 것이다. 이 같은 국립교대부국의 현장연구 실적으로 서울의 사립학교
로 오게 되었고 동기생 중 제일 먼저 교감, 장학사, 교장이 된 것이다. 교육연구와 학문
에 대한 도전 정신 때문에 강릉초등학교 때엔 관동대학 야간부에, 서울 대광초등학교
때엔 한국방송통신대학에 입학하게 된다.

이는 타고난 재능보다는 성취해내려는 뚝심이라고 스스로를 평한다. 1970년 무렵에
자유교양 고전읽기 열기가 대단했는데 제1회 자유교양 전국교원논문에서도 '고전읽기
의 실제'가 일등에 뽑혀 장관상을 받는다. 이보다 썩 이전인 1962년에 보진재에서 소년
소녀를 위한 《사랑의 푸른 꽃밭》 문예작품 모집에, 1967년에 〈새한신문〉 주최 전국교
원현상문예작품 모집에서 교육수기가 당선 된다.

그 해 〈어깨동무〉가 창간하면서 현상 모집한 동화 〈유괴범이 된 만화책〉이 당선작 없는 수석 입상을 했고 다음해엔 〈서울신문〉 신춘문예에 〈선생님 눈 속엔〉 동시가 당선하면서부터 산문보다 동시에 비중을 두면서 어린이 글쓰기 지도와 시 창작에 몰두하기 시작한다.

이 같은 세찬 물살의 돌다리를 숨차게 막 건너 온 30대 초반에 만난 김완기 시인의 인상은 다정다감했다. 포근하고 세밀하게 사무국장 업무를 수행하는 것이었고 아동문학 세미나에서 만난 강한 뚝심의 패기를 보면서 나도 알게 모르게 살아가는 방식의 한 모퉁이를 흉내낸지도 모른다. 가끔 지면에 발표되는 맑은 동시를 읽으면서 나에게도 조금씩 변화가 온 것이 사실이다. 동화만 쓰겠다는 고집에서 동시를 쓰기 시작했고, 동시 전문지의 한 식구가 되도록 주선해 주었으며 나도 두 권의 동시집을 갖게 된 것이다.

3. 찬찬함, 그리고 사려 깊은 배려

김완기 시인은 찬찬하고 사려 깊고 섬세하다. 입장 바꾸어 생각하고 깊이 생각하며 행동하는 걸 보면 아마도 본디 태어난 심성 때문인 것 같다. 금전 문제도 차가울 만큼 깨끗하다.

몇 해 전, 필자의 양친이 몇 달 사이를 두고 세상을 떠났을 적에 그때마다 달려와 상주인 나를 끌어안고 눈물을 글썽이며 위로하는 것이다. 찬찬하게 배려하면서 속맘 깊이 따슨 정을 주더니 정작 본인에게 닥친 기막힌 비통은 다른 사람들에게 괜히 폐가 될까 봐 혼자 새긴 일이 있었는데 평소의 성품과 사려 깊음을 짐작하게 한다. 그러니까 2009년 5월 1일 '아동문학의 날' 행사가 서울 이문초등학교에서 열렸는데 여기 참석한 사이에 사모님이 밖에 나갔다가 계단에서 갑작스런 심장마비로 쓰러지신 것이다. 그날 나도 그 행사에 참가하고 있었는데 핸드폰 연락을 받더니 잠시 일이 있다며 나가는 것이다. 그 후 며칠간 소식이 없었는데 알고 보니 그날 병원에서 그만 얘기 한 마디 못 하고 선종했다는 비보였다. 얼마나 당황했는지, 앞뒤를 여쭈었더니 부모상도 아닌데 문우들이나 함께한 교직 동료에게도 일체 알리지 않았다는 것이다. 가족과 성당 교우들이 지켜보는 가운데 고향 뒷산 소나무골 양지바른 곳에 몇 해 전에 출강하던 중구 주부대학 제자들이 세운 남편의 시비 곁으로 갔다는 것이다. 원고지 가득한 골방에서 찬찬하게 챙겨주던 그 모습대로 아내가 저 세상 작은 방에 먼저 가 있을 거라고 자위하는 말에서 평소 살아온 시인의 사려 깊은 배려와 겸허한 삶을 다시 보게 되었다.

그 후, 가끔 만날 적마다 허망해 견디기 힘들다는 말에 마음이 아팠다. 무엇으로 위로할까 생각 끝에 잠이 잘 안 온다기에 고향 장모님께 특별히 부탁해 손수 재배해 담근

복분자 술 두 병을 드리면서 잠자리 들 때 한 잔씩 마시며 잊으라고 했다. 그랬더니 얼마 뒤에 우연히 함께 큰길을 걷다 나를 옷가게로 끌고 가더니 T셔츠 하나 사서 건네는 게 아닌가. 찬찬하게 배려하는 맘이 몸에 밴 시인이다. 얼마 전에 어느 아동문학지에 발표한 〈배려하는 맘〉이란 동시를 읽으며 어쩜 평소의 모습이 그대로 작품에 담겨 있을까 놀라웠다.

들길을 걷다가 물어보았지
−이 세상 으뜸이 무얼까?

작은 들꽃이 고개 들고
−고운 생각, 고운 눈빛 아니니?
저 까만 새들처럼.

따라오면 새들이 쫑알댄다
−아냐.
예쁜 마음, 예쁜 웃음이야.
여기 작은 들꽃처럼.

나도 그랬나?
들길을 걷다가 물어보았지

배려하는 맘.
− 〈배려하는 맘〉 전문

4. 교단과 문단의 두 수레바퀴

김완기 시인은 가끔 육·해·공을 다 겪은 교직 50년이라 농담 삼아 말한다. 국립, 사립, 공립학교에 고루 몸담아 어린이와 함께 숨쉬었고 정년 후에는 7년간이나 평생교육 기관에서 자문교수 직책으로 주부들의 문학 수업과 자녀교육 강좌를 맡았다. 일찍이 매화초등학교 때 작품을 발표하던 1960년대부터 반세기 가까운 문단 활동과 비슷한 세월의 교단생활이다. 두 수레바퀴를 쉼 없이 굴리며 때론 오솔길을 오르내리고 때론 신작로를 걸어온 삶이 아름답게 보인다.

백묵가루로 시작한 교단의 가르침이 열정이었다면 원고지로 시작한 문단의 글쓰기는 애정이었다고 소박하게 자신을 정리한 적이 인상 깊다. 하기야 열렬한 정열로 가는 곳마다 문학교육과 독서지도에 후회 없이 쏟아 부었으니 그럴만하다. 또한 아무리 쏟아도 그곳에 어떤 대가나 보수를 바라지 않는 애정으로 작품을 써온 문학적 삶을 짐작하게 한다.

남산에 있는 문학의 집·서울에서 펴낸《나에게 문학은 무엇인가》란 책자에 김완기 시인은 〈못 떨치는 미운 동반자〉란 제목으로 심경을 밝힌 바 있다. '……아무리 떨어져 있으려 해도 쉽게 못 떨치는 반려자 나의 문학이다. 고마운 건 세상을 아름답게 바라보는 눈이다. 이것마저 없었다면 얼마나 허망할까. 이 길에 들어오기 전에는 모두가 그저 있는 그대로만 보일 뿐 낯설거나 숨어 있는 게 아름답다는 걸 못 느꼈다. 그러던 것이 동심의 깊이를 알고 찾아 나설 때부터 무디어지고 바래지고 하찮은 것일지라도 그곳에 소박하게 살아가는 기쁨을 보았다. 삶이란 다 그런 게 아닌가. 거창한 삶일수록 미움과 시기, 질투, 뽐냄, 욕심과 허세가 있기 마련이지만, 순박하게 살면 따사롭고 평화롭다. 세상 한 모퉁이라도 아름다워지게 하려는 하나의 숙명같이 이 작업의 붓을 든다…….' 평생을 문학을 동반자로 여기며 살아가는 아동문학가의 진솔한 모습을 보게 된다.

교단의 열정과 문단의 애정으로 쉼 없이 회전한 두 바퀴의 수레는 '동심의 세상'이란 푸른 텃밭을 가꾸어 놓았다. 동시집, 동화집과 글쓰기와 독서에 관한 각종 이론서와 7판의 애독자를 가진《가슴이 콩콩 뛰는 101가지 작은 이야기》같은 단행본 90여 권이 텃밭 구석구석에서 반짝인다. 교단 끝 무렵엔 서울초등국어교육연구회장과 문예교사가 대부분인 한국글짓기지도회장으로 일하면서 문학을 중시하는 교육 풍토 조성에 힘쓰기도 했다. 나의 문학에는 끝이 없는 애정이라고 실토한 것처럼 근래에도 오래 몸담던 문학 단체에서 조용히 후배를 이끌며 작품을 쓰고 있다. 자신을 좀 앞세우기도 하고 드러내고 싶을 때가 되었지만 뒤에 물러 서 알게 모르게 동료 문인들을 배려하는 걸 보면서 시인이 써온 작품과 성품이 같은 모습이구나 하는 생각을 자주 하게 된다.

5. 맑고 정갈한 삶

김완기 시인에게는 두 아들과 초등학교 교사와 중국어 강사로 있는 두 며느리 그리고 중·고등학교에 다니는 두 손녀와 어린 손자 하나가 있다. 이들이 작품의 애독자이고 날카로운 평자라고 한다. 초등학교 국어 교과서에 수록된 할아버지 작품 〈산〉, 〈산새〉, 〈고드름〉, 〈시를 쓸 때면〉, 〈우리나라 지도〉, 〈조약돌〉을 다 암송한다고 한다. 음악 교과서에 실려 있는 〈봄 오는 소리〉는 노래로 부르면서 발표된 동요, 동시에 대한 감상을 숨김없이 털어놓는다고 한다. 청소년기인 이들에게 비친 자연의 정경이 울림으로 다가 온다며 시인 자신이 뽑은 것 중 한 편을 살펴보자.

파란 하늘에 쏘다녀서
새들은 파랑눈일 거야

파란 솔방울 어서 자라게
고 작은 눈으로
햇살 날라주느라
폴랑폴랑 바쁘겠구나

초록가지에 돌고 돌아
새들은 초록맘일 거야

초록 열매 데리고 앉아
고 고운 맘으로
사는 얘기 일러주느라
쩨쩨짹짹 목이 아프겠구나

참 재밌는 세상.
– 〈참 재밌는 세상〉 전문

김완기 시인의 동시는 맑고 정갈한 삶처럼 함께 살아가는 세상 이웃들의 삶을 군더더기 없이 담백하게 담고 있어 친근한 느낌을 준다. 고운 심성으로 바라보는 자연과 일상과 사물의 풍경이기에 어찌 포근하고 따스하지 않겠는가. 아동기를 거친 두 손녀의 맘에도 이같이 재있게 살아가는 생명체들의 일상을 가슴에 담아두고 싶었는지도 모른다.

시를 쓰건 동화를 쓰건 그 누구도 살아가는 인간살이가 마냥 맑음만 있기란 쉬운 일이 아니다. 바위틈에서 흘러내리는 샘이 그렇게 맑다가도 뜻하지 않은 폭우로 어쩔 수 없이 흙탕물이 되고 더 넘치면 본의 아니게 샘물가에 모여 사는 풀잎을 더럽히며 고통을 주는 게 아닌가. 나로 하여금 남에게 비록 작은 것 하나라도 폐를 끼치게 하거나 그 누구에게도 불필요하고 귀찮은 존재로 비춰지는 걸 절대 용납 못한다. 이런 꼿꼿함을 고향집 오죽의 대쪽에 비유한 적이 있다. 태어나 장가들 때까지 포근한 위안처가 된 고향집 뒷마당이 오죽 대밭이다. 자주색과 흑색이 고루 섞인 이 오죽은 눈 내리는 겨울이면 타고난 성질을 알게 된다는 것이다. 눈이 많이 쌓여 견디기 힘들어 내 힘으로 극복하기 어렵게 되면 휘어지다가 그만 꺾이고 만다. 이런 오죽을 곁에서 보면서 내일을 그리며 어린 날을 보낸 것이다.

이 글을 어떻게 마무리할까 망설이다가 2010년 새해를 맞아 한국 아동문학회 〈뉴스레터〉에 실린 김완기 시 〈내게 작은 소망하나 있다면〉이란 신년시의 한 구절이 생각났다. '…… 거미줄 이슬이 숨이 찬 잠자리 적시려고 대롱대롱 ……' 이 한 줄의 글에 담긴 깊은 속맛을 다시 꺼내 보았다. 아침햇살이 찾아와도 거미줄에 대롱대롱 버티는 이슬방울이 무딘 마음이라면 그냥 떨어지지 않는 흔한 하나의 물방울일 것이다. 그러나 동심의 맑은 눈에 비친 아침 이슬은 달랐다. 진득진득 거미줄에서 겁에 질려 발버둥치다 지친 숨이 찬 잠자리에게 내 작은 물방울 하나를 촉촉하게 건네주고 싶어 하는 그 맘처럼 따슨 맘으로 살아가는 문학과 삶. 이게 다정다감한 김완기 시인의 맑고 정갈한 참모습이라 하겠다.

내면에서
풍기는
상큼한 향기

김완기 동시 세계

엄기원

1. 설렘, 그리고 기쁨

매일 나가는 나의 일터가 마포구 구수동이다. 6호선 광흥창역 바로 옆인데 얼마 전에 지하철 역사 내 좋은 위치에 동시 몇 편이 상설 게시되었다. 한가운데에 김완기 시인의 〈이른 봄〉이란 시가 시선을 머물게 한다. '봄볕이 / 담벼락에 매달려 / 봄을 칠한다. // 노랑나비 찾아와 / 노란색 밑그림 그리면 // 담 밑에 모여앉은 새싹이 / 연둣빛 점 콕, 콕 / 봄을 칠한다.' 이 작품에서 보듯 그의 시를 대하면 늘 설렘이 있고 기쁨이 있다.

김완기 시인은 처음 등단기에 보여 준 상큼한 동심의 향내를 흐트러짐 없이 그대로 유지하고 있다. 작품마다에 산뜻한 이미지를 담고 있어 공감하게 되고 고개　끄덕이게 한다. 몇 해 전에 펴낸 동시집《연잎에 개구리 미끄럼 타는 날》이 제23회 국제펜클럽 한국 본부 펜문학상 수상작으로 뽑혔을 적에 〈펜뉴스〉지에 시를 빚는 마음을 밝힌 글에서 담백한 시심을 엿보게 한다. '…… 산길에 오르다 바위틈에 고인 옹달샘을 갈잎을 뜯어 돌돌 말아 마셨더니 늘 마시던 스텐이나 사기컵하고 물맛이 아주 다르다. …… 이같이 숨어 있는 속맛, 아직 보지 못한 새맛, 그리고 새로운 풍경을 건져내 펼쳐 보이는 환희와 감동. 이런 아름다운 세상을 만나는 설렘과 기쁨으로 동심의 시를 쓴다.'라고 털어놓았다. 이 말처럼 순박한 어린이 맘이 담긴 내면의 시, 상상의 시, 느낌의 시를 써 오고 있다.

2. 서정성 짙은 초기 작품

초기부터 서정성에 바탕을 두고 있다.

동시다움이란 어린이의 정감과 정서가 담겨져야 한다며 느낌이 오고 울림이 있는 시를 쓰고 있다. 이는 습작기 학창 시절에 받은 영향이라고 본인 스스로가 말한다. 6·25 몇 달 뒤 강릉사범 병설 중학교 입학하면서 당시 황금찬 시인의 중·고생 대상의 문학특강에서 시 창작 정신도 이러했다. 이 후 강릉사범 본과에서 윤명 시인의 휘하 문예부장으로 시는 함축된 내면세계가 있어야지 그저 아름다운 언어를 나열한 게 아니라는 시 세계에 대한 기본 생각들을 강도 높게 수학했고 시 짓기 습작 훈련을 호되게 받은 탓이라는 것이다.

초기 작품 하나를 살펴보겠다. 〈서울신문〉 신춘문예에 동시 〈선생님의 눈 속엔〉이 당선되던 바로 전해인 1967년 〈강원일보〉 새해맞이 장르별 특선 문예란에 동시 〈고드름〉이 발표되었다. 이 무렵 전국 문학지망 교사 모임인 '은방울' 동인으로 여러 지면에 작품이 선보였는데 이 동시는 춘천교대부속학교 교사 시절에 혹한으로 유명한 당시 춘천의 겨울 정경을 그대로 담고 있다.

꽁꽁 이불 속
잠이 든 새에
누가 와서 만들었나
처마 끝 고드름

긴 긴 겨울 밤
잠도 못 자고
호호호 손을 불며
만든 고드름

…… (중략) ……

동동동 한나절
무얼 먹었는지
덜덜덜 떨면서도
자란 고드름

학교 갔다 돌아오니
또 한 뼘 컸네.
– 〈고드름〉 부분

몇 해 뒤 1975년에 펴낸 동시집 《하늘이 단지 속에》에 수록되었는데 제6차 교육 과정 초등 국어 교과서 3학년에 실렸었다. 이 무렵 어린이들의 겨울은 햇살을 붙잡고 얼음지치기와 눈썰매와 눈 덮인 산을 쏘다니며 산토끼를 뒤쫓던 낭만과 즐거움이 있었다. 집집마다 고드름이 커 자랑이라도 하듯 주렁주렁 매달린 고드름을 쳐다보며 학교에 오가던 친근한 풍경을 담고 있다. 지금은 온난화로 좀 멀어지긴 했지만 당시의 춥고 고단한 일상에 고인 삶의 기쁨을 이 작품에서 만나게 된다.

산새는
혼자서 생각을 키웁니다.

긴 긴 밤
엄마 가슴에 얼굴을 파묻고
하늘의 별의 셉니다.

그 작은 가슴
그 작은 눈으로
고운 걸 예쁜 걸
하나씩 배우는 기쁨

동지에 해님이 얼굴을 내밀면
아침이 열리는 것을 알게 됩니다.

엄마 새가 산속을 나는 시간이
조금씩 길어지면

파란 하늘에 내 힘으로
텀벙 뛰어들어 보라는 것도
눈짓으로 알게 됩니다.
– 〈산새〉 전문

자연과 더불어 살아가는 작은 생명체의 성장 과정이 정겹게 그려져 있다. 알에서 깬 보드라운 깃털의 아기 새가 세상 속의 한 존재로 살아가는 방식을 스스로 터득하는 지혜가 묻어나는 시다. 막연한 묘사가 아닌 그들의 삶 속에 들어가 구체적인 생각을 건져 올리면서 숨겨진 상큼한 향기를 찾아내는 시적 감각이 남다르다. 하늘의 별을 세며 생각이 크고 엄마 새가 산속을 날으는 시간이 길어질수록 자립하라는 메시지를 아기 새는 엄마의 눈짓으로 알게 된다. 작거나 크거나 이 세상 누구도 아기와 엄마는 주고받는 따슨 눈빛이 있고 이런 교감은 가장 아름다운 것임을 보여 준다. 이 작품도 앞의 〈고드름〉을 비롯해 〈산〉, 〈시를 쓸 때면〉 등과 함께 지난 국어 교과서에 실려 오랜 기간 어린이와 함께 했다.

3. 마음이 오가는 따슨 온기

그냥 지나쳐버리기 쉬운 하찮은 것들을 하나의 소중한 인격체로 호흡을 같이 하는 건 시인들의 남다른 시선이라 하겠지만 김완기 시인의 작품에서 유독 많이 띈다. 존재하는 사물과 물체의 움직임과 숨소리를 작품에 담는다는 건 그만한 애정이 있어야 하고 보는 눈이 예리해야 한다. 어린이 세상의 순수를 향기로 담아내는 동심의 시는 마음이 오가는 따슨 온기를 느낄 적에 가까이 오래 두고 싶어진다. 이같이 따뜻한 기운이 감도는 정감 있는 시를 내놓을 적마다 타고난 고운 심성과 가슴으로 쓰는 시인의 시심이 합쳐진 게 아닌가 생각하게 된다.

오늘은 들판을 쏘다녔다
풀이름 알고 싶어서

질경이, 씀바귀, 비름, 쇠무릎,
꽃다지, 패랭이, 원추리, 쥐꼬리풀

풀이름 알고부터 듣게 되었지
오순도순 모여앉아 얘기하는 걸

엊그제 이름 몰라
"얘"하고 부르던 그때하고
아주 다르구나.
– 〈풀이름 알고부터〉 전문

풀잎 하나라도 그냥 지나쳐 버리지 않고 마음을 주고 싶어 하는 시인이다. 아무도 보아주지 않지만 오순도순 둘러앉아 나누는 얘기도 있고 소망도 있다. 이런 풀잎과 풀꽃을 찾아 이름을 불러주는 정감 가득한 작품이다. 이름을 불러주는 건 상호간 신뢰의 눈길이 오가는 친밀함이고 교감인 것이다. 들판에 길가에 밭두렁에 피고 지는 풀잎에게 이름을 불러주고부터 그들의 애기를 듣게 되고 흔들어주는 파란 손을 느끼게 되는 시적 안목이 새롭고 산뜻하다. 일상에서 풍요롭고 화려한 것과 본체만체 뒷전으로 밀리는 보잘것없는 것에 대한 가치관의 차이를 일깨우며 풀 하나에도 사랑을 담고 있어 감흥이 더하다. 2007년 한국문화예술위원회에서 선정한 우수동시 창작지원 작품이기도 하다.

이 시보다 훨씬 오래된 또 다른 작품을 살펴보자. 친구와 말다툼 뒤에 헤어지는 갈림길에 벌어지는 모습에서 금방 안쓰러워하는 깨끗하고 순박한 어린이들의 세상이 명료하게 신작로 넓은 길에 펼쳐지는 시다.

친구와

말다툼

입이 뽀로통

신작로 양쪽으로

돌멩이를 던진다

미루나무 위로

헤어지는

갈림길

둘이는 말이 없다

저만치

뒤돌아보면

친구도

뒤돌아본다

오가는 마음

신작로 넓은 길

– 〈신작로〉 전문

4. 고운 시선, 맑은 생각

김완기 시인의 작품을 대할 적마다 세상 구석구석을 바라보는 시안과 이를 언어에 담는 생각이 곱고 맑다는 걸 느끼게 된다. 그저 보이는 대로 들리는 대로의 겉모습이라면 무슨 재미와 감흥이 있겠는가. 맛이 있는 시는 사실 그대로가 아닌 느낌 있는 시를 말한다. 이런 느낌은 자연 현상이나 사물의 내면에 담긴 속맛일수록 더 향기롭다. 일상의 얘기에서도 좀 엉뚱하더라도 풍기는 새 맛이 있어야 더 신선해진다. 그래서 시의 발상과 표현은 참신해야 하며 새로운 생각이 묻어나야 한다고 강조하는 게 아니겠는가. 이런 기조를 늘 간직하면서 함축된 의미를 찾아내는 시를 쓰고 있다. 실제로 자연과 사물이 살아 움직이는 곳을 찾아가 겪으면서 체험으로 담아 낸 여러 시편에서 이 같은 착상을 쉽게 발견하게 된다.

파도가 철썩이는
모래밭.

손가락으로 커다랗게
아침의 나라
우리 땅 지도를 그려 봅니다.

한반도 허리에
그어진 금

잘못 그렸다고 일러 주려는지
숨가쁘게 달려와
사르르 지워 버립니다.

고운 손 예쁜 마음으로
하나 된 우리나라 지도

다시 그려 보라고
백사장 모래 위에
새 도화지 자꾸만 깔아 줍니다.
ㅡ〈우리나라 지도〉 전문

어릴 적에 친구들과 달려가 뛰놀던 동해 백사장에 훗날 서울 학교에 몸담고 있을 때 어린이들과 함께 여름 캠프를 하면서 썼다고 한다. 해당화 곱게 피던 그 바닷가 맑은 모래밭에 손가락으로 그리던 어릴 적 그림의 내용과 이 작품을 쓰던 때 어린이들의 그림은 담겨진 생각이 달랐다. 달려와 사르르 지워버리는 파도의 마음을 본 것이다. 파도가 와 닿는 모래밭에 손가락 글씨를 쓰면 가슴에 파고드는 느낌이 온다. 쓰고 나면 파도가 지우개가 된다. 이 날 바다캠프에서 그룹별 손가락 그림 그리기를 했는데 커다랗게 우리나라 지도를 그린 아이들의 맘을 상상으로 담았다. 부모의 얼굴도 그리고 학교 사육장 귀여운 토끼도 있었지만 우리나라 지도를 달려와 지워버리는 파도에서 자라는 세대뿐 아니라 이 땅에 사는 모두의 염원을 본 것이다. 새 도화지 자꾸만 깔아준다는 비유가 상상과 맛과 멋의 깊이를 더해주는 이 시는 현행 초등학교 국어 교과서(5학년 1학기)에 수록되어 있다.

구불구불 뱀 꼬리
산골버스 오는 날
강아지가 먼저 안다

아랫마을
돌고 도는 산모롱이
뽀얗게 퍼지는 흙먼지 보고

옥수수 밭두렁
쪼르르르
동네 사람들 알리느라

깽깽깽
작은 발 참 바쁘다.
– 〈산골 버스 오는 날〉 전문

90년대 초반까지 흙먼지 날리는 구불구불 비포장도로에 덜커덩거리며 하루 한두 번씩 찾아오는 산골 오지가 그리움으로 남는다. 아낙네들은 산나물과 푸성귀를 바구니에 가득 담아가지고 아침에 버스에 올라 읍내 장에 갔다가 저녁이면 버스가 없기에 걸어올 때가 많다. 이 작품은 그런 산골에 머물면서 썼다고 한다. 교육청 장학직에 있다가 처음 교장이 되어 도시 어린이에게 산촌의 생활을 익히기 위해 도·농간 자매결연을 맺었다. 그곳이 강원도 양양 바닷가에서 서쪽으로 몇십 리 산기슭에 자리 잡은 어성전리다. 마침 동기생이 둘이나 근무하고 있어 이곳으로 정하고 방학 때면 어린이들과 농촌 체험학습을 하였는데 시인의 눈에 비친 버스 오는 날 아침의 모습이다. 흙먼지를 보고 동네 사람에게 바삐 알리는 강아지 작은 발에서 산촌의 넉넉함과 평화로운 일상을 보게 된다. 상황 묘사가 재미있고 강아지도 한 동네 식구로 살아가는 훈훈한 정이 내면에서 풍긴다.

5. 노래로 작곡된 수백 편 동요

동요가 어린이의 생활과 감정과 생각을 담아 의미화한다는 점에 동시와 맥을 같이하지만 운율과 리듬을 갖춘 정형시라는 특성이 있어 노랫말로 많이 작곡되기도 한다. 김완기 시인은 일찍이 70년대 초부터 나와 함께 '동요동인회' 회원으로 많은 작품을 남겼다. 노랫말 작사자와 동요 작곡가가 각기 똑같이 15명씩 모두 30명으로 구성된 동요동인회에 가장 연소자로 활동한 것이다. 김영일, 박송, 이원수, 어효선, 박경종, 장수철, 박화목, 박홍근, 석용원 같은 선배님을 모시고 겸손하게 말석에서 조심조심 동요를 발표한 지 30년이 훨씬 넘는다. 지난해에 '한국음악저작권협회'에서 소속된 작사 회원에게 개인별로 작곡이 되어 등록된 노랫말을 정리해 확인하는 작업이 있었는데 365편이라고 한다. 간결하고도 리듬감 있게 담겨진 생각이 도도록하게 오롯이 풍겨야 하는 게 동요의 공통된 요건인데 이를 잘 갖춘 두 편만 살피기로 한다.

땅 속에 꽃씨가
잠을 깨나 봐
들마다 언덕마다
파란 숨결 소리에
포시시 눈을 뜨는
예쁜 꽃망울
산을 넘고 강을 건너
봄 오는 소리

꿈꾸는 나무가
깨어나나 봐
뿌리로 물을 긷는
고운 맥박 소리에

쏙쏙쏙 고개 드는

밭가의 냉이들

산을 넘고 강을 건너

봄 오는 소리

– 〈봄 오는 소리〉 전문

많이 알려진 대표 동요다. 꽃씨의 파란 숨결 소리에서 나무의 고운 맥박 소리에서 봄 오는 소리가 들리는 기쁨이 그려져 있다. 이 작품은 1979년 초에 〈새농민〉지에 수록되었는데, 당시 KBS 어린이 합창단을 맡고 있던 동요작곡가 한용희 선생님의 눈에 띄어 작곡되었다. 지난번과 현재 6학년 음악 교과서에 20년 가까이 수록되어 어린이들이 새봄과 함께 환희에 찬 모습을 그리면서 부르고 있다. 이 동요를 들여다보면 1연과 2연의 대칭이 조화롭고 봄을 기다리는 가슴에 생기 있는 세상 모습이 설렘과 두근거림으로 다가오는 것이다. 포시시 눈을 뜨는 예쁜 꽃망울과 쏙쏙쏙 고개 드는 밭가의 냉이들에서 봄 오는 소리가 생동감 가득히 가슴을 펴게 한다.

또 하나 저학년 어린이에 익숙한 근래의 동요 한 편을 소개한다. 가족동요로 애창되는 〈참 좋은 말〉은 '사랑해요 이 한마디'란 노래에 가족애가 담겨 있어 함께 호흡하며 부르고 싶어진다. '사랑해요 이 한마디 참 좋은 말 / 우리 식구 자고 나면 주고받는 말 / 이 말이 좋아서 온종일 신이 나지요 / 이 말이 좋아서 온종일 가슴이 콩닥인대요 // 사랑해요 이 한마디 참 좋은 말 / 엄마 아빠 일터 갈 때 주고받는 말 / 이 말이 좋아서 온종일 일맛이 나지요 / 이 말이 좋아서 온종일 가슴이 콩닥콩닥인대요……' 이렇게 부르다 보면 가족 간에 주고받는 일상의 말 한마디가 얼마나 소중한가를 되새기게 한다. 함께하는 누구에게나 건네고 싶어지는 따슨 맘이 담긴 이 동요는 2007년 MBC 창작동요발표대회에 대상으로 뽑힌 노랫말이다.

6. 성숙한 동심의 향기

서울로 이사 온 지 닷새다

다닥다닥 연립주택 3층에

학교길 책가방도 같고

방안에 선풍기도 같고

이웃집 강아지도 같고

다른 것 하나

밤마다 잠맛이 다르다

시골 마당에 쏟아지는 별

저녁별 안으면 잠이 포근했는데

불빛에 눈이 부셔 숨어버렸나?

밤하늘 가득히 피어나던 꽃

별 하나 품고 푹 자봤으면 좋겠다.

— 〈다른 것 하나〉 전문

폭넓은 시야로 어린이의 일상을 소박하게 그린 작품에서 동심의 순수를 만나게 된다. 맑은 환경의 시골 생활에 익숙했던 어린이가 서울로 이사해 처음 겪는 심정이 진솔하고 투명하다. 오염된 대기 현상 때문에 하늘이 흐리고 별이 보이지 않는다고 했다면 얼마나 답답하고 밋밋할까. 〈다른 것 하나〉는 과학적 상식을 뛰어넘는 순박한 어린이 맘이고 정감 있는 동시의 맛이 스며 있어서 감동을 준다. 밤하늘 가득하던 그때 그 별 하나 품고 푹 자봤으면 좋겠다는 건, 정신적 풍요로움이 있던 시골 생활의 그리움이다. 어린이 눈에 비친 세상 모습은 솔직하고 소박하다. 도시 환경에 대한 간절한 바람과 소망이 담긴 이 시에서 보듯 어린이 맘과 가슴에 들어가 의미를 찾는 성숙함을 발견하게 된다.

"엄마―"

하고 부르면

응석부리고 싶고

"어머니―"

하고 부르면

업어드리고 싶다.

— 〈느낌〉 전문

긴 설명이 필요 없는 '느낌' 그대로가 감동이다. '엄마'와 '어머니' 따뜻한 사랑이 고인, 세상에서 가장 부르고 싶은 두 말의 느낌이 담백하게 울림으로 와 닿는다. 응석은 뭐든지 받아주거나 보채도 괜찮은 어리광이다. 어머니는 다르다. 어른이 되고 백발이 되어도 늘 업어 드리고 싶어지는 우리의 영원한 어머니다. 시의 제목대로 느낌을 아는 시인이다.

착한 동심으로 뚜벅뚜벅 걸어온 김완기 시인. 문단 후배이자 아동문학 동지로 오랜 세월 함께하면서 지켜본 시인의 문학 세계를 살펴보았다. 시인은 타고난 품성처럼 겸손해서 자기 작품을 드러내거나 앞세우려고 하지 않는다. 글 쓰는 사람은 인간된 도리와 신의가 있어야 한다면서 문학과 삶이 어느 쪽도 기울지 않는 믿음과 겸허함과 신뢰를 중시하며 문단의 작은 한 모퉁이를 지켜간다. 이 글을 쓰면서 내면에서 풍기는 상큼한 향기를 느끼게 하는 김완기 시인의 문학을 재조명하게 되어 기쁘다.

어린이와 함께 선생이 걸어온 길

1938년 음력 9월 13일 강원 강릉 지변리 소나무 샘골에서 아버지 김진성(金振星)과 어머니 정봉남(鄭奉男)의 1남 2녀 중 장남으로 태어남.

1945년 해방되기 몇 달 전에 율곡이 태어나 자라던 강릉 오죽헌 곁에 위치한 경포초등학교에 입학함.

1950년 6·25 사변 때 부모님 권유로 인근 서당에서 한학 공부를 하다가 1·4 후퇴 때 묵호 바닷가에서 품팔이로 피란살이 함.

1951년 강릉사범 병설중학교 입학함. 사범본과 국어 교사인 황금찬 시인이 중·고생 대상에서 지도하는 문예반에서 문학공부를 시작함.

1957년 강릉사범학교 전체 수석으로 졸업함. 모교인 경포초등학교 교사로 부임. 사범학교 재학 중 윤명 시인의 지도로 문예부장과 문예지 〈보리밭〉 편집 활동을 체험으로 〈경호〉 학교신문과 〈경포〉 학교문집 발간함.

1959년 관동대학 행정학과 야간부 입학함. 강릉초등학교로 전근 〈꽃밭〉 학교신문 발간. 이 해 군 입대하여 육군 제20사단에서 1년 복무함.

1961년 군 제대 후, 강원 울진군 매화초등학교에 부임. 이곳에서 자필 프린트 동시집 《매화》(1962) 출간함. 학교 문예부 활동상이 중앙지에 발표되었고, 새교실 총서 《아동문학의 지도와 감상》 공동 집필함.

　　　선생님과 학부모와 어린이가 함께 '흙벽돌 도서실'을 짓고 도교육 위원회로부터 독서시범학교로 지정됨.

1963년 강릉초등학교로 전근한 지 1년 뒤인 1963년 가을에 최계선과 결혼함.

　　　대한교련 주최 현장연구 제1회 푸른기장증 수상함.(이후 5번 수상)

1964년 춘천교육대학 부속초등학교로 전근해 동화작가 최태호 학장님을 모시고 문예 활동과 독서교육 활성화에 주력함.

　　　전국교단동인 '은방울' 동인 활동. 장남 남일 출생함.

1967년 문교부 지정 전국 독서교육시범학교 연구주임으로 전국시범공개발표회 개최함.

　　　강원아동문학연구회 총무로 활동함.

　　　〈어깨동무〉 창간 기념 전국동화현상모집에 당선작 없는 수석으로 입상함.(장수철, 어효선 심사) 대한교육연합회 주최 전국 교사 문예작품 현상모집에 논픽션 부분 당선됨. 이 해 새해맞이 특집 동시(강원일보)에 〈고드름〉 발표함. 이 작품이 제6차 초등 국어 교과서 3학년에 수록됨.

1968년 〈서울신문〉 신춘문예 동시 당선.(어효선 심사)

1969년 서울 대광초등학교로 전근. 독서교육이론서 《학교도서관 운영의 실제》(교육자
　　료사) 출간함.

1970년 '한국 아동문학회' 회원으로 활동(이후 사무국장, 중앙위원장, 부회장, 회장 역
　　임). 〈아동문학〉, 〈월간문학〉 등에 작품 발표함.

　　차남 남철 출생. 고전읽기 교원 논문부 1등 문교부장관상을 수상함.

1974년 한국방송통신대학 초등교육과 입학함. 한국문인협회 이사로 위촉됨.

　　문교부, 동아일보 교가 지어주기 운동에 참여함.(동아일보 감사패)

1975년 두 번째 동시집 《하늘이 단지 속에》(현대아동문학사) 출간함.

　　제8회 한정동아동문학상을 수상함. 한국동요동인회 가입함.

1976년 세 번째 동시집 《너희들도 하늘만큼》(을지출판사) 출간함.

1980년 네 번째 동시집 《하늘을 달리는 새 떼》(을지출판사) 출간함.

　　당시 담임반 학부형인 성신여대 장윤우 교수가 삽화를 그림.(장영 아버지) 동화
　　집 《어깨동무 삼총사》 출간함. 한인현글짓기지도상을 수상함.

　　문교부 국어교과서 집필, 심의 위원으로 위촉됨.

1981년 서울시립어린이도서관 파견 근무(독서상담실장).

　　《독서교육 실무백과》(한국교육출판) 출간함.

1982년 《독서방법과 감상문쓰기》(교육관), 《독서감상교실》(예림당) 출간함. 서울시교
　　육청 독서지도 위원으로 일함.

1983년 교감으로 승진해 서울 전농초등학교에 재직. 동화집 《푸른바다를 달리는 기차》
　　(꿈동산), 글짓기 이론서 《글짓기 교실》(예림당), 역사탐방기 《옛 도읍지를 찾아
　　서》(민족문화추진회) 출간함. 김종상 시인과 공저 《현장 글짓기 교육》 출간함.

1984년 초등학교 국어 교과서(4학년)에 동시 〈산〉 수록. 서울시교육위원회 초등교육과
　　장학사로 발령. 초등 음악 교과서(6학년)에 동요 〈봄 오는 소리〉 수록됨.

1985년 동화집 《꽃마차 공주님》, 독서 이론서 《독서방법과 감상문》 출간됨. 문교부 1종
　　도서 편찬 심의 위원으로 위촉됨.

1988년 서울동작교육구청 초등교육계장 승진. 다섯 번째 동시집 《산마을 산토끼》(남
　　광) 출간함. 한국 아동문학작가상을 수상함.

1991년 〈강원일보〉 신춘문예 심사 위원으로 일함.(권오훈 시인과 함께 5년간)

　　초등학교 국어 교과서에 동시 3편 수록(3학년 〈고드름〉, 4학년 〈시를 쓸 때
　　면〉, 5학년 〈산 새〉). 음악 교과서에 동요 〈봄 오는 소리〉 수록(6학년). 동화집
　　《둘만의 약속》(웅진), 《나라사랑》(민족문화추진회), 《모범 글짓기 교실》(한국글
　　짓기지회) 출간함.

1993년 한국글짓기지도회 회장으로 활동(3년간). 한국동요동인회 회장 피선됨.

1994년 서울 서래초등학교 교장, 서울초등국어교육연구회장, 전국교장회연수분과 위원장을 역임함.

1996년 《동요·동시 읽기와 감상》(공감사) 출간함. 대한교련 교육공로상을 수상함.

1997년 대한민국동요대상을 수상함. 동화집 《꼴찌가 일등했어》,《가재와 버들개지》 출간함. 서울강동교육청 학교평가위원장을 역임함.

1998년 KBS 제2건국 나라사랑 대상을 수상함.

　　　서울동작교육청 학교평가 위원, 초등 국어 교과서 편찬 심의위원을 역임함.

1999년 정년단축 시행으로 퇴임. 대한민국 국민훈장 동백장을 받음.

　　　퇴임과 동시에 평생교육기관인 '중구독서대학'(학장: 최완) 자문교수로 부임함 (이후 7년간 주부 대상 문학 강의와 독서 강좌를 맡음).

　　　재능교육, 웅진, 서울공공도서관, 국립중앙도서관에서 문학과 독서 강사 활동, 서울지역교육청 평가위원으로 위촉됨.

2000년 《마음을 따듯하게 해주는 101가지 작은 이야기》(현민) 출간함.

　　　한국 아동문학연구회 수석부회장으로 위촉됨.

2001년 교육인적자원부 교육현장 수법사례 심사 위원을 맡음.

2002년 동화집 《내 배꼽이 더 크단 말이야》(여명), 이야기책 《가슴이 콩콩 뛰는 참 좋은 이야기》(꼬마나라),《진정한 보물은 어디 있을까》(한국프라임) 출간함. 동시 〈우리나라 지도〉, 〈조약돌〉 2편이 현행 초등 국어 교과서 5학년에 수록. 강릉사범·강릉교대 자랑스런 동문상을 수상함.

2003년 한국동시문학상을 수상함.

2004년 여섯 번째 동시집 《엄마 이게 행복인가 봐》(한모임) 출간함.

　　　김영일아동문학상을 수상함.

2005년 동화집 《동물원 수의사 선생님》(달맞이) 출간함.

2006년 아동문학의 날 본상을 수상함. 한국 아동문학회 부회장으로 위촉됨. 〈대전일보〉 신춘문예 아동문학 부문 심사 위원을 맡음(유경환 시인과 함께).

2007년 일곱 번째 동시집 《연잎에 개구리 미끄럼 타는 날》(꿈소담이) 출간함. 한국펜문학상을 수상함. 동시 〈풀이름 알고부터〉가 한국문화예술위원회 우수창작 동시지원대상 작품에 선정. MBC 창작동요 대상을 수상함.

　　　한국문인협회 이사, 대한민국동요대상 심사 위원을 역임함.

2008년 중구독서대학 자문교수직 사임(만70세 정년 규정). 아동교육서 《교과서 속 명작문학》 출간함.

2009년 국제펜한국 본부 이사. 아내 최계선과 사별함(71세, 심장마비로).

　　　김영일아동문학상, 한국동시문학상, 우리나라좋은동시문학상, 한정동아동문학상, YMCA청소년문학상, 박경종아동문학상, 성남청소년문학상, 한국 아동문학창작상, 한국 아동문학작가상, 한국문협서울시문학상 심사 위원. 〈문학과 어린이〉 신인문학상, 〈아동문학세상〉 신인문학상, 〈지구문학〉 신인문학상 심사 위원을 역임함.

2010년 한국 아동문학회 회장 취임함.

2011년 한국문인협회 이사, 김완기 시비 세워짐(대구 도동시비공원).

　　　중국 연변에서 한·중 아동문학세미나 주제 발표함.

　　　공무원문학상 심사. 김영일아동문학상, 윤석중문학상 심사 위원장으로 위촉됨.

2012년 여덟 번째 동시집《동그란 나이테 하나》(아동문학세상) 출간함.

　　　초등 음악 교과서 6학년에 〈봄 오는 소리〉 수록됨.

　　　한정동아동문학상, 한국 아동문학작가상 심사 위원장을 맡음.

2013년 국제펜 한국 본부 이사, 〈아동문학세상〉에 '나의 삶 나의 문학' 발표함. 박경종아동문학상을 수상함. 박경종아동문학상을 수상함. 한국 아동문학창작상 심사 위원장. 우리나라좋은동시집 선정됨.(《동그란 나이테 하나》)

2014년 〈아시아문예〉에 '내 삶의 문학' 발표함. 박화목아동문학상, 한국 아동문학창작상, 우리나라좋은동시문학상 심사 위원장을 역임함.

2015년 한국문인협회 자문 위원.《김완기 동시선집》출간함. '문학의집·서울' 주최 수요문학강좌 (이 작가를 말하다). 〈열린아동문학〉에 '아동문학의 오래된 샘' 발표함. 열 번째 동시집《눈빛 응원》(노문사) 출간함.

2016년 한국 아동문학창작상, 한정동아동문학상 심사 위원장으로 위촉됨.

　　　한국 아동문학회 상임고문 추대. 한국동요문학상을 수상함.

2017년 국제펜 한국 본부 자문 위원. 오늘의작가상, 한정동아동문학상, 김영일 아동문학상 심사 위원장으로 위촉됨. 동시《참 좋은 말》이 초등 국어 교과서(2학년 2학기)에 수록됨.

2018년 열한 번째 동시집《참 좋은 말》(시선사) 출간함. 동시 〈꽃씨〉가 초등 국어 교과서(4학년 1학기)에 수록.

　　　공무원 문예대전 아동문학 부문 심사 위원, 한국 아동문학작가상, 한국 아동문학창작상 심사 위원장을 맡음.

한국 아동문학가 100인

김자연

인물론
아동문학이 나에게로 왔다

작품론
판타지 문학으로서 한국동화 읽기
아이와 자연에 대한 사랑을 담은 동시

어린이와 함께 선생이 걸어온 길

아동문학이
나에게로
왔다

김자연

1. 동화와의 만남

내가 동화를 처음 알게 된 것은 초등학교 오학년 때, 친구 김미경에게 빌려 본《안데르센 동화집》을 통해서이다. 이 책은 계몽사에서 나온 세계 명작 시리즈 중 하나로, 거기에는 〈인어공주〉, 〈미운 오리새끼〉, 〈성냥팔이 소녀〉, 〈장난감 병정〉 등이 실려 있었다. 나는 그때《안데르센 동화집》을 책 표지가 다 닳도록 읽었다. 그리고 그와 비슷한 이야기를 써서 엄마에게 들려준 기억이 난다. 특히 〈성냥팔이 소녀〉를 읽고는 눈물을 많이 흘렸다. 이후 그토록 아름다운 생각을 가진 작가를 꼭 한 번 만나보고 싶다는 소망을 품고 글을 열심히 써서 초등학교 6학년 때 "전북의 별"로 선정되어 상장과 장학금 30만원을 받았다.

동화를 쓰기 시작한 것은 1985년(당시 25살) 전북일보에 작품을 발표하고 〈아동문학평론〉 신인문학상을 받고부터이다. 그러나 처음부터 동화작가가 되겠다고 생각한 것은 아니었다. 서정주와 김동리의 작품을 탐독하면서 시와 소설을 쓰겠다고 친구와 함께 전주에서 서라벌예대까지 원정을 갔고 그 학교 학생처럼 청강도 여러 번 했으니까. 1980년대만 해도 아동문학에 대한 관심은 매우 희박했다. 우연히 경기전에 놀러갔다가 '전북아동문학 월례회'에 참여하면서 아동문학에 관심을 가졌다. 그러나 아이들을 주요 대상으로 삼는 아동문학을 하려고 문학공부를 시작하지 않았다는 생각으로 아동문학 모임에 자주 빠지게 되었다. 그런데 〈전북일보〉에서 동화를 통해 아이들에게 읽을거리라도 마련해주자는 취지로 토요일마다 동화를 싣는 란을 파격적으로 만들었다. 학교 일로 바쁜 선생님들이 원고 마감을 지키지 못하자 나이도 가장 적고 시간이 여유로운 나에게 '동화 좀 써서 보내라' 라는 청탁이 왔다.(그 당시 아동문학을 하는 서재균 선생님이 편집부장으로 계셨는데 내가 느끼기엔 거의 압력에 가까운 것이었음) 신문에 내 동화가 자주 실리자 사람들이 나를 알아봤다. 조금 쑥스럽지만 내가 동화를 쓰게 된 것은 그 맛(?)이 작용했다.

동화에 대한 뚜렷한 인식도 없었고 정보도 알지 못해 나는 세계 명작동화집에 실린 '비현실적인 이야기'가 동화의 전부인줄 알았다. 새벽까지 머릿속으로 글감들이 날아다

넜고 이야기 구성에 날이 새는 줄 몰랐다. 몸은 피곤했지만 보람을 느꼈고 자존감도 높아졌다. 그러다 보니 동화에 대한 새로운 궁금증이 생겼다. 좋은 동화란 무엇인가? 어떻게 하면 잘 쓸 수 있을까? 문학성이 담긴 동화는 무엇인가? 등등. 동화와 관련된 책을 무조건 찾아 읽었다. 서울과 타지방에서 열리는 세미나를 쫓아다니며 동화에 대한 갈증을 달랬다. 그러나 그럴수록 이상하게 동화에 대한 목마름은 해소되기는 커녕 갈수록 증폭되었다. 자아실현을 위해 자식을 등한시 하는 엄마 모습을 동화에 등장시키면 교육적 입장에서 그게 무슨 동화냐고 주위 사람들에게 지적을 당하던 때였다. 지금 생각하면 참 어이없는 일이다. 나도 주변의 지적에 좌우되지 않고 내 방식으로 작품을 쓰지 못했다. 그 당시엔 동화를 문학으로 보지 않고 교육의 도구로 생각하는 태도가 지배적이었다. 동화에 대한 몰이해와 창작 이론이 체계적으로 정립되지 않은 열악한 아동문학의 현실에 점점회의가 생겼다. 이러한 회의를 해소하고 동화에 관한 지식을 체계적으로 배워보겠다는 목적으로 대학원에 들어갔다. 학문적 업적이 뛰어난 구비문학의 임철호, 소설론의 우한용, 문학평론의 전규태 교수님의 수업을 받을 수 있었던 것은 행운이었지만 처음 들어갈 때 약속과는 달리 대학원에서 아동문학으로는 석사 학위를 줄 수 없다고 하였다. 할 수 없이 '박경리 소설 연구'로 학위를 받고 대학에서 아동문학을 공부하는 것은 여기까지라고 마음을 굳혔다. 이젠 이론적 정립보다 창작에 매진하겠다고 생각했던 것이다. 그러나 전규태 교수님의 권유로 다시 전주대 박사 과정을 밟게 된다. 교수님은 나에게 아동문학보다 문학평론을 하라고 권하셨지만 난 작가로 사는 것에 더 큰 의미를 두고 있었다. 그런데 나의 의지와는 상관없이 1996년 백제예술대 문예창작과에서 아동문학 강의(전국에서 처음 설강)를 시작하면서 대학에 발을 들여놓게 된다. 이후 원광대, 단국대, 전주교대, 중부대, 전주대 등에서 아동문학을 강의하였다. 대학 강의를 시작하자 나를 아꼈던 제해만(고) 선생님은 주변사람에게 한국의 동화작가 한 명이 죽었다며 창작과 멀어지는 내 모습을 매우 안타까워 하셨다고 들었다.

창작을 뒤로 미루고 대학에서 계속 아동문학을 강의하게 된 동기는 대학원 박사 논문 심사 위원이였던 이재철 박사님의 절실한 권고를 받고부터이다. 아동문학이 발전하려면 창작도 중요하지만 보다 중요한 것은 대학에서 아동문학을 가르치고 연구하는 연구자들이 많이 나와야 한다고 하셨다. 그러면서 이왕 대학에 발을 들여 놓은 이상 아동문학 제자를 많이 길러내는 일꾼이 되라고 강조하신 것이다. 그때만 해도 전국적으로 아동문학 박사 학위(교육학 제외) 소유자가 다섯 명도 채 안 된 상황이었고 아동문학 강의가 설강된 대학도 몇 안 되었다. 현장에서 아동문학을 강의하는 사람도 드물었기에 아동문학 이론 연구와 보급의 절실함을 박사님이 더 크게 느끼셨던 것 같다. 박사님의 아동문학에 대한 무모하리만큼의 집요한 열정에 숨이 막히면서도 한편으로는 나

스스로 아동문학에 대한 어떤 사명감으로 중독되어 갔다. 이후 학생들에게 아동문학의 가치를 널리 알리고 스스로 자료를 찾아 읽고 대화를 나누는 기쁨이 컸다. 아동문학에 관심을 불러 모으고 학생들에게 아동문학 역사와 좋은 작품을 알려주기 위해서 한국동화와 동시, 세계동화를 부지런히 찾아 읽었다. 그러다 보니 작품을 쓸 시간이 줄어들었다. 처음부터 나에게 창작은 없었고 이론을 공부하고 가르치는 것이 본업처럼 되어버렸다. 점차 대학에서의 강의와 개인적 창작 작업 사이에서 갈등이 쌓여 갔다. 평소 좋지 못한 눈 건강도 더 나빠졌다. 그럴 때마다 짬짬이 읽을 수 있는 동시집을 뒤적이며 마음을 달래곤 하였다. 책가방에 동시집 한두 권을 넣고 다니면서 시간이 날 때마다 펼쳐보면 이상하게 마음이 편안했다. 서덕출의 〈봄편지〉를 시작으로 신현득의 〈참새네 말 참새네 글〉 문삼석, 이준관 동시 등을 한 편 한 편 외우다 보니 어느덧 동시의 매력에 빠져들었다. 동시를 쓰는 것 역시 만만한 것은 아니었지만 그래도 틈틈이 무언가 쓰지 않으면 안 되겠다는 생각이 더욱 동시를 쓰도록 부추긴 것이다. 덕분에 2000년 〈한국일보〉 신춘문예에 동시 〈까치네 학교〉가 당선되었다. 20대에 아동문학의 문을 열고 30대엔 아동문학 이론 공부를, 40대엔 아동문학 강의를 하며 보낸 시간들. 50대에 드디어 창작에 대한 절실함이 나를 괴롭혔다. 아동문학은 다양한 모습으로 그렇게 나에게로 왔다.

2. 〈항아리의 노래〉와 나

동화 〈항아리의 노래〉는 국정 교과서 4학년 1학기 읽기에 수록된 작품으로 원본은 1997. 2월 11일 〈소년동아일보〉에 실린 〈노래하는 항아리〉이다. 이 작품은 나에겐 특별한 의미를 부여한다. 교과서에는 제목이 〈항아리의 노래〉로 바뀌고 내용도 줄었다. 이 작품은 2002년 《항아리의 노래》(파랑새 어린이)라는 표제로 단행본으로 출간되었고, 2005년에는 그림책(한국헤밍웨이)으로 발간되었는데, 작품집에 실린 동화에는 교과서에 실린 내용에서 빠진 호박잎과 쥐가 등장한다. 2005년에는 전주대학교 누리사업, 전통문화 학습용 동화 CD 영상물로 제작되기도 했다.

〈항아리의 노래〉는 우리 집 옥상농장을 배경으로 삼아 10일 만에 쓴 것이다. 완성도를 높이기 위해 항아리에 관해 현장 답사도 하고 여러 번 고쳐 썼다. 어릴 적 우리집 옥상에는 많은 항아리가 있었다. 양옥이었던 우리 집은 슬래브 지붕 옆으로 길게 차양이 드리워져 햇볕이 잘 들지 않았다. 음식을 만들고 꽃 키우는 것을 좋아하셨던 어머니는 아예 옥상을 마당으로 만들었다. 화분에 꽃을 심어 옥상 난간에 줄줄이 올려놓는 것도 모자라 커다란 고무박스에 꽃나무와 채소를 심어 아예 옥상농장을 만들었다. 음식 솜씨가 좋은 어머니는 항아리에 고추장, 된장, 간장 등을 직접 담가 놓으셨다. 고추장, 된

장 맛이 좋아 이웃 아주머니들이 우리 집 옥상을 자주 들락거렸다. 어머니는 음식을 만들어 자식에게 먹이는 것으로 자존감을 느끼는 분이었다. 그런데 어느 날 어머니가 애지중지하던 항아리 뚜껑이 깨져 한쪽 귀퉁이에 처박혀 있는 것을 발견했다. 문학에 대한 열정과 현실적 고통(눈병)으로 끙끙거리며 툭하면 옥상으로 올라가 별을 바라보며 마음을 삭이곤 했던 나에게 깨진 항아리는 매우 특별하게 다가왔다.

나는 어렸을 때부터 왼쪽 눈이 많이 안 좋았다. 눈 안쪽이 까끌까끌하고 아파 늘 안개가 낀 것처럼 앞이 흐릿해 아주 불편했다. 한쪽 눈으로만 세상을 보려니 중심이 잘 잡히지 않았고 멀리 있는 것을 잘 분간하지 못했다. 한번은 어머니가 배를 사서 품에 안겨 주며 집에 가서 동생들과 먹으라고 주었는데 집에 오니 아무 것도 없었다. 지금 생각해도 끔찍한 경험이었다. 어머니는 행여 딸이 잘못될까 봐 눈을 고쳐 주기 위해 약이 된다는 것은 다 찾아다녔고 좋다는 것은 다 내 눈에 넣어 주셨다. 그래도 별 차도가 없었다. 그래서 초등학교도 남보다 1년 후에 들어갔다. 그러던 어느 날, 어머니가 나를 부르더니 눈꺼풀을 들어 올려 무언가를 넣어주었다. 궁금해서 그게 무엇이냐고 물어도 어머니는 약이라고만 할 뿐 도통 아무런 말이 없었다. 볼을 타고 내려오는 것을 수건으로 닦으니 끈적끈적한 것이 묻었다. 한 달간 정체불명의 약을 넣고 눈앞의 형체가 조금 또렷하게 보였다. 그때의 기분은 하늘을 나는 것 같았다. 나중에 어느 정도 눈이 좋아지고 나서야 나는 그 정체모를 약이 참새 똥 기름이라는 것을 알았다. 참새 똥을 모아 기름을 짠 것이라니! 도대체 몇 마리의 참새가 내 눈을 위해 희생 되었는지, 그래서 나는 포장마차의 참새구이는 절대 먹지 않았다.

중학교 때 아버지가 아파 집안이 어려워지면서 내 눈병이 다시 악화되었다. 의사선생님은 원인을 알 수 없다고 했다. 어머니는 더 이상 눈이 나빠지는 걸 막으려고 책도 보지 못하게 했다. 책을 좋아했던 나에게 어머니의 행동은 충격 그 자체였다. 그때부터 나는 심한 정신적 육체적 좌절감 속에 살았다. 항상 명랑하고 쾌활했던 성격이었는데 말수가 적어지고 혼자 있기 좋아하는 내성적 성격으로 바뀌어 갔다. 그런데 어머니의 말대로 1시간 이상 책을 보면 한쪽 눈 시상체에 이상이 왔다. 어머니는 집안 형편을 생각해 대학에 가는 것보다 졸업하고 바로 직장을 가질 수 있는 상업학교 진학을 강요했다. 공부를 못하게 막는 어머니가 많이 원망스러웠다. 의사선생님이 딸에게 더 이상 공부를 시키지 말라고 했다는 엄마의 말이 귀에 들어오지 않았다. 그 당시 7:1의 경쟁을 뚫고 들어간 고등학교였지만 원하지 않던 학교라서 쉽게 적응이 되지 않았다. 감수성이 예민한 시기에 타율적으로 들어온 학교에 정이 가지 않았기 때문이다. 유일한 즐거움은 문예반에 들어가 글을 쓰고 책을 읽는 거였다. 부모님 몰래 책을 보며 진학 반에 들어가 입시 공부를 준비했다. 공부를 못하게 해도 책만 보는 나에게 부모님은 그러다가 눈이 안 보이면 부모 원망 하지말라고 겁도 주고 야단도 쳤다. 그러나 아직 인생이 무엇인지 알지 못한 시기였기에 다른 어떤 것으로는 나의 존재감을 찾을 수 없었다. 신체적으로 온전하지 못하다는 게 자존심 상해 친한 친구한테도 눈이 좋지 않다는 것을 내색하지 않았다. 니체와 괴테, 전혜린, 펄벅(중국)의 작품을 옆구리에 끼고 다니며 읽고 또 읽었다. 그렇게라도 하지 않으면 정신적 육체적인 고통과 슬픔을 달랠 길이 없었다. 눈 때문에 아무 것도 할 수 없다는 절망감이 나를 괴롭혔다. 그런데 어느 날 우리 집 옥상에서 먼지 낀 금간 항아리를 발견하게 되었다. 금간 항아리의 모습이 상처받은 내 모습과 닮았다는 생각이 들었다. 아무 것도 할 수 없는 금간 항아리 처지가 자연스럽게 나에게 감정이입이 되었다. 뚜껑이 깨진 항아리는 무슨 생각을 할까? 담 밖에서 날아온 야구공 때문에 아무 것도 담지 못하는 항아리의 안타까운 처지가 작품 창작에 강한 동기를 부여한 것이다.

　이 동화의 처음 제목이 〈노래하는 항아리〉인 것은 '노래'를 할 줄 아는 항아리로서의 역할을 강조한 것이다. 이 작품에서 형상화하고자 했던 주제가 "모든 것은 다 나름대로 쓸모 있음, 혹은 다른 사람의 고통 이해하기"에 비중을 두었는데 자칫 주제가 왜곡될 수 있다는 생각이 들었다. 이에 비해 〈항아리의 노래〉는 어려움에 처해있던 항아리가 마침내 그 문제를 해결하고 희망적 이미지의 상징인 노래를 부른다는 의미이다. 작품에서 의도했던 주제를 나타내는 데 무리가 없어 최종 제목으로 정했다. 물론 〈노래하는 항아리〉라는 제목이 더 호기심을 유발한다는 의견도 들었다. 어떻게 항아리가 노래하지? 세상에 노래하는 항아리도 있어? 궁금증을 불러일으킨다는 것이다. 그러나 제목이 호기심을 끌게 한다고 하더라도 주제의 형상화에 부담이 되어 바꾸었다. 작품의 첫 인상이 제목인 만큼 독자의 흥미와 시선을 끄는 게 중요하고 생각했기 때문이다. 항아리 자체가 스스로 움직일 수 있는 속성이 없어 그 속성을 유지하면서 이야기를 구현하는 것이 쉽지 않았다. 또 〈항아리의 노래〉의 공간이 사람과 연결된 공간이라 자칫 현실감을 주지 못할 것을 경계했다. 그런데도 금간 항아리가 바람의 말만 듣고 희망을 가지는 것, 금간 항아리가 된 이유를 모두 남의 탓으로 돌리다가 너무 쉽게 희망을 가지게 하는 것이 아닌가 하는 질문을 받기도 했다. 비약이 크면 현실감이 떨어지고 독자에게 공감을 불러일으키지 못한다는 생각에 〈항아리의 노래〉가 그림책으로 나올 때는 '생쥐'를 첨가시켰다. 나는 나를 위로하기 위해 이 작품을 썼다. 고맙게도 나의 대표작이랄 수 있는 〈항아리의 노래〉는 나에게 많은 의미가 되어 주었다.

판타지
문학으로서
한국동화 읽기

김자연의 《한국동화 문학 연구》

김삼주

  저자 김자연은 동화작가로 시인으로 한국문단에 데뷔한 아동문학가이자 〈한국동화의
환상성 연구〉로 박사 학위를 받은 국문학자이기도 하다. 창작을 하면서 연구를 겸한다
는 것은 외곬의 연구 성과에 이르기 어렵다는 염려의 시선도 있지만, 한편으로는 창작을
통해 획득한 세련된 감수성이 작품 분석의 새 국면을 열 수도 있어 문학 연구에 긍정적
인 성과를 가져오기도 한다. 김자연의 이 연구도 그러한 성과에 해당한다. 그는 5년여에
걸쳐 기존의 연구를 비판적으로 수용하고 한국동화작품들을 정치하게 분석하여 통시적
으로 종합함으로서 한국 현대 동화 문학의 줄기를 일목요연하게 정리해 내고 있다.

  그의 이 연구는 판타지 문학으로서 동화를 규정하는 데서 출발한다. 동화란 어린이
를 상대로 하면서, 동심을 기초로 하는 서사문학이며, 환상을 그 미적 구성의 원리, 창
작 원리로 삼는 문학이라고 그는 정의한다. 그리고 그는 환상을 동화의 본질적인 창작
원리로 보는 이유를 그것이 동화에 고유한 시점을 표현하는 방식이기 때문이라고 설명
한다. 말하자면 환상은 성인 작가나 자신의 눈으로 세상을 그려내는 것이 아니라 어린
이 독자의 시점을 빌려 세상을 그려 내는, 아동문학의 고유하고 독특한 시점을 표현할
수 있는 중요한 방법이기 때문이라는 것이다. 아울러 그는 동화에서 환상을 창조하는
방법으로 사실적인 묘사와 신화적인 구성, 담론 요소, 원형적 심상으로서의 어린이 심
리, 꿈과 상징, 은유, 알레고리, 언어적 주술, 이미지 요소 등의 활용을 든다. 이 다양
한 기법들을 통해 작품을 구성하는 원리로서의 환상이 구현된다는 것이다.

  일반적으로 문학 장르론은 출발에서부터 문제점을 안고 시작하는 학문 분야이다. 왜
냐하면 장르 설정이 먼저 있고, 창작이 뒤에 이루어지는 것이 아니라 집적된 창작물을
사적으로 정리하기 위해 나중에 설정하는 것이기 때문이다. 그렇기 때문에 어떤 한 장
르 속에는 그 장르 특성을 갖추지 못한 작품들이 끼어 있게 된다. 김자연이 설정한 동
화 장르도 그런 문제점을 안고 있다. 동화 중에는 이른바 '생활동화'라고 하여 환상이
아닌 현실성 그 자체를 플롯으로 한 동화도 많이 창작되었다. 환상을 분류 기준으로 한
다면 이런 류의 작품들은 또 다른 장르로 묶어야 하는데, 성장기 소설, 소년소설 등으

로 분류하기에는 장르의 특성을 충족시키지 못하는 어려움이 있다. 뿐만 아니라 '환상'을 분류 기준으로 적용한 데에도 문제점이 노정된다.

이 연구에서도 그런 경우가 보이는데 예를 들면 권용철의 〈꽃과 병정〉을 판타지 형식으로 볼 수 있는지 의문을 갖게 한다. 분명 이이야기에는 환상이 없다. 죽음을 무릅쓰고 꽃씨에 물을 주러 가는 행위도, 그것을 염탐 행위로 알고 저지하는 병정의 행위도—암시적으로 제시했지만—현실에서 있을 수 있는 사실적인 것들이다. 문제는 '꽃'이 내포하는 상징성인데 이 또한 여타 문학 장르에서 두루 쓰이는 기법이다. 이러한 문제점들을 두고 볼 때 동화의 장르 논의는 더 진행되어야 할 국문학 연구의 과제임에 틀림없다.

다음으로 이 연구는 전래동화의 형성과 환상성을 고찰한다. 그는 '아동을 대상으로 했을 것으로 추정되는' 개화기 이전의 문헌설화, 설화를 동화의 영역으로 끌어들여 재창작하기 시작한 1920년대 이후의 설화 소재 동화를 전래동화로 한정하여 그 형성과 구조적 특성을 분석한다. 전래동화는 고대사회에서 인간을 억압하는 현실들을 초월하고 싶은 욕망에서 비롯되었으며 그 속에는 우리 민족의 전통적 사고방식이었던 애니미즘에 의한 신화적 환상과 인간 소망의 발원이라는 꿈 형식의 심리적 환상이 복합적으로 나타나 있다고 그는 주장한다. 그리고 주제의 형상화나 흥미를 증폭시키는데 이바지하며, 유기적인 총체로서 한편의 동화에 필요 불가결한 요소로 환상이 기능할 때, 동화는 지속적인 생명력을 확보 한다는 점을 그는 전래동화 고찰의 결론으로 제시한다.

제4장에서 저자는 창작동화의 형성과 환상성의 문제를 고찰한다. 그가 제시한 창작동화의 배경 형성은 두 가지로 요약할 수 있는데 그 하나는 내적 배경으로 천도교 소년회를 중심으로 한 아동 운동이며, 다른 하나는 내적 배경으로 일본을 통해 유입한 서구 동화 및 동화이론이다. 이들은 상호작용하여 개화기 이후 우리 창작동화가 본격적인 궤도에 오를 수 있는 힘이 되었다. 그 출발점을 그는 마해송의 〈바위나리와 아기별〉로 잡고 있다. 1923년 〈새별〉지에 발표된 이 작품은 묘사에 의한 환상 공간의 설정, 알레고 리에 의한 어른 세계의 풍자 물활론적 인물 설정 등을 토하여 본격적인 판타지 문학으로서 창작동화의 효시로 자리매김할 수 있다고 그는 주장한다.

이후 이 연구는 마해송에서 권용철에 이르는 주요 판타지 작가 여섯 명의 작품 세계에 대한 분석으로 이어진다.

마해송의 경우, 중심적 판타지 기법은 알레고리다. 김자연은 그 기법의 효용을 '당대 민족적 현실에 대한 문학적 대응 방식'으로 보고 있다. 또한 그 알레고리는 새로운 질서를 위한 풍자 의지를 담고 있는데, 이를테면 아동을 억압하는 어른들, 호전적인 일본제국주의, 자유당 독재 정권 등과 같은 사회, 역사적 현실에서 풍자 대상을 찾았다는 것이다. 말하자면 마해송의 판타지 문학은 당대의 민족적 현실과 인간 사회의 부조리를 극복하려는 비판 정신에서 의의를 찾을 수 있다고 한다. 그러나 그의 작품에서 비아동적인 상징적 주인공들이 개성 없이 형상화된 점, 성인의 입장에서 아동 세계를 바라봄으로써 동심이 잘 구현되지 못한 점 등을 그의 결점으로 지적했다.

강소천의 경우, 꿈을 통한 환상의 구축으로 이야기를 전개한다고 강소천 동화의 환상 형식을 분석해 낸다. 그에 의하면 강소천은 실재적인 꿈(실재몽)과 인간 내면에 잠재된 꿈(소망)을 적절하게 조화시키는 방법으로 현실의 불균형을 회복하여 밝은 미래를 지향한다. 다시 말하면 강소천 작품에서의 꿈은 꿈 자체로 끝나는 것이 아니라 현실과의 연계성으로 미래를 암시하고 밝혀 주는 하나의 상징적인 기호로서 의미를 가진다.

김요섭의 경우, 무한을 동경하는 낭만주의 정신에 기인한 자유 연상에 의한 환상 세계를 구축한 데에서 의의를 갖는다. 즉, 김요섭은 사물의 고정된 이미지를 변형하고 일상적인 사실들을 낯설게 하는 수법으로 환상의 새 국면을 열었다는 것이다. 또한 그의 동화는 다른 예술(음악)의 차용 언어의 자의성(字意性) 이용 등을 통하여 폭 넓게 환상을 구축한다. 그런 성과와 아울러 김자연은 김요섭 동화의 한계점을 지적한다. 그것은 이미지에 의한 고도의 상징과 작품 전개의 이중적 구조가 의미 전달을 다소 불분명하게 만든다는 점이다.

이영희 동화의 경우는 시기별로 판타지 형식에 변화가 있는데, 초기에는 꿈을 매개로 한 환상, 중기에는 상정에 의한 이미지화와 현실과 환상이 윤화되는 환상 그리고 그 이후에 나타나는 강화된 이미지 묘사와 초월적 세계 지향 등을 특정적으로 제시한다. 그리고 이영희의 문학적 성과를 "마해송에서 강소천으로 이어져 오던 한국동화의 환상 미학은 김요섭과 이영희에 이르러 본격적인 궤도에 오른다"라고 높이 평가하고 있다.

한편 최효섭의 경우, 시공간을 초월한 과거와 현재의 통로를 구축한 실험성을 성과로 꼽고 있다. 즉, 최효섭은 아동 시점에서 설화와 명작동화 인물을 환상의 세계로 끌어들이는 기법을 동화에 접목시켰다는 것이다.

그리고 권용철의 경우, 판타지 형식은 동심에 의한 현실 공간과 환상 공간의 일치, 음악, 새, 꽃, 주술적 언어, 하얀색이 주는 이미지 요소 등 상징적 매개체를 통해 구현된다고 한다. 그리고 그것은 유토피아를 지향하는 실천적 의지를 담아낸다는 것이다.

이상과 같이 김자연의 이 연구서는 환상을 동화 분석의 관점으로 설정하고 전래동화와 창작동화에 어떻게 구현되어 왔는지를 분석해 낸 노작이다. 한국동화 문학사를 위해서는 이 연구에서 대상으로 삼은 작가와 작품 이외에도 환상의 관점에서 보아 의의 있는 작가와 작품들이 더 추가되어야 할 것이다. 그리고 환상이 중심 형식이 아닌, 동화들의 문제도 해결되어야 할 것이다. 그러나 단시간의 한정된 연구에서 이들을 모두 해결하기란 불가능한 일이다. 이 연구가 그 초석이 되리라 믿는다.

아이와 자연에 대한
사랑을 담은 동시

동시집 《감기 걸린 하늘》

이준관

　　김자연 시인은 동시, 동화, 평론 등 다양한 분야의 글을 쓰고 있습니다. 그는 대학교수로서 아동문학의 이론과 학문 연구에도 큰 역할을 하고 있습니다. 아동문학의 모든 장르를 아우르는 창작과 연구를 하고 있을 만큼 그는 아동문학에 남다른 애정과 관심을 갖고 있습니다. 그가 이번에 펴낸 동시집 《감기 걸린 하늘》에서도 그의 남다른 아동문학 사랑과 아이 사랑을 읽을 수 있습니다.

　　《감기 걸린 하늘》은 김자연 시인의 첫 동시집입니다. 그는 〈한국일보〉 신춘문예 당선 이후 쓴 작품들을 모아 예쁜 동시집으로 묶어 펴냈습니다. 김자연 시인은 자연과 사물을 아이들 눈높이에서 바라봅니다. 그리고 자연과 사물에서 동심을 발견하여 재미있게 시로 썼습니다. 또한 아이들에 대한 사랑을 진솔하게 시로 표현했습니다. 시적 발상과 표현이 아이들 눈높이에 맞아서 아이들이 친근하게 읽을 수 있다는 것이 이 동시집의 매력입니다. 작품마다 어린이다운 마음과 감성을 담고 있어서 읽고 나면 가슴이 동심의 향기로 가득해지는 동시집이 바로 《감기 걸린 하늘》이지요.

자연 속에서 동심 발견

　　김자연 시인은 자연에서 아이들의 모습을 발견하여 재미있게 시로 쓰고 있습니다. 떨어지는 빗방울에서 무슨 일이든 먼저 하려고 다투는 아이들 모습을 발견하여 "캄캄한 밤 / 유리창에 부딪혀도 / 뾰족탑에 걸려도 // 땅을 적시는 일은 / 내가 제일 // 으라차찻 / 으라차찻 //"(〈빗방울〉)라고 재미있게 시로 표현하였습니다. 그리고 높이 뻗어 올라가는 담쟁이 모습에서 더 넓은 세상을 보기 위해 높은 곳으로 올라가는 아이들 모습을 발견하여 "담 너머 세상을 보기 위해 / 솟아오르는 / 아침 해를 맞이하기 위해 / 계단을 올라가는 담쟁이 식구들" (〈담쟁이 식구〉)이라고 표현했습니다. 김자연 시인은 자연과 사물에서 이처럼 아이들의 모습을 찾아내어 재미있게 시로 쓰고 있습니다. 그래서 그의 시를 읽으면 자연과 사물이 마치 친구처럼 가까이 느껴집니다.

　　구름들이 서둘러

병문안 가네

아침부터
크르릉 크르쾅–
천둥 같은 기침 소리.

회색빛 하늘에서
콧물이 주룩주룩

여름 감기 맵다더니
하늘도 걸렸나?

땀방울이 주르륵
번갯불도 번쩍 번쩍
끙끙 앓는 하늘

어서어서
밝은 얼굴 보았으면
– 《감기 걸린 하늘》 전문

이 시에서 번갯불이 번쩍거리고 천둥이 치는 잔뜩 흐린 하늘을 여름에 감기 걸린 사람으로 표현하였습니다. 천둥을 기침으로, 빗방울을 콧물에 비유하였습니다. '여름 감기 맵다더니 / 하늘도 걸렸나?'라는 어린이다운 생각 그리고 '어서 어서 / 밝은 얼굴 보았으면' 하고 바라는 어린이다운 마음 김자연 시인은 하찮은 자연 현상도 이처럼 동심의 눈높이로 바라보고 어린이다운 생각과 마음을 정감 있게 시로 풀어내었습니다. 그런 면에서 김자연 시인은 어린이다운 마음과 감성을 지닌 '동심의 시인'이라고 할 수 있습니다.

아이들 현실에 대한 안타까움

김자연 시인은 아이들이 자연과 친구가 되어 몸과 마음이 건강하게 자라기를 바랍니다. 그런 그에게 공부와 성적과 학원에 시달리는 아이들의 현실은 너무나 안타깝기만 합니다. 그래서 공부에 시달리는 아이들의 현실을 안타까운 눈으로 바라보고 여러 편

의 시를 썼습니다. 아이들은 학교와 학원에서 내준 숙제에 시달립니다. 그런 아이들의
마음을 "가만히 있어도 / 땅이 푹푹 꺼진다 // 가만히 있어도 방이 푹푹 꺼진다."(〈숙
제가 많은 날〉)라고 표현하고 있습니다. 아이들은 적게는 하나에서 많게는 서너 개까지
학원에서 학원으로 팽이처럼 돌고 돕니다. 김자연 시인은 이런 아이들의 현실을 안타
까운 마음으로 바라보고 이런 시를 썼습니다.

> 종만이는 왕팽이, 윙윙우잉
> 민석이는 소팽이, 슝슝슈웅
> 경아는 작은 팽이 잉잉이잉
>
> 눈이 빙글빙글 돌고
> 머리도 어질어질하지만
> 도는 걸 멈출 수 없는
> 나는 팽이다
> – 〈나는 팽이다〉 일부

아이들은 오직 공부와 성적에 매달려 이 학원에서 저 학원으로 팽이처럼 돌고 또 돕
니다. 이제 골목길이나 놀이터에 가도 아이들을 보기 힘들어졌습니다. 모두 학원에 가
기 때문입니다. 학원에 가지 않는 아이들은 이제 골목길이나 놀이터에서 놀 친구들이
없습니다. 그래서 이제는 "놀이터에 / 가도 // 골목을 / 서성거려도 // 같이 놀 / 친구
가 없어서"(〈학원에 가는 이유〉) 학원에 갑니다. 아이들의 간절한 기도는 "학교도 가지
못하게 / 학원도 가지 못하게 // 눈아 제발 내 맘같이 내려 달라"(〈간절한 기도〉)고 기
도합니다.

김자연 시인은 〈꼴등 없는 우리 반〉이라는 시에서 "재식이는 / 우리 반에서 색종이
를 제일 잘 접어요. 혜진이는 / 우리 반에서 날씨를 제일 잘 알아맞히고요 / 잘하는 게
/ 하나씩 있는 우리 반 / 꼴등 없는 우리 반"이라고 노래했습니다. 한 가지씩 잘하는 것
이 있는 아이들이 자신의 개성을 살려 꿈을 이루어 가는 꼴등이 없는 학교가 되었으면
얼마나 좋을까요? 나는 김자연 시인의 시를 읽으면서 그런 학교가 많이 늘어나기를 빌
어 보았습니다.

점차 사라지는 것들에 대한 연민

김자연 시인은 점차 사라지는 것들에 대한 연민의 마음을 담은 시를 썼습니다. 그중

에 학생들이 없어서 문을 닫은 학교를 안타까운 눈으로 바라보고 쓴 시가 〈까치네 학교〉입니다. 농촌에는 학생들이 없어서 문을 닫는 학교가 참 많습니다. 이런 문을 닫은 학교의 모습을 연민의 마음으로 바라보고 쓴 시가 〈까치네 학교〉이지요.

아무도 넘겨다보지 않는 돌담 지나
아무도 건너지 않는 징검다리 건너
하얀 이름표 달고
까치가 학교에 간다

늦어도 기합 주는 선생님 없고
시끄럽게 떠드는 아이들도 없는

미루나무가
수위 아저씨처럼 서 있는 학교
그런데 아이들은 다 어디 갔을까
반기던 그 아이들은
모두 어디 갔을까.

깨진 창문으로
나뭇잎 소리만 들락거리고
책상이 어지럽게 널려 있는
햇빛만 지키는 학교
까치 혼자서 다니는 학교

푸드득 ——— 달리기를 해 보고
농구 골대에 앉아 까악까악 심판도 보지만
아이들이 없는 운동장은
통 재미가 없다
– 〈까치네 학교〉 전문

학생 수가 줄어들어 문을 닫게 된 학교의 모습이 그대로 눈에 선하게 떠오릅니다. 하얀 이름표를 달고 까치 혼자서 다니는 학교, 미루나무가 수위 아저씨처럼 서 있는 학교, 깨진 창문으로 나뭇잎 소리만 들락거리는 학교 문을 닫은 학교의 그런 쓸쓸한 풍경을 가슴에 절절하게 파고들게 그렸습니다. 이 시는 김자연 시인이 직접 보고 듣고 만져 보고 숨소리를 들어 보고 쓴 시입니다. 그래서 눈에 그대로 보이는 듯하고 숨소리가 가까이 들릴 것 같은 생생함과 살아 움직이는 생동감이 느껴집니다. 이 시는 읽는 이에게 애잔한 감동을 주는 좋은 시입니다. 그는 동시 〈우체통 할아버지〉에서도 이용하는 사람이 점차 줄어들어 천덕꾸러기로 변해가는 우체통을 연민의 눈으로 바라보고 시를 썼습니다.

진솔한 엄마 사랑의 표현

김자연 시인은 엄마의 사랑에 관한 몇 편의 인상적인 시를 썼습니다. 아이들에게 엄마는 소중한 존재입니다. 김자연은 그런 엄마의 소중함을 "밥을 먹었는데 / 배가 부르지 않다 // 배는 볼록한데 / 여전히 배가 고프다"(〈엄마 없는 날〉) 라고 표현했습니다. 엄마가 없으면 밥을 먹어도 배가 부르지 않고, 밥을 먹고 배가 불러도 여전히 채워지지 않는 배고픔을 느낍니다. 엄마의 사랑으로 채워지지 않으면 우리는 여전히 배가 고픕니다. 우리를 목마르게 하고 배고프게 하는 엄마 그런 엄마의 존재를 함축성 있게 잘 표현 했습니다. 다음 시는 우리 생활 속의 엄마 모습을 실감나게 그렸습니다.

이놈의 벌레

아무렇지 않게

탁

벌레를 때려잡는 엄마의 손

이리저리

재빨리 도망치는 벌레

저 놈도 잡아야 하는데

아쉬워하는 우리 엄마

아침에

쌀 씻는 엄마 손을 보자

납작코 벌레 생각에

배 아프다고 밥을 먹지 않았다

얼마나 아픈데, 응?

벌레도 무서워하지 않는

우리 엄마가

아프다는 내 말에 쩔쩔매신다.

– 〈우리 엄마〉 전문

벌레를 탁 손으로 잡는 엄마 그리고 아프다는 내 말에 쩔쩔매는 엄마 그 모습이 정말 살아있는 엄마의 모습입니다. 꾸며서 만들어진 엄마가 아니라 현실 그대로의 엄마의 참모습을 담고 있습니다. 엄마는 이처럼 아이들에게 맹목적인 사랑을 쏟습니다. 아이를 위해서는 무엇이든 다 하는 엄마의 사랑 그 모성애가 가슴 찡한 감동으로 다가오는 시입니다.

엄마,

엄마가 내 엄마이어서

정말 고맙습니다.

아빠,

아빠가 내 아빠이어서

정말 고맙습니다.

얘야

네가 내 아들이어서

정말 고맙구나

얘야

네가 내 딸이어서

정말 고맙구나

– 〈서로 고마운 일〉 전문

엄마와 아빠 아들과 딸이 이 시처럼 서로 감사하고 고마워한다면 얼마나 가정이 행복할까요! 이웃끼리도 이렇게 서로 고마워한다면 싸우고 다툴 일도 없을 것 입니다. 나무를 보고도 '나무야 네가 내 나무여서 정말 고맙구나'라고 생각하고 꽃을 보고도 '꽃아, 네가 내 꽃이어서 정말 고맙구나'라고 고맙게 여긴다면 자연을 해치는 일도 없을 것입니다. 김자연 시인의 작품에는 동시 〈서로 고마운 일〉처럼 서로를 사랑하고 감사하며 살기를 바라는 그런 마음이 바탕에 깔려 있습니다.

착하고 아름다운 동심의 세계

김자연 시인은 동시집 《감기 걸린 하늘》에서 아이들 눈높이로 자연을 바라보고 동심의 모습을 발견하여 시로 썼습니다. 공부와 성적에서 매달리는 아이들의 현실을 안타까운 눈으로 바라보고 그들의 마음을 대신하여 시로 썼습니다. 또한 점차 사라져가는 것들에 따스한 눈길을 주어 그들에 대한 안타까운 마음을 시에 담았습니다. 그리고 엄마에 대한 아이의 사랑과 아이에 대한 엄마의 사랑을 진솔하게 노래했습니다.

그는 자연과 사물에 담겨있는 착한 동심과 아이들 마음에 깃들어 있는 고운 동심을 찾아내어 도란도란 들려주고 때로는 바람에 한들한들 흔들리는 코스모스처럼 아름답게 펼쳐 보여줍니다. 아이들을 사랑하는 마음 자연에 대한 시랑의 마음을 오롯이 담은이 동시집을 읽고 서로를 사랑하고 감사하는 마음이 깊어졌으면 좋겠습니다. 김자연 시인의 동시집 《감기 걸린 하늘》이 어린이들과 동시를 사랑하는 많은 사람들에게 오래오래 사랑받기를 바랍니다.

어린이와 함께 선생이 걸어온 길

1959년 전북 김제시 금산면에서 출생하여 전주에서 자람.

1985년 〈전북일보〉에 동화를 발표하면서 작품 활동 시작함.

　　　　동화 〈단추의 물음표 새들〉로 〈아동문학평론〉 신인문학상 당선됨.

1986년 동화 〈허리동이〉 방송대문학상에 당선됨.

1993년 한국문예진흥원에서 올해의 우수 동화로 〈새가 되고 싶은 할머니〉가 선정됨.

1994년 동화집 《새가 되고 싶은 할머니》 출간함. 전주대 대학원 국문과 석사 졸업함.(논
　　　　문: 박경리 소설 연구)

1996년 동화집 《반장과 부반장》 출간함.

　　　　백제예술대 문예창작과(전국 최초 아동문학 설강) 출강함.

　　　　원광대 문예창작과(아동문학) 출강함.

1997년 2월 11일 소년동아일보에 〈노래하는 항아리〉 발표함.

　　　　그림동화 《우리 집에 놀러와》 출간함.

　　　　동화 〈꿈꾸는 동전〉으로 전북아동문학상 수상함.

2000년 〈한국일보〉 신춘문예 동시 〈까치네 학교〉 당선됨.

　　　　제10회 방정환문학상 수상함.

　　　　전주대 대학원 박사 과정 졸업함.(논문: 한국동화의 환상성 연구)

2001년 동화 〈항아리의 노래〉가 국정교과서 4학년 1학기 읽기에 수록됨.

　　　　〈동화에서 환상의 문제〉(아동문학평론) 발표함.

　　　　〈동화에서 남녀평등의 문제〉(여성문학 연구) 발표함.

　　　　〈변증적 인식에 의한 공존의 세계〉(비평문학) 발표함.

　　　　전주대 교양학부 전임강사로 임용됨.

2002년 동화집 《항아리의 노래》(파랑새어린이), 《한국동화문학연구》(서문당) 출간함.

　　　　〈아동문학작품 창작의 길〉(한국문예창작학회) 발표함.

　　　　전주교육대학교 국어교육과(아동문학) 출강함.

2003년 동화 〈아버지의 붕어빵〉(어린이문학) 발표함.

　　　　《아동문학 이해와 창작의 실제》(청동거울) 출간함.

　　　　〈한국 그림책의 특성과 창작방법 고찰〉(한국문예창작학회) 발표함.

　　　　한국간행물윤리위원회 아동문학분과 서평 위원으로 3년간 일함.

　　　　전주대 평생교육원 동화창작과 전담교수로 임용됨.

2004년 《유혹하는 동화 쓰기》(청동거울) 출간함.

〈한국인의 정서가 담긴 그림책 연구〉(아동문학평론) 발표함.

〈동화의 특성과 이야기 방식〉(아동문학사상) 발표함.

〈동화쓰기 기초〉(한국문예창작학회) 발표함.

단국대 대학원 문예창작과(서울)(아동문학) 출강함.

2005년 〈마해송 작품 호랑이와 곶감 동화화 과정〉(대한출판문화협회) 발표함.

《독서치료와 어린이 글쓰기 지도》(공저) 출간함.

아동문학창작 동아리(까치네 학교) 활동함.

2006년 전주대학교 교육대학원 주임 교수(아동 청소년 독서교육)로 임용됨.

2008년 아동문학연구와 창작 지도를 위한 '동화창작연구소' 개설함.

〈과정별 활동 중심 아동문화 교육〉(국어교육) 발표함.

〈최근 동화 인물의 변모 양상〉(어린이와 문학 10월호) 발표함.

〈전북일보〉 신춘문예 아동문학 심사 위원으로 위촉됨.

《상호중심 독서지도》가 문화관광부 우수 교양 도서로 선정됨.

2009년 동화 〈상욱이 오빠〉(시와 동화, 봄호) 발표함.

국립어린이청소년도서관(서울) 서울시교육청(정독도서관) 강사로 근무함.

전주교육대학교 교육연수원 '감성 신장을 위한 동화 지도 방법' 강사로 근무함.

2010년 동시집 《감기 걸린 날》(청개구리) 출간함.

《감기 걸린 날》이 한국 아동문학인협회와 리더스 클럽 우수 도서로 선정됨.

국립어린이청소년 도서관(서울) 강사로 일함.

〈전북일보〉 신춘문예(아동문학) 심사 위원으로 위촉됨.

동화창작연구소에서 한국 아동문학 작가와 창작 방법을 연구함.

2013년 동화집 《항아리의 노래》가 미국에서 《A SONG OF POTS》라는 이름으로
CPSIA 출판사에서 번역 출간됨.

2015년 그림동화 《개똥할멈과 고루고루밥》(살림어린이) 출간함.

《개똥할멈과 고루고루밥》이 한우리 우수 도서, 리더스독서클럽, 양주시 권장도서 선정됨.

동화 〈항아리의 노래〉가 미국 캘리포니아 세리토스 Downey Korean School 5학년 교과서에 실림.

2016년 그림동화 《수상한 김치똥》(살림어린이) 출간함.

글쓰기 책 《놀다보니 작가네》(더클) 출간함.

2017년 〈미당문학〉 하반기 호에 평론 〈동화의 가치〉 발표함.

동화창작연구소 대표로 활동함.

2018년 국어교과서 4학년 1학기 동시 〈아침이 오는 이유〉 수록됨.

　　　국어교과서 4학년 2학기 동화 〈비오는 날〉(원제 초코파이) 수록됨.

　　　《수상한 김치동》이 전주의 책으로 선정됨.

　　　한우리 1, 2학년 필독서로 선정됨.

　　　《피자의 힘》(푸른사슴) 출간함.

2019년 《초코파이》(잇츠북) 출간함.

한국 아동문학가 100인

진복희

대표 작품
〈걷는 법〉 외 1편

인물론
누님, 누님, 우리들의 복희 누님!

작품론
감각적 이미지가 주는 시적 긴장

어린이와 함께 선생이 걸어온 길

걷는 법

서둘러
폴짝폴짝
산자락을 오르는데,

"달리기 경주 아니야,
느긋하게 걸으렴.

나무랑
풀을 데리고
새소리도 데리고."

자작나무 숲 사이로
아, 새털구름이 스치네.

정답게
말 걸어오는
비비추, 나리, 장끼소리…….

할머니
말씀을 좇아
한 걸음 늦췄더니.

껌

숟가락
놓기 바쁘게
짝짝짝 입가심하고

화딱지 날 때마다
질겅질겅 씹다가,

'에잇, 퉤!'

아파트로 이사 갈 때
기르던 개를 버리듯.

누님, 누님,
우리들의
복희 누님!

신현배

진복희 선생은 동시조 '쪽배'의 젊은 동인들에게는 '누님'이다. 김용희 동인을 비롯한 여섯 동인들은 선생을 심심찮게 누님이라고 부르는데, 그냥 누님이 아니라 '복희 누님'이라고 부른다.

선생과 '쪽배'의 창립 멤버인 나는 이제까지 깍듯이 '진 선생님'이라고 불러 왔었다. 그런데 어느날 갑자기 호칭을 '선생님'에서 '누님'으로 바꾼 것은 순전히 김용희 동인 덕이다. 그는 선생과 대학 동문인데, 2000년대 초 '쪽배'에 불쑥 나타나서 선생을 '복희 누님'이라고 부르기 시작한 것이다.

'누님'이라는 호칭이 얼마나 정답고 살갑게 느껴지던지, 우리들도 덩달아 선생을 '복희 누님'이라고 부르게 되었다. 애교 많은 어떤 동인은 선생을 만나면 다짜고짜 부둥켜안기도 하고, 그 손등을 마구 부벼 대기도 한다. 그래도 선생은 귀찮아하기는커녕 오히려 좋아 죽겠다는 듯 연방 싱글벙글이다. 이 대목에서 선생의 소감 한마디를 들어 보기로 하자.

"……나는 졸지에 머리가 희끗거리는 '징그런' 아우들 여섯을 거느리게 되었는데, 무슨 조화 속일까. 뒤바뀐 호칭 하나가 내 어느 쪽 심금을 건드린 것인지 아우들이 예전보다 훨씬 이뻐 보인다. 달려들어도 찡그려도 이쁘고, 부싯돌 부딪듯 내 손등을 마구 부벼 대도 이쁘다."

'누님'의 위력이 이쯤 될 줄은 나 자신도 미처 예상하지 못했다. 나는 선생을 누님이라고 부르는 여섯 아우의 한 사람으로서 이 자리에서는 평소대로 그를 '복희 누님'이라 부르고자 한다. 그래야 선생의 인간적인 면모를 자연스럽게 드러내 보여 줄 수 있을 것 같아서이다.

내가 복희 누님을 처음 만난 것은, 1992년 〈아동문학평론〉 가을호의 동시조 특집에 참여한 시인들이 한자리에 모였던 그해 10월 초이다. 가벼운 마음으로 청진동 골목을 찾아들어 저녁이나 같이 먹는 자리였는데, 화기애애한 분위기 속에서 자연스럽게 합평회가 이루어져 이를 계기로 동시조 동인 '쪽배'가 결성된다. "현배 씨죠? 반가워요. 나 진복희예요."

복희 누님은 나를 보자마자 환히 웃으며 악수를 청했다. 〈아동문학평론〉에 실려 있는 그의 사진을 보고 나는 가녀린 코스모스를 떠올렸는데, 실물을 보니 역시 가을 분위기를 물씬 풍기는 상당한 미모의 시인이었다. 나이에 비해 앳되어 보여 소녀 같다고나 할까, 그의 초기 작품인 〈도회와 소녀〉의 "해맑은 / 눈동자엔 / 이른 아침 하늘이 있고."라는 구절이 생각날 만큼 청순미가 돋보였다.

〈아동문학평론〉 가을호의 동시조 특집에 참여한 시인은 박경용· 류제하· 진복희· 송길자·서재환·임형선·신현배 등 일곱 사람이었다. 그중에 류제하 시인은 작고 시인으로서 그해 5월에 출간된 유고집 《변조》에 실린 동시조 작품을 선보였는데, 복희 누님이 류제하 시인의 부인이라는 것이었다. 나는 그 사실을 누님을 만난 자리에서 처음 알고 깜짝 놀랐다. 나도 시조 시인으로 활동하고 있어 류제하·진복희 시인은 지면을 통해서나마 알고 있었다. 그들은 60년대 후반에 나란히 등단하여 독특한 개성과 실험정신으로 7, 80년대 시조단을 주름잡았던 중견 시인이었다. 하지만 나는 시조단 출입이 뜸하여 두 시인이 부부라는 사실을 까맣게 몰랐던 것이다.

나는 그날 복희 누님으로부터 류제하 시인의 유고집 《변조》를 증정 받아, 집으로 돌아가는 차 안에서 찬찬히 읽어 보았다. 그 시집에는 류제하 시인이 남긴 주옥 같은 82편의 시조작품이 실려 있고, 책 말미에 송라 박경용 선생의 발문과 복희 누님의 꼬리글이 있었다.

나는 누님의 글을 읽으며 내심 감탄하지 않을 수 없었다. 류제하 시인은 생전에 단 한 권의 시집도 내지 않았는데, 누님은 시인의 1주기에 즈음하여 시조 선집을 엮으면서 이렇게 털어놓았던 것이다.

"생전에 자신의 손으로 묶지 못한 채 내게 남겨진 시 편편들 앞에서 그저 막막하고 두렵기만 한 심정이었다. 한 시인의 23년의 시업(詩業)을 정리한다는 그 일은 아무래도 벅찬 난제였다. ……한 작품이라도 놓치지 않기 위해 무던히 애를 썼다. 일단 거두어진 모든 작품들은 내 손을 떠나보내기로 했다. 시인 곁에서 젖어만 살던 나보다는 보다 냉정한 시선이 필요하다는 생각에서였다. 그래서 작품선(選)과 발문을 박경용 선생께 부탁드렸다."

복희 누님은 시인 남편을 떠나보냈을 뿐 아니라 남편이 남긴 모든 작품들도 자기 손을 떠나보냈다. 류제하 시인이 생전에 쓴 작품은 무려 200여 편이나 되었다고 한다. 누님은 완성도 높은 한 권의 시집을 엮기 위해 믿음직한 선배 시인의 손을 빌려 작품 선을 마무리지었다.

이는 누님이 치열한 자세로 오랜 세월 작품을 써온 시인이기에 가능한 일이었다.

그 후 나는 복희 누님과 다달이 '쪽배'에서 만나 한 식구로 지내오면서, 한 작품이라도 알찬 동시조를 얻기 위해 그가 얼마나 각고의 노력을 하는지 알게 되었다. 누님은 자연이나 생활 속에서 남들이 소홀하기 쉬운 하찮은 소재들을 선택해 절제된 미학으로 빛나는 작품을 잘도 써낸다. 그러나 실제로 그 시작 과정을 엿보면 피를 말리는 산고의 시간을 보내는 모양이다.

누님은 합평회에서 간혹 작품을 거르는 달은 "아직 꼭지가 덜 떨어졌어요." 하고 입버릇처럼 말한다. 그리고 다음 달에 내놓는 작품을 보면 한결같이 최상품의 과실이다. 창작의 밀실에서 밤잠을 줄여 가며 퇴고를 거듭한 결과일 것이다. 복희 누님은 1980년대 초 박경용 선생을 만남으로써 동시조를 쓰기 시작했다.

'시조 쓰는 사람이 동시조 한 줄 쓰지 못해서야…….' 이렇게 만만하게 시작한 걸음인데, "동시조, 처음에는 동(童)자에 주눅이 들고, 다음에는 시조라는 산이 가로막고, 게다가 시적 성취까지 그야말로 넘어야 할 고개가 첩첩이었다."고 토로한 바 있다. 하지만 누님은 '쪽배'가 출범하면서 누구보다 열심히 동시조를 썼고, 2001년에는 첫 동시조집인 《햇살 잔치》를 펴냈다. 그리고 그의 서랍 속에는 두어 권 분량의 동시조들이 '시의 집'에 입주할 날만 손꼽아 기다리고 있다. 18년 동안 한솥밥을 먹은 '쪽배' 식구로서 그의 두 번째, 세 번째 동시조집이 하루 속히 나와 풍성한 '동시조 잔치'를 벌였으면 하는 마음 간절하다.

나는 '쪽배'에 함께 참여해 오면서 누님에게 놀란 것이 몇 가지 있다. 복희 누님은 '쪽배' 초창기에 총무를 맡아 그 살림을 알뜰하게 꾸려 왔다. 누님은 동인들에게 회비를 걷을 때는 엄격하지만, 동인들을 위해 회비를 쓸 때는 한없이 너그러웠다. 동인들이 무엇을 필요로 하는지 척척 알아, 모자라면 자신의 주머니도 종종 털곤 했다.

내가 누님에게 놀란 것은 신기에 가까운 암산 실력이다. 숫자와 살짝 눈만 맞춰도 금세 계산이 끝나 버리는 것이다. 내가 너무 놀라서 벌린 입을 다물지 못하자, 누님은 빙그레 웃으며 한 마디 잊지 않았다.

"놀랄 것 없어. 이래봬도 내가 여고 시절에 '주산 선수'였거든."

1947년 전북 남원에서 태어난 복희 누님은 전주 중앙여중을 거쳐 전주여자상업고등학교를 졸업했다. '여상'에서는 주산과 부기가 필수 과목이다. 누님은 학교 대표로 뽑힐 만큼 '주산 선수'로도 활약했다는것이다.

하지만 문예반으로 옮아 시조 시인 구름재 박병순 선생을 은사로 모심으로써 그의 운명은 백팔십도 달라진다. 구름재 선생을 통해 겨레시인 시조를 만나 문학에의 꿈을 키워 나갔기 때문이다. 누님은 문예반에서 '글쓰기 선수'로 변신하여 승승장구한다. 이화여대 전국 학생 문예 현상 모집에서 〈갈밭에서〉라는 시조로 당선이 되었으며, 경희대 전국 학생 백일장에 연속 입상하기도 했다. 그리고 문학 특기를 인정받아 경희대 국문과에 장학생으로 입학했으며, 대학 2학년 때인 1968년 〈시조문학〉에 〈추상〉이라는 작품이 천료되어 마침내 등단을 하게 된다.

복희 누님에게는 문학에의 길을 열어 주신 두 분의 스승이 계시다. 한 분은 문단의 대선배이신 박경용 선생이다. 선생은 누님에게 문학에의 지평을 활짝 열어 주셨고, 그로 하여금 동시조를 쓰게 하셨다.

다른 한 분은 앞서 소개한 구름재 박병순 선생이다. 누님은 〈나의 습작시절〉에서 "선생은 내 어눌한 시의 싹눈을 틔워 주셨고, 평생 끌어 안고 가야 할 '시조 시인'이라는 불도장까지 내게 안기셨다."고 실토한 바 있다.

구름재 선생의 제자 사랑은 남달랐다. 복희 누님을 아끼고 사랑하여 혈육의 정으로 껴안아 주셨다고 한다. 나는 류제하 시인의 유고집 《변조》를 통해 구름재 선생의 끔찍한 제자 사랑을 확인할 수 있었다. 구름재 선생은 〈영원하오 류서방〉이란 추모시를 쓰고는 이런 '시작 노트'를 곁들였다.

"진복희 양은 제자의 정을 넘어 친딸과 같은 사이이므로 류제하 군은 친사위의 정분으로 류 서방이라 불러왔다. 그러던 류 서방이 비둘기 한 쌍 훨훨 날아 보지 못하고 지질한 병고 끝에 단기 4324년(1991) 6월 23일 아침 9시 45분 강서성모병원에 들어서기도 전 택시 안에서 급서하였으니 산 사람도 숨이 막힐 일이 아닌가? 삼가 두 손 모아 이 슬픈 노래를 상기 그 넋이 맴돌 허공에 목놓아 뿌린다."

눈물 없이는 들을 수 없는 애절한 추도사라 아니할 수 없다. 복희 누님은 이런 스승을 평생 깍듯이 모셨으며, 2008년 12월 구름재 선생이 영면하셨을 때는 〈마이산 그 품으로〉라는 조시를 지어 선생의 영전에 바치기도 했다.

나는 '쪽배' 초창기에 누님의 술 실력이 상당하다는 것을 알고 속으로 꽤나 놀랐다. 요즘 누님은 소주 한두 잔을 겨우 비울 정도이지만, 그때는 사정이 달랐다. 소주는 거들떠보지도 않고 독한 고량주를 연거푸 몇 잔이나 들이켜는 것이었다. 나도 한때 말술을 마셨지만 술 잘하는 여자를 보기는 처음이었다. 그래서 나는 언제부터 그렇게 술을 잘 마셨는지 궁금하여 누님에게 한번 묻기까지 했다. '쪽배' 합평회 뒤풀이 자리가 아니라, 1994년 가을 누님을 따라 한국청소년연맹 경기도 지부 백일장 심사를 하러 수원에 갔을 때였다. 학생들이 백일장 작품을 쓰는 동안은 시간 여유가 있어 나는 누님에게 젊은 시절의 이야기를 자세히 들을 수 있었다.

"내가 대학을 갓 졸업하고 고향 전주에 내려가 지낼 때야. 그 시절은 정말 춥고 배고팠지. 나한테는 한 지붕 밑 식솔들의 한 치 앞을 걱정하지 않을 수 없는 짐이 하나 더 어깨에 얹혀 있었거든."

복희 누님은 돌보아야 할 어린 동생들을 줄줄이 거느린 장녀였다.

　따라서 식솔들의 뒷바라지 때문에라도 하루빨리 일자리를 찾아야 했다. 그리하여 얻은 직장이 사립학교인 전주 완산 중·고등학교 영어교사 자리였다.

　당시에 누님은 춥고 배고픈 글쟁이, 환쟁이들끼리 무던히도 어울려 다녔다. 야간 수업이 끝나면 어김없이 달려가는 곳이 쟁이들의 아지트인 '두리화실'과 밥집 겸 술집인 '정들집'이었다.

　복희 누님은 정들집에 들어서기 무섭게 술청을 지나 부엌 부뚜막으로 먼저 가서, 항아리의 막걸리 한 사발을 퍼 마신 다음에야 술자리 한자리를 비집고 드는 버릇이 있었다고 한다. 게다가 주선(酒仙)의 경지에서 노니는 쟁이들과 더불어, 술자배기를 돌려가며 마시되 차례가 오면 숫자를 다 셀 때까지 입술을 떼지 않고 벌컥벌컥 마셨으니!

　나는 여기까지 이야기를 듣고는 속으로 중얼거렸다. '졌다!' 그리고는 다시 묻지 않을 수 없었다.

　"교사 자리는 그때나 지금이나 남부러워하는 평생 직장 아닌가요? 그런데 왜 그 좋은 직장을 3년 만에 그만두셨어요?"

　복희 누님은 잠시 생각에 잠겼다가 천천히 입을 열었다.

　"아이들을 가르치는 일이 나와 맞지 않아서……. 학생들의 초롱초롱한 눈망울들 앞에서 날이면 날마다 되풀이되는 강의를 하고 있자니 번번이 곤혹스러웠지. 아무리 밥을 버는 일이라 해도 적어도 교직에 대한 소명 의식 정도는 가져야 하잖아. 결국 '내가 할 일은 아니야. 내 기질에 맞지 않아.' 생각되어 선생 노릇을 그만두고 고향을 떠났어."

　지금 따져 보아도 누님이 참 대단하다는 생각이 든다. 자기 기질에 맞지 않다고 아무 미련 없이 교직을 그만두었으니 말이다.

　복희 누님은 1975년 시조 시인 류제하와 결혼한 뒤, 이듬해부터 6년여 동안 〈시조문학〉《한국시조큰사전》등 편집 일을 맡게 된다. 그 고되고 힘든 일을 떠맡은 것은 순전히 시조에 대한 사랑과 사명감 때문이었다.

　시조 전문지 〈시조문학〉은 월하 이태극 선생이 사재를 털어 어렵게 펴내고 있었다. 변변한 사무실 하나 없이 선생이 하나에서 열까지 홀로 챙기고 있었는데, 그나마 종이를 제외하고 조판에서 제본까지 '대한교과서'에서 무상으로 도맡아 주어 가능한 일이었다.

　교정 볼 직원이 없으니 잡지를 받아 책장을 열면 금세 오자, 탈자가 툭툭 불거져 나왔다. 복희 누님은 그것을 볼 때마다 적잖이 심란했다고 한다. 자신이 〈시조문학〉출신이었기 때문이다. 그래서 누님은 류제하 시인과 함께 〈시조문학〉의 편집과 교정을 떠맡기로 했다. 최소한 오자는 없도록 하자고 다짐하면서.

　"나는 〈시조문학〉교정지를 끼고 종로 6가에 있는 대한교과서를 들락거렸어. 오케이 지를 넘기고서도 책이 되어 나올 때까지 가슴을 죄었지. 옥동자가 나올까, 칠삭둥이가 나올까 하고."

복희 누님은 그 시절을 떠올리고는 피식 웃음을 흘렸다.

"1980년 계엄령이 내려졌을 때는 이런 일이 있었어. 인쇄를 넘기기 전 〈시조문학〉 오케이 지를 들고 시청에 있는 검열관에게 검열 도장을 받으러 갔었지. 지금 생각해도 우스운 것은, 높은 단 위에 버텨 앉은 군인들 몇이 책장을 쓱쓱 넘기면서 언뜻언뜻 눈에 띄는, 눈에 거슬리는 낱말을 집어 붉은 줄을 죽죽 그어대는 거야. 그들은 작품을 보는 게 아니었어. 말투를 꼬투리 잡아 과민하게 반응했지. 무슨 선동적인, 사상적인 류와는 무관한 작품들이었는데도 무장한 그들 레이더에는 평이한 시어 하나까지도 요상한 색깔로 잡히는 모양이야. 아무튼 붉은 줄은 빼고 책을 만들어는 냈지만, '검열필'이 찍힌 오케이 지를 나는 한동안 버리지 못한 채 간직하고 있었지."

복희 누님은 《한국시조큰사전》 만드는 일에도 매달렸는데, 그것은 고시조· 현대시조가 총 망라된 방대한 분량이었다. 누님은 편저자 중 한 분인 구름재 선생을 도와 1년여 동안 원고 하나하나를 사전 교열한 뒤 출판사에 넘겼다고 한다.

복희 누님은 1980년대 초에 다시 직장 생활을 시작했다. 출판사에 들어가 본격적으로 편집일을 한 것이다. 범한출판사를 비롯하여 일월서각, 풍생문화사 등을 거쳤다. 누님은 오래 전에 편집 일을 그만두었지만 요즘도 틈틈이 교정 아르바이트를 한다. 편집자 출신답게 교정 실력도 수준급이다. 간간이 출판사에서 일감을 받아 어린이 책 원고를 쓰기도 하는데, 작년 가을에는 이런 일이 있었다.

9월의 어느날, 복희 누님과 나는 전집물 출판사인 한국삐아제의 초청을 받아 '기념 잔치'에 참석했다. 글작가·그림 작가 등 출판사와 인연을 맺은 사람들을 한자리에 불러 모아 저녁을 대접하는 자리였다.

그 출판사의 이성주 편집장은 복희 누님을 보자 반색을 하며 난데없이 엽서 이야기를 꺼냈다.

"진 선생님, 몇 해 전에 독일에서 보내 주신 엽서는 제가 소중하게 간직하고 있어요. 저희 편집부 식구들이 돌려가며 읽고 모두 감격해 했지요."

내가 영문을 몰라 무슨 일이냐고 묻자 이성주 편집장은 친절하게 답해 주었다.

"저는 시인 진복희 선생님에게 그림책, 그것도 위인동화 원고를 청탁 드렸어요. 그 이유는 단 하나였지요. 김훈 작가님의 《칼의 노래》를 읽다가 시처럼 멋진 표현과 섬세한 이야기 흐름에 푹 빠졌었거든요. 그래서 '시인이 쓴 이순신 위인 동화는 어떨까?'라는 지극히 단순한 궁금증 때문에 《이순신》을 비롯한 몇 편의 원고 청탁을 드렸어요. 그런데 진복희 선생님은 원고 마감이며, 갈무리까지 다한 상태로 독일로 여행을 가셨답니다. 그래도 선생님은 마음이 놓이지 않았는지, 며칠 뒤 독일에서 저희 출판사로 한

통의 엽서를 보내 주신 거예요."

이성주 편집장은 출판사의 커뮤니티 인터넷 카페에 멋진 흑백(첼로 켜는 여인)엽서 사진을 올려놓았는데, 그 내용은 이런 것이었다.

이성주 과장님께

이곳 독일로 들어와 여장을 푼 지 열흘이 지났네요.

'위인전기' 매듭을 짓지 못한 채 미진한 마음으로 떠나 왔습니다. 진행이 여의치 않으면 이곳으로 이메일을 보내주세요. 동생을 따라 유럽 몇 군데를 돌아오겠지만 8월에는 시간이 좀 여유로울 것 같습니다. 9월 6일에는 돌아갈 예정이구요.

이곳 여름은 약이 오를 정도로 보송보송합니다. 습기가 없는 날씨 때문인가 봅니다.

긴 무더위에 수많은 '위인' 들과 씨름하느라 애 많이 쓰시겠습니다.

건강, 건필을 빕니다.

손바닥만한 엽서에는 이런 사연을 달필로 적고, 그 밑에 이메일 주소와 전화번호가 기재되어 있었다. 이성주 편집장은 '독일에서 날아온 엽서 한 장'을 받고 가슴이 먹먹했단다. '먼 곳에서 전해 온 시인의 마음'. 마감과의 싸움에 지친 그와 편집자, 디자이너들에게 그것은 세상에서 단 하나뿐인 '박카스'가 되었다는 것이다. 그 '박카스' 덕에 복희 누님 등 여러 작가들이 집필한 위인 동화 시리즈인 《지구별 영웅들》은, 그림책으로는 처음으로 '대한출판문화협회가 뽑은 출판문화대상 저술 부문'을 수상할 수 있었단다. 보통 대형 기획물(전집)은 기획상이나 일러스트레이트 상을 수상하는데 말이다.

나는 이 이야기를 듣고 복희 누님의 세심한 배려와 따뜻한 마음을 다시 한번 확인할 수 있었다. 누님은 '쪽배'에서도 엄마의 손길 같은 따뜻한 마음으로 우리 젊은 동인들을 포근히 감싸 주신다. 그런 마음이 작품 속에 그대로 담겨져, 누님의 작품은 섬세하고 다정다감하고 또 따뜻한 것 같다.

나는 '쪽배'에서 지난 18년 동안 복희 누님에게 많은 신세와 은혜를 입었다. 누님은 내가 첫 동시집인 《거미줄》을 펴낼 때는 만사를 젖혀 놓고 서평을 써 주었으며, 두 번째 동시집 《매미가 벗어놓은 여름》으로 문학상을 받을 때는 나보다 더 기뻐하며 시상식에서 친히 축사의 말씀을 해주셨다. 또한 내가 슬럼프에 빠져 허덕일 때는 누구보다 먼저 손을 내밀어 주었으며, 그 격려에 힘입어 무딘 붓끝을 다듬고 시업을 이어갈 수 있었다.

나는 누님이 신작을 잡지에 발표할 때 곁들이는 '시작 노트' 한 줄에도 자극을 받고 영감을 얻곤 한다.

"갈증이, 상실이, 결핍이, 내가 시를 쓰도록 등을 떼미는 동인이었다. 물감으로 치자면 덧바르는 유화 물감에 비유할 수 있을까. 그에 비해 동시를 쓰는 걸음은 화폭의 더께를 다 벗긴 수채화처럼 한결 투명해졌다. '단순 명쾌'라는 동시의 특성상 그렇게 '시'의 몸이 바뀌어간 것이다."

문학에의 길에서 무작정 앞만 보며 따라갈 수 있는, 앞서 가는 좋은 선배가 있다는 것은 기쁘고 마음 든든한 일이다. 내게는 복희 누님이 그런 선배 가운데 한 분이다.

"누님, 누님, 우리들의 복희 누님! 언제까지나 우리들 곁에 있어 주세요. 그리고 '부시지는 않아도 언제나 가슴 한켠에 따뜻한 온기를 적셔 주는 불빛 같은 시' 들을 더 많이 낳아 주세요."

감각적 이미지가 주는
시적 긴장

김종헌

　말끔하게 정장을 하고 나서면 맵시가 나기는 하지만 몸의 움직임이 자유롭지 못하다. 반면에 편안한 캐주얼 차림은 몸은 자유롭지만 맵시가 덜 난다. 몸의 자유로움과 함께 맵시가 살아나는 옷을 위한 끊임없는 인간의 노력은 다양한 정장과 캐주얼을 만들어냈다. 생활인으로서 우리는 항상 어떤 옷을 선택할지 고민하고 있다. 시도 이와 같지 않을까. 독자는 편안하면(쉬우면)서도 포에지가 있고, 그리고 정형의 가락 속에 자유로움이 있는(혹은 자유로운 율격 속에 정형의 가락을 가지는) 시를 늘 갈망하고 있지 않을까. 이러한 독자의 욕망을 충족시키려 시인의 노력은 계속되고 있다.

　늘 편안한 차림으로 나타나지만 목도리 하나부터 작은 모자 하나까지도 어울리게 차릴 줄 아는, 그래서 단아함을 잃지 않고 있는 진복희 시인[1] 그의 동시조에는 그 모습이 고스란히 드러나 있다. 먼저 그의 작품은 서정적 포에지가 있다. 그리고 그 시조의 형식이 현대적 감각에 맞게 뒷받침되어 있다. 이렇듯 그의 동시조는 정형의 형식과 내용의 긴장으로 단아함과 절제미를 지닌다. 중진의 시조 시인이면서 아동 문단에서 동시조로 당당한 발걸음을 내딛고 있는 그는 동시조를 통해서 절제의 미학과 시(포에지)를 향한 자기 엄격성을 보여 주고 있다.

희망의 은유

생선 아줌마가 날마다

이고 오는 아침 바다

'오징어, 갈치, 고등어

가자미도 왔습니다'

1　진복희 시인은 시조집 《불빛》(동학사, 1996), 시조선집 《우리시대현대시조100인선·33 / 불빛》(태학사, 2001)과 동시조집 《햇살 잔치》(책만드는집, 2001), 《별표 아빠》(아평, 2011), 《반딧불이의 집》(소야, 2017) 을 펴냈다. 그 이후에도 〈쪽배〉 동인으로 활동하면서 많은 동시조를 발표하였지만 이 글은 동시조집 《햇살 잔치》만을 대상으로 하였다. 이후 작품에 대해서는 다음 기회를 기약해 둔다.

찌들은 골목길을 말끔히

씻어 주는 파도 소리.

– 〈아침〉 전문

아침을 여는 첫소리가 생선 아줌마의 외침이다. 하루의 시작인 아침의 이미지를 찾기 위한 시인의 노력은 이렇듯 눈에 보이는 사물이 아니라 '소리'로 나타난다. 그런데 그 소리는 삶을 바탕으로 한 것이기에 활기가 느껴진다. 즉 생선을 이고 다니며 파는 아줌마는 넉넉한 모습이 아니지만 '찌들은 골목길을 말끔히 / 씻어 주'고 있다. 여기서 '파도 소리'는 '생선 아줌마', '아침 바다'와 병치를 이루고 있으며 시적 전개상 나란히 인접해 있다. 그래서 '파도 소리'는 초장의 '아침 바다'와 종장의 서술어 '말끔히 씻어 주는'과 환유적으로 결합되어 희망적인 새로운 의미를 만들어 낸다.

한편 이 작품은 기존의 시조와 다르게 장을 배치하고 있다. 즉 초장과 중장을 두 연으로 나누어 놓았다. 이러한 장치는 자유시의 형식을 통해 시조의 딱딱함을 벗어나려는 의도로 보인다. 그러나 내적으로는 가락의 파탄이 없다. 즉 시조의 엄격한 율격을 살리면서도 시적 긴장감을 획득하고 있다. 오히려 그것은 '이고 오는'과 '씻어 주는'이 강조되어 주제를 더 분명하게 드러내는 효과를 준다.[2] 서정을 갖춘 이후에 나타나는 이러한 형식적 변화는 시조에서도 연의 구분을 통해 밀고 당기는 긴장을 줄 수 있음을 보여 주고 있다. 그것은 '이고 오는–아침 바다–씻어주는' 등의 상승적인 시어로 연결되어 '찌든–골목길'의 힘들고 답답한 부정적인 세계를 소멸시키는 데 기여하고 있다. 이렇듯 진복희 시인은 정형의 시조이지만 형식적인 변화와 감각적 이미지를 활용하여 용어의 어휘적 차원을 넘어서 텍스트 내의 시어 또는 시구의 상호 관련성 속에서 의미를 창출하고 있다. 이것을 바탕으로 그는 '빛'을 찾아가는 긴 여정에 오르고 있다. 그 여정의 끝은 '빛부신 아침'에(〈새소리〉) '햇살 부신 언덕'(〈음악을 들으며〉)에 도달하는 것이다.

풀 먹인

옷깃처럼

정갈한 새 달력엔

이슬 차고

---

2 이와 비슷한 형식을 지닌 작품은 이 동시조집에 두 편이 더 있다. 〈비닐봉지〉, 〈가을비 그친 뒤〉가 그것이다. 그런데 전자는 초장을 두 연으로 구분하였고, 후자는 종장을 두 연으로 처리하였다.

오르는

새의 깃이 파닥인다.

칸마다

빛무늬가 다른

새 하루가 걸려 있다.

– 〈달력〉 전문

하루하루를 '빛무늬가 다르다'고 표현한 〈달력〉은 단순하게 지나가는 숫자를 시각적으로 형상화하여 매일매일이 의미 있는 날들임을 드러내고 있다. 이 동시조는 달력의 이미지를 '풀 먹인 옷깃', '새의 깃' 등 인접성에 의한 환유적 방법을 통해서 매우 '정갈'하게 그려 내고 있다. 그래서 그것은 하루하루가 다른 '빛무늬'를 띠게 된다. 이처럼 병치를 이룬 은유적 결합으로 인해 달력은 '새 것'에 대한 기대감으로 승화되어 나타난다. 각각의 이질적인 요소들은 '새 하루가 걸려 있다.'라는 서술어를 공유함으로써 상호 작용하는 가운데 의미론적 통합을 이루고 있다. 따라서 이 동시조는 단순히 날짜를 기억하는 '달력'의 통념을 벗어나 하루하루가 새날이 되는 희망적인 의미를 부여하고 있다. 그것은 '빛무늬'라는 시각적 이미지로 전환되어 비가시적인 하루가 '다른'(각각의) 의미를 지니는 가시적인 영역으로 전환되어 나타난다.

이것은 흩어진 불연속적인 요소들이 상호 작용하여 단일한 새로운 의미를 형성한 결과이다. 즉 '옷깃', '새의 깃', '빛무늬'는 한 시어의 차원에서가 아니라 문맥의 차원에서 '풀 먹인', '이슬 차고 오르는' 등과 연결되어 '새 하루'를 희망으로 은유하고 있다. 이러한 시적 표현은 지금까지 동시에서 흔히 볼 수 있는 미적인 표현이 아니다. 대개의 동시가 은유를 통한 이미지 전달을 할 때 한 시어의 차원에서 일부로써 전체를 나타내는 방법에 의존하여 그 의미를 전달해 왔다. 이것은 비유의 대상을 직접적으로 단순화하는 경향이 있어 동시의 은유를 독자가 금방 읽어 내는 단조로움이 있다. 그러나 인용 작품은 옷깃, 새의 깃, 빛무늬 등 다른 성질의 것들이 인접하여 나열되어 있다. 그럼에도 불구하고 정갈하며 이슬 차고 오르듯이 파닥이는 이미지로 연결되어 생동감이 있다. 이처럼 그는 정적인 소재(달력)를 동적인 이미지로 승화시켜 냈다. 진복희 시인은 이렇게 이질적인 시어를 인접성에 의한 환유로 병치시켜 놓음으로써 새로운 의미를 창조해 내고 있다. 여기에는 시조의 장을 자유시의 연처럼 구분하는 외적 요소도 중요하게 작용하고 있다. 그리고 그의 작품은 감각적 이미지로 대상을 간결하게 처리하여서 서정성을 더욱 짙게 드러내는 특징을 가지고 있다. 그의 탐색은 눈을 크게 뜨고 귀를 활짝 열어 소리와 빛으로 대상의 특징을 찾는 것이다.

'빛'을 찾아가는 긴 여정

그의 작품집 《햇살잔치》에는 수많은 '빛'이 등장한다. 그 빛은 '뒤안에 넘치는 / 빛 고운 달큰한 내'(〈초가을〉), '그 빛깔만으로도 / 엄마 내음에 젖습니다'(〈무궁화〉)처럼 엄마에 대한 사랑과 그리움을 자아내는 빛이 있는가 하면 '저 건너 / 마을에는 / 햇살 잔치 한창인데'(〈버섯〉)처럼 화자와 거리를 두고 있는 빛이 있다. 한편 '햇살 부신 / 언덕에 선 듯'(〈음악을 들으며〉), '칸마다 / 빛무늬가 다른 / 새 하루가 걸려 있다'(〈달력〉)처럼 화자가 도달했으면 하는 바람과 그것에 대한 믿음을 나타내는 빛 등이 있다. 즉 공감각과 복합 감각을 활용한 그의 감각적 이미지 처리는 빛을 통해서 다양한 서정성을 확보하게 된다. 이로써 그의 작품은 낯섦과 긴장이 팽팽하게 이어지고 있다.

문제는 이 빛이 밝음의 표상만으로 읽히지 않는다는 것이다. 그것은 도달했으면 하는 당위적 현실을 상징하는 완성된 빛이 아니라 그 빛을 찾아가는 여정을 그리고 있기 때문이다. 그 여정 속에서 '빛'은 '희망'의 어휘적 은유가 아니라 행간의 문맥, 각 장의 담론(언술, discours)에 의한 상호 작용으로 의미를 새롭게 구성하고 있다. 이를 위해서 시인은 시조의 외형적 형식을 초장-중장-종장으로 단조롭게 한 것이 아나 필요에 따라 시조의 한 장을 자유시의 연처럼 구분하거나 아니면 한 구를 한 연으로 처리하여 여백을 두고 있다. 이로써 담론의 차원에서 생각이 호흡을 가다듬게 하고 있다. 따라서 그의 작품 속에 나타나는 빛의 이미지는 화자와 늘 일정한 '거리두기'를 하고 있으며 은유의 전이를 통해서 새로운 의미를 만들어 내고 있다. 이러한 시적 사유를 찾아보는 것은 시인의 작품 세계를 더 분명하게 읽어내는 하나의 방법이 될 것이다.

　어둠을 밝혀 앉은

　어머니 하얀 이마

　종종걸음치는 나를

　맨 먼저 알아채고
　서둘러

　담장 밖으로

긴 목을 빼고 섰다.

  – 〈외등·1〉 전문

〈외등·1〉은 어두운 밤길을 걸어오는 화자를 맞이하는 어머니의 마음이 생생하게 묘사되어 있다. 외등을 켜는 공간은 어둠이다. 이 배경은 화자의 불안하고 힘든 내면세계를 그대로 드러내고 있다. 그래서 어둠에 싸여 '종종걸음치는 나를' 기다리는 어머니의 마음은 하얗다.

  이때 '하얀'은 중의적이다. 즉 어둠을 밝히는 '외등의 밝음'과 걱정으로 가슴 졸이는 '어머니의 마음'이 은유적으로 표현되어 있다. 시인은 그것을 '하얀 이마'로 시각적으로 처리하였다. 한편 이것은 '맨 먼저 알아채'고 '서둘러 담장 밖으로 긴 목을 빼고 섰다'를 공유하고 있다.

  즉 '외등—어둠을 밝히고 담장 밖에 서 있다'의 언술이 '어머니 하얀 이마—종종걸음(치는 나)—긴 목을 빼고 섰다'의 언술과 상호 작용하여 어머니의 사랑이라는 새로운 의미를 만들고 있다. 여기서 알 수 있는 것은 은유의 차원을 어휘의 차원에 국한시키는 것을 넘어서 담론의 차원으로 확대함으로써 시적 의미를 총체적으로 드러낸다는 것이다. 이를 따라가면 이 동시조의 화자인 '나'를 둘러싸고 있는 현실은 어둡다는 것을 알 수 있다. 그것은 '낯선 그림자만 성큼성큼'(〈외등·2〉) 커가는 공간이다. 반면에 화자는 발걸음이 불안한 나머지 종종걸음치고 있다. 이런 화자를 지켜주는 것은 '지나는 바람에도 퍼뜩 귀를 세'우고 하얗게 턱을 괴고 있는 어머니이다. 그 모정을 외등의 '하얀 이마'로 시각화시켜 냈다. 이렇듯 진복희 시인은 동심의 발상으로 접근한 시적 대상을 시조의 가락에 맞추는 절제미와 더불어 포에지를 향한 열린 감각을 가지고 있다. 그 중심에 이미지가 있다. 시인은 시각적인 이미지를 이질적으로 전개함으로써 더 뚜렷한 상을 전달하고 있다.

  한편 〈버섯〉에서 보는 것처럼 '어두운 골짝'에 숨어 있는 버섯의 반대쪽인 '저 건너 마을'에 비치고 있는 빛은 화자의 정서를 효과적으로 처리하는 역할을 하고 있다. 이 빛(햇살)은 화자가 도달했으면 하는 밝음의 공간이 아니다. 그것은 화자의 그리운 감정을 절제시키는 장치라 할 수 있다.

  어두운 골짝

  숨어서도

  고깔 쓰고 앉았다.

저 건너

마을에는

햇살 잔치 한창인데

저토록

누굴 그리는가

꽃 피울 생각 잊은 채.

– 〈버섯〉 전문

여기서 '햇살 잔치'는 사실 버섯과는 아무 상관이 없다. '저 건너'에 존재하는 빛일 뿐이다. 오히려 버섯은 '어두운 골짝'에 숨어 있으면서도 '고깔'까지 쓰고 있다. 즉 표면적으로는 버섯의 외양을 고깔 쓴 것으로 형상화한 것이지만 시적 상황으로 볼 때 화자는 '누굴' 애타게 기다리는 그리움 때문에 '저 건너'에서 벌어지는 햇살 잔치를 외면하고 있는 것이다. 여기서 우리는 시인이 자기의 감정을 조절하고 있음을 볼 수 있다. 즉 초장과 종장의 관계에서 '고깔 쓰고 앉'은 버섯은 '저 건너 마을 햇살 잔치'와 대립적인 상황임을 알 수 있다. 이것은 다시 종장의 '꽃 피울 생각'을 하지 않는 상황과 시적 긴장 속에 놓이게 된다. 즉 '햇살 잔치 한창'인 때에 '꽃 피울 생각'을 잊는다는 것은 식물의 생태로서는 절망적이다. 이 긴장 속에서 화자가 느끼는 그리움의 정서는 더 애잔할 수밖에 없다. 이런 맥락에서 그의 시를 읽으면 '빛'은 밝음의 은유가 아닌 화자와 별개의 존재이면서 화자의 정서를 자아내게 하는 매개체의 역할을 하고 있다. 따라서 그것은 밝음과 기대의 빛이 되지 못한다. 늘 객관적으로 떨어져 있으면서 화자의 정서를 반영하는 객관적 상관물일 뿐이다. 이로써 시인은 힘든 상황에 대한 화자의 감정을 절제하는 효과를 가져온다.

'깨어나는 불씨' 의 낯선 감각

어디에 숨어 있다

깨어나는 불씨일까

깊은 숲 열매처럼

빛을 켜는 귀뚜라미

새도록 귓전을 맴돌며

별자리를 열고 있다.
— 〈귀뚜라미〉 전문

〈귀뚜라미〉는 청각적인 소재를 시각화시켜 그 상의 새로움을 넘어 독자를 긴장시키고 있다. 이 작품에서는 귀뚜라미의 소리가 '불씨', '빛', '별자리' 등으로 시각화되어 나타난다. 화자는 귀뚜라미를 보고 있는 시적 상황이 아니라 귀뚜라미의 소리를 듣고 있다. 그런데 그 소리가 시간이 지날수록 더 또렷이 들리는 듯하다. 그것은 소리를 빛으로 바꾸어 '불씨—빛—별자리'로 점층적 확대를 가져오기 때문이다. 이처럼 청각의 대상을 시각적 표현으로 낯설게 함으로써 숨어 있던 귀뚜라미 소리는 점점 많아지며 밤이 깊을수록 더 큰 울음소리를 내는 듯한 효과를 가져온다. 별자리가 열린다는 것은 시간적 흐름을 의미하지만 '깨어나는 불씨', '귓전을 맴돌며' 등의 시구와 상호 작용하여 그것은 수많은 귀뚜라미의 소리가 들리는 이미지와 연결되기 때문이다. 이처럼 시인은 대상을 단순하게 관찰하는 것이 아니라 조용히, 오랫동안 보고 듣고 그리고 상상을 펼치고 있다.

펼쳐진 책장이랑

잠 못 드는 음악이랑

생각에 잠긴 것들만

그 품안에 품나 보다

온종일
줄달음쳐 온 시계가

숨소리를 죽인다.
— 〈밤〉 전문

인용 작품 〈밤〉은 고요의 이미지를 띠고 있다. 그런데 이 동시조는 고요해지는 과정을 눈에 보이게 표현하고 있다. 즉 '펼쳐진 책장'과 '잠 못 드는 음악'은 고요한 상태가 아니다. 아직 뭔가 덜 끝난 움직임(생각)이 있는 상황이다. 그래서 밤은 이것들을 안기 시작했다. 그러자 '줄달음쳐 온 시계가 / 숨소리를 죽'이며 드디어 밤은 '잠 못 드는 음악'으로 감각적으로 표현하여 아직 잠들지 않고 있는 대상을 제시하고 있다. 그러나 중장에서 시인은 고도의 상상력을 발휘하여 그 깨어 있는 펼쳐진 책장과 잠 못 드는 음악을 '생각에 잠긴 것'들이라 상상한다. 여기서 주목해야 하는 것은 고요한 밤의 속성을 그대로 받아들여 모방한 것이 아니라 고요해지는 과정을 모방하고 있다는 것이다. 즉 '책장'과 '음악' 그리고 '시계'는 종장의 '숨소리를 죽인다'에 연결되어 고요한 상황으로 접어들게 하고 있다. 이처럼 진복희 시인은 대상을 직접적으로 모방하는 것이 아니라 시어를 통해서 텍스트 내에서 상호 작용하게 함으로써 의미론적으로 융합시켜 주제를 드러내는 방식을 취하고 있다. 그래서 '밤'의 고요하고 조용한 이미지를 '숨소리를 죽'이는 시계 소리의 청각적 이미지로 나타낼 수 있는 것이다.

이처럼 이 작품은 추상적인 밤의 공간을 감각적인 이미지와 상상력을 통해서 그 본질적인 속성을 드러내고 있다. 그리고 종장에서 다시 청각적인 이미지를 제시함으로써 밤의 고요를 더 뚜렷하게 나타내고 있다. 이렇게 밤이 주는 기존의 정서를 감각적 이미지와 상상으로 오버랩하여 어머니의 정서로 승화시켜 내고 있다. 이제 사물은 어머니의 품속에서 고요히 잠들게 된다. 이는 밤을 어둠과 부정의 이미지에서 데려 나와 어머니의 품같이 따뜻한 이미지로 옮겨 놓은 것이다. 즉 참신한 시적 표현으로 새로운 이미지를 만들어 낸 것이다.

이같이 진복희 시인의 시는 설명을 뺀 채 은유적인 방법과 이미지를 활용하여 시적 의미를 선명하게 전달하기에 긴장미가 넘친다. 그리고 단아하다. 그는 시각적인 것은 청각적으로 표현하고 또 정적인 것은 동적인 이미지로 그 대상을 드러내고 있다.

이런 감각적인 표현으로 자기의 감정을 숨김으로써 오히려 감정의 여운이 길게 남는다. 따라서 그의 시는 가볍지 않다. 그렇다고 지나치게 무겁지도 않다. 마치 캐주얼을 정장같이 혹은 정장을 캐주얼같이 입는 묘미가 살아난다.

이러한 시적 표현과 사유 구조는 어린이의 생활을 고립시켜 살피는 것이 아님을 알 수 있다. 사회 구성원으로서의 어린이는 어른과 함께 있다.

시인은 이러한 어린이를 시적 대상으로 하여 탐색하기에 그들을 둘러싼 삶의 모습과 자연의 변화가 생생하게 그려지며, 진솔한 느낌을 자아내게 되는 것이다. 이런 대상을 동시의 시적 대상으로 하는 것은 어린이들만의 세계에서 동심을 읽는 것보다 총체적인 삶을 읽어 낼 수 있어 동시의 영역을 넓힐 수 있는 장점이 있다. 이것이 그가 이룩한 동시조의 세계이다.

어린이와 함께 선생이 걸어온 길

1947년 전라북도 남원 광한루 근처 금리에서 아버지 진오종,
　　　어머니 김소례 사이에서 3남4녀 중 장녀로 태어남.
　　　여섯 달 만에 전주로 옮겨 성장기를 보냄.

1963년 어려운 가정 형편 때문에 일찌감치 실업 계열 학교로 방향을 잡고
　　　전주여자상업고등학교에 들어가 주판 선수 생활을 하며 자유시 수업을 하였음.
　　　그러나 주판 굴리는 소리를 음악 소리로 들으면서 한눈을 팔다가
　　　스승 구름재 박병순 시조 시인을 만났음.
　　　선생님은 내게 시의 싹눈을 틔워 주셨고, 이후 혈육의 정으로 거두어 주셨음.

1965년 이화여자대학교와 경희대학교 문예 현상 공모 시조 부문에서
　　　각각 장원과 차상을 차지하였음.

1966년 전주여자상업고등학교를 졸업하며 진학이냐 직장이냐,
　　　진로를 놓고 고민하다가 전주 저금 관리국에 첫 직장을 잡고
　　　1년 간 사회 생활을 했음.

1967년 경희대학교 국문과에 입학해서 1971년 졸업했음.

1968년 〈시조문학〉을 통해 문단에 나옴.

1972년 고향으로 내려가 3년간 전주완산중·고등학교 교사로 근무함.

1975년 시조 시인 류제하와 결혼함.

1976~1982년 〈시조문학〉, 《한국시조큰사전》 등의 편집에 참여함.

1983년 범한출판사, 일월서각, 풍생문화사 등의 편집부에서 4년 여간 일을 했음.

1985년 우리나라 동요 감상 《이슬비 색시비》(박경용 엮음, 중앙일보)에
　　　〈들길 산길〉이 실리면서 아동문학계에 깊숙이 발을 들여 놓게 되었음.
　　　문학에의 지평을 열어주신 박경용 선생과의 만남은 동시조를 쓰게 된
　　　결정적인 계기가 되었음.

1989년 한국 청소년 연맹 경기도 지부 백일장 심사에 참여, 2015년까지 계속함.

1991년 남편 류제하와 사별. 류시인은 1986년 뒤늦게 〈경향신문〉 신춘문예 평론 부문
　　　에 〈어둠의 미학—김현승의 핵심어와 상관하여〉로 당선된 이후 5년 여간
　　　본격적인 평론 활동까지 펼치다가 쉰을 겨우 넘기고 세상을 떠남.
　　　류제하 시인의 첫 시집이자 유고집인 《변조(變調)》를 시우(詩友)인
　　　이승복 시인의 출판사인 '아름다운 세상'에서
　　　박경용 선생의 따뜻한 발문을 얹어 묶어냄.

1992년 〈아동문학평론〉 동시조 특집을 계기로 동시조 '쪽배' 동인회를

　　　　결성(박경용, 진복희, 송길자, 임형선, 신현배, 서재환)함.

1994년 12월~6개월 동안 〈월간에세이〉에 진복희 칼럼 연재함.

1995년 기독교방송문화센터 논술, 수필 강좌를 맡음.

1996년 첫시집 《불빛》(동학사) 출간함.

　　　　시집 《불빛》에 대한 박경용 시인의 서평이 《시문학》 8월호에 실림.

　　　　가람시조문학상 수상함.

1997년 합동시집 《어린 달과 어울리러》(〈쪽배〉 1호, 가람출판사) 출간함.

1999년 합동시집 《5대3》(〈쪽배〉 2호, 책만드는집) 출간함.

2001년 동시조집 《햇살잔치》(책만드는집) 출간함.

　　　　시조선집 《우리 시대 현대 시조100인선. 33 / 불빛》(태학사) 출간함.

　　　　합동시집 《산길·메아리·탑·수평선·파도》(〈쪽배〉 3호, 선우미디어) 출간함.

2003년 합동시집 《우리 가락 좋은 동시》(〈쪽배〉 4호, 예림당) 출간함.

2005년 합동시집 《날마다 봄 여름 가을 겨울 산울림이 울었다》

　　　　(〈쪽배〉 5호, 가꿈) 출간함.

2008년 합동시집 《사로잡고 사로잡혀》(〈쪽배〉 6호, 가꿈) 출간함.

2010년 합동시집 《앞서거니 뒤서거니》(〈쪽배〉 7호, 가꿈) 출간함.

2011년 동시조집 《별표 아빠》(아평) 출간함.

2012년 방정환문학상 수상함.

　　　　합동시집 《햇빛 잘잘 실눈 살짝》(〈쪽배〉 8호, 가꿈) 출간함.

2014년 합동시집 《아픔은 모른다는 듯 햇빛조차 화안했다》(〈쪽배〉 9호, 가꿈) 출간함.

2015년 《진복희 동시선집》(지식을만드는지식) 출간함.

2016년 합동시집 《졸였던 그 아픔 가지마다 벙글벙글》(〈쪽배〉 10호, 가꿈) 출간함.

2017년 동시조집 《반딧불이의 집》(소야) 출간함.

　　　　제1회 한국동시조문학대상을 수상함.

2018년 합동시집 《푸른 솔 그늘인가 솔 푸른 그늘인가》(〈쪽배〉 11호, 소야) 출간함.

한국 아동문학가 100인

송재진

대표 작품
〈슬픈 꽃〉 외 3편

인물론
웃음소리만큼 마음씨도 넉넉한 시인

작품론
순수 서정의 원형을 '동시'에서 찾다

어린이와 함께 선생이 걸어온 길

슬픈 꽃

용달차를
탄 조화가
빈소를 찾아간다.

아침나절만 해도
활짝 웃고
있었을 꽃.

조용히
눈물 삼키며
조문¹ 길에 나선
저 꽃.

---

1   죽은 이의 가족에게 슬픔을 드러내어 위로하는 일.

벽걸이 지도

형아와 다투고서
등 돌리고
누웠는데

"그쯤에서 그치렴,
내 꼴이
안 되려면······."

벽걸이,
휴전선 두른 지도가
눈짓으로 타이른다.

소식

사투리가 귀에 설고
골목이 낯설어서

며칠을 느껴 울다
모처럼 활짝 웃었다.

마음에
보쌈해 온 너랑
마주 보고 수다 떨며…….

너랑 살던 그곳 소식
TV에서 만난 오늘,

화들짝 귀가 열렸다
가슴이 출렁였다.

벼르다,
기차역으로 나와
네게 보낸다, 내 마음.

소나기

호박 덩굴 손아귀에
목을 조일 뻔하다가

번개 천둥 서슬에
기적처럼
놓여났다.

장대비
맞으면서도
활짝 웃는 봉숭아.

웃음소리만큼
마음씨도
넉넉한 시인

신현배

　며칠 전 나는 어린이 신문을 펼쳐 들었다가 1면에서 눈을 떼지 못했다. 거기에는 '우리나라(×) 우리나라(○)'라는 헤드라인 밑에 이런 내용의 기사가 실려 있었기 때문이다. 올해 새로 나온 초등학교 3·4학년 교과서의 표기가 이제까지와 달라진 점이 많은데, 가장 많이 바뀐 부분은 띄어쓰기란다. '대한 민국', '우리 나라', '초등 학교'는 모두 한 단어로 여겨 '대한민국', '우리나라', '초등학교'로 붙여쓴다는 것이다. 따라서 이 기사의 첫머리에 밝힌 것은 "이젠 '우리 나라'는 틀리고, '우리나라'가 맞아요."였다.

　나는 이 기사를 읽는 순간 문득, 시인 송재진의 대표작 가운데 하나인 〈슬픈 띄어쓰기, 기쁜 붙여∨쓰기〉라는 동시가 떠올랐다. 이 작품은 그의 동시집 《회초리도 아프대》에 수록되어 있는데, 이런 대목이 있어 눈길을 끈다.

　그런데 말이야, 이건 어떠니?

　'우리∨나라'

　── 휴전선으로 빚어진 슬픈 띄어∨쓰기!

　좀 틀리면 어때?

　'우리나라'

　── 휴전선을 치우고 기쁜 붙여쓰기!

　우리말 띄어쓰기 참말 아프다,

　눈물 난다.

　– 〈슬픈 띄어쓰기, 기쁜 붙여∨쓰기〉 일부

　'우리∨나라'는 우리를 슬프게 하는 띄어쓰기란다, 휴전선으로 허리가 동강 난 분단 국가라는 느낌을 주기에. 그래서 휴전선을 치우고 '우리나라'로 기쁘게 붙여쓰자는 것이다. 띄어쓰기 표기를 통해 분단 현실을 되돌아본 작품인데, 송재진의 눈물겨운 호소가 받아들여진 것일까? 초등학교 교과서에서 '우리나라'로 붙여쓰게 되었다니 남북통일이 된 듯 기쁘고 즐거웠다.

나는 처음 이 시를 접하고 송재진만이 쓸 수 있는 독특한 작품이라고 생각했다. 그는 오랫동안 출판사 편집자 생활을 해 와서 까다로운 우리말의 맞춤법·띄어쓰기에 조예가 깊기 때문이다. 송재진의 교정 실력은 거의 '입신'의 경지에 와 있다. 신문·잡지를 손에 쥐고 아무 페이지나 펼쳐도 오자들이 제 발로 걸어 나와 그 앞에서 설설 긴다. 마치 땅꾼과 마주친 뱀이나 백정을 만난 개처럼 말이다.

송재진은 1980년대 초에 월간 〈아동문예〉에서 편집자로 첫발을 내디딘 이래 〈입사생활〉 기자, 범우사·삼진기획 편집장, 효리원 주간 등을 거쳤으며, 현재는 계간 〈아동문학평론〉·도서출판 "가꿈"·도서출판 "아동문학평론" 발행인으로서 잡지와 어린이를 위한 책을 기획하며 쓰고 만드는 일을 하고 있다.

송재진은 출판계에서 손꼽히는 어린이 책 편집자이기도 하지만, 1990년대까지는 북 디자인 분야에서 명성이 높았다. 그는 프리랜서 북 디자이너로 활동하며 수백 권의 책을 디자인했다. 그 책들은 날개 돋친 듯 팔려 나갔으며, 북 디자인 연간집에 우수 디자인으로 선정되어 표지 사진이 실리기도 했다. 북 디자인은 '책에 생명을 불어넣는 행위'라고 한다. 그가 북 디자인 분야에서 일가를 이룰 수 있었던 것은, 마치 시를 쓰듯이 열정을 가지고 창의성을 발휘했기 때문이 아닐까.

송재진은 어린이 글쓰기 분야에서도 눈부신 활약을 했다. 서울 운현초등학교 독서·논술 초빙 교사를 비롯하여, 방송국·도서관·백화점 등의 글쓰기 교실에서 강사로 활동했던 것이다. 그는 강의 요청이 쇄도하여 몸이 열 개라도 모자랄 만큼 큰 인기를 누렸다.

몇 년 전 나는 그의 부탁으로 인천의 어느 도서관에서 글쓰기 '방학 특강'을 했다. 전해에 그가 맡았던 강좌였는데, 그에게 부득이한 일이 생겨 내가 그를 대신하여 나선 것이다. 그런데 첫 시간에 아이들은 나를 보자마자 실망스러운 표정을 지었다.

"어, 어? 송재진 선생님이 아니네. 그 선생님이 안 오시고 왜 엉뚱한 분이 오셨어요?"

"송재진 선생님이 오셔야 글놀이와 시 쓰기가 재미있는데……. 그 선생님은 정말 재미있게 잘 가르쳐 주셔요. 작년에 모두 즐겁게 배워서 올해 또 배우러 왔어요."

송재진이 최면을 걸거나 마술을 부리는 것도 아닐 텐데 어린이들은 한결같이 "참으로 신나고 맛있는 공부!" "송 선생님과 함께라면 '날마다 두 번, 아니 더 자주 오라고 해도 좋겠어요."라고 입을 모으는 것이었다.

그날 나는 나름대로 열심히 가르쳤지만 아이들을 만족시킬 수 없었다. 아이들은 이미 송재진의 수준 높은 강의에 중독(?)되어 있었으니 말이다.

며칠 뒤 나는 송재진을 만나 그 이야기를 하고 명강의 비결을 알려 달라고 했다. 그러자 송재진은 그답지 않게 수줍은 미소를 지으며 이렇게 말하는 것이었다.

"별다른 비결은 없어. 난 그저 아이들이 글쓰기 수업에 스스로 참여하도록 도와줄 뿐이야. 그런데도 아이들은 수업 끝나는 시간을 싫어한다 말이야."

그러면서, 아이들이 왜들 그렇게 좋아하는지 정작 자신도 모르겠다며 어깨를 으쓱해 보였다. 그러나 나는 그의 이야기가 채 끝나기도 전에 그 인기의 비결을 알아차렸다. 그것은 글쓰기 학습법이 뛰어나서가 아니라, 송재진이 아이들의 마음에 쏙 드는 좋은 친구가 되어 주기 때문이 아닐까. 그는 남녀노소를 불문하고 넉넉한 마음씨로 사람들의 마음을 편하게 해 주는 매력 만점의 남자인 것이다.

언젠가 나는 동화작가 안선모 씨가 송재진을 만나고 와서 자신의 인터넷 카페에 올린 글을 본 적이 있다. 안선모 씨는 송재진과 함께 부천·인천 아동문학인들의 모임인 '보동보동' 멤버다. 그는 송재진이 백석역 근처로 사무실을 옮겼다는 소식을 듣고 동료 작가와 그 사무실을 방문했던 것이다.

"사람이 좋다는 건 무슨 뜻일까요? 사람이 넉넉하다는 건 또 무슨 뜻일까요? 만나면 편하고, 움츠러들지 않으며, 속마음을 기꺼이 드러내 놓아도 될 것 같은 사람, 그런 사람이 과연 몇 명이나 될까요? 동시인 송재진은 바로 그런 사람입니다.

자주 만나지 않아도 신뢰가 가는 사람, 돈과는 거리가 참 먼 사람…… 그래서 안타까운 사람…… 그가 쓴 동시를 보면 그의 마음 우물이 얼마나 깨끗하고 정갈한지 느끼게 됩니다.

……여유 있는 미소와 넉넉한 마음씨로 우리를 맞아 주는 송재진 선생님. 껄껄껄 호탕한 웃음소리도 여전하시네요."

인터넷 카페에서 송재진의 닉네임은 '웃음소리'다. 어찌나 웃음소리가 큰지 거짓말 조금 보태서, 하늘이 놀라고 땅이 놀라고 바다가 놀란다. 술을 좋아하여 예전에는 '밤이면 밤마다' 술집에서 보내는 날이 많았는데, 웃음소리로 술집 손님들을 놀라게 하여 쫓겨난 적도 있다. 그때 내가 그 자리에 함께 있었는데, 단골손님들을 놀라게 했다는 죄로 옐로카드도 없이 내린 주인의 퇴장 명령에 죄인처럼 고개를 숙인 채 술집을 빠져나올 수밖에 없었다.

송재진을 만나면 누구나 세 번 놀라게 된다. 처음에는 산적 두목, 장비, 노지심 같은 풍모에 놀라고, 그다음에는 핵폭탄 웃음소리에 놀라고, 마지막으로 '밑 빠진 독에 술 붓기' 같은 술 실력에 놀란다. 그러나 그를 깊이 사귀어 보면 앞의 세 가지와는 비교도 할 수 없는, 웃음소리만큼 넉넉하고 온돌방 아랫목 같은 따뜻한 정에 더욱 놀라게 된다.

송재진의 웃음소리가 그처럼 커지게 된 데는 이유가 있다. 그가 예전에 모셨던 직장 상사가 대포알 같은 웃음을 잘 터뜨렸는데, 어느 날 그 웃음소리를 흉내 내어 봤단다. 그랬더니 달나라로 가는 우주선을 탄 듯 기분이 짱이었다나. 그래서 그 뒤부터 그의 웃음소리도 덩달아 커지게 되었다는 것이다. 언젠가 나는 아동문학가들과 송재진의 웃음소리에 대해 이야기를 나눈 적이 있는데, 어느 작가가 내게 이의를 제기하는 것이었다.

"송재진 시인의 웃음소리가 크다고요? 그럴 리가 없는데. 저와 만났을 때는 웃지도 않고 아주 조용하셨어요."

그래서 나는 그 작가에게 이렇게 말했다.

"선생님은 유머 감각이 그다지 없는 분인가 봐요. 송재진 시인이 미친 사람도 아닌데 아무 때나 껄껄껄 웃겠습니까. 재미있는 말을 들어야 웃음을 폭포처럼 쏟아 내지요. 그와 마주 앉은 지 5분이 지났는데도 웃음소리를 듣지 못했다면, 선생님의 유머 감각을 의심해 보셔야 합니다."

그는 웃음소리 때문에 곤혹스러운 적도 많았단다. 어떤 날은 "오늘 웃음소리를 한 번도 못 들었는데, 혹 안 좋은 일이라도 있어요? 아니면 몸이 불편하세요?" 하고 물어 오는가 하면, "호탕한 웃음소리 덕분에 스트레스가 한방에 날아갔어요." 하면서 '웃음 터뜨리기'를 주문한다는 것이다. 하지만 분명한 것은, 그 사람 좋은 웃음 때문에 그를 처음 만나는 사람도 그에 대한 경계심을 풀고 그와 금방 친구가 된다는 사실이다. 즉, 그의 웃음소리가 사람들을 무장 해제시키는 것이다.

송재진의 술 실력에 대해 알 만한 사람은 다 알 것이다. 그는 소주를 마시기 전에 꼭 맥주 한 잔을 마신다. 언젠가 맥주를 안주로 소주를 마신다는 사람이 있다는 말을 듣고 웃은 적이 있지만, 그가 이런 버릇을 들인 데는 이유가 있다. 본인의 몸이 '술독'이니 술독을 술(소주)로 채우기 전에 맥주로 깨끗이 헹군다는 것이다.

송재진은 사람을 처음 만나 술을 마실 때 묘한 버릇이 있다. 상대가 마음에 들지 않으면 세상없어도 2차를 가지 않는다. 주종 불문, 장소 불문, 상대 불문이 술꾼의 기본 요건인데도 술꾼답지 않게 사람을 아주 가린다. 하지만 상대가 마음에 든다 싶으면 술자리는 새벽부터 새롭게 이어지는 경우가 종종 있다. 내가 송재진을 만나 가까워진 것이 10여 년 전쯤부터였는데, 만나기만 하면 술자리가 새벽까지 이어진 탓에 집에서 싫은 소리를 어지간히 들었다.

술을 새벽까지 마신다고 하면 송재진을 엄청난 술꾼으로 알 텐데, 실제는 그렇지 않다. 송재진은 옛날에 치킨집을 한 적이 있다. 소설가 황석영이 젊었을 때 금호동에서 분식센터를 했다고 하지만 송재진과는 비교할 수가 없다. 황석영은 자신이 계산대를 보는 정도였지만, 송재진은 스스로 주방을 보았으니까. 몇 년 전 동화작가 김주현 형의 집들이때 송재진이 골뱅이 무침을 직접 만들어 주어 먹어 보았는데 제법 맛이 있었다.

송재진은 치킨집을 할 때 장사를 끝내고 늦은 시각부터 술을 마시기 시작했단다. 그 뒤 한동안은 장사할 때의 버릇이 남아, 늦게까지 일을 끝낸 뒤 술을 마시기 시작하여 새벽에야 술자리를 파하게 된 것이다. 물론 지금은 그 버릇이 거의 없어졌지만 말이다.

앞서 나는 그를 만난 사람들이 '웃음소리만큼 넉넉하고 온돌방 아랫목 같은 따뜻한 정에 더욱 놀라게 된다.'고 밝힌 바 있다. 그렇다, 송재진은 참 따뜻하고 정이 많은 사람이다. 그 자신도 넉넉지 않으면서, 형편이 어려운 지인들을 만나면 곧잘 호주머니를 털어 버린다.

내가 두 번째 동시집을 펴낼 때의 일이다. 송재진은 동시집에 그림 그릴 화가를 섭외하고 출판사를 교섭하는 등, 자기 일처럼 발 벗고 나섰다. 스스로 '신현배 동시집 발간위원회 위원장'이라 칭하면서 말이다. 그뿐만이 아니다. 내 동시집이 발간되었을 때 그는 어린이 신문에 '신간 소개'가 나오지 않는 것을 매우 안타깝게 여겼다. 그러더니 직접 신간 담당 기자들을 만나 열심히 홍보하여, 서평 기사를 쓰게 만들었다.

송재진은 주위에 도움이 필요한 사람이 있으면 힘닿는 데까지 도와주려고 애를 쓴다. 누가 시키지도 않은 일인데 만사를 제쳐 두고 나선다.

그의 선배가 박사 학위 논문을 펴낼 때에는 이런 일이 있었다. 그 선배는 　교정을 보다가 맞춤법, 띄어쓰기에 의문 나는 것이 있으면 그에게 전화를 걸어 묻곤 했다. 송재진이 '교정의 귀신'이라는 것을 알았기 때문이다. 그런데 송재진은 몇 번 그의 전화를 받은 뒤, 논문집 교열을 자신이 떠맡겠다고 선언했다. 그러고는 거의 한 달 동안이나 다른 일은 다 접어 두고 그 일에만 매달렸다. 그뿐만 아니라 편집자 출신인 나와 진복희 시인까지 불러내어 하루, 이틀 교정을 거들게 했다. 그리하여 선배의 박사 학위 논문집은 예정된 날짜에 나올 수 있었다.

송재진에게는 20년, 30년이 넘은 좋은 친구들이 많이 있다. 언젠가 그는 자기와 친교를 맺은 사람은 99퍼센트 이상 계속 만나고 있다고 했다. 그것은 그가 인연의 소중함을 알아 그들과 계속 연락하고 혈육 이상으로 깊은 정을 나누기 때문일 것이다.

2004년 송재진은 경제적으로 매우 어려운 처지에 있었다. 공을 들여 차린 문화센터 운영이 여의치 않았기 때문인데, 엎친 데 덮친 격으로 살던 집까지 당장 비워 주어야 할 지경에 이르렀다. 이때 송재진의 친구들이 나서서 각자 얼마씩 돈을 마련해 준 덕분에 지금 사는 인천에 집을 사서 이사할 수 있었다.

송재진은 재주가 많은 시인인데, 특기할 만한 것을 몇 가지만 소개하겠다.

첫째는 판소리다. 특히 〈흥부가〉가 기막힌데, 한 번 들으면 또 듣고 싶을 정도로 중독성이 강하다. 역시 고향이 전라도 광주여서 그런지 남도 가락을 몸으로 체득하고 있는 듯싶다.

둘째는 유머 감각이다. 2006년 한국동시문학회에서 경기도 안성으로 문학 기행을 떠났을 때의 일이다. 조병화 시인의 문학 기념관인 편운문학관을 거쳐 안성 칠장사로 갔는데, 그곳에는 세 마리의 개가 절을 지키고 있었다. 그중 시베리안허스키가 마당에 있었는데 무척 사나운 개였다. 칠장사에 머무는 보살 할머니에게 들으니, 악한 사람이 나타나면 무섭게 짖고 길길이 날뛴다는 것이었다. 그래서 시베리안허스키가 있는 곳에는 '들어가지 마시오'라는 안내문과 함께 노끈이 쳐져 있었다.

송재진은 보살 할머니가 결사적으로 말리는데도(할머니가 왜 결사적으로 말렸는지 지금도 그 이유를 모르겠다) 시베리안허스키에게 접근했다. 그러나 시베리안허스키는 벌떡 일어서기만 할 뿐 무섭게 짖지는 않았다. 그것을 보고 송재진이 하는 말이 걸작이었다.

"녀석, 절에 산다고 불성은 알아보네. 인사불성도 불성이라고 술꾼 앞에서는 얌전하네."

송재진이 이처럼 순간순간 내뱉는 말들은 재치가 있고 해학적이다. 한마디로 말해서 유머 감각이 있는 것이다.

셋째는 도장 파는 기술이다. 송재진은 손재주가 좋아 앉은 자리에서 척척 도장을 파는데, 그 정교한 솜씨에 혀를 내두르지 않는 사람이 없다. "그만한 솜씨라면 노점을 차려도 먹고살겠다."고 내가 감탄 섞인 말을 하자, 그는 젊은 시절 한때 도장 파는 일을 했다는 것이다.

"20대 때 좀이 쑤시기만 하면 무전여행을 떠났어. 여행 경비는 가게를 찾아가 선팅을 해 주거나, 노상에서 도장을 파 주고 얻은 수입으로 충당했지. 길바닥에 신문지 깔고 앉아 도장 몇 개 파 주면 숙식이 해결되었거든."

송재진은 몇 년 전부터 시인들을 위해 낙관을 파 주고 있다. 가까이 지내는 동료 시인들이 시집을 펴내면 조촐하게 출판 기념회를 열어 주고 그 자리에서 낙관을 선물하는 것이다. 출판 기념회에 참석한 시인들은 "송 시인에게 낙관을 받기 위해서라도 서둘러 시집을 내야겠다."고 할 만큼 그 인기가 대단하다.

넷째는 뜨거운 학구열이다. 그는 늘 손에서 책을 놓지 않고 틈만 나면 독서에 열중한다. 그리고 학습과 인격 도야에 도움이 되는 말을 들으면 어디서든 종이와 펜을 꺼내 쉴 새 없이 메모를 한다. 나는 그런 모습을 보고 '적자생존'의 원칙이 송재진을 살리는구나.' 하는 생각을 하기도 한다. 여기서 '적자'란 '적는 자'를 말한다. 송재진을 '메모광'이라 부르는 사람도 있는데, 나는 거기에 동의할 수가 없다. 송재진은 자기에게 꼭 필요한 것만 골라 메모하기 때문이다.

언젠가 나는 그가 갖고 다니는 잡기장을 훔쳐본 적이 있다. 놀랍게도 그 안에는 자연과 사물을 보고 얻은 느낌과 생각이 **빽빽하게** 적혀 있었다. '아, 송재진은 시상을 얻으면 부지런히 메모를 하고, 그것을 정리하여 열심히 시를 쓰는구나.' 송재진이 좋은 작품을 쓰기 위해 부단히 노력하고 있음을 확인한 순간이었다.

내가 송재진을 처음 만난 것은 1993년 1월, 한국 아동문학인협회 총회가 열린 한글회관에서였다. 그 뒤 여느 아동문학가와 마찬가지로 행사장에서 마주치면 인사나 나누는 사이였는데, 2001년경 출판사에 근무하던 그가 내게 원고 청탁을 해 오면서 처음으로 단둘이 만나게 되었다. 그날 우리는 하루아침에 친해져 버렸다. 나이와 등단 시기가 비슷한데다(늘 그에게 강조하는 바이지만 내가 문단 2년 선배다), 둘 다 편집자 출신에 술까지 좋아하니 그야말로 '찰떡궁합'이었던 것이다.

그러나 급속도로 가까워진 데는 다른 계기가 있었다. 얼마 뒤 송재진은 나한테 보여 줄 것이 있다며 두툼한 원고 뭉치를 내밀었다. 그것은 이제까지 그가 써 놓은 동시 원고였다. 그는 원고를 펼쳐 보이며 작품들이 어떤지 평해 달라고 했다. 나는 말없이 소주잔을 비우며 작품들을 찬찬히 읽어 보았다. 그리고 한참 만에 입을 열었다.

"작품들이 다 괜찮네. 네 개성이 살아 있어."

송재진은 손사래를 치며 말했다.

"그런 말 말고. 솔직히 얘기해 줘. 내 작품에 어떤 문제점이 있는지……."

송재진은 평소의 그답지 않게 심각한 표정이었다. 나는 그 얼굴을 보자 내가 그의 작품을 읽고 느낀 점을 솔직하게, 낱낱이 털어놓지 않을 수 없었다. 나의 이야기를 모두 귀담아들은 그는 내 손을 덥석 잡으며 말했다.

"고마워. 내가 고민했던 부분을 족집게처럼 잘도 짚어 내네. 덕분에 내 작품들을 객관적으로 바라볼 수 있었고, 문제 해결의 열쇠도 찾을 수 있을 듯해."

그날 나는 밤늦도록 술을 마시며 그의 문학 이야기를 들을 수 있었다.

"내가 시인이 되어야겠다는 꿈을 가진 것은 고등학생이 되어서야. 한하운의 《황톳길》, 《서정주 시선》, 《정지용 시집》, 《영랑 시집》 등을 읽고 괴발개발 시랍시고 끄적이기 시작했어. 지금 생각하면 쭉정이 축에도 끼지 못할 것들인데, 학생 잡지와 지방 신문에 투고해 실리기도 했지. 그리고 문학 동인회를 만들어 시화전도 열고 문학의 밤도 개최했어."

송재진은 고등학교 때 친구들과 문학 동인회를 만들었다가 불법 서클이라고 학교에서 정학을 당한 적도 있었다. 다방을 빌려 시화전을 할 때는 사회 참여시를 썼다는 이유로 경찰서에 끌려가 경을 치기도 했고. 그는 '문학이라는 나무에 목을 매달아도 좋다.'며, '얼싸절싸 겉멋을 좇아 날뛰었던 지극히 불량한 문학 소년, 청년 시절을 보냈다.'며 껄껄껄 웃었다.

"내가 동시를 써야겠다고 마음먹은 것은, 1980년대 초 아동문예사에 근무할 때였어. 그때 나는 박경용 선생님의《어른에겐 어려운 시》, 신현득 선생님의《통일이 되는 날의 교실》, 문삼석 선생님의《산골 물》, 오순택 선생님의《풀벌레 소리 바구니에 담다》, 손동연 선생님의《그림엽서》같은 좋은 동시집을 접했거든. 그래서 나도 동시랍시고 몇 편 끄적이기도 했지. 그런데 어느 날, 오순택 선생님이 아동문예사에 오셨다가, 책상 위에 놓인 내 습작 원고를 우연히 보신 거야. 선생님은 나한테 신춘문예에 투고해 보라고 적극 권하셨지. 그래서 용기를 내어〈광주일보〉신춘문예에 응모했는데 1983년에 덜컥 당선되었어."

그날 밤 송재진은 자신의 문학 이야기며 가족 이야기, 직장 이야기 등을 내게 들려주었다. 나 역시 그에게 나의 습작 시절과 성장 과정을 털어놓았는데, 하룻밤에 만리장성을 쌓은 듯 우리는 둘도 없는 벗이 되어 버린 것이다.

이때부터 우리는 하루가 멀다 하고 줄기차게 만났다. 둘이서 함께하면 시간은 어찌 그리 빨리 가는지, 막차를 놓쳐 택시를 이용한 것이 부지기수였다. 그렇게 자주 만나 이야기보따리를 풀어 놓아도 할 말은 언제나 차고 넘쳐, 전화 통화를 하더라도 한 시간을 넘기기 예사였다.

2003년 9월 어느 날, 내게 이끌린 송재진은 친구 따라 강남 가듯 동시조 '쪽배' 모임에 참석했다. 그리고 박경용 선생님을 비롯한 동인들의 격려와 채찍에 자극을 받아 동시조를 쓰기 시작했다. 이를 계기로 그의 문학 세계는 또 한 번의 변신을 꾀하게 되었고, 2006년 12월에는 동시집《회초리도 아프대》를 펴내는 등 알찬 수확을 거둘 수 있었다.

송재진은 2005년에 백내장 수술을 받았다. 안대를 떼어 내자 눈에 들어온 물상들이 어찌나 밝고 맑은지 새로 태어난 것만 같았단다. 1년 가깝게, 바로 앞에 온 버스 번호조차 알아보지 못할 정도였으니, 그의 '개안'은 가히 '개벽(開闢)'이라는 말을 빌려도 될 만큼 커다란 사건이었다. 그런데 송재진은 스스로 "동시조 동인 '쪽배'를 만난 것 또한 그에 버금가도록 행복한 사건"이라고 고백하기도 했다.

나는 나의 절친한 문우(文友) 송재진이 '쪽배'를 통해 그 문학이 더욱 깊어지고, 명실상부한 시인으로 거듭날 것이라고 확신한다. 그는 누구보다도 천부적인 재능을 타고난 시인이며, 부지런히 자기 문학의 텃밭을 가꾸고 있으니 말이다.

순수 서정의
원형을
'동시'에서 찾다

이도환

1.

근대 이후, 신화적 세계관은 붕괴되었다. 그렇기에 중력에 대해 "모든 것들은 그 고향으로 회귀하려는 성질을 지녔다. 그러므로 모든 물체는 그 근원인 흙으로 돌아가려는 성질로 인해 땅으로 떨어진다."는 그리스 철학자들의 문학적이고도 상징적인 설명을 믿는 사람은 이제 존재하지 않는다. 우리의 의식은 철저히 과학적인 체계 아래에 놓여 있다. 계량적이고 분석적인 시각을 가지고 세상을 대한다. 과학적 세계관이 온 세상을 지배하고 있는 것처럼 보인다.

그렇다면 문학, 그중에서도 시문학에서의 사정은 어떠할까? 서구에서 근대적인 문학 양식이 건너오기 이전부터 우리에게는 나름대로의 시적 전통이 존재하고 있었다. 고대 가요·향가·고려가요·시조 등 그 양식은 서로 조금씩 달랐지만, 일정한 리듬과 음악성의 기초 위에 자신의 감정을 드러내는 것이 바로 우리가 지니고 있던 시적 전통이다. 이러한 전통은 서구의 문학 양식이 유입된 이후에도 큰 변화를 겪지 않고 이어져 내려왔다. 특히 자연을 노래하며 그 속에 자신의 내면세계를 표출해 내는 기법은 한국적 서정시의 전범처럼 여겨지기도 했다. 정지용이 새로운 시각으로 자연을 발견해 낸 이후, 이러한 모습은 청록파에 의해 계승되면서 하나의 전통으로 굳어지게 되었다. 그러나 1960년 대와 1970년대를 거치며 한국적 서정시의 전통은 급격한 쇠락의 길을 걷게 된다. 리얼리즘 문학이 거센 폭풍처럼 몰아치기 시작하며 민중시와 참여시가, 모더니즘의 물결이 이어지면서 난해시와 해체시가 전면에 등장했다. 그런 와중에 전통적 서정시가 설 자리는 급격히 좁아지게 되었다.

우리의 의식에서 신화적 세계관이 과학적 세계관에 의해 밀려난 것처럼, 시문학에서도 전통적 서정시는 밀려나고 만 것일까?

20세기에 접어들면서 급격한 변화가 있었던 것과 마찬가지로, 21세기에 접어든 요즘도 급격한 변화가 이루어지고 있다. 전근대가 신화적 세계관에 의해 지배당해 왔다면 근대 이후는 과학적 세계관이 지배해 왔다. 그러나 21세기는 신화와 과학이 뒤섞여 있는 상태로 존재한다. 자연에게 지배당하던 인간이 그 지배에서 벗어나 독립하여 자연을 지배해 온 것이 근대 이후라면, 이제는 다시 자연과 조화롭게 살아가는 것이 모토가 되었다. 생태주의적 세계관이 21세기의 담론이 되었다는 뜻이다. 그렇다면 시문학에서 는 어떠한가. 정지용과 청록파 시인들이 자연을 재발견하여 현대시의 새로운 장을 열었던 것처럼, 21세기의 시인들도 자연을 재발견해 내야 한다는 시대적 요구에 직면해 있다. 단순히 자연으로 돌아가는 것이 아니라 새롭게 발견해 내야 한다는 뜻이다.

그런 의미에서 필자는 새삼스럽게 '동시'에 주목해야 한다고 생각한다. 시문학에서 전통적 서정시, 더 나아가 자연에 대한 서경적 묘사를 통해 우리의 고향과 내면의 세계를 노래하는 것이 위축되어 있을 때에도, 쉬지 않고 이러한 전통을 이어온 곳은 시문학계에서조차 변방으로 치부해 왔던 동시문학이기 때문이다. 동시문학이 한국의 전통적 서정시의 맥을 이어오고 있다는 사실은 우리에게 시사해 주는 바가 크다. 전통적 서정시가 간직하고 있는 '시성(詩性)'을 되살려 21세기의 새로운 담론인 생태주의적 세계관에 어울리는 모습을 보여야 한다는 목소리가 높은 요즘, 동시를 주목해야 하는 이유가 바로 여기에 있다. 미학성이나 철학성·사상성을 내포하고 있으면서 서경적 묘사를 통한 내면 심상을 표출하는, 더 나아가 사람과 자연을 통합적인 시각으로 바라보고 이를 근원적으로 통찰하는 것, 그리고 사물과 세계에 대해 섬세하고 깊이 있게 교감하는 것, 정서에 호소하는 리듬감을 잃지 않는 것, 이 모두가 전통적 서정시의 특징이면서 동시의 특징이기도 하다. 그렇기에 21세기에 되살리는 한국의 전통적 서정시의 모습을 동시에서 찾아보려는 노력은 의미가 있다.

본고에서는 송재진의 동시와 동시조를 모아 놓은 《회초리도 아프대》(청개구리, 2006)를 통해 한국의 전통적 서정시의 모습이 동시와 동시조를 통해 어떻게 드러나고 있는지를 알아보려고 한다. 필자가 특히 송재진의 작품에 주목하는 이유는, 그가 동시조 모임 '쪽배' 동인으로 활발하게 활동하며 한국인 특유의 정서에 호소하는 리듬감을 구현해 내고 있으며, 사람과 자연을 통합적인 시각으로 바라보고, 그들과 섬세하고 깊이 있게 교감하는 작품을 발표하고 있기 때문이다.

2.

송재진은 1983년 〈광주일보〉 신춘문예 동시 부문에 당선되어 문단에 나왔다. 1980년대 문학은 1980년 5월, 광주 민주화 운동으로부터 시작된다고 해도 과언이 아닐 것이다. 그 무서운 칼에 감성의 중앙 부분을 난자당한 당시의 시인들은, 절대적 권위를 내세우며 억압하는 권력의 힘을 경험하며 충격과 경악, 분노와 눈물 그리고 반항과 투쟁의 길을 걷게 된다. 민중시가 본격적으로 시문학의 중심에 자리 잡은 것도 바로 이 시기였으며, 황폐한 현실에 절망하거나 혹은 그 모습을 예민한 감성으로 포착하여 현학적인 시로 현실의 모순을 드러내는 해체시가 등장한 것도 이 시기였다. 두 가지 모두 현실에 대한 조응 방식이었다고 하겠다. 송재진이 등단한 시간적 위치는 1983년이고, 공간적 위치는 광주였다. 그렇다면 그는 현실에 어떠한 방식으로 조응하고 있었을까? 그의 등단 작품인 〈석류〉와 〈하느님의 꽃밭〉을 살펴보자.

일찍 일어난 이슬이
이를 닦고 있었다.

찾아와, 여름내 살던
햇살 익을 무렵
간지럼나무를 돌아온 바람이
석류나무 어깨에 앉아

– 간지럽지?간지럽지?간지럽지?

시디신 이빨 꼬옥 물고
참다가……, 참다가……, 참……, 다……,
그만 까
　　　　르
　　　　　르
　　　　　　르

입술 열어 쏟아 놓은
웃음 조각.
– 〈석류〉 전문

밤하늘 가득
맑고 싱싱한 얼굴과 얼굴과 얼굴……

채송화·봉선화·토끼풀꽃·
진달래·도라지·아카시아·벚꽃·
국화·장미·라일락·패랭이꽃·

튤립·백합·제비꽃·

개나리·목련화·달리아·할미꽃·

맨드라미·물망초·은방울꽃·꽃·꽃……

처음과 같이 이제와 항상 영원히

시들지 않고 피어 있을

하느님의 꽃밭.

– 〈하느님의 꽃밭〉 전문

1980년대, 그 뜨겁고 암울하며 힘겹던 시절, 문학청년 송재진은 왜 하필이면 '동시'라는 장르를 선택했을까? 그 해답은 그의 등단 작품에 그대로 드러나 있다.

석류의 붉고 단단한 껍질 속에 숨어 있는, 껍질보다 더 붉은 과육, 붉은 과육이 감싸고 있는 수많은 씨앗들. 그것들이 한꺼번에 터져 나오도록 만든 것은 바람이다. "시디신 이빨 꼬옥 물고 / 참다가……, 참다가……," 더 이상 참지 못하고 입술을 열어 붉은 과육이 감싸고 있는 수많은 씨앗들을 쏟아 낸다. 참을 수 없어 폭발해 버린 자유에 대한 의지와 그로 인해 사방으로 퍼져 나간 민주주의의 씨앗……. 당시의 시대 상황에 비추어 무엇을 상징하고 있는지 유추가 가능하다.

그렇지만 아동문학에 대한 이해가 없는 사람에게는 고개를 갸웃하게 만드는 게 있을 것이다. 석류가 쏟아 내는 게 울음이 아니라 웃음이라는 점과 바람이 나무를 억압하는 게 아니라 간지럼을 태운다는 점이 그것이다. 당시 시대 상황을 떠올릴 경우, 웃음과 간지럼은 어울리지 않기 때문이다. 그러나 웃음과 간지럼은 이 작품을 시에 머물지 않고 동시로 나아가게 만드는 가장 기본적인 힘이 된다. 그 두 가지가 없다면 〈석류〉는 동시가 아니라 그냥 시가 되었을지도 모른다. 그 이유는 〈하느님의 꽃밭〉에서 찾아낼 수 있다.

〈하느님의 꽃밭〉에 등장하는 것은 각종 꽃들의 이름이지만 꽃들이 머물고 있는 곳은 밤하늘이다. 그렇기에 별을 의미한다. 그 별은 "맑고 싱싱한 얼굴"을 지니고 있는 사람들이다. 시인은 그 이름을 하나씩 호명해 준다. 그들은 누구인가? 1980년 5월, 광주 민주화 운동의 희생자들을 떠올리게 만든다. "채송화·봉선화·토끼풀꽃·진달래·도라지·아카시아·벚꽃·국화·장미·라일락·패랭이꽃·튤립·백합·제비꽃·개나리·목련화·달리아·할미꽃·맨드라미·물망초·은방울꽃……."은 마치 망월동 국립묘지에 서서 묘비명에 적힌 이름을 하나씩 읽는 것처럼 느껴지기에 가슴을 아프게 만든다. 특히 "꽃·꽃·꽃……."에 이르게 되면 이름조차 남기지 못하고 떠난 이들이 생각나 더욱 가슴이 아파 온다. 이러한 해석이 가능한 이유는 "처음과 같이 이제와 항상 영원히"에서도 찾을 수 있다. 이 부분은 로마가

톨릭과 성공회·정교회, 그리고 루터교회에서 쓰이는 기도문 중 하나인 '영광송(영광이 성부와 성자와 성령께, 처음과 같이 이제와 항상 영원히, 아멘.)'의 일부분이기 때문이다.

평론가 최동호는 1980년대의 젊은 시인들이 외적 억압에 대처하는 자세를 다음과 같이 크게 두 가지로 나누어 분석하기도 했다. "하나는 이성복에서 기형도로 이어지는 모더니즘 계열의 시들이며, 다른 하나는 김정환에서 백무산으로 이어지는 리얼리즘 계열의 시들이다."[1] 최동호는 전자의 움직임이 해체시로, 후자의 움직임은 민중시로 이어졌다고 말한다. 결국 1980년대는 앞서 언급한 전통적 서정시의 위치가 변방으로 밀려났다는 뜻이다. 그러한 가운데 등단한 송재진이 '동시'를 앞세운 이유가 바로 여기에 있다.

1980년대의 암울하고도 고통스러운 상황을 해결하기 위해 시인이 잡은 끈은 '순수한 어린이의 마음'이었다. 그리고 그것이 바로 '하느님'의 마음과도 연결된다. 순수 서정의 원형을 '동시'에서 찾아냈다는 뜻이다. 미친개가 보름달을 향해 무섭게 짖어 대더라도 환하게 웃어 주는 보름달은 '어린이'이면서 동시에 '하느님'이다. 보름달은 석류나무이고 꽃송이다. 의미를 품지 않았기에 한없이 선하고, 의미를 갖지 않았기에 그 어느 것보다 심오하며, 의미를 내세우지 않기에 무엇이라도 해결해 낼 수 있는 힘을 지녔다. 그렇기에 석류는 바람이 위압적으로 억압하더라도 간지럼을 태운다고 느끼며 웃음을 쏟아 낸다. 짓밟혀 죽어 간 꽃들은 복수심에 불타는 게 아니라 하늘로 올라가 별처럼 빛난다. 처음과 같이, 항상 영원히, 시들지 않고 피어 있을 수 있는 힘의 원천은 '동심'에 근거한다.

아이들이 읊조리기 좋도록, 단순히 아름다움을 읊는 것과는 차원을 달리한다. 현실과 치열하게 싸우거나(리얼리즘 계열), 현실의 모순을 감각적으로 혹은 현학적으로 드러내거나(모더니즘 계열) 하는 것 모두가 현실에 대한 조응 방식이다. 그런데 송재진의 조응 방식은 그들과 다르다. 용서하고 화해하며 사랑으로 품어 버린다. 그것 또한 현실에 대한 조응 방식이다. 그러면서 전통적 서정시가 간직하고 있는 '시성(詩性)'을 강하게 드러낸다. 이것이 동시의 세계관이며 동시의 철학이다. 이처럼 송재진은 1980년대가 방기한, 한국의 전통적 서정시의 맥을 동시를 통해 이어가는 힘겨운 여정을 시작한 것이다.

3.

1980년대의 암울하고도 고통스러운 상황에서 순수 서정의 원형을 '동시'에서 찾아낸 송재진의 문학은 동시조와 만나면서 만개한다. 우리의 전통적 서정시의 특징은 자연에 대한 서경적 묘사를 통해 우리의 고향과 내면의 세계를 노래하는 것에서 찾을 수 있다.

---

1 최동호, 〈억압에서 해방으로의 시적 변증법―1980년대 시에 대한 하나의 시각〉, 《한국현대시사의 감각》, 고려대학교출판부, 2004.

이 중에서 송재진의 초기 작품이 지니지 못했던 것은 리듬이었다. 자연에 대한 서경적 묘사와 내면세계의 구현, 사람과 자연을 통합적인 시각으로 바라보고, 이를 근원적으로 통찰하는 것, 그리고 사물과 세계에 대해 섬세하고 깊이 있게 교감하는 것 등에서는 성공하고 있었지만 정서에 호소하는 리듬감을 지니지는 못했기 때문이다. 그러나 동시조와 만나며 리듬감까지 갖추게 되었다.

벚꽃을
휘젓는 벌들,
붐비는 저 봄 햇살……

하느님
보시기에도
참으로 좋으시죠?

응달진
흥부네 살강에도
햇살 한 줌 주세요.
– 〈흥부네 살강에도〉 전문

앞서 소개했던 송재진의 등단작 〈하느님의 꽃밭〉과 동시조 작품인 〈흥부네 살강에도〉를 비교해 보자. 꽃과 함께하는 서경적 묘사도 그렇고 '하느님'에 대한 이야기도 흡사하다. 세상을 바라보는 따스한 시선도 그대로다. 화해와 사랑, 조화와 용서도 그대로다. 그러나 크게 달라진 것이 하나 있다. 바로 정서에 호소하는 리듬감이 그것이다. 그렇기에 송재진에게 동시조는 잘 달리는 말이 얻은 날개와도 같은 것이 되었다.

울다가
깜박 잠든
내 손톱 깎으신다.

화라락,
엄마 가슴을
할퀴었던

심통머리

뾰로통,
앵돌아 누운
마음까지
잘라 내신다.
– 〈어머니〉 전문

이제는 그야말로 자유자재로 움직인다. '하느님'은 '어머니'로 변화하기도 하고, '바람'은 '나'로 변한다. 바람에 마냥 흔들리기만 하던 석류나무가, 이제는 바람의 어깨를 도닥이며 위무하는 모습으로 성장했다. "밤하늘 가득 / 맑고 싱싱한 얼굴과 얼굴과 얼굴"로 '하느님의 꽃밭'인 '밤하늘'에만 안주하던 별들이 땅으로 내려와 "울다가 / 깜박 잠든" 나를 위무하고 도닥여 준다. 이 모두가 리듬이 만들어 낸 놀라운 변화라고 할 수 있다.

매미도,
병원 매미는
울음부터 배운단다.

맵짜게
울어, 울어도
삼칠일 짠한 목숨

영안실
바람을 따라
상두꾼 되고 만단다.
– 〈매미〉 전문

아버지
산소에 가면
풀벌레, 풀벌레 소리…….

아버지는

여전히

풀피리를 부시는가.

이승서

못 다 부른 노래

쏟아 내고 계신다.

– 〈성묘〉 전문

강아지

잠투정 위로

볼 붉은 단풍잎 졌다.

꽃상여에

눈길 떨군

붉은 자위 백열등……

내 마음 강물을 따라

밤새 울었다,

소쩍새!

– 〈여읜 날 – 할머니·1〉 전문

병원으로 날아든 매미는 상두꾼으로 변하고, 아버지 산소에서 뛰노는 풀벌레 소리는 아버지 풀피리 소리가 된다. 그러더니 "내 마음 강물을 따라 / 밤새 울었다, / 소쩍새!"처럼 강하고 자신감 넘치는 변신도 마다하지 않는다. 이처럼 리듬은 마법적인 힘을 지닌다.

석류가 쏟아 낸 수많은 씨앗들이(〈석류〉), 척박하고 위압적인 세상에 짓밟혀 목숨을 잃고 하늘로 올라가 별이 되었다(〈하느님의 꽃밭〉). 그러나 그게 끝이 아니었다. 그들은 햇살이 되어 다시 땅으로 내려와 하느님의 전령이 되고(〈흥부네 살강에도〉), 어머니가 되어 우리들을 무장해제 시키고(〈어머니〉), 또 다른 슬픔 곁으로 다가가 그들을 위무해 주고(〈매미〉), 무덤가의 풀벌레로 변해 아버지가 못 다 부른 노래를 대신 불러 주고(〈성묘〉), 나를 대신해 소쩍새가 되어 울어 준다(〈여읜 날 – 할머니·1〉).

현실의 억압에 대항하여 싸우지 않고, 현실의 억압에 대해 절망한 심성을 드러내지도 않는다. 다만 끌어안고 체온을 나눈다. 손톱을 깎아 주고 함께 노래한다. 그러는 사이에 보이지 않는 것들을 볼 수 있는 능력을 지니게 된다. 엄마 화장품 몰래 찍어 바르고, 들킬까 봐 단풍나무 숲속에 숨어 들어가 킥킥 웃으며 서 있는 누나들을 보게 되고(〈가을 산〉), 달팽이를 보며 병실에 누워 있는 아버지와 생선 광주리를 이고 있는 어머니를 떠올리게 되고(〈달팽이〉), 학교 앞 문방구 안쪽 깊은 곳에 잠들어 있는 각종 악기들의 소리도 들을 수 있게 되었다(〈음악은〉). 마치 장자가 나비로 변하고 다시 장자로 돌아오듯, 정형률로 오히려 자유로워진 송재진의 문학은 새로운 모습을 보여 준다.

> 그러지 마, 제발!
> 눈물 훔치며 흘겨보면 싫어.
> 정말 싫어.
> 널 때린 건 내가 아냐.
> …… (중략) ……
> 사실은 나도 아파.
> 회초리 맞은 너만큼
> 너를 맞은 나도…….
> − 〈회초리도 아프대〉 일부

이제는 리듬을 벗어던져도 리듬이 살아난다. '회초리'와 '종아리'도 하나가 된다. 회초리는 때리고 종아리는 맞는, 일방적인 시대는 끝났다고 말한다.

21세기는 신화와 과학이 뒤섞여 있는 상태로 존재한다. 생태주의적 세계관이 21세기의 담론이다. 1900년대 초반, 정지용과 청록파 시인들이 자연을 재발견했던 것처럼, 21세기의 시인들도 자연을 재발견해 내야 한다. 그러나 자연에 대한 재발견은 투쟁을 통해서 이루어질 수 없다. 난해하거나 현학적인 대응도 재발견에 유리하지 못하다. 제3의 방법, 바로 전통적 서정시의 방식이 대안이 될 수 있으리라 여겨진다. 전통적 서정시가 현실과 유리되어 있거나 시대정신에서 한 발자국 물러나 있다는 인식은 잘못이다. 리얼리즘을 지향하는 작품과 모더니즘을 지향하는 작품과 마찬가지로 전통적 서정시를 지향하는 작품도 시대의 현실에 대한 하나의 조응 방식이기 때문이다. 특히 용서와 화해, 조화와 사랑의 시선으로 세상을 바라보는 '동심의 눈'이 전통적 서정시의 방식과 만날 때, 새로운 시대가 요구하고 있는 새로운 미학이 제대로 설 수 있을 것으로 여겨진다. 송재진의 동시 그리고 동시조 작품을 주목하는 이유는 바로 여기에 근거한다.

어린이와 함께 선생이 걸어온 길

1959년 10월 7일(음력 9월 6일) 광주광역시 오치동에서 아버지 송현섭(宋晛燮)과 어머니 정정자(丁貞子)의 3남으로 태어남.

1972년 광주교대부설초등학교를 졸업함.

1981년 월간 〈아동문예〉에서 출판 편집을 배우기 시작하여 월간 〈입사생활〉, 범우사, 삼진기획, 효리원 등에서 근무했으며 사단법인 어린이문화진흥회에서 어린이 문화를 북돋는 데 힘씀.

1983년 〈하느님의 꽃밭〉 등 세 편으로 〈광주일보〉 신춘문예 동시 부문 당선됨(심사 위원 유경환).

1984년 《취직 작문과 자기 소개서》(아리오사) 출간(공저).

1985년 〈휴전선을 나는 작은 공〉 등 다섯 편으로 제1회 한국 아동문학신인상 당선됨(심사 위원 박홍근·서석규·박종현·손동인·유경환·유영희·이준연). 동시집 《하느님의 꽃밭》(도서출판 초록) 펴냄.

1986년 1월 1일 채희민(蔡熙珉)과 결혼함.

1987년 3월 30일 딸 빛다은 태어남.

1988년 한솔제지마케팅대학·한빛출판문화원에서 출판·편집 강의함.

1990년 9월 25일 딸 빛도란 태어남. 2월 중앙대학교 신문방송대학원 출판·잡지 전공 수료함.

1992년 3월 28일 아들 빛고을 태어남.

1992~1999년 (사)어린이문화진흥회에서 잡지 〈어린이문화〉《생각이 저요, 저요!》를 기획·편집하는 한편 문화센터를 운영하며 어린이 문화를 북돋는 데 힘씀.

1992~2000년 계몽문화센터에서 어린이 글쓰기 강의를 시작하여 서울 운현초등학교·극동방송문화센터·불교방송문화센터·서울시립목동청소년회관·한국지역사회교육협의회·한일은행주부대학·영등포도서관·부평도서관·인천서구도서관·대교눈높이·재능교육·구몬학습·애경백화점문화센터·미도파백화점문화센터·부평현대백화점문화센터 등에서 글쓰기·독서·논술 강의를 함.

1993년 《제품·인쇄—출판물 제작론》(공저, 한솔제지) 펴냄.

1996년 《신바람 나는 논리·토론·논술 열세 마당》(공저, 예하) 펴냄.

1999년 《1999 새 노래 새 어린이》(한국음악교육연구회)에 〈우리나라 어린이〉(박준식 작곡) 실림.

2000년 《2000 새 노래 새 어린이》(한국음악교육연구회)에 〈하느님의 꽃밭〉(한지영 작곡) 실림. 제1회 제주창작국악동요제에 〈낮달 이미지〉(고현민 작곡) 발표함.

2000~2005년 (주)효리원 근무함.

2001년 《꽃보다 더 아름다운 꽃 이야기》(지경사) 펴냄.

2004년 《구몬 어린이 글쓰기·논술 교실》(교원), 《안중근》(대교) 등 펴냄.

2005년 합동시집 쪽배 5호 《날마다 봄여름가을겨울 산울림이 울었다》(가꿈), 《이야기 사서》(홍진P&M) 등 펴냄.

2006년 동시집 《회초리도 아프대》(청개구리) 펴냄. 《회초리도 아프대》는 한국문화예술위원회 선정 우수 문학도서, 소년한국일보 교육신문 〈베리타스 알파〉 선정 대표 시인 30명이 뽑은 좋은 동시집, 어린이문화진흥회 선정 좋은 어린이책, 《동화읽는가족》 선정 베스트 리스트, 한국동시문학회 선정 올해의 좋은 동시집, 〈어린이책이야기〉의 아동문학인이 권하는 책, 〈오늘의 동시문학〉 선정 좋은 동시집, 〈어린이문예〉의 동시인이 권하는 동시집, 충청북도교육청 4학년 2학기 국어 교과 연계 도서 등에 선정·추천됨. 인천문화재단 문화예술육성지원금 받음.

2007년 동시 〈생각하던 참인데〉가 한국문화예술위원회의 3분기 문예지 게재 우수 작품으로 선정됨.

2008년 합동시집 쪽배 6호 《사로잡고 사로잡혀》(가꿈), 《안중근》(효리원) 등 펴냄.

2009년 《새싹들이다》(한국음악교육연구회)에 〈낮달 이미지〉(고현민 작곡) 실림. 계간 〈아동문학평론〉 편집실무위원으로 편집·제작을 맡음.

2010년 서울 지하철역 스크린 도어에 〈흥부네 살강에도〉 게시. 합동시집 쪽배 7호 《앞서거니 뒤서거니》(가꿈) 펴냄.

2011년 계간 〈아동문학평론〉 발행인. 사화집 《좋다, 참 좋다》(어린른이) 펴냄.

2012년 합동시집 쪽배 8호 《햇빛 잘잘 실눈 살짝》(가꿈), 사화집 《특별한 맞춤집》(섬아이) 등 펴냄.

2013년 경기신용보증재단 달력(3월)에 〈흥부네 살강에도〉, 《제3회 우리나라 좋은 동시 33》(파랑새)에 〈비 오는 날〉, 〈동시마중〉 2013 올해의 좋은 동시에 〈기쁜 날〉, 동요 가사집 《고추 먹고 맴맴》(유정 엮음, 타임비)에 〈흥부네 살강에도〉, 〈알면서도 아빠는〉, 〈소식〉 등이 실림. 사화집 《작은 가방 속의 행복》(아평) 펴냄.

2014년 초등학교 5학년 1학기 《국어》 교과서(실험용)에 〈덕담〉이 실림. 합동시집 쪽배 9호 《아픔은 모른다는 듯 햇빛조차 환했다》(송재진·조두현 특집, 내가 좋아하는 동시조 〈이도환〉 등 실림, 가꿈), 사화집 《해가 사는 집》(아평) 펴냄. 서울문화재단 문학창작집 발간 지원금·한국 아동문학인협회 우수작품상(〈일기 검사〉) 받음.

2015년 《아빠 무릎에 앉는 햇살》(제25회 방정환문학상 수상, 아동문학평론)·《송재진 동시선집》(한국 대표 동시 111인 선집 49번, 지식을만드는지식)·《동시》(한국 동시 선집에서 가려 뽑은 30인 동시 선집, 커뮤니케이션북스) 등 펴냄. 《아빠 무릎에 앉는 햇살》은 한국동시문학회 선정 올해의 좋은 동시집, 세종도서 문학 나눔 우수 문학도서 등으로 선정, 제25회 방정환문학상을 수상함. 〈열린아동문학〉 가을호 "이 계절에 심은 동시나무" 송재진 특집, 《날아라, 교실》(사계절)에 〈우짤꼬!〉. 《2015 오늘의 좋은 동시》(푸른사상)에 〈시의 힘〉 실림.

2016년 사화집 《두메분취》(청개구리) 펴냄. 《어린이 암송 시조 2집》(어린이시조나라 별책)에 〈봄 마중〉, 《현대시조 자선대표작집》(이미지북)에 〈덕담〉, 《하품놀이 터》(한국 동시 선집에서 가려 뽑은 3, 4학년 애송시집, 벌교초등학교)에 〈성 묘〉 등 6편, 〈강물이 푸르러 산천초목 다 푸른〉(환경생태사화집, 이병주문학 관)에 〈탕!〉 실림.

2019년 계간 〈아동문학평론〉도서출판 가꿈·도서출판 〈아동문학평론〉 발행인.

한국 아동문학가 100인

박숙희

인물론
꿈꾸는 아이

작품론
남다른 사랑과 정성으로 매진하는 장인 정신

어린이와 함께 선생이 걸어온 길

꿈꾸는
아이

김향이

    박숙희의 아이디는 '몽아'다. 요즘 사람들이 쓰는 아이디는 옛 선비들이 스스로 지어 부르던 아호인 셈인데 그녀다운 이름이다. 영원히 철들지 않는 꿈꾸는 아이로 살기를 소망하는 그녀는 천생 동화작가다.

    동화작가 박숙희와 나는 동갑내기인 데다 이십 년 지기이다.

    우리는 1991년 계몽아동문학회가 결성되어 수국작가촌에서 첫 세미나를 열었을 때 처음 만났다. 이때부터 계몽 식구들은 '가족처럼 연인처럼'이라는 슬로건 아래 2박 3일 동안의 문학 기행을 하는 것으로 만남을 시작했다. 문학 기행을 하는 동안, 그녀의 말솜씨와 방울 같은 웃음소리는 전국에서 모여든 회원들 간에 서먹한 분위기를 허무는데 한몫했다. 그녀는 사교적인 데다 애교가 철철 넘치기 때문이다. 만날 때마다 모든 회원을 한 덩어리로 결속시켜 주는 한 마디로 분위기메이커다.

    계몽 식구들은 세미나 때 가족 동반 여행을 하는데 나는 친정어머니와 아이들을 동반했었다.

    친정어머니를 일찍 여읜 박숙희가 우리 어머니께도 사분사분 살갑게 굴었다. 그 뒤로도 간간이 세미나 때 어머니를 모시고 갔는데, 친절한 박숙희는 나대신 어머니를 모시고 다니기도 했다.

    어느 핸가 우리 집에 놀러온 박숙희 손을 부여잡은 어머니가 말씀하셨다. 둘이 서로 친 자매처럼 정 나누며 의지하고 살라고……. 어머니는 내게 여자 형제가 없는 것을 늘 안쓰러워 하셨다. 더욱이 남편과 사별을 하게 되자 곁이 외롭지 말라고 그리 당부하신 것이다.

    "승환 애비 장례 때 박숙희가 어찌나 울던지 서로 부둥켜안고 지도 울고 나도 울고 했다." 하시며 말씀 끝에, "박숙희는 정 많고 여린 것이 꼭 너 같더라." 하셨다.

    그런 연유로 우리는 어머니 앞에서 자매가 되었고 생일이 한 달 빠른 내가 언니가 되었다.

    어머니의 '작은 딸'이 된 박숙희는, "어머니, 경주에 놀러오세요." 하고 노래를 불렀다. 그리고 내게는 어머니를 고속버스에 태워 보내면 자기가 마중 나와 모실 테니 그리 하라 종용했었다.

나는 인사치레려니 흘려버리곤 했는데 설사 빈말이 아니더라도 그녀가 얼마나 바삐 사는지 알기에 선뜻 어머니를 모시게 할 수도 없었다.

그런 중에 박숙희가 큰며느리를 보게 되었고, 그때 마침 계몽 문학 기행을 포항·영덕 쪽으로 가게 되었다. 계몽 식구들이 우르르 몰려가 결혼식에 참석했는데 어머니도 동행하셨다.

그날 밤 우리 일행은 큰손 박숙희가 보낸 영덕 대게를 포식했는데, 20여 명 회원이 평생 먹을 대게를 그날 밤 다 먹은 것 같다. 먹고 또 먹고도 남아 서울까지 싸들고 올 정도였으니…….

박숙희는 친정어머니와 함께 사는 나를 엄청 부러워한다. 그녀는 병석의 어머니가,

"딱 5년만 더 살면 어디도 가보고 어디도 가 볼 건데……." 하셨다면서 그 소원을 들어 드리지 못하고 어머니를 보내고 만 불효를 아파하면서 눈시울 적시곤 한다.

"살아 계실 때 잘 해드려. 그래야지 나중에 후회해 본들 아무 소용 없다."

하는 그녀 말에 염치 불구하고 어머니와 동행을 했다. 어머니가 박숙희 집을 가보고 싶어 하셨기 때문이다. 마침 그해 10월 아동문학인 협회 세미나가 경주에서 열렸는데, 박숙희가 이참에 어머니를 모시고 오라 했다.

세미나 다음 날, 회원들과 안압지와 양동 마을을 둘러보고 일행들과 헤어져 불국사를 찾았다. 박숙희가 남편 조동화 선생의 목회 일을 돕고 서둘러 불국사로 달려왔다.

조동화 선생이 모는 차로 '동리목월 문학관'에 들렀다. 그런데 문학관을 나오다가 동화작가 박윤규 부부를 만났다. 조동화 선생과 박윤규 씨는 같은 해에 신춘문예에 등단한 인연이 있단다.

박윤규 씨 부부와 함께 박숙희 집에 닿은 우리는 700평에 이르는 텃밭에 입이 떡 벌어졌다.

뚱딴지 꽃이 에워싼 밭에는 수십 가지 채소들이 자라고 있었다. 가족들에게 무공해 야채를 먹이기 위해 이 밭을 건사하느라 얼마나 바쁘고 힘들고 정신없이 살았을꼬. 필시 자기 몸이 바스러지도록 일했을 그녀를 생각하니 한숨이 다 나왔다. 그러니 그녀 몸에 살이 붙지 못하는 건 당연지사.

어머니는 고향에서 농사짓던 가락이 있으신지라 밭에 나가셔서 호미를 드셨다. 그리고 눈 깜박 할 새에 풀밭을 요절을 내셨다. 이 대목에서 조동화 선생의 시조 〈초해전술에 맞서다〉를 읊으면 딱 맞는다.

인해전술 그 원조는 본디 초해전술이다

사람이 풀밭을 일궈 농사를 시작하던 날

풀들은 맨몸 하나로 땅의 사수 외쳤느니

그것을 또 6·25땐 중공군이 슬쩍 베껴

목숨들 방패삼아 막무가내 밀려오자

최강의 연합군들도 한때 기가 질렸지

물론 오늘날도 원조는 건재하다

묵밭 한 뙈기 얻어 농군 흉내 낼라치면

겹겹이 파도가 되어 밀려오는 초록 혼들

도무지 겁이 없는 그 기세 꺾으려면,

잔당까지 다 몰아내 아군 천하 이루려면

이쪽이 한술 더 떠야, 저쪽보다 더 독해야

월요일 아침 감은사지에 들렀다가 감포 바다로 나갔다. 어머니는 여든에 감포 바다를 보셨다. 나는 어머니께 바다를 보여 준 그녀가 고마웠다. 감포 바닷바람 쐬고 와서 부부는 일터로 가고 집에 남은 어머니와 나는 우렁각시 놀이를 했다.

얼갈이배추를 솎아다 김치 담고 감포에서 사 온 자연산 회와 생선으로 저녁 준비를 했다.

저녁 후에 조 선생이 사위 노릇 제대로 해야 한다며 추나요법 시술을 받으시도록 했다. 화요일 아침에는 고구마를 캐기 시작했는데 어찌나 크고 실하던지! 고구마가 럭비공 같았다.

시조 시인으로 문명을 날리던 분이 목사님이 되어 사람 농사를 짓고 농작물까지 두루 거두신다. 농작물은 농부 발자국 소리 듣고 큰다는데 그 말이 맞다. 박숙희가 밭농사에 정성을 들이는 이유는 그의 작품 속에 고스란히 나와 있다.

－그렇지만, 농약이나 비료는 몸에 해롭다고 손으로 벌레를 잡고 풀을 베어 퇴비를 만들어 채소를 가꾸었습니다.

그렇게 가꾼 채소나 고구마 감자 참깨 들깨를 보따리보따리 꾸려서 아들 딸네 집으로 보내는 것이 어머니의 낙이고 기쁨이었습니다.

그렇게 애지중지 자신의 손으로 기른 채소라야 밥상에 올리고 자식들 입에 넣어 주어야 안심이었습니다.

－ 박숙희 〈동작그만〉 중에서

　이처럼 그녀는 작가 정신이 투철하다 자신이 직접 손으로 만지고 발로 내딛어 보고 경험한 이야기들이래야 동화 속에 녹여 낸다고 한다.

　그래서 그녀가 쓴 동화들은 대부분 실제로 경험했거나 들었던 이야기라도 자신의 가슴 속에 품어 자신의 체험으로 만들어 쓴다는 것이다.

　동화라고 해서 거짓말을 참말처럼 꾸며 쓰는 것은 어쩐지 거짓말을 하는 것 같아 불편해서 그런다는 것이다.

　그래서 그녀는 자신의 삶도 늘 동화처럼 맑고 밝게 살려고 하는 게다.

　"큰딸이 구박하거든 언제라도 보따리 싸들고 작은 딸네로 오셔요."

　집으로 돌아갈 시간이 가까워 오자 발걸음이 떨어지지 않는다는 어머니한테 박숙희가 말했다.

　어머니는 박숙희의 남편 조선생 타입을 좋아하신다. 남자는 모름지기 훤칠하니 체구가 크고 목소리도 우렁우렁하고 마음 씀씀이가 넉넉해야 하는 법이라신다. 어머니는 그런 조선생에게 모쪼록 건강 살펴서 안사람 잘 건사하라고 당부하고 당부하셨다.

　여름내 식욕을 잃고 기력이 없던 어머니는 작은 딸 박숙희가 차려 준 진수성찬과 송이버섯 죽에 기운을 얻어 오셨다. 그녀가 바라바리 싸준 농작물까지 선물로 받고 자랑거리를 많이 만들어 오셨다. 우리 어머니가 박숙희를 작은 딸 삼은 연유를 말했으니, 이젠 내가 그녀를 좋아하는 까닭을 말해야겠다.

　우리는 해마다 계몽문학회 문학 기행으로 국내를 두루 여행하는 것은 물론 백두산까지 다녀왔다. 작년에는 청소년 봉사 체험 여행으로 몽골에도 같이 가고 올해는 유럽 자유 여행도 함께 했다. 14박 16일을 한 침대를 쓰다보면 그동안 몰랐던 흉허물이 드러나기 마련이다.

　잠자는 습관은 물론 식성까지 알게 되고 서로 속내를 털어놓다 보면 상대의 진면목을 알게 되기도 한다. 여행 중에 우리는 많은 이야기를 나눴지만 한 번도 그녀가 남의 험담을 하는 걸 못 들었다. (언젠가 후배와 동침을 했는데 시샘 많은 그녀 이야기를 듣다가 역정이 나서 슬그머니 다른 방에 가서 잔 적이 있다. 여행 파트너가 쓸데없는 말을 많이 하면 참 피곤한 일이다.)

　그녀의 버릇 중에 가장 부러운 건 잠버릇이다. 아, 코 고는 건 말고. 그녀는 머리를 베개에 누이는 동시에 잠이 든다. 잠이 든 뒤에는 옆에서 굿을 해도 모를 정도로 숙면을 취한다.

　나는 여행을 떠나기 전에 빠트린 게 없나 이것저것 챙기고 신경 쓸게 많아 잠을 못 자고, 여행 중에는 구경할 게 많아 잠을 못 자고, 다리가 아파서 잠을 못 자고 해서 수면부족으로 고생을 한다. 그런데 그녀는 쓸모없는 세상 일에 관여하지 않는다. 그래서 근심하지 않고 단순명쾌하게 산다. 무엇이 그녀를 인생을 달관한 사람처럼 살게 하는 것일까? 잠 못 드는 밤 한 침대에 누워 세상모르고 곤히 자는 그녀를 부러워하면서 나는 밤새 혼자 스트레칭을 했다.

두 번째 부러운 버릇은 밥을 아주 맛나게 먹는 것이다. 그녀도 나처럼 말랐다. 하지만 밥은 식복 있게 먹는다. 그녀와 함께 밥을 먹으면 절로 식욕이 난다. 그리고 인스턴트 음식이나 맵고 짜서 자극적인 음식도 가리는 편이라 자연 건강식을 즐기는 식습관도 나랑 같아서 함께 다녀도 아무런 문제가 없다.

그녀가 쿨한 성격인 것도 마음에 든다. 자기 일이 아닌 남의 말은 아예 들을 생각도 않는다. 그녀는 저질스러운 말이나 귀에 거슬리는 말을 들으면 혼자 귀를 막아 버린단다. 누가 남의 험담을 하거나 쓸모 없는 말을 하거나 그 말이 자신과 인류에 도움 되지 않는 말이면 아예 처음부터 흘려듣고 관심을 두지 않는 것이다. 그것 때문에 여행 중에 나한테 퉁바리를 들었다. 게스트 하우스와 민박집을 옮겨 다니는 사정을 이야기했는데 그때는 건성으로 고개를 주억거려 놓고는 나중에 “그런데 왜 자꾸 옮겨 다니는 거야?” 하고 물어서 속 터지게 했기 때문이다.

그녀와 유럽 여행을 하면서 솔직히 나는 박숙희가 앓아누울까 봐 걱정스러웠다. 한 번도 자유 여행을 해본 적이 없는 그녀는 나를 따라 온 것을 후회했을 것이다. 몸과 마음이 지친 그녀는 괌이나 사이판으로 휴양을 갔어야 마땅했다. 체력이 바닥까지 내려간 그녀가 강행군을 하느라 고생이 많았다. 하지만 박숙희는 화난 사람처럼 입을 꾹 다물고 힘든 여정을 잘 참아 냈다. 그녀가 연약한 육체를 가졌어도 강인한 정신력의 소유자이기 때문일 것이다.

그녀는 들꽃을 좋아한다. 들판의 야생화와 아름다운 경치가 그녀의 마음을 사로잡아 엔돌핀을 샘솟게 했고, 고된 일정도 견뎌 낼 수 있도록 일조했겠지.

알프스 하이디 산장에 오르던 날 나는 4시간 코스의 하이킹을 어찌하나 겁먹었다. 허약 체질 박숙희가 하이킹을 할 수 있을지 의문이었다. 나는 그녀에게 버스를 타고 하이디 호텔로 오라고 했다. 그러나 잠시 망설이던 그녀가 따라 나섰다. 아기자기한 마을의 집들을 구경하며 천천히 골목골목 누비던 그녀가 포도밭을 지나면서 웃음을 터트렸다.

알프스 산맥이 파노라마처럼 눈앞에 펼쳐졌기 때문이다.

야생화 들판을 지나 하이디 산장 코스를 오르던 우리는 연신 감탄사를 쏟아냈다. 하이디 산장은 그야말로 감동의 물결이었다. 동화속의 장면들을 재현해 놓은 하이킹 19개 코스를 눈앞에 두고 포기하는 건 어리석은 짓이었다. 우리는 피터네 집도 찾아보고 피터가 클라라의 휠체어를 떨어뜨린 장소도 보았다.

풀밭에 앉아 싸 가지고 간 도시락도 먹고 화관을 만들어 쓰고 화보 촬영놀이도 했다.

일본인 관광객이 웃으며 지나갔다. 간간이 유럽의 백인 관광객들과 산악자전거를 탄 관광객들이 지나갈 뿐 호젓한 알프스의 목장을 오르는 이는 우리 셋 밖에 없었다. 우리는 그날 야생 산딸기를 후식으로 따 먹으며 쉬엄쉬엄 오르다 보니 드디어 17코스 하이디 목장까지 완주했다.

산장에서 저 멀리 흰 눈을 인 알프스 산정을 바라보며 차를 마시던 때의 성취감이라니!

중도에 포기를 했더라면 영원히 못 볼 아름다운 정경을 우리는 눈과 가슴에 담아 왔다. 그날 9시간여의 하이킹을 마치고 게스트 하우스에 당도 했을 때 성기게 빗발이 내렸다. 그리고 잠시 후에 반짝 하늘이 개면서 선물처럼 무지개가 폈다. 나는 그 무지개를 박숙희에게 선물하고 싶었다. 스위스의 게스트 하우스에서 나는 그녀에게 소리쳤다.

"박숙희! 선물 하나 줄게. 창문 열어 봐!"

영문 모르고 그녀가 창문을 열다 말고 깜짝 놀랐다.

"우와! 무지개다! 저건 하나님께서 사람들에게 다시는 홍수로 세상을 멸망하지 않겠다는 표시로 세운 약속이래. 내일부턴 비가 그치겠는데……."

그녀는 아기처럼 기뻐했다. 유럽 여행 일정 내내 변덕 심한 노처녀 심사 같은 날씨 때문에 우린 힘들었다. 그처럼 우여곡절 많았던 우리네 인생도 이제는 궂은비 그치고 활짝 갠 날만 계속되리라. 이렇게 우리는 평생 잊지 못할 무지개 같은 추억을 나눠 가졌다.

모쪼록 그녀의 꿈이 오래오래 아름답게 피어오르기를!

때 묻지 않고 쇠하지 않기를!

남다른 사랑과
정성으로 매진하는
장인 정신

박성배

1. '어린이의 마음으로 들여다보기'에서 출발한 동심(童心)의 작가

모 문학지에 박숙희의 동화집 《숲속의 궁전》에 대한 글의 서두를 나는 이렇게 시작했다.

박숙희의 《숲속의 궁전》은 참 맛있는 동화다. 맛있다는 것은 입맛에 맞는다는 뜻이다. 어린이들이 한 편의 동화를 읽으면서 "그래! 바로 내 이야기야!" 하고 좋아할 수 있다면 어린이들의 입맛에 맞는 동화다. 어린이들은 책을 읽으면서, 확실하게 꼬집어서 말할 수 없었던 말 못할 고민이 무엇인지 확실하게 집어내 주고 또 그것을 속 시원하게 풀어 주는 이야기를 맛있어 한다. 그리고 입맛을 다시면서 책을 읽게 된다.

그런데 어린이들의 입맛에 맞는 동화가 되기 위해서는 반드시 건드려 줘야 할 부분이 있다. 바로 무의식(無意識)의 세계다. 무의식은 마치 어린이들의 다양한 행동 특성을 규정지어 주는 DNA와 같은 것이다. 어린이들은 왜 자신이 불행하다고 생각하는지, 왜 짜증이 나는지, 왜 다른 사람이 싫어지는지 그리고 왜 기분이 좋은지 왜 고소한지 왜 마음이 날아갈 듯 시원한지를 모르고 행동한다. 그러다가 한 편의 동화를 읽는 중에 '아하! 나도 몰랐는데 내가 이런 생각을 하고 있었구나.' 하고 동화를 통해서 자신의 무의식에 자리 잡은 의식을 인지하게 되는 것이다 말하자면 한 편의 동화가 어린이들에게 자기의 무의식의 세계에 있던 것을 유의식의 세계로 끌어 올려 환하게 보여 줄 때 어린 이들은 그 동화를 맛있어 하는 것이다.

박숙희는 '작가의 말'에서 이미 이렇게 말하고 있다.

'바로 내 이야기네? 나도 이런 적이 있었어' 하고 마음속 깊이 숨어 있던 슬픔이 샘솟아 올라 엉엉 울어 버릴지도 몰라.

어린이들의 무의식의 세계에 잠들어 있는 의식을 깨워 주겠다는 작가의 작품 계획이 이미 서 있었음을 알 수 있는 말이다. 무의식은 겨울철 꽃밭의 흙 속에서 죽은 듯이 살아 있는 씨앗과도 같은 것이다. 이 씨앗을 바깥으로 불러내는 것은 봄볕이다. 봄볕이 없으면 그 씨앗은 영원히 밖으로 나오지 못할 것이다 작가는 바로 이 봄볕의 역할을 해야 한다. 박숙희는 이 봄볕의 역할을 충분히 잘 하고 있는 작가다.

시를 쓰기 위해서는 남다른 시심(詩心)이 있어야 하듯이 동화를 쓰기 위해서는 남다른 동심(童心)이 있어야 한다. 박숙희의 동심은 '어린이의 마음으로 들여다보기'에서 출발한다. 관심 밖으로 밀려난 사람들을, 자기 자신조차 알 수 없어 고민하고 짜증내는 어린이의 마음을, 덩그렇게 놓여 있는 자연과 사람들의 관심 밖에 있는 하찮은 것들을 들여다본다. 그리고 거기서 할 말을 찾아낸다.

박화목 선생은 박숙희의 동화집 《진주가 된 가리비》의 추천 글에서 이렇게 썼다.

"박숙희 선생님의 동화를 읽고 나는 이분이 작품 속에 어떤 목소리를 담으려고 했구나 하는 생각을 했습니다. 굳이 독일의 낭만파 시인 노발리스의 말을 되풀이하지 않더라도, 동화는 오히려 시에 가깝다는 이야기는 다 아는 사실입니다. 그래서 시인 자신이 지닌 문학 사상이나 삶에 대한 해석을, 시라는 그릇에 담아서 독자에게 전달하려 하듯이, 동화작 또한 작가 나름의 목소리를 지니고 있습니다. …… (중략) ……내가 이분의 동화를 읽고서 생텍쥐페리의 〈어린 왕자〉나 오스카 와일드의 〈행복한 왕자〉, 안데르센의 〈그림없는 그림책〉, 〈미운오리새끼〉같은 동화를 떠올렸던 것은 사뭇 자연스러운 일이라 하겠습니다. 확실히 한 차원 높은 표현 능력을 지녔다고 보았습니다." (하략)

박숙희의 작품에서 들려오는 목소리는 정겹게 감기는 맛이 있다. 누구나 작품을 통하여 무엇인가 하고 싶은 말을 하겠지만 박숙희의 말에는 진정성이 느껴진다. 아마 박화목 선생님도 그런 점을 간과하지 않고 느끼셨으리라 본다.

동화가 시(詩)에 가깝다는 이유를 몇 가지 들 수 있는데 그중 가장 두드러진 이유로 작가가 동화 전체를 통하여 독자에게 무엇인가를 주고자 하는 것이 은유적으로 표현된다는 점을 들고 싶다. 박숙희는 '어린이의 마음으로 들여다보기'를 통하여 생산된 하고 싶은 말을 은유적으로 표현하는 작가이다.

박숙희는 생산된 '하고 싶은 말'들을 아무렇게나 동화 속에 끼워 넣지는 않는다. 기독교적인 사랑과 그의 무의식의 세계에 무성하게 숲을 이루고 있는 '그리운 언덕'이라는, 순수한 그리움에 여과하는 과정을 거친다. 박숙희의 '그리운 언덕'은 감성동화집 《새를 기다리는 나무》의 '작가의 말'에 다음과 같이 소개되어 있다.

─나에게는 사뭇 잊혀지지 않는 '그리운 언덕'이 있습니다. 그곳은 환한 웃음 띤 바다가 푸른 울타리처럼 둘러싸여 있고, 팽이갈매기가 훨훨 날아다니며, 꿈같은 노을이 건너편 산 능선을 물들이는 먼 남해

안에 있는 작은 동화의 섬이랍니다. …… (중략) …… 그 언덕에는 키 큰 아카시아 나무 한 그루가 바다를 바라보며 서 있었습니다. 나는 그 나무를 친구 삼아 놀았고, 그 나무도 나와 함께 키가 커 가고 어깨가 넓어졌습니다. …… (중략) …… 아카시아 나무는 달이 가고 해가 갈수록 꽃은 아름다워지고 가시는 줄어든다는 사실입니다. 그러니까 제 몸의 가시를 저며서 눈물겨운 아이보리 빛의 꽃을 피우는 것이겠지요. (하략)

이렇게 어린 시절의 인상 깊게 경험했던 세계가 감동 혹은 전율을 주고 그 결과로 인한 세상을 보는 새로운 눈을 갖게 되었을 때 일생을 통해 작용하는 에너지가 되는 것이다. 이런 에너지는 박숙희의 무의식의 세계에 각인되어 있으면서 여러 형태로 동화에 작용하고 있다.

그런데 동화가 하고 싶은 말을 은유적으로 표현하기 위해서는 생활동화가 아닌 판타지동화이거나 최소한 그런 성격을 띠어야 한다. 박숙희 동화의 특징 중 또 하나가 바로 이런 점이다. 박숙희의 동화에는 판타지동화가 많으며 생활동화라도 완전한 생활동화가 아니라 어느새 판타지로 들어가는 분위기를 연출하는 판타지적인 동화들로 주류를 이루고 있다.

작가의 정신세계는 판타지 세계를 통하여 독자와 함께 공유하는 새로운 세계가 펼쳐져서 독자와 함께 느끼고 감동하는 관계가 되어야 한다. 이는 마치 뱃속의 아기가 탯줄을 통해 영양분을 공급받는 것이나, 맑은 숲에서 심호흡을 할 때 기분을 좋게 하는 공기를 마시는 것과도 같은 이치다.

박숙희는 자신의 이야기라고 생각되는 동화 《새를 기다리는 나무》에서 자신이 하고 싶은 말을 하는 방법이 어떠해야 하는가를 모범적으로 보여 주고 있다. 이 동화는 '숲은 시인에게만 말한다' '시인은 도시로 가고' '그리운 언덕의 이야기들' '다시는 마르지 않을 길고 긴 노래를 부르기 위하여' 등 4장으로 구성되어 있는데 이 구성 자체가 시인(작가), 즉 작가 자신이 살아 왔고 또 살아가고 싶은 삶의 모습을 담고 있다.

"나, 나무야! 네가 날 불렀니?"
시인은 어찌나 놀랐던지 쿵쿵 뛰는 가슴을 간신히 누르고 떨리는 음성으로 물었습니다. 그러자 아카시아 나무는 이번에는 분명한 목소리로 말을 하는 것이었습니다.
"제가 시인님을 불렀어요. 수, 숲속을 거닐면서……. 혹시 흰눈썹황금새를 못 보셨어요?"
눈부신 꽃송이를 가득 피운 아카시아는 수줍은 새색시처럼 몇 번이나 말을 더듬었습니다.

《새를 기다리는 나무》는 이렇게 시를 쓸 수 없어 고민하는 시인이 아카시아 나무의 말을 듣게 되는 데서부터 이야기는 시작된다.

'들을 귀'를 가지게 된 시인의 이야기는 시를 쓰듯 내재율이 가미된 문장으로 독자를 순식간에 환상의 세계로 인도한다. 시인은 점점 유명해져서 도시로 가게 되나 다시 시를 잃고 오랜 시간 동안 울부짖으며 몸부림을 치다가 다시 숲속으로 돌아오게 된다. 흰눈썹황금새도 아카시아 나무를 다시 찾아온다. 결국 이 이야기는 이렇게 작고 보잘 것 없는 것들을 '어린이의 마음으로 들여다보기'를 시작한 박숙희의 이야기인 것이다.

"난 당신을 버리고 떠났어요. 당신의 사랑을 받을 자격이 없는 새였어요."
"누구에게나 처음부터 주어진 자격 같은 건 없어' 지금 생각하면 그때 넌 잘 떠났어. 그리고 더 잘한 것은 네가 다시 온 것이야. 네가 떠남으로 나는 너의 친구가 되기 위해 아름다운 나무가 되었고, 너도 부드러운 마음으로 다시 돌아왔으니 더 잘된 거야."
"사실 그동안 제 가슴속엔 당신이 늘 서 있었어요."

박숙희는 이렇게 아카시아 나무와 흰눈썹황금새가 다시 만나는 이야기, 유명한 시인이 되어 도시로 갔다가 시를 잃고 다시 돌아온 시인 이야기 등을 통하여 사랑에 대하여 그리고 시인이 시를 쓴다는 것에 대하여 진지하게 대화를 하고 있다.

동화작가가 어떤 사물이나 현상을 '어린이의 마음으로 들여다보기'를 한다는 것은 말처럼 쉬운 일이 아니다. 먼저는 어린이에 대한 이해와 사랑이 있어야 하고 어린이의 말투로 말해 줄 수 있는 언어를 가지고 있어야 하기 때문이다. 근래에는 많은 소설가나 시인들이 동화를 쓰고 동시를 쓰려고 시도하기도 한다. 그러나 소설을 쓰던 능력이나 시를 쓰던 능력이라면 동화나 동시쯤이야 별 힘 안 들이고 쓸 수 있을 거라는 생각으로 시작했다가 고개를 갸웃하며 물러서기도 한다. 그런 경우는 십중팔구 '어린이의 마음으로 들여다보기'에서 실패한 것이다.

박숙희의 단편동화들도 '어린이의 마음으로 들여다보기'에서 출발한 동심(童心)이 빛을 발하고 있다. 단편동화집《우두커니 아저씨》에 수록된〈철부지 꾸꾸〉는 어린이의 행동에 빗대어 쓴 꾸꾸의 이야기가 어린이의 공감을 얻는다.

'목욕 조금 한다고 어쩌기야 하려고. 허지만 왜 모두들 나만 미워한다지?'
꾸꾸는 생각할수록 화가 치밀어 올랐습니다. 화풀이라도 하듯 볼 가득 심통을 부풀리고 털을 있는 대로 세워 푸들푸들 구덩이를 파헤치며 흙 목욕을 시작했습니다.

꾸꾸가 야단맞을 줄 알면서도 그냥 지나칠 수 없는 흙 목욕은 어린이 나름대로 하지 않고는 못 배기는 어떤 좋아하는 행동이다. 꾸꾸는 흙 목욕을 하게 되면 화단을 파헤치고 그러다보면 여기저기 흙이 튀어서 사람들이 싫어한다는 사실은 외면한 채 자신이 사람들에게 미움 받는 원인을 얼마 전에 들어온 복실이 탓으로 돌린다. 꾸꾸는 강아지 복실이를 실컷 쪼아 준다. 주인 아저씨는 개 쪼는 닭은 처음 본다며 회초리를 들고 꾸꾸를 쫓아간다. 이 장면에서도 박숙희는 '어린이의 마음으로 들여다보기'를 통하여 꾸꾸의 마음을 토로한다.

다문화 가정이 늘어나고 새터민들이 늘어나면서 꾸꾸처럼 자기 마음과는 다르게 오해 받고 사는 어린이들이 많다. 박숙희는 그런 어린이들의 속마음을 꾸꾸를 통하여 이야기하고 있다. 어른들이 오해하고 있는 어린이의 세계를 대변해 줄 수 있는 사람은 '어린이의 마음으로 들여다 보기'를 통하여 동심(童心)이라는 공통 집합체에 함께 있는 동화작가인 것이다.

박숙희의 '어린이의 마음으로 들여다보기'는 작품에 등장하는 소재나 주제에서 그리고 이야기의 흐름에서 쉽게 느낄 수 있는데, 특히 작품의 주인공들에게서도 잘 나타나고 있다. 13편의 동화가 실린 《우두커니 아저씨》에 등장하는 주인공들을 보면 그저 찬밥 한 덩이 얻어 먹고 배부르면 따스한 담벼락 아래 값없이 내리찍는 햇볕이나 찍고, 그것도 내 것이라고 우기는 사람이 있으면 슬그머니 비켜 주는 아저씨, 바닷가를 찾아오던 소녀에 대한 그리움으로 가슴을 열어보면 뜨거운 눈물이 가득 들어 있을 거라며 큰 장미 가시가 하나 쿡 박혀 있거나 서걱서걱 가슴을 저미는 쐐기풀이 자라는지도 모른다는 생각으로 아픔을 겪는 가리비, 아름다운 눈물을 만드는 시인, 남을 믿지 못하고 친구도 없이 어디서든지 나타나서 아무나 찔러 대는 가시복, 죽은 나무들을 살려 내는 봄바람, 식구들에게 미움 받으나 나중에 인정받게 되는 닭, 자식을 따라 억지로 아파트로 이사 간 할머니, 흉한 벌레로 태어난 것을 슬퍼하는 애벌레, 통일이 되어 할아버지를 만나고 싶어 하는 아이, 자폐증을 앓는 아이, 조금만 숨이 차도 입술이 새파래지는 소녀, 소록도에 사는 나병 환자인 할아버지 소아마비로 두 다리를 못 쓰는 아이, 등 작고 여리며 그늘진 곳에서 어렵게 살아가는 주인공들에게 작가의 시선이 넉넉히 가닿고 있다는 사실을 확인할 수 있다.

2. 인간관계 회복을 추구하는 치료자로서의 동화작가

진정한 판타지동화작가는 자연스럽게 심리치료사가 된다. 역으로 말하면 어린이의 심성을 치유하는 문학이 판타지동화이다. 박숙희의 동화에는 이런 판타지동화가 많다 《숲속의 궁전》은 그 대표적인 작품이다. 《숲속의 궁전》은 이 세상 모든 어린이가 갖는 어린이들의 문제를 제시하고 "너에게 이런 고민이 있지?" 하고 다가선다. 주인공인 소희가 판타지 세계로 들어가는 것(숲속의 궁전으로 들어가는 것)은 아픈 환자가 병원에 입원하는 것과 같은 이치이다. 숲속의 궁전에 들어가기 전에 작가는 소희의 병을 진단한다. 소희는 따돌림 받고, 오해 받고, 놀림 받으면서 나는 정말 엄마가 낳은 아이가 아닐지도모 른다는 불안한 생각까지 하게 된다. 그러다 보면 좀 잘 보이려고 어떤 행동을 하게되고 그 행동이 또 다른 실수를 낳게 되어 스스로 감당할 수 없는 지경에까지 이르게 된다. 소희는 엄마의 칭찬을 받을 수 있는 일을 찾다가 과수원의 건초더미를 없애면 엄마가 좋아할 것이라고 생각한다. 소희가 건초를 없애는 방법으로 생각해 낸 것이 건초를 태워서 없애는 방법이었다.

> 그러자 불씨는 과수원 옆의 아카시아 나무 밑에 골목집 할아버지가 쌓아 둔 보릿짚 더미로 날아갔다.
> 그리고는 잘 마른 보릿짚 더미를 순식간에 활활 태워 버리더니, "나 잡으면 용치!" 하면서 울타리를 타 넘고 달아나면서 헤헤 하고 웃기까지 했다.

소희가 간단하게 건초를 태워 칭찬 받겠다는 생각과는 달리 불은 산불로 번지고 만다. 그런데 여기서 작가는 자연스럽게 독자들을 판타지의 세계로 안내한다. 독자들은 언제 어떻게 들어 왔는지도 모르게 판타지의 세계에서 불과 싸우면서 소희를 따라 비밀의 숲으로 들어간다.

어린이들의 무의식의 세계를 다룰 때는 이 판타지를 능숙하게 활용할 수 있어야 한다. 판타지는 무의식의 씨앗을 싹트게 하는 작가가 가진 봄볕이기 때문이다.

> "소희 아가씨! 잘 왔어요. 소희 아가씨가 이곳에 올 줄 알았어요. 정말 반가워요."
> "나도 너희들과 함께 있는 것이 정말 기쁘단다."
> "오늘도 가족들에게 혼났죠? 이젠 걱정 말아요."
> 까치가 날아와 말했다.

이렇게 숲속에서 여러 새들과 나무들과 꽃들의 환영을 받은 소희는 모두의 추천으로 숲속의 여왕이 된다. 소희는 여왕이 되어 많은 경험을 하면서 엄마의 어려움을 이해한다. 그리고 현실 세계로 나와 자신을 찾아 헤매는 엄마를 보며 마침내 화해를 이룬다. 이런 경우 판타지는 자기를 비춰 보는 거울의 역할을 하게 된다. 즉 현실 세계에서는 이런 저런 제약과 오해로 인해 자신의 내면 깊숙이 박혀 있는 참모습을 보지 못하다가 판타지라는 거울을 통해 보이지 않던 참모습을 보게 되어 생각이나 행동에 변화를 가져오게 된다. 박숙희는 이런 점을 충분히 활용할 줄 아는 작가다.

《숲속의 궁전》은 어린이들의 무의식의 세계를 적절하게 보여 주고, 판타지의 세계를 통해 상처를 치유하여 행복하고 따뜻한 인간관계를 회복하는 역작이다.

장편동화《난 두목이 될 거야》도 그 흐름은《숲속의 궁전》과 다를 바 없다. 단《난 두목이 될 거야》에서는 판타지가 없다. 그러나 이야기의 흐름이《숲 속의 궁전》과 다를 바 없다고 한 것은 생활동화이지만 판타지적인 분위기, 어떤 의미로는 판타지의 뉘앙스를 풍기고 있기 때문이다. 동화작가의 생활동화는 어린이가 등장인물로 나오는 소설과는 달라야 한다. 카프카가 말했듯이 현대 인간은 그 자체로서 이미 '환상적'이기 때문에 더 이상 초자연적인 존재를 내 보낼 필요가 없는 시대가 되었다.《난 두목이 될 거야》의 주인공 민호가 두목이 되려고 펼치는 노력들은 이미 그 자체로서 판타지적인 이야기를 만들어 가고 있다.

민호의 머릿속에는 벌써 장난꾸러기 들이, "얘, 장난치지 않고 뭐 하니?" 하고 속삭이며 민호의 엉덩이를 들쑤셨습니다. 그런 줄도 모르고 선생님은, "왜 그러니? 민호야! 너 화장실 가고 싶니? 그럼 어서 다녀오너라." 하고 말씀하셨습니다.

"네! 선생님." 민호는 대답을 크게 하고 화장실로 가서, 들썩이는 장난꾸러기들을 왈칵 쏟아 냈습니다.

"으아아아아~."

이런 민호를 다른 아이들이 좋아할 리가 없다. 옆자리에 앉아 있던 예쁜 윤희도 민호에게서 멀리 떨어져 앉으려고 의자를 뒤로 물린다.

그런데 동화에서 판타지 세계를 구축하는 목적 중에 가장 중요한 목적은 현실 세계의 불합리나 불만족 부적응을 고치는 데 있다. 그래서 판타지를 현실을 강화시키는 자극제라고도 한다. 처음에는 남을 다스리기 위해 두목이 되겠다던 민호가 남을 위해서 일하는 멋진 두목이 되겠다고 하여 부모님이나 선생님이 자랑스러워하게 되고, 민호와 가까이 앉기조차도 꺼려하던 윤희도 민호를 좋아하게 되는 변화가 일어났다.

박숙희는 생활동화에서도 판타지적인 분위기를 만들어 가며 이러한 목적을 달성하고 있다.

이런 경우는 다른 단편동화에서도 쉽게 찾아볼 수 있는데 〈눈물의 시인〉 같은 경우에는 눈물이 없는 현실 사회에 대한 공감대를 형성한 후 시인을 등장시켜 판타지적인 분위기를 만들어 치유하고 있다.

"이러다간 우리 도시는 망하고 말거야. 어서 눈물을 찾아와야 해." 사람들은 짝을 지어 눈물이 많이 모이는 기차역이나 부둣가 정류장으로가 보았지만 눈물은 흔적도 없었습니다.

"아! 한 번이래도 펑펑 울어 보면 좋겠어."

"눈물이 없으니까 즐거움도 지겨워."

이렇게 눈물 없는 현실의 문제점을 부각시킨 자체가 이미 판타지 세계로 들어온 분위기를 연출하고 있다. 옛날에는 그렇게도 흔하던 눈물이 없어진 사회 자체가 판타지이기 때문이다. 작가는 별과 이야기할 줄도 알게 되고 뒷산에서 부엉이를 잡았다가도 새끼를 생각하며 놓아 줄줄도 알게 되면서 아름다운 눈물을 만드는 눈물의 시인이 되었다는 시인을 통해 사람들은 자신들의 가슴 속에 잠들어 있는 눈물을 발견하게 된다.

주인공 은지가 커가는 과정을 그린 《삐쥬리아 공주》도 판타지적인 분위기를 잘 활용한 작품이다. 삐치기를 잘 해서 '삐쥬리아 공주'라는 별명을 갖게 된 은지가 친구들과 친하게 잘 지내게 되기까지의 이야기로 이야기의 내용은 달라도 그 흐름은 같다. '내 이름은 은지' '아무도 날 좋아하지 않아' '빼앗긴 엄마' '오동나무 그늘의 철학자' '책 나라로 갔어요' '짝꿍' '결투' '기쁨의 왕국' '삐쥬리아 공주' '슬픔과 기쁨' '친구가 되고 싶어' 등 소제목만 놓고 봐도 은지의 문제점(삐치기를 잘함)-판타지적인 분위기-문제점 해결(삐치지 않고 친구들과 친하게 지내게 됨)' 등으로 작가가 작품을 흐름을 어떻게 끌고 가는지 알 수 있다.

박숙희 작가는 인간성이 극도로 말라 버린 현실 사회를 치유하려는 강한 의지를 동화를 통해 실천하고 있다. 그 방법이 치졸하거나 독자들이 쉽게 눈치 챌 수 있는 빤한 교훈이나 자기주장을 내세우는 게 아니라 판타지이거나 판타지적인 분위기를 연출하여 독자와 공감한 현실의 문제점을 기분 좋게 치유하고 있다. 여기서 기분 좋은 치유'란 주인공이 자기의 문제점을 해결한다는 의식이 없이 작가가 만든 판타지에서 모험과 새로운 경험을 하면서 자연스럽게 문제를 해결하는 결과에 이름을 뜻한다. 마찬가지로 독자들도 같은 효과를 경험하게 되는 것이다.

3. 능숙하게 독자의 흥미를 유지하는 작가

어린이에게 꼭 필요한 쓴 약을 먹이기 위해서는 쓴 약의 겉 부분에 달콤한 성분을 덮어야 한다. 한 편의 동화가 가져야 할 실질적인 가치는 독자의 관심 유지라고 할 수 있다. 작가가 아무리 좋은 주제를 가지고 심혈을 기울어 썼더라도 그 동화를 읽는 독자가 더 이상 읽고 싶은 의욕을 갖지 못한다면 이미 실패한 작품이라고 보는 것이 좋을 것이다 독자들은 작품의 처음 부분을 읽다가 '대체 무엇을 이야기하자는 거야?' 라든가 '웬 잔소리가 이렇게 많아?', 또는 '별다른 이야기가 없군.' '아이, 시시해!' 하는 생각이 들면 지체 없이 책을 덮어 버리고 TV 앞으로 달려갈 것이다. 인터넷 화면이 조금만 늦게 떠도 참지 못하는 성급한 독자들이 작가의 성의를 생각해서 인내하고 읽어 주리라는 기대를 해서는 안 된다. 어린 독자들은 참을성이 적기 때문이다.

박숙희의 저학년 동화《난 두목이 될 거야》는 이제 곧 2학년이 될 아이들과 꿈에 대하여 이야기하다가 엉뚱하게 두목이 되고 싶다는 민호를 중심으로 동화의 흐름을 순발력 있게 잡아간다. 여기서 독자들은 민호가 생각하고 있는 두목 때문에 어떤 일들이 벌어지게 되는가에 관심이 쏠린다. 작가는 이미 아이들과 꿈에 대하여 이야기 하면서 '민호의 두목이 되고 싶다는 꿈을 꺼내어 이야기를 펼쳐 가기로 작정하고 있음을 내비치고 있기 때문이다.

"두목이 어때서요?"
민호는 짐짓 볼멘소리를 하였습니다.
"저런, 저런! 어린이가 그런 말을 하면 못써요. 착한 사람이 되어야지."
"아줌마가 아무리 그래도 전 꼭 두목이 될 거예요."
"어머, 어머, 어쩜 좋아."

민호는 '신라의 달밤'이라는 영화를 찍는 세트장에 갔다가 멋진 두목이 되겠다는 결심을 한다. 자기가 두목이 되면 모두가 부러워할 것이라고 생각한다. 그러나 속으로 좋아하는 윤희에게 잘 보이려다가 오히려 윤희 엄마에게 이상한 아이라고 오해 받게 된다. 민호는 두목이 되겠다는 자기의 꿈을 이상하게 생각하는 사람들을 이해하지 못한다.

이러한 흐름과 함께 독자들의 관심을 갖게 하는 것은 민호가 생각하는 두목을 선생님이 생각하는 두목으로 바꿔 가는 선생님의 방법이다. 선생님은 두목처럼 힘자랑을 하다가 발톱이 빠질 정도로 다쳐 병원 신세를 진 민호에게 정말 두목이 되도록 해준다. 민호의 부하가 될 병아리를 준 것이다. 그러나 민호는 자기 부하인 병아리에게 정성을 다해 주었지만 얼마 못 가서 죽고 만다. 상심한 민호를 보던 아빠는 다른 부하를 준다. 바로 강아지다 민호는 병아리 부하와 강아지 부하를 거느린 두목으로 지내면서 두목이 되기가 쉬운 일이 아니라는 것을 실감한다.

"두목 선생님! 전 커서 좋은 두목이 되겠어요."
선생님의 얼굴이 반가움으로 활짝 피었습니다.
"그래, 그래! 민호야! 선생님은 네가 반드시 좋은 두목이 될 거라고 믿어."
민호의 말을 들은 엄마의 얼굴도 연꽃처럼 환하게 피었습니다.

결국에는 민호가 생각했던 두목이 선생님이 가르쳐 주고 싶어 했던 두목과 하나로 일치된다. 독자들은 동화를 읽어가면서 이런 결말을 예상하게 된다. 그러면서 그런 결말을 즐기는 것이다.

또 《난 두목이 될 거야》는 이야기 도중에 군더더기가 없다. 이 점은 동화를 읽는 독자들의 흥미를 잃지 않게 하는데 아주 긴요한 사항이다. 실제로 많은 동화들이 이 점에서 실패를 하고 있다. 마치 함축성이 결여된 시(詩)처럼 너무 풀어서 설명하는 식의 동화는 읽고 싶은 흥미를 잃게 한다. 하지 않아도 될 이야기를 독자가 어린이라는 것을 너무 의식해서 잔소리처럼 늘어놓는다든지 앞뒤 상황을 설명한다든지 하는 형식상의 군더더기도 문제지만 동화에 등장하는 인물이 갖는 갈등을 다른 등장인물이 설명하는 식으로 해결해 주는 내용상의 군더더기도 문제다.

박숙희 작가는 민호가 생각하는 두목과 선생님이 생각하는 두목이 어떻게 다르다는 것을 결코 설명하지 않는다. 그러면서 민호가 두목으로서의 경험을 할 수 있게 해준다. 등장인물인 선생님은 선생님 나름대로 민호의 생각을 고칠 수 있도록 하기 위한 계략을 갖는다. 바로 이 계략이 독자들에게는 흥미를 주는 것이다. 등장인물인 민호는 누구의 설명이 아니라 자신의 체험을 통해 좋은 두목이 어떤 두목인가를 깨우치게 된다.

《난 두목이 될 거야》는 동화를 읽고 다른 사람에게 내용을 이야기할 수 있   별다른 무엇이 있다. '별다른 무엇' 이란 동화가 품어야 하는 남다른 이야기다. 왜 하고 많은 꿈 중에서 무시무시한 두목이 되겠다는 것인가? 왜 그런 꿈을 갖게 됐을까? 그런 꿈을 갖게 되면 많은 사람과 부딪히게 될 터인데 과연 어떤 일들이 일어나게 될까? 작가는 이 문제를 어떻게 이끌고 나가려는 것일까? 등의 생각을 하게 될 때 그 내용은 '별다른 무엇' 이 되는 것이다.

'별다른 무엇' 은 등장인물들 사이에 갈등을 불러일으킬 수 있어야 한다. 두목이 되겠다는 꿈을 가진 민호도 다른 아이들과 선생님 그리고 부모님과 갈등을 일으킨다. 바로 이런 갈등이 동화를 읽은 독자가 다른 사람에게 이야기를 할 수 있는 '별다른 무엇' 이 되는 것이다.

작가는 이 동화를 통하여 진정한 두목이 무엇인가를 깨닫게 하고 어린이들이 현재에도 그렇지만 자라서도 훌륭한 두목, 즉 능력 있는 지도자가 되기를 바라는 마음을 담고 있다. 그러나 이런 바람만으로는 동화가 될 수 없다. 독자들이 즐겁게 동화를 읽을 수 있도록 만들어내야 한다. 박숙희는 그런 기술을 갖고 있다. 즉 평범하지 않은 별다른 무엇을 만들어 내고, 그것을 군더더기 없이 펼쳐서 독자들이 흥미를 잃지 않고 이야기의 맥을 따라올 수 있게 하는 능력이다.

초등학교 6학년 읽기 교과서에 실렸던 단편동화 〈가리비와 소녀(원작: 진주가 된 가리비〉에서도 술술 읽히는 즐거움을 느낄 수 있다. 가리비에 모래알이 박혀서 오랜 세월이 지나면 진주가 된다는 내용은 상식적인 이야기이다. 따라서 이런 내용의 이야기는 신선한 느낌을 주지 못한다. 그런데 박숙희는 빤한 내용을 흥미 있게 읽을 수 있도록 분위기를 조성한다.

내가 구태여 엄마 몰래 바깥나들이를 하게 된 것도 곰곰 헤아려 보면 그 소녀를 본 까닭입니다. 소녀는 꼭 해질 무렵이면 산책을 나왔습니다. 그런데 요즘 들어 어찌된 셈인지 그 소녀가 보이지 않았습니다.

소녀를 보기 위하여 엄마 몰래 위험한 해안으로 나들이를 나가는 가리비가 어떻게 될 것인가 하는 궁금증이 다음 내용을 읽게 만든다. 가리비는 어느 날 바닷가에 나갔다가 갑자기 시작된 아픔에 못 이겨 그만 까무러치고 만다. 정신을 차렸을 때는 달님이 자신을 지켜보고 있다.

가리비는 달님에게 자기 마음을 털어놓는다. 가리비는 달님으로 부터 자신이 고통스러워진 이유를 알게 된다. 언젠가 소녀가 던져 준 모래알을 삼킨 일이 있는데 그 모래알 때문에 그렇다는 것을.

'진주를 키우는 일은 쉬운 일이 아냐. 쓰라린 가시밭과 끝없는 사막이나 험한 산골짜기를 지나는 일처럼 고통스러운 일이란다. 그 고통 없이 진주를 키우려고 한다면 그것이 힘들어 넌 그 모래알을 뱉어 버릴 생각을 수없이 하게 될 거야."
"뱉어 버리다니요?"

가리비는 어떤 고통이 엄습해 오더라도 꼭 아름다운 진주를 만들겠다고 결심한다. 그러나 그게 말처럼 쉬운 일은 아니다. 달님은 좋은 진주를 갖기 위해서는 우선 마음이 유리알처럼 맑아야 한다고 충고한다.

가리비는 자신에게 달라붙어 있는 나쁜 버릇들을 하나하나 뜯어낸다. 남의 불행을 기뻐하고 잘난 척하는 뱀장어나 가시처럼 이웃들을 찔러 대는 가시복어도 용서할 수 있는 마음을 갖는다. 독자들은 가슴 속에 진주를 키워가는 가리비를 통하여 성장하는 아픔이 있어야 한다는 은유를 읽게 될 것이다. 이런 은유 또한 글을 읽는 즐거움을 준다.

박숙희는 독자들의 관심을 놓치지 않기 위하여 계속 긴장감을 팽팽히 유지하기 위해 또 다른 문제를 제기하는 형식으로 작품을 구성한다.

소녀에게 보이기 위해 긴 세월 동안 밝혀온 등불을 힘껏 빛내었습니다.

　　"호! 조개가 빛을 내고 있어. 무엇을 품은 가슴이기에 이렇게 아름다운 초롱을 밝히는 걸까?"

　　가리비가 진주를 만든다는 평범한 소재이지만 소녀를 그리워하는 가리비를 통하여 독자들과 좋은 것(진주)은 그저 얻어지지 않는다는 대화를 진지하게 나누며 독자들이 도중에 다른 데 눈을 팔지 않도록 팽팽한 긴장감으로 작품을 끌고 가는 작가의 배려가 잘 나타난 작품이다.

　　환경협회 경기도 지회에서 환경 보호라는 주제로 낸 동화책에 실린 박숙희의 〈뚝딱 뚝딱 아줌마〉를 봐도 읽힐 수 있는 작품을 쓰기 위한 작가의 노력이 돋보인다.

　　환경동화라는 한계가 있기 때문에 독자들 입장에서는 자칫 빤한 이야기가 될 수 있다. 그러나 박숙희는 그 빤한 이야기를 이렇게 우화적으로 풀어서 재미있게 만들었다. 살쾡이는 자기 인상을 좋게 하기 위해 생각을 바꾸고 아름다운 마음을 가지면서 버려진 물건들을 고치기 시작한다.

　　그러던 어느 날, 살쾡이의 집에서 놀러오라는 초청장이 왔습니다. 남쪽 숲 동물들의 궁금함을 풀 수 있는 기회가 온 것입니다. 살쾡이의 굴에 들어선 동물들은 깜짝 놀라고 말았습니다. 사슴 아줌마가 큰 소리로 외쳤습니다.
　　"어머! 저건 내가 버린 식탁이 아냐?"

　　박숙희는 어떤 소재이건 또는 어떤 이야기이건 독자의 흥미를 유발할 수 있는 아이디어를 먼저 생각한다. 그리고 독자들이 작품을 읽어 가면서 흥미를 잃지 않도록 이야기의 흐름에 많은 신경을 쓴다.

4. 나가면서

　　문학은 아동문학 시 소설 수필 희곡 등 다양한 장르가 있다. 여러 장르들 중 특히 '아동문학'은 동심(童心)이 있는 작가가 써야 한다.

　　요즘 보면 '작품은 곧 작가다'라는 등식이 통하지 않는다. 작품을 보고 만나고 싶었던 분을 막상 만나면 작품에서 느꼈던 인품이라든가 품성과는 달라 실망을 할 때가 더 많기 때문이다. 그러나 대체로 작품과 일치하는 작가는 바로 아동문학가다 작품으로만 알던 아동문학가를 처음 만났을 때는 별로 실망한 적이 없었던 것 같다.(100% 다 그런 것은 아니지만 다른 장르 작기들 보다 비교적 그런 경우를 많이 보았다는 것이다.)

　　박숙희의 작품을 통해 느낀 생각을 '어린이의 마음으로 들여다보기' 에서 출발한 동심(童心)의 작가 인간관계 회복을 추구하는 치료자로서의 동화작가, 능숙하게 독자의

흥미를 유지하는 작가라고 요약해 보았지만 실은 아동문학가라면 누구나 이런 능력을
필연적으로 갖추어야 할 덕목이다. 그런데도 새삼스럽게 박숙희의 이런 특징을 부각시
킨 것은 박숙희의 동화 창작에 대한 남다른 사랑과 정성으로 매진하는 장인 정신을 높
게 사고 좋아하기 때문이며, 동화작가로서의 인간미와 순박함과 어린이를 향한 애틋한
사랑을 갖고 있는 작가이기 때문이다. 박숙희의 작품을 읽고 있노라면 팽팽하게 바람
을 탄 연줄을 잡고있는 기분이 든다. 아니면 월척이 걸린 낚싯대를 잡고 짜릿한 손맛을
느끼고 있다는 기분이 들 때도 있다. 앞으로도 계속 팽팽한 즐거움을 주는 동화를 쓰는
행복과 감사가 전해지기를 기대해 본다.

어린이와 함께 선생이 걸어온 길

세상 모든 일이 그러하겠지만, 내가 동화작가가 된 것은 그냥 우연히 된 것이 아닐 것이다. 지난 세월을 더듬어보면, 내가 동화를 쓰는 작가가 되기까지는 알게 모르게 많은 사람들의 도움과 영향을 받았던 것 같다.

1953년, 6·25 전쟁이 소강상태에 접어들어 휴전이 되고 온 나라가 힘들 무렵, 우리 어머니는 8남매(4남 4녀)중 여섯 번째로 나를 낳으셨다.

환란 가운데서 잉태된 탓인지 나중 깐 병아리같이 허약하고 여린 무녀리 같은 아이였더란다.

일제 강점기 일본에서 큰 목재상을 경영하셨던 아버지는 해방이 되자 온 가족을 데리고 고향으로 돌아오셨다. 고향의 전답을 다 사들이다시피 하고 집과 어장을 장만하여 고향에 정착하셨지만 내가 여섯 살이 되던 해 병을 얻어 돌아가셨다. 그래서 아버지에 대한 기억이 많지 않다. 마음이 선량하여 아이들을 무척 사랑하셨다는 것, 잘생긴 미남이라는 것 정도의 기억밖에 없다. 반면 어머니는 몸은 약하고 정신은 강인한 외유내강한 분이셨다.

어머니는 독서하기를 좋아하셔서 바쁘고 힘든 중에도 틈날 때마다 책 읽기를 즐기셨다. 어머니는 책을 읽는 데 그치지 않고 밤이면 자신이 읽은 이야기를 사랑방에 마을 사람들과 가족과 집안일꾼들을 모아놓고 들려주셨다. 아직 TV가 없던 그 시절, 마을 사람들은 비가 와서 일을 못하거나 긴 겨울 밤의 무료함을 달래기 위해 밤마다 우리 집 사랑방으로 몰려들었다. 스토리텔링 기술이 뛰어나실 뿐 아니라 인정 많고 오지랖 넓은 어머니의 성품 때문에 우리 집 사랑방에는 어머니가 거두어 주는 친척들과 사람들의 발길이 끊이지 않았다. 나는 어릴 때부터 자연스럽게 어머니의 치맛자락에 딸려서 밤마다 어머니가 들려주시는 이야기를 들으며 자랐고, 자연히 책을 좋아하고 이야기 듣는 걸 즐기게 되었다.

가끔 큰딸 집에 다니러 오셨던 외할머니는 어머니보다 더 지독한 독서광이셨다. 돌아가시기(100세) 3일 전까지 책을 읽으셨던 분이었으니까.

외할머니 역시 독서와 시조 읊기를 좋아하셨고, 딸과 마주 앉아 읽은 책에 대한 이야기로 밤을 지새우곤 하셨다. 그런 할머니와 어머니의 무릎학교에서 나는 자연스럽게 문학 공부를 한 셈이다. 두 분은 나에게 최초의 문학 선생님이 되어 주셨던 것이다. 어머니는 한 번도 내게 책을 읽으라고 강권하지 않았지만, 책을 읽는 것은 정말 재미있고 신나는 일이라는 걸 몸으로 가르쳐 주신 것이었다. 그런 어머니와 외할머니의 이야기를 들으며 자란 것이 내가 후일 동화작가가 되는 데 많은 자양분이 되어 주었던 것이다.

몸이 약한 어머니를 더 많이 닮은 나는 어릴 때부터 허약했다. 그래서 내 어릴 적 내 별명은 '비얄이'였다. 우리 가족들은 내가 바람만 세게 불어도 날아가는 아이라 내가 자라서 대단한 사람이 되리라고는 기대하지 않았던 것 같다. 그래서 나는 몸으로 하는 일은 잘 못하고, 머리로 하는 일, 즉 책이나 읽고 그늘에 앉아 공상하기나 잘했다. 그러니 자연히 혼자 놀기를 좋아했다. 혼자서 숲속의 야생화를 찾아다니며 숲속에 숨어 피는 예쁜 꽃을 발견하거나 멀리 바다가 보이는 고향의 아름다운 풍광과 푸른 바다의 치맛살 곁에 앉아 망망대해를 바라보며 꿈을 키웠다. 자연이 나의 문학학교였던 것이다.

내가 구체적으로 문학에의 꿈을 가진 것은 초등학교 5학년 때부터였다. 그때 이미 세계의 명작들을 비롯하여 나이에 걸맞지 않는 책들까지 온갖 책을 닥치는 대로 탐독하던 중이었다. 독서열에 휩싸여 종이에 기록된 것은 모조리 읽어치우는 버릇이 들 정도였다. 그 당시 서울대에 다니는 학생이던 오빠의 책꽂이에 꽂힌 책까지 몰래 뽑아 읽기 시작했다. 그때 김소월 시집을 대했을 때 그의 시편들이 너무나 내 마음을 사로잡았다.

'옳다! 나도 이런 시를 써 봐야지.' 하고 무릎을 쳤다. 그리고 누구에게 배우거나 할 처지도 아니어서 혼자서 김소월 조의 시를 쓰기 시작했다. 내가 시를 쓴다고 하자 큰오빠는 방학이 되어 서울에서 내려올 때면 가끔 내게 줄 책을 사들고 오셨다.(오빠가 사준 타고르와 워즈워드 시집은 지금도 골동품이 되어 내 서가에 있다.)

중학교 입학해서는 작가가 되겠다는 생각이 더욱 확실해졌다. 선생님께서 자신의 꿈을 이야기해 보라고 설문지를 내어 주셨을 때 나는 서슴없이 작가가 되겠다고 썼다. 그때 헤르만 헤세, 루이제린저, 칼 힐티, 에밀리 브론테 등의 작가들에게 푹 빠져서 그들의 작품들을 탐독하면서 꼭 명작을 쓰는 작가가 되리라고 미음을 굳히고 있었던 것이다.

내가 작가가 되겠다고 하자 아이들은 의아해 했고 국어 선생님만이 그런 나를 눈여겨보셨다. 국어 시간에 선생님은 내가 쓴 글을 듬뿍 칭찬하시며 칠판에 빽빽하게 판서해 놓고 아이들에게 설명해 주시고 읽어 보게 하셨다. 특활 시간이면 문예 담당 선생님은 합동 작품을 쓰는 시간을 마련하고 자신이 한 구절을 읊고 학생들에게 한 구절을 읊도록 하셨다. 선생님의 시에 대구하며 시 구절 읊기를 주고받으며 글을 쓰는 일에 자신감을 얻어 시를 쓰기 시작했다. 문학에 관심이 많았던 국어 선생님이 자신의 방법으로 나의 창작열을 북돋워 주셨고, 각종 백일장에 내보내서 상을 받게 하시고 작가가 되겠다는 내 꿈을 구체적으로 실현하도록 이끌어 주시지 않았나 싶다.

내가 작가가 되는 데 결정적인 약이 되어 준 사람은 문학청년 때 만난 나의 남편이었다. 시인 지망생이던 그는 이미 고등학교 시절에 신춘문예 최종심까지 오른 데다 학원 문학상이나 전국 대학 문예 현상공모전 등을 두루 휩쓴 실력자였다. 그런데 '신춘문예 당선'이라는 벽을 넘지 못하고 등단의 관문을 뚫으려 준비를 하고 있던 중이었다. 그는 신춘문예 기간이면 온 가족들을 곁에 오지 못하게 밀어내고 혼자 방문을 걸어 잠그고 시를 쓴다며 밤샘을 하곤 하였다. 그러나 그렇게 보낸 작품들이 최종심에서 머무르거나 번번이 낙방할 때 실망하는 모습을 곁에서 지켜보면서, '쯔쯔……. 나 같으면 단번에 당선하겠다. 뭐.' 하고 속으로 비웃었다.

그러면서도 정작 나는 등단할 엄두를 내지 못했다. 하루도 그냥 넘어가는 일 없는 사고뭉치 개구쟁이 세 아들과, 치매를 앓는 팔순 노인인 시할머니를 뒷바라지하는 일만 해도 늘 혼비백산하고 몸살을 앓곤 하는 체력으로 창작의 노고까지 짊어질 수 없었다. 그러나 비록 글을 쓰지는 못해도 책을 읽거나 간단한 습작이나 일기를 계속 쓰면서 괴로운 세월이 지나가기만을 기다렸다.

죽지못해 살아온 세월도 어느덧 끝이 보이기 시작했다. 시할머니가 여든여섯으로 생을 마감하신 것이다. 남편은 그동안 칠전팔기 정신으로 마침내 중앙일보에 시조, 조선일보에 동시가 당선되었다. 그러자 점점 기고만장해 갔다. 몇 년 뒤엔 시까지 통과하여 신춘문예 3관왕이 되었다고 으스대며 대놓고 날 무시하기 시작했다. 그러자 나도 오기가 생겼다.

'오냐! 나도 신춘문예에 당선해 실력을 보여 주마. 당신의 콧대를 꺾어놓으리라' 하는 마음이 들었다. 정신을 차리고 보니 벌써 서른여섯해가 지나고 있었다.

'이러고 있을 때가 아니구나!'

갑자기 다급한 마음이 들었다. 막내를 학교에 넣어 놓고 책상 앞으로 다가앉았다. 그러나 막상 나서고 보니 내가 택해야 할 장르는 한정되어 있었다. 남편이 이미 시, 시조, 동시로 신춘문예 3관왕이 되었으니 뒤에 출발하는 나는 여러 가지가 불리한 여건이었다. 남편이 써주었다는 오해를 받지 않으려면 다른 장르를 택해야 했고 남은 장르는 소설과 아동문학 평론이었다. 평론이나 소설은 체력이나 성격상 내게 적절한 장르가 아니었다는 걸 학창 시절에 이미 체득하고 포기했던 터라 제외하고 나니 남는 장르가 동화였다. 동화에 도전해 보자하고 신춘문예 마감 일주일을 남겨 두고 동화를 쓰기 시작했다. 난생 처음으로 써 본 동화였지만 이미 문청시절에 시나 소설 습작을 하면서 여러 권의 습작 노트를 갖고 있던 터라 그리 어렵지가 않고 재미가 있었다. 시의 간결성과 신비성, 소설적인 재미를 곁들여야 하는 동화가 뜻밖에도 나에게 잘 맞는 장르라는 것을 발견했다. 오랫동안 내가 어떤 장르의 글을 잘 쓸 수 있는지도 모르고 시를 쓰다가 소설을 쓰다가 했지만 딱히 즐겁지가 않았다. 그런데 뜻밖에도 동화를 쓰는 것이 즐겁고 재미있었던 걸 보아 나는 동화를 쓰는 것이 적성에 맞았던 모양이었다.

학창시절부터 잘 안 되는 소설 원고를 끌어안고 입술이 부르트고 몸살을 앓곤 하다가 우선 원고 량이 적은 글을 쓰니 쉽게 글을 쓸 수 있었다. 난생처음으로 동화 몇 편을 써서 남편 몰래 신춘문예에 투고 했다. 그런데 뜻밖에도 매일신문사에서 연락이 왔다. 내가 쓴 동화 〈꿈마차황금마차〉가 〈매일신문〉 신춘문예에 당선했다는 것이었다. 그리하여, 1988년 1월 1일자 〈매일신문〉에 까만 뿔테 안경을 쓴 내 얼굴이 실렸다.

〈서울신문〉, 〈경향신문〉 등 가명으로 응모했던 중앙지에는 모두 최종심에 머물렀고 〈매일신문〉에만 당선이 되었던 것이다. 솔직히 평이나 받아 보자는 생각이었지만 맨 처음 써본 동화가 그해 신춘문예 출품작 중 가장 뛰어난 작품이었다는 칭찬을 받으며 덜컥 당선하자 '이거 큰일났다!' 싶었다. 동화 공부도 전혀 해보지 않은 상태에서 신춘문예에 당선하여 도마 위에 놓였으니 말이다. 당황한 나는 그때부터 구체적으로 동화 공부를 시작했다.

내가 동화 공부를 하겠다고 작정하고 제일 먼저 시작한 일은 높은 산꼭대기를 올라가 보는 것이었다. 세 아들 키우고 매운 시집살이 하는 십년 동안 절망하고 좌절하고 주눅 들고 지치고……. 형편없이 위축된 마음을 일으켜 세우는 일이 급선무였기 때문이었다.

남편은 약해질 대로 약해지고 죽을 고비도 수차례나 넘겨 피골이 상접한 나를 데리고 설악산으로 등산을 갔다. 처음엔 산을 오르는 일이 죽을 듯 힘들고 도저히 오르지 못할 태산 같다는 생각밖에 들지 않았다. 그 다음은 토함산, 소백산, 한라산, 가지산, 지리산……. 우리나라의 높다 하는 산들을 차례로 올라갔다. 산꼭대기를 오르기를 수없이 반복한 끝에 차츰 기진했던 몸과 마음이 회복되고 무너진 자신감을 세울 수 있었다. 산을 오르면서 나를 일으켜 세운 것이다.

절대로 오를 수 없을 것 같던 높은 산 정상에 앉아 까마득한 아래 세상을 내려다보며 아무리 어려운 일도 등산의 어려움에 비하면 모두 쉬워 보였다. 코앞의 조그만 괴로움과 아등바등 싸우며 나약하게 살아온 지난날이 부끄러웠다.

산정상에 오르기 위해서는 진액을 짜듯 젖 먹던 힘까지 짜내어 험한 골짜기를 괴롭게 헤치고 올라가야 하고 땀을 비 오듯 흘리고 나서야 얻을 수 있는 자리라는 걸 온몸으로 느낄 즈음 조금씩 마음이 일어서기 시작했다. 진즉 체험했더라면 인생을 좀 더 여유로운 시각으로 바라볼 수도 있었을 텐데 너무 늦은 나이에 그런 사실을 공부한 것이 억울했다.

수없이 극기 훈련을 하고 나니 내가 당한 고난은 아무것도 아니란 생각이 들었다. 그러자 자연스럽게 산처럼 의연히 서서 온갖 것을 포용하며 용서하고 꽃과 나무와 산새와 동식물과 살아 있는 것에 대한 자애로운 산의 마음 자세로 동화를 쓰겠다는 각오가 섰다.

그 다음 공부는 바다! 바다를 읽고 듣는 일이었다. 바다의 넓고 시원한 심성을 배우고 푸른 파도의 기상을 닮아 보기로 한 것이다. 나는 어릴 때부터 바다를 무척 좋아했다. 바다의 변함없는 푸른 열정과, 포효와, 격랑과, 잔잔함 혹은 절규를, 그래서 기회가 닿는 대로 바다를 찾아갔다. 원고를 쓸 땐 대부분 바다가 보이는 곳으로 가서 바다를 마주하고 글을 썼다. 그러면 피로한 눈을 보호할 수 있어 좋았다. 떠오르는 태양을 가슴으로 받아 안고 일출 광경을 바라보면서 글을 쓸 때면 웅혼한 바다의 음성을 들을 수 있는 귀가 열렸다. 그러면서 바다 같은 글을 써야 한다고 굳게 다짐했다.

그 다음으로 여유가 생길 때면 세계의 여러 나라를 살펴보기를 힘썼다. 낯선 이방인들을 만나고 낯선 거리 낯선 문화를 접하면서 우물 안 개구리처럼 살아왔던 내 인생의 높이와 넓이와 깊이의 면적을 조금씩 키워 나갔다. 어느 한 장소에만 아웅다웅하고 살면서 인생이 어떻다고 할 수는 없었다. 인생의 진면목을 온몸으로 체득해 본 작가라야만 독자에게 다양한 이야기를 자신있게 할 수 있을 것 아닌가? 내가 경험하고 만져 본 것이 아닌 것을 그렇다고 거짓말하거나 머리로만 글을 쓰지 않기 위해서였다. 그리고 나서야 동화를 쓰는 기법들을 읽고 공부했다. 그러지 않고는 독자들에게 자신 있게 이야기할 수 없을 것 같았다.

그러고 나니 내 속에 동화가 차오르기 시작했다. 내 발길이 닿고 내가 느끼고 온몸으로 감동했던 온갖 이야기들이 실꾸리처럼 솔솔 풀려나오는 것이었다. 그래서 나는 내가 경험했던 일로 이야기를 꾸미는 작업을 많이 했다. 참말을 거짓말처럼 쓰는 동화를 주로 썼다.

그렇게 쓴 동화들로 1990년 2월, 처음으로 동화집 《진주가 된 가리비》를 펴냈다. 그 책으로 그 해 우수 작품에 선정되어 문예창작지원금을 받았다. 생각지도 않은 선물은 정말 감격적이었다. 동해안의 한 귀퉁이 경주에 사는 무명작가에게 하나님이 보낸 선물이었다. 뿐만 아니라 2000년부터 2010년까지 초등학교 6학년 읽기 교과서에도 실려 어린이들의 사랑을 받았다. 첫 책이 평론가들의 호평을 받자 자신감과 함께 그때부터 수많은 동화들이 나를 찾아왔다. 쉴 새 없이 원고 청탁이 이어지고 온갖 이야기들이 쏟아져 나왔다. 내 인생의 고난은 모두 끝난 듯 모든 것이 밝고 찬란한 동화의 세상이 열리기 시작했다. 나는 그때부터 나는 완전히 동화작가로 변신하여 동화속의 주인공처럼 밝고 천진난만한 어린아이 마음으로 살았다. 내 앞에 닥치는 모든 희로애락을 관찰자적 시점에서 바라보니 일상생활 속에서 만나는 모든 것이 동화의 소재로 다가왔다. 나는 그 동화 속의 주인공이 되어 울고 웃으며 신나게 동화를 썼다.

1995년에는 《새를 기다리는 나무》란 첫 장편을 펴냈을 때도 그 책 역시 우수 도서로 선정되면서 세종아동문학상을 안겨 주었고, 북매거진이란 잡지에서 오규원 선생님의 동시집 《나무속의 자동차》와 함께 그 해 최고의 책으로 뽑혔다. 뿐만 아니라 청소년 권장도서로도 선정되었다.

'하면 되는구나!' 하는 생각이 들었다. 소녀 시절의 가냘픈 내 꿈이 마침내 이루어진 것이다. 어떻게 해야 작가가 되는 것인지도 몰랐던시절에 그저 혼자 읽고 생각하고 열심히 쓰면서 막연히 작가가 되리라고 꿈꾸어오던 것이 마침내 현실로 이루어졌다.

1999년 12월에는 지식산업사에서 《따뜻한 손》과 눈높이 대교에서 《자연이 들려주는 지혜동화》를 동시에 펴냈다. 이 책들 역시 우수 도서로 선정되었고, 2000년에 효리원에서 펴낸 저학년장편동화 《뼈쥬리아 공주》가 십년 동안 베스트셀러 코너에 진열될 수 있었던 것도 행운이었다. 그 후 《가시복 탁탁이》《나는 누구인가?》《난 이제 울지 않을 거예요》《아기송아지 움머》《스스의 모험》 등 한동안 그림동화 쓰는 재미에 푹 빠졌다. 2005년에는 저학년장편동화 《난 두목이 될 거야》(효리원)와 《숲속의 궁전》(기댄 돌) 등을 펴냈을 때도 평단의 주목을 받았다.

동화는 그렇게 나를 찾아와 내 인생을 빛내 주었고 동화를 쓰는 동안 나는 그지없이 행복했다.

그러나 이제 나의 동화는 달라져야겠다. 나의 사상과 가치관이 보다 새로운 터닝 포인트를 맞이했기 때문이다. 한층 더 새롭고 차원 높은 동화가 찾아오기를 기다리며 나는 오늘도 연필을 새로 깎는다.

한국 아동문학가 100인

길지연

대표 작품

〈감귤나무 아래서〉

작품론

참된 이야기, 상리공생 실천

어린이와 함께 선생이 걸어온 길

감귤나무
아래서

햇살이 눈을 간질였다. 억지로 몸을 일으켰다. 다행이다. 조금만 더 잤으면 오줌을 쌌을 거다. 사학년이 되고 난 뒤, 한 번도 오줌을 싸지 않았다. 힐끔 창밖을 바라보았다. 살금살금 떠오른 해가 귤나무를 비추고 있었다. 한 번도 귤이 열리지 않았다는 귤나무, 저게 진짜 귤나무인지 모르겠다. 아침마다 감귤나무를 쓰다듬은 14층 할머니, 오늘도 감귤나무를 쓰다듬고 계실까? 침대에서 막 일어서려는데 창밖으로 무엇인가 휙 스쳤다.

"뭐지?"

베란다로 달려가고 싶었지만 찔끔 오줌이 나왔다. 바지춤을 잡고 화장실로 달렸다. 오줌을 누고 나오는데 잠옷 차림으로 나온 엄마가 내 방 창문 커튼을 쳤다.

"안 돼!"

엄마는 비명을 지르듯 소리를 치며 중얼거렸다.

"하필이면 우리 집 앞으로……."

엄마는 온몸을 후들후들 떨고 있었다. 조금 있자, 구급차 소리가 요란하게 들렸다. 아빠가 운동복 차림으로 달려 나갔다. 잠시 뒤 들어온 아빠의 얼굴이 새파랬다.

"십사 층 할머니가 떨어지셨대. 귤나무 가지에 걸렸다는데……."

아빠가 엄마를 바라보며 작은 소리로 말했다. 벙긋거리는 아빠의 입술을 바라보다 벌떡 일어나 일층 꽃밭으로 달려 나갔다.

"건호야!"

엄마 목소리가 현관을 빠져나왔다. 구급차가 급한 소리를 내며 아파트 정문을 빠져나가고 있었다. 할머니가 직접 심으셨다는 귤나무는 큰 가지가 두 개나 부러져 있었다.

'할머니!'

아무리 눈을 크게 뜨고 찾아도 할머니가 보이지 않았다.

'할머니는 어디 계신 걸까?'

'구급차에 실려 가신 걸까? 많이 다쳤으면 어떡하지?'

귤나무를 바라보며 우두커니 서 있는데 할머니의 목소리가 또랑또랑 들려오는 듯했다.

"이상하지! 십 년이 지나도 귤이 안 열려, 제 땅이 아니라서 그런가 봐."

고개를 들어 14층을 올려다보았다. 까마득히 높아만 보이는데……. 할머니가 떨어지셨다는 것이 믿기지 않았다. 베란다 난간이라도 무너진 것일까? 어쩌면 빨래를 널다가 떨어지신 것인가? 할머니는 빨랫줄이 높아서 의자에 올라가 빨래를 너신다고 하셨다. 할머니는 어떻게 되신 걸까? 갑자기 다리가 후들후들 떨렸다.

"건호야! 거기서 뭐 해? 학교 가야지"

엄마가 일층 베란다 창문을 열고 손짓을 했다. 마치 '그 자리에 있으면 안 돼' 하는 얼굴이었다. 엄마는 파래진 얼굴로 귤나무를 힐끔 쳐다보고는 눈을 찔끔 감았다.

"늦었어!"

책가방을 챙겨 학교로 가는데 바닥에 신발이 꽉 붙은 것처럼 걸음이 떨어지지 않았다. 가지가 부러진 귤나무가 자꾸 '아파, 아파' 신음하는 듯 했다 나긋나긋한 할머니 목소리가, 아기처럼 방긋 웃으시던 할머니 모습이 떠올라 공부가 안 됐다.

'할머니 는 괜찮을 거야! 혹시 나 때문에…….'

뾰족 가시가 솟듯 별별 생각이 다 솟고 있었다. 귤나무 아래 묻은 할머니의 보물 단지! 수박보다 작은 둥근 항아리는 할머니의 보물이었다. 달빛이 새하얗게 귤나무를 비추던 밤, 할머니가 일층 꽃밭에서 서성거리셨다. 내 방은 일 층 꽃밭 옆이라 모든 게 훤히 보였다− 베란다 창문을 열었다.

"할머니 뭐 하세요?"

할머니가 입을 손에 대시며 '조용히' 나오라고 손짓을 하셨다. 나는 베란다 문을 열고 일층 꽃밭으로 뛰어내렸다.

"쉿!"

할머니가 주위를 살피셨다, 지나가는 사람이 없자 할머니는 안고 있던 항아리를 내려놓으셨다.

"이게 내 보물단지다"

할머니가 아기처럼 웃었다. 항아리에서 먼저 나온 건 돌돌 말린 하얀 손수건이었다. 손수건 다음으로 나온 건 속이 반짝거리는 조개껍데기 같은 거였다.

"그건 뭐예요?"

"처음 물질할 때 캔 전복이야. 오십 년을 함께 산 내 첫 자식이지!"

"와! 이제 오십 년 된 거예요?"

그 전복 껍데기와 손수건은 다시 항아리 속으로 들어갔다. 그 다음은 색색의 실뭉당이가 나왔다.

"이건 우리 영감이 사다 준 거야."

　할머니는 실 뭉치를 보며 또 아기처럼 웃었다. 사진 액자도 있었다. 남자 아기 사진이었다. '우리 아들' 하며 할머니는 사진 액자를 한참 끌어안고 있었다 할머니 얼굴은 엄마가 나를 안아 줄 때 같은 얼굴이었다. 한참이 지나자 할머니는 사진 액자를 하얀 헝겊에 싸서 다시 항아리에 넣었다. 그리고 '후우' 하며 길게 한숨을 쉬셨다.

　"이건 우리만의 비밀이다."

　할머니가 손가락을 내 밀었지만 난 싱거웠다. 별것도 아닌 걸 할머니는 비밀이란다. 그래도 고개를 끄덕이며 약속을 했다. 그때는 그랬다. 나는 그 항아리에서 두 번 돈을 훔쳤다. 그 돌돌 말렸던 하얀 수건 안에는 만 원짜리가 열 장 들어 있었다. 할머니는 모른다. 그 뒤로 할머니는 땅에 묻은 항아리를 꺼내지 않았으니까. 아니다, 어쩌면 할머니는 알면서 모르는 척 했을 거다.

　교문을 나서는데 맹맹이 형과 친구들이 키득거리며 따라왔다.

　"야! 오늘은 귀신 할매 안 왔냐?"

　맹맹이 형은 육학년이 되어도 여전히 코맹맹이 소리를 한다.

　"……."

　맹맹이 형과 그 친구들이 지나가기를 기다렸다. 이제는 맹맹이 형도 놀리기만 할 뿐 나한테 돈을 뜯거나 바지를 벗으라고 하지 않는다. 초등학교에 입학하고 며 칠 이 지난 날이었다. 오줌이 마려운 걸 참고 있다가 바지에 오줌을 싸고 말았다.

　"화장실에 가 있어라."

　선생님은 어디선가 새 속옷을 가지고 와서 건네주었다.

　"괜찮아. 얼른 갈아입고 교실로 들어와."

　선생님은 아무 일도 아니라며 내 어깨를 다독여 주셨다. 그때 화장실로 들어서던 맹맹이 형이 그 모습을 봤다.

　"선생님이 네 고추 만졌지?"

　맹맹이 형은 그 일을 떠들고 다니다가 자기네 반 담임선생님에게 혼이 났다. 그 화풀이는 다시 내게 돌아왔다. 맹맹이 형과 그 친구들이 학교 뒷길 담벼락에 세워 놓고 내 바지를 벗겼다. 오줌을 누라고 했다. 어디선가 날아온 꽃향기가 폴폴 날리던 날이었다.

　훌쩍훌쩍 울고 있는데 누가 고함을 쳤다.

　"이놈들!"

　호통을 치며 나타난 사람은 14층 할머니였다. 할머니는 작고 곱은 손으로 맹맹이 형과 친구들의 등을 때렸다. 맹맹이 형과 친구들이 부리나케 달아났다.

　"어서 바지 입어라."

　할머니는 바지를 치켜 주시고 가방을 바르게 매 주셨다.

"남자가 돼 가지고 대들기라도 해 봐야지. 울고만 있어!"

할머니는 다짐하듯 다시 말씀하셨다.

"남자는 우는 거 아니야. 함부로 바지도 벗으면 안 되는 거야. 알았지?"

나는 콧물을 훌쩍이며 약속을 했다. 그 일은 할머니와 나만의 비밀이었다. 다음날도, 그 다음날도 할머니는 학교 뒷문에 서 계셨다. 먼발치에서 바라보고만 계셨다. 비바람에 우산이 뒤집힌 날도 오셨다. 지난겨울에는 하얀 눈을 흠뻑 맞고서 계셨다. 할머니의 작은 몸이 스르르 눈 속에 녹아 버릴 것 같았다. 그 모습을 보며 맹맹이 형과 친구들이 놀렸다.

"얼레레 눈할매 귀신이래요."

할머니는 도망치는 형들을 보며 웃었다.

"할머니 추운데 왜 오셨어요?"

"난 눈 내리는 날이 좋아."

"그래도 너무 추운데요."

"우리 아들도 눈 내리는 걸 좋아했지."

"할머니 아들이요? 지금 어디 있어요?"

할머니는 입을 꼭 다물고 화난 사람처럼 빨리 걸으셨다. 그렇게 할머니는 늘 학교 뒷문에 서 계셨다. 저 만큼 서 계시다가 내가 걸으면 졸졸 따라 걸으셨다. 가끔 문방구 앞을 지날 때면 '곤호야!' 하고 부르셨다.

"왜요?"

"이거."

할머니는 이백 원을 건네주시며 문방구 앞에 있는 뽑기 기계를 가리켰다.

"앗싸!"

뽑기를 하라고 주시는 것이다. 내가 좋아서 펄쩍 뛰면 할머니도 덩달아 '앗싸' 하시며 어깨를 들썩하셨다. 삼학년 방학 때였다. 며칠을 퍼붓던 큰비가 멈췄다.

"엄마! 자전거 타러 가도 돼?"

"차 조심하고 일찍 와."

엄마 목소리가 컴퓨터 자판 소리에 섞인 채 날아왔다.

또 인터넷 쇼핑을 하나 보다. 엄마는 인터넷에서 물건 사는 게 취미다. 아파트 뜰을 나서는데 할머니가 자박자박 걸어오고 계셨다. 햇볕을 받은 할머니의 얼굴은 하얀 가을꽃처럼 왠지 슬프고 조용해 보였다.

"할머니!"

나를 보자 할머니 얼굴이 금세 환해졌다.

"아직도 방학 안 끝났지?"

"네."

"방학이 빨리 끝나면 좋겠다."

할머니가 긴 숨을 내쉬셨다. 햇빛이 눈부셔 할머니 얼굴은 안 보이고 하얀 머리만 반짝거렸다.

"왜요?"

"난 방학이 싫다. 건호가 학교 가는 게 더 좋은걸."

"난 방학이 좋아요. 실컷 놀 수 있잖아요. 할머니도 친구들이랑 노세요."

"그러마. 그런데 어디 가냐?"

"마루천에 가요, 자전거 타러."

"물이 많이 불었는데 조심해 다녀오너라."

아파트 뒷길에서 마루천까지는 자동차가 다니지 않는 생태 공원이다. 마루천에 가면 여름 철새들도 볼 수 있다. 새들은 큰 비가 오면 어디서 잘까? 그 생각을 하며 마루천으로 달렸다. 개천을 끼고 달리니 그다지 럽지 않았다. 졸졸 흐르던 개천은 물이 많이 불어서 강이 됐다. 전에는 허벅지 정도까지 높이였는데 지금은 내 키가 넘을 것 같다. 그 생각을 하니 개천이 조금 무서워 졌다. 길까지 올라온 물은 찰랑거리며 자전거 페달을 찰싹찰싹 때렸다. 그때였다. 기분 나쁜 코맹맹이 소리가 들렸다. 저 앞에 맹맹이 형과 친구들이 걸어오고 있었다.

"끼익."

급히 자전거를 멈추느라 하마터면 개천으로 빠질 뻔했다.

"신고식!"

맹맹이 형이 두 팔을 옆으로 쫙 펼쳤다.

"여기다 오줌 싸고 가."

맹맹이 형이 황토색으로 변한 개천을 가리켰다. 엄청 불어난 물을 보니 금세라도 첨벙 빠질 것만 같아 다리가 후들거렸다.

"빨리 오줌 누라니까."

이번에는 맹맹이 형 친구들까지 눈을 부라렸다. 태권도장에 다닌다며 으스대고 늘 태권도 복을 다니는 걸이 형. 여자애처럼 까만 두 눈을 데굴데굴 굴리며 까르르 웃는 재헌이 형까지 부추겼다. 물이 자꾸 내 발을 잡아당기는 것 같았다. 맹맹이 형을 보았다. 어느새 내 키가 훌쩍 커 있었다. 형 얼굴이 내 목에 와 있다. 맹맹이 형은 영원이 키가 안 크려나? 여전히 일학년 때 키다.

"왜 노려봐."

맹맹이 형이 눈을 치켜뜨자 뾰족한 턱이 살짝 흔들렸다.

'울지 않기, 바지 벗지 않기'

14층 할머니 앞에서 다짐했던 말이다.

"싫어!"

"아쭈구리, 너, 귀신 할매 믿고 까부는 거지?"

맹맹이 형과 친구들이 큭큭 웃었다.

"비켜!"

소리를 지르며 맹맹이 형을 힘껏 밀쳤다. 눈 깜짝할 사이일이다.

순간, 더럭 겁이나 그대로 자전거를 팽개친 채 앞으로 쏜살같이 달렸다 비릿한 냄새가 막 코를 스치는 순간 비명 소리 가 들렸다.

"살려주세요."

걸이형의 다급한 목소리가 강을 타고 날아왔다.

"도와주세요."

흘끔 돌아보니 맹맹이 형이 물에 빠져 있었다. 걸이 형과 재헌이 형이 발을 동동 굴렀다.

"맹맹이 형!"

나도 형을 부르며 달려갔다. 맹맹이 형은 마치 물장난을 치는 것처럼 파닥파닥 거렸다.

"형, 헤엄쳐 봐."

소용없었다. 형은 우리들 말소리도 못 듣는 듯했다. 저 만큼에서 파란 모자를 쓴 아줌마가 강아지와 뛰어 오고 있었다.

"어쩌나! 난 수영을 못하는데."

아줌마도 당황한 얼굴로 주위를 두리번거렸다. 한낮이라서 그런지 지나가는 사람이 없었다. 맹맹이 형의 얼굴이 조금씩 물속으로 틀어 가고 있었다.

"빨리 119에 전화하자."

아줌마가 막 핸드폰을 드는 순간이었다.

"저리들 비켜라."

14층 할머니였다. 어디서 나타나신 걸까? 할머니는 작은 몸을 동그랗게 말더니 풍덩 물웅덩이로 들어가셨다.

"할머니!"

할머니는 푸른 물고기처럼 매끄럽게 물살을 헤쳤다. 어푸어푸 거리며 맹맹이 형의 머리를 잡는데 몇 초도 걸리지 않았다. 할머니는 맹맹이 형을 데리고 가뿐히 헤엄을 쳐 나오셨다. 정말이지 맹맹이 형이 구조되는데 5분도 안 걸린 것 같았다.

"와!"

강아지를 안고 있던 아줌마도 우리들도 껑충거리며 소리를 질렀다. 맹맹이 형은 바닥에 엎드린 채 온몸을 부르르 떨었다.

"물이 안 깊어서 다행이다."

할머니가 맹맹이 형을 엎드리게 하고 등을 쳤다.

"캑캑."

맹맹이 형이 캑캑 물을 토했다. 물을 토하고 나서는 코맹맹이 소리로 울었다. 한참 등을 치던 할머니가 맹맹이 형 옷을 벗겼다.

"바지도 벗어라, 물을 짜야겠다."

맹맹이 형은 시키는 대로 했다. 팬티만 입은 채 알몸이 된 맹맹이 형이 돌아앉았다. 할머니는 형 바지를 짜고 옆에 있던 아줌마는 형의 웃옷을 짰다. 맹맹이 형은 고개를 숙인 채 쩍쩍 울었다 햇볕이 쨍한데 몸은 바들바들 떨었다. 나는 할머니를 보았다. 할머니 옷도 다 젖어 있었다.

"할머니 옷도 다 젖었어요."

"난 괜찮아, 집에 가서 갈아입으면 돼."

"할머니 어쩜 그렇게 헤엄을 잘 치세요?"

아줌마가 눈을 동그랗게 뜨며 물었다.

"잘할 수밖에 없지. 해녀로 몇십 년을 살았는데."

"네에?"

할머니 말에 아줌마 입이 먼저 벌어졌다.

"해녀셨어요? 그럼 제주도에서 오신 거예요?"

아줌마가 또 물었지만 할머니는 대답하지 않았다.

"어서 옷 입고 돌아가거라."

맹맹이 형은 허둥대며 옷을 입었다. 옷이 축축해서 잘 안 들어갔다. 형은 바지를 입으려고 낑낑거리다가 풀썩 주저앉았다.

"하하하."

걸이형과 재현이 형이 웃었다.

"웃지 마!"

맹맹이 형이 빨개진 얼굴로 소리를 지르며 노려봤다. 나는 할머니 쪽으로 얼굴을 돌렸다.

"할머니는 근데 여기 왜 오셨어요?"

"물이 불었는데 네가 자전거 타러 간다고 해서 걱정이 돼서 와 봤지."

할머니가 '다행이다' 하시며 내 손을 꼭 잡았다.

"할머니 안 오셨으면 큰일 날 뻔했어요."

파란 모자 아줌마가 몸서리를 쳤다.

"이제 괜찮지, 어서 집에 가거라."

맹맹이 형은 인사도 안 하고 볼이 퉁퉁 부운 채 돌아섰다.

"네가 밀어서 빠졌잖아!"

맹맹이 형이 가다 말고 한참을 노려봤다.

"형! 미안해."

맹맹이 형은 더 이상 돌아보지 않았다. 파란 모자 아줌마도 강아지를 데리고 다시 둑길을 걸어갔다. 둑길에는 이제 할머니랑 나만 남았다.

"할머니! 인어 공주보다 더 멋졌어요. 할머니 바다에서 상어도 잡은 적 있어요?"

"그 무서운 상어를 내가 어찌 잡겠나, 상어가 사는 바다는 아주 깊은 곳이야. 해녀들이 갈 수 없는 곳이지."

유리구슬을 띄워 놓은 듯 물살이 반짝거렸다. 할머니는 흐르는 물을 한참 바라보았다.

"열다섯 살부터 물질을 했어. 시집 와서도 내내 물질을 했어 신랑은 배를 탔어. 그 배를 타고 가서 영영 안 돌아왔지."

할머니는 흘러가는 물에 대고 혼잣말을 했다.

"오롯이 하늘 아래 하나 남은 아들 서울로 대학 보내고 얼마나 뿌듯했는지. 큰 회사에 취직이 됐다고, 서울 구경 시켜준다고 어미한테 비행기 표를 보내 줬는데……. 마중 나오다가 차 사고로 가 버리다니!"

하얀 가을 꽃 같은 할머니 얼굴에 햇살이 비쳤다. 또 눈이 부셔 할머니 얼굴은 안 보이고 하얀 머리카락만 반짝거렸다. 할머니 말을 다 알아듣지 못했다. 할머니 눈물이 햇볕에 반짝이는 걸 봤다.

할머니가 이상해진 것은 삼학년 이 학기 때부터였다. 붉은 나무 잎사귀들이 학교 담을 타고 춤을 추던 날이었다. 체육 시간이었다. 우리는 운동장에서 피구를 하고 있었다.

"건호야, 너희 할머니다."

아이들이 웅성거렸다. 큭큭 웃음소리가 커졌다. 할머니가 운동장에 있는 나무 아래서 오줌을 누고 계셨다. 갑자기 얼굴이 달아올랐다.

"이건호! 할머니 화장실 모셔다 드리고 와라."

친구들이 떠들자 선생님이 다시 호루라기를 불었다. 발걸음이 떨어지지 않아 우두커니 서 있는데 수위 아저씨가 먼저 뛰어갔다. 나는 모르는 척 그냥 돌아서 교실로 들어가 버렸다.

다음 날, 할머니는 아무 일도 없었다는 듯 다시 학교 뒷문에 서 계셨다. 언제나처럼 멀리 떨어져서 웃고 계셨다. 나는 고개를 돌렸다. 못 본 척 고개를 숙인 채 걸었다. 왠지 그냥 할머니가 창피했고 싫었다. 그렇게 할머니와 조금씩 멀어졌다. 할머니 꿈을 꾼 것 같기도 했다. 희미해서 기억이 안 났다 오줌이 마려워 눈을 뜨면 아침이었다.

어느 날은, 할머니가 감귤나무에 빨랫줄을 매고 계셨다. 눈이 마주치자 할머니가 빙그레 웃으셨다.

"우리 베란다 빨랫줄이 너무 높아. 의자 위로 올라가서 빨래를 널어야 하잖아. 지난번에는 의자 위에서 떨어지는 바람에 허리를 다쳐서 며칠 혼났어."

할머니는 혼잣말처럼 하셨다. 나는 씩 웃으려던 입술을 오므렸다.

갑자기 할머니가 학교 운동장에서 오줌을 누던 모습이 떠올랐다. 창문을 닫았다 그 뒤 로 몇 번, 학교 근처에서 할머니를 봤다. 가끔은 문방구 앞에 할머니가 계셨다. 뽑기하는 애들 뒤에서 구경을 하고 계셨다. 할머니 항아리에서 돈을 훔친 것은 게임 때문이다. 상가 안에 새 게임방이 생겼다.

"게임 열라 많아."

짝꿍 현이가 신나게 자랑을 했다. 학원을 빼 먹고 가는 애들도 있었다. 엄마 지갑에서 돈을 훔친 아이도 있었다. 비가 많이 내린 다음날이었다. 밤새 내린 비 탓일까? 귤나무 아래 땅이 움푹 파져 있었다. 문득 할머니 항아리가 떠올랐다. 아니다, 솔직히 하얀 손수건에 쌓여 있는 그것 이 궁금해졌다.

"그 손수건에 쌓여 있던 게 뭐지? 혹시?"

그 안에 돈이 있을 거라는 생각이 들었다. 자꾸 그 생각이 마음을 간질였다. 그날 밤 살금살금 베란다를 넘어 일층 꽃밭으로 뛰어내렸다. 귤나무아래 몸을 웅크린 채 주위를 두리번거렸다. 꽃삽으로 부지런히 흙을 퍼 올렸다. 비닐에 쌓인 항아리가 보였다. 비닐봉지는 축축했지만 항아리는 그대로였다. 비닐을 풀고 항아리를 꺼내 뚜껑을 열었다. 항아리 안에 손을 넣어 하얀 손수건 뭉치를 꺼냈다 돌돌 말린 수건을 푸니 축축하게 웅크린 돈이 나왔다.

"아싸!"

실실 웃음이 나왔다. 재빠르게 만 원짜리 두 장을 뺐다. 다시 항아리를 비닐에 싸서 묻었다. 꽃삽은 베란다에 다시 두었다. 두 번째 돈을 훔친 것은 한 달 전이다.

"새로 나온 물고기 사러 간다."

영어 학원을 나서는데 민호가 말했다 민호는 용돈을 모아 물고기를 산다고 했다.

"나도 구경 할게."

상가 일층에는 금붕어 파는 가게가 있었다.

"바로 이 물고기야."

"신기하다! 그림책에서 본 물고기랑 똑같다."

물고기는 내 손가락 두 배 정도 컸다. 온몸이 무지갯빛이었다.

"이 물고기 얼마예요?"

"한 머리에 만 원이야."

"되게 비싸다."

"이건 희귀종이야. 아무 데서나 살 수 없어."

민호는 두 마리를 샀다.

"한 마리는 외롭잖아. 친구랑 함께 놀아야지."

민호는 소중하게 물고기가 든 봉지를 끌어안고 돌아갔다. 그날 밤, 왜 그랬을까? 다시 할머니의 항아리를 꺼냈다. 이만 원을 꺼내면서 힐끔 14층을 올려다보았다.

'이번이 마지막이야.'

항아리가 할머니인 듯 인사를 했다. 돈을 꺼내고 항아리를 묻었다. 다음날, 민호가 산 무지개 물고기를 두 마리 샀다. 아무 생각 없이 샀다. 아니다, 민호가 부러웠다. 영어를 잘 하는 것도 부럽고 용돈을 많이 받는 것도 부럽고 물고기를 키우는 것도 부럽다. 난 개뿔이다. 공부도 별로고 운동도 별로다. 일학년 때 오줌 한 번 싼 것 가지고 지금까지 놀림 받고 친한 친구도 없고 만날 14층 할머니랑 다닌다고 놀림 받고 이제 할머니가 운동장에서 오줌까지 싸는 바람에 더 쪽 팔린다. 그래서 할머니랑 같이 안 다니기로 한 거다. 그런데 할머니를 피해 다니면서부터 가슴이 따끔거렸다. 물고기는 무슨 일인지 이틀만에 죽어버렸다. 물고기가 죽고 나니 가슴이 더 따끔거렸다. 바로 그날이다.

물고기가 죽은 날, 내 발길은 14층 할머니네로 가고 있었다. 1401호 현관문이 활짝 열려 있었다. 살며시 안을 들여다보았다. 할머니가 베란다에서 밖을 내다보고 계셨다. 나는 용기를 내어 할머니를 불렀다.

"할머니!"

내 목소리에 할머니가 뒤를 돌았다. 작고 하얀 꽃이 사르르 바람에 흩어지듯 할머니 얼굴에 힘이 없었다.

"건호로구나. 그새 이렇게 키가 컸네. 어서 들어오너라."

할머니가 반갑게 달려 와 손을 잡았다. 일 년 만인 거다.

"왜 이렇게 오랜만이야?"

"그냥……."

부끄럽고 창피해서 더 대답을 못했다.

"할머니, 베란다에서 뭐 하셨어요?"

"여기 서면 내가 살던 바다 집이 보이는 것 같아."

"거기서 고향집이 보여요? 바다가 보여요?"

"이리와 봐라."

할머니가 내 손을 끌었다.

"와!"

14층 베란다에 서니 마루천이 보였다. 아파트 단지 너머로, 아직은 개발되지 않은 넓은 밭이 바다처럼 펼쳐져 있었다.

"정말 바다 같은데요. 우리 집은 일층이라 하나도 안 보이는데."

"그래도 어디 고향 바다만 하겠니?"

할머니는 웃었다. 슬픈 웃음이었다. 눈가를 훔치며 돌아서는 할머니는 막 걸음마를 뗀 아기처럼 걸음걸이가 아슬아슬 했다.

"이리 와 주스 마셔라."

할머니는 작은 식탁 위에 사과 주스랑 과자를 내놓으셨다.

"할머니! 고향집에 가면 되잖아요?"

할머니가 깊고 긴 숨을 오래 내쉬었다.

"이 집은 아들이 산 집이란다. 도저히 이 집을 팔고 떠날 수가 없구나. 그런데 요즘은 자꾸 물질하던 바다가 그리워지는구나."

아삭아삭, 내가 과자 씹는 소리가 더 크게 들렸다.

"그래도 저기 서 있으면 푸른 바다도 출렁이는 것 같고 물새 소리도 들리는 것 같아."

할머니의 작은 눈 속에서 바다가 찰랑대듯 눈물이 고였다.

"할머니! 제가 중학생이 되면 할머니 고향 바다에 모시고 갈게요."

"그럴래? 건호가 중학생이 되려면 앞으로 몇 년을 기다려야 되나?"

"이년이요, 자! 약속할게요."

할머니 얼굴이 환했다. 할머니의 작고 가는 손가락과 내 손가락이 도장을 찍었다. 그게, 얼마 전 일이다. 그런데 할머니가 베란다에서 떨어지신 거다. 어쩌면 할머니는 저 멀리 마루천이, 아파트 너머 넓은 밭들이 바다로 보이신 걸까? 그래서 물질을 하려고 뛰어내리신 걸까?

할머니가 병원에서 돌아오시면 아빠한테 모든 사실을 말해야겠다. 그러면 중학생이 될 때까지 기다리지 않아도 된다. 우리 가족이랑 함께 고향에 가실 수 있을 거다. 그 생각을 하며 아파트로 들어서는데 경비 할아버지랑 동네 아주머니들이 모여 있었다.

"쯧쯧, 아무도 없는데 누가 장례를 치른대요?"

"먼 친척이 제주도에서 올라왔대요."

"딱하기도 하시지! 얼마나 외로우면 그렇게 돌아가셨을까?"

동네 사람들은 슬픈 얼굴로 모여 있었다.

"십사 층 할머니가 돌아가셨나요?"

"너는 어서 집에 가라."

경비 할아버지가 눈짓을 했다. 사람들 말소리가 횡횡 스쳤다. 어디서 큰 바람이라도 부는 걸까? 복도를 걸어가는 내 발걸음이 휘청거렸다. 침이 고였다. 침을 삼키는데 목에 큰 알밤이 걸린 것처럼 헉헉댔다.

"건호야! 뭐 해?"

엄마였다. 손에는 음식물 쓰레기봉투를 들고 있었다. 뿌연 안개가 앞을 막았다. 베란다 문을 열었다. 부러진 감귤나무 가지가 꽃밭에 누워 있었다. 저 가지들이 마지막으로 할머니를 안아 준 걸까? 그래서 할머니는 덜 아팠을까? 하얀 안개가 자꾸 몸을 감쌌다. 나풀나풀 하얀 꽃들이 아른거렸다.

"건호야! 왜 그래?"

엄마가 이마를 만졌다.

"어머? 열이 있네. 감기가 오려나. 생강차 좀 데워 줄 테니 좀 누워 있어."

엄마가 이불을 목까지 덮어 주고 나갔다. 첨벙첨벙 물소리가 들렸다. 비릿하고 시원한 냄새가 날아왔다. 쏴아, 쏴아 파도 소리였다. 온몸이 불 위에 달구어진 듯 뜨거웠다. 너무 더워서 베란다 문을 열었다.

"헉!"

큰 파도가 베란다를 집어삼킬 듯 덤벼들었다. 후닥닥 베란다 문을 닫으려는데 '괜찮아' 하는 소리가 들렸다. 푸르고 깊은 물속에서 하얀 꽃 같은 소녀 얼굴이 나타났다. 소녀는 돌고래처럼 물살을 헤치고 나와 가뿐히 베란다 난간에 걸터앉았다. 소녀의 손에는 내가 무서워하는 성게랑 전복이 있었다. 소녀가 성게를 내밀었다.

"먹어 볼래?"

"가, 가시가 있어서 무서워."

소녀가 웃는다. 이 소녀를 봤는데 생각이 안 난다. 새하얗게 거품을 일으킨 거대한 파도가 베란다를 향해 또다시 달려오고 있었다. 몸을 움찔하자 소녀가 내 손을 잡았다.

"괜찮아. 바다가 한 몸이 되면 하나도 안 무섭다. 나는 다시 물질하러 가야 해."

소녀는 끝도 보이지 않는 푸른 물로 첨벙 뛰어 들었다.

"건호야! 생강차 좀 마셔 봐."

엄마 목소리에 눈을 떴다. 형광등 불빛이 눈을 비췄다. 다시 잠을 잤는지 꿈을 꿨는지 기억이 없다. 햇살이 눈을 간질였다. 눈을 뜨니 창밖이 환했다.

"이제 열이 많이 내렸네."

엄마가 이마를 짚었다 꼬박 하루를 누워 있었다고 했다. 창밖을 보니 부러진 감귤나무 가지는 없었다. 일 층 현관 앞에 트럭이 있었다. 누군가의 짐을 실었다.

"친척이 짐을 가져가나 봐. 그럼, 집은 누구 것이 되는 거야?"

거실에서 옆집 아줌마랑 엄마 목소리가 들렸다. 할머니랑 하나도 닮지 않은 아줌마가 트럭에 짐을 실었다. 내 눈길은 감귤나무 아래로 갔다.

저기, 저 나무 아래 할머니 항아리가 있다고 말해야 하는데……. 그러기가 싫었다. 항아리는 할머니와 나만이 비밀이다. 끝까지 비밀로 남기고 싶었다.

'나중에, 나중에 내가 크면……. 할머니 고향에 찾아 갈 거다. 그 바다에 저 항아리를 띄어 보낼 거다.'

트럭이 아파트를 떠나고 있었다. 트럭이 보이지 않을 때까지 바라보았다. 괜찮다. 감귤나무가 있으니까. 그 아래 할머니와 나만의 비밀도 있으니까. 베란다 문을 꽉 닫다 말고 조금 열어 두었다. 시원한 바다 냄새가 날아올 것만 같다.

참된 이야기, 상리공생 실천

길지연의 《삼각형에 갇힌 유리새》를 중심으로

장영미

참된 이야기, 상생의 발견

동유럽 최초의 노벨문학상 수상자 이보 안드리치는 "능력이 없거나 희망을 잃고 스스로를 표현할 힘조차 없는 모든 사람들의 이름을 걸고 이야기하는 것이 작가의 소명일지도 모른다."고 하였다. 작가는 현재를 살며 거짓을 없애고 망상을 버리고 이 순간을 똑바로 직시하는 동시에 세계를 관조할 수 있어야 한다. 혼돈과 의구심으로 가득한 세계에서 세계를 돌아보는 동시에 자신을 돌아보아야 한다. 처한 시대와 사회를 향해 힘 있게 반응해야 하는 것이 작가의 소명이다. 결국 작가는 우리/세계가 필요로 하는 참된 이야기를 발견하는 발견자다. 우리 인간/세계에 있어야 할 혹은 해야 하는 것과 하지 말아야 하는 것을 최대한 잘 관찰하여, 작가의 숨결과 따스함을 부여해 생생한 이야기를 독자에게 전달하여야 한다. 작품이 어떤 형식을 취하든 인간과 세계의 발견/드러냄으로써 인간의 보편적 가치를 끊임없이 추구하는 목적을 충족시키는 것이 참된 이야기일 것이다. 여기서 인간과 세계를 향해 자기 목소리를 내고 참된 이야기를 발견하는 작가로 길지연을 주목할 수 있다. 길지연이 작품에 불어 넣는 정신, 즉 우리에게 전달하는 메시지가 상생이라는 점에서 더욱 그러하다.

여기서 먼저 상생의 의미를 짚고 들어가자. 상생(相生)이란 나무(木)를 불(火)을, 불은 흙(土)을, 흙은 쇠(金)를, 쇠는 물(水)을 생(生)한다는 오행설의 개념이다. 이 개념에 의하면, 상생은 내가 누군가를 도우면 그가 또 누군가를 돕고 또 다른 그가 다른 누군가를 돕기 때문에 우리 사회 전체가 풍요로워지며 결국 나에게도 도움이 된다는 삶의 이치다. 상생은 내가 타인에게 도움을 주기 때문에 도움을 받은 타인이 반드시 그 당사자에게 도움을 주는 것이 아니라, 도움이 도움을 낳아 또 다른 누군가에게 도움을 준다는 점에서 도미노 효과를 생각하게 한다. 그런데 언제부터인가 상생을 서로 돕고 산다는 쌍방 행위 뜻으로 많이 쓰고 있다고 한다. 오행설의 개념을 생각한다면 무턱대고 상생해야 나에게 도움이 된다는 것은 그릇된 것임을 알 수 있다.

길지연은 상생을 실현하고 있고, 그 의미 또한 적확하게 실행하는 작가이다. 《삼각형에 갇힌 유리새》(세상모든책, 2004, 이하 《유리새》), 《엄마에게는 괴물 나에게는 선물》 (국민서관, 2005, 이하 《선물》), 《모나의 용기 지팡이》(을파소, 2007, 이하 《지팡이》) 등이 그러하다. 빛과 소리를 읽은 새(《유리새》), 털이 군데군데 빠져 있는 강아지(《선물》), 상처를 안고 사는 아이들(《지팡이》) 등을 호출하여 상생의 진정한 의미를 구현하고 있다. 이 세 작품은 각기 다른 소재이지만 상생이라는 공통적 요소를 내재하고 있으며, 세상에 있지만 우리가 보지 못하는(않는) 것에 대해 발언한다. 생명력이 없는 작품은 관념과 기법이 아무리 신선하더라도 자연 소멸되기 마련이다. 그런 점에서 길지연의 작품들은 현대사회에서 진정성을 외면하고 사는 우리에게 경각심을 일깨워 주고 인간과 세계를 반추한다는 점에서 생명력을 지닌다. 작품의 인물들이 미약하고 힘이 없지만 결국 포기하지 않는 힘을 가졌다는 점에서 세대에서 세대로 전달되는 가치를 제공하기도 한다.

탐욕이 부른 생태 파괴

《유리새》는 인간의 탐욕으로 보금자리를 빼앗긴 새들에게 자리를 찾아 주는, 즉 생태 문제를 제기하는 작품이다. 도시에 살던 민호 민희 남매는 아버지 유연 때문에 시골로 이사한다. 이사한 곳은 아버지가 죽기 전에 가족을 위해 지은 집으로 가게도 없고 차도 잘 안 다니는 한적한 곳이다. 민호 민희는 이사 가서 늘 안개에 싸여 있는 집이 마음에 들지 않지만 차츰 안개에 싸여 있는 뒷산에 호기심과 의문을 갖다가 빛과 소리를 잃은 새들에게 제 모습을 찾아준다는 내용이다.

여기까지만 본다면 이 작품은 인간들의 이기심이 불러일으킨 생태 파괴 문제를 제기한 것으로 그리 눈여겨 볼 것이 없다. 과학 기술 문명 발달로 인해 야기된 산업 사회의 생태 담론은 우리뿐 아니라 전 세계적이면서 인류 전체가 문제 삼는 비판적 의식이기 때문이다. 따라서 《유리새》의 주제인 생태 문제는 낯익은 것이다. 하지만 이 작품은 생태 담론 문제를 보다 폭넓게 인식하고 있다. 가령 공간적 배경 설정과 인물들의 수행능력에서 이전의 생태 담론과는 다른 지점을 포착하고 있다.

《유리새》의 공간적 배경은 시골이다. 민호 민희 남매가 이사 간 곳은, '늘 안개에 싸여 있고 집이라곤 두 채 밖에 없고, 가게도 차도 잘 다니지 않'(p.9)으며, 전국 어느 곳에서나 쉽게 할 수 있는 '인터넷도 안되'(p.38)는 곳이다. 여기서 공간적 배경은 중요하다. 생태 문제를 다루는 작품이 대게 도시 중심이었던 것을 상기한다면, 이 작품의 공간적 배경이 거대 도시가 아닌 시골인 것은 생태 파괴의 또 다른 현장이면서 우리 사는 그 어떤 곳도 생태 파괴로부터 안전하지 않다는 적신호를 광범위하게 표지하는 것이다.

물빛 마을이라는 곳이 있었다.(……) 새들은 오랜 세월, 행복하고 평화로웠단다. 세월이 흘러 길이 생기고 차가 다니기 시작하면서 그 마을은 사람들에게 조금씩 알려졌단다. 사람들은 산을 두 동강이로 잘라 내고 늪을 메워 그 자리에 사람들만이 즐길 수 있는 작은 도시를 만들었어. 다행히도 마을 끝자락에 숨어 있던 작은 산은 남아 있게 되었지. 산은 늘 안개에 가려 보이지 않았어. 산으로 올라간 사람들은 폭포 웅덩이에 빠져 혼이 나거나 안개 속에서 길을 잃어 벼랑으로 떨어지기도 했어. 그런 일이 자주 일어나니까 사람들 발길이 서서히 끊겨 버렸어. 그 후로 물빛 마을에는 사람들이 살지 않게 되었단다. (pp.96~97)

물이 맑고 시원해서 새들이 많이 사는 곳, 즉 새들의 집이 세월이 흐르면서 차가 다니기 시작하고 사람들에게 알려지기 시작하면서 생태 파괴는 시작된다. 결국 인간의 이기심과 탐욕으로 빚어지니 물빛 마을은 '세상에서 가장 아름다운 골프장' '자연 물맛 그대로 온천 호텔' '동양 최고 새 박제 전시관'(p.98) 등의 현수막에서 알 수 있듯, 문명의 이기가 넘치는 곳으로 변하면서 인간의 탐욕을 야기한 현주소이다.

하지만 이 작품은 생태 파괴의 현주소보다 생태 파괴 문제를 인물들이 스스로 풀어나가게 하면서 생태 파괴의 심각성을 환기시키고 있다. 빛과 소리를 잃은 새들에게 제 모습을 찾아주는 것은 민호 민희 남매이다. 특히 민호의 역할은 중요하다. 작가는 민호가 '벽이 모두 유리로 되어 있어 앞뜰과 뒤뜰, 그리고 기와집과 대나무 숲을 한눈'(p.17)에 볼 수 있는 다락방을 주는 것으로 중심 역할을 하게 한다. 다락방 주인이 된 민호는 창 밖을 내다보면서 안개에 싸인 산에 호기심을 갖는다. 낮에도 안개처럼 보이는 산에 의문을 품고 대나무 숲으로 간다. 하지만 처음 대나무 숲에 들어선 민호는 상처만 입고 더 이상 의문을 풀 수 없게 된다. 이는 인간이 파괴한 생태 문제를 쉽게 해결할 수 없다는 의미이기도 하면서 혼자만의 힘이 아닌, 즉 누나인 민희와 함께 풀 계기를 만들어 주는 것이다. 동생이 상처를 입고 온 것을 보고 민희 역시 이를 해결하는 데 동참한다. 민호 민희 남매가 안개로 싸인 산에 들어가, 자신들이 멀리서 보고 생각했던 것이 안개가 아니라 빛과 소리를 잃은 새들의 늪이었다는 것을 알게 된다. 남매는 퍼즐 풀 듯이 하나하나 의문을 푸는 과정에서 생태계 파괴는 결국 우리 인간도 파멸하게 된다는 것을 깨닫게 된다.

"사람들의 욕심이 새들의 소리를 빼앗은 거야" (……) "나는 오랫동안 이땅을 지켜 왔다. 흙과 나무와 풀과 동물들! 그들은 사이좋게 어울리며 조용하고 평화롭게 살았지. 그 평화를 사람들이 다 빼앗아 갔어. 흐흐흐!" 사람보다 더 오랜 역사를 가진 산과 늪을 다 파헤치면서 말이지. 자연의 소중함을 모르는 인간들은 언젠가 소리를 잃어버리고 어두운 늪에서 울부짖게 될 게야. 새들이 모습을 감추고 울지 않

948

는 인간들에 대한 경고야! (pp.108~110)

새들이 자신을 드러내는 가장 주요한 표현 방식은 소리이다. 그런 그들에게 소리를 잃게 한 인간 역시 언젠가는 소리를 잃고 빛을 잃을 것이라고 경고하고 있다. 즉 인간과 자연은 공생 관계라는 것을 생각하게 하는 대목이다. 때문에 민호 민희 남매는 더 이상 생태 파괴를 방관할 수 없다는 것을 인식하면서 열쇠를 푸는 데 주력하고 그 답을 알아낸다.

"당당하게 맞설 줄 아는 용기, 탐내지 않는 마음, 그리고 새들에게 소리를 찾아주려는 진실한 마음이 있다면 새들은 노래를 부를 것이다." (p.110)

작가는 몇 가지 사실에 대한 암시를 곳곳에 심어 놓는다. 아버지가 남겨 놓은 편지를 통해서 말이다. 민호 민희 남매가 지혜롭게 의문을 풀면서 새들이 제 모습을 찾는 데 필요한 것은 자신들의 용기, 욕심부리지 않기, 진실한 마음 등이라는 것을 알게 되고 이를 실현해 새들이 제 모습을 찾고 날아갈 수 있게 한다. 이 작품에서 보다 강조한 것은 인간의 끊임없는 욕심이 파멸을 몰고 온다는 것이다. 이는 민호 아버지의 욕심에서 알 수 있다. 민호 아버지는 화려한 빛깔을 한 새를 보고 너무 신비스러워서 집을 짓고 늪을 자신만의 비밀로 간직하고 싶었지만, 점차 욕심이 생기면서 죽음으로까지 치닫게 된다. 결국 인간의 욕심이 생태 파괴를 몰고 있으며 이러한 생태 파괴는 인간의 파멸까지 연결된다는 것을 작가는 피력하고 있다.

《유리새》는 민호 민희 남매를 통해서 인간들이 황폐화 시킨 생태 문제를 해결하는 작품이다. 인문들의 고민과 노력으로 자연을 복구하는 것을 그리고 있다. 민호 민희 남매가 처음 호기심으로 출발한 것이 점차 생태 문제가 결국 인간의 문제로 파장된다는 것을 구현하면서 생태계의 중요성에 대해 인식하게 하는 작품이다.

상리공생(相利共生)

이제 서두에서 언급한 상생으로 돌아가 보자. 상생이 남용되기 전에 공생이라는 단어를 많이 사용했다고 한다. 공생이란 공동의 운명을 진 삶이라는 뜻으로 생태학에서 주로 사용하는 용어인데, 서로에게 이득이 되는 상리공생과 한쪽에만 이득이 되는 편리공생을 모두 포함한다 고한다. 상리공생, 편리공생, 우리는 무엇을 선택해야 할까. 길지연의 작품을 접한다면 우리가 왜 상리공생을 택해야 하는지를 알 수 있을 것이다. 이는 《유리새》뿐만 아니라 《선물》과 《지팡이》에서도 구현된다. 《선물》은 주인공 마레가 길거리에 버려진 강아지와 사랑을 주고받는다는 내용이다. 이 작품은 주인공 마레가 길에 버려진 피부병을 가진 강아지를 보듬어 주기 때문에 주목하는 것이 아니라, 상리공생을 실현하고 있기에 주목하게 된다. 《선물》에서 마레는 털이 군데군데 빠진 채 버려진 강아지보다 더 불쌍한 아이일지도 모른다. 마레는 가족을 버리고 아프리카로 떠난 아빠를 그리워하는, 즉 아버지 부재로 인해 애정 결핍을 안고 사는 인물이다. 마레 엄마 역시 문학 박사가 되기 위한 공부, 자원봉사, 대학교 강의 등으로 바쁘게 사는 인물로 마레에게 신경 쓸 여력이 없다. 그리고 마레 엄마에게 집안일은 가장 아무렇지 않은 일이라고 하는데, 여기에 마레를 돌보는 것도 집안일에 포함된다고 한다. 그렇다면 마레는 집안일과 동급인 처지다. 다시 말하면 엄마에게 마레는 그다지 비중 있는 인물이 아니다. 물론 이들 모녀가 이런 상황에 국면한 것은 가정을 버리고 떠난 아빠/남편의 부재 때문이다. 그렇기 때문에 마레는 애정 결핍을 안고 사는 인물로 이를 강아지로부터 위안을 얻고 사랑을 배워 나간다. 따라서 《선물》 역시 표면적으로 마레가 강아지에게 사랑을 주는 듯하지만, 결국 마레는 강아지에게 강아지는 마레에게 사랑을 주는 상리공생 관계다.

이는 《모나의 용기 지팡이》에서 더욱 확연히 드러난다. 이 작품은 달리기를 잘 못하는 모나가 연극하는 언니에게 선물로 받은 마법의 지팡이로 힘을 얻어 일등을 하고 그 지팡이를 교통사고를 당해 집안에서도 마스크를 쓰고 세상과 단절하고 사는 유리에게 주고, 유리는 다시 엄마의 집착으로 힘든 생활을 하는 시아에게 지팡이를 주는 내용이다. 하나의 지팡이로 인해 인물들이 힘든 상황을 헤쳐 나가는 것으로 표면적인 주제는 우정이라 할 수 있지만, 이면에 녹이고 있는 것은 상리공생인 것이다. 이렇듯 길지연은 그리 무겁지 않은 소재와 주제로 무게감 있는 작품을 구현하고 있다. 물질적 풍요와 달리 정신적으로 빈곤하게 사는 현대 사회/현대인에게 상리공생은 가장 필요한 요소이기 때문이다.

다시 한번 서두로 올라가 보자. 작가의 소명으로. 길지연에게 동화란, 작가란 무엇일까. 길지연에게 동화는 아름다움을 나누는 것이다.

길지연에게 작가는, 그 아름다움을 발견해내는 것이다. 이 둘을 합하면 '눈에 보이지 않는 아름다움'(《지팡이》에서 작가의 말 중에서)의 발견이다. '다른 생물들과 함께 살아가고'(《유리새》), '사랑하는 마음을 함께 나누고'(《선물》), '눈에 보이지 않는 아름다움.(《지팡이》)의 발견이 그의 작품 세계를 지배하는 요소이다. 따라서 길지연은 전복에 의미를 두기보다, 발견과 드러냄을 소중히 여기는 작가라고 할 수 있다. 인간의 앎이 많지 않거나 혹은 아는 줄 알았지만 사실은 잘 몰랐던 세계의 면면을 발견하고 드러내고 있다는 점에서 그러하다.

문학작품의 가치는 몇 가지가 있다. 가령 우리를 기쁘게 하거나 슬프게 하는 정서적 가치, 아름다움을 내재한 미적 가치, 그리고 인간과 세계에 대해 우리가 미처 몰랐던 혹은 외면하고 있는 것에 대한 인식적 가치 제공 등이다. 여기서 길지연은 인식적 가치에 비중을 두는 작가다. 인간과 세계에 대한 다양한 면모의 인식적 가치 말이다. 자연과 세계의 상리공생을 체득하는 데 상생과 공생의 배태는 단순히 이론에서 획득한 것이 아니라, 몸으로 직접 체득한 것이기에 그의 작품이 생명력을 갖는 것으로 보인다.

어린이와 함께 선생이 걸어온 길.

1958년 음력 6월 26일 아버지 길문재(吉文在), 어머니 전옥녀(田玉女) 사이에 외동딸
　　로, 서울 약수동에서 태어나고 자람. 집 마당에 오래 된 앵두나무가 있어서 앵
　　두가 열리는 계절이면 앵두를 그릇에 담아 이웃집에 나누어 주러 다녔던 기억
　　을 가장 좋아함.
　　6세 때부터 부모님의 사업 관계로 부모님과 떨어져 외갓집에서 살게 됨.
　　초등학교 때 자폐 증세를 보여 원만한 학교생활을 하지 못함. 대학생 가정교사
　　들에게 홈 스쿨로 공부한 뒤 18세에 대학에 합격함.
　　도쿄 외국어 전문대학, 일본 아오야마학원 여자대학 아동교육학과를 졸업함.
　　24세에 결혼, 주재원인 남편을 따라 일본으로 가서 살다가 귀국함.
1987~1988년 도쿄시모오찌아이 유치원에서 근무함.
1991년 일본 그림책《여우가 주운 그림책》전4권 번역함.
1992년 일본 그림책《친구가 올까》《내일도 친구야》번역함.
1993년 일본 그림책《거미줄》번역함.
1994년 〈문화일보〉 하계 신춘문예 동화《통일모자》당선됨.
2000년 첫 창작집《또 싸울 건데 뭘》출간함.
2001년 일본 그림책《세상에서 가장 아름다운 우리 마을》번역함.
2002년 일본 그림책《봄, 여름, 가을, 겨울》전4권 번역함.
2002~2004년 공주 영상정보대학에서 아동문학 강의함.
2003년 일본 그림책《그 길은 어디 있을까》번역함.
2004년 창작집《삼각형에 갇힌 유리새》출간함.
2005년 창작집《엄마에게는 괴물 나에게는 선물》출간함.
2006년 일본 그림책《작은 의자》《날아라 크레용》번역함.
　　　　창작 그림책《인디언 인형》《비닐봉지의 여행》출간함.
2006~2008년 서경대학교에서 아동문학 강의함.
2007년 일본 그림책《이모도 요코의 세계 명작》전10권 번역함.
　　　　창작집《모나의 용기 지팡이》출간함.
　　　　《7인의 작가가 쓰는 행복 이야기》(공저) 출간함.
2008년 창작집《강아지별에는 궁금이가 산다》출간함.
2009년 창작집《동생 따위 필요 없어》출간함.
　　　　창작 그림책《골목 안 골동품 가게》출간함.

2011년 일본 그림책《그 길에 세발이가 있었지》번역함.

　　　창작 성경동화《핑크 할머니의 집으로 오세요》출간함.

2012년 창작동화《큰 형학교 똥장반장》출간함.

2015년 창작동화《나는 옷이 아니에요》출간, 35회 이주홍문학상을 수상함.

1995년부터 동물자유연대에서 이사로 활동하다가 2015년 퇴임한 뒤, 길고양이 먹이
　　　주기, 중성화 시켜 주기, 모피 코트 안 입기, 동물 서커스 안 보기, 채식 권장,
　　　농장 동물 권리 보호하는 운동을 하고 있음. 지금은 30여 마리의 길고양이와 구
　　　조 동물 등을 보살피며 전업 작가로 활동하고 있음.

2017년 창작동화《비밀에 갇힌 고양이 마을》출간함.

한국 아동문학가 100인

조명제

대표 작품
〈시소〉 외 4편

인물론
해맑은 만년 소년

작품론
관념시와 서정시

어린이와 함께 선생이 걸어온 길

시소

올라가야
내려오고

내려와야
올라간다.

오르막이 있어야
내리막이 있음을

우리 모두
잊고 산다.

시소는
올라가야
내려오고

내려와야
올라가고
참 공평하다.

어른들은

시뻘건
참숯 구워 낸
불가마 속에서

저마다
잘못 뉘우치며
진땀 토해 내고 있다.

매화리에 가면

가을이 가슴 속 깊이
시리게 저려 와
머릿속이 하얗게 바래져 올 때는
문득, 완행열차를 타고
밀양 긴 늪 너머 유천역에 내리고 싶다.

태풍에 부러진 소나무들의 안타까운 몸짓과
휘감아 돌아가는 강물의 퍼득거림
빛바랜 초록과 노랑이 어우러진 논밭들이
수줍은 누이처럼 눈웃음으로 맞아 줄
유천 땅, 매화리에 가고 싶다.

멀리 보이는 산들은
어우렁더우렁 어깨동무하고
눈썹 같은 흘림으로 사방을 둘렀는데
눈이 시리도록 푸른 하늘엔
새털구름이 흰 포말처럼 깔렸다.

바람에 잘 견딘
고마운 감 홍시들이
가지마다 주렁주렁 풍요를 매달고
까마득한 기억의 실타래 풀어 내려
감꽃 줍던 어린 날로 내달린다.

아, 그냥 그렇게
함께 널부러져 뒹굴고 싶다.
뒹굴다가 울다가 웃다가
그렇게 낙엽이고,
산이고, 구름이고 싶다.

유천 땅 매화리에는
따슨 가슴 열어 맞아 줄
어머니가 있다
저녁 연기 날리는 동네 어귀에서
언제나 나를 기다리고 있다.

말

말은
마음을 담는 그릇
곱게 전해야
깨어지지 않는다.

깨어진 사금파리는
발 없는 말이
천 리 가듯
사방팔방 달아난다.

고삐 풀린 말은
생채기를 입히고
저마다 가슴 속에
앙금을 남긴다.

몸에 입은 상처는
약으로 낫지만
가슴 속의 앙금은
지워지지 않는다.

말이 말을 타고
달아나지 않도록
늘 말고삐를
바투 잡아야 한다.

궁금해

토끼와 거북이 달리기 하면
거북이가 이긴다.
개미와 베짱이는
베짱이가 굶어 죽는다.

토끼와 거북이
경주하면 누가 유리할까
달리기 하던 토끼는
낮잠이 올까.

베짱이의 노래는
게으름이고
개미의 자산 모으기는
부지런함일까.

날개옷 도둑맞고
나무꾼에게 시집갔던
하늘나라 선녀는
잘 살고 있을까?

해맑은
만년 소년

이영

어느 동화작가가 날더러 쿨하다고 했다.

유쾌, 상쾌, 통쾌하다고도 했다. 어떤 이들은 내가 무척 재미있는 사람이라고도 한다. 아동 문단의 개그맨 3인방에 끼니까 그런 소리 들을 만도 하다.

그런데 모르고들 하는 소리다. 나보다 더 쿨하고 유쾌, 통쾌, 상쾌하며 재미있는 사람이 따로 있다. 바로 조명제 작가다.

그는 웃음판을 둘둘 말아 가지고 다닌다. 그래서 웃음판을 벌인다. 어느 자리건 그가 끼면 1분에 한 발씩 웃음 폭탄이 터진다. 구수하고 맛깔스러운 경상도 사투리와 걸쭉한 입담을 곁들여 좌중을 사로잡는다.

내가 조명제 작가를 처음 만난 것은 1983년 3월 하순이다.

대전에 모인 전국 각지의 동시·동화작가 9명이 '써레동인'을 태동시킬 때였다.

그의 첫 인상은 귀공자였다. 그리고 화끈한 성격에 긍정적이며 얼굴엔 웃음이 가득했다. 그의 말대로 내성적이고 말이 적은 청소년기를 보낸 사람 같지 않았다.

그는 부산 토박이다.

유년기에서부터 청년기의 대부분을 대신동 구덕산 자락에 안겨 지냈다.

어느 날, 친구들과 함께 산자락의 저수지에서 멱을 감다가 산지기에게 옷을 몽땅 빼앗겨 버렸다. 친구 하나가 옷을 가지러 집으로 숨어든 사이, 또래들은 너럭바위에 엎드려 몸을 데웠다. 그때 빨갛게 익어가던 저녁 해의 신비함, 그리고 어머니 품속보다도 포근한 바위의 따스함을 영영 지울 수 없다고 추억했다.

그는 그처럼 감성이 풍부한 개구쟁이였다. 그것들이 승화되어 시인이 되었으리라.

중학교에 입학한 뒤부터는 책벌레로 변했다. 한국 단편 문학 전집과 세계 명작들을 닥치는 대로 읽었다. 이해도 안 되는《닥터 지바고》며《좁은 문》도 끙끙대며 읽었다.

그런가 하면 그의 중학교 시절은 폭풍의 시절이었다. 큰 아이들과 어울리며 사춘기적 몸부림에 방황도 많이 했다.

적성에 맞지 않는 상고로 진학한 그는, 고교 시절을 힘들게 보냈다.

은행 입사를 최고의 과제로, 중견 실업인 양성을 교육 목표로 하는 상업 학교 교육이 그의 적성에 맞지 않았다. 오히려 은행에 가지 않으리라는 오기로 버티며 대학 진학의 꿈을 키웠다.

주경야독으로 진주교육대학에 진학한다. 군대 입영을 앞둔 상태에서 RNTC 제도가 있는 교육 대학 진학이 당시 최적의 선택이었다.

그렇게 진학한 진주교육대학 시절은 낭만이 있었다. 편집국장을 역임한 그는, 강의 시간 외의 시간을 대부분 학보사에서 보냈다. 문학에 첫눈을 뜨고 '야정문학회'에 입회하여 글을 쓰기 시작한 것도 그 무렵이었다.

초등학교 교사 발령 후 문단과의 첫 인연은 고 이원수 선생님과의 만남이었다.

당시 월간 〈교육자료〉 잡지에서 선생님이 교단 문예 심사를 했는데, 3회 연속 시 추천 완료를 받는 기염을 토했다. 그 일이 그를 문학의 길로 이끌었다.

이원수 선생님과 주위의 권유로 시에서 동시로 분야를 바꾼 뒤, 새로운 지평을 열기 위해 절차탁마했다.

마침내 1982년, 〈아동문예〉 신인상과 〈월간문학〉 신인작품상을 함께 거머쥐는 쾌거를 이루었다. 그의 열정은 활화산 같았다. 문화공보부 우수 도서로 선정된 첫 동시집 《갈숲의 노래》에 이어 《날고 싶어요》를 출간해, 그만큼이나 해맑고 정겨운 도시들의 잔치를 벌였다.

그는 절대로 자만하거나 교만을 부리지 않았다. 부산의 작가들과 '산호초시문학' 동인 활동을 하며 더 기름진 동시밭을 일구었다. 마침 태동한 '써레동인'의 주인공이 되어 튼실한 열매를 맺었다.

일취월장, 승승장구하던 그는 1988년 제20회 한정동문학상을 품에 안는다.

등단 후 10여 년 간 나름대로 매우 열심히 썼다. 4권의 시집을 발간했고, 잠을 아끼며 각종 신문과 잡지, 사보에 산문과 평까지 썼다.

그러던 그는 갑자기 절필(?)을 선언했다. 문단의 편 가르기 행태와 각종 문학상 시상을 둘러싼 부정적인 모습에 실망해서였다. 또한 좀 더 성숙한 후에 글을 써야겠다는 자성도 한몫 했다.

절필한 그는 1995년 2월, 대금강문 선무도에 입문했다. 법명은 일주.

무술 수행을 통해 깨달음에 이르는 밀교적 수행이 선무도다.

약 10여 년 동안 경주 '골굴사'의 설적운 스님께 선요가, 호흡법, 기공, 선무술, 태극권 등을 사사했다.

초기에는 땀을 쏟으며 무술에만 전념했다. 그러나 '심신불이' 사상을 깨달으며 점차 내면세계로 접근하게 되었다.

동시 작가와 선무도. 얼핏 부정적인 인연 같지만, 한편 긍정적으로 여겨지기도 한다.

상당 기간 수행한 그는 대금강문 선무도 4단으로 승단하며, 선무도 지도법사 수계를 받고 많은 수련생들을 가르쳤다. 부산 지방 법원을 비롯한 여러 단체와 지원에서 직접 수련생들을 가르치기도 했다.

써레동인의 좌장인 나는 그를 막내라 부른다.

"어이, 막내."

"와요?"

"법원에 끌려 가도 막내는 무죄로 풀려나겠네?"

"하모! 하모요! …… 이영 형도 잡혀 가면 내게 연락하이소."

너스레를 친 뒤 너털웃음을 날리던 그.

나를 버리고, 에고를 버리고, 명상에 들어, 그물에 걸리지 않는 바람처럼 대자유인이 되는 것이 내 소원이다. 그런데 속인의 삶에서 매양 쳇바퀴를 돈다.

어느 순간, 그는 자괴감에 빠졌다고 한다.

있는 것을 있는 그대로 보지 못하고, 늘상 관념에 사로잡혀 있다. 그래서 왜곡된 시각으로 소중한 삶의 흐름을 타지 못하는 것이 속인의 삶이다.

자책감에 시달리던 그는 새로운 눈을 떴다.

그렇다! 동심의 세계에는 왜곡된 관념이 없다! 그래서 늘 웃는다! 해맑다!

'천심동심'이란 말을 다시금 되새긴 그가, 동심의 동산으로 되돌아왔다. 여전히 해맑은 소년의 모습으로.

다시 돌아온 해맑은 만년 소년,

동시 작가 조명제!

브라보!

조명제, 브라보!

그의 동산에 붙어라, 꽃불아!

활활 타올라라!

꽃불아, 꽃불아!

관념시와
서정시

공재동

1. 머리말

서로 이야기를 주고받는 것을 담화라고 한다. 의사소통이라는 관점에서 보면 담화는 사실상 일상 그 자체라고 해도 좋을 것이다. 일반적인 담화에서 이야기의 주체는 화자이다. 화자는 담화를 이끌어 갈 뿐만 아니라, 화자가 누군가에 따라 같은 화제도 그 구조와 조직이 달라진다. 이러한 일반적인 담화의 형식은 '화자—화제—청자'의 관계로 표시할 수 있다. 시적 담화에서는 시인이 곧 화자는 아니다. 같은 의미에서 청자가 곧 독자는 아니라는 것이다.

야콥슨의 의사 소통 모형을 '화자—정보—화제'라고 했는데, 시적 담화를 여기에 적용하면 '실제 시인—함축적 시인—(화자—화제—청자)—함축적 독자—실제 독자'의 관계이다. 체트먼의 서술 커뮤니케이션 다이어그램은 '실제 저자—암시적 저자—(서술자—서술자적 청중)—암시적 독자—실제 독자'로 소통 관계를 설명으로 하고 있다. 그런가 하면 페리 노들먼은 《어린이 문학의 즐거움》에서 '어린이 문학의 독특함을 제대로 평가하는 일은 우선 독자가 누구인가를 생각하는 일인 것이다.' 하면서, 그는 '어린이 문학이라는 말에서 어린이란 누구인가. 내가 이미 제시한 것처럼 우리는 실제 어린이나 아동기를 생각하면서 독자를 규정짓지는 않으려 한다.' 했다. 모든 작품에는 주제나 양식상 그 작품에 가장 긍정적으로 반응하는 독자를 내포하고 있다. 슬픈 주제의 작품은 슬픔에 긍정적으로 반응하는 독자를 내포하고 있고 즐거운 주제의 작품에는 즐거움에 긍정적으로 반응하는 독자를 내포하고 있다. 노들먼은 이를 '내도 독자'라는 용어로 사용하고 있다. 함축적 시인, 암시적 저자는 같은 의미이며, 함축적 독자와 암시적 독자, 내포 독자는 같은 의미를 가진 말이다.

시인은 시적 충동이 일어날 때 그것을 그대로 기술하지는 않는다. 먼저 시적 충동에 적합한 화자를 선택하고, 그 자신이 말하고자 하는 바를 화자의 화제로 바꾸고 어떤 태도로 이야기할 것인가를 생각한다. 낭만주의 시론에 의하면 시인은 자기 생각을 직접적으로 표현하도록 믿어 '시인=화자'로 해석하며, 시란 시인의 의도를 직접적으로 표현하는 것이 아니라 그것을 봐 객관화하기 위해 허구화시킨다고 받아들이는 주지주의 시론에 따르면 '시인≠화자'가 될 것이다.

조명제의 시를 읽으며 새삼 의사 소통에 대한 생각을 하게 되는 것은 시인과 화자와 독자와의 관계를 정확하게 설정하는 것이 그의 시를 이해하는 데 도움이 될 것 같다는 판단 때문이다.

2. 조명제 시의 분석과 이해

에브람즈는 시를 네 가지 방법으로 분류하고 있는데, 작품을 우주와 관련시킨 모방론과 독자와 관련시킨 효용론, 시인과 관련시킨 표현론, 작품 자체를 논하는 존재론이 그것이다. '시는 율어에 의한 모방이다.'고 한 아리스토텔레스의 주장은 모방론의 대표적 이론이다. 문학을 인생과 우주를 모방, 재현한 것으로 보는 입장이다. 시드니의 '시는 가르치고 즐거움을 주려는 의도를 가진 말하는 그림이다.'라는 말은 효용론의 대표적인 이론이며, 워즈워스의 '시는 넘쳐 흐르는 감정의 힘찬 발로다.'라는 말은 표현론이다. 하이데거의 '시는 언어의 건축물이다'라는 주장은 존재론의 대표적인 이론이다. 조명제의 시를 독자와 관련시킨 것은 효용론적 입장에서의 논의라고 할 것이다.

1) 관념과 서정

우리에게 비교적 잘 알려진 랜섬의 기준에 의한 시의 유형은 관념시와 즉물시, 형이상시이다. 이러한 분류는 인간 정신을 양분하는 이성과 감성 중 어느 것으로 짜였느냐에 따른 것이다. 그러니까 감성에 의한 것이면 관념시, 이성에 의한 것이면 즉물시, 두 개를 모두 포괄하면 형이상시로 분류하는 것이다. 파운드는 시의 유형을 음악성, 시각성, 논리성으로 구분하여 설명하기도 한다.

조명제의 시를 읽으면 그가 대표적인 관념 시인이라는 생각을 하게 된다. 관념시의 특징이라고 하면 시인의 의도가 직접적으로 표현된다는 점이다. 이러한 시의 특징은 낭만주의시의 특징이기도 하다. 그러나 동시에서는 일찍이 관념시에서 즉물시로 옮겨 갔는데 최근 들어서는 젊은 작가들에 의해 많은 동시들이 즉물시 형태로 바뀌어 가고 있는 현상을 볼 수 있다.

초롱초롱 밤하늘 / 별빛 때문에 / 깜깜한 밤에도 바다는 / 실눈 뜨고 있다. // 휘영청 밤하늘 / 보름달 때문에 / 은비늘 파닥이며 / 뒤척이고 있다. // 등댓불 깜빡깜빡 / 졸고 있는 밤바다 / 은하수 건지러 / 밤배 떠나고 // 파도는 달님 별님 / 보듬어 안고 / 자장 자장 돌림노래 / 다독거리고 있다.
 – 〈밤바다〉 전문

봄빛으로 뿜어낸 / 초록 이파리 사이로 / 노랑, 하양 나비 떼들 / 고이 고이 나래를 편다. // 긴 기다림

/ 겨울잠 깨어나 / 가만가만 더듬이 곧추 세우고 / 나풀나풀 피어오른다. 온 누리에 봄 향내 / 눈부신 꽃잎 열림 / 수천 수만 나비 떼로 날아오르고 있다.

　　　　　－〈난초〉 전문

　　시인은 자기 생각을 직접적으로 표현한다고 한 낭만주의 시론에 비추어 보면 이 두 시에서 시인이 곧 화자이다. 실눈을 뜬 사람, 은비늘 파닥이는 물고기, 자장노래 부른 어머니, 밤바다는 이렇게 시인이 생각하는 밤바다의 이미지다. 수천 수만의 나비 떼가 시인의 눈으로 확인한 난초의 이미지다. 화자의 이러한 생각에 어떻게 반응하는가는 독자의 몫이다. 시인은 암시적 청자도 암시적 독자로 설정하지 않았다.

　　민들레 민들레 / 동무 닮은 꽃 / 담장 밑에 앉아서 / 소꿉장난 하며 // 도란도란 얘기하던 / 정다운 얼굴 / 산골로 전학 간 / 그리운 얼굴 // 민들레 민들레 / 누나 닮은 꽃 / 길섶에 앉아서 해바라기 하며 / 학교 길 맞아주던 / 화안한 얼굴 / 지금은 가고 없는 / 노오란 얼굴

　　　　　－〈민들레〉 전문

　　선잠 깬 / 우리 아가 / 울다 잠이 들었다. // 눈언저리 / 은구슬 / 눈썹 위에 총총 // 아가야, 엄마 목소리 샛별 눈 뜨면 / 비 개인 푸른 하늘 / 무지개 떴다.

　　　　　－〈무지개〉 전문

　　조명제 시에서 보기 드물게 시인과 화자가 다른 경우이다. 〈민들레〉의 화자는 어린이다. 산골로 전학 간 동무를 생각하고, 지금은 가고 없는 누나를 그리워하는 순진한 시골 어린이다. 〈무지개〉의 화자는 아기를 둔 엄마다. 엄마의 눈에는 아기의 눈물도 은구슬이고, 자다 깬 아기의 눈에서 무지개를 본다.

　　시는 이렇게 설정된 화자에 따라 어조도 달라지고 시선도 달라지는 것이다. '동무 닮은 민들레, 누나 같은 민들레' 이러한 이미지는 어린이인 화자에 맞춘 어조이다. 시인은 시를 쓰면서 의식하던 안 하던 이 시에 긍정적인 반응을 할 '암시적 독자'를 내포하게 되는 것이다.

　　바닷가에서 쏘아 올린 / 폭죽의 불티 // 밤 하늘 별이 되어 / 반짝이다가 / 어둔 밤 밤바다에 / 별똥비로 쏟아져 // 밤새 파도 타며 / 깔깔거리고 있다.

　　　　　－〈별똥비〉 전문

시뻘건 / 참숯 구워 낸 / 불가마 속에서 // 저마다 잘못 뉘우치며 / 진땀을 토해 내고 있다.
  – 〈어른들은〉 전문

조명제의 시는 이미지 중심의 시다. 화제를 이끌어 가는 것은 '나'라는 자아가 있을 뿐이며, 시간적 공간적 배경도 추상화되어 있다. 작품 전체의 특질을 이해하지 않으면 시의 화자가 누구인지 구분하기 어렵다.

두 편의 시는 현재 시인의 강한 느낌을 전달하기 위한 것이어서, 서로 다른 사물을 같은 사물로 동정화하거나 자아와 세계를 동화하거나 투사하는 어법을 사용한 것이다.

할머니가 보내 주신 / 배추 속에 묻어 온 / 달팽이 한 마리 // 이슬람 사원 지붕 같은 / 집까지 짊어지고 / 도시 구경 나섰다. / 더듬이 안테나 세우고 / "근디, 여그가 워디여?" / 할머니 사투리가 배어 나온다. // 아파트가 낯설어 / 이파리 속으로 / 자꾸만 기어 들어간다. // 배추와 함께 / 살아 있는 / 시골도 보내셨다.
  – 〈달팽이2〉 전문

서정시란 시인의 주관적 정서를 노래한 시다. 서정시의 특징 중의 하나는 어떤 사실이나 정서를 직접 설명하기보다는 그와 유사한 보조 관념을 선택하거나 상징체를 내세워 동정화시키는데, 이것은 시적 대상이 구체성이나 객관성이 없기 때문이다. 달팽이를 '살아 있는 시골'로 상징화하기까지 시인의 노력을 시를 통해 알 수가 있다. 조명제의 시가 이렇게 강한 은유와 상징으로 이루어져 있다는 것은 강한 서정성과 관계가 있다는 뜻이다. 서정시는 이렇게 시인이 직접 나서서 실제 독자에게 호소하는 시라는 사실을 여기서 다시 한 번 확인하게 되는 것이다.

2) 암시적 독자와 교훈

동시는 독자의 중요성이 높은 문학이다. 석용원은 '아동문학원론'에서 아동문학의 특질을 예술성, 흥미성, 교육성, 단계성, 단순 명쾌성, 생활성 이 여섯 가지를 들었다. 이 중에서 특히 아동문학에서만 유독 강조하는 것을 꼽으라면 교육성이나 단계성이 될 것이다. 이러한 특징은 아동문학이 암시적 독자인 어린이를 내포하고 있다는 것과 연관이 있다.

암시된 저자는 다양하게 존재하는 실제 저자의 분신들이라고 정의할 수 있다. 조명제의 시에서 보았듯이 실제 저자는 〈민들레〉에서처럼 순진한 어린이가 되기도 하고 〈무지개〉에서처럼 아기를 키우는 엄마가 되기도 한다. 실제로 시인 조명제는 그의 시

곳곳에서 암시된 저자로 나타나는데 다음에 언급할 시에서는 시인이 근엄한 선생님으로 변신한다. 그의 현실적 직업을 생각한다면 그것은 분신이 아니라 시인 자신의 진면목이라 할 수 있다. 그의 관념시적 서정시들은 대부분이 '이미지 중심의 시'였다면 다음 시들은 '메시지 중심의 시'라고 할 수 있다.

착한 마음 가지면 / 좋은 일이 따라오고 / 악한 마음 가지면 / 나쁜 일이 따라온다. / 우리는 그림자를 / 잊고 살지만 / 언제나 술래처럼 / 따라 다닌다. // 무심코 던지는 / 말 한 마디가 / 메아리 되어 / 돌아오듯이 // 세상 모든 일이 / 그림자처럼 / 원인과 결과로 붙어 다닌다.
– 〈그림자〉 전문

올라가야 / 내려오고 / 내려와야 /올라온다. // 오르막이 있어야 / 내리막이 있음을 / 우리 모두 잊고 산다. // 시소는 올라가야 / 내려오고 // 내려와야 / 올라가고 / 참 공평하다.
– 〈시소〉 전문

말은 / 마음을 담는 그릇 / 곱게 전해야 // 깨어지지 않는다. // …… (중략) …… 고삐 풀린 말은 / 생채기를 입히고 / 저마다 가슴 속에 / 앙금을 남긴다. // …… (중략) …… 말이 말을 타고 / 달아나지 않도록 / 늘 말고삐를 / 바투 잡아야 한다.
– 〈말〉 일부

이들 시의 화자는 시인 자신이다. 언어학자 랑거는 독자가 저자와 화자를 결합시켜 보거나 분리시켜 보는 문제에 관하여 단일성과 익명성과 정체성, 신뢰성과 비서술성이라는 다섯 가지 비평 기준을 제시한 바 있다. 단일성은 독자가 작품 속의 저자와 화자를 단일한 존재로 인식하는 것을 말하며, 신뢰성이란 독자의 복합적인 결정으로 화자와 저자의 가치와 인식이 일치한다고 믿는 것이다. 이들 시에는 화자이자 실제 저자의 근엄한 목소리가 들어 있다. 1인칭의 화자가 이야기하고 3인칭의 독자가 듣는 형식이다.

화자의 목소리에 관한 엘리어트의 설명은 바로 여기에 해당한다. 제1의 목소리는 화자가 화자에게 하는 독백이고, 제1의 목소리는 화자가 청중에게 말하는 것이고, 제3의 목소리는 암시적 화자를 통해 말하는 것이라고 했다. 이들 시가 엘리어트가 말하는 제2의 목소리다. 이들 시의 암시적 독자는 말할 것도 없이 어린이다. 어조는 암시적 독자와 밀접한 관계를 가지고 있다.

지금까지 우리가 읽었던 조명제 시의 어주와는 사뭇 달라진 어린이라는 암시적 독자를 의식한 결과이다. 독자가 작품에 대하여 저자와 화자의 단일성과 신뢰성을 확보할 수 있다면 작품의 이해도 함께 높아진다.

페리 노들먼은 '많은 사람들이 일차적으로 어린이는 읽기를 배우기 위해 독서해야 한다고 생각한다. 그래서 어린이용 텍스트를 대하는 우리들의 반응은 텍스트가 가르칠 수 있는 메시지에 집중한다.'고 지적했다. 그러나 읽기를 좋아하는 사람은 어린이나 어른이나 할 것 없이 특별한 목적으로 독서하는 경우를 제하고는 대부분이 기분적으로 즐겁기 때문이다. 그런데 시에서는 즐거움을 얻는다는 것이 무척 어렵다. 그것은 시의 이해와 관련된 학교 교육이 제대로 이루어지지 않는 것과 무관하지 않다. 이와 같은 메시지 중심의 교훈시도 교육적으로 보면 의미가 없지 않을 것이다.

3) 자전적 화자

시적 화자가 실제 시인과 닮았을 때 이를 자전적 화자라고 하며, 그렇지 않았을 때 허구적 화자라 한다. 자전적 화자일 경우네는 작품 속에 시인 자신을 등장시킨다. 이럴 경우 어조는 회고적이거나 고백적이 되고 독자는 '시인=화자'라는 인식을 받아들여 공감도가 높아진다.

꽃샘바람 속에 / 벚꽃 이파리 날리며 / 분홍 저고리 초록 치마 / 아지랑이 타고 오신 어머니 꽃이 피면 / 내가 온 줄 알아라. / 연산홍 철쭉 만발하고 / 먼 산 진달래 손 흔들면 // 에미 온 줄 알아라. / 피고 지는 / 꽃이 / 천지를 수놓으니 / 나는 항상 네 곁에 있단다. // 꽃이 진다고 설워 말아라. / 초록 다하면 / 꽃진 자리 씨앗으로 / 내년을 기약하리니 // 사월 바람에 꽃 이파리 / 꽃비 되어 내리던 날 / 꽃처럼 가신 울 어머니 / 꽃으로 피어 오시다.
– 〈어머니 오시는 날에〉 전문

자전적 화자인 시인의 주관적인 화제이지만 서정시의 특징인 은유와 상징으로 표현이 화려하면서 그것이 화자의 슬픈 정서를 강한 이미지로 나타내는 데 성공하고 있다. 독자를 의식하기에는 화자의 감정이 너무 고조되어 있지만, 독자의 공감도가 높아지는 것은 자전적 화자가 주는 동일성과 신뢰성이 그 원인이다. 돌아가신 어머니에 대한 슬픔은 어린이나 어른이나 다를 바가 없다.

3. 맺는 말

조명제의 시는 감성을 위주로 쓴 관념시다. 문예사조 상으로는 낭만주의 시이다. 관념시의 특징이 시인이 전달하고자 하는 의미와 정서가 잘 드러난다는 점이다. 그런가 하면 관념시는 시인의 정서가 지나치게 과장되기 쉬우며, 감상적 어조를 면하기 어렵다는 비판을 받았다. 조명제의 시에서도 이러한 비판이 가능한 것은 사실이다. 예를 들면 '산골짝 / 골짝마다 / 메아리가 산다. // 산마루에 올라가 / 소리 지르면 / 화음으로 어우러져 / 되돌아온다. // 우리들 / 가슴 속에 / 메아리가 산다.'처럼 '메아리'의 실체가 잘 드러나지 않는 반면 시인의 정서는 과잉되어 있다.

　조명제의 시는 서정시의 특징을 잘 살림으로써 관념시의 결점을 보완하고 있다는 사실도 인정해야 한다. 서정시의 어법상의 특징이 음악성이다. 음악성은 초기에는 음률에 의한 외형율에 의지했지만 현대시에 이르면 회화적 이미지 쪽으로 기울게 된다. 조명제의 외형율은 작가 개인의 심성과 무관하지 않다. 실제 저자로서 그의 진솔한 어투라든지 담백한 성격 등이 음악성을 중시한 초기 서정시의 특성인 외재율에 머물게 하는 요인이다.

　서정시의 구조적인 특징이 은유와 상징이라는 점이다. 이것은 서정시의 시적 대상이 구체성과 객관성이 없기 때문이다. 조명제의 시가 이미지 중심의 시라는 점은 그가 은유와 상징을 매우 적절하게 구사하고 있으며, 그의 시가 서정시의 장점을 최대한 이용하고 있다는 반증이다. '메아리'에 대해 '밀물처럼 감겨 오는 사랑', '온누리에 퍼지는 사랑의 합창'으로 은유하는 그의 노력은 관념시가 우리 동시의 대세가 될 수 있음을 보여주는 좋은 예다. 실제 저자로서 조명제의 낙천적인 성격과 위트와 유머가 이런 은유를 가능하게 한다는 점이다.

　조명제의 관념시가 특징을 그대로 지녔으면서도 동시로서 성공할 수 있었던 것은 실제 저자의 낙천적인 성격과 풍부한 위트와 유머가 작품에 그대로 투사되면서 건전한 독자를 많이 확보한 때문이라 생각된다. 즉물시가 동시단을 뒤덮고 있는 세태 속에서도 조명제같이 자기 목소리를 낼 수 있는 시인이 있어 우리는 마음 든든하다.

어린이와 함께 선생이 걸어온 길

원적 경남 함안군 군북면. 출생지 부산 서구 서대신동.

1954년 9월 17일 (음력) 부산 서구 서대신동에서 태어남.

1967년 2월 부산 동신 초등학교를 졸업함.

1970년 2월 부산 서중학교를 졸업함.

1973년 2월 부산상업고교 60회 졸업함.

1975년 3월 진주교육대학 입학함.

　　　　야정문학회 활동함.

　　　　학보사 편집국장 역임함.

1978년 3월 부산 범일초등학교 교사 초임 발령 받음.

1980년 6월 이정숙과 결혼함.(경남 산청)

　　　　월간 〈교육자료〉에 이원수 선생님으로부터 시 3회 추천 완료함.(천료작 〈경
　　　　호강〉)

　　　　산호초 시문학 동인 활동함.

1981년 2월 장남 정현 태어남.

1982~1985년 방송통신대학 행정학과 편입 졸업함.(행정학사)

1982년 제5회 아동문예 신인상 당선됨.(〈동백꽃〉 외)

　　　　제38회 월간문학 신인작품상 아동문학 부문 당선됨.(〈팔베개〉 외)

　　　　써레동인으로 활동함.

1983년 4월 장녀 가현 태어남.

　　　　7월 첫 동시집 《갈숲의 노래》 출간함.

　　　　서울 아동문예사, 문화공보부 우수 도서 선정됨.

1985년 동의대 행정대학원 행정학과 석사 과정 졸업함.(교육행정 석사 논문: 〈초등학
　　　　교장의 리더십에 관한 연구〉)

　　　　월간 〈교육연구〉지 연재함.

1987년 5월 제2동시집 《날고 싶어요》(대교출판) 출간함.

1988년 5월 제20회 한정동 아동문학상을 수상함.

1989년 8월 제3동시집 《꽃으로 피리라》(동화문학사) 출간함.

　　　　12월 부친 별세하심.

1991년 5월 체육청소년부 장관상을 수상함.

1992년 12월 제4동시집 《꽃씨의 겨울잠》(아동문예) 출간함. 문화예술진흥원 지원금

받음.

1993년 부산문인협회 이사를 역임함.

1995년 2월 대금강문 선무도 입문함.(법명 일주)

2001년 8월 대금강문 선무도 4단 승단함.

　　　　대금강문 선무도 지도법사 수계받음.

　　　　부산지방법원 선우회 선무도 지도함.

　　　　사단법인 세계선무도협회 기획이사, 총무이사로 위촉됨.

　　　　보림지원장.

2002년 12월 부산교육정보원에서《갈숲의 노래》《날고 싶어요》《꽃씨의 겨울잠》등 3권
　　　　을 전자책으로 발간함.

2006년 4월 모친 별세하심.

2007년 한국 아동문학인협회 동시분과위원장으로 위촉됨.

2010년 7월 장남 정현 결혼함.

2011년 4월 제5동시집《나비야, 나비야 너는 어디 있니》(아동문예사) 발간함.

2002~2011년 고등학교 문법 교과서에 〈꽃씨를 심는 마음〉 수록됨.(교학사, 두산동아)

2012년 8월 제5회 대한아동문학상을 수상함.(사단법인 아동문예작가회)

　　　　〈꽃씨를 심는 마음〉 시비석 건립됨.(부산 진구청 주관)

2015년 8월 대한민국 근정훈장, 녹조근정훈장 수훈함.

한국 아동문학가 100인

손수자

대표 작품

〈용용 죽겠지〉

인물론

문학이 곧 그고, 그가 곧 작품이다
동화작가 손수자는 이런 사람이다

작품론

손수자 동화에 나타난 '외로움'의 서사적 특징

어린이와 함께 선생이 걸어온 길

용용
죽겠지

이상한 일이 일어난 것은 저금통을 받은 그 날 저녁부터였다.

새해 선물로 이모가 준 것은 여느 해처럼 돼지 저금통이 아니었다.

온통 검은색에다 배 부분에 황금색으로 글자가 쓰여있었다.

딱 한 글자 福이었다.

"별로야, 귀엽지도 않고."

퉁명스럽게 받아 든 나는 책상 위에다 슬며시 밀어놓았다.

"올해가 용띠잖아. 우리 미리 복 많이 받아라."

"난 돼지 저금통 하나만 있으면 돼."

나는 책장 위에 있는 배불뚝이 돼지를 가리켰다.

"하지만 넌 이 흑룡을 사랑하게 될걸."

내 어깨를 한 번 누른 이모는 방에서 나갔다.

이모는 세계로 학원 영어 선생님이다. 우리 학교 근처에 있는 학원이라 우리 집에 종종 들렀다 가곤 한다. 나도 이모학원에 가서 영어를 배운다.

나는 흑룡 저금통을 책장 위로 가져갔다.

선생님 이모가 준 저금통이니까 괄시할 수는 없었다.

돼지 저금통이 있는 책장에 흑룡 저금통을 놓아두려고 했다.

"못생겼어, 아주."

세모뿔 하나, 소를 닮은 귀 모양에다 놀란 토끼 눈이었다. 배에는 잉어 비닐 같은 게 오톨도톨 새겨져 있었다.

"못났어, 아주! 돼지는 귀엽기나 하지."

나는 중얼거리며 흑룡 저금통을 탁 놓았다.

갑자기 징이 울리는 것 같은 소리가 났다.

"어, 뭐야!"

책장 주변에서 안개 같은 것이 피어나면서 뭔가 조그만 것이 꿈틀거렸다.

"어———엄마!"

내 손은 내 입을 막고 꼼짝할 수도 없었다.

"딸랑딸랑 랑랑랑랑……."

종소리가 났다. 우리 집 현관에 붙어 있는 풍경 소리 같았다.

머리에 붙은 뿔이 더 커지고 귀가 팔랑거리더니 토끼 눈에 불이 켜지더니 하나둘 비닐이 일어났다.

고함을 지르며 뛰쳐나가려고 방문을 열려고 했으나 문이 열리지 않았다.

날개도 없는 것이 포르르 날더니 내 어깨에 폴짝 내려앉는 것이었다.

"악!"

나는 왼손으로 내 오른쪽 어깨에 앉은 것을 바닥으로 내치려 했다.

"놀라지 마, 내 이름은 포뢰야."

머리를 감싸 안고 난 그 자리에 주저앉아버렸다.

내 손바닥 안에 들어갈 만큼 작은 것이 스멀스멀 움직이는데 너무 징그러웠다.

포뢰는 주저앉은 바로 내 앞에 내려앉더니 올려다보며 말했다.

"안미리, 너 겁쟁이구나."

'움직이는 것이 말까지 하다니…….'

나는 뒤로 물러서며 일어섰다.

"후후! 네가 겁을 먹다니 이거 재미있는걸."

숨겨져 있던 세 개의 발톱까지 치켜세우며 겁을 주는 것 같았다.

"넌 장난꾸러기, 심술쟁이. 욕심 많고 친구도 잘 괴롭히지."

"내가 어-언제 친구를 괴롭힌다고 그-그래."

더듬거리며 나는 머리를 마구 흔들었다.

"영목, 지나, 은경. 어디 그 뿐이니? 전학 온 미르까지."

포뢰는 실 실 웃으며 말했다.

그때만 생각하면 지금도 기분이 팍 나빠진다.

미르가 전학 왔을 때 처음에 정말 친하게 지내고 싶었다.

하얀 피부에 눈썹이 짙은 예쁜 아이였다.

거기다 미르는 발표도 잘하고 어려운 수학도 척척 박사였다.

은근히 심통이 난 나는 장난삼아 말했다.

"야, 미르! 네 눈에 가시 들었다."

"뭐, 가시? 내 눈에 든 가시를 네가 어떻게 알아. 말도 안 돼!"

하면서 흘겨보았다.

그냥 예쁜 얼굴로 빙그레 한 번 웃어주었으면 그냥 웃고 말았을 거다.

그래서 또 한 번 말했다.

"야, 네 머리에 머리카락 붙었다!"

"그럼, 머리카락이 발에 붙을까? 참 네!"

발끈하면서 양팔을 깍지 끼고 입술까지 뾰족 내밀며 화를 냈다.

장난을 장난으로 받아주면 나도 그냥 넘어갔을 거다.

그래서 또 한 마디 내뱉었다.

"그래, 넌 손에 손톱도 붙어있네."

"미리 너 바보지, 그렇지? 너 바보구나."

미르는 양쪽 엄지를 볼에 대고 나머지 손가락을 흔들며 혀까지 내밀며 달아났다.

"용용 죽겠지."

머리에 불이 날 만큼 화가 난 나는 잡기 놀이 하듯 미르를 향해 운동장을 달렸다.

옆에 있던 아이들이 소리쳤다.

"미리 이겨라! 미르 달아나라!"

미르는 잡힐 듯 잡힐 듯 잡히지 않았다.

'아니, 이게 달리기까지 잘하네.'

릴레이 대표 선수인 내가, 내 말이면 대꾸 한 번 못하는 아이들 앞에서 창피를 당하다니 있을 수 없는 일이었다.

이를 꽉 다물고 있는 힘을 다해 미르를 잡으려 했다. 난 미르를 잡은 줄 알았다.

하지만 미르는 나한테 잡힌 것이 아니라 자기가 넘어진 것이었다.

난 넘어진 미르 등 위에 올라가 딱 두 번 엉덩이를 올렸다 내렸을 뿐이었다.

미르의 하얀 얼굴에 붉은 상처가 났고, 난 선생님께 무지무지 혼이 났다.

5분 동안 눈을 감고 움직이지도 못하고, 다시는 친구를 괴롭히지 않겠다고 반성문을 썼으며 엄마에게 사인까지 받아오도록 했다.

그 날만 생각하면 속이 상해 얼굴이 붉어지고 온몸에 열이 난다.

엄마가 사인을 해주면서 얼마나 잔소리하던지.

그 후부터 아이들이 나를 보는 눈이 예전 같지 않았다.

몇몇 아이들은 내 눈치를 살피며 미르에게 관심을 가지기 시작했다.

"아니 네가 미르를 어떻게 알아?"

어느덧 난 포뢰와 이야기를 나누고 있었다.

그때였다.

"미리야, 오늘 저녁은 자장면이다. 어서 먹자."

엄마가 방문을 활짝 열고 맛있다는 표정으로 날 불렀다.

"엄마, 이 저금통이 이상해요, 말을 한다고요."

"아까는 용 저금통이 별로라더니 아직 갖고 노니? 빨리 나와."

엄마는 예쁘게 눈을 흘겼다.

"아니야, 이것 봐. 이게 움직인다 말이야!"

"저금통이 마음에 들지 않으면 그냥 둬. 아니면 미르에게 주던가."

곁에 있던 이모가 눈을 찡긋하며 거들었다.

엄마는 그 일이 있고 난 뒤, 미르와 친하게 지내는 줄 알고 있는 것 같았다.

하지만 난 아니다.

언젠가 꼭 '용용 죽겠지.'를 돌려주려고 늘 생각하고 있다.

절대 선생님께 일러바칠 수 없게, 감쪽같이 놀려 주려고 벼르고 있었다.

하지만 그런 일은 쉽게 일어나지 않았다.

"미리야, 엄마 중국집 차려도 되겠다. 맛있다. 그지?"

이모가 엄지를 올리며 눈을 또 한 번 찡긋했다.

"몰라, 맛없어!"

하지만 그릇을 다 비운 나는 괜히 발을 쿵쿵거리며 화장실로 갔다.

거울에 비친 내 모습을 보았다.

얼굴을 여러 번 꼬집어보고 머리도 한 대 툭 때려보았다.

아팠다. 그러니 꿈은 아니다.

거품이 하얗게 일도록 오랫동안 이를 닦았다.

대강 이빨을 닦는다고 늘 엄마가 닦달했었다.

그런데 마음이 이상했다.

'포뢰는 무얼 하고 있지?'

30분도 채 되지 않은 시간이었지만 궁금했다.

수건으로 입가를 훔치고 내 방문을 살며시 열고 살펴보았다.

포뢰는 보이지 않았다.

책장 저편에 흑룡 저금통만 얌전히 놓여 있을 뿐이었다.

나는 머리를 갸우뚱거리며 책상 앞에 앉았다.

자꾸 책장에 눈이 갔다. 하지만 흑룡 저금통은 여러 책이 꽂힌 앞에 그대로 있었다.

움직이지 않는 모든 사물처럼 그렇게.

평소 그렇게 싫던 일기까지 쓰고 싶은 이상한 날이었다.

20○○년 ○월 ○일 ○요일 맑음

〈이상한 일〉

이상하다, 정말 이상하다.

이모가 준 흑룡 저금통이 아기용이 되어 나에게 말을 걸어왔다.

이름은 '포뢰'라고 했다.

그런데 아무도 날 믿어주지 않는다.

우리 엄마까지도.

미르와 싸운 것 까지도 다 아는 포뢰.

저녁을 먹고 오니 사라지고 없었다.

꿈을 꾼 것 같기도 하고 참 이상한 일이다.

정말 이상하고 이상한 일이야.

다음 날 학교에서 일기 검사를 하던 선생님께서 말씀하셨다.

"미리가 요즘 책을 많이 읽는 모양이네."

"네? 예, 선생님."

"포뢰는 울기를 좋아하는 아기용이지. 용 이야기를 읽고 있구나."

"아니에요, 선생님! 정말로 흑룡 저금통이 포뢰로 변했다고요."

"아무튼, 네가 책에 빠져 있다니. 멋져!"

선생님은 포뢰에다 별표를 그려주고는 씽긋 웃어주셨다.

"그래, 책 속에 길이 있단다. 열심히 읽으렴, 파이팅!"

선생님 역시 날 믿어줄 리 없었다.

하긴 나도 믿을 수 없는 잠깐 꿈을 꾼 것 같기도 하니까.

수업을 마친 나는 영어학원 계단을 오르고 있었다.

"미리야!"

미르였다.

대답도 하지 않고 모른 체 지나가려고 생각했다.

그런데 내 생각과 달리 난 부드럽게 묻고 있었다.

"언제부터 이 학원에 다녀?"

"제법 됐어."

"그런데 오늘 처음 보네."

"클래스가 다르잖아. 난 심연희 선생님 반이야."

"심연희 선생님은 우리 이……."

우리 이모라고 말하려고 하다가 그만두었다.

"심연희 선생님 알아?"

"아니? 몰라!"

머리를 강하게 흔들며 나는 제니 선생님 반으로 들어갔다.

미리가 손을 흔들며 웃고 있었다.

'치! 잘난 척하긴……'

마음속은 미움 덩어리인데 나도 손을 흔들며 웃어 주었다.

"내 마음을 나도 모르겠어."

집으로 돌아오면서 곰곰이 생각해보았다.

포뢰를 만난 뒤부터 내가 자꾸 착해지는 것 같았다.

마음속엔 심술이 끓어오르고 장난이 넘치는데 막상 내 행동은 착한 짓만 하는 참으로 이상한 일이 벌어지고 있었다.

현관문 다이얼을 눌러 집 안으로 들어오자, 문에 달린 풍경이 딸랑딸랑 소리를 내며 반겨주었다.

엄마는 안 계셨다.

내 방으로 들어가 책상 위에 가방을 툭 던지고 침대에 벌렁 누웠다.

"안녕? 잘 갔다 왔어?"

포뢰였다.

나는 벌떡 일어나 앉았다.

"놀래긴, 우린 친구잖아."

"친구라고?"

"그래, 아직도 내가 겁나?"

'치! 꺼져버려!'

그렇게 생각하고 나는 소리쳤다.

"아니야, 고마워! 내 친구가 돼 주어서."

내 입에서는 이렇게 마음과 다른 말이 나왔다.

'난 스멀스멀 움직이는 네가 너무 싫고 징그럽단 말이야.'

"그래, 귀엽고 작은 네가 너무 좋아, 정말 친구 하고 싶어."

가슴을 치고 또 치고 싶었다.

내 생각과 정반대로 말이 되고 행동을 하는 것이었다.

'침대에 벌렁 누워 잠이나 자야지.'

하지만 난 조용히 책을 꺼내 읽고 있는 내 모습을 볼 수 있었다.

컴퓨터를 켜고 검색 창을 열었다.

ㅍ ㅗ ㄹ ㅗ ㅣ 포뢰 엔터 키를 눌렀다.

포뢰는 용의 아홉 아들 중 셋째로 바다에 사는 울보인데 고래만 보면 무서워 크게 울 부짖었다는 전설의 용이다. 용은 우리나라 고유어로는 '미르'라고 하는데, 미르는 '물'의 어원과 같다.

나는 고개를 끄덕였다.
'포뢰라는 이름이 전설 속에 정말로 존재하는 이름이구나.'
그리고 또 한 번 글을 자세히 살폈다.
'미르.'
많이 듣던 이름이었다.
'그래, 미르가 용이라고?'
난 책장을 올려다보았다.
흑룡 저금통은 얌전히 놓여 있었다.
책장에서 흑룡 저금통을 가져와 내 책상 위에 살며시 놓았다.
"사랑해, 포뢰야!"
나는 포뢰의 가슴에 입을 쪽 맞췄다.
그런데 그 후부터 포뢰는 내 앞에 다시는 나타나지 않았다.
일부러 동전을 넣을 때 '탁' 쳐보기도 하고, 책장 한쪽에 다시 놓아두기도 해보았다.
내가 먼저 흑룡 저금통에다 대고 말을 걸어보기도 했다.
아침부터 날씨가 흐린 금요일 오후였다.
학교를 마치고 학원을 향해 가는 중이었다.
미르가 앞서가고 있었다.
언제부턴가 미르가 다정하게 느껴지기 시작했다.
하지만 먼저 손을 내밀기는 쉽지 않았다.
"그래, 오늘이야."
걸음을 빨리하여 같이 가려고 했다.
그럴수록 미르는 더 빨라 따라잡을 수가 없었다.
"미르야, 미르야!"
나는 달려가면서 크게 불렀다.
미르가 뒤로 돌아보는 순간 나는 놀라지 않을 수 없었다.
세모뿔 하나, 소를 닮은 귀 모양에다 놀란 토끼 눈으로 나를 보고는 씩 웃고 달려가면서 소리치는 것이었다.

"용용 죽겠지."

'분명, 포뢰였다.'

난 그 자리에 우뚝 섰다.

발밑에는 반짝반짝 빛나는 잉어 비늘 하나가 떨어져 있었다.

허리를 굽혀 주워들었다.

축축하게 물기가 밴 비린내가 나는 것 같았다.

"미리야, 뭐 하고 있니? 젖은 낙엽 한 장 들고서."

이모가 내 어깨를 걸고 어서 가자고 눈짓을 했다.

학원 현관에 들어서자마자, 천둥이 치면서 비가 내리기 시작했다.

"이모, 흑룡 저금통 말이야."

"그래, 네가 좋아할 줄 알았어. 늘 끼고 잔다며……."

이모는 제니 선생님 반 앞에서 손을 흔들며 말했다.

"사실은 미르가 너한테 전해주라고 했거든."

그날 나는 용이라는 영어 단어를 단숨에 외워 버렸다.

dragon.

문학이 곧 그고,
그가 곧 작품이다
동화작가 손수자는 이런 사람이다

김문홍

작품 잘 쓰고 사람도 그만이다

흔히들 이런 말을 곧잘 한다. 문학과 사람이 일치해야 되느냐, 그렇지 않아도 되느냐란 원론적인 문제로 입씨름을 하기도 한다. 성인들을 상대로 하는 일반 문학에서는 작품과 인간이 일치하지 않아도 되지만, 어린이를 독자로 하는 아동문학에서는 작품이 곧 그 사람이고, 그 사람이 곧 작품이어야 한다는 것이 일반적인 견해이다. 흔히들 이는 일반문학의 독자는 판단력이 있는 성인이기 때문에 그것이 가능할 수 있겠지만, 아동문학의 주 독자는 아직 마음 바탕이 순수한 백지 상태이고 판단력이 확립되지 못했기 때문에 작품과 작가가 일치해야 된다는 것을 그 근거로 내세우고 있다.

아동문학계에도 이런 세 부류의 사람들이 있다고 생각한다. 사람은 좋은데 작품은 그렇지 않은 경우, 사람은 그렇지 못한데 작품은 좋은 경우, 그리고 사람도 좋고 작품도 좋은 경우이다. 가장 바람직한 것은 작품도 잘 쓰고 사람도 좋으면 금상첨화일 것이다. 그러나 그렇지 못할 바에야 작품은 별로이더라도 사람이 좋은 경우가 바람직하다. 사람은 그렇지 못한데 작품을 잘 쓴다면 그건 어린이 독자를 기만하는 경우이기 때문이다. 그만큼 아동문학은 생래적으로 엄격한 순수성을 지녀야 한다는 말이다.

그렇다면 손수자는 이중 어떤 경우에 해당하는가. 작품도 좋을뿐더러 사람도 진국이라는 표현이 맞을 것이다. 그러니까 동화작가 손수자는 생래적으로 아동문학에 종사해야 한다는 운명을 가지고 태어난 것이나 마찬가지이다. 달리 말하면 손수자가 지금까지 아동문학을 해 오고 있다는 것은 어린이들을 위해서나 아동문학을 위해서나 무척 다행이라는 점이다. 작품이야 못 쓰면 피나는 노력을 하면 나아질 수 있지만, 인간 덜된 것은 바탕이 이미 글러 있기 때문에 노력으로도 어쩔 수 없는 일이다.

①

친구들이 한 바닥을 읽는 것보다 더 긴 시간이었지만 선생님께서는 '그만'하고 소리치지 않으셨다.

"그래, 잘 읽었어."

선생님의 눈가가 불그레해지면서 책을 놓으셨다. 그 순간 교실은 벌 받는 아이들처럼 조용해졌다.

그때, 나도 모르게 "으음." 소리가 튀어 나왔다. 그러면서 이상하게 내 가슴은 두근거리는 것이었다. 마치 남의 물건을 탐내 손이 갔다가 들킨 아이처럼 말이다.

난 말을 할 수 있어도 하지 않는 것이지만, 연필이는 말이 하고 싶어도, 정말 많은 말을 하고 싶어도 할 수가 없는 것이었다.

– 손수자, 〈깃발〉에서

②

성우는 머리를 흔들었어.

선생님은 성우의 눈을 가만히 들여다보았지.

한참 후에 꽃밭에 버렸다고 했어.

뒤뜰 꽃밭에는 주민등록증과 카드가 흩어져 있었어.

선생님은 조용히 말씀하셨어.

"성우야, 아무도 안 보는 것 같아도 누군가가 다 보고 있단다. 먼저 네가 보았을 테고, 해님도 저렇게 보고 있잖아."

성우는 고개를 푹 숙이고 말이 없었어.

"남의 물건을 탐내면 나쁜 사람이라는 것은 알고 있니?"

성우는 대답하지 않고 발로 땅바닥만 툭툭 차고 있었단다.

"하늘이는 돌아가도 좋아. 하지만 우리 반 모두에게는 비밀이다.

– 손수자, 〈비밀〉에서

위 인용문 ①, ② 속에 나오는 작품 속의 인물인 선생님은 곧 동화작가 손수자의 분신인 셈이다. 인용문 ①처럼 신체적, 정신적 장애가 있는 아이 혹은 마음의 문을 닫고 있는 아이들을 다그치지 않고 느긋하게 기다려 줄줄 아는 여유, 그리고 인용문 ②의 경우처럼 잘못을 저지른 아이를 무조건 닦달하지 않고 스스로 잘못을 깨달을 수 있게 이끌어 주는 선생님의 모습은 곧 동화작품을 쓰는 작가 자신을 상징하고 있다. 이런 소재와 주제의 작품은 상상력에서 탄생한 것이 아니라 작가가 자신의 교단 체험에서 비롯된 것이기 때문에 작품과 인간의 일치가 가능한 것이라고 볼 수 있다.

누군가 동화작가 손수자를 한번 만나 얘기를 해 보라. 교실이나 학교 현장을 배경적 공간으로 하고 있는 그녀의 단편 몇 편을 읽어 보라.

금세 작가가 어떤 사람일 것 같으며, 작가와 작품이 서로 어긋남이 없이 일치하고 있음을 알게 될 것이다. 이처럼 동화작가 손수자에게서는 '사람'의 냄새가 물씬 풍기고,

또한 그의 작품에서는 그러한 '사람' 냄새로서의 인간적인 체취를 금세 맡아 낼 수 있을 것이다.

딸 부잣집 감수성 많은 어린 소녀

동화작가 손수자는 1953년 부산 사하구 신평동에서 아들 하나 딸 다섯 중에서 셋째 딸로 태어났다. 그녀에게 문학적 감수성과 포근한 모성의 마음 바탕을 심어 준 것은 외할머니였다. 아들이 없는 외할머니는 손수자의 어머니가 된 막내딸의 이웃에서 살았는데, 그녀는 거의 외할머니와 함께 생활하면서 영향을 많이 받았다. 외할머니를 따라 성당에 다녔으며, 할머니의 반닫이 속에 들어 있던 한지로 된 이야기 책을 들으면서 문학적 감수성과 인간적인 포근한 마음 바탕을 길렀다. 그녀의 외할머니는 손수자가 부산교육대학에 입학할 때만 해도 그렇게 좋아하셨는데, 외할머니는 아무런 지병도 없이 어느날 자는 듯이 돌아가셨다고 한다. 그녀는 마치 자신의 부모가 돌아가신 그 이상으로 서럽게 울었다고 한다. 자신에게 문학적 자양분을 듬뿍 안겨 주고 사람이 어떻게 살아 가야 한다는 반듯함을 심어 주셨는데 서럽지 않을 수 있었겠는가.

손수자는 1972년에 2년제인 부산교육대학 국어교육과에 입학하게 된다. 당시 함께 입학한 부산교대 12기는 가장 많은 문학인을 배출했다. 소설에서는 구영도와 문성수, 시에서는 정계화, 김영미, 그리고 아동문학에서는 그 모습이 더욱 두드러진다. 동시에 김종완, 김종순, 손월향, 동화에는 김문홍, 김재원, 손수자 등 무려 10여 명에 이른다. 손수자는 대학 시절 도서관의 도서부원으로 활동하면서 문학적 역량을 다지고 키우게 된다.

손수자는 일선 교육 현장에 부임하면서 아이들을 통해 아동문학의 문학적 자양분을 흡수하게 된다. 그 결과로 1988년 1월에 〈교육자료〉에 〈안개꽃〉을 비롯한 3편의 동시 작품으로 동시 추천을 받아 등단하고, 같은 해 7월에는 〈아동문학평론〉 신인문학상을 통해 동화작가로 연이어 등단하게 된다.

그녀의 문학에 대한 갈증은 여기에서 그칠 리가 없었다. 1992년 무렵이었을 것이다. 그녀는 생애 처음으로 《가슴마다 사랑》이라는 장편 아동소설을 상재하게 된다. 손수자는 20주년 홈커밍 데이 모임에서 훨씬 이전부터 기성 작가로 활동하고 있는 동화작가 김재원과 김문홍에게 그 작품을 선보이고 자문을 받기에 이른다. 필자는 그때서야 손수자가 같은 대학 동기이고 동화를 쓰고 있다는 사실을 처음 알게 되었다. 손수자는 그 작품으로 1993년 제1회 눈높이 아동문학상에 당선하면서 화려한 문학적 비상을 이룩하게 된다. 그 이후부터 그녀는 꾸준한 문학적 성장을 거듭하면서 지금까지 3편의 장편, 그리고 15권의 단편동화집을 상재했으며, 조만간 오랜 동안의 침묵을 깨고 새로운 장편 아동소설을 상재할 계획으로 바쁜 나날을 보내고 있다. 이처럼 그녀는 천재적 문학성을 발휘하기보다는 은근하고 포근한 그녀의 마음 바탕만큼이나 시나브로 문학적 성장을 이룩해 오고 있다.

반듯한 마음가짐으로 반듯한 작품을 빚는다

동화작가 손수자는 반듯한 사람이다. 그래서 그녀를 한두 번 만나 본 사람이면 금세 알아차린다. 만나면 썩 눈과 가슴에 들어오지 않지만, 그렇다고 헤어지고 난 후에도 썩 가슴에서 내칠 수도 없는 그런 인간적인 은근함의 매력을 지니고 있다. 그녀의 반듯한 마음 때문일 것이다. 그래서인지 그녀는 자식 농사도 반듯하게 잘 지었다. 큰딸 심나리는 이화여자대학교 영문과를 나온 재원으로 서울대학교 공과대학 출신의 박사와 결혼하여 슬하에 아들 하나를 두고 있다. 아들 심상우 역시 서울대학교 화학과 출신으로 하버드대학교에서 물리화학 박사 과정을 밟으며 역시 하버드에서 통계학을 전공한 여자와 결혼하여 현재 미국에서 생활하고 있다.

그러던 어느 오후, 화장실 청소를 마치고 돌아온 나에게 선생님께서 불렀다.

"지희야, 좀 남아라."

숙제도 다했고 일기도 잘 써 왔으며 화장실 청소까지 깨끗이 한 날, 선생님께서 남으라고 하셨다. 선생님께서는 새 학교에 와서 적응도 잘하고, 친구들과 사이좋게 지낸다고 칭찬해 주시곤 내 어깨에 손을 얹었다.

"네 짝이 싫으니?"

비밀을 들킨 사람처럼 나는 화들짝 놀랐다.

"아뇨!"

난 머리를 강하게 흔들었다.

"좀 특별한 아이야, 어릴 때 몸이 아파서 한번씩 자기 자신을 추스르지 못하는 경우가 있단다. 성우 행동은 이해하지 못할 때도 많지만, 우리가 본받아야 할 점도 있어. 나쁜 면보다 좋은 점을 볼 수 있도록 하자."

선생님께서는 나를 길게 칭찬하시고, 짧게 나의 행동을 나무랐다.

– 손수자, 〈걸어다니는 바다〉

위 인용 장면은 손수자 동화를 읽는 키워드이기도 하지만, 문학과 인간(작가)은 일치해야 된다는 아동문학의 전범적인 사례가 될 수도 있으며, 궁극적으로 아동문학이 나아가야 할 방향을 제시하고 있기도 하다. 이 작품 속의 등장인물인 선생님은 곧 작가 자신이기도 하다. 작가 자신이 작품 속에 얼굴을 불쑥 내미는 법은 없지만 그 어느 누구도 이 선생님이 작가인 손수자라는 것을 부인하지는 못할 것이다. 이처럼 작품 속의 선생님도 자신을 추스르지 못하는 아이들에게 한없는 사랑의 감정을 보내고 있듯이, 동화작가 손수자는 교단을 공간적 배경으로 하고 있는 작품이건 그렇지 않은 작품 속에 나오는 착한 어른들이건 모두 자신의 분신으로 내세우고 있다.

　그런 그녀의 가치관이나 세계관 탓인지는 몰라도 손수자 동화의 분위기는 어느 것 하나 정도를 벗어남이 없이 반듯한 사람의 세계를 그려 내고 있다. 이는 작가 자신이 반듯한 사람이기 때문에 그의 작품 역시 반듯하지 않을 수 없는 것이다. 어떤 이는 이렇게 정석을 탈피하지 못하고 아동문학의 본류만을 향하고 있는 그녀의 동화를 너무 교과서적이라고 핀잔할지도 모른다. 그러나 어린이를 1차적 독자로 상정하고 있는 아동문학은 문학적 예술성도 중요하지만 '교훈성'도 무시할 수 없는 중요 요소가 아닐 수 없다. 아동문학의 본질적 명제에 충실한 동화작품을 빚어 가고 있는 손수자는 어떻게 보면 아동문학의 궁극적 목표에 충실한 반듯한 문학을 하고 있는 정통적인 동화작가일지도 모른다.

> 가방이 자꾸 흘러 내려 어깨 줄을 꼭 잡고 교실로 갔어.
>
> 살며시 교실 문을 열었지.
>
> "하늘이구나, 어서 와."
>
> 선생님이 반겨 주었어.
>
> 난 부끄러워 그냥 자리에 앉아 버렸어.
>
> "안녕하세요, 선생님!"
>
> 내 짝 은비는 들어오면서 고개를 숙이고 인사를 하는 거야.
>
> "그래, 어서 와!"
>
> 선생님은 은비 어깨를 톡톡 두드려 주었단다.
>
> ─ 손수자, 〈하늘이네 교실 이야기〉에서

　위 인용문은 2009년 이주홍아동문학상을 수상한 《하늘이네 교실 이야기》의 한 부분이다. 위 장면은 너무나 평범한 장면이면서도 너무나 많은 것을 우리들에게 이야기해 주고 있다. 교실 문을 열고 들어서는 선생님의 따뜻하고 사려 넘치는 말 한 마디가 아이에게는 우주의 무게만큼이나 크듯이, 이 땅 어린이들에게 꿈과 희망을 주어야 할 아동문학작품이 궁극적으로 도달해야 할 곳은 바로 이러한 따뜻하고 사랑에 넘치는 말 한마디이어야 할 것이다. 이런 본래의 명제에도 충실하지 못하는 작품이 문학적 완성도가 뛰어나다거나 문체가 시적인 아름다움을 지녔다 한들 무슨 소용이 있겠는가.

손수자는 문학과 인간이 일치하는 반듯한 문학을 하고 있으며, 또한 어린이들이 마음 놓고 기댈 수 있는 모성적인 포근한 사랑의 마음을 작품 편편마다에 심어놓고 있다. 다만 필자가 한 가지 바랄 것이 있다면 그러한 모성적인 포근함은 잊지 않되 앞으로는 가끔 주제나 소재적인 측면에서 일탈을 보여 주었으면 하는 것이다. 그러나 반듯한 문학 정신과 반듯한 사람으로서의 마음 바탕만은 결코 잊지 않았으면 하는 바람이다.

손수자 동화에 나타난 '외로움'의 서사적 특징

김종헌

1. 글 머리에

손수자 동화의 주된 모티프는 결핍과 외로움이다. 동화의 공간적 배경은 주로 학교 (학급)이면서 외로움의 문제를 공유하고 있다. 《하늘이네 교실 이야기》, 《꽝꽝나무와 막대사탕》, 〈걸어다니는 바다〉, 〈두근두근 콩닥콩닥〉, 〈인형의 집〉, 〈깃발〉, 〈눈물꽃〉 등의 동화가 이에 해당한다. 그러나 그의 동화를 좀 더 면밀히 살펴보면 결핍과 외로움 의 정서를 반영하고 있지만 이는 소통과 화해로 그 스펙트럼이 확대되고 있음을 알 수 있다. 이처럼 손수자의 동화는 외로움을 중심 모티프로 하면서 그것을 주동인물이 스 스로 이겨 나가는 서사적 특징을 지니고 있다. 또 조력자의 도움으로 한계를 극복하기 보다는 세계와의 화해를 중심으로 주동 인물이 스스로 그 외로움을 이겨 내도록 하고 있다. 즉 자아와 세계와의 소통을 바탕으로 외로움을 풀어 내고 있다. 그러기에 인물의 처지를 더 진하게 공감할 수 있다.

동화가 가지는 중요한 특징 중의 하나가 분열과 갈등을 화해와 조화의 세계로 이끄 는 것이다. 그래서 동화는 세계의 본질을 상징화하는 문학이라 할 수 있다. 이는 서정 시에서 세계와 자아의 동일화에 의한 회감과 비슷하다고 할 수 있다. 이렇게 볼 때 동 화는 소통의 과정을 담고 있는 담론 체계이다.

손수자의 동화에 나타나는 인물은 소외되고 결핍된 공간에서 살아가는 존재들이다. 그러나 이들은 그 결핍의 공간에서 자신의 결핍을 스스로 메워 가며 세계와 소통하고 있다. 이들은 결핍에서 오는 시련과 고통의 한을 충분히 인식하는 자의식을 가진 존재 로 그 상황을 극복하는 아름다움을 지니고 있다. 이로써 '빈자리'를 메워 가는 주체적 동심을 그려 내고 있다. 따라서 이 글에서는 손수자의 동화 중에서 다양하게 나타나는 '외로움'의 정서의 서사적 특징을 중심으로 동심의 현실 대응 태도를 살펴볼 것이다. 이 것은 비극적인 상황 속에서 동심과의 소통이 그의 동화에 중요한 기제로 작용하고 있 음을 밝히는 계기가 될 것이다.

2. 비극적 현실의 시적 서사

동화 〈눈물꽃〉에서 보름이는 결핍을 안고 있는 초등학교 4학년이다. 부모가 없는 상태에서 동생 한별이와 함께 외할머니 집에서 살고 있다. 이렇게 보름이를 둘러싼 환경은 열악하다. 하지만 그는 1학년짜리 동생의 나쁜 손버릇을 고쳐야겠다는 의젓함을 보이고 있다. 즉 보름이는 외할머니나 선생님에게 의존하지 않고 동생에게 직접 잘못을 가르쳐 주며 깨닫게 한다. 이 과정에서 정작 자신의 외로움은 동생으로 인해 더 괴로운 상황으로 악화된다. 그러나 이것이 보름이를 성숙하게 하는 또다른 계기가 되고 있다. 이것은 주변 조력자의 도움으로 문제를 해결하는 동화의 방식과 차별적이다. 또 현실적 모순의 벽을 넘고자 판타지 공간을 설정하는 방식과도 다르다. 즉 어린이 독자들이 동화 속에서 현실을 인식하고 힘을 얻을 수 있는 리얼리티가 숨어 있다는 것이다. 한별이가 선생님의 돈을 훔친 한 가지 사건을 다루면서 보름이는 외로움을 넘어 복잡한 심리 상태를 보인다. '자신의 외로움'–'동생에 대한 안타까움'–'스스로 움츠려 드는 자신감 상실' 등으로 그가 겪는 심리적 상태는 다양하게 나타난다. 이러한 주체의 심리가 다음에 잘 나타나 있다.

> 운동장 가에 서 있는 감나무도 앙상하다. 엊그제까지만 해도 조롱조롱 감을 달고, 한들한들 보기 좋았는데 남은 감 하나가 곧 떨어질 것 같이 안타까웠다. 달랑 남은 감 하나와 마지막 달력 한 장이 나랑 닮은 것 같아 내 어깨는 움츠러 들었다.
>
> – 〈눈물꽃〉 p.24

위의 인용문은 〈눈물꽃〉의 첫 장면이다. 주체의 심리를 뒷받침하는 배경 묘사를 통해서 보름이의 외로움을 전면에 제시하고 있다. '앙상한 감나무'와 '달랑 남은 감 하나', 그리고 '마지막 달력 한 장'에서 보름이의 외로움–안타까움–움츠르드는 심리를 읽을 수 있다. 이처럼 배경묘사를 통해서 인물의 심리를 적절하게 표현함으로써 독자는 인물의 정서에 절대적인 공감을 하게 된다. 문제는 이러한 '외로움'의 서사를 형성하는 근원적인 기제가 비극적 상황과 인간성 상실이라는 것이다. 일반적으로 손수자는 뚜렷한 시대적 배경을 전제한 것은 아니지만 현대 사회에서 흔히 일어날 수 있는 이혼과 가정 파탄을 그 전제에 깔고 있다. 〈꽝꽝나무와 막대사탕〉, 〈두근두근 콩닥콩닥〉, 〈눈물꽃〉, 〈인형의 집〉 등이 그렇다. 인간 존엄성의 상실과 폭력성이 지배하는 비극적인 현대 사회는 외로움의 세계 그 자체이다. 작가는 이러한 인간 심리를 동심으로 읽고 있다. 어린이들의 핍진한 삶의 한구석을 살핌으로써 외로운 동심의 상처를 달래고 있다. 그래서 그의 동화는 외로운 주체가 세계와 조화를 이루는 서사적 장치를 반복하고 있다.

그런데 동화 속의 주변 인물들은 보름이의 이 외로움에 대해 연민의 정을 보이는 것이 아니라 오히려 수군거리며 무시하거나 폭력적이다. 다시 말해서 따뜻하게 안아 주는 것이 아니라 이리저리 말을 옮기며 보름이의 심리적 고통을 가중시키고 있다. 그러나 인물간의 뚜렷한 외적 갈등이 없다. 이것은 작가의 시선으로 기획한 동심이 아니라는데 그 의의가 있다. 즉 리얼리티를 확보하여 세계에 대한 동심의 다양한 대응 태도를 보여 주는 것이다. 형편이 어려운 사람에게 연민의 정을 보내는 동심도 있지만 그보다는 놀리거나 빈정대는 경우가 훨씬 더 많은 게 사실이다. 현실적으로 모든 상황에서 주동 인물과 반동 인물의 갈등이 나타나는 것은 아니다. 오히려 대부분의 주체는 주어진 시련 앞에서 울기도 하고 분한 맘을 어쩔 줄 몰라 하며 속상해하기도 한다. 그래서 주체의 의지와 관계없이 발생한 외로움은 주체의 내면에 '맺힘'으로 강제되어 나타난다. 동화의 주체는 이것을 평온한 원래의 상태로 회귀하고자 하는 욕망을 지니게 된다. 즉 외로움이 없는 공간으로 돌아가고 싶어 한다. 이는 〈눈물꽃〉에서 '보름'이가 느끼는 심정뿐만 아니라 〈꽝꽝나무와 막대사탕〉에서 '보배'가 느끼는 심정도 그렇다. 보배는 태어날 때부터 장애를 안고 있는 정화를 돌봐주는 착한 주체이다. 그러나 정작 자신은 엄마가 있는 정화를 부러워한다. 그것은 "짐짓 명랑한 척 말했지만 내 마음은 몹시 추웠답니다."라는 독백에서 잘 파악할 수 있다. 이처럼 주체의 외로움을 드러내는 손수자 동화의 서사적 특징은 인물의 심리 묘사를 비유적으로 그려 내는 것이다. 이로써 독자의 공감을 확대시키고 있다.

> 뿌옇게 흐린 하늘에서 흰 꽃이 폴폴 떨어지고 있다. 그 하얀 꽃은 나의 얼굴 위에도 사뿐 내려서 눈물인지 눈:물인지 모르게 나의 부끄러움을 숨겨주고 있었다.
>
> – 〈눈물꽃〉, p.42

한별이가 할머니 생신 선물을 장만하기 위해서 빈 병을 팔아서 모은 돈을 순간적으로 의심한 보름이는 동생의 진심을 알고 꼭 끌어안는다. 의심한 것에 대한 미안함과 부끄러움, 그리고 동생에 대한 고마움 또 사랑스러움의 눈물이 눈가에 맺힌다. 이때 하늘에서 내리는 눈은 말 그대로 '흰 꽃'일 수밖에 없다. 결핍과 외로움을 이겨 낸 보름이의 마음은 지금 참 행복하다. 그 행복감의 형상화가 '눈 꽃'이다.

3. 결핍 복원의 열망

루카치에 의하면 소설 속에서 주인공은 언제나 찾는 자이다. 그러나 이들이 찾는 목표는 직접적으로 주어지지 않는다. 그래서 주인공은 고통을 겪으며 때로는 가혹한 대가를 치르기도 한다. 그래서 주인공의 내면에는 비극적인 인식이 들어있다. 이것이 손수자 동화에는 결핍에 의한 '외로움'으로 나타난다. 이 외로움의 감정은 역설적으로 주인공으로 하여금 결핍을 복원하고자 하는 열망을 가지게 한다. 결핍 속에 있는 주체가 그것을 복원하기를 열망하는 것은 주체의 고통이 클수록 더욱 강하게 나타난다. 〈눈물 꽃〉의 보름이가 겪는 이중고는 이러한 이상의 복원에 대한 열망으로 설명할 수 있다. 같은 논리로 〈꽝꽝나무와 막대사탕〉의 보배도 이해할 수 있다. 정화 엄마가 준 막대사탕을 빨아 먹지만 "그런데 엄마! 왜 이렇게 사탕이 쓴가요? 네, 엄마?"라는 주체의 물음은 엄마 없는 상황이 안겨 준 보배의 고통이 얼마나 큰가를 쉽게 짐작할 수 있다.

> 아이들이 소라를 둘러싸고 웅성거렸다. 나(보름)는 분이 풀리지 않았지만, 발을 탕탕 굴리며 내 자리로 가 앉았다. 자리에 앉자마자, 눈물이 주르륵 흘러내렸다. 울지 않으려고 입술을 꼭 깨물었지만 누군가를 향해 치밀어 오르는 어떤 미움을 참을 수가 없었다.
> – 〈눈물꽃〉, p.25

엄마 없는 보름이는 동생이 선생님 돈을 훔쳤다는 사실을 이렇게 반 친구들의 수군거림으로 알게 된다. 보름이의 외로움도 동생의 문제로 인해 괴로움으로 바뀌고 또 반 친구들에 대한 분노로 이어진다. 이처럼 고통이 강하기에 동생을 바라보는 눈길이 모성으로 이어진다. 동생을 생각하는 보배의 안타까운 마음은 "교문을 향해 걸어가는 동생을 보니 가슴이 매운 김치를 그대로 삼킨 듯 따가웠다."라는 말에 잘 드러나 있다. 이러한 동생에 대한 보름이의 감정은 어머니 부재의 한스러움을 넘어 어머니의 모성이 있는 행복한 공간으로 돌아가고픈 강한 열망으로 볼 수 있다. 또 잠시나마 한별이를 오해했던 그 부끄러운 마음을 뉘우치는 장면에서도 그것을 분명히 알 수 있다. 이로 인해 보름이와 한별이는 결핍된 행복을 찾은 것이다. 어머니가 다시 돌아오는 상황이 직접적으로 일어나지는 않았지만 이들 남매의 내면에 인식되어 있는 비극적 현실, 즉 외로움과 한의 감정은 역설적으로 행복의 의미를 되찾게 하고 있다. 이것은 동화 〈인형의 집〉도 마찬가지이다.

〈인형의 집〉에서 버려진 애완동물들을 거두어 주는 미용이 아줌마는 자식도 없고, 남편은 큰 배를 타는 데 1년에 두어 번 집에 오는 정도이다. 이러한 가정 환경에 있는 그는 외로운 존재일 수밖에 없다. 결혼은 했지만 외롭게 사는 미용이 아줌마는 고아원에서 아이들 목욕을 시켜주고, 치매로 길을 잃은 할머니를 보살펴 주기도 하며 또 지하철에서 구걸하는 사람들에게 반찬값까지 다 털어 줄 정도로 따뜻한 마음씨를 가지고 있다. 이런 그의 친절은 사람에게 국한되지 않고 버려진 동물에게까지 미친다. 그녀는 자기 삶에서 결핍된 사랑을 봉사를 통해 복원하고자 애쓴다.

애완동물을 기르는 데 있어 인간의 욕망으로 가득 찬 '인형의 집'은 행복이 사라진 결핍의 덩어리이다. 그것은 미용이 아줌마에게는 외로움의 덩어리인 것이다. 그래서 그녀는 주변 인물들에게 친절과 사랑을 베풀고, 나아가서는 애완동물까지 보살피게 된다. 한편 이 '인형의 집'을 온전한 공간으로 회복시켜 돌려놓는 공간이 바로 '빈 밭'이다. 새롬이네 할머니 산소 가는 길에 있는 '빈 밭'은 이 모든 외로움과 결핍을 메울 수 있는 공간이다. 우선 표면적으로는 비어 있는 땅이 착한 주인을 만나서 가득 채움의 공간으로 회복되며, 또 돌아가신 새롬이 할머니의 외로움까지 달랠 수 있다는 것이다. 그러나 이러한 외적인 것보다 중요한 것은 미용이 아줌마로 인해 우리 사회에서 상실된 인간성을 회복할 수 있는 상징적인 공간이 '빈 밭'이라는 것이다. 이런 서사를 통해서 이 동화는 애완동물을 인형같이 취급하는 현대인의 비양심적인 면을 고발하고 있다. 즉 작가는 자기 중심적인 사고로 인한 인간성의 결핍에 대한 복원을 꿈꾸고 있는 것이다. 다음에 인용하는 새롬이 엄마의 말은 그 공감을 뒷받침하고 있다.

> 우리는 너무 아름다운 것만 사랑하는 것 같아. 버려진 그 동물들도 처음에는 아주 귀여웠을 텐데 병이 들고 흉한 모습은 모두 싫다는 거야. 사람도 늙으면 마찬가진데…….
> – 〈인형의 집〉, p.57

빈 밭을 빌려 주기로 결심한 후 새롬 엄마가 한 말이다. 동물의 입장에서는 결코 행복할 수 없는 '인형의 집'에 대한 반성이 '빈 밭'을 통해 나타나고 있다.

4. 인물의 이미지와 '동심'의 위치

이 글에서 텍스트로 사용하는 손수자의 동화 중에서 결손 가정을 배경으로 한 인물은 〈꽝꽝나무와 막대사탕〉의 보배, 〈눈물꽃〉의 '보름', 〈하늘이네 교실 이야기〉의 '하늘'이다. 반면 장애를 겪고 있는 인물은 〈꽝꽝나무와 막대사탕〉의 '정화', 〈걸어다니는 바다〉의 '성우' 등이다. 이들 동화는 일상의 결핍을 행복으로 만들어 가는 인물의 이미지를 그려 내고 있다. 즉 작가가 꿈꾸는 것은 화해와 조화의 세계이다. 손수자는 현실의 괴로움을 판타지를 통해서 극복하는 방법이 아니라 외로움을 더욱 더 가중시키는 장치를 통해서 주체의 외로움을 부각시키고 나아가서는 주체의 자기 찾기를 이룩하게 한다. 이는 폴 리쾨르의 서술적 정체성으로 설명할 수 있다. 그에 따르면 자아란 스스로 인지될 수 없고 항상 문학적·상징적 매개를 통해서 이해될 뿐이다.

손수자는 〈꽝꽝나무와 막대사탕〉에 두 명의 인물을 내세운다. 한명은 어머니가 없는 '보배'이고 또다른 한명은 '교실에서 오줌 싸고, 걸핏하면 고함을 지르며 발을 굴리'는 '정화'이다. 둘 다 결핍의 한복판에 놓여 있다. 그런데 이 둘은 보호자와 피보호자의 관계를 유지하고 있다. 정신적인 문제를 안고 있는 정화를 보호하는 것은 1학년 때부터 정화의 그런 행동을 이해하고 있는 보배의 몫이다. 문제는 보배가 정화를 돌보면서 엄마가 없는 외로움과 또 엄마에 대한 그리움을 느끼고 있다는 것이다. 이렇게 보배는 정화를 통해서 외로움을 느끼는 반면 그것을 달래고 있다. 이것이 스토리를 긴장감 있게 끌어내고 있다.

> 꽝꽝나무 가지를 꺾어 한 대 때려 주고 싶더라구요. 그런데 갑자기, 정말 갑자기 엄마가 생각났지 뭐예요. 두 분이 싸우고 아빠가 바람을 일으키듯 휙─ 문을 열고는 쾅─닫고 나가 버렸을 때, 세상에서 그렇게 무서운 소리는 처음이었어요.
> ─ 〈꽝꽝나무와 막대사탕〉 p.18

수업 시간과 쉬는 시간을 구별하지 못하는 정화를 찾아서 달래던 중 보배는 엄마가 된 기분을 느낀다. 그러나 정화를 교실에 겨우 데려오긴 했지만 보배의 마음은 온통 엄마 생각으로 우울하다. 이러한 보배의 심리는 놀이터에서 정화 엄마를 만났을 때 극에 달한다. 정화를 잘 돌봐주어서 고맙다며 안아 주는 정화 엄마 품에서 보배는 부재하는 '엄마 냄새'를 맡을 정도로 그리움이 가득하다. 그러나 보배는 엄마 없는 것에 대한 서러움을 내색하지 않는다. 보배는 비록 정화를 달래는 중에 엄마를 그리워했지만 그 이전에는 명랑하고 예쁜 아이였다. 장애에 대한 편견도 갖지 않고 단지 1학년 때부터 친구였기 때문에 나서서 정화를 돌보는 보배의 이미지는 순수함이 전제된 동심이다. 그러나 정작 본인은 누구로부터의 위로도 받지 못하고 있다. 이러한 인물의 이미지는 동심을 둘러싼 배려와 동정의 눈길보다는 현실적인 삶을 중심에 둔 일상의 동심을 중시한 작가관의 일면을 보여 준다.

한편 〈눈물꽃〉의 '보름'이는 동생을 돌보는 소녀 가장의 면모를 지니고 있다. 보름이도 보배와 마찬가지로 엄마와 아빠가 없다. 그러나 보름이도 스스로는 누구로부터 위로 받거나 보살핌을 받는 것이 아니라 동생을 돌보는 성숙한 인물로 설정되어 있다. 할머니가 계시기는 하지만 이 동화에서는 두 남매를 보살피는 역할은 없다. 결핍된 현실에 그대로 던져진 주인공은 외로움과 가난을 벗어나려는 몸부림보다 동생(한별)을 착하게 키울 생각을 한다. 한별이가 선생님의 지갑을 훔친 이후 보름이는 글자 하나 더 아는 것이 중요한 것이 아니라는 생각에 '양치기 소년' 이야기를 들려준다. 이는 동심의 회복이다. 4학년 보름이가 1학년 한별이에게 할 수 있는 가르침은 동심뿐이다. 잘못을 가르치기 위해서 혼을 내거나 함께 싸우는 것이 아니라 부정에 맞설 수 있는 동심의 힘을 전달해 주는 것이다. 이러한 서사는 타자화 된 동심을 다시 주체로 세우는 것이다. 동심을 주체로 세우는 것은 작가의 호출에 응답하는 착한 주체만을 의미하는 것은 아니다. 대주체인 작가의 호출에 다양한 반응을 보일 때 오히려 작은 주체(동심)가 살아나게 된다. 이 주체는 작가의 이데올로기에 동일화되지 않는 상태에 있으며 주체를 자유롭게 구성하는 역동성을 지닌다. 이때 동심은 주체로서의 자리를 잡게 된다.

〈걸어다니는 바다〉의 '성우'는 어릴 때 큰 병을 앓았는데 지금도 가끔씩 자기 자신을 추스르지 못하는 아이다. 즉 자기대로의 세계에 빠져 소통이 되지 않는 아이다. 반면 '나'는 빨리 '도시 아이'가 되고 싶은 인물이다. 아버지 사업의 실패로 흑산도에 있는 할아버지 댁에서 '섬 아이'가 되었던 나는 드디어 도시로 전학을 오게 되었다. 전학을 와서 처음 만난 아이가 성우이다. 선생님께서 성우의 좋은 점을 발견하라고 했지만 '나'는 다른 아이들 보다 더 성우를 미워했다. 이렇듯 '나'는 스스로 도시 아이가 되고 싶어 하는 욕망을 가진 아이다. 따라서 '성우'같은 아이를 미워하는 것은 당연한 현상이다.

> 나는 앞으로 벌어질 일이 꽤나 재미있을 거라고 생각했다. 웃음거리가 될 성우의 모습을 상상하고는 은근히 마음속으로 '야호'를 외쳤다.
> – 〈걸어다니는 바다〉, p.39

참관 수업 날 성우가 발표를 한다고 손을 들었을 때 '나'의 심정을 묘사한 부분이다. '나'의 이러한 생각은 자기의 '어설픔'을 드러낼 뿐이다. 그러나 성우는 정신적인 장애가 있기는 하지만 순수 그 자체이다. 아무도 외지 못하고 망설이던 동시 '걸어다는 바다'를 성우는 큰 소리로 외웠다. 반면 '나'는 '섬 아이'에서 벗어나고 싶기는 하지만 틀리면 창피할 것 같기도 하고 자신이 없어 눈치만 보며 망설인다. 이러한 인물의 묘사는 장애와 비장애에 대한 편견을 그대로 드러내고 있다. 즉 장애 친구를 머리로는 이해하지만 가슴으로는 받아들일 수 없는 어린이들 일상의 한 면을 지적한 것이다. 문제는 성우가 암송하는 동시를 따라서 '나'가 '흙빛 산과 오밀조밀한 해안, 그리고 짙푸른 바다'가 있는 그 흑산도를 그리워하고 있다는 것이다. 여기서 동심의 '자기 찾기'가 나타난다. '나'는 현실적으로 '도시 아이'가 되고 싶은 욕망에 사로잡혀 있지만 성우의 목소리를 통해서 성우에 대한 편견을 잊어 간다. 이미 착한 주체가 설정된 것이 아니라 주변 환경을 통해서 착한 주체가 되어 가고 있다. 이는 세계에 대한 주체의 역동성이 없으면 불가능하다. 이것이 손수자 동화의 특징이다. 즉 장애에 대한 거리를 두는 인물의 구도이지만 주체의 자기 찾기를 통해서 동심으로 조화를 이루는 서사를 지니고 있다.

이러한 서사 구조는 〈짱짱나무와 막대사탕〉에 나오는 '보배'와 '정화'의 관계와 차별적이다. 보배는 정화의 부족함을 처음부터 알고 있다. 이러한 차이는 인물이 처한 배경에 있다. '보배'는 어머니 부재의 결핍을 회복하고자 하는 강한 열망이 있지만 현실적으로 회복되지 않고 있다. 반면에 〈걸어다니는 바다〉의 '나'는 아버지 사업의 실패로 흑산도 할아버지 댁으로 가 있는 결핍의 공간이 해소되어 '나'가 바라는 대로 '도시 아이'가 되었다. 이러한 설정은 손수자 동화가 동심과 현실을 긴밀하게 연결시키고 있기 때문에 가능하다. 즉 동심을 대주체(작가)의 이데올로기를 끌어들이지 않은 채 타자를 인정하여 주체적인 동심의 위치를 찾은 것이다. 이를 통해서 기존 사회의 결핍으로부터 벗어나 주인공으로 하여금 안정되고 조화로운 질서에 이르게 하고 있다. 그 가운데 적절한 심리 묘사는 동심에 대한 공감을 확대하는 역할을 하고 있다.

5. 마무리

지금까지의 논의를 토대로 손수자 동화에서 외로움의 표출이 다양한 방식으로 변주되고 있음을 확인했다. 그것은 그리움과 한의 정서와 주체적 동심이었다. 인용한 텍스트들의 주체는 결핍된 공간에서 외로움과 한을 내면에 각인시켜 '어머니의 빈자리'를 메워 가고 있다. 그 과정에 현실 극복을 시도하는 주체적인 동심이 있다. 그것은 결핍을 복원하고자 하는 주체의 열망이 비극적인 세계를 조화롭게 화해시키고 있다. 이 복원은 주체의 '또 다른 환경' 변화를 통해서 극복되기도 하지만 때로는 의지나 성숙을 통해서 상상으로 복원되기도 한다. 전자는 〈걸어다니는 바다〉가 그렇고 후자는 나머지 텍스트들에서 나타난다. 손수자의 동화는 이런 서사를 통해서 동심의 위치를 분명히 세우고 있다.

'로마를 로마로 만든 것은 시련이다.'라는 말이 있다. 이 말은 전쟁에서 이겼기에 로마가 이루어진 것이 아니라 전쟁 이후에 무엇을 어떻게 했느냐에 따라 그 나라의 미래가 결정된다는 의미이다. 즉 전쟁 그 자체의 문제가 아니라 전쟁을 대하는 로마 국민들의 태도에 나라의 운명이 달렸다는 말이다. 손수자 동화에서 결핍은 등장인물에게 많은 고통과 시련을 주고 있다. 이것은 고통의 삶, 소외된 삶을 동화의 소재로 다루었기에 리얼리티가 확보되고 그 동화가 차별화된다는 것이 아니다. 즉 고통의 공간에서 인물이 어떻게 대응하느냐 하는 주체 세우기의 문제이다. 이런 면에서 보면 손수자 동화의 인물은 결핍의 공간에서 고통과 시련을 뼈저리게 체험하는 존재들이다. 물론 이들을 도와주는 조력자가 없다. 이런 가운데 그들의 시련은 외로움과 한으로 내면화된다. 이 주체가 세계와 적극적인 소통을 하면서 자기를 찾아가는 과정이다. 그러기에 그의 동화에는 동심이 주체로서의 위치를 당당히 차지하고 있다.

한편 그의 서사적 특징은 인물의 심리를 비유적으로 표현하는 것이다. 결핍의 공간에 있는 주체의 심리가 상황에 따라서 다양하게 변주되는 것을 배경 묘사를 통해서 형상화시켜 시적 서사의 묘미를 지니고 있다. 이러한 인물의 심리 묘사는 독자로 하여금 등장인물과 독자의 거리를 좁혀 친근감을 느끼게 한다. 이로써 독자는 주체의 내면을 절대적으로 공감하게 된다.

지금까지 살펴본 것처럼 손수자가 바라보고 있는 세계는 기본적으로 외로움이 있는 공간이다. 그러나 작가는 이러한 비극적 상황 속의 동심을 보살피거나 동정하지 않는다. 오히려 빈자리에서 느끼는 외로움을 더욱 혹독하게 처리하여 세계와 직접 소통하는 동심을 바라고 있다. 그것은 모든 존재가 소중한 가치를 지닌다는 사실과 시련의 공간에 대응하는 인물의 태도가 무엇보다 중요하다는 작가의 신념일 수 있다. 이것이 손수자 작가가 세계를 읽는 방식이다. 그 한가운데 동심이 있다.

어린이와 함께 선생이 걸어온 길

아호: 혜정(慧靜).

부산교육대학교 미술교육과 졸업(1975).

부산교육대학교 교육대학원 국어교육과 졸업(2000).(석사논문: 이주홍 동화의 문체론적 연구)

부산아동문학인협회 회장,동의대학교 인문대학 문예창작과 겸임교수 역임.

1988년 월간 〈교육자료〉에서 동시 3편 〈놀이터〉, 〈유월〉, 〈1학년 교실〉이 당선됨.

　　〈아동문학평론〉에서 동화 〈호박꽃 이야기〉 당선됨.

1991년 동화집 《꽃이 된 구름》(아동문예) 출간함.

1993년 동화집 《꽃이 된 구름》으로 제15회 부산아동문학상 수상함.

　　장편동화 〈가슴마다 사랑〉으로 제1회 눈높이아동문학상 당선됨.

　　동화집 《시간여행》(아동문예) 출간함.

1994년 장편동화 《가슴마다 사랑》(대교출판) 출간함.

　　동화집 《시간여행》으로 해강아동문학상 수상함.

1996년 《일기쓰는 해님》(아동문예) 출간함.

2000년 《하늘별꽃》(아동문예) 출간함.

2002년 《하나는 바람돌이》(한국독서지도회) 출간함.

　　파랑새어린이 주최 제1회 우리나라 좋은동화 12편에 〈하늘나라 기차표〉가 선정됨.

　　대교출판 주최 제10회 우수창작동화 20편에 〈걸어다니는 바다〉가 선정됨.

2003년 예림당 선정 100년 후에도 읽고 싶은 한국명작동화에 〈깃발〉이 뽑힘.

　　파랑새어린이 주최 제3회 우리나라 좋은 동화 12편에 〈깃발〉이 선정됨.

2005년 《하늘나라 기차표》(아이톡) 출간함.

2006년 《눈물꽃》(해성출판) 출간함.

　　《꽝꽝나무와 막대사탕》(청개구리) 출간함.

　　〈황금소나무〉로 한국불교아동문학상 수상함.(서울출판문화회관)

　　〈깃발〉로 영남아동문학상 수상함.(대구두류도서관)

2007년 《하늘이네 교실이야기》(아동문예), 《나무의 잠》(효리원) 출간함.

2007~2009년 열린아동문학 6회 〈그리움과 비누거품은 닮았다〉 연재함.

2008년 《땅으로 내려온 구름》(한국헤밍웨이) 출간함.

2009년 《하늘이네 교실이야기》로 제29회 이주홍아동문학상 수상함.

2010년 《허수아비 아빠》(연두비) 출간함.

2011년 《나무거울》(해성출판) 출간함.

2012년 분기별 우수작품상에 〈말의 씨앗〉 선정됨.(한국 아동문학인협회)

　　　《단지엄마》(아동문예) 출간함.

2013년 《손수자 동화선집》(지식을 만드는 지식) 출간함.

　　　제16회 《단지엄마》로 제16회 실상문학상 본상 수상함.(부산불교문인협회/부산
일보)

　　　《일기장 오형제》(교원) 출간함.

2014년 파랑새어린이 선정 제5회 우리나라 좋은 동화 12편에 〈말의 씨앗〉 선정됨.

2015년 《단지엄마 외》(통큰세상) 출간함.

　　　대한민국 황조근정훈장 수상함.

2016년 호시탐탐 한국인물 《윤이상》(교원) 출간함.

2017년 《삼층집 하나》(아동문예) 출간함.

한국 아동문학가 100인

김문홍

대표 작품
〈꽃잠이 데리고 길 떠나시네〉

인물론
그저 묵묵부답이거나 웃기만 한다

작품론
시심(詩心)을 통한 동심의 발견

어린이와 함께 선생이 걸어온 길

꽃잠이
데리고
길 떠나시네

이웃 사람들은 그 집을 '감나무 집'이라 불렀습니다.

높은 빌딩이며 번쩍번쩍한 현대식 양옥들 사이에 그 집은 들어앉아 있습니다. 그것도 다 무너져 가는 기와집이라니 가만 보면 잘 어울려 보이지 않습니다.

집은 그 주인을 닮고, 주인 또한 그 집을 닮는다고 합니다. 지금 이 집에는 나이 지긋한 두 여자가 함께 살고 있습니다. 한 여자는 아흔 살이고 다른 한 여자는 곧 일흔에 가까워 옵니다. 사람들은 나이 많은 여자를 시어머니라 부르고, 나이 적은 여자를 며느리라 불렀습니다.

올해 초등학교 6학년인 이 집의 증손녀인 한결이는 부르기 편하게 위의 할머니를 '큰할머니', 그리고 아빠의 어머니인 아래 할머니를 그냥 '할머니'라고 불렀습니다.

두 사람 다 늘 한복을 곱게 차려 입고 쪽진 머리에 고운 옥비녀까지 꽂고 다녔습니다. 이제 그 집 사람들이 어떻게 살고 있나 한 번 가까이 가 보는 것도 좋을 것 같습니다.

날이 밝은 지 얼마 되지 않은 시각입니다.

큰할머니가 감나무 아래의 개집을 고개 숙여 들여다봅니다. 개 집 안에서 아무런 기척도 없어 무척 걱정이 되나 봅니다. 한 마디 건네 봅니다.

"꽃잠아, 일어난 거야?"

"그래, 너도 이제 많이 늙었다 그 말이지? 어디 보자……. 우리 꽃잠이. 그러고 보니까 벌써 열세 살이네."

그제서야 꽃잠이가 마지못해 겨우 얼굴을 내밉니다. 눈자위에 희끗희끗 하얀 털이 나 있는 것을 보니 제법 나이가 들었나 봅니다. 다시 말을 건넵니다.

"그래 네 나이, 사람으로 치면 죽어야 할 나이구나. 꽃잠아, 너 혼자 가면 안 돼, 알았지? 나하고 함께 길 떠나야지."

"……."

늙은 개 꽃잠이가 마치 대답이라도 하듯 큰할머니의 손등을 슬쩍 슬쩍 혀로 핥아 줍니다. 언제 나왔는지 큰할머니 뒤에 '그냥 할머니'가 서 계십니다.

"엄니, 우리 꽃잠이가 엄닐 보고 웃고 있네요."

"어머나, 정말 이놈이 날 보고 웃어 주네."

큰할머니가 꽃잠이의 머리를 한두 번 다독여 주고 나서 일어섭니다. 작은 할머니가 큰할머니의 어깨 위에 내려앉은 티끌 하나를 집어 털어냅니다. 그러다가 문득 하늘을 올려다보며 입을 엽니다.

"엄니, 하늘이 정말 맑고 푸르네요."

"가만있자……. 그러고 보니 오늘이 일 년 중 가장 맑고 푸르다는 청명일세."

작은 할머니가 문득 뭔가 떠올랐다는 듯 큰할머니를 바라봅니다.

"엄니, 오늘 점심나절에 한결이 내외가 온다네요."

"아니, 뭘 번거롭게 집엘 오고 그래."

"아유, 오늘이 우리 엄니 아흔 번째 생일인데…… 좀 좋은 날이에요."

"이보게, 나이 먹는 게 뭔 자랑이 된다고……."

"아유, 그래도 걔들이 우리 엄니 생신 챙긴다는데…… 엄닌 그냥 모른 체 가만 계시기나 하세요."

"참 걔들이 오기 전에 방 안 정리나 해야겠네."

큰할머니가 서둘러 방 안으로 들어가자 작은 할머니도 부엌으로 종종 걸음을 치십니다. 감나무 가지 위에 몇몇 새들도 깝죽깝죽 덩달아 부산을 떱니다.

개집에서 꽃잠이가 느릿느릿 기어 나와 동백나무 곁으로 걸어갑니다. 꽃잠이가 나무 뒤에다 똥을 누고 흙을 끼얹어 덮습니다. 그런데 뭔가 꽃잠이 등 위로 툭 떨어지는 것 같습니다. 꽃잠이가 놀라 위를 쳐다봅니다. 꽃잠이가 투덜거립니다.

"에이, 이게 뭐야?"

"뭐긴 뭐겠니. 동백 꽃잎이지."

그러고 보니 주위에 동백나무 꽃잎들이 뭉툭뭉툭 떨어져 있습니다. 꽃잠이가 떨어져 누운 동백나무 통꽃을 코로 냄새 맡으며 말합니다.

"왜 꽃잎을 툭툭 떨어트리고 그러세요?"

동백나무가 한두 번 헛기침을 하고 나서 가래 끓는 소리로 말합니다.

"꽃잎들이 죽어 나자빠지는 거란다."

"꽃잎들이 땅에 떨어지면 죽는 모양이네요?"

"이렇게 죽어야 다음해 다시 빨간 꽃으로 태어날 수 있는 거란다."

"나도 이제 죽을 나이가 다 됐는데…… 나도 이제 죽으면 다시 태어날 수 있는 건가요?"

"그럼 그렇지! 그건 네 할애비도 그랬고 네 애비도 그랬고……. 너 또한 그래야 하는 거야. 그런 걸 자연의 질서라 하고 순환이라 하는 거야."

언제 이렇게 시간이 흘러갔는지 모릅니다.

해가 벌써 머리 위에 와 있습니다. 갑자기 대문 바깥이 시끌벅적해집니다. 먼저 한결이가 남동생을 앞세우고 대문 안으로 들어섭니다. 그 뒤로 선물 꾸러미를 든 한결이 아빠와 엄마가 성큼 들어섭니다.

한결이가 쪼르르 안쪽으로 내달리며 소리칩니다.

"큰할머니!"

그러자 한결이의 남동생이 이에 지지 않을세라 더 큰 소리로 외칩니다.

"할머니!"

금세 방문이 열리고 큰할머니가 나타나고 그 뒤로 작은할머니가 따라 나옵니다. 두 사람 모두 쪽진 머리에 반지르르 동백기름을 바르고 곱고 고운 한복으로 차려 입었습니다. 한결이는 작은할머니가 서운해 하실까 봐 얼른 뒤에서 덥석 끌어안으며 까르르 웃습니다. 한동안 안방에서 웃음소리가 그칠 사이 없이 새어 나옵니다.

언제 그렇게 시간이 흘러갔는지 모르겠습니다.

어느 새 해질녘입니다.

한결이 엄마는 음식을 장만하느라 무척 바쁜 모양입니다. 한결이는 두 분 할머니와 함께 뜰 앞을 거닙니다. 작은 할머니가 뭉툭뭉툭 떨어진 동백 꽃잎을 안쓰럽게 내려다보며 큰할머니에게 한 마디 건넵니다.

"엄니, 이것 좀 보세요. 동백 꽃잎이 뭉쳐 누웠네요."

큰할머니도 한동안 말없이 꽃잎을 내려다보다 이윽고 말문을 엽니다.

"동백 꽃잎도 목숨을 다 한 모양이네."

한결이도 동백의 통꽃을 바라보다 큰 할머니에게 불쑥 묻습니다.

"할머니, 왜 꽃잎이 한 잎 한 잎 떨어지지 않고 뭉툭 뭉툭 떨어지죠?"

"어이구, 우리 한결 아가씨가 시를 잘 쓴다더니 눈이 여간 맵지 않구나. 뭉툭뭉툭 떨어지니까 더 슬플 것 같구나."

갑자기 작은 할머니가 개집 밖으로 슬프게 얼굴을 내밀고 있는 꽃잠이를 바라보다가 안쓰럽게 한 마디 던집니다.

"엄니! 저것 좀 보세요. 우리 꽃잠이가 왜 저렇죠?"

"저놈도 목숨이 얼마 안 남았지 아마."

"그렇네요. 우리 한결이 태어난 기념으로 어린 저놈을 데리고 왔으니…… 벌써 십삼 년이 지났네요."

"개 나이 십삼 년이면 사람 죽을 나이지. 지금 내 나이 또래는 되지."

한결이가 갑자기 두 눈을 휘둥그레 뜨며 놀라 묻습니다.

"큰할머니 또래라면 사람 나이로 벌써 아흔? 그렇게나 많아요?"

"우리 꽃잠이도 이 할미도 이 세상을 떠날 나이야."

다시 작은 할머니가 큰할머니의 소매를 잡아당기며 꽃잠이를 가리켜 보입니다.

"엄니! 아무래도 우리 꽃잠이가 오늘 밤을 못 넘길 것 같네요."

그러자 큰할머니가 개집 앞에 쪼그려 앉아 꽃잠이의 이마를 쓰다듬으며 슬픈 목소리로 말합니다.

"꽃잠아, 정신 차려! 이 할미와 함께 길 떠나야지……. 너 혼자선 안 돼."

갑자기 작은 할머니가 큰할머니의 손목을 덥석 잡으며 소리칩니다.

"엄니, 그건 안 돼요. 꽃잠이 혼자 가게 내버려 둬요. 엄닌 앞으로 십 년은 더 사실 건데요, 뭘."

"난 너무 오래 살았어. 사람이고 개고 꽃이고……. 갈 때 가야 아름다운 법이야."

갑자기 분위기가 싸늘해지는 것 같아 한결이가 두 분 할머니 사이로 쏙 끼어들며 자지러지게 웃어제낍니다.

"아이, 할머니두…… 오늘같이 기쁜 날 다들 왜 그러세요, 네?"

한결이의 웃음소리에 놀라 동백나무 통꽃이 다시 뭉툭뭉툭 떨어집니다. 맥없이 엎드려 있던 꽃잠이가 슬며시 일어나 동백나무 곁으로 걸어가 몸져누운 꽃잎들을 혀로 정성스레 핥아 줍니다. 한결이는 깜깜해진 주위를 한 번 휘둘러보다가 얼른 두 분 할머니를 모시고 방 안으로 들어가 버립니다.

한결이는 꿈길을 걸어가고 있었습니다.

길을 가다 꽃잠이와 큰할머니를 보았습니다. 큰할머니는 동백나무 통꽃들이 듬성듬성 떨어져 누운 곳에 누워 있다 한결이를 발견하고 걸음을 재촉했습니다. 그 옆으로 꽃잠이가 어슬렁어슬렁 걸었습니다.

"큰할머니!"

아무리 불러도 큰할머니는 뒤도 돌아보지 않았습니다. 꽃잠이도 아는 기척을 보이지 않았습니다. 나중에는 눈물까지 흘리며 불러도 대답하지 않았습니다. 그렇게 가위 눌린 꿈을 꾸다가 후다닥 눈을 떴습니다. 대청마루의 기둥 시계가 무겁게 넉 점을 쳤습니다. 한결이는 바깥에 있는 화장실에 가기 위해 머리맡의 손전등을 집어 들고 밖으로 나왔습니다.

뜰 앞에서 희끗희끗 움직이는 물체를 발견하고 소스라치듯 놀랐습니다. 어둠에 눈이 익자 그것이 큰할머니인 것을 알아차렸습니다. 한결이는 숨을 죽인 채 큰할머니를 훔쳐보았습니다.

"얘들아, 이제 너희들하고 헤어질 때가 되었구나. 우리 꽃잠이도 함께 데려갈 생각인데…… 괜찮겠지?"

어둠 속에서 꽃잠이가 부스스 몸을 털고 일어났습니다. 꽃잠이는 큰할머니 옆에 다소곳이 앉았습니다. 큰할머니는 집안 곳곳을 돌아다니며 헤어지기 아쉽다는 듯 하나하나 쓰다듬으며 중얼거렸습니다.

"이제 내가 떠나고 나면 우리 며느리 혼자 남는다. 우리 한결이 할머니 말이다…… 나인 듯 생각하고 잘 따라 주어라."

한동안 그렇게 뜰 앞을 서성이던 큰할머니는 다시 한 번 주위를 휘둘러보고는 안방으로 들어갔습니다.

아침이 되었습니다.

감나무 가지에서 놀던 새들도 부산 떨던 여느 때와는 달리 조용했습니다. 개집 안의 꽃잠이도 쥐 죽은 듯 조용했습니다.

작은할머니와 함께 문안인사를 드리기 위해 한결이 아빠와 엄마가 안방 문 앞에 서서 나직하게 말했습니다.

"큰할머니, 일어나셨습니까?"

방문 앞에서 몇 번이고 불러도 안에서는 아무런 기척이 없었습니다. 이상한 낌새에 놀란 작은할머니가 얼른 방문을 열었습니다. 방안으로 들어갔던 작은 할머니가 외마디 비명을 내질렀습니다.

"엄니, 엄니…… 아이고 우리 엄니!"

개집 안을 들여다보고 있던 한결이가 갑자기 소리쳤습니다.

"아빠, 엄마! 우리 꽃잠이가 죽었나 봐요. 아무리 불러도 대답이 없어요."

"한결아, 큰할머니께서 길 떠나셨다."

방 안에 계시던 작은 할머니가 갑자기 울음을 터뜨리자, 아빠와 엄마도 그 자리에 털썩 주저앉으며 꺼이꺼이 울었습니다.

한결이도 꽃잠이의 이마에 떨리는 손을 얹으며 숨죽여 흐느꼈습니다. 이미 꽃잠이의 이마는 싸늘하게 식어 있었습니다.

갑자기 감나무 가지 위에 앉아 있던 새들이 무엇에 놀란 것처럼 후두둑 후두둑 가지를 옮겨 다니며 부산을 떨었습니다. 그 옆의 동백나무에서도 서로 약속이나 한 듯 빨간 동백 꽃잎들이 뭉툭뭉툭 떨어져 내렸습니다.

고개를 숙이고 있던 한결이의 귀에 어디선가 노랫소리가 들려왔습니다.

가네 가네 큰할머니 가시네

꽃잠이 데리고 길 떠나시네
가네 가네 큰할머니 가시네
동백 꽃잎 데리고 길 떠나시네.

그저
묵묵부답이거나
웃기만 한다

동화작가 김문홍의 사람 됨됨이

김상남

모든 장르를 두루 꿰는 르네상스 맨

40여 년 전이었던가.

내가 두루마기 차림으로 영도의 골목길을 헤매었던 기억이 되살아난다. 대면한 적이 없는 문인을 일방적으로 방문하는 터여서 꽤 신경을 썼던 성 싶다. 그 문인이 하원 김문홍 박사이다.

〈월간문학〉 신인상 당선자 명단을 보니 그는 초등학교 재직이었다. 동류 의식이 발동했고, 내가 등단하려고 한창 용을 쓰는 시기였기에 '상수'인 그를 만나면 어떤 출구를 알게 될 것 같아서이고, 기약 없는 문학 등단의 벽에 주저앉았던 판이라 대리 만족을 취하려는 심보 아니었나 싶다.

결국 허탕을 쳤고 국제시장 초입의 '르네상스' 음악다방에 그가 자주 나간다는 근황을 포착해 잠깐 회동했다. 탄탄한 문학 이론으로 무장한 그와 마흔이 가까운 늦깎이 문학 지망생이었던 나와의 대화는 자꾸 겉돌았다.

그로부터 몇 년 뒤 충무초등학교에 함께 부임했는데, 고수였던 김문홍 박사에게 접근하게 되었으니 여간한 횡재가 아니다. 그러나 김 박사는 고학년을 내리 맡았고, 뚜렷한 특기가 없던 나는 3, 4학년을 담임했으니, 동학년은 한 차례도 못했다. 김 박사가 수업 시수가 많은 6학년을 맡으면서 어떻게 걸작을 양산하는지 무척 신기했다. 그래서 훈수라도 받을까 싶어 퇴근 때는 교문에서 서성거렸다. 6학년 동학년 교사들과 몰려가는 주점까지 추적해 겨우 끼어들었지만 문학 얘기는 꺼낼 형편이 못 되었다.

그는 천재이다.

문학 전 장르에 걸쳐 못하는 종목이 없다. 운동선수로 치면 3종 경기인가 하는 그런 자질을 갖춘 문장가이다. 이런 면을 참고해서 전국적으로 '문단 10걸'을 뽑는다면 내가 기권해도 상위권에 들 문사가 하원 김문홍 박사이다. 동시, 동화, 소설, 수필, 희곡, 연극평론, 거기다 연극 연출과 배우까지 거침이 없다.

그가 2005년인가 이주홍문학상 수상자로 결정되었을 적, 내가 무릎을 친 까닭은 일찍이 하원 김 박사의 문재를 간파했던 것이 적중해서였다. 역대 수상자 중에서 향파 이주홍 선생의 이름을 붙인 문학상 수상자로 가장 최적이어서 심사 위원들의 안목에도 감탄했다. 문학 전반에 걸친 해박한 식견이나 열정, 특히 희곡 창작과 연출에 이르기까지 이주홍 선생과는 유사점이 많다.

이런 맥락에서 보면 두 분이 천재임이 분명한데 하원 김문홍 박사 쪽이 조금 시원이 없다. 그는 아직 정교수가 못 되고 훈장도 못 받았고 예술원 회원도 아니다. 후세의 평자들이 부산 문단의 쌍벽이건 삼걸이건 꼽으라면 하원 김문홍 박사를 배제하지 못하리라 단언한다.

내가 주선한 술자리에서도 하원 김문홍 박사가 돈을 낸다. 내게 그런 틈을 주지 않는다. 어느 날, 술 냄새를 풍기며 늦게 귀가하니 아내가 추궁했다. 술값을 누가 부담하느냐는 것이었다. 얼떨결에 공술을 먹었다고 실토하니, 나이가 한창 아래인 분들에게 좋은 본을 보여야지요, 라며 훈계를 했다. 그 뒤로는 내 용돈의 용처를 캐묻지 않았다. 하원 김문홍 박사와 어울렸을 터이고 용인하는 눈치였다.

칠팔삼(1978. 3) 사태 터지다

나는 하원 김문홍 박사에게 이런저런 빚이 많다. 그 가운데서도 '칠팔삼(1987. 3) 사태'의 일로 하원 김문홍 박사를 곤경에 빠트린 일은 지금도 미안하다.

부산아동문학가협회를 창립할 적 하원 김문홍 박사도 핵심이었다. 창립 기념으로 회원들의 합동 작품집 《하얀 뱃고동》을 출판했는데, 거기에 실린 김문홍 작 〈쫓겨난 여우〉가 당시의 집권당 정부를 비방했다는 혐의로 필자였던 김문홍 박사가 곤욕을 치루었다. 〈쫓겨난 여우〉는 〈소년〉이란 아동잡지에 보내었던 동화인데 가톨릭 재단에서 발행하는 〈소년〉에서 손사래를 친 작품이다. 당시의 시국 상황에 비추어 활자화가 부적절했음을 발행인이었던 내가 간파했어야 했다. 나의 소영웅 심리인 만용이었을까. 새로 출범하는 문학 단체의 표상으로 삼으려는 의도로 수록했던 것이다.

칠팔삼(1987. 3)의 전말을 적은 메모도 불살라 버렸고, 다시 꺼내기도 싫어 기억에도 지워 버리고 싶으나 가끔 되살아난다. 그 당시에는 무분별했지만 이제 나잇살이나 먹었으니 노련해져야지 입조심, 말조심, 글조심을 해야, 여기며 가끔 정구업진언(淨口業眞言)을 암송한다. 수리수리 마하수리 수수리 사바하……. 성(聖)을 파자하면 이(耳), 구(口), 왕(王)이다. 가장 먼저가 귀이고 다음이 입이다. 남의 말을 잘 듣고 입은 나중에 열라는 뜻이 아니겠는가.

입이 가볍고 말이 많으면 잘난 체하는 짓거리이다. 잘난 체 했길래 저지른 나의 불찰이었다. 뒷감당할 힘도 없는 내가 자초한 일이어서 지금 생각해도 부끄럽다. 내 딴에는 불을 끄기 위해 묘수를 찾았지만 거의 헛다리만 짚었다. 되돌아보면 작은 불씨가 크게 번지지 않았음이 여간 다행한 게 아니다. 부산아동문학가협회라는 조직은 지금 시브지기 사라져 버렸다. 조금도 아쉬워하지 않는다.

칠팔삼 사태가 났을 적 나는 회장 자리를 성기정에게 넘기며 내가 왜 중도하차해야 하는가, 그 배경을 회원들에게 언급치 않았다. 신문에 회장이 교체되었다는 것이 빨리 나고 여러 사람이 알았으면 하는 생각만 간절했다. 칠팔삼 사태의 진원이 부산의 아동 문단 기류와 연관되었을 것이라는 짐작에서였다. 어떤 일이 생기면 다면적 분석과 대책을 찾기 마련이다.

하원 김문홍 박사가 수업 중에 수사당국에 소환되는 날, 나는 퇴근 후 그 기관의 맞은편 건물에서 원격 탐색을 했다. 장시간 그는 나오지를 않았다. 오금이 저렸다. 칠팔삼 사태 초기에 나름대로 나는 여러 경로로 접선을 하고 있었는데, 그 자는 "거기에 불려 가면 뼈도 못 추린다."는 엄포가 자꾸 생각나 슬펐다. 밤늦게 나는 철수했다. 우리 집에 회원들을 초청했기 때문이다. 때마침 내 막내의 돌찬지여서 음식을 장만하는 판이었고, 내가 회장을 그만 둔다는 것을 공표하기 위해서였다. 우리 집에 가니 푸짐한 돌잔치 상이 차려져 있고 김문홍 박사가 와 있지 않은가. 그 기관에 문이 여러 군데인지를 몰랐고 나는 착각을 했던 것이다.

그 전날에 나는 수사 당국의 책임자를 만났다. "회장님께서는 필자가 아니니 걱정 마시오."하며 나를 회장님이라 추켜 주기에 어수룩한 나는 안도의 숨을 쉬었는데, 그가 바로 교육감에게 직통 전화로 이런 반동 작가를 교단에 두면 안 된다며 나 보고 들으라는 듯 고함을 지르기에 소름이 돋았다. 그래도 나는 책임자와 대화해 작품이 결코 반국가적이 아니다는 어설픈 변론만 했다. 작품을 해체해서 머리나 꼬리 얘기만 하지 마시오, 전체적인 흐름으로 주제를 파악해야 하지 않소, 했지만 우이독경이었다. 물에 빠지면 지푸라기라도 붙잡는다. 나오다보니 대기실엔 신문을 보는 척해도 나의 일거수일투족을 날카롭게 감시하는 일군의 수사관들로 꽉 찼다.

그중 한 사람이 낯익었다. "경옥이 아버지 아닙니까? 안녕하셨습니까?" 그는 화들짝 놀라며 "우짠 일로 여기까지 오셨습니까"라며 의아해 했고, 사실 내가 아는 척하니 매우 당황하는 기색이었다. 강경옥은 내가 사상초등학교 교사 때 옆 반 아이였다. 인물 좋고 똑똑했는데 지금 어디 사느냐 했더니 시집가서 경남에서 수학 선생 한다고 하며 우째 우리 딸아이 이름꺼정 여태 기억하느냐 하길래, 나는 그만 눈시울이 촉촉해졌다. 내가 어디까지 추락해야 하는가, 영주동 아파트 2블럭 가동의 집에 가면서 한 잔 하고 낙화유수를 흥얼거렸다. 이 강산 낙화유수 흐르는 봄에 꽃다운 인생살이 고개를 넘자.

이튿날 구용현 교육감과 자청해 간신히 독대했다. 쫄다구 교사지만 대접이 극진했다. 나를 여러 경로로 불러들여 족치려 했지만 확실한 구실을 갖고 있지 않았던가 싶다. 그런 차에 제 발로 기어드니 얼마나 환희작약할 일인가. 나는 옛날 직속상관이었던 장학관이 부동자세로 서 있는데 교육감과 나는 커피를 홀짝였다. 문제는 문학합네 하는 우리들과는 소통부재였고 이방인들이었다. 〈하얀 뱃고동〉의 발행인을 모르고 〈쫓겨난 여우〉의 작가 김문홍도 알 리 없었다. 그러며 내가 심각하게 여겨 나름대로 선수를 치고 있는 판인데, 그들 나름으로 투망질이니 무엇을 기대하겠는가. "도대체 어쩐 일입니까" "이번에 좋은 책을 내셨다는데 그 책을 어디 가서 구할 수 있습니까?" 정도의 수준이었다. 나는 다만 부독본 팔아 챙긴 비리교사가 아니었구나 싶어 안도의 숨을 내쉬었다.

"그런 것보다 매우 어려운 문제입니다. 형사문제입니다."하고 장학관이 공개적으로 보충 설명을 해 주었다. 소심했던 내가 형사문제이건 개목대기이건 수련장 따위 팔아 먹는 교사가 아니라는 바람에 오히려 우쭐거렸다. 만약 일이 더욱 꼬여 잡혀 간다고 해도 무슨 양심수인가 뭔가 그런 것이지, 파렴치범이거나 단순 과오는 아닌 것 아닌가. 기고만장해질 수밖에 없었고 장학관들이 계단까지 배웅해 주었던 걸 당연하게 여겼던 것이다. 그러고는 그 다음은 아물아물하다. 금후 칠팔삼 사태를 두고 누구하고도 입을 뻥긋 하지 않기로 다짐했다. 나의 교활함을 자책했던 것이다. 파면이냐, 구속이냐, 입건이냐 이런 절박한 상황에서 나는 사태의 본말을 잘못 짚은 채 자아도취 했던 어리석음이 너무 유치했던 것이다.

사태가 엄청난 폭발성을 지녔지만 나는 알량한 명분에만 사로잡혀 부독본 안 팔아 먹은 것만 확인된 것을 좋아하는 소인배였고, 무슨 양심범인 양 돌아가는 낌새를 즐기는(?) 꼴이 되었던 것이다. 그렇게 해서 김문홍 박사와 나는 1987년 3월을 한겨울보다 더 춥게 보낸 것이다. 정말 누군가의 소설 제목처럼 지옥에서 보낸 한철이었다. 그렇게 1970년대는 저물어 가고 있었던 것이다.

과묵하면서도 달변인 성정

하원 김문홍 박사는 과묵하고 달변이다.

두 가지의 개념은 상반된다. 전자는 평소 마주해 대화해도 하원은 절대 타인을 폄훼하거나 비방하는 일이 없다. 그 기준점은 다분히 내 자신이다. 나는 좀 어눌하면서도 수다해서 듣는 사람이 "도대체 주제가 뭐냐?"고 채근하는 수가 있다. 그럴수록 나는 우회 화법을 쓴다. 소위 '면피 작전'이다. 그러며 험담이 술안주로는 최고라며 헐뜯는 편이다. 물론 당사자가 없는 자리라서 더더욱 비겁한 것이다. 상대가 맞장구치기를 은근히 바라기에 무반응일 때는 청자를 표적으로 삼는 수가 있다. 그래도 하원은 도사처럼 그저 묵묵부답이거나 웃기만 한다.

후자의 달변이라는 쪽은 자타 공인이다.

하원의 명 강의를 아직 들은 바가 없으나 문학 모임 같은 데서 작품 해설하는 걸 들으면 녹음을 해서 언젠가 나도 한 번 써 먹어야지 하는 생각을 많이 한다. 토씨 하나 어긋나지 않게 말이 바로 명문이다. 그런가 하면 내용이 아주 참신하다. 내 나름으로 독서를 한다고 하지만 하원의 말은 언제나 새로운 기풍이고 새로운 사조에 근접하고 있다.

하원 김문홍 박사와 내가 매우 절친하다는 말을 가끔 듣는데 동일시한다는 생각에 매우 흡족하다. 그래서 나는 가락계이지만 광산 김씨인 김문홍 박사가 혈족 같은 생각을 가끔 해서 나의 내자가 광산 김씨인지라, 광산 김씨는 문벌이라고 추켜세운다.

최초의 한글소설인 구운몽의 작가 서포 선생이 광산 김씨이다. 그 후예이기도 한 하원 김문홍 박사 같은 대 문장가가 배출된 일은 지극히 당연하다. 다만 어릴 적부터 문재가 특출했거나 태생부터 그래서 이름도 '문홍(文弘)'이라 했음이 매우 시사적이라 여겨진다. 문홍하면 '널리 글을 펴리라'이니 베스트셀러를 낸다면 풀이할 수 있다.

짧은 춘계 방학 기간에 쓴 장편동화《머나먼 나라》가 계몽사가 거금을 걸고 공모한 장편 모집에 당선되었다. 중앙일보사가 신춘문예 아동문학 부문을〈소년중앙〉에서 관장할 적이다. 하원 김문홍 박사가 응모를 했다는 말을 내게 했다. 여간한 자신감이 없고서는 그런 말을 못한다. 낙방이라도 하면 얼마나 실없는 소리이고 무안하겠는가. 그만큼 하원은 자신의 필력을 알고 있었다.

나는 "김 선생, 분명 오늘 집에 가면 당선 통지서가 와 있을 것이오." 하고 말했다. 적중이었다. 하원의 필력을 알기에 당선될 것이라는 확신을 했는데, 예언이 들어맞았으니 내가 생각해도 신기했다.

다만 나는 한 해 앞서 그 현상 공모에 뽑혔는데 날짜와 요일을 짚어보니 잡지 마감 날과 요일을 미루어 그 날이 심사 마감 날이었음을 대강 알 수 있었던 것이다. 이런 일로 해서 하원은 내가 아주 총명한 사람으로 쳐 주는데 싫지 않다.

시심(詩心)을
통한
동심의 발견

김문홍 동화의 세계관

황선열

1. 동심(童心)과 시심

동화는 아이들의 순정(純情)한 마음을 어떻게 표현하고 있는가를 전제로 해야 할 것이다. 동화는 동심을 잘 표현하는 이야기를 말하는데, 여기서 동심이란 '원형적 동심'을 의미한다. '원형적 동심'은 순정한 마음의 상태를 의미하는 것으로, '진심(眞心)이고 일념(一念)인 본심(本心)'이라 할 수 있다. 이러한 관점으로 볼 때, 동심은 때 묻지 않은 마음, 청정한 하늘과 같은 마음의 상태를 의미한다고 할 수 있다. 문학 장르 중에서 동심의 의미와 유사한 것으로 시를 들 수 있다. 시는 순수한 인간의 마음을 언어로 표현한 것인데, 아이들의 순정한 마음을 표현하는 동화는 다른 문학 장르보다도 시의 장르와 부합한다고 할 수 있다.

동화를 말하면서 왜 굳이 시를 말하고 있느냐 하면, 김문홍의 동화가 시심에서 동심을 발견하고 있기 때문이다. 그는 장편동화《미래특공대》(해성, 2006)에서 사이보그가 지배하는 테크노피아 시티와 대응하는 곳으로 '시인의 마을'을 제시하고 있는데, 이 공간은 나와 타자, 만물이 조화를 이루고 있는 생명 공동체를 말하고 있다. 시인의 마을은 시심을 잃지 않은 사람들이 살고 있는 마을로서 기계 문명에 물들지 않고, 인간과 자연이 조화를 이룬 곳이다. 이러한 공간이 그가 꿈꾸는 동화 마을이다. 이처럼 김문홍의 동화에서 시가 매우 중요한 의미로 다루어지고 있는 것은 시의 본질이 동화의 본질과 닿아 있기 때문이다.

김문홍의 동화에서 시심의 이해는 그의 동화를 이해하는 전제 조건이 될 것이다. 동양 시학에서 시란, '사악한 마음이 없는 상태(思無邪)'(《시경(詩經)》)를 표현한 것이다. 이것은 '원형적 동심'과 같은 마음을 표현한 것이고, 어떤 욕망도 자리 잡지 않은 순수의 세계를 표현한 것이다. 여기서 시심은 곧 동심이라 할 수 있고, 이것은 순수한 마음이 머물고 있는 상태를 의미한다고 할 수 있다. 동화와 시는 욕망에 물든 세계를 정화하여 순수의 상태를 지향하고 있다는 점에서 그 본질이 동일하다고 할 수 있다. 그의 동화가 '생활동화가 아니면 아동소설'의 방식으로 접근하고 있다고 하더라도, 그가 생각하는 동화의 본질은 시에서 출발하여 '원형적 동심'을 발견하는 데 있다고 할 수 있다. 그는 "시가 읽혀지지 않는 시대는 동심을 잃은 시대이고, 인간에 대한 순수한 사랑이 사라진 시대도 동심을 잃은 시대"라고 말한다. 이와 같이 그의 동화에는 시심이 매우 중요한 자리를 차지하고 있다. 시를 통한 동화의 발견이 그의 동화가 지향하는 화두일 것이다. 테크노피아 시티의 사이보그들은 '심장이 뛰는 소리'를 인식하게 되면서 기계 인간을 파괴하게 되는데, 여기서 심장이 뛰는 소리의 인식은 대상에 대한 사랑과 시심의 회복을 의미한다고 할 수 있다. 나와 타자, 사물과 인간의 관계 속에서 어떤 욕망도 작용하지 않은 순수한 상태를 지향하는 것, 이러한 시심의 회복은 그의 동화가 지향하는 세계라고 할 수 있다.

2. 동심의 다양한 접근과 '긍정의 힘'

김문홍의 동화집 《저, 여기 있어요!》(해성, 2010)는 그가 지향하는 시심을 통한 동심의 발견이라는 동화의 지평을 다양한 층위로 보여 주고 있다. 그는 사람들의 마음에 자리 잡고 있는 시심을 통해서, 그리고 인간에 대한 따뜻한 사랑과 사물에 대한 관계를 통해서 동심의 세계를 발견하고 있다. 그가 지향하는 동화 세계는 대립과 갈등의 세계를 넘어서 화해와 조화 그리고 상생의 관계에 놓여 있는 세계이다. 그는 모든 인간과 사물들이 자신의 근본 가치를 잃지 않은 상태 속에서 진정한 존재의 의미가 있다고 본다. 그의 동화 세계란, 곧 순수한 마음의 상태를 잃지 않은 도덕적 순결의 세계, 사물과 유기적 관계를 가진 조화와 화합의 세계를 지향하고 있다고 할 수 있다. 이러한 순수의 세계는 본성의 세계이고, 세상 만물의 조화는 자연의 질서대로 순행하는 세계이다.

이와 같이 그의 동화는 시심을 바탕으로 하고 있다. 동심이야말로 시심과 통하고, 시심의 회복은 아름다운 동화 세계를 만들어 가는 바탕이 되는 것이다. 그는 세상이 삭막해지고, 대립과 갈등이 일어나는 까닭이 시심의 상실이라고 보고 있다. 그래서 그는 동화 〈가로등과 개망초 이야기〉에서 '시의 나라'를 꿈꾸고 있는 것이다. 이 동화에서 개망초꽃은 시가 사라진 세상에서 "언젠가는 그들의 시가 되고 피가 되고 촛불이 되어 다시 태어나 세상을 환하게 밝힐"것이라고 생각하게 되는데, 이러한 '시의 나라'는 시가 사람들의 피와 마음과 희망이 되는 세상을 말한다. 시의 마음이 널리 퍼져 있는 세상, 이러한 순수의 세계가 그가 꿈꾸는 동화 세계이다. 이와 같이 그의 동화 세계는 순수한 시심을 잃지 않은 상태를 회복하는 것이고, 이것은 변하지 않는 하늘의 마음을 발견하는 것이라 할 수 있다.

그의 동화에서 동심의 발견은 곧 시심의 회복을 말하고, 그것은 하늘의 마음, 혹은 참된 마음의 발견이라 할 수 있을 것이다. 그의 동화는 하늘이 모심의 대상이듯이 동심을 모시는 것에서 출발하고 있다. 동학의 시천주(侍天主) 사상은 하늘을 모심의 대상으로 하고 있는데, 이러한 관점이 그의 동화가 지향하는 세계라 할 수 있다. 하늘은 변하지 않는 순수한 인간의 마음을 상징하며, 그것은 자연의 순리에 따라 조화롭게 살아가는 상태를 말한다고 할 수 있다. 이처럼 그의 동화는 세상의 관념에 물들지 않은 '원형적 동심'의 세계를 꿈꾸고 있으며, 시심을 통해서 동심을 발견하고 있는 것이다. 동화 〈방 한 칸의 꿈〉에서 시를 좋아하는 누나가 "시는 생활에 윤기를 주려고 읽는 것"이라고 말하고 있는데, 이것은 현실의 상황이 비록 힘들다고 하더라도 시는 그 현실을 이겨낼 수 있는 방편이 될 수 있다는 것을 의미한다. 이 동화에서 그는 시가 생활에 윤기를 주고, 세상에 촛불이 되어야 하는 것처럼, 동화도 현실에 물들지 않는 순수한 세계를 회복하는 데 희망이 되어야 한다고 생각하고 있는 것이다. 이 동화에서 시심을 잃지 않은 '나'와 '누나'는 아버지가 사업에 실패하고 병든 할머니, 어머니와 함께 살아가는 작은 방에서도 희망을 잃지 않고 살아갈 수 있는 것이다.

시심을 바탕으로 한 그의 동화는 세상 사람들에게 희망을 주고 있다. 절망의 상황에서도 새로운 꿈을 꿀 수 있는 힘. 항상 희망을 잃지 않고 새로운 출발을 할 수 있는 힘. 그의 동화에는 이러한 '긍정의 힘'이 넘치고 있다. 동화 〈영호 활짝 웃다〉에서 주인공 영호는 술주정을 견디다 못해 집을 나간 엄마, 실직 상태로 있다가 집을 나간 아버지, 몸져누운 할머니, 그리고 동생과 함께 살면서도 밝고 건강한 웃음을 잃지 않고, 세상을 긍정적으로 바라보고 있다. 영호의 이러한 '긍정의 힘'은 동심의 눈으로 세상을 보기 때문이며, 이러한 동심의 눈으로 세상을 보기 때문에 현실의 어려움은 문제가 되지 않는 것이다. 이처럼 그의 동화는 현실을 극복하는 '긍정의 힘'이 살아 있는데, 이러한 힘은 시심을 바탕으로 한 동심의 눈으로 세상을 보기 때문에 가능한 일일 것이다.

동화 〈선생님이 좋아요〉 연작은 어떤 선생님이 좋은 선생님인지를 말하고 있는데, 이 동화의 주인공인 '조으신' 선생님은 비록 나이는 많지만, 아이들과 함께 공부하고, 함께 청소도 하는 선생님이다. 뿐만 아니라 조으신 선생님은 아이들을 '폐하'로 모시면서 칭찬과 격려를 아끼지 않는 분이다. 권위를 앞세우는 선생이 아니라, 아이들과 눈높이를 맞추는 선생이다. 더 나아가 아이들을 극진히 모시는 선생이기도 하다. 아이들을 모시는 것은 동심을 모시는 것이고, 동심을 모시는 것은 하늘을 모시는 것이라 할 수 있다. 동심을 모신다는 행위는 자신을 낮추고, 아이들의 마음을 높이는 행위라 할 수 있다. 동화가 아이들을 대상으로 하고, 아이들의 마음을 존중해야 하기 때문에 아이들을 모시는 것이 지극히 당연한 일일 것이다. 모신다는 행위는 대상에 대한 사랑과 존중의 마음이 없으면 일어날 수 없는 일일 것이다. 그렇기 때문에 아이들을 모시는 것은 특별하면서도 근본을 잃지 않은 작가의 태도라 할 수 있을 것이다.

동심을 모시는 것은 사물에 대한 존중을 바탕으로 하고, 그것은 그의 동화가 새로운 지평을 열어 가는 계기가 되기도 한다. 그의 동화가 근본을 잃지 않고, 각자의 자리에서 자신의 자리를 지켜 나가는 조화와 화해의 공동체로 나아갈 수 있는 것도 이러한 작가의 태도와 무관하지 않을 것이다. 동화 〈혼자 집에서〉는 영화 '나홀로 집에'를 연상하게 하는 서사 구조를 갖고 있는데, 이 동화에 나오는 주인공처럼, 아이들은 가끔씩 부모들이 없는 집에서 혼자 있는 것이 행복한 일이라고 생각하기도 한다. 그러나 그것은 어떤 때는 두려움과 공포의 상황이 되기도 한다. 그는 이 동화에서 진정한 자유는 혼자서 즐기는 자유가 아니라, 가족과 더불어 누리는 것이라고 말한다. 그의 동화가 개별 삶의 의미보다도 공동체의 삶의 의미를 강조하는 것도 이 동화에서 잘 보여 주고 있다.

이러한 화해의 의미는 동화 〈이틀〉이라는 제목의 두 작품에서도 잘 드러나고 있다. 이 동화는 일본 민족과 우리 민족이 화해할 수 있는 방법이 무엇인지를 말하고 있다. 일제로부터 해방된 우리 민족이 일본 민족에 대한 적개심으로 가득 차 있을 때, 그것을 극복할 수 있는 방법이 무엇일까? 이 동화에서 그는 일본인 와타나베 선생의 말을 통해서 화해의 방식을 제시하고 있는데, 전쟁의 책임이 어른들에게 있는 것이지, 아이들에게는 책임이 없다고 말하는 것은 현실의 적개심을 극복할 수 있는 방법이 동심으로 회귀하는 방법 말고는 대안이 없다는 것을 의미한다. 어른들의 이해관계는 대립과 갈등을 일으키지만, 동심의 관점으로 세상을 보면 조화와 화해의 세계가 열린다는 것이다. 동심의 눈이야말로 순수한 마음의 상태로 세상을 보기 때문에 갈등과 대립을 넘어서 존재한다는 것이다. 어른들의 세계와 아이들의 세계를 나누어서 문제를 해결하려는 접근 방식도 의미가 있지만, 어떤 극단적 상황 속에서도 동심이 훼손되어서는 안 된다는 작가의 동심 존중 사상도 주목할 만하다. 그는 일본인 중에서도 와타나베 선생과 같은 좋은 사람도 있다는 점을 강조함으로써 대립과 갈등을 집단의 문제로 끌고 가려고 하지 않는다. 이것은 일본 민족과 우리 민족의 역사 속에서 일어난 집단의 갈등을 개별 사람들의 삶 속에서 풀어 보려는 작가의 의도일 것이다. 집단의 문제를 해결하는 다른 방식이 있을 수도 있을 터이지만, 사람과 사람이 화해할 수 있는 가장 중요한 방법은 동심의 눈으로 세상을 보는 것이다. 영훈이와 키리코는 일본의 패망으로 헤어지게 되었지만, 두 아이의 가슴 속에는 좋은 관계로 서로 공감하는 부분이 있을 것이다. 이와 같은 화해의 방식은 개별 존재의 가치를 중시한 방식이지, 집단의 이념과 지배 체제의 논리를 중시하는 방식이라 할 수 없다. 조화로움은 개별 존재의 가치와 전체 가치를 동시에 인정할 때, 진정한 의미가 있는 것이다. 그는 동화를 통해서 부분과 전체가 조화를 이루는 공동체의 운명을 꿈꾸고 있는 것이다.

동화 〈봄볕을 따라〉는 외할머니의 임종을 지키기 위해 모인 가족들이 서로 화해하는 이야기이다. 때로는 죽음이 사람들의 반목과 갈등을 소통과 화해로 끌어가기도 하는데, 이 동화에서도 외할머니의 죽음이 가족들의 관계를 회복하는 중요한 계기가 되고 있는 것이다. 동화 〈아버지와 눈길〉에서도 화해의 상황이 잘 나타나 있다. 이 동화는 계엄군에게 머리를 다쳐서 정신이상자가 된 아버지와 아들이 눈길을 걸어서 임종을 앞둔 할머니를 찾아가는 이야기인데, 아버지와 아들은 눈길에서 혈연의 공감을 느끼게 되고, 할머니는 아들을 정신이상자로 만든 사람을 용서하게 된다. 동화 〈저, 여기 있어요!〉는 숲속의 생물들이 숲속 음악회를 함께 준비하고 공연하는 과정을 그리고 있다. 이 동화는 의인화 기법을 이용한 판타지동화인데, 이 동화에서도 숲속의 동물이 서로 조화를 이루면서 화합하는 세계를 그리고 있다. 이와 같이 그의 동화는 동물과 인간이 하나가 되는 '이사야서'와 같은 세계, 동양의 무릉도원과 같은 이상향의 세계를 꿈꾸고 있는 것이다.

동화 〈눈 오는 밤〉은 술에 취한 아버지를 모시고 집으로 가는 길에 만나는 영적 체험을 그리고 있다. 이 동화의 주된 서사는 아버지가 눈길에 쓰러지자 면류관을 쓴 예수가 나타나 아버지를 구한다는 것으로 기독교적 구원 사상을 담고 있는 판타지동화이다. 그러나 여기서 말하는 예수도 단순히 기독교적 관점으로만 이해할 수 없다. 왜냐하면 동심의 시선으로 세상을 보면 하늘의 마음[예수]를 만날 수도 있기 때문이다. 여기서 말하는 예수는 동심의 눈으로 본 하늘의 마음을 상징한다고 할 수 있다. 동화 〈눈사람이 된 아버지〉는 우발적으로 소도둑을 죽인 아버지가 10년 감옥살이를 하고 석방되는 날, 아버지 마중을 나간 아들과 점퍼 차림의 아저씨[사실은 아버지]와 함께 눈길을 걸어서 집으로 가는 이야기다. 눈길은 화해와 평등, 조화를 상징하는 것으로 아버지와 아들의 마음이 서로 공감하는 장소이기도 하다. 이 동화에서도 동심이야말로 세상과 공감하는 힘이라는 사실을 일깨우고 있다. 동화 〈꿈꾸는 돌멩이〉에서는 이러한 '긍정의 힘'이 쓸모없이 사람들의 발길에 채이던 돌멩이가 죽어가는 지렁이를 살릴 수 있는 힘이 되기도 한다. 이와 같이 그의 동화는 세상 만물에 대한 측은지심이 잘 표현되어 있다. 이것은 시의 마음을 바탕으로 한 동심의 눈으로 세상을 보기 때문에 가능할 일일 것이다.

3. 항심(恒心), 시심(詩心), 동심(童心)의 세계

김문홍 동화의 특징을 말하라고 한다면, 시심의 관점에서 다양한 현실과 만나고 그것을 동심의 관점으로 그려 내고 있다는 것이다. 그의 동화를 읽으면 "동심은 무엇인가?"라는 근본적인 물음에 대한 다양한 관점의 해석을 요구하게 된다. 동심은 아이들의 관점에서 본다면, 세상에 물들지 않는 순수한 마음이라 할 수 있을 터이고, 어른의 관점으로 본다면, 현실의 문제로부터 자유로운 영혼을 가진 아이들의 마음이라 할 수 있을 터이다. 그렇다고 동심은 모든 아이들의 마음을 의미하는 것은 아닐 것이다. 동심은 어른과 아이라는 관점을 떠나서 사물과 현실에 대해 순수한 영혼을 가진 마음이라 할 수 있다. 그의 동화는 구속과 통제의 목적으로 규제되는 사회를 의미하는 것이 아니라, 자연의 질서에 순응하는 순수한 영혼의 세계를 지향하고 있다. 이런 관점에서 그의 동화에서 동심은 변하지 않는 그 무엇, 즉 항심(恒心)이라 할 수 있을 것이다.

그의 동화에서 시심은 근본주의로의 회귀가 필요한 시대, 기계 문명이 더욱 발달해 가고 인간성이 매몰되어 가는 시대, 인간의 가치가 자본의 가치로 환산되는 시대에 반드시 필요한 마음이라 할 수 있다. 그의 동화는 시심을 바탕으로 한 동심의 세계가 무엇인지, 그리고 그 동심의 회복이 얼마나 중요한 것인지를 보여 주고 있다. 비록 하찮은 사물이라 하더라도 그 본질은 존재 가치가 있듯이, 세상이 모든 만물들은 근본적으로 가치 있는 존재라고 보는 것이다. 그의 동화는 세상의 모든 존재들이 대립과 갈등을 넘어서 서로 화해하고, 세상의 모든 존재들이 각자의 자리에서 제 몫을 해 가는 대동화합의 세계를 꿈꾼다. 이것이 그가 꿈꾸는 시심(詩心)을 바탕으로 한 동심의 세계라 할 수 있을 것이다.

대부분의 동화작가들이 동심을 순수한 아이들의 마음이라고 생각하고 있을 터이지만, 그는 동심의 본질이 시심에 있다는 것을 제시하면서, 그 시심에서 펼쳐지는 존재에 대한 사랑, 사물에 대한 가치가 중요하다고 생각한다. 그것은 기독교의 관점에서 희생과 봉사라고 한다면, 동양의 관점에서는 측은지심이라 할 수 있을 것이다. 그는 동심과 시심의 유기적 관계를 동화의 근본 관점으로 보고 있다. 그의 동화가 이러한 시심과 동심, 천심을 바탕으로 두고 있는 한, 아이들에게 건강하고 밝은 미래를 제시해 줄 것이라 생각한다. 그의 동화는 변하지 않는 항심(恒心), 모든 세상을 밝고 긍정적으로 보려는 시심(詩心), 그 순박한 세계를 보는 동심(童心)을 지향하고 있다고 할 수 있다.

어린이와 함께 선생이 걸어온 길

1945년 전라남도 완도군 노화면 천구리에서 아버지 김남호와 어머니 황초심의 장남으로 태어나 큰아버지 댁에서 사촌들과 함께 성장함. 초등학교 1학년 입학 무렵까지 7년 간 아버지의 복잡한 사정 때문에 낳자마자 부모와 떨어져 큰어머니와 사촌누이에 의해 양육되었음.

1953년 고양에서 초등학교 1학년을 마치고 부산으로 옮겨 모든 것이 낯설고 물설다 하여 수정국민학교에 1학년에 다시 입학함.

1958년 성지국민학교 6학년 겨울에 아버지의 사업 실패로 고향의 큰아버지 댁에 맡겨져 학교를 다니다 6학년을 끝냈으나, 사정이 여의치 않아 다시 한번 더 6학년을 다니기 시작함.

1960년 부산으로 옮겨 동아중학교에 입학함. 중학교 재학 시절 부산여고에 재학 중이던 양인자가 《돌아온 미소》를 발표하자, 그때부터 문학에 뜻을 두고 소설 작품을 읽기 시작하며 문학에 눈뜨기 시작함.

1963년 해동 고등학교에 입학하여 3년 간 문예반 활동을 함. 당시 해동고등학교에는 문학평론가 김천혜, 시조 시인 양원식, 독립운동가이며 한글학자인 이태길 등이 교사로 근무하고 있어 알게 모르게 영향을 받음.

1966년 고등학교를 졸업 무렵 단편소설로 학원문학상(김동리 선생 심사)을 수상하며 문학적 재능을 인정받음.

1967년 12월부터 1970년 10월까지 34개월 간 육군에 복무함.

1972년 부산교육대학(2년제)에 동기생들보다 일곱 살이나 많은 27세의 늦은 나이로 국어 교육과에 입학함. 부산교육대학 재학시 대학신문사 편집국장, 극예술연구회 회장 등을 맡으면서 소설창작과 연극 활동을 하기 시작함.

1974년 부산교육대학 졸업을 앞둔 그해 〈중앙일보〉 신춘문예 단편소설 부문에서 단편소설 〈단식〉(斷食)이 최종심까지 작품이 논의되는 것을 계기로 본격적인 소설 창작에 매진함.

'부산해기사협회'의 기관지 〈해기〉에 해양 소설(단편)이 당선됨.

1975년 부산장림초등학교에 부임하여 교사 생활을 시작하고, 그해 7월에 전라남도 완도군 보길도 출신으로 광주에서 살고 있는 김민경과 결혼함.

1976년 제1회 〈한국문학〉 신인상 중편소설 모집에서 중편 소설 〈갯바람, 쓰러지다〉(김동리, 황순원, 최인훈, 김승옥 심사) 당선, 〈월간문학〉 신인상에서 동시 〈대밭골 경사〉(박홍근 선생 심사)가 당선, 그리고 소년중앙문학상(이원수 선생 심사)

에 동화가 한꺼번에 당선됨.

1976년 장남 김우림이 태어남.

1977년 동화작가 김상남, 강기홍, 성기정, 김재원, 동극작가 박원돈, 동시인 최만조, 이국재, 이우철 등과 함께 본격적인 프로문학을 주장하며 '부산아동문학회'를 탈퇴하여 '부산아동문학가협회'를 창립하고 연간집 《하얀 뱃고동》을 발간함. 그리고 중편 역사동화 〈나비가 된 왕자〉가 소년조선일보에 연재됨.

1978년 충무초등학교로 옮기고 차남 김지림이 6월에 태어남. 그 학교에서 동화작가 김상남 선생과 함께 근무하면서 문학 단체 활동을 벌임. 부산아동문학가협회의 연간집 《하얀 뱃고동》에 수록됐던 동화 〈쫓겨난 여우〉가 당시 박정희 공화당 정권의 언론 탄압을 비판했다는 투서로 수업 중에 불려가 부산시 경찰국 정보과에서 조사를 받음. 그해 6월에는 동극작가 박원돈의 동극집과 함께 첫 동화집 《움직이는 산》(문성출판사)을 발간하고 남포동 신신예식장에서 이원수 선생을 초대하여 출판기념회를 가짐.

1979년 월간 〈아동문예〉 2월호에 중편 아동소설 〈부처님 곁으로 간 소년〉을 발표함. 장편 역사 아동소설 〈날개 돋친 임금님〉이 월간 〈소년〉지에 일년 반 가까이 연재됨. 그리고 1979년부터 1980년대 초까지 이국재, 김재원, 구옥순, 김수미, 정진용 등과 함께 동시 창작 모임인 '산호초' 동인 활동을 활발하게 행함.

1980년 두 번째 동화집 《하늘을 나는 열차》(새로출판사)를 발간, 그리고 동화소설집 《부처님 곁으로 간 소년》이 교학사 소년문고로 발간되고, 장편동화 《개구장이들의 모험》이 연달아 발간됨. 그해 2월에 장녀 김혜림이 태어남.
장편동화 〈우리들의 친구 또또〉(월간 〈아동문예〉 연재)가 제3회 한국동화문학상을 수상함

1982년 제1회 계몽아동문학상에서 장편동화 《머나먼 나라》(김동리, 신지식, 장수철 심사)가 당선됨.

1983년 장편동화 《머나먼 나라》(계몽사), 《누나와 흰나비》(금성출판사)가 소년소녀 한국문학 시리즈로 발간되었음.

1984년 장편동화 《쌍동이 형제》(광문출판사)가 발간됨.

1987년 이 해부터 1997년의 약 10여 년 동안은 동아대학교 교육대학원 국어교육과(교육학 석사), 동아대학교 대학원 국문과 박사 과정(문학박사)에서 학문을 연구하는 관계로 몇몇 청탁 원고(단편동화)만을 겨우 쓸 뿐, 사실상 본격적인 아동문학 창작 활동을 잠정적으로 중단하게 됨.

1988년 장편 아동소설 《잃어버린 왕국을 찾아서》(광문출판사)를 발간함.

1997년 동아대학교 대학원 국문과에서 〈함세덕 희곡의 극적 전략과 의미 구조 연구〉로 문학박사 학위를 받음.

2005년 이주홍문학상(희곡 《세한도에 봄이 드니》) 수상을 계기로 다시 동화 창작 활동을 재개함.

2006년 부산아동문학인협회 카페에 '김문홍의 아동문학 통신'이라는 이름으로 아동문학의 동화집 서평, 아동문학 시론 등을 연재하기 시작해 지금까지 130여 회 연재해 오고 있음.

2007년 장편 아동소설 《미래특공대》(해성출판사)를 발간함. 2007년부터 2009년까지 부산아동문학인협회 회장을 역임함. 이 무렵부터 3년 동안 계간지 〈어린이문예〉와 〈글수레〉에 문종별 글쓰기와 초등학생 논술문 쓰기에 대한 연재를 시작함.

2008년 세 차례에 걸쳐 〈국제신문〉 신춘문예 동화 부문 심사를 역임함. 그리고 역시 세 차례에 걸쳐 이주홍아동문학상 심사를 역임함.

2009년 세 차례에 걸쳐 〈부산일보〉 신춘문예 희곡 부문 심사를 역임함.

2010년 단편동화집 《저, 여기 있어요!》(해성출판사)를 발간함.

2011년 1월에 동화집 《저, 여기 있어요!》로 한국아동문학상(한국 아동문학인협회)을 받음. 그리고 부산아동문학인협회 카페에 동화 창작의 이론과 실제에 대한 '동화 창작법 38강'을 연재함. 제7회 윤석중문학상 심사를 역임함.

2012년 출판사 '지식을만드는지식'의 기획 시리즈인 한국 아동문학 100인에 아동문학 선집 《김문홍 동화선집》 원고를 넘김.(2013년 발간)

2014년 '동화 창작 아카데미'를 개설하여 현재까지 장편동화 창작법을 지도해 오고 있음. '김문홍 희곡상'(희곡상운영 위원회)을 제정하여 매년 가장 뛰어난 희곡 작품을 선정하여 창작지원금과 함께 수여해 오고 있음.

2015년 박홍근 아동문학상 심사를 역임함.

2018년 부산시문화상을 받음.

동화집 장편동화 《머나먼 나라》 외 5권, 단편동화집 《움직이는 산》 외 7권(총 12권)

소설집 《흰나비 환상》(1983) 외 3권(총 4권)

희곡집 《안개주의보》(1988) 외 4권(총 5권)(부산연극제 희곡상 총 4회, 전국연극제 희곡상, 이주홍문학상 수상)

연극비평집 《공연과 비평》 외 2권(총 3권)(한국연극협회, '자랑스런 연극인상' 수상)

연극 관련 도서 《부산 연극사》 외 2권(총 3권) 총 22권

한국 아동문학가 100인

구용

대표 작품
〈들길을 걸으며〉 외 4편

인물론
더디게 핀 들꽃

작품론
빛깔과 향기를 뿜어내는 천국의 꽃

어린이와 함께 선생이 걸어온 길

들길을 걸으며

코스모스 갈대꽃
흐드러지게 핀 들길
어머니와 아들 걸어갑니다.

"어머니, 어머니
거친 들길에 누가
이런 꽃 피우셨나요?"
"그건 말이야 보이지 않는 분이란다."
"어머니, 그럼 그 분에게 부탁해
꽃이 지지 않게 할 순 없나요?"
"아가야, 그건 꽃을 위한 마음이 아니란다."

"어머니, 꽃이 지면 나는 이 길
울며 가야 할 것 같아요."
"아가야, 길을 가다 보면
꽃이 진 들길도 걸어 갈만하단다.
세상에는 꽃 핀 날보다
꽃이 진 날이 더 많은 법이거든."

코스모스 갈대꽃
흐드러지게 핀 들길
어머니와 아들 손잡고 지나갑니다.

겨울바람

머무르고 싶어도
떠나야 합니다

만나고 싶어도
스쳐가야 합니다

변명하고 싶어도
벙어리가 됩니다

나뭇가지 끝에서
전깃줄에서

울부짖는
바람 소리

기쁠 때나 슬플 때나

기쁠 때
꽃을 봅니다
언젠가 떨어질
꽃을 봅니다

슬플 때
달을 봅니다
언젠가 보름달이 될
달을 봅니다

욕심이 생길 때
나무를 봅니다
꽃도 열매도 다 주는
나무를 봅니다

말하는 꽃

말하는 꽃 보셨어요.
생각하는 꽃은요.
못 보셨다고요.
아니, 그런 꽃이 어디 있냐고요.
그럼 웃는 꽃도
우는 꽃도 못 보셨겠군요.

혹시 학교 운동장에 모인
맑게 갠 날
아이들을 보셨어요.

말하는 꽃은 바로 아이들이어요.
생각하는 꽃도 아이들이고요.
웃는 꽃도 우는 꽃도
물론 아이들이어요.

아이들은 꽃처럼
색깔도 모양도 향기도
모두 다르고
모여 있으면
커다란 꽃밭 이루지요.

아이들의 꽃밭
구름이 흐르고
비가 내리고
바람이 꽃 사일 휘젓고 다녀도
새가 가끔 놀러와
고운 노래 부르고 가지요.

앵두가 익을 무렵

경진이가 생각난다.
앵두가 익을 무렵
지금은 도회지 가고 없는
마을 입구 서 있는 느티나무에
까치알을 내리려던 경진이
경진이는 명랑하고 활달한
우리 옆집 살던 여자 아이
거기에 비해 나는
겁 많고 부끄럼 많은 남자 아이였다.

어느 봄날
학교로 오가는 길목
느티나무에 까치가 집을 지었다.
나무에 오르지 못하는 나 대신
까치알 경진이가 내리기로 했다.
앵두가 익으면 주기로 하고
느티나무 밑 부분 옹이가 없어
나는 경진이 발 손으로 받쳐
머리 위까지 밀어 올렸다.
그리고 무심코 위를 올려다보았다.
경진이의 치마 밑 하얀 허벅지와
꽃무늬 팬티
눈이 부셨다.

"넌 뭘 올려보고 있니?
어서 옆으로 비켜서."
"그래, 알았어, 난 아무 것도 안 봤어."
나는 멀찌감치 뒤로 물러섰다.
경진이는 이미

느티나무 잎에 가려 잘 보이지 않았다.
그런데 까치가 요란스럽게 울기 시작했다.
어디선가 갑자기 나타나
나무 주위 빙빙 돌며
경진이는 까치를 쫓으려고
나뭇가질 꺾어 휘둘렀다.

"안 되겠어.
잘못하다간 까치에게 머리를 쪼일 것 같아."
경진이는 조심스레 나무에서 내려와
옷을 털며 내게 다가섰다.
"너 아까 날 밀어 올리면서 뭘 봤니?"
"난 아무 것도 안 봤어.
꽃무늬 팬티만……."
"몰라! 난 몰라!"
경진이는 주저앉아
머리를 감싸 우는 척하더니
일어나 날 꼬집으려 했다.

나는 웃으며 도망쳤다.
저녁 노을이 어느 새
푸른 보리밭둑을 가로질러
경진이 볼처럼
곱게 물들고 있었다.

더디게
핀
들꽃

정용원

1

내가 구용 시인의 이름을 안 것은 1996년도였다. 그가 〈동화문학〉과 〈아동문예〉에 동시가 당선되고 난 후다. 경남 교육위원회에서 발간하는 잡지 〈경남교육〉과 주간 〈교육신문〉에 《숙제 안 하고 학교 간 날》이란 동시집 발간 안내가 있었다. 대체 어떤 내용의 동시집이길래 '계몽사'란 출판사에서 첫 동시집을 발간할 수 있었을까? 운도 좋은 사람이다. 그렇게만 생각했다. 그리고 내가 울산시 교육청 장학사로 있을 때, 구용 시인이 양산시에서 울산시로 전출하여 일산초등학교 교사로 근무하면서, 《붕어빵 장수》란 두 번째 동시집을 발간하여 보내줌으로서 그에게 관심을 갖게 되었다. 첫 동시집 《숙제 안 하고 학교 간 날》은 부제로 '동화 같은 동시'로 쉽고 재미있는 이야기가 담겨 있었고, 《붕어빵 장수》 동시집은 대부분 '같은 제목에 다른 내용'을 담고 있었다. 본인이 직접 아이들에게 글짓기 지도를 하면서 쓴 작품이라고 했다. 이를 계기로 우리는 울산시가 승격된 지 얼마 되지 않은 가운데 울산 아동문학회를 창립하였다. 필자와 김종한, 문선희, 강순아, 구용, 류진교, 박영식 등이 주축이 되었는데 구용 시인은 첫 회장인 나를 적극 도와주었다. 구용 시인의 첫 인상은 선비형에 품성이 따뜻한 교육자였으며 겉보기에 호감형도 아니고 그렇다고 성격이 까탈스럽지도 않고 매사에 오케형이었다. 모임에도 적극적이지는 않지만 참석은 잘 하는 편이였다. 대체로 자기 자신의 이야기 특히 내면의 이야기는 잘 하지 않는 편이였다. 얼마 되지 않아 그는 성동초등학교에 교감으로 승진하였으며 '52마리 새 이야기'인 세 번째 동시집 《새들의 합창》을 발간했다.

지방 신문인 경상일보(1999.7.14.)에 활짝 웃는 그의 모습과 '52마리의 새들의 지저귐, 작가의 언어로 형상화'라는 제목에 구용 시인의 동시집을 대서특필하여 소개하였다. '새에 대한 빼어난 관찰력과 시인의 상상력, 동심이 한데 어우러져 보태지도 꾸미지도 않은 언어들로 우리가 잘 아는 새 또는 좀 낯설은 새의 모습을 있는 그대로 그리고 있다'고 했다. 특히 한국조류협회에서는 조류 전문가도 아닌 일반인이 새에 대한 동시를 쓴 것에 주목하였다.

그의 이야기를 들어 보면 주제가 전문적인 것이라 새에 대한 울음소리, 특징, 모양,

색깔, 전설 등을 알기 위해 조류에 관한 책을 많이 읽고 공부했다고 했다. 그래도 의심스러워 부경대학교 조류관을 운영하는 교수를 직접 찾아가 감수도 받았다고 했다. 그 중에 꾀꼬리에 대해서 우리들은 흔히 '꾀꼴 꾀꼴' 하고 우는 것만으로 알고 또 그렇게 배워 왔고 가르쳐 왔는데 꾀꼬리는 결코 '꾀꼴 꾀꼴' 하고 울지 않는다 했다. 경계하거나 구애하는 울음소리가 다르긴 하지만 초여름 숲에서 '꾀꼴 꾀꼴' 하고 우는 소리로 꾀꼬리를 찾을 수가 없다 한다. 꾀꼬리는 대체로 '삣 삐요코 삐요, 삣 삐요코 삐오' 하고 운다고 한다. 그에게 시인데 꾀꼬리 울음소리는 듣는 사람의 감성에 따라 표현에 따라 얼마든지 다를 수 있지 않느냐고 했더니, 어린이들에게 사실을 사실대로 가르쳐야 하는 교육자는 동시라고 예외가 될 수 없다 했다. 그러면서 시인이자 문학 박사인 이동희의 작품 해설의 일부를 들려주었다. '새뿐만 아니라 사물을 제대로 보려면 편견 없이 보아야 한다. 지나친 선입관과 주관은 오류에 빠지게 된다. 새를 예찬해서 과장하거나 미화시키면 결국 새는 간 데가 없어지고 시인이 만들어 낸 괴물이 날개를 달고 시 속에서 날고 있게 된다'고.

그러던 구용 시인에게 불행이 찾아왔다. 어느 일요일 새벽에 교무실에 화재가 났던 것이다. 그가 연락을 받고 서둘러 학교에 갔을 때는 이미 소방차가 왔다 간 후로 교무실이 새까맣게 불에 그을리고 컴퓨터, 복사기는 물론 방송 시설까지 못 쓰게 되어 있었다. 지방 방송의 뉴스와 신문에 기사가 실리고 교육청에서 감사팀이 조사 나왔다.

낮은 전압에 무리하게 컴퓨터 같은 시청각 기기를 많이 들여놨기 때문에 전압에 과부하가 걸린 것이다. 그러나 관리자로서 관리 소홀과 도의적 책임으로 징계는 면할 수 없게 되겠다고 생각했다. 물론 오래 전에 변압기의 차단기가 자주 떨어져 본교에서 교육청에 승압 공사를 해 달라고 공문으로 요청을 했지만 그런 건 무시되었다.

다행히 명예퇴직 신청을 한 교장 선생님이 명예퇴직금을 받기 위해 불에 타 못 쓴 기자재들을 변상 조치하기로 하고 불문경고를 받았다. 문제는 2천만 원이나 되는 방송 시설이었다. 그런데 매년 고리 원자력 발전소에서는 인근 학교에 교육 자료 지원금을 주었는데 그걸로 충당할 수 있었다. 만약 그때 사고 처리가 원만하게 되지 않았다면 구용 시인은 교장 승진도 못 했을 거라고 했다. 그런 일이 있은 후 웅촌초등학교로 다시 자리를 옮기고, '가난과 장애인의 이야기'인 그의 네 번째 동시집, 《인숙이 누나》를 발간했다. 주위의 어려운 여건 속에서도 그의 동시 작업은 멈추지 않았음을 알 수 있었다. 어린이들에게 꿈과 웃음과 즐거움을 주는 그의 동시는 《인숙이 누나》를 통하여 많은 사람들에게 감동을 주었다. 역시 지방 신문인 경상일보(2000.12.27.)에 '꿈과 희망을 전해 주는 따뜻한 동시'라고 대서특필했다. 《인숙이 누나》는 한국재활재단에서 후원자의 도움으로 발간하여 장애인의 인식을 고취시키기 위해 전국 초등학교에 무료로 배부할 계획이었으나 후원금이 많이 모이지 않아 서울, 부산, 울산 초등학교에만 배부하였다고 한다. 이때 나는 처음 조촐한 식당에서 그가 어떻게 살아왔으며 어떤 생각을 하고 있는지 내면 이야기를 들을 수 있었다. 그의 삶은 그의 작품을 이해하는 면에서도 그의 사람됨을 알아보는 데도 도움이 되리라 생각한다.

다음은 그가 내게 들려준 이야기다.

2

구용 시인은 1942년 함경남도 함흥과 흥남이 가까운 함주군에서 농부의 아들로 태어났다. 아버지와 어머니의 나이 차이가 17년이나 되는데 한 번도 두 분이 싸우는 것을 본 일이 없었다고 한다. 아버지는 전처와 사별하고 재혼을 하였다. 그리고 전처에 아들 한 명이 있었는데 월남하지 못하여 장남 아닌 장남이 되었단다. 본명은 김구용(金九鏞)인데 동명인 한학자이자 시인인 분과 구별하기 위해서 '구용'이란 필명을 쓰고 있다 했다.

고향에서 초등학교 1학년에 다니다 1·4후퇴로 외가가 있는 흥남으로 갔다 배로 부산을 거쳐 거제도 일운면 지세포에서 피난 생활을 했으며 일운초등학교를 다녔다. 아버지가 부두에서 지게 짐 지다 넘어져 심한 부상으로 장승포 메리놀 병원에 입원하여 장기간 치료를 받아 남들보다 늦게 거제도를 떠나 부산으로 이사했다. 대청동 산꼭대기 판잣집에 살았으며 남일초등학교에 4학년 2학기 때 전학했다. 아버지는 목탄 장수로 두 번이나 큰 화재를 당하여 보수동 산꼭대기 판잣집으로 다시 이사했다. 6학년 1학기에는 열병으로 의식이 없어 부모님은 죽었다고 포기했는데 다음 날 기적적으로 살아났으며, 그때까지 그의 꿈은 야구 선수였고, 중학교 진학 시험에서 운이 좋아 대신중학교에 합격할 수 있었다 했다.

아버지는 목탄장사로 번 돈으로 보수동 평지에 방 두 칸짜리 집을 장만했단다. 그리고 처음으로 그때 《포오르와 비르지니》, 《보물섬》 같은 동화책을 읽기 시작하였고, 옆집에 사는 여자아이를 남몰래 좋아하면서부터 운동을 포기하였다. 사실 그는 6학년 때는 피구 선수였으며 몸집도 크고 행동도 민첩하여 중학교 때는 야구도 잘했으며, 고등학교 때에는 럭비 선수로 뽑히지 않으려 여러 달 일부러 도수 높은 안경을 끼고 다녔다고 한다.

가계에 보탬이 되고자 부산공업고등학교 전기과로 진학하여 취업반에 있었다. 그때 그는 도스토예프스키의 단편— 어느 몽상가와 애인을 기다리는 나스첸가라는 처녀와의 나흘간의 밤과 다음 날 아침에 일어난 이야기인 《백야(白夜)》를 즐겨 읽었다. 아울러 직접 조립하여 만든 진공관 라디오를 통하여 도니체티의 오페라 〈사랑의 묘약〉 중 순박한 시골 청년(네모리노)의 참된 사랑을 뒤늦게 알고 감동하여 우는 여자 주인공(아디나)을 보고 부르는 '남몰래 흐르는 눈물'과 푸치니의 오페라 〈토스카〉 중 혁명 투사인 주인공(카바라도시)이 처형을 앞두고 산탄젤로성 옥상에서 사랑하는 여인(토스카)에게 마지막 편지를 쓰면서 흐느끼는 '별은 빛나건만'의 아리아를 특히 좋아했단다. 고등학교 1학년 때 한글날 기념으로 교내 독후감 쓰기에서 글재주도 없는데 어쩌다 1등으로 수상하여 글 쓰는 계기가 되었고, 졸업할 때는 교지《용광로》편집을 맡았고, 시 〈사랑의 슬픔〉, 〈가난한 행복의 문으로〉를 교지에 발표하였다.

　5·16 혁명으로 벌목이 금지되어 아버지는 목탄장수에서 연탄장수로 주로 고지대에 등짐으로 연탄을 나르면서, 당신이 배우지 못했기 때문에 가난 속에서도 네 형제들을 모두 고등학교까지 보냈고, 누나는 일찍 진학할 엄두도 못 내고 공장 다니다 출가했다. 옆집 사는 여학생이 사범 학교 나와 초등학교에 근무하였는데, 그가 졸업하기 한 달 전 공장 다니면서 받는 봉급의 세 배나 더 많아 앞뒤도 가리지 않고 그만두었다. 1년을 좌절과 비탄으로 보내고, 그다음 해 부산교육대학에 입학하여 문예부 부장으로《한새벌》교지를 편집했으며, 〈밤과 꽃의 이야기〉 같은 이야기 시와 〈불 꺼진 창〉 단편을 교지에 발표하였다.

　아버지는 연세도 있고 곗돈도 떼이고 장사도 잘 안 돼 다시 보수동 산꼭대기 구멍가게가 있는 집으로 이사했다. 뒷날 아버지는 동맥 경화로, 어머니는 연탄가스 중독으로 돌아가셨다.

　1964년 3월초에 창녕군 장가초등학교로 초임 발령을 받았으나, 곧 폐결핵으로 마산 결핵 요양소에 입원까지 하며 1년을 병휴직하였다 옥천초등학교에 복직하여, 26세 때 육군 사병으로 원주 하사관 학교에 근무했으며 29세에 제대하였다. 길곡초등학교에 복직하여 그 이듬해 고향이 북쪽인 서정자(徐貞子)와 중매 결혼하여 영조(英祚)와 영준(英俊)이 두 형제를 두고 있다.

　마산 완월 월영초등학교 근무시 1977년 경남 아동문학회 창간호 〈하얀 찔레꽃〉에 〈금붕어 1, 2〉를 발표하고, 신춘문예도 응모해 보았으나 동시 쓰기가 너무 힘들어 그만두었다. 거제 장평, 농호, 양산 하북, 기장, 용연, 덕계 초등학교 교사로 재직하였다. 특히 덕계초등학교에 근무 중 밤중에 '요즘도 술도 안 마시고 담배도 안 피우고 무슨 재미로 사느냐'는 오랜 친구의 전화로 스쳐가듯 한 말이 그를 잠 못 이루게 하였단다. 그러던 중에 우연히《엄마와 분꽃》이란 이해인 수녀님의 동시집을 읽고, 동시가 형식적인 틀에서 벗어나 자유로움을 깨닫고 새삼 대학교 때부터 써 오던 이야기가 담긴 동시를 무엇에 홀리듯 썼단다. 아울러 누가 읽어도 쉽고 재미있으며 감동을 주는 동시집을 내리라 작정하고, 1995년 나이 54세에 〈동화문학〉과 〈아동문예〉에 〈앵두가 익을 무렵〉, 〈바람〉 등의 동시가 당선되면서 본격적으로 동시를 쓰기 시작하였다고 했다.

3

　내가 구용 시인과 더욱 친밀하게 만날 수 있었던 것은 격동초등학교 교장으로 있을 때 그가 검단초등학교 교장으로 승진하여 같은 장학군으로 편성되면서였다. 10개 되는 학교가 한 그룹이 되어 매월 한 번씩 자기 학교 교육 전반을 공개하여 서로 교육 정보를 공유하는 모임이다. 차례가 되어 그가 운영하는 학교에 갈 기회가 있었다. 그는 6학급의 시골 학교에 있으면서 주변 환경은 물론 내실을 다니는 학교를 만들기에 힘을 쏟고 있었다. 우선 동백 울타리로 쌓여 있는 운동장에 들어서자 정면 건물에 학교 교육 목표가 눈에 띄었다. '들풀처럼 꿋꿋하고 들꽃처럼 향기롭게' 마치 시의 한 구절 같다. 거창한 교육 목표만 보고 들어 온 나는 감탄했다. 아이들에게 건강과 바른 인성을 강조하고 있었다. 뒤에 그에게 들은 이야기지만 교육 목표는 그가 생각해 낸 것이 아니고 시를 쓰고 있는 같은 학교 교감의 생각이라고 했다. 얼마나 멋진 교육 목표인가. 학교에 들어서니 과학실, 컴퓨터실, 양호실, 교사 휴게실이 잘 정돈되어 있었고 얼마 전에 그는 도서실을 마련하여 책에 바코드까지 붙여 편리하게 운영하고 있었다. 학교 시설도 지역에 개방하여 누구나 사용이 가능했다. 특히 150여 명밖에 안 되는 소규모 학교에 걸맞게 아이들 의자는 높낮이 조절이 가능하고 책상은 4, 5인용 둥근 테이블로 교체했다. 교실마다 전자 칠판과 프로젝션 TV, 아동용 컴퓨터 4대씩 비치하여 언제든지 사용할 수 있게 했다.

　그는 2005년도 정년 퇴임 할 때까지 시내 큰 학교로 자리를 옮기지도 않고 이 학교에 있으면서 작품 활동을 왕성하게 했다. 〈꽃들의 노래〉, 〈들길을 걸으며〉 등을 연이어 발표했다. 2004년도에는 《내 고향 사람들》, 《바닷가 오막살이》 동시집을 한꺼번에 발표하여 수상했다. 한국아동문예작가상과 부산아동문학상이다. 구용 시인은 상이란 '주어서 받는 것'이 되어야 한다고 했다. 그러면서 현직에서 그가 받은 상에 얽힌 에피소드를 소개했다.

　교육계에서는 매년 12월 5일 국민 교육 헌장 선포일을 즈음하여 각 학교마다 그 해에 교육에 공이 많은 교사들을 선발하여 공적 조서를 써서 지역 교육청, 시도 교육 위원회를 거쳐 교육부의 최종 심사로 훈장에서 대통령, 국무총리, 교육부 장관상을 수여하는 제도가 있다. 교감으로 승진하기 위해서는 이런 상은 필수이다.

　구용 시인이 양산 하북초등학교 근무할 때였단다. 겨울 방학 턱밑에 갑자기 교육부에서 장학 지도를 하고 간 일이 있었단다. 그리고 얼마 후 교육청에서 연락이 왔다. 확실한 것은 아니지만 이번 교육부 장학 지도 대상 학교 중에 모범 학교로 선발되었으니 교사 한 명을 추천해 주면 교육부 장관상을 받을 수 있을지도 모른다고. 이는 얼마 전 국민 교육 헌장 선포 기념일에 본교가 올린 공적 조서가 심사에서 탈락해서 특별히 배려한 것이라 했다. 교장 선생님이 불러 교장실에 갔더니 그를 추천했다는 것이다. 그리고 겨울 방학이 지나고 다음 해 2월 정기 인사이동을 위한 모임에 학교장이 교육청에 갔다 그의 교육부 장관상을 가지고 왔다.

잘 알다시피 구용 시인은 10여 년에 걸쳐 매년 거의 한 권의 동시집을 발간했다. 그리고 처음부터 매 권마다 테마가 있는 동시집을 쓸 거라고 생각한 것은 아니라고 했다. 처음 두 권 정도 발간하다 보니 이번에 새 이야기를 다음에는 가난과 장애인 이야기를 그다음에는 꽃 이야기를 쓰게 되더란다. 무엇보다 동시는 동심을 다루는 문학으로 쉽고 재미있어야 하며 감동을 줄 수 있어야 한다고 그는 주장한다. 동시가 재미없고 어렵다고 여기며 읽지 않는 아이들을 탓하기 앞서 동시를 쓰는 사람들의 잘못부터 되짚어 보아야 한다 했다.

그런데 짧은 기간에 그가 글재주가 있어서 많은 동시를 썼다고 생각할지도 모르지만 그는 결코 남들보다 글재주가 있는 게 아니라고 했다. 어린이들에게 글짓기 지도를 하다 보니 자연히 동시를 쓰게 되었다고 한다. 그러면서 아이들을 위해서라기보다 자신이 즐겁고 행복해지기 때문에 동시를 쓰게 되었단다. 어떤 때는 자기가 쓴 작품을 다시 읽어 보고 과연 이것을 내가 쓴 것일까? 의심을 할 때도 있단다. 그리고 소재는 어린 시절 가난하게 살았기 때문에 우리 주변에서 질병과 가난으로 소외받는 사람들의 이야기를 그냥 묻어 둘 수가 없었고, 들과 산으로 뛰어다니며 들꽃을 보고 새소리를 들으며 곤충과 동물을 쫓아다녔기 때문에 자연의 아름다움과 신비에 관심을 가졌다고 했다.

구용 시인은 자신을 돌이켜 보면 남들에 비해 똑똑하지도 못하고 작품 한 편을 위해 수십 번 고쳐 써야 했으며, 남과 타협할 줄 몰라 사람을 잘 사귀지 못하는 부끄럼 많고 소심하며 꼼꼼한 성격에, 부모님 덕분에 장남이라고 대학까지 다닐 수 있었으며, 군 입대, 결혼, 세례(요셉), 문단에 등단, 승진 등 모두 지각생이었다고 했다. 그러나 순수한 마음 하나로 40여 년을 어린이들과 함께 생활할 수 있었음은 자신에겐 기쁨이며 축복이라 했다. 남에게 폐를 끼치고 번거로움을 싫어하는 그는 정년 퇴임식도 하지 않았다. 아니 그동안 10권의 동시집을 발간하면서 출판 기념회도 없었다. 퇴임 후 무얼 할 거냐는 내 물음에 그는 아무것도 모르고 그동안 성당에 다녔는데 앞으로 신학 공부를 하고 싶다고 했다. 그 후 그는 2년이나 부산 가톨릭대학교 부설 신학원을 다녔고 선교사 자격증까지 받았다고 한다. 그러나 그는 어떤 한 종교에 얽매이지 않고 불교 대학에도 몇 달 다닌 걸로 알고 있다. '종교는 행복으로 가는 서로 다른 길' 이라는 간디의 말을 좋아한다 했다. 끝으로 그의 일생을 읊은 자작시를 소개한다.

어린 시절 가난할 땐

꿈이 있어 행복했고

젊어서 방황할 땐

사랑이 있어 행복했고

늙어 가진 것 없어도

그리움이 있어 행복했노라.

빛깔과 향기를 뿜어내는 천국의 꽃

박일

1

아, 글을 쓸 수 없었다. 작품론(동시론)을 써 달라는 부탁을 받고, 쾌히 응락한 것도 내 서가에 꽂혀 있는 동시집 서너 권만으로도 쉽게 쓸 수 있을 것 같았기 때문이었다. 그런데 그게 아니었다. 구용 동시 전집 《앵두가 익을 무렵》(청개구리, 2008)를 받아든 순간, 그의 동시의 무게는 쓰나미 같은 충격이었다. 잠시 숨을 쉴 수 없었다.

이 책은 하드 커버의 고급 장정으로 동시집 열 권을 묶은 것이었다. 분량도 712페이지나 되니까 작품 색인도 넣을 수밖에 없었을 게다. 계간 〈시와 동화〉가 평균 500페이지 안팎이니 그 크기(지질의 차이가 있긴 하지만)가 어느 정도인지 가늠할 수 있을 게다.

내가 모르는 동시집들이 끼어 있었다. 그러고 보니 구용(본명 김구용) 시인을 너무 모르고 있었다. 같은 지역에 살면서 가끔 만나긴 했지만 그저 피상적인 만남일 뿐이었다. 이 기회에 그에게 다가가고 싶었다. 작품으로 이해하는 계기가 되었으면 싶었다. 그리고 그의 열정과 성실성을 닮고 싶었다.

구용 시인이 정식으로 등단한 것은 1995년이다. 〈동화문학〉, 〈아동문예〉에 동시 〈앵두가 익을 무렵〉과 〈바람〉이 각각 당선되었다. 이듬해 동시집 《숙제 안 하고 학교 간 날》(계몽사)을 필두로 동시집을 발간하기 시작한다. 왕성한 시작(詩作) 활동이 동시집 발간을 부추겼으리라. 그런데 20년도 되기 전에 10권의 동시집을 만들었다. 그 성실성 또한 놀랍지 아니한가.

평범한 사람이 비범한 시인의 작품 세계를 어찌 거론할 수 있을까? 내 우둔한 필력으로는 불가였다. 그런데 작품의 부족한 부분까지 지적해 주었으면 좋겠다고 하면서 더 겸손하게 자신을 낮추는 것이었다. 오랫동안 교사 생활과 신앙심(가톨릭)이 몸에 배었기 때문일까. 자꾸만 봄햇살 같은 느낌이 그에게서 퍼져 오는 것이었다.

참고로 구용 시인이 펴낸 동시집을 열거해 본다. 《숙제 안 하고 학교 간 날》(계몽사, 1996), 《붕어빵 장수》(아동문예, 1997), 《새들의 합창》(아동문예, 1999), 《인숙이 누나》(한국재활재단, 2000), 《들길을 걸으며》(아동문예, 2002), 《꽃들의 노래》(교학사, 2003), 《내 고향 사람들》(아동문예, 2004), 《바닷가 오막살이》(아동문예, 2004), 《곤

충의 꿈》 그리고 《동물학교》 등이다. 제9동시집 《곤충의 꿈》과 제10동시집 《동물학교》
는 동시전집 《앵두가 익을 무렵》(청개구리, 2008)에 묶어 발간했다.

이들 동시집의 특징은 주제를 동시집 표지 상단에 각각 제시하고 있다. 동화 같은 도
시, 같은 제목 다른 내용, 52마리 새 이야기, 가난과 장애인 이야기, 생각하는 동시, 52송
이 꽃 이야기, 농촌 생활 이야기, 어촌 생활 이야기, 52마리 곤충 이야기, 그리고 52마리
동물 이야기 등이다.

제4동시집 가난과 장애인 이야기 《인숙이 누나》에 대해서는 각별한 애정을 보이고
있다. 남보다 가진 것 없어 가난하게 사는 사람들의 이야기와 장애인들의 아픔과 고통
을 절절히 표현하면서 일체감을 느꼈기 때문이다. 특히 인숙이는 강길웅이라는 신부
(神父)의 여동생인데 간질병을 앓다가 죽어 가는 소녀다. 이해인 수녀도 이 동시집에
감동하면서 다음과 같이 추천의 글도 적어 주었다.

'선생님은 정말 뜻깊은 일을 시작하셨어요. 《인숙이 누나》는 장애와 가난으로 외롭게
사는 사람들의 긴 이야기를 상징적으로 짧게 묘사했기에 진부하지 않은 것 또한 시의
묘미이고 선생님의 빼어난 역량이라 여겨집니다. 앞으로도 따뜻한 정이 넘치는 글들로
세상을 아름답게 밝혀 주시고 우리의 기쁨이 되어 주십시오.'라고.

천국의 꽃! 그 꽃은 빛깔과 향기와 모양은 다르지만 제 각각의 신비와 아름다움과 꿈
을 갖고 있다. 어쩌면 그가 피우면서 이름 불러 준 동시의 꽃이다. 갑자기 김춘수의 시
〈꽃〉의 구절이 떠올랐다. '내가 그의 이름을 불러 준 것처럼 / 나의 이 빛깔과 향기에
알맞은 / 누가 나의 이름을 불러 다오.'

2

부득이 작품 몇 편으로 표현론적 관점에서 거론할 수밖에 없었다.

기쁠 때 / 꽃을 봅니다 / 언젠가 떨어질 / 꽃을 봅니다 //

슬플 때 / 달을 봅니다 / 언젠가 보름달이 될 / 달을 봅니다 //

욕심이 생길 때 / 나무를 봅니다 / 꽃도 열매도 다 주는 / 나무를 봅니다.
　- 〈기쁠 때나 슬플 때나〉(제5동시집 《들길을 걸으며》)

구용 시인의 성품과 인격을 엿볼 수 있다. 그는 깔끔하고 차분하다. 그러니까 기쁜
일이 있어도 꽃을 바라볼 수밖에 없다. 기쁨도 꽃처럼 떨어질 테니까. 슬픔도 마찬가지
다. 기운 달이 언젠가 꽉 차지 않는가. 그렇다고 욕심이 없는 것은 아니다. 욕심이 생기
더라도 마인드 컨트롤 할 수 있는 것은 아낌없이 주는 나무의 교훈을 새기고 있기 때문

이다. 자연의 섭리에서 달관과 여유의 삶의 방법과 태도를 배운다.

시(동시)는 최소한의 언어로 사상과 감정을 그려 낸다. 시어가 압축·절제되고 최소의 언어로 최대의 효과를 거두어야 하기 때문에 경제 원리가 도입되지만 그는 말을 아끼지 않는다. 그것은 어린이 독자까지 수용하는 선에서 압축·절제의 기교가 오히려 독자에게 외면당할 수 있다는 것을 알고 있기 때문이다.

나보다 열세 살 많은 / 인숙이 누나 / 내가 어렸을 때 / 누나는 날 업고 숙제하다 / 갑자기 쓰러졌습니다. / 어머니는 처음 / 밭에서 돌아와 / 아기 죽인다며 누날 / 사정없이 두들겨 팼습니다. / 그랬는데, 그랬는데 / 그 날부터 / 우리 집 웃음소리 / 그치고 / 먹구름 끼기 시작했습니다.

– 〈인숙이 누나〉 제1연(제4동시집 《인숙이 누나》)

강길웅 신부의 자서전이기도 한 《낭만에 초쳐먹는 이야기》를 읽고 눈물을 흘릴 수밖에 없었던 것은 자신의 일처럼 여겨져 공감이 되는 부분이 많았기 때문이리라. 구용 시인도 초등학교 1학년 때 1·4 후퇴라는 극한의 쓰라린 경험을 했고, 거제도에서 피난 생활을 하면서 겪었던 일들이 아픔과 눈물이 되어 가슴에 맺혀 있으리라. 그런 고통을 감내하면서 성장했기 때문에 남의 아픔도 자신의 고통이 되고 만다. 거기에 어찌 절제와 압축이 끼어들겠는가. 하고 싶은 말을 다함으로써 카타르시스를 느낀다고 할까?

동시 전집 표제작인 〈앵두가 익을 무렵〉 제1동시집 《숙제 안 하고 학교 간 날》도 사설조다. 황순원의 〈소나기〉처럼 사춘기 소년의 첫사랑을 그린 것이다. '경진이 치마 밑 하얀 허벅지와 / 꽃무늬 팬티 / 눈이 부셨다.'라는 구절에서는 쾌감이 동반되기도 한다. 우리 동시가 사춘기의 사랑까지 확대될 수 있다는 것을 보여 주기도 한다.

2005년에 부산아동문학인협회는 구용 시인에게 제27회 부산아동문학상을 주었다. 수상작은 그의 제8동시집 《바닷가 오막살이》이다. 심사 위원(공재동, 주성호, 김문홍 등)들은 〈톳〉을 인용하고 다음과 같이 심사평을 하였다.

꼬들꼬들 톳나물 / 외국에서 더 인기 있는 / 장수 마을 톳나물. //

갯바위에서 / 물빠지면 / 남자들 낫으로 / 여자들은 칼로 베어 //

그냥 먹어도 / 꼬들꼬들 봄 맛 / 뜨거운 물 살짝 데치면 / 초록색 톳나물. //

무채 양념 된장으로 버무린 / 톳나물 된장무침 / 콩나물 두부와 함께 먹는 / 장수마을 장수식품 / 꼬들꼬들 톳나물.

— 〈톳〉(제8동시집 《바닷가 오막살이》)

'톳'에 대해 모르던 사람도 이 시를 읽으면 모양은 물론 색깔, 요리법까지 알 수가 있다. 여덟 권의 동시집을 상재한 작가는 이 한 권의 동시집으로 어촌 사람들이 살아가는 모습을 손에 잡힐 듯 자세히 그려 주고 있어 우울한 도시인과 아이들 모두에게 신선한 청량제가 될 것으로 믿는다.'라고 했다.

동시에서도 '낯설게 하기'를 많이 거론한다. 보편적인 것이나 진부한 것에 대한 싫증과 거부 때문이다. 소재, 주제와 표현 등이 모두 참신하고 낯설어야 그에 대한 호기심이 생길 수 있다는 것이다. 이와 관계 깊은 것이 시의 은유적 표현이다.

예쁜 악세사리 / 빨간 바탕 / 검은 반점 / 내 손톱보다 작은 / 무당벌레 //

진딧물 먹고 언제나 / 푸른 숲 지키는 / 파수꾼 / 무당벌레 / 예쁜 액세서리 //

하이얀 / 블라우스 입은 / 송이 누나 가슴에 / 달아주고 싶어요.
　　– 〈무당벌레〉(제5동시집 《들길을 걸으며》)

무당벌레를 송이 누나에게 달아 주고 싶은 액세서리에 비유했다. 비유가 재미있어 가볍게 읽히면서 설렘과 웃음까지 번지게 하는 효과도 보여 주고 있다.

동시는 절실한 속마음에서 우러나온 것이어야 한다. 릴케는 《말테의 수기》에서 '쓰지 않으면 못 배길, 쓰지 않고는 죽어도 못 배길' 속마음의 요구가 우러나올 때 비로소 시인이 될 수 있다고 했다. 《시경(詩經)》에도 '마음속에 움직이는 바가 곧 뜻이 되고, 그것이 마침내 그대로 머물러 있지 못하고 절실한 언어로 다듬어져서 밖으로 나타나면 곧 시가 된다'고 하였다. 구용 시인의 동시를 읽으면 절실한 내면적 갈망에 의하여 쓰여진 것임을 알 수 있다. 그렇기 때문에 다른 사람에게도 그 절실함이 전해진다. 흔히 말하는 '감동'이란 이러한 전달 작용을 말하는 것이다.

맹아학교에 갔어요. / 앞 못 보는 아이들 / 점자로 공부하며 / 지팡이로 더듬어 / 골마루를 오가고 있었어요. 그러면서 / 자신들은 청각장애인에 비해 / 아름다운 소리 들을 수 있어 / 행복하다고 웃었습니다. //

농아학교에 갔어요. / 말 못 하는 아이들 / 수화로 열심히 이야기하며 / 놀고 있었어요. / 그러면서 / 자신들은 시각장애인에 비해 / 아름다운 세상 볼 수 있어 / 행복하다고 웃었습니다.
　　– 〈행복한 아이들〉(제4동시집 《인숙이 누나》)

삶의 궁극적 목적은 행복이다. 행복의 조건은 행복하다는 생각에서 비롯된다. 시인의 소망도 마찬가지다. 결코 장애도 행복한 세상의 장애가 될 수 없다는 것을 보여 주고 있다.

구용 시인은 가톨릭인이다. 어느 종교나 믿음의 방법은 다르더라도 제세안민(濟世安民)의 사명을 갖고 있다는 것을 알기 때문에 편애하지 않는다. 그래서 부처님도 동시의 소재가 될 수 있다.

할머니 따라 / 소나무 숲 속 / 절에 갔습니다. / 대웅전 부처님 / 은은히 / 미소 짓고 있었습니다. / 피어오르는 향처럼 //

할머니, 할머니 / 부처님은 왜 / 저렇게 웃고 계시지요? / 글쎄다, 모르긴 해도 / 욕심 버리고 / 남을 도우면 / 저렇게 웃을 수 있을 거야. //

일요일 엄마 따라 / 마리아 상이 있는 / 성당엘 갔습니다. / 장엄한 성가대 합창소리 / 예수님이 성전 한가운데서 / 괴로워하고 있었습니다. / 십자가에 못 박혀 //

어머니, 어머니 / 예수님은 왜 / 십자가에 못 박혀 / 괴로워하시지요? / 글쎄다, 모르긴 해도 / 세상 온갖 고통 대신하고 / 모든 사람들 / 사랑하며 살아가라 / 그러시는 걸 거야.

– 〈부처님과 예수님〉(제4동시집 《인숙이 누나》)

할머니를 따라 절에도 가 보고, 어머니를 따라 성당에도 가 본다. 믿음의 대상은 다르지만 시적 화자인 아이의 눈을 통해 종교의 본질을 규명해 놓고 있다. '글쎄다, 모르긴 해도'에서 조심스럽게 접근하고 있다는 것을 알 수 있다.

글쎄다, 모르긴 해도 구용 시인의 동시는 우리 어린이들에게 꿈과 사랑을 가지라고 그에 알맞은 빛깔과 향기를 뿜어내는 천국의 꽃일 거야.

3

왜, 동시를 쓰는가? 동시인들은 이 문제를 한번쯤은 짚어 보았을 것이다. 어느 시인은 더욱 쓸쓸해지기 위하여 계속 시를 쓸 거라고 하였다. 윤동주는 〈쉽게 씌여진 시〉에서 '시인이란 슬픈 천명'이라고 했었다.

결국 쓸쓸하기 위하여 시를 쓸 수도 있지만, 시인의 슬픈 천명 의식은 '나는 나에게 작은 손을 내밀어 / 눈물과 위안으로 잡은 최초(最初)의 악수(握手)' 〈쉽게 씌여진 시〉 일부를 할 수밖에 없게 한다. 그만한 소명 의식이 격조 높은 시(또는 동시)를 빚게 하는 요인도 되고 자긍심도 되리라.

구용 시인도 어떤 천명 의식으로 동시를 쓰고 있으리라. 왕성한 시 작업을 보면 알 수 있다. 남들은 도저히 따라갈 수 없는 길을 열심히 달리고 있다. 누가 따라오든 따라오지 않든 상관하지 않는다. 그러다가 동시들의 주제가 잡히면 책으로 엮어 낸다. 아니

천국의 꽃밭을 일구어 놓는다.

제2동시집 《붕어빵 장수》, 제3동시집 《새들의 합창》에는 발문이 실려 있다. 공통되는 말은 '아름다움'이다. 어느 동시집이든 내적 깊이와 미학이 조화를 이루고 있기 때문이리라. 그 글의 부분을 인용하면서 끝을 맺는다.

《붕어빵 장수》에는 문삼석 시인의 '즐거움과 아름다움의 동시'라는 주제로 서평이 실려 있다. 그는 '사실 자연이나 학교생활, 그리고 가족이나 이웃들 같은 소재들은 누구나 어디서나 만날 수 있는 흔한 사물들입니다. 그런데도 그 흔한 사물들을 글감으로 하여 빚어 놓았지만 아무나 찾아낼 수 없는 즐거움과 아름다움을 듬뿍 담고 있습니다.'라고 했다.

《새들의 합창》에는 '정답고 아름다운 새들의 합창'이라는 제목으로 시인이며 문학 박사인 이몽희의 글이 실려 있다. 그는 '구용 시인은 참 따뜻하고 정이 많은 시인입니다. 만나 보면 금방 친해질 수 있는 수더분하고 소박한 분이지요. 이 시인의 꾸밈없고 과장 없는 성품과 인격이 시 속에 그대로 나타나 있습니다. 본래 어린이가 그렇지 않습니까. 거짓과 가식이 없고 기교를 부리지 않고 솔직히 감동하고 제가 아는 말을 쉽게 써서 자기 생각을 나타내는 것이 어린이입니다. 어린이는 사물을 참마음으로 만납니다. 마음을 받아들입니다. 그러기에 그런 어린이의 마음으로 노래하는 동시에서 우리가 찾을 수 있는 것은 기교가 아닌 감동 그것인 것입니다.'라고 했다.

구용 시인이 발표한 동시는 500편이 넘는다. 동시집도 열 권이나 된다. 동시집마다 주제를 밝혀 놓았기 때문에 이웃이나 친구를 만나는 것처럼 친근감이 든다. 또 어떤 주제의 동시집을 만날 수 있을까 은근히 가슴이 설렌다.

어린이와 함께 선생이 걸어온 길

1942년 11월 1일 함경남도 함주군에서 농부인 아버지 김기복(金基福, 1900년 8월 29일
　　~1974년 3월 17일)과 어머니 이귀순(李貴順. 1917년 6월 14일~1980년 2월 18일)
　　의 4남 1녀의 장남으로 태어남. 이복형이 한 사람 있었지만 월남하지 못했음.
　　본명은 김구용(金九鏞)임.

1949~1954년 북에서 1학년 다니다 1·4 후퇴로 거제도 일운면 일운 초등학교에서 4학
　　년 2학기 때 부산 남일초등학교로 전학.

1955~1957년 부산 대신중학교 다님.

1958~1960년 부산공업고등학교 전기과 다님.

1962~1964년 부산교육대학교 다님.

1964년 3월 창녕군 장가초등학교 교사.

1965년 폐결핵으로 1년간 휴직함

1966~1967년 창녕군 옥천초등학교 교사.

1968~1970년 군에 복무함.

1970년 제대 후 고향이 북쪽인 서정자(徐貞子, 1946)와 중매로 결혼하여 뒷날 영조(英
　　祚, 1971)와 영준(英俊, 1974) 두 형제를 둠.

1977년 경남 아동문학회 창간호 〈하얀 찔레꽃들〉에 동시 〈금붕어 1, 2〉 발표함.

1982~1984년 거제 장평, 농호초등학교 교사로 임용됨.

1985~1996년 양산 하북, 용연, 덕계, 기장 초등학교 교사로 임용됨.

1988년 한국방송통신대학교를 졸업함.

1995년 〈동화문학〉, 〈아동문예〉 동시 당선됨.(〈앵두가 익을 무렵〉, 〈숙제 안 하고 학
　　교 간 날〉, 〈바람〉, 〈황태덕장〉)

1996년 7월 1일 첫 번째 동시집 '동화 같은 동시'《숙제 안 하고 학교 간 날》(계몽사) 출
　　간함.

1997~1998년 울산 일산초등학교 교사로 임용됨.

1997년 10월 20일 두 번째 동시집 '같은 제목에 다른 내용'《붕어빵 장수》(아동문예) 출
　　간함.

1999~2001년 울산 성동, 웅촌초등학교 교감으로 근무함.

1999년 6월 25일 세 번째 동시집 '52마리 새 이야기'《새들의 합창》(아동문예) 출간함.

2000년 12월 1일 네 번째 동시집 '가난과 장애인 이야기'《인숙이 누나》(한국재활재단)
　　출간함.

2002년 11월 11일 다섯 번째 동시집 '생각하는 동시'《들길을 걸으며》(교학사) 출간함.

2003년 5월 20일 여섯 번째 동시집 '52송이 꽃 이야기'《꽃들의 노래》(교학사) 출간함.

2004년 9월 30일 일곱 번째 동시집 '농촌 생활 이야기'《내 고향 사람들》(아동문예), 여
      덟 번째 동시집 '어촌생활 이야기'《바닷가 오막살이》(아동문예) 출간함.

2002~2005년 울산 검단초등학교 교장으로 근무함.

2005년《내 고향 사람들》로 한국아동문예작가상을,《바닷가 오막살이》로 부산아동문
      학상을 수상함. 대한민국 황조근정훈장 받음.

2005~2007년 부산 가톨릭대학교 부설 신학원 다님.(선교사 자격증 받음)

2008년 4월 21일 동시 전집《앵두가 익을 무렵》(청개구리), 아홉 번째 동시집 '52마리
      곤충 이야기'《곤충의 꿈》(청개구리), 열 번째 동시집 '52마리 동물 이야기'《동
      물학교》(청개구리) 출간함.

2012년 10월 9일 열한 번째 동시집 '유아 이야기'《용용 죽겠지》(해성) 출간함.

2015년 5월 26일 열두 번째 동시집 '결혼 이야기'《이모가 시집가는 날》(해성) 출간함.

2018년 3월 15일 열세 번째 동시집 '신앙 체험'《왜 성당 다니세요》(해성) 출간함.
      12월 27일 열네 번째 동시집 '특산물 이야기'《시골 버스》(해성) 출간함.

한국 아동문학가 100인

박성배

대표 작품
〈달나라에 올라간 돼지〉

인물론
동화 문학으로 고난을 극복한 아름다운 사람

작품론
리얼리티와 판타지의 조화가 절묘하게 이루어 내는
재미와 감동

어린이와 함께 선생이 걸어온 길

달나라에
올라간
돼지

1

"결국 뚫리고 말았네."

이장인 나영이 아버지가 마당을 들어서며 내뱉듯이 말했다.

"뭐? 뚫리다니, 우리 마을에도 구제역이 발생했다는 거야?"

돼지우리에 짚을 깔던 종수 아버지와 부엌에 있던 어머니와 방에 있던 할머니, 그리고 다람쥐 무늬가 있는 새끼 돼지를 안고 있던 종수가 '그대로 멈춰라' 놀이를 하는 것처럼 눈만 휘둥그렇게 뜨고 이장을 바라봤다.

"앞마을에 두 달 된 새끼 돼지가 걸렸다네."

"그래서?"

"그래서는 무슨 그래선가? 뻔하지. 우리 마을의 소와 돼지도 모두 없앤다네."

이장은 고인 물에 돌을 던져 놓고 튀어 오르는 흙탕물을 피하듯, 다음 말을 기다리지 않고 성큼 마당을 나갔다.

"이 사람아, 생때같은 가축을 없앤다니 말이 되나?"

할머니가 그러는 이장을 따라가며 어깃장을 놓았다. 할머니 손이 바들바들 떨리고 있었다.

"할머니도 참, 나라고 그러고 싶겠어요? 괜히 나한테 화풀이 하지 마세요."

이장은 뒤돌아서서 신경질을 팍 내곤 부러 휘적휘적 걸어간다.

"이장 맘은 오죽하겠어요? 우리보다 돼지가 훨씬 많은데."

의외로 종수 어머니가 차분한 목소리로 말했다. 이미 닥친 일 어떻게 하겠냐며 체념을 한 눈치다.

다음 날은 아침부터 사람들이 웅성거렸다. 여기저기 땅을 조사하더니 마을에서 조금 떨어진 뒷산 아래 땅을 파기 시작했다. 종수와 나영이가 구경 갔을 땐 포클레인으로 교실 크기만 하게 땅을 파고 있었다.

"어떻게 돼지를 산 채로 묻니?"

종수가 몸을 바르르 떨면서 울음 섞어 내뱉었다.

"더 많이 번지지 않게 하려면 어쩔 수 없대."

"그걸 누가 모르니?"

종수는 괜히 나영이한테 짜증을 냈다.

"나영아, 다람쥐 돼아지만은 살리고 싶어."

종수가 막연한 기대를 건 얼굴 표정으로 나영이 앞을 막아서며 말했다. 종수네 암돼지가 한 달 전에 새끼 돼지 일곱 마리를 낳았다. 그 중 두 마리만 다람쥐처럼 무늬가 있었다. 종수는 이 두 마리를 '다람쥐 돼아지' 라고 불렀다.

"다람쥐 무늬가 있어서 다람쥐라고 하는 것은 알겠는데 '돼아지'는 뭐니?"

처음 그 말을 들었을 때 나영이가 묻자 종수는 으스대며 말했다.

"아기 소는 송아지, 아기 말은 망아지, 아기 개는 강아지, 아기 닭은 병아리, 다 이름이 있는데 왜 돼지만 새끼라고 불러야 해? 그래서 내가 이름을 지어 주었지. 돼아지라고."

"흐흐, 듣고 보니 그럴듯하네."

그때부터 둘이는 어린 돼지들을 '돼아지'라고 불렀다.

"너 무슨 꿍꿍이속이 있는 거지?"

나영이는 고개를 갸우뚱거리며 추운 날씨에 빨개진 종수 얼굴을 살폈다. '다람쥐 돼아지만은 살리고 싶어' 라는 말투에서 '나 좀 도와줄 수 없니?' 하는 종수의 간절한 마음을 읽었기 때문이다.

2

밤 12시에 울리도록 진동으로 맞춰 놓은 핸드폰 알람이 '드드드드' 울렸다. 요 위에 엎드려 깜박 잠이 들었던 종수는 퍼뜩 눈을 떴다. 날이 새면 땅에 묻힐 돼지들을 생각하며 뒤척이다가 어느 순간 잠에 떨어졌나 보다. 종수는 옷을 잔뜩 껴입고 잠바에 달린 털모자도 썼다. 작은 마루를 사이에 둔 안방에 들릴까 봐 숨도 크게 쉬지 못하고 밖으로 나섰다.

보름이 가까운가 보다. 환한 달빛이 무대에 비치는 조명처럼 마을에 쏟아지고 있었다. 마당 한편의 작은 돼지우리와 감나무, 논밭 사이로 길게 이어진 길과 집들이 무대의 장치처럼 선명하게 드러나 보였다. 그 무대의 느티나무 아래에 등장인물이 움직였다. 나영이었다. 나영이도 종수처럼 옷을 잔뜩 껴입고 마스크까지 하고 있었다.

둘이는 조심스럽게 돼지우리로 들어갔다. 돼지우리는 모두 세 칸이었다. 그 한 칸에 어미 돼지와 새끼 돼지 일곱 마리가 누워 있다. 어미 돼지가 잠시 꿀꿀거렸지만 종수를 알아보고 눈을 감았다. 종수와 나영이는 조심스럽게 다람쥐 돼아지 한 마리씩을 안았다. 다람쥐 돼아지는 눈이 안 보이게 미리 준비한 담요로 말자, 약간 꿈틀거리다가 이

내 가만히 있었다. 낳은 지 보름이 겨우 지난 새끼 돼지이지만 묵직했다.

"안 무거워?"

종수가 걱정스런 목소리로 물었다.

"괜찮아."

나영이는 빨리 앞장 서 가라고 턱으로 길을 가리켰다. 둘이는 뒷산으로 난 길을 서둘러 걸었다.

"달빛이 너무 밝다."

나영이가 달빛에 드러난 마을을 걱정스럽게 바라보며 말했다. 하얀 입김이 달빛을 타고 올랐다. 누구 집에선가 개 짖는 소리가 들렸다.

"사람들이 알면 큰일 날 거야."

나영이가 숨찬 소리로 중얼거렸다. 뒷산으로 오르는 길에서 걸음짐작으로 백 걸음 정도는 떨어진 곳에 포클레인이 달빛에 빛나고 있었다. 갑자기 포클레인이 '달달달' 소리를 내며 쫓아올 것만 같았다. 교실 크기만 한 구덩이가 입을 벌리며 달려들 것도 같았다. 100년도 넘게 살았다는 커다란 느티나무 그림자가 아이들을 향해 검은 손을 뻗는 것 같았다.

"우린 잡혀갈지도 몰라."

나무 그림자 속으로 들어가면서 나영이가 또 중얼거렸다.

"제발 조용히 좀 갈 수 없니?"

종수가 참다못해 돌아서서 소리를 누르며 한마디 했다.

"걱정되니까 그러지 뭐."

나영이가 앞을 막아선 종수를 밀치며 앞질러 갔다. 종수는 짐짓 짜증스럽게 말했지만 자기를 도와주는 나영이가 고맙고 미안했다. 산길에는 눈이 쌓여 있었다. 비탈길을 한참 오르다가 둘이는 쪼그려 앉아 잠시 쉬었다. 다람쥐 돼아지를 안은 가슴에서 '통통 통' 심장 뛰는 소리가 들렸다. 종수와 다람쥐 돼아지의 심장 소리가 맞부딪쳐 하이파이브를 하는 것 같았다.

"넌 정말 우리가 나쁜 짓을 한다고 생각하니?"

종수가 달을 쳐다보며 물었다. 마치 자기 자신에게 묻는 것 같았다.

"다람쥐 돼아지 때문에 구제역이 번질지도 모르잖아."

나영이는 아빠에게 들은 말이 있어 속으론 걱정이 되었다.

"멀쩡한 돼지를 산 채로 땅에 묻는 것은 진짜 나쁜 짓이야."

종수는 자기 생각만 고집스럽게 내뱉었다.

"산에 불이 나면 어떻게 불을 끄는 줄 아니? 후! 불이 붙지 않은 곳의 나무와 풀들을 베서 없애는 거야. 그래야 불이 다른 곳으로 번지는 것을 막을 수 있는 거야. 후유! 구제역도 마찬가지야. 구제역 걸린 가축이 있는 근방의 가축들을 미리 없애서 다른 곳으로 번지지 않게 하려는 거야. 무슨 말인지 알겠니? 후유!"

나영이가 울면서 왜 살아 있는 돼지를 땅에 묻느냐고 따지자, 아버지가 한숨을 섞어 가며 설명한 말이다. 나영이는 아버지가 한 말을 그대로 할까 하다가 그만 두었다.

종수 얼굴에도 자기가 하는 일이 큰일을 저지르는 일일지도 모른다는 걱정이 담겨 있었기 때문이다.

종수가 보아둔 곳은 산중턱을 조금 못 가서 바위 밑에 난 굴이었다. 사람 서너 명이 들어가 앉을 수 있는 공간이었다. 종수는 낮에 몇 번 굴에 들어가 바닥에 톱밥을 깔고 그 위에 짚을 두툼하게 덮어 두었다. 굴 입구도 나뭇가지들을 얼기설기 얽고 그 사이에 짚과 나뭇잎들로 막아 두었다. 종수는 다람쥐 돼아지가 춥지 않도록 짚 위에 담요를 깔고 등에 덮어 주기도 했다.

3

날이 새면서 온 동네가 시끌벅적 했다. 꽥꽥거리는 돼지 소리. 통곡하는 소리, 악 쓰는 소리, 트럭들이 부릉거리는 소리들이 뒤범벅이 되었다. 종수 아버지는 새벽 일찍 일어나 돼지들에게 먹을 것을 잔뜩 쏟아 부어 주었다. 암돼지가 배가 불러 옆으로 눕자 새끼 돼지들이 다투어 가며 젖을 물었다. 젖꼭지는 일곱 개 씩 두 줄로 모두 열네 개였다. 새끼 돼지들은 자기가 빨던 젖꼭지만 용케도 찾아 빨았다. 종수 아버지는 새끼 두 마리가 없어진 것도 몰랐다. 돼지가 몇 마리인지 살펴볼 정신이 아니었다. 허깨비처럼 몸만 움직일 뿐이었다.

이 집 저 집에서 돼지들이 트럭에 실려 어제 땅을 파 놓은 곳으로 옮겨졌다.

하얀 옷을 입은 사람들이 종수네 돼지들도 트럭에 싣기 시작했다.

"꽥 꽥!"

돼지들이 목청껏 날카롭게 울부짖었다.

"아이고 불쌍한 것들, 미안하다. 돼지들아. 정말 미안하다!"

종수 할머니가 팔을 휘저으며 실성한 사람처럼 중얼거렸다. 돼지가 아까운 생각은 뒤로 가고 산 채로 땅에 묻혀야 하는 돼지들에게 미안한 생각이 앞선 것이다. 종수 아버지와 어머니도 그리고 종수도 연신 손등으로 눈물을 닦아 냈다. 서로 우는 것을 말릴 생각도 안 했다.

"새끼가 일곱 마리지 않았나?"

이장이 고개를 갸웃하며 종수 아버지를 봤다.

"있는 대로 다 실었으면 됐지 지금 마릿수 따질 땐가?"

종수 아버지가 신경질적으로 내뱉자 이장도 우물쭈물 넘겨 버렸다. 새끼들이라 큰 돼지들 사이에 끼었을 수도 있을 거라고 편하게 생각해 버린 것이다.

"마을 사람들은 가까이 갈 필요가 없습니다. 묻히는 걸 봐야 마음만 안 좋을 테고, 두고두고 생각나서 좋을 것도 없습니다."

이장인 나영이 아버지가 손나발을 하고 소리쳤다.

종수는 그런 소란 속에서도 생각이 온통 다람쥐 돼지에게 가 있었다. 종수는 아무도 몰래 우유통을 가슴에 품고 집을 나섰다. 나영이가 느티나무 밑에 서 있었다. 나영이 눈도 퉁퉁 부어 있었다.

"마치 내가 땅에 묻히는 것 같이 숨이 답답해."

나영이가 가슴을 통통 치며 말했다. 종수가 우유통을 내보였다. 둘이는 숨을 깊게 들이쉬며 산길로 접어들었다.

다람쥐 돼아지가 숨겨진 굴에 가까이 갔을 때였다. 찢어지듯이 꽥꽥거리는 돼지들의 울부짖음과 함께 사람들의 다급한 목소리가 들렸다.

"잡아라! 놓치면 안 돼!"

"총, 총 가져와!"

이어서 씩씩거리는 돼지와 사람들의 발자국 소리가 어지럽게 들렸다. 돼지를 트럭에서 구덩이로 밀어 넣던 중 몇 마리가 도망친 것이다. 이런 경우를 대비해서 마취 총을 준비해 둔 모양이다.

"탕, 탕!"

도망가던 돼지들이 마취총을 맞고 쓰러진다. 그러나 마지막 한 마리가 산길을 타고 오르기 시작했다.

"암돼지다!"

종수가 알아보고 소리치는 순간 암돼지가 비틀거렸다. 마취총에 맞은 것이다. 암돼지는 굴에서 20여 미터 떨어진 눈 위에 쓰러졌다. 쓰러져서도 눈은 종수를 향하고 있었다. 실은 종수 뒤에 있는 다람쥐 돼아지를 향하고 있는지도 모른다. 삽을 손에 든 나영이 아버지가 헐떡거리며 제일 먼저 암돼지 곁으로 달려왔다. 암돼지만 보고 달려온 나영이 아버지는, 앞에 종수와 나영이가 어물쩍거리며 서 있는 것을 보곤 멈칫했다.

"너희들 왜 여기 있는 거니?"

"그냥……."

종수가 다음 대답할 말을 생각하며 우물쭈물할 때였다.

"꿀꿀꿀!"

굴속에서 다람쥐 돼아지 두 마리가 한꺼번에 소리 냈다. 암퇘지의 젖 냄새를 맡은 모양이다. 나영이 아버지는 삽을 움켜쥐고 가려진 굴을 향해 두 발짝 떼었을 때였다. 나영이가 두 손을 마구 옆으로 흔들어 댔다. 제발 오지 말라는 몸짓이었다. 종수는 마치 파리처럼 두 손을 비벼댔다. 밑에서 사람들이 무더기로 달려오는 소리가 들렸다.

"뭣들 하는가? 빨리 빨리 옮기지 않고?"

나영이 아버지가 갑자기 뒤돌아서더니 큰 소리로 사람들을 재촉했다. 종수는 그 틈을 타 얼른 굴속으로 들어가서 다람쥐 돼아지에게 우유를 먹였다. 사람들은 쓰러진 암퇘지의 발을 묶고 긴 장대를 끼었다. 그러는 동안에도 나영이 아버지는 계속 소리쳤다.

"뭐가 그렇게 느려? 자, 묶었으면 빨리 메고 내려가자고."

"이장님이 왜 저렇게 서두르시는지 모르겠네."

나영이 아버지는 사람들의 말을 못 들은 척 계속 산이 쩌렁쩌렁 울리도록 목소리를 높였다.

"자, 빨리 가세."

"영치기 영차. 영치기 영차."

암퇘지를 멘 사람들이 산길을 내려갔다. 다람쥐 돼아지들이 두어 번 더 꿀꿀거렸지만 나영이 아버지의 커다란 목소리에 묻혀 아무도 듣지 못했다.

4

그날 밤 종수가 잠깐 잠이 들었는데 암퇘지가 나타났다. 암퇘지는 굴까지 종수를 따라왔다. 암퇘지는 꿀꿀거리며 두 마리의 다람쥐 돼아지에게 젖을 물렸다. 다람쥐 돼아지는 젖을 빨더니 금방 어른 돼지가 되었다. 종수가 좋아하다가 눈을 떴을 때는 밤 10시가 조금 넘어서였다. 종수는 서둘러 집을 빠져나갔다. 눈에서 굴러도 안 추울 정도로 껴입고 담요도 따로 들었다. 달은 어제보다 더 동그랗고 밝았다. 종수는 멀리 돼지들이 산 채로 묻힌 곳을 바라보았다. 돼지들이 날카롭게 울부짖는 소리가 들리는 듯했다. 종수는 고개를 좌우로 빠르게 흔들었다. 그러자 달빛도 함께 흔들렸다. 흔들리는 달빛을 타고 돼지들이 하늘로 올라가고 있었다.

"돼지들아, 미안해. 사람들이 없는 달나라에 가서 잘 살아."

종수는 커다란 달을 향해 손을 흔들었다. 돼지들은 모두 달에 올라가 있었다.

"돼지들이 달나라로 올라갔니?"

나영이가 느티나무 그늘에서 나오며 장난스럽게 물었다.

"어? 너 언제 여기 왔니? 달 한쪽에 있는 까만 그림자를 자세히 봐, 토끼가 방아 찧는 모습이 아니라 방금 달빛을 타고 올라간 돼지들이 모여서 '꿀꿀꿀' 노래하는 것 같지 않니?"

"정말 그래, 돼지들은 좋겠다. 언제 달나라로 다 올라갔을까?"

나영이는 고개를 젖히고 정말인 것처럼 중얼거리면서 한참이나 달을 쳐다봤다.

"얘들아, 언제까지 엉뚱한 상상만 할 셈이니? 어서 가자."

나영이 아버지가 느티나무 뒤에 있다가 소리 낮춰 말했다.

"이장님도 오셨어요? 왜 오셨어요?"

종수는 의심스런 눈초리로 이장님과 나영이를 번갈아 보았다. 다람쥐 돼아지를 없애려고 온 것인가 해서다.

"걱정 마, 어미 젖 대신 우유를 먹이기 시작하면 돼지 콜레라 예방 주사를 놔야 한대."

나영이가 설명하자 이장님이 손에 든 주사기를 들어보였다.

"감사합니다!"

종수는 꾸벅 절을 하고 앞장서 걸었다.

"한 가지 약속을 하자."

다람쥐 돼아지에게 주사를 놓은 후, 이장님이 종수에게 말했다. 종수는 침을 꿀꺽 삼키며 이장님을 바라봤다.

"돼지가 조금이라도 이상하면 바로 나에게 알려야 한다. 그때는 아무도 모르게 죽여 땅에 묻는 수밖에 없단다."

"예, 약속할게요."

종수는 자신 있게 대답했다. 집에서 꾼 꿈처럼 암돼지가 지켜 준다면 다람쥐 돼아지들이 절대로 구제역에 걸리지 않을 것이라고 생각했기 때문이다. 식물을 가꾸면서 한 식물에게는 날마다 잘 자라라고 정답게 말해 주고 다른 식물에게는 보기 싫으니 없어지라고 말하면 정말 잘 자라라고 말한 식물은 잘 자라고 없어지라고 한 식물은 시름시름 말라 죽는다고 한다. 언젠가 텔레비전에서 본 내용이다. 마찬가지로 암돼지가 마취 총에 맞아 쓰러지면서도 새끼들이 있는 굴을 향해 눈을 떼지 못한 그 마음이 다람쥐 돼아지들을 지켜 줄 것이라고 믿었다.

셋이서 굴을 나오는데 나뭇가지 사이로 달빛이 한층 밝게 쏟아지고 있었다. 종수는 달을 보며 굴을 향한 암돼지의 눈빛을 떠올렸다. 달 속에서 돼지들이 여기는 걱정 없다며 '꿀꿀꿀' 노래하고 있었다. 산 아래 느티나무까지 내려왔을 때 종수는 달을 향해 손을 흔들었다. 보름달이 암돼지가 웃는 얼굴처럼 보였다.

동화 문학으로
고난을 극복한
아름다운 사람

송재찬

최초의 기억

동화작가 박성배를 처음 기억한 것은 1974년 무렵이었다. 초등교사들을 위한 월간지 〈새교실〉에 동화를 보내기 시작하며 멀리 않은 곳에 있는 이오덕 선생님 댁에 드나들었는데 거기서 본 여러 가지 잡지 중에 월간 〈햇불〉이란 잡지가 있었다.

"이건 소년 한국에서 내던 〈햇불〉입니다. 동화도 추천하고 그랬는데 17권인가, 내고 그만 두었어요."

이오덕 선생님이 내민 것은 1969년에 나온 〈햇불〉이었다. 나는 거기서 '박성배'라는 이름을 보았다. 그즈음 동화작가 지망생들은 거의 초등학교 교사들이었는데 대개 〈새교실〉이나 〈교육자료〉에서 추천 작품으로 훈련을 받은 분들이었다. 시, 소설, 수필도 함께 다루었기 때문에 동화에 응모하여 추천 받는 수는 많지 않았고 관심만 가지면 어느 지방의 아무개 선생이 몇 번 추천을 받았고, 누구는 추천 3회를 마치고 신춘문예에 당선되었다는 것까지 다 기억할 정도였다. 필자 역시 새교실 추천작가가 되기 위해 안간힘을 쓸 때여서 여러 지방의 동화작가 지망생 이름을 줄줄이 외고 있었다. 그런데 '박성배'는 처음 듣는 이름이었다. 동화에 관계있는 거라면 가문 땅이 물을 빨아들이듯 전력으로 빨아들이던 때라 나는 박성배를 그렇게 기억했다.

필자가 노원호 시인의 덕분으로 서울 사람이 되었을 때 박성배는 손수복, 권오훈, 노원호, 유창근, 최영재, 이상교, 김숙희, 남궁경숙 등과 '서울아동문학동인회'를 결성하여 왕성하게 활동하던 때였다. '서울아동문학동인회'는 회보며 동인지를 내는 등 열심히 활동하다가 모임의 주축이었던 손수복이 오토바이 사고로 세상을 떠나며 흐지부지 와해되고 말았다. 그러나 그들 맴버 중에 정하나, 노원호, 박성배, 김학선은 꾸준히 모이고 있었는데 내가 노원호 시인을 따라 그들 모임에 합류한 게 80년대 초였다.

우리는 주로 종로 5가 제원다방에서 만나 이야기를 나누기도 하고 이집 저집 몰려다니며 저녁식사도 하고 여기저기 놀로도 다녔는데 그들 틈에서 나는 박성배에 대한 이런저런 것들을 알게 되었다. 이 모임은 그야말로 친목을 위한 모임인데 그래도 이름 하나 정도는 있어야 하지 않겠냐, 해서 정하나 시인이 '풀무'란 이름을 지어 왔다. 그 풀무 모임은 지금까지 이어져 오고 있다.

박홍근 선생님과의 인연

언젠가 문학상 시상식에서 축사를 해주러 단에 오르신 박홍근 선생님께서 작가로 살아남기가 얼마나 어려운지를 말씀하셨다.

"그동안 그렇게 많은 신춘문예를 심사하면서 여러 명의 동화작가를 배출시켰지만 끝내 살아남아 지금까지 동화작가로 활동하는 사람은 박성배와 송재찬 두 사람뿐입니다. 아, 동화작가로 끝까지 살아남기가 그렇게 힘들구나, 하는 걸 이 자리에서 새삼스럽게 느끼게 됩니다."

박성배와 박홍근 선생님은 이렇게 사제지간이었다. 그런데 박홍근 선생님과의 인연이 대를 이어 계속된 이야기를 언젠가 들었다. 박성배의 장남 종희 군이 초동학교 5학년 때인가 우리나라에서는 88서울 올림픽이 있던 때였다. 당시 KBS에서 올림픽 관련 전국 규모 백일장을 열었는데 종희 군이 장원에 당선되었다. 그런데 시상식에 가 보니 그 최종 심사를 하신 분이 박홍근 선생님이었다.

박성배는 이렇게 박홍근 선생님의 은혜를 아들 대에까지 누리게 되었으니 그야말로 스승의 은혜다.

문학에 대한 열망과 김요섭 선생님

1969년 〈횃불〉에 작품을 발표하며 동화작가의 꿈을 키웠지만 1970년 입대하면서 그 꿈은 잠시 유보된다. 제대 후 다시 학교에 복직하며 그는 본격적인 작가 수업을 하는데 그때 그가 쓴 것은 동화만이 아니었다. 소설도 써서 1976년 서울시 교원문예에서 최우수로 뽑히는 영예를 누리기도 했다. 그러나 초등교사였기 때문이었을까. 그는 소설을 접고 동화 창작에 매진하게 되는데 1978년 〈서울신문〉 신춘문예에 〈선아만의 비밀〉이 당선된다. 심사는 판타지를 추구하는 김요섭 선생과 소설가 이제하 선생. 그 당시의 심사평을 찾아보면 이렇게 정리되어 있다.

〈선아만의 비밀〉은 불에 덴 자국이라는 어린이의 현실을 환상幻想을 통해 극복하는 과정이 비교적 산뜻하게 형상화되어 있다. 그 과정이 어린이의 현실로서는 좀 복잡하지 않은가도 싶지만 입체감立體感이 느껴진다. 과욕하지 않고 아이다운 문제를 제 나름으로 열심히 밀고 나간점이 결국 이 작품을 당선시키게 만들었다. 밤중에 병원 밖에서 환상幻想 속으로 몰입하는 과정의 묘사는 뛰어난 데가 있다. 동화童話는 순수하게 환상幻想에서 시작되고 환상幻想에서 끝난다.

　김요섭(1927~1997) 선생은 소년소설과 동화를 명확히 구별하여 판타지를 구축한 작품만이 진정한 동화라고 주장한 분이다 〈달 돋는 나라〉, 〈꽃주막〉같은 단편과 〈날아다니는 코끼리〉등의 장편을 통해 꾸준히 판타지동화를 추구해 온 시인이며 동화작가다.

　박성배의 등단 작품이 판타지 성향의 동화이고 그 심사를 김요섭 선생이었다는 것은 큰 의미가 있어 보인다. 박성배는 그 후에도 계속해서 수준 높은 판타지동화를 발표하는데 소설로 교원문예상을 받을 정도의 탄탄한 문장 감각과 심사 위원이었던 김요섭 선생이 추구하던 동화관과 어우러지며 완성도 높은 작품들을 내 놓았다.

누구에게나 시련은 있다

　그는 한때 글짓기 학원을 운영하며 풀무 회원들을 특강 형식으로 초청하기도 했다. 사업은 번창했지만 그의 천성은 사업에 잘 맞지 않았다. 두어 해 운영하던 글짓기 학원을 다른 분에게 넘기고 다시 학교와 동화 쓰기에만 힘을 쏟는다.

　그의 동화를 자세히 들여다보면 동화 전편에 흐르는 사랑을 느낄 수 있다. 사랑이란 주제를 다양하게 변주해 낸 것이 그의 동화다. 그는 목사의 아들로 자랐으며 현재 상계동 소재 꽃동산 교회 장로이다. 어린이 사역으로 유명한 꽃동산 교회에 정착하여 장로가 된 것도 어린이를 사랑하는 담임 목사의 목회관과 박성배의 신앙관이 잘 맞았기 때문일 거라는 생각을 가끔 해본다. 꽃동산 교회에서는 주일학교 관련 출판 사업도 했는데 꽃동산 교회에서 제작한 주일학교용 주보는 꽤 유명했고 전국 여러 교회가 그 주보의 기본 틀을 받아 사용하곤 했다. 거기엔 신앙에 대한 만화도 있고 짧은 동화도 있었는데 동화의 필자는 언제나 박성배였다. 지금도 그 주보가 나오고 있으니 해수로는 20년이 넘는 긴 세월 동안 그의 동화가 이어져오고 있는 셈이다.

　아가페 출판사에서 낸 《쉬운 성경》에서 이동태·이희갑·송재찬 등과 교열 교정 작업에 참여하여 성경을 보급하는 일에도 함께 참여 했는데, 이 《쉬운 성경》은 아이들도 쉽게 읽을 수 있는 성경으로 지금도 널리 읽히는 성경의 베스트셀러이다.

　동화작가라면 누구나 그렇긴 하겠지만 특히 박성배는 동화의 안테나를 높이 세우고 산다. 그 안테나에 잡힌 갖가지 동화 소재들을 꾸준히 동화로 창작하는 모습을 보곤 한다. 함께 모임을 갖고 있는 정하나 동시인의 아들 이름이 정다주이다. 박성배는 이 이름으로 〈다주 다주 정다주〉라는 동화를 썼다. 외아들인 다주가 정을 받는 것에만 익숙하여 여러 가지 갈등을 겪다가 결국에는 정을 받는 의미의 다주가 아니라 다른 사람들에게 정을 주는 의미의 다주가 된다는 스토리로 기억하고 있다. 또 눈이 조금 오다가 만 어느 겨울날 아동문학가 몇 명이 우리 집에 들렀을 때의 일이다. 당시 아직 초등학교에 입학하기 전이던 우리 아이가 마당의 눈을 치우는 것이 아니라 오히려 골목에 있는 눈을 마당으로 가져오고 있었다. 왜 그러냐고 물었더니 눈이 조금밖에 없어서 우리 마당으로 옮긴다고 했다. 어른들은 그 귀여운 행동에 웃고 지나쳤다. 그런데 얼마 후 박성배는 그 일을 소재로 하여 〈여름까지 산 꼬마 눈사람〉이라는 동화를 썼고, 그 동화가 초등학교 교과서에까지 실리게 되었다.

이렇게 박성배는 학교와 교회에서 그리고 동화로 늘 아이들 속에서 살았다.

하나님이 사랑하는 자에게 복을 주시기 전에 복을 받기 합당한 자인가를 알아보기 위해 시련을 주신다고 흔히들 이야기 한다. 그 대표적인 인물이 구약성서에 등장하는 욥이다. 하나님은 그의 신앙심을 시험하고자 가족과 재산, 건강을 모두 잃게 하였으나 욥은 끝까지 하나님에 대한 신앙을 지켜 건강도 회복하고 가족과 재산도 다시 갖게 되었다는 이야기다. 시험 전보다 몇 배나 더 많은 복을 받게 된다는 동화 같은 이야기이다.

필자는 박성배하면 그 욥이 떠오른다. 내 아내도 가끔 그런 이야기를 한다.

평범한 초등학교 교사요, 독실한 크리스천이며 동화작가인 박성배도 가정적인 어려움이 있었다. 부인과의 성격적인 갈등 때문에 끝내 어려움이 있었고 풀무에도 얼굴을 내비치지 않게 된다. 그 무렵 우리 풀무 회원들은 모이면 그를 걱정했는데 그런 중에도 그는 열심히 동화를 써서 발표하고 교회 생활도 여전히 잘하고 있다는 이야기를 다른 통로를 통해 들었다. 쉽지 않은 행보였다. 나 역시 하나님을 믿는 사람이기 때문에 그가 얼마나 힘든 삶을 살았을지 어렵지 않게 짐작 할 수 있었다. 모든 것을 아는 교인들 틈에서 사역을 한다는 게 쉽지 않았을 것이다. 나와 아내는 그런 그의 소식을 들으며 참 대단한 사람이다, 라는 표현을 자주 했다. 그는 혼자서 청소년기의 아들 둘을 키우며 동화를 쓰고 하나님을 섬겼다. 힘든 세월을 통과하면서도 그는 끝내 하나님에게 등을 보이지 않았고 하나님의 빛 가운데로 더 가까이 다가갔다.

마침내 그의 시련이 끝났다. 같은 교회에 나가는 미모의 능력 있는 분을 만나 새 출발을 했고 우리 풀무도 새 얼굴을 맞아 캐나다로 10박 11일의 풀무 여행을 다녀왔다.

그 후 동화작가 박성배의 삶은, 내 아내의 표현을 빌려 '하나님께서 넘치는 은혜를 부어 주셨다'로 요약할 수 있다. 대형 교회의 장로 되기가 그리 쉽지 않은데 장로 취임을 하여 수십 명이 넘는 장로 중 수장로가 되었고. 누구처럼 애를 쓰지 않고 그냥 교직을 지키기만 했는데 저절로 점수가 차서 교장까지 했고, 문협 부이사장에 취임했으며, 정년 퇴임 후에도 교회가 거느리고 있는 학교 재단의 상임이사로 재직하고 있다. 한 편도 싣기 어려운 교과서에 여덟 편의 동화가 실리기도 했다.

우리 속담에 '콩 심은데 콩 나고 팥 심은데 팥 난다'는 속담처럼 그는 지금 심은 것을 거두는 추수기의 삶을 살고 있다.

리얼리티와 판타지의 조화가
절묘하게 이루어 내는
재미와 감동

김영훈

1. 들어가는 말

박성배는 동화 창작에 열정을 가지고 있는 작가이다. 동시에 동화 창작에 천부적인 자질을 발휘하고 있는 이야기꾼 중 하나이다. 그의 동화를 읽으면 독자는 바로 그가 빚어 낸 '동화라는 틀의 허구' 속에 빠져든다. 신선한 소재와 치밀하게 조직된 구성, 그리고 밀도 있는 문장이 만들어 낸 그의 이야기 속에 젖어 버린다. 재미 역시 만만치 않다. 평이한 문장으로 서술했는데도 늘 강한 메시지를 던진다. 그런 점들이 그의 동화가 갖는 강점이다.

그런데 그의 대표적인 동화 중 하나인 〈외짝 꽃신의 꿈〉을 비롯한 대부분의 작품은, 소설의 하위 장르인 리얼리티 표현 기법의 아동(소년) 소설 쪽보다 동화의 본류인 환상성 동화가 주류를 이루고 있다. 그 판타지 속에서 인물의 캐릭터를 확실하게 창조한다. 그는 동화 내용을 생성하기 위한 소재 선택과 그 소재를 이야기로 전개해 나가는 조직 과정에서 작품상으로 만들어진 인물이, 실존하는 느낌을 강하게 받도록 캐릭터화 하는 능력을 발휘하는 작가이다. 그만큼 그의 작품은 독자를 자기가 빚어 낸 이야기 속으로 빠져들게 하는 마력이 있다.

뿐만 아니다. 박성배는 이야기를 전개해 나가는 서사 구조를 확실하게 하면서 작품을 일관성 있게 사건을 전개함으로써 진실성을 확보한다. 이는 생성된 내용의 발단과 전개, 위기, 절정, 결말의 조직을 확실하게 함으로써 필연성 있는 이야기 세계를 펼쳐 나가기 때문이다. 박성배의 작품은 환상성이 짙은 동화라는 강점과 함께 리얼리티 표현 기법의 소설적인 요소까지를 갖추고 있다.

박성배는 1978년에 동화 〈선아만의 비밀〉이 〈서울신문〉 신춘문예에 당선되면서 문단에 나온다. 그 이후 40년 가까이 동화를 발표하면서도 그는 창작 과정에서의 맥을 확실히 하는 환상성과 함께 서사성이 짙은 작품 세계를 구축하면서 감동과 재미를 창출하고 있는 것이다.

독자의 입장에서 그가 창조해 낸 작품 속에 들어가 등장하는 인물들의 행동과 대화 그리고 사건의 진행을 쫓다보면 어느 새, 등장인물들에 동화되어 감동을 받을 수밖에 없다. 필자는 이제부터 이러한 박성배의 문학작품들을, 그의 생애와 함께 조명하면서 좀 더 깊이 살펴보기로 한다. 그의 동화 숲속으로 들어가 내용 생성 과정, 표현 기법, 주제 담기에 대한 고찰을 해보고자 하는 것이다. 아울러서 분석한 그 자료를 바탕으로 하여 결론 부문에서 특정을 좀 더 구체적으로 정리한다.

2. 박성배의 생애와 문학

박성배는 스스로가 "고향을 떠나 산 지 50여년이 다 되어 가지만 나의 문학의 고향은 퇴색되거나 변질될 수 없다. 스펜더의 말처럼 '세월의 흐름에 상관없이 신선함 그대로 언제나 재생'되며, 월터 데라메의 말처럼 '그때의 마음과 그때의 감각 그대로 생생하게' 작품을 쓰는 과정에서 반짝하는 순간에 재생되곤 한다."고 고백하고 있다.

그의 고백이 아니더라도 흔히들 한 작가의 작품 세계는 자신이 향유했던 유년의 벽을 넘지 못한다고 말한다. L·H 스미드도 그의 저서 《아동문학론》에서 "어린 날의 인상은 영속(永續)한다. 그리고 이 인상이 축적되다가 성인이 되었을 때 나타나는 인격의 패턴이 되는 것이다."라고 말하고 있다. 범속한 자연인을 포함해 언어 예술 행위를 수행하는 작가 아니, 그 누구에게도 적용되는 말이다. L·H 스미드의 이런 견해는, 지금부터 필자가 논하려고 하는 박성배의 동화와 아동 소설이라는 작품 세계가 어린 날의 인상이나 추억과 어떻게 연관되어 작품으로 형상화되고 있는지를 이해하기 위해서 가장 적절한 말이 아닌가 한다.

그러한 의미에서 필자는 박성배의 작품 세계를 직접 논하기보다 그의 생애를 살펴보는 것이 선행되어야 할 작업이라고 생각한다. 이에 지금부터 박성배의 인성 형성기인 유·소년 시절의 삶을 간략하게나마 반추하고자 한다. 나아가서 그의 생애를 문학과 연관을 지어 작품 세계가 어떻게 구축되어지고 있는지 그 인과성을 살펴본다. 일단 필자는 그의 작품들에서 담고 있는 주제 의식이나 표출하고 싶어 하는 세계가 유·소년기에 형성된 성격 형성 및 인생관이나 세계관과 무관하지 않을 거라는 가설을 세운다.

박성배는, 해방 이듬해인 1946년 전남 무안에서 박현국을 부친으로, 정봉덕을 모친으로 하여 출생한다. 바로 전남 무안군 무안면 매곡리 수반 마을이다. 감방산을 중심으로 옥녀봉과 임자봉이 소반을 받친 모양이라 하여 반곡(盤谷)이라 부르다가 후에 수반(水盤)으로 개칭된 전형적인 시골 마을이다. 그는 그곳에서 자라나 만 6세에 삼향초등학교에 입학한다. 그 후 교도관을 하는 부친의 임지에 따라 초등학교를 두 번 더 옮긴다. 그는 어린 시절에 목포에서 초등학교를 다니면서, 방학이면 외가인 임성리와 친가인 수반 마을을 오가며 성장했는데 목포 유달중학교와 문태고등학교를 거친 후, 1966년에는 목포를 떠나 서울교육대학교로 유학하게 된다.

　　그런데 그는 19세 때 고향을 떠나 서울 유학을 했고, 그 이후 내내 수도 서울에서 생활을 했음에도 불구하고 유년에 대한 기억을 떨쳐 버리지 못한다. "나는 고향에서의 경험들과 함께, 스위스의 심리학자 융(Jung)이 말한 것과 같이, 결코 개인적으로 습득된 것이 아닌 전적으로 유전에 의해서 존재하는 원시적 심성도 내 문학에 영향을 주고 있다는 생각을 갖고 있다. 즉 고절리 무안 박씨 박익경의 증손이 을사사화 이후 수반 마을로 내려와 정착하였다고 전해지는데 바로 죽헌정에서 제자들을 가르치며 시와 글을 읊조린 그 감성이 나의 문학작품에도 흐르고 있다."고 말하는 걸 보면 그의 고향에 대한 추억은 보다 근원적이라 할 수 있다.

　　박성배의 동화를 읽는 독자는, 그의 이 말을 그대로 흘려버릴 수 없다. 그러함에도 불구하고 박성배의 유·소년의 실제 삶은 반드시 전통적이고 향토성 짙은 것만도 아니었다. 이 시기에 그는 전환적인 계기를 맞이하게 되는데 교도관을 하던 부친이 삶의 방향을 선회하여 목회자로서 살게 된다는 사실이다. 기독교 윤리는 전통적인 유교적 생각들과 문화적으로 충돌하게 되는데 그는 혼재된 가치 속에서 유소년 시절을 보냈을 것으로 유추된다. 이러한 요인으로 인하여 그는 일생을 기독교 정신을 바탕으로 한 믿음이 돈독한 신앙인으로서 학교와 교회를 삶의 두 기둥으로 받들며 살게 된다. 그는 평생을 교육자로서 어린이를 가르치며 살았고 교회에서 중요한 직분을 맡으며 지냈는데 바로 그 삶이 그의 문학과 깊게 연관되어 작품 곳곳에 스며들고 있다고 본다.

　　그러나 그는 아직도 여전히 "휘발유 냄새나는 버스에서 멀미에 시달리며 마을에 들어섰을 때 반겨 주던 고모의 예쁜 미소며 할머니의 구부정한 그러나 정겨운 모습, 마을을 감싸고 있던 대나무 숲, 그 뒤로 정겹게 이웃 마을로 이어진 좁다란 길들, 소나기 내리던 여름 날 달리던 논둑길, 짓궂은 막내삼촌이 20미터는 넘을 기다란 대나무를 쥐어 주고 또래 아이들과 마당 양쪽에 서서 칼싸움을 시켜 손가락에 피가 나서 울었던 일, 아침이면 마을 앞 샘터에서 햇살처럼 쏟아지던 여인들의 말소리, 웃음소리, 등잔불 아래서 막내삼촌을 비롯한 마을 청년들이 모여 하던 시 낭송, 겨울이면 사다리를 타고 올라 초가지붕에서 참새를 잡던 일, 마을 어귀를 나가는 상여 행렬, 무슨 일인지는 몰라도 둘째숙부님께서 고래고래 소리를 지르며 쫓아가고 막내 삼촌이 뒷산 소나무 사이로 도망가던 일까지, 그리고 구체적으로 생각나지 않은 어떤 느낌이나 분위기나 언뜻 스친 감정까지도 내 문학의 세계에 살아있다."고 회상하며 그 시절을 추억하고 있다.

　　다음 장에서 본격적으로 논의되겠지만 초등학교 제5차 교육 과정 이후 교육 과정이 바뀔 때마다 제작된 국어 교과서에 게재된 〈달밤에 탄 스케이트〉 등 여덟 편의 동화가 주는 교육성 내지 문학성은 이미 검증된 바 있다. 또한 작품집《목사님의 아들》,《천사를 만난 바람》에 게재된 동화들은 생활 자세 그리고 사람으로서 지켜야 할 도덕이나 나아가서 종교적인 사랑을 주제로 하고 있음을 잘 알 수 있다.

이러한 그의 작품 경향은 그가 성장한 배경이 되는 전남 무안의 친자연적인 고향 마을과 목포를 중심으로 한 소도시적인 공간적 배경, 그리고 기독교 집안에서 성장하는 종교적인 성향, 게다가 해방 이후 이념의 대립이나 한국전쟁 등 어수선함 속에서 성장하지만 충효를 근간으로 하는 유교적 덕목 안에서, 그리고 농촌이라는 서정적이고 순박한 배경 속에서 살아온 성장 경험과 무관하지 않다고 본다.

박성배는 앞에서 밝혔듯이 목포에서 청소년기까지를 마감한 후 서울교육대학교를 졸업한다. 그 이후 서울 송정초등학교에 첫발을 내딛으면서부터는 40년이 넘게 서울에 소재한 초등학교 현장에서 교사, 교감, 교장으로서의 교직 생활을 한다. 그러면서 동화와 아동 소설 창작을 하게 된다. 그는 1969년에 한국일보사에서 간행하는 〈횃불〉지에 박홍근 선생 추천으로 권정생 씨와 함께 동화 추천을 받았고, 그 후 군대를 갔다 오면서 공백 기간을 갖다가 1975년에 서울교원문학상에 이원수 선생 심사로 최우수로 당선되었고, 1977년에는 같은 문학상에 소설 부분으로 최우수 수상을 하기도 하였다. 그러다가 1978년 〈서울신문〉 신춘문예에 김요섭 선생 심사로 동화 〈선아만의 비밀〉이 당선되어 지금까지 꾸준히 동화 창작에 열정을 보이고 있는 작가이다. 한양대학교 대학원에서 아동심리 석사 과정을 수료하고 학위를 취득한 것도 아동심리를 깊이 아는 작가가 되자는 그의 동화 창작 열정의 일환이었다.

박성배는 지금까지 《새싹한테서 온 전화》(교학사, 1981), 《천사의 눈》(꿈나무, 1984), 《꿈꾸는 아이》(아동문예, 1988), 《천사를 만난 바람》(동아출판, 1993), 《부러운 연애편지》(상서각, 1993), 《나팔꽃의 사랑》(꿈동산, 1995) 《초록색 초대장》(민지사, 1997), 《외짝꽃신의 꿈》(헤밍웨이, 2005), 《아빠 구두 닦는 행복을 아세요》(지팡이, 2008), 《행복한 비밀 하나》(푸른책들, 2011) 《빨간 리본을 단 꼬마쥐》(아동문예사, 2017) 등 30여 권에 가까운 순수 창작집과 그 밖에 《친구에게 말하듯 써 보세요》(동아출판사, 1994), 《글짓기 교실》(교학사, 2001), 등 많은 저작물을 가지고 있다.

그뿐만 아니라 그는 아동문학 전문지인 월간 〈아동문예〉, 한국문인협회가 발행하는 〈월간문학〉 말고도 여러 지면을 통하여 농도 짙은 월평·서평 및 작가론과 작품론을 담당하게 되는데, 그는 동화 창작 못지않게 분명한 잣대를 세워 날카로운 비평을 하는 역량을 발휘하여 왔다.

이렇게 박성배는 꾸준한 창작과 평론으로 문학성을 인정받아 각종 문학상을 수상하는 영광도 얻는다. 한국 아동문학작가상(1986), 대한민국문학상(1988녀), 한국동화문학상(1994), 천동아동문학상(2005) 등이다. 그리고 초등학교 교과서에 여덟 편의 동화가 13회나 수록되는 영예를 얻기도 한다. 또한 그는 1978년 손수복, 권오훈, 노원호,

정용원, 김학선, 송재찬, 유창근, 최영재, 이상교, 김숙희, 남궁경숙 등과 함께 '서울아동문학동인회'를 결성하여 활동하기도 했다. 2009년에는 양분된 노원문인협회를 결속하여 한국문인협회가 인정하는 초대 회장을 하면서 전국에서 가장 활발한 지부로 기틀을 세웠고, 2011년에는 25대 한국문인협회 부이사장으로 선출되어 한국 문단의 발전에도 헌신을 하고 있는 작가이다.

3. 환상동화가 빚어내는 아름다운 동화 세상

앞에서 박성배의 동화의 특정에 대해 언급한 바 있지만 그의 작품을 한 마디로 압축하라고 하면 '판타지'라는 키워드로 표현할 수 있을 만큼 환상동화 쪽에 강하다. 뿐만 아니라 그는, 동화의 원류인 판타지 표현 기법에 대한 신념이 확실한 작가이다. 그만큼 그는 그의 작품 세계를 주도할 수 있는 동화 표현 기법으로서의 판타지동화를 선호하고 있다.

그는 판타지 표현 기법에 대하여 스스로 이렇게 말하고 있다. "메다포와 이 판타지의 기능은 거의 비슷하며, 하나의 생명력 있는 세계를 구축하여 에너지를 발산한다는 의미에서 판타지가 메타포보다 집합체의 바깥에 위치한다고 볼 수 있다. 동화작가는 이 최상의 문학을 향유할 수 있는 자리에 서 있다." 이와 같이 그는 동화 창작의 집필과정에서 뿐만 아니라 이론적인 측면에서까지 무장하고 있는 셈이다.

실제로 박성배는 〈서울신문〉 신문문예를 통한 등단작인 〈선아의 비밀〉에서 부터 판타지동화를 들고 나왔다. 그의 동화는 초기 데뷔작에서부터 현실 세계를 형상화한 판타지 세계를 통하여 아주 잔잔한 감동을 자아 내고 있는 것이다.

어두운 숲속이었습니다. 선아는 하늘을 까맣게 가려선 나무들 사이로 날개를 파닥이며 날았습니다. 숲이 끝나는 저 멀리에서는 환한 햇살이 내리비치고 갖가지 꽃들이 가득 피어 있었습니다. 그 속에는 여러 아이들이 예쁜 날개를 달고 하느작거리고 있었습니다.

선아는 날갯짓을 멈추면 어두운 숲속에서 혼자 남게 된다는 두려운 생각에 사로잡혀 힘든 줄도 모르고 계속 날갯짓을 했습니다. 나중에는 날갯죽지가 떨어져 나가는 것 같았습니다. 그래도 쉴 수가 없었습니다. 날갯짓을 그만두면 금방 혼자 외톨이로 남게 된다는 무서운 생각이 어두운 숲속보다 더 새까맣게 선아를 감싸고 있었기 때문입니다.

겨우 숲속을 빠져나오자 선아는 피곤한 날개를 쉬기 위하여 날개를 접으며 꽃밭으로 내려갔습니다. 꽃밭 위에는 이름다운 무지개가 걸려 있었습니다.

"얘, 안 돼! 거기 앉으면 안 돼!"

날개를 하느작거리며 꽃밭 주위에서 놀던 아이들이 앙칼지게 소리쳤습니다.

"……?"

"얘, 네 날개를 봐. 그런 날개로 감히 무지개 위에 앉으려고 해?"

위 인용문은 그의 동화 〈선아의 비밀〉의 일부인데 당시 심사 위원이었던 김요섭은 동화 "〈선아만의 비밀〉은 불에 덴 자국이라는 어린이의 현실을 환상을 통해 극복하는 과정이 비교적 산뜻하게 형상화되어 있다. 그 과정이 어린이의 현실로서는 좀 복잡하지 않은가도 싶지만 입체감이 느껴진다. 과욕하지 않고 아이다운 문제를 제 나름으로 열심히 밀고 나간 점이 결국 이 작품을 당선시키게 만들었다. 밤중에 병원 밖에서 환상 속으로 몰입하는 과정의 묘사는 뛰어난 데가 있다. 그의 동화는 순수하게 환상에서 시작되고 환상에서 끝난다."는 심사평을 남기고 있다.

그는 이후에도 판타지 표현 기법으로 문학성이 뛰어난 동화로서 독자들에게 다가든다. 일일이 그 작품들을 헤아릴 수 없을 정도이다. 그중에서도 〈외짝 꽃신의 꿈〉, 〈여름까지 산 꼬마 눈사람〉, 〈새싹한테 온 전화〉, 〈고추잠자리 꿈쟁이의 흔적〉, 〈무엇이 꽃으로 피나〉, 〈아기 햇살이 피운 코스모스〉 등은 판타지동화로서 주옥같은 작품이다. 이밖에도 〈노란 종이배〉, 장편 환상동화인 〈꿈꾸는 아이〉, 〈천사를 만나 바람〉 등은 기억되는 동화들이라 할 수 있다.

그 중 모두에서 소개된 〈외짝 꽃신의 꿈〉의 경우는 농익은 판타지 세계를 열어 가고 있는 것을 볼 수 있다. 아기의 발에서 벗어나 풀밭에 떨어진 꽃신 한 짝, 여기에 담겨진 빗물이 이 동화를 이끌어가는 인물이다. 바람이 잠깐 다녀갈 뿐이다. 장치는 아주 단순하다. 그러나 작가는 이 동화 속에서 아주 귀한 꿈을 담는다. 하늘에서 내려온 빗물의 꿈은 많았다. 샘물이 되고 싶었고 푸른 들을 만들 풀들을 키우고 싶었다. 물고기를 키워 주는 시냇물이 되고 싶기도 했고, 예쁜 꽃밭으로 가 꽃을 키우고도 싶었다. 그러한 빗물이 꽃신에 담기면서부터 꽃신과 조금은 불만스런 대화를 나누면서 이야기가 전개된다.

"너도 꿈이 있었니?"

빗물들이 착 가라앉은 분위기를 바꾸려는 듯 물었습니다.

"꼬마의 귀여운 발을 품고 있을 때는 다른 꿈이 없었어. 난 꼬마의 예쁜 발을 품고 사는 것으로 행복했었거든."

"그럼 지금은 다른 꿈이 생겼다는 말이니?"

"응! 아주 작은 꿈이야."

"어떤 꿈인데?"

"꼬마가 나를 잊지 않고 생각해 주었으면 하는 꿈이야."

"그래, 누군가의 기억에 남을 수 있다는 것은 행복한 일이지."

마침 지나가던 바람이 외짝 꽃신의 말에 끼어들었습니다.

박성배는 어려운 환경에 처해 있는 동화 속의 주인공들에게 꿈을, 좌절하지 않도록 배려하고 있다. 뜻하지 않게 닥친 낯선 환경 속에서 빗물은 빗물대로, 꽃신은 꽃신대로 새로운 꿈을 갖도록 하고 있다. 급기야는 빗물들이 다시 하늘에 올라가게 되고 해님에 의해서 만들어진 무지개를 바라보며 아기가 꽃신을 기억해 낸다는, 그래서 풀밭의 꽃신이 소원대로 '누구에겐가 행복하게 기억' 된다는 판타지 세계는 참으로 아름답다. 작가는 결말로 가면서 이 글을 읽는 독자에게 좌절하지 말고 새로운 꿈에 도전할 것을 메시지로 제시하고 있다. 그가 이러한 작품을 창작해 낼 수 있었던 것은 그의 꿈 많은 유년의 삶과 무관하다고 볼 수가 없다.

동화 〈여름까지 산 꼬마 눈사람〉도 그의 판타지동화에서 언급되어야 할 작품이다. 이 작품은 찬호가 만든 아주 작은 꼬마 눈사람이 냉장고에 보관되어 여름까지 견딘다는 설정이다. 이 눈사람은 찬호의 친구에게 공개되며 모두들 신기하게 느끼게 된다. 그 눈사람이 여름 어느 날 갑작스런 발열 증세를 보이며 앓게 되는 찬호의 이마 위에서 열을 녹이는 희생으로 찬호의 병을 나을 수 있게 한다는 이야기이다.

"눈사람도 찬호를 위해서라면 기꺼이 희생할 거요. 그렇지. 꼬마 눈사람아?"

찬호 아버지가 나를 꺼내며 속삭였습니다.

나는 깨끗한 수건에 싸여 찬호의 뜨거운 이마에 얹혔습니다.

나는 그제야 모든 걸 알았습니다. 찬호가 갑자기 열이 많이 나 우선 열을 내릴 수 있는 얼음이 필요했던 것입니다.

…… (중략) ……

"찬호야, 그동안 고마웠어. 너를 위해 녹게 되어서 다행이야."

박성배는 '눈사람을 만들어 냉장고에 보관하기' 라는 아주 작고, 사소하고, 낯선 이야기를 통해 우리들에게 특별한 느낌을 준다. 그는 꼭 필요할 때 긴요하게 쓰이는 상황을 의미 있게 제시해 주고 있는 것이다. 이 작품에서 그는 어린이의 눈높이에 맞추어 사고하고, 그들의 언어 수준에 맞추어 주 독자인 어린이를 이야기 속으로 끌어들이는 감동을 만들어내고 있다. 독자를 긴장시키는 재미도 있다. 박성배만이 할 수 있는 발상이요, 그 만이 쓸 수 있는 언어의 연금술을 발휘하고 있는 것이다. 이 이야기는 찬호네 가

族과 눈사람 사이에 따뜻하게 교감되는 차원에서 진한 감동을 자아내게 하고 있다고 보겠다.

판타지 표현 기법을 동원한 동화 중에 〈새싹한테 온 전화〉도 빠뜨릴 수 없는 작품이다. 이 이야기는 '세월'이 무슨 의미인지도 모르는 취학 전의 꼬마 준미와 할머니가 만들어 내는 이야기이다. 겨우내 웅크리고 있다가 봄을 맞아 뜰에 월동을 한 나무들의 덧옷을 벗겨 버리고 꽃밭을 꾸미는 장면이 동화를 읽는 독자에게 상큼하게 다가온다. 할머니가 잠시 안으로 들어간 사이 춘곤증에 스르르 잠이 드는 준미는 흙 속에 묻혀 있다가 움트려는 새싹들에게 전화를 받는다. 몽환 판타지라는 장치를 통해 유년기의 어린이와 새싹들을 대화하게 하는 설정으로 봄에 대한 소망을 표출해 내고 있다.

"여보세요? 거기 준미 맞나요?"

"예! 제가 준미인데요."

"야, 준미다! 겨울 동안 잘 있었니? 우린 새싹들이야!"

"새싹들?"

"흙속은 너무 갑갑하고 지루해. 아까 꽃밭의 흙을 고르는 소리가 나던데 우리들이 나가도 되겠니?"

"그래 어서 나와. 너희들이 잘 나올 수 있도록 할머니랑 흙을 잘 골라 두었어."

박성배는 이 작품 〈새싹한테서 온 전화〉에서 어린이의 독서 심리를 발달 단계에 맞추어 대화할 수 있는 상황을 빚어낸다. 주인공 '준미'와 새싹들의 대화 속에서 주제를 분명하게 드러나도록 묘사하고 있는 것이다. '준미'와 같이 어린 나이의 독자들은 이 세상에 존재하는 모든 것은 말하고 행동하고 생각을 하는 것을 인정한다. 아동 발달 과정에서 생물은 물론 무생물도 말하고 행동함은 물론 영혼을 소유하고 있다고 믿는다. 작가가 animatism 및 animism적 생각을 밑바탕에 깔면서 새싹과의 대화를 가능하게 할 뿐만 아니라 봄날을 맞는 기쁨과 소망을 주제로 담고 있는 가작을 만들어 내고 있다. 이 작품 속에는 교육자로서, 미래를 열어갈 어린 독자에게 묻는 작가 박성배의 소망도 함께 농익어 있다.

작품 〈노란 종이배〉도 기억될 만한 동화 중의 하나이다. 이 작품은 작가 박성배 스스로가 대표작으로 자천을 하고도 있다. 이 작품에는 도깨비가 출현한다. 기독교인인 그가 도깨비를 수용한다는 것이 우선 특이하다. 우리가 근대화되는 과정이 유교적인 사상이나 불교적인 문화가 기독교 문화와 충돌하는 과정에서, 상호 간에 트라우마 현상을 겪으면서 혼합된 채로 정착되는 특정을 가지고 있는데, 도깨비 이야기는 오히려 종교적인 것보다는 우리 민중에게 널리 깔려있는 의식 속의 존재이다.

그러나 기독교인으로서 도깨비를 인정을 할 수 있어 작품화 할 수 있다는 것은 종교 외적으로 받아들일 수 있었다는 정조이다. 이 작품 말고도 그는 다른 동화에서도 도깨 비를 등장시키는 판타지동화를 발표하고 있는데, 실제로는 그가 도깨비를 부인하고 있 다는 것을 다음에서 알 수 있다.

"나는 도깨비를 인정하지 않는다. 그러면서도 나의 동화 중에 이 작품을 포함해 4편 정도의 도깨비 이야기가 있다. 이 도깨비는 귀신으로서의 도깨비가 아니라 순수한 자 연물로서의 도깨비로 그리고 있다. 말하자면 물질문명이 발달하고, 하천을 개발하고, 골프장을 만드는 등 자연 파괴의 현실에서는 옛날의 도깨비가 존재할 수 없다는 차원 에서 도깨비를 그리워한다. 순수한 자연 그대로의 환경에서만이 도깨비가 존재할 수 있는데 지금은 도깨비가 존재할 수 있는 환경이 없다는 경종을 울리고 싶은 내용들이 다."라고 언급한다.

"넌 친구가 없니?"
준호는 노란 종이배 셋을 꺼내 흔들어 보였습니다.
"우리 친구하자."
준호는 말을 않는 자기에게 어머니가 하듯이 부드럽게 말했습니다.
그러자 꼬마 도깨비가 조심스럽게 말했습니다.
"네가 무서워 할까봐 겁나."
"넌 네가 안 무서워."

이 작품 〈노란종이배〉는 작가의 말대로 "도깨비와 같은 순수한 자연을 접하면서 말 더듬을 극복해 가는 아이의 모습을 그린 동화이다. 즉, 인간의 본심을 회복하는 문학이 라는 기본 생각이 깔린 작품이다." 그는 이 작품에서 주인공 '준호'를 말더듬이라는 장 애우로 설정한다. 그는 이 작품에서 주인공이 도깨비와 교감하는 마법 판타지 표현 기 법을 활용해 '자기를 자각하고 자신감을 회복'한다는 주제를 담고 있다.

그런데 여기서 작품의 조직상 이야기의 흐름에 대하여 장문식은 "이어지는 사건들이 매우 긴밀하여 아주 자연스러운 연쇄를 이루고 있다. …… (중략) …… 준호와 유사한 성격의 도깨비를 설정함으로써 준호로 하여금 자신을 자각하게 만든 것은 공감을 쉽게 얻을 수 있어 좋았다. 그러니까 박성배 작가는 아주 자연스럽게 주인공 '준호'와 도깨 비를 잇고 있는 셈이다. 이는 현실과 환상의 세계를 같은 비중으로 다루고 있다."고 평 하고 있다.

또 〈고추잠자리 꿈쟁이의 흔적〉 역시 박성배 작가 자신이 아끼는 작품일 뿐만 아니라 독자를 널리 확보하고 있다. 이 동화작품은 모 출판사에서 기획 출판했는데 '백 년 후에도 읽고 싶은 세계 명작 동화'로 선정되기도 했다.

이 작품 역시 초등학교 7차 교육 과정에 의해 제작된 5학년 읽기 교과서에 수록 작품이기도 하다. 중심인물로 고추잠자리를 의인화하고 있는 우의(寓意) 판타지동화로서, 자기의 흔적을 남기고 싶어 하는 고추잠자리의 노력과 고뇌와 깨달음을 곱씹을 수 있는 동화이다. 작가는 고추잠자리의 삶을 통해서 사람(독자)은 무엇을 위하여 어떻게 살아야 하는지를 메시지로 제시하고 있다. '소설의 하위 장르로 분류되는 소년소설이 대부분인 이동 문단'에서 동화의 진수를 보여 주며, 소설로서는 나타낼 수 없는 동화 고유의 가치를 보여 주는 작품 중의 하나이다.

이밖에도 판타지 표현 기법의 장편동화로 《꿈꾸는 아이》, 그리고 《천사를 만난 바람》을 들 수 있다. 이 두 동화는 그의 판타지동화 세계를 한층 더 확장해 주고 있으며 내용 생성면에서나 탄탄한 조직력 그리고 주제 담기에서 뛰어난 데가 있다.

먼저 장편동화 《꿈꾸는 아이》는 월간 〈아동문예〉에 연재 발표했던 작품으로 본격적으로 시도한 장편 환상동화이다. 박성배는 동화의 본질은 판타지동화여야 한다고 생각하고 집필에 심혈을 기울인 작품이라서 대단한 애착을 보이고 있다고 말하고 있는데, 그는 이 작품으로 1988년 대한민국아동문학상을 수상한다. 그런데 이 동화에 대하여 박상재는 "현실과 환상의 세계를 이어 주는 고리가 비교적 튼튼하게 성립되어 동화에 생명력을 획득하고 있다."고 논하고 있다. 작가자신도 "지역이나 국가나 이념은 물론 시대를 초월하여 더 나은 내일을 위하여 희망과 꿈을 가꾸고 있는 내용을 담고 있는데, 주 독자인 그들에게 자신이 그려 내고 있는 '꿈'을 주제로 하여 시사점을 던져 주고 싶어 집필한 작품"이라고 술회하고 있다.

또 한편의 판타지 장편동화는 《천사를 만난 바람》이다. 이 작품은 생명 경시 현상에 경종을 울리고, 생명의 소중함을 외치기 위한 의인화동화로서 우의 판타지 기법을 활용한 작품이다. 이 작품 역시 비교적 독자들의 좋은 호응을 얻은 작품이다. 박상재는 앞의 《꿈꾸는 아이》에 이어 이 동화에 대해 호평을 하고 있다. 그는 "이 작품은 사람의 혼을 안고 살아가는 바람을 의인화한 우의적 판타지임에도 불구하고 탁월한 문학성에 힘입어 완성도가 돋보이는 가작이다. 그것은 유려한 필체와 짜임새 있게 전개되는 작품의 구성력에 기인한다."고 했다.

또한 이 동화를 읽고 추천하는 글에서 강팔강은 "사랑하는 마음, 남을 위해 희생하는 노력에서만 느낄 수 있는 즐거움, 양심의 소리를 들을 수 있는 정의로움, 사리에 맞게 판단하여 행동할 수 있는 용기를 생각하게 해주었다. 잠시 사람의 영혼을 안고 살다 간 '바람'의 이야기가 우리 모두에게 세상을 달리 보는 눈을 선사해 주는 작품"이라고 했다.

필자는 위 두 사람의 견해에 동감한다. 이 작품은 '생명'이란 무엇인가? 왜 귀중한가? 어떻게 살아야 하는가? 등에 대한 고민을 함께 하면서 끝내는 명쾌한 해답을 독자들 스스로 얻게 하는 장편동화로서 그의 작품 세계를 명료하게 하는 대표 작품 중의 하나로 꼽을 만하다고 본다.

4. 아동소설의 리얼리즘이 주는 재미와 감동

박성배의 리어리틱한 표현 기법의 동화 역시 환상동화 못지않게 재미와 감동을 주고 있다. 그중에도 〈달밤에 탄 스케이트〉는 일찍이 초등학교 교과서에 수록되어 많은 독자들의 가슴 속에 남겨져 있는 동화이다. 1987년부터 시행된 제5차 교육 과정에 의해 만들어진 5학년 교과서에 수록된 이 작품은 초등학교 시절에 이 동화를 읽고 자란 이 땅의 어린이들의 마음에 깊이 각인된 작품이라 본다.

밤에 스케이트장을 둘러보기 위해 나온 아저씨에 의해 발견된 소아마비 소년 민호가 이 동화의 주인공이다. 엉덩방아를 찧어 대면서도 스케이트를 타는 연습을 계속하는 소년의 이야기로, 자기의 신체적 결함에 굴하지 않고 마침내 스케이트타기에 성공하는 한 소년의 의지를 감동적으로 그려 내고 있다. 독자는 "다음 날도, 또 다음 날도 민호는 계속 밤늦게 나와서 오뚝이처럼 넘겨졌다가 일어나기를 반복했습니다."라고 묘사한 내용을 읽노라면 가슴이 아려옴이 느껴진다.

> "그래 잘 한다. 조금 더 저런……. 저런. 또 넘어졌군."
> 어느 새 아저씨는 민호를 응원하고 있습니다.
> 나흘째 되는 날 밤이었습니다.
> '오늘은 안 넘어지고 잘 탈 수 있을 것 같아.'
> 아저씨는 잔뜩 기대를 가지고 논둑에 앉아 민호를 기다렸습니다. 그러나 올 시간이 지나도 민호가 나
> 타나지 않습니다.
> '포기해 버린 것일까? 조금만 연습하면 잘 탈 수 있을 것 같은데…….'

아저씨는 민호를 계속 응원을 한다. 그러나 민호는 너무 열심히 스케이트 연습을 하다가 몸살이 난다. 하지만 이에 굴하지 않고 다시 나와 연습을 거듭해 마침내 스케이트 타기에 성공한다. 동수, 미선이 등 친한 친구들은 다리를 저는 민호에게 스케이트를 함께 타자는 말도 안 했지만 그는 왕따를 극복하며 좌절하지 않고 연습을 하고 또 해 마침내 성취하게 한다. 물론 이는 작가가 주제를 담아내기 위한 전략적인 조직이지만 독자는 그 작의를 느끼지 못할 만큼 리얼하다.

 이 주인공의 의지에 감동한 아저씨는 민호 몰래 '스케이트를 잘 타게 된 것을 축하하여 이 스케이트를 선물해. 밤마다 지켜본 달님이'라는 쪽지와 함께 스케이트를 선물한다. 아저씨는 또 민호의 친한 짝 친구 미선이에게도 '달빛 밝은 밤에 거울처럼 빛나는 얼음판에서 공주님처럼 스케이트를 타고 싶은 생각은 없니? 오늘 밤 달이 떠오르면 나오렴. 달님이.'라는 쪽지를 보낸다. 민호과 미선이는 궁금증으로 가슴을 설레며 스케이트장으로 나오고, 마침내 그 둘은 스케이트장에서 만나 함께 어울려 달빛을 받으며 스케이트를 탄다. 독자에게 그 둘이 달밤에 스케이트를 타는 장면이 그림과 같이 다가들게 마련이고, 그만큼 감동도 클 수밖에 없다.

 동화 〈행복한 비밀하나〉도 박성배의 작품 세계에서 스쳐 지나갈 수 없다. 사춘기 전기가 시작되고 있는 초등학교의 교실 현장에서 어린이들 간에 일어나는 대립과 갈등 상황이 눈에 보일 듯이 다가드는 작품이다. 환경 정리를 하기 위해 붙여 놓은 아이들 사진 중에 주인공인 성미 사진이 갑자기 사라진 것이 알려지면서 '과연 누가 이 사진을 떼어 갔느냐?' 하며 궁금해 하는 장면이 이야기의 시작이다.

 힘이 세나 좀 폭력적인 영만이, 그리고 겁은 많은 편이나 모범생인 민철이 사이에 일어나는 대결 구조가 리얼리티로 다가들면서 독자의 시선을 확 잡아당긴다. 상황을 묘사한 리얼리틱한 표현이지만 이렇게 생생한 장면으로 읽는 이의 가슴 속에 파고드는 감동을 줄 수 있다는 것이 놀랍다.

 "잘했어. 이유 없이 괴롭히면 그렇게 해주는 거야. 이 사진은 너 가져도 좋아."
 나는 내 사진을 수첩 속에 넣어 민철이의 손에 쥐어 주었다. 민철이의 얼굴이 금방 환해졌다.
 나는 기분이 좋아졌다. 그리고 행복했다. 실은 남모르는 비밀이 하나 생겼기 때문이다.
 나는 수첩 한 장 가득히 시처럼 써놓은 글들을 언뜻 보았다.
 성미 좋아, 성미 천사, 성미 좋아, 성미 천사…….

 위 인용문은 이 동화의 마지막 부분이다. 이런저런 얽힘이 흐른 후에 결국 사진을 떼어 간 것은 민철이로 밝혀지는데, 그 과정에서 뜻밖에도 서로 엉켜 싸워 코피가 터진 아이는 호전적인 영만이었다. 그러나 주인공 성미는 평소 약해 보였던 민철이 편이 되고 오히려 자기 사진을 그에게 꼬옥 쥐어 주는 것으로 결미를 장식한다. 리얼리틱한 아동소설이 마치 한편의 환상동화처럼 높은 판타지를 깔고 문학성 짙게 감동을 수반하며 독자에게 다가들어 잔영을 남긴다.

 동화 〈행복한 쨱쨱 콩콩이〉도 재미가 있다. 주인공 승호가 꽃밭으로 테니스 공을 찾으러 갔다가 참새 새끼 한 마리를 발견하면서 이야기가 펼쳐지는 리얼리티 표현 기법의 아동 소설이다. 짹짹콩콩이라 작명된 참새 한 마리를 놓고 학급 친구와 담임 선생님까지 함께 힘을 모아 사육 방법을 찾아내면서 기르게 된다는 내용이다.

> "야 요놈아, 찻길로 뛰어들면 어떡해."
> 놀란 아저씨와 아줌마들이 차창 밖으로 고개를 내밀고 소리를 쳤습니다. 승호는 아랑곳없이 파닥거리는 아기 참새를 손바닥으로 감싸 쥐었습니다.
> "허, 참새 때문이었군."
> …… (중략) ……
> "아기 참새를 어떡하지?"
> 승호가 걱정스럽게 물었습니다.
> "잘 날지도 못하니까 날려 줘서는 안 돼."
> …… (중략) ……
> 선생님은 승호가 내민 참새를 받아 손바닥 위에 올려놓았습니다.
> "아기 참새를 교실에서 키워요."
> "그래요. 저희 집에 안 쓰는 새장이 있거들랑요."

처음에 아이들은 참새를 자연으로의 방사를 시도했으나 도시에서 너무 어린 참새가 화를 당할 수 도 있다고 생각하여 학급에서 공동 사육을 하기로 한다. 동물 사랑의 극치를 보여 주는 장면이다. 결국 참새는 교실에서 사육하기로 한다. 그러나 승호는 집에 돌아와서도 참새가 걱정이 되어 밤에 교실로 간다. 그 교실에는 같은 걱정으로 몰려온 아이들로 교실이 붐빈다. 결국 하루씩 참새를 맡아 기를 당번을 정하자고 한다. 첫 당번은 승호였다.

> "오늘은 승호 손이 짹짹콩콩이 엄마다."
> "잘 키워서 진짜 엄마한테 보내 줘야 하니까 보모지."
> 짹짹콩콩이는 정말 엄마 품에 있는 것처럼 행복해 보였습니다.

필자는 박성배가 이 작품에서 왜 참새에게 애정을 쏟는 작품을 굳이 창작해 내고 있는 걸까를 따져보았다. 그는 필자가 전장에서 밝혔듯이 소년 시절 시골 형들을 따라 추녀 밑에서 참새를 꺼내어 참새구이를 한 점 얻어먹은 적이 있다. 그는 그 날을 회상하면서 참새에게 참회를 하는 걸 수도 있다. 그의 의식 속에 잠들어 있던 속죄감이 참새 사랑이라는 주제를 담는 동화를 창작하게 되었다는 유추도 가능해진다.

비교적 최근에 발표한 작품 중 인상적인 작품은 동화 〈핸드폰〉이다. 부모의 이혼으로 조부모와 함께 사는 주인공인 결손 상태의 승찬이와 담임 선생님과의 교감을 그린 동화이다. 박성배는 요즈음 여러가지 원인으로 결손 가정이 늘어나면서 어린 자녀들의 양육 문제가 심각해지고 있는 상황에서 소재를 얻어 교육적이면서도 문학성 높은 작품으로 형상화하고 있다.

핸드폰은 지식·정보화 사회를 상징하는 가장 대표적인 산물 중에 하나이다. 선생님은 자신의 이 귀중한 핸드폰을 승찬이에게 건네준다. 제자와 대화의 끈을 이어가기 위한 전략이다. 가정에서 정착하지 못하고 벌써 일곱 번째 가출을 한 승찬이의 마음을 어루만지고 그를 감화시켜 바로 잡으려는 뜻이 핸드폰 속에 담겨 있다.

"머나먼 곳에서는 날 오라 하여도……."
승찬이는 무심코 노래 가사를 따라 흥얼거렸다. 그러다가 그 노랫소리가 자기의 주머니에서 나는 것을 깨닫고 얼른 선생님의 휴대폰을 꺼냈다.
"어디니?"
"예?"
"네가 가장 편하다고 생각하는 곳이 어디인지 알고 싶을 뿐이야."
선생님이 지나가는 말투로 물었다. 그 말투가 너무나 자연스러워서 승찬이는 엉겁결에 지금 누워 있는 장소를 말했다.

이 작품에 대해서 "박성배는 …… (중략) …… 교단에서 40여년 간 어린이를 직접 지도하는 한편 …… (중략) …… 교회에서는 장로의 직분을 가진 신실한 신자이기도 하다. 그의 작품에서 기독교 사상의 중심인 '사랑의 실천'을 골간으로 세운 동화와 소년소설을 자주 대하게 된다. 이번 '핸드폰'에서도 그런 사랑의 실천과 세심자정을 확인할 수 있다."고 김영순은 평한다.

그리고 또 김자연도 "이 작품은 부모의 이혼으로 가출을 일삼는 승환이에 대한 선생님의 사랑을 따뜻하게 형상화한 소년소설이다. 부모가 없는 집에서 어린이들은 허전할 수밖에 없을 것이다. 더구나 부모가 이혼한 경우, 아이들이 받게 되는 정신적 충격과 불안감은 상상 외로 크다. 이 작품에 등장하는 승찬이 역시 그러한 면을 보여 준다."고 했다. 필자 역시 박성배가 교육자로서 그리고 종교인으로서 소외된 인간을 보듬고 바로잡아야 하겠다는 의지가 농밀하게 녹아 있는 작품 창작에 누구보다도 열성을 보이는 작가라고 생각한다.

동화 〈만화경 속의 새해〉도 주목을 받을 수 있는 작품이다. 이 작품은 새해를 맞이

하는 시점인 섣달 마지막 날 밤 11시가 넘어서면서부터 이야기가 전개된다. 〈노란 종이배〉에서처럼 리얼리틱한 표현으로 시작했는데 어느 새 매직적인 판타지로 전환되면서 두 표현 기법이 절묘하게 조화를 이루면서 독자에게 환상을 주고 나아가서 작가가 표출하려 하는 주제 속에 갇혀 감동을 느끼게 된다. 흥미도 진하게 창출되고 있다.

이 동화 속의 세계에서 열한 살을 넘기는 주인공 '나'는 자정 무렵 오빠와 함께 거리로 나선다. 그들은 분명 처음은 리얼리티로 시작했는데 말미로 가서 매직 판타지 세계를 보여 주고 있는 것이다.

"어? 우리가 언제 이리로 들어왔지?"

오빠와 난 눈이 둥그레졌습니다. 우린 어느 새 만화경 속에 들어와 있었습니다. 그런데 만화경을 들여다보는 우리가 있고, 만화경 속에 있는 우리가 따로 있습니다.

"어떻게 우리가 둘이 될 수 있지?"

…… (중략) ……

"만화경 속에 있는 건 너희들의 생각이란다. 꿈속에서 너희들의 생각이 나타나는 것과 같은 이치지."

박명희는 위에 제시된 동화 〈만화경 속의 새해〉에 대하여 "이 작품은 주인공 '나'와 오빠 그리고 내면적인 인물을 의미하는 할아버지가 등장한다. 피아노 경연 대회 떨어진 나와 대학 입시에서 실패한 오빠가 거리로 나가 할아버지를 만난다. 할아버지는 한 해의 끝과 새해의 시작을 보여 주겠다며 만화경을 보라고 하고, '나'와 오빠는 그 대가로 눈사람을 만들어 준다. 작가는 남에게 줄 수 있다는 것이 기쁨이라는 걸 넌지시 알려주려 하고 있다."고 전제하면서 이 이야기를 '재미있고 감동적인 동화'로 소개하고 있다.

박상재 역시 "동화에서는 비현실적인 원시성의 내포가 불가피하며 현실적이기보다는 이상성이 보다 많이 요구된다. 이상성이란 '꿈'의 세계요, '있어야 될' 세계를 추구하는 영원한 향수의 세계이다."라고 전제하면서 이 작품에 대하여 긍정적인 평가를 내리고 있다. 이들 두 평자들의 생각도 그렇지만 필자 역시 이 작품은 각각 좌절한 경험을 갖고 있는 두 주인공에게 만화경이라는 장치를 통해 '새로운 전진을 위해서는 낡은 것을 버려야 한다.'는 교훈을 주고 있다고 본다. 재미와 함께 감동을 주는 작품이다.

박성배의 동화들이 이렇게 독자에게 선호되고 평자들의 눈길을 끄는 데는 이유가 있다. 더구나 아동 소설이 그의 판타지동화 못지않게 많은 독자나 평자들이 간과하지 않는 이유라면 역시 그의 작품에 담겨 있는 문학성이다. 감동을 주면서 재미를 준다면 굳이 메르헨으로 지칭되는 동화만을 '동화의 원류'라 고집할 필요가 없음을 그는 보여 주고 있는 것이다.

이밖에 박성배의 리얼리틱한 표현 기법의 아동 소설이 많지만 교육성과 함께 기독교 정신을 발현하고 있는 작품집을 그대로 흘려보낼 수 없다. 바로 노인의 동심 회복에 초점을 맞춰 어린이와 노인을 두 축으로 하여 전개한 통화 〈산골 오두막집의 설날〉 등 열한 편의 아동 소설과 목사님의 아들로서 착한 마음으로 양보하고 참으며 자기를 다스리는 내용의 동화 《목사님의 아들》에 담겨 있는 〈마음 졸이신 예수님〉 등 아홉 편의 아동소설이다.

노인을 소재로 한 동화 중 〈산골오두막집의 설날〉은 설 전날 대처에 나가 있는 아들네 식구를 간절히 기다리는 노부부의 이야기이다. 눈은 하얗게 쌓이고 다람쥐와 토끼가 먹이를 찾아 내려오는 깊은 산 속 두 노인 사는 집에, 아들네 가족 대신 소포를 배달하기 위해 집배원이 찾아온다. 그는 외로운 두 노부부를 위로하기 위해 아들네 식구 수만큼 눈사람을 만들어 놓고 간다는 이야기이다.

독자는 이 작품을 읽다 보면 마음이 숙연해지고 서글퍼진다. 자손을 도시로 다 떠나보내고 외롭기만 산촌, 그곳에 소외된 노인들의 외로운 삶이 눈에 선하다. 자식을 보고 싶어 하는 마음을 그린 이 아동 소설은 독자들의 마음속까지를 가슴 시리게 한다. 노인을 소재로 한 동화는 이 밖에도 동심으로 살아가는 노인, 어린이와 함께 생각을 공유하는 내용은 물론 〈어슬렁 할아버지의 비밀〉처럼 아내의 생일 파티를 위해 초등학교 교실에 몰래 들어가 아이들과 선생님께 초대장을 보내는 이야기도 있다. 또 〈달밤에 나는 목마〉처럼 노인은 노인대로 어린이는 어린이대로 두고 온 고향에 대한 그리움을 주제로 담고 있는 이야기도 눈물겹다. 그는 이 이야기들에서 인간의 삶을 반추하고 또 사람이 이 세상을 어떻게, 어떤 마음으로 살아가야 하는지를 주제로 하고 있는데, 그의 이런 이야기들은 늘 재미있고 새롭고 감동적이다.

동화집 《목사님의 아들》에 수록된 작품들은 연작 형태로 주인공 기쁨이의 신앙생활을 소재로 한 이야기이다. 그 중에 〈마음 졸이신 예수님〉을 살펴보면 목사님 아들로서의 삶을 이야기하고 있다. 실제로도 목사님의 아들이었던 박성배는 주일(일요일)날 여러 가지 상황으로 예배 시간 도중에 슬그머니 나와 축구를 한다. 해트트릭을 세워 축구에는 이기지만 집에 돌아와 예수님과 대화를 한다. 그런데 자신이 축구를 하는 사이에 어머니가 교통사고를 당하는 화를 입는다. 주일 예배를 지키지 못하고 어머니가 교통사고까지 당한다는 목사님의 아들 이야기를 형상화한 작품이다. 또한 작품 〈예수님이 가르쳐 주신 신나는 일〉은 사랑과 용서를 주제로 하고 있다.

이처럼 이 작품집에 나와 있는 이야기들은 주인공이 목사님의 아들로서 살아가야 하는 멍에를 작품으로 승화시키고 있다. 여기서 다루어지는 주제는 양보의 미덕이나 우정, 용서, 위문, 존경 등의 덕목이다. 그의 유소년 시절 교회에서 겪었을 법한 이야기들, 그리고 어른이 된 후에 기독교인으로 비교독교인과 더불어 살아가면서 체험했을 법한 이야기가 전개된다.

박성배는 스스로 기독교인임을 표방한다. "나는 기독교인이다. 그러다 보니 자연스럽게 기독교적인 사상이나 신앙인의 모습이 동화에 나타날 수 있다고 본다. 그러나 동화는 독자인 어린이들 모두가 거부감 없이 빠져들어 읽을 수 있는 것이어야 한다는 기본적인 생각을 놓치지 않으려고 애쓰고 있다. 동화는 오직 '동화'일 뿐이다. 말하자면 어린이들에게 환희와 경이와 솟구치는 기쁨을 주는 문학이어야 한다. 이런 동화를 위해 광산에서 금을 캐듯 동화를 쓰고 싶다."고 말이다.

5. 맺는말

지금까지 박성배의 생애와 문학 그리고 그의 환상동화와 아동 소설 몇 편을 분석적으로 고찰했다. 그 분석 결과를 그의 생애와 관련하면서 다시 살펴보기도 했다. 그의 생애 특히 유년 시절의 성장과정, 그리고 직업, 종교 등과 관련하여 그 의식이나 추억이 내밀하게 스며들고 있는지를 탐색하여 본 것이다. 이제 그의 동화와 아동 소설의 두드러진 특정과 작품성을 결론적으로 요약해 제시한다.

박성배의 동화가 갖는 특성 중 두드러지는 것은 다음과 같다. 다시 말하지만 이 결과는 그의 동화와 아동 소설의 내용을 생성을 위한 소재 선택 및 조직과 표현 기법 그리고 담겨져 있는 주제를 그의 생애와 연관을 지어 고찰한 결과이다. 이를 아래와 같이 명시적으로 제시한다.

첫째로, 박성배 동화가 갖는 환상성이다. 그는 작품을 창작하는 과정에서 리얼리티와 판타지 세계를 절묘하게 조화시킴으로서 진한 감동을 일으키게 한다. 서사적인 구조가 확실한 이야기로 만들고 있으면서도 환상성이 높다는 강점이 있다. 게다가 안으로 흐르는 내면적인 운율과 리듬감, 언어의 섬세성이 서정성과 어울려 한 폭의 수채화를 감상하는 느낌을 준다.

이와 같은 그의 동화의 환상성은 판타지동화에서의 재미와 감동으로 나타난다. 그뿐만이 아니라 리얼리티 기법을 활용한 동화도 〈달밤에 탄 스케이트〉의 경우에서처럼 환상성이 잘 나타난다. 이 작품을 읽으면서 그의 동화가 판타지 기법을 활용한 동화는 물론 리얼리티 속에서도 환상성이 돋보일 수 있음을 보여 주고 있다.

둘째로, 그의 작품은 늘 동심의 내재 내지 회복을 강조하고 있다. 동화가 동심을 바탕으로 창작되어져야 한다는 것은 주지하는 바와 같이 상식에 속한다. 이를 잘 인지하고 있는 그는 창작 과정에서 이를 철저히 준수하고 있다. 그의 동화 속에는 일차적으로 원시적이고도 순수한 동심, 맑고 아름다운 동심이 내재되어 있다. 작품마다 이 사심이 없는 어린이 세계가 투명하게 나타난다.

　그는 이 동심을 어린이들의 마음 바탕에 깔려고만 하지 않는다. 성인, 그중에서도 노인에게서의 동심을 회복시키려는 의지를 보이고 있다. 작품 속에서 동장하는 인물인 노인이 어린이와 교감하면서 우리가 살아가는 데 있어서 으뜸 덕목들이 되는 주제를 담아 메시지로 내놓으면서도 동심이라는 바탕을 다지고 있다. 노인을 소재로 한 동화 〈산골 오두막집의 설날〉 등의 작품 속에 녹아 있는 이야기를 대하다 보면 인간이 태어날 때 신으로부터 부여 받은 본 마음인 천심 즉, 동심이 어떠한 것 인지를 극명하게 나타나고 있음을 인지하게 된다.

　셋째로, 그의 동화는 교육적이면서도 기독교적인 윤리 의식을 분명히 하고 있다. 작품이 친자연적이고 서정적인 분위기를 창출하면서, 그곳에는 교육자로서 그리고 종교인으로서의 가치관과 인생관이 녹아있음을 알 수 있다. 작품집 《행복한 비밀 하나》에 수록된 작품과 노인을 소재로 한 이야기들에서의 교육성은 대단하다. 그러면서도 교과서적이지 않고, 동화가 요구하는 대로 독자를 긴장시키는 흥미도 역시 매우 높다.

　또한 작품집 《목사님의 아들》에 수록된 〈혜미의 날개〉 등에서 보듯이 사람이 살아가는 데 있어서 윤리적인 바탕과 기독교 정신이 분명하게 깔려 있다. 작품 속에서 사건이 전개되는 동안 등장하는 중심인물의 캐릭터가 늘 양보하고, 참고, 배려하는 행동을 하도록 하고 있다. 이것이 바로 '예수 정신'을 바탕으로 하면서 삶의 방향과 푯대를 선하게 세우고 있는 것이 아닌가 한다.

　그런데 필자는 이 작품들이 그의 어린 시절의 성장기 속에서 형성 된 따뜻한 인성이나 경험했던 추억들과 연관되고 있음을 인지할 수 있었다. 뿐만 아니라 잠재된 무의식 세계가 발현된 유년의 추억과 꿈이 현재 어린이들의 독서 욕구를 충족하도록 작품화되었음을 작품 곳곳에 찾아볼 수 있었다. 결국 박성배의 교육관과 인생관, 그리고 종교의식이 함께 어우러져 형성된 철학이, 그의 작품성을 더욱 알차고 따뜻하게 만들고 있다고 본다.

　앞으로도 박성배 작가는 이 땅의 어린이들은 물론 그의 작품을 읽는 모든 독자에게 정신적 양식을 제공하는 작품 활동을 활발히 할 것이라 믿는다. 어린이가 읽는 책은 그 어린이가 성장하는 데 알게 모르게 자양분이 된다고 생각하는 박성배 작가의 작품들이 더욱 많이 발표될 수 있기를 기대한다.

어린이와 함께 선생이 걸어온 길

1946년 전남 목포에서 출생하였으며 본적은 전남 무안군 무안읍 매곡리. 삼향초등학교 입학, 2학년 때 목포 유달초등학교로 전학, 5학년 때 목포 산정초등학교로 전학 가서 졸업함. 목포 유달중학교, 문태고등학교를 졸업. 서울교육대학, 한국방송통신대학, 한양대학교 교육심리학과 졸업함.

1969년 한국일보사 발행 〈횃불〉에 동화 〈마귀를 이긴 선희〉 추천 받음.(박홍근 추천)

1975년 서울 〈교원문예〉 공모 동화 부문 최우수 당선됨.(이원수 심사)

1976년 서울 〈교원문예〉 공모 소설 부문 최우수 당선됨.

1978년 〈서울신문〉 신춘문예 동화 〈선아만의 비밀〉 당선됨.(김요섭 심사)
초등학교 교장으로 정년 퇴임함.

1989년~ 서울 꽃동산교회 장로로 활동함.

2010~2011년 노원문인협회 회장으로 위촉됨.

2011~2014년 한국문인협회 부이사장, 동산산업정보고등학교 상임이사를 역임함.

2014년 한국문인협회 아카데미 아동문학 강사로 일함.

2015년 〈계간문예〉 작가회 회장, 한국문인협회 자문 위원, 국제PEN한국본부 윤리 위원장, 사랑의 일기 재단 지도 위원, 주간 〈한국문학신문〉 논설 위원을 역임함.

저서

《새싹한테서 온 전화》
《꿈꾸는 아이》
《천사를 만난 바람》
《쫓겨 간 꼬마 도깨비》
《잠자리 꿈쟁이의 흔적》
《행복한 비밀 하나》
《꼬리에 리본을 단 꼬마쥐》 등 다수
동화 〈행복한 비밀 하나〉 등 다수가 교과서에 실림
동시집 《세상에, 세상에나》

수상

1986년 한국아동문학작가상 〈천사의 눈〉
1988년 대한민국문학상 《꿈꾸는 아이》

1994년 제16회 한국동화문학상 〈사랑의 빵〉

2004년 한인현 글짓기 지도상

2005년 제5회 천등아동문학상

2008년 아동문학의 날 본상

2012년 도전한국인상

　　　　문화예술인 대상 문학 부문

2015년 김영일아동문학상

2017년 국보문학대상

2018년 PEN문학상, 삼봉문학상, 춘우문학상